Liebe Clare,

Ich wünsche Dir ein frohes
und einen guten Rutsch.

Hier hast Du einen nicht nur erzählenden
Goethe, den Du aber hoffentlich genauso
interessant findest.

Viel Spaß

Deine Elke.

GOETHES WERKE

Hamburger Ausgabe in 14 Bänden
Herausgegeben von Erich Trunz

GOETHES WERKE
BAND XII

SCHRIFTEN ZUR KUNST
SCHRIFTEN ZUR LITERATUR
MAXIMEN UND REFLEXIONEN

*Textkritisch durchgesehen von Erich Trunz
und Hans Joachim Schrimpf*

*Kommentiert von Herbert von Einem
und Hans Joachim Schrimpf*

VERLAG C.H.BECK MÜNCHEN

Die ‚Hamburger Ausgabe‘ wurde begründet
im Christian Wegner Verlag, Hamburg
Die erste bis sechste Auflage des zwölften Bandes
erschien dort in den Jahren 1953 bis 1967

ISBN für diesen Band: 3 406 08492 3
ISBN für die 14bändige Ausgabe: 3 406 08495 8

Neunte, neubearbeitete Auflage. 1981
© C. H. Beck'sche Verlagsbuchhandlung (Oscar Beck), München 1981
Druck: C. H. Beck'sche Buchdruckerei, Nördlingen
Printed in Germany

SCHRIFTEN ZUR KUNST
SCHRIFTEN ZUR LITERATUR
MAXIMEN UND REFLEXIONEN

VON DEUTSCHER BAUKUNST

D. M. Ervini a Steinbach

(1772)

Als ich auf deinem Grabe herumwandelte, edler Erwin, und den Stein suchte, der mir deuten sollte: Anno domini 1318. XVI. Kal. Febr. obiit Magister Ervinus, Gubernator Fabricae Ecclesiae Argentinensis, und ich ihn nicht finden, keiner deiner Landsleute mir ihn zeigen konnte, daß sich meine Verehrung deiner an der heiligen Stätte ergossen hätte, da ward ich tief in die Seele betrübt, und mein Herz, jünger, wärmer, töriger und besser als jetzt, gelobte dir ein Denkmal, wenn ich zum ruhigen Genuß meiner Besitztümer gelangen würde, von Marmor oder Sandsteinen, wie ich's vermöchte.

Was braucht's dir Denkmal! Du hast dir das herrlichste errichtet; und kümmert die Ameisen, die drum krabbeln, dein Name nichts, hast du gleiches Schicksal mit dem Baumeister, der Berge auftürmte in die Wolken.

Wenigen ward es gegeben, einen Babelgedanken in der Seele zu zeugen, ganz, groß, und bis in den kleinsten Teil notwendig schön, wie Bäume Gottes; wenigern, auf tausend bietende Hände zu treffen, Felsengrund zu graben, steile Höhen drauf zu zaubern, und dann sterbend ihren Söhnen zu sagen: Ich bleibe bei euch, in den Werken meines Geistes, vollendet das Begonnene in die Wolken.

Was braucht's dir Denkmal! und von mir! Wenn der Pöbel heilige Namen ausspricht, ist's Aberglaube oder Lästerung. Dem schwachen Geschmäckler wird's ewig schwindeln an deinem Koloß, und ganze Seelen werden dich erkennen ohne Deuter.

Also nur, trefflicher Mann, eh' ich mein geflicktes Schiffchen wieder auf den Ozean wage, wahrscheinlicher dem Tod als dem Gewinst entgegen, siehe hier in diesem Hain, wo ringsum die Namen meiner Geliebten grünen, schneid' ich den deinigen in eine deinem Turm gleich schlank auf-

steigende Buche, hänge an seinen vier Zipfeln dies Schnupf-
tuch mit Gaben dabei auf. Nicht ungleich jenem Tuche,
das dem heiligen Apostel aus den Wolken herabgelassen
ward, voll reiner und unreiner Tiere, so auch voll Blumen,
5 Blüten, Blätter, auch wohl dürres Gras und Moos und über
Nacht geschoßne Schwämme, das alles ich auf dem Spaziergang durch unbedeutende Gegenden, kalt zu meinem Zeitvertreib botanisierend, eingesammelt, dir nun zu Ehren
der Verwesung weihe.

———

10 Es ist im kleinen Geschmack, sagt der Italiener, und geht
vorbei. Kindereien! lallt der Franzose nach, und schnellt
triumphierend auf seine Dose à la Grecque. Was habt ihr
getan, daß ihr verachten dürft?

Hat nicht der seinem Grab entsteigende Genius der
15 Alten den deinen gefesselt, Welscher! Krochst an den
mächtigen Resten, Verhältnisse zu betteln, flicktest aus den
heiligen Trümmern dir Lusthäuser zusammen und hältst
dich für Verwahrer der Kunstgeheimnisse, weil du auf Zoll
und Linien von Riesengebäuden Rechenschaft geben
20 kannst. Hättest du mehr gefühlt als gemessen, wäre der
Geist der Massen über dich gekommen, die du anstauntest,
du hättest nicht so nur nachgeahmt, weil sie's taten und es
schön ist; notwendig und wahr hättest du deine Plane
geschaffen, und lebendige Schönheit wäre bildend aus ihnen
25 gequollen.

So hast du deinen Bedürfnissen einen Schein von Wahrheit und Schönheit aufgetüncht. Die herrliche Wirkung der
Säulen traf dich, du wolltest auch ihrer brauchen und
mauertest sie ein, wolltest auch Säulenreihen haben und
30 umzirkeltest den Vorhof der Peterskirche mit Marmorgängen,
die nirgends hin noch her führen, daß Mutter Natur, die
das Ungehörige und Unnötige verachtet und haßt, deinen
Pöbel trieb, ihre Herrlichkeit zu öffentlichen Kloaken zu
prostituieren, daß ihr die Augen wegwendet und die Nasen
35 zuhaltet vorm Wunder der Welt.

Das geht nun so alles seinen Gang, die Grille des Künstlers dient dem Eigensinne des Reichen, der Reisebeschreiber
gafft, und unsre schöne Geister, genannt Philosophen,

erdrechseln aus protoplastischen Märchen Prinzipien und
Geschichte der Künste bis auf den heutigen Tag, und echte
Menschen ermordet der böse Genius im Vorhof der Ge-
heimnisse.

Schädlicher als Beispiele sind dem Genius Prinzipien. 5
Vor ihm mögen einzelne Menschen einzelne Teile bearbeitet
haben. Er ist der erste, aus dessen Seele die Teile, in ein
ewiges Ganze zusammengewachsen, hervortreten. Aber
Schule und Prinzipium fesselt alle Kraft der Erkenntnis und
Tätigkeit. Was soll uns das, du neufranzösischer philoso- 10
phierender Kenner, daß der erste zum Bedürfnis erfindsame
Mensch vier Stämme einrammelte, vier Stangen drüber
verband, und Äste und Moos drauf deckte? Daraus ent-
scheidest du das Gehörige unsrer heurigen Bedürfnisse,
eben als wenn du dein neues Babylon mit einfältigem pa- 15
triarchalischem Hausvatersinn regieren wolltest.

Und es ist noch dazu falsch, daß deine Hütte die erstgeborne der Welt ist. Zwei an ihrem Gipfel sich kreuzende
Stangen vornen, zwei hinten und eine Stange quer über
zum First ist und bleibt, wie du alltäglich an Hütern der 20
Felder und Weinberge erkennen kannst, eine weit primävere
Erfindung, von der du doch nicht einmal Prinzipium für
deine Schweineställe abstrahieren könntest.

So vermag keiner deiner Schlüsse sich zur Region der
Wahrheit zu erheben, sie schweben alle in der Atmosphäre 25
deines Systems. Du willst uns lehren, was wir brauchen
sollen, weil das, was wir brauchen, sich nach deinen Grundsätzen nicht rechtfertigen läßt.

Die Säule liegt dir sehr am Herzen, und in andrer Welt-
gegend wärst du Prophet. Du sagst: Die Säule ist der erste, 30
wesentliche Bestandteil des Gebäudes, und der schönste.
Welche erhabene Eleganz der Form, welche reine mannigfaltige Größe, wenn sie in Reihen da stehn! Nur hütet euch,
sie ungehörig zu brauchen; ihre Natur ist, frei zu stehn.
Wehe den Elenden, die ihren schlanken Wuchs an plumpe 35
Mauern geschmiedet haben!

Und doch, dünkt mich, lieber Abt, hätte die öftere Wiederholung dieser Unschicklichkeit des Säuleneinmauerns, daß
die Neuern sogar antiker Tempel Interkolumnia mit Mauer-

werk ausstopften, dir einiges Nachdenken erregen können.
Wäre dein Ohr nicht für Wahrheit taub, diese Steine würden
sie dir gepredigt haben.

Säule ist mit nichten ein Bestandteil unsrer Wohnungen;
5 sie widerspricht vielmehr dem Wesen all unsrer Gebäude.
Unsre Häuser entstehen nicht aus vier Säulen in vier Ecken;
sie entstehen aus vier Mauern auf vier Seiten, die statt aller
Säulen sind, alle Säulen ausschließen, und wo ihr sie anflickt,
sind sie belastender Überfluß. Eben das gilt von unsern
10 Palästen und Kirchen. Wenige Fälle ausgenommen, auf die
ich nicht zu achten brauche.

Eure Gebäude stellen euch also Flächen dar, die, je
weiter sie sich ausbreiten, je kühner sie gen Himmel steigen,
mit desto unerträglicherer Einförmigkeit die Seele unter-
15 drücken müssen! Wohl! wenn uns der Genius nicht zu
Hülfe käme, der Erwinen von Steinbach eingab: ver-
mannigfaltige die ungeheure Mauer, die du gen Himmel
führen sollst, daß sie aufsteige gleich einem hocherhabnen,
weitverbreiteten Baume Gottes, der mit tausend Ästen,
20 Millionen Zweigen und Blättern wie der Sand am Meer
ringsum der Gegend verkündet die Herrlichkeit des Herrn,
seines Meisters.

———

Als ich das erstemal nach dem Münster ging, hatt' ich
den Kopf voll allgemeiner Erkenntnis guten Geschmacks.
25 Auf Hörensagen ehrt' ich die Harmonie der Massen, die
Reinheit der Formen, war ein abgesagter Feind der verworrnen Willkürlichkeiten gotischer Verzierungen. Unter
die Rubrik Gotisch, gleich dem Artikel eines Wörterbuchs,
häufte ich alle synonymische Mißverständnisse, die mir von
30 Unbestimmtem, Ungeordnetem, Unnatürlichem, Zusam-
mengestoppeltem, Aufgeflicktem, Überladenem jemals durch
den Kopf gezogen waren. Nicht gescheiter als ein Volk, das
die ganze fremde Welt barbarisch nennt, hieß alles Gotisch,
was nicht in mein System paßte, von dem gedrechselten
35 bunten Puppen- und Bilderwerk an, womit unsre bürgerliche Edelleute ihre Häuser schmücken, bis zu den ernsten
Resten der älteren deutschen Baukunst, über die ich, auf
Anlaß einiger abenteuerlichen Schnörkel, in den allgemeinen

Gesang stimmte: „Ganz von Zierat erdrückt!", und so graute mir's im Gehen vorm Anblick eines mißgeformten krausborstigen Ungeheuers.

Mit welcher unerwarteten Empfindung überraschte mich der Anblick, als ich davor trat! Ein ganzer, großer Eindruck füllte meine Seele, den, weil er aus tausend harmonierenden Einzelnheiten bestand, ich wohl schmecken und genießen, keineswegs aber erkennen und erklären konnte. Sie sagen, daß es also mit den Freuden des Himmels sei, und wie oft bin ich zurückgekehrt, diese himmlisch-irdische Freude zu genießen, den Riesengeist unsrer ältern Brüder in ihren Werken zu umfassen. Wie oft bin ich zurückgekehrt, von allen Seiten, aus allen Entfernungen, in jedem Lichte des Tags zu schauen seine Würde und Herrlichkeit! Schwer ist's dem Menschengeist, wenn seines Bruders Werk so hoch erhaben ist, daß er nur beugen und anbeten muß. Wie oft hat die Abenddämmerung mein durch forschendes Schauen ermattetes Aug' mit freundlicher Ruhe geletzt, wenn durch sie die unzähligen Teile zu ganzen Massen schmolzen, und nun diese, einfach und groß, vor meiner Seele standen und meine Kraft sich wonnevoll entfaltete, zugleich zu genießen und zu erkennen! Da offenbarte sich mir, in leisen Ahndungen, der Genius des großen Werkmeisters. Was staunst du? lispelt' er mir entgegen. Alle diese Massen waren notwendig, und siehst du sie nicht an allen älteren Kirchen meiner Stadt? Nur ihre willkürliche Größen hab' ich zum stimmenden Verhältnis erhoben. Wie über dem Haupteingang, der zwei kleinere zun Seiten beherrscht, sich der weite Kreis des Fensters öffnet, der dem Schiffe der Kirche antwortet und sonst nur Tageloch war, wie hoch drüber der Glockenplatz die kleineren Fenster forderte! das all war notwendig, und ich bildete es schön. Aber ach, wenn ich durch die düstern, erhabnen Öffnungen hier zur Seite schwebe, die leer und vergebens da zu stehn scheinen. In ihre kühne schlanke Gestalt hab' ich die geheimnisvollen Kräfte verborgen, die jene beiden Türme hoch in die Luft heben sollten, deren, ach, nur einer traurig da steht, ohne den fünfgetürmten Hauptschmuck, den ich ihm bestimmte, daß ihm und seinem königlichen Bruder die Provinzen um-

her huldigten. Und so schied er von mir, und ich versank in teilnehmende Traurigkeit. Bis die Vögel des Morgens, die in seinen tausend Öffnungen wohnen, der Sonne entgegen-jauchzten und mich aus dem Schlummer weckten. Wie
5 frisch leuchtet' er im Morgenduftglanz mir entgegen, wie froh konnt' ich ihm meine Arme entgegenstrecken, schauen die großen harmonischen Massen, zu unzählig kleinen Teilen belebt, wie in Werken der ewigen Natur, bis aufs geringste Zäserchen, alles Gestalt, und alles zweckend zum
10 Ganzen; wie das festgegründete, ungeheure Gebäude sich leicht in die Luft hebt, wie durchbrochen alles und doch für die Ewigkeit. Deinem Unterricht dank' ich's, Genius, daß mir's nicht mehr schwindelt an deinen Tiefen, daß in meine Seele ein Tropfen sich senkt der Wonneruh des Gei-
15 stes, der auf solch eine Schöpfung herabschauen und gott-gleich sprechen kann: Es ist gut!

———

Und nun soll ich nicht ergrimmen, heiliger Erwin, wenn der deutsche Kunstgelehrte, auf Hörensagen neidi-scher Nachbarn, seinen Vorzug verkennt, dein Werk mit
20 dem unverstandnen Worte Gotisch verkleinert. Da er Gott danken sollte, laut verkündigen zu können: Das ist deutsche Baukunst, unsre Baukunst, da der Italiener sich keiner eig-nen rühmen darf, viel weniger der Franzos. Und wenn du dir selbst diesen Vorzug nicht zugestehen willst, so erweis
25 uns, daß die Goten schon wirklich so gebaut haben, wo sich einige Schwierigkeiten finden werden. Und, ganz am Ende, wenn du nicht dartust, ein Homer sei schon vor dem Homer gewesen, so lassen wir dir gerne die Geschichte kleiner gelungner und mißlungner Versuche, und treten
30 anbetend vor das Werk des Meisters, der zuerst die zer-streuten Elemente in ein lebendiges Ganze zusammenschuf. Und du, mein lieber Bruder im Geiste des Forschens nach Wahrheit und Schönheit, verschließ dein Ohr vor allem Wortgeprahle über bildende Kunst, komm, genieße und
35 schaue. Hüte dich, den Namen deines edelsten Künstlers zu entheiligen, und eile herbei, daß du schauest sein treffliches Werk! Macht es dir einen widrigen Eindruck, oder keinen, so gehab dich wohl, laß einspannen, und so weiter nach Paris.

Aber zu dir, teurer Jüngling, gesell' ich mich, der du bewegt dastehst und die Widersprüche nicht vereinigen kannst, die sich in deiner Seele kreuzen, bald die unwiderstehliche Macht des großen Ganzen fühlst, bald mich einen Träumer schiltst, daß ich da Schönheit sehe, wo du nur 5 Stärke und Rauheit siehst. Laß einen Mißverstand uns nicht trennen, laß die weiche Lehre neuerer Schönheitelei dich für das bedeutende Rauhe nicht verzärteln, daß nicht zuletzt deine kränkelnde Empfindung nur eine unbedeutende Glätte ertragen könne. Sie wollen euch glauben machen, 10 die schönen Künste seien entstanden aus dem Hang, den wir haben sollen, die Dinge rings um uns zu verschönern. Das ist nicht wahr! Denn in dem Sinne, darin es wahr sein könnte, braucht wohl der Bürger und Handwerker die Worte, kein Philosoph. 15

Die Kunst ist lange bildend, eh' sie schön ist, und doch so wahre, große Kunst, ja oft wahrer und größer als die schöne selbst. Denn in dem Menschen ist eine bildende Natur, die gleich sich tätig beweist, wann seine Existenz gesichert ist. Sobald er nichts zu sorgen und zu fürchten hat, greift 20 der Halbgott, wirksam in seiner Ruhe, umher nach Stoff, ihm seinen Geist einzuhauchen. Und so modelt der Wilde mit abenteuerlichen Zügen, gräßlichen Gestalten, hohen Farben seine Kokos, seine Federn und seinen Körper. Und laßt diese Bildnerei aus den willkürlichsten Formen bestehn, 25 sie wird ohne Gestaltsverhältnis zusammenstimmen; denn eine Empfindung schuf sie zum charakteristischen Ganzen.

Diese charakteristische Kunst ist nun die einzige wahre. Wenn sie aus inniger, einiger, eigner, selbstständiger Empfindung um sich wirkt, unbekümmert, ja unwissend alles 30 Fremden, da mag sie aus rauher Wildheit oder aus gebildeter Empfindsamkeit geboren werden, sie ist ganz und lebendig. Da seht ihr bei Nationen und einzelnen Menschen dann unzählige Grade. Je mehr sich die Seele erhebt zu dem Gefühl der Verhältnisse, die allein schön und von Ewig- 35 keit sind, deren Hauptakkorde man beweisen, deren Geheimnisse man nur fühlen kann, in denen sich allein das Leben des gottgleichen Genius in seligen Melodien herumwälzt; je mehr diese Schönheit in das Wesen eines Geistes

eindringt, daß sie mit ihm entstanden zu sein scheint, daß
ihm nichts genugtut als sie, daß er nichts aus sich wirkt
als sie, desto glücklicher ist der Künstler, desto herrlicher
ist er, desto tiefgebeugter stehen wir da und beten an den
5 Gesalbten Gottes.

Und von der Stufe, auf welche Erwin gestiegen ist,
wird ihn keiner herabstoßen. Hier steht sein Werk, tretet
hin und erkennt das tiefste Gefühl von Wahrheit und
Schönheit der Verhältnisse, wirkend aus starker, rauher,
10 deutscher Seele, auf dem eingeschränkten düstern Pfaffenschauplatz des medii aevi.

————

Und unser aevum? hat auf seinen Genius verziehen, hat
seine Söhne umhergeschickt, fremde Gewächse zu ihrem
Verderben einzusammeln. Der leichte Franzose, der noch
15 weit ärger stoppelt, hat wenigstens eine Art von Witz, seine
Beute zu Einem Ganzen zu fügen, er baut jetzt aus griechischen Säulen und deutschen Gewölbern seiner Magdalene
einen Wundertempel. Von einem unsrer Künstler, als er
ersucht ward, zu einer altdeutschen Kirche ein Portal zu
20 erfinden, hab' ich gesehen ein Modell fertigen, stattlichen
antiken Säulenwerks.

Wie sehr unsre geschminkte Puppenmaler mir verhaßt
sind, mag ich nicht deklamieren. Sie haben durch theatralische Stellungen, erlogne Teints und bunte Kleider die
25 Augen der Weiber gefangen. Männlicher Albrecht Dürer,
den die Neulinge anspötteln, deine holzgeschnitzteste Gestalt ist mir willkommner.

Und ihr selbst, treffliche Menschen, denen die höchste
Schönheit zu genießen gegeben ward, und nunmehr her-
30 abtretet, zu verkünden eure Seligkeit, ihr schadet dem Genius.
Er will auf keinen fremden Flügeln, und wären's die Flügel
der Morgenröte, emporgehoben und fortgerückt werden.
Seine eigne Kräfte sind's, die sich im Kindertraum entfalten, im Jünglingsleben bearbeiten, bis er stark und behend
35 wie der Löwe des Gebirges auseilt auf Raub. Drum erzieht
sie meist die Natur, weil ihr Pädagogen ihm nimmer den
mannigfaltigen Schauplatz erkünsteln könnt, stets im gegenwärtigen Maß seiner Kräfte zu handeln und zu genießen.

Heil dir, Knabe! der du mit einem scharfen Aug' für Verhältnisse geboren wirst, dich mit Leichtigkeit an allen Gestalten zu üben. Wenn denn nach und nach die Freude des Lebens um dich erwacht und du jauchzenden Menschen- genuß nach Arbeit, Furcht und Hoffnung fühlst; das mutige 5 Geschrei des Winzers, wenn die Fülle des Herbsts seine Gefäße anschwellt, den belebten Tanz des Schnitters, wenn er die müßige Sichel hoch in den Balken geheftet hat; wenn denn männlicher die gewaltige Nerve der Begierden und Leiden in deinem Pinsel lebt, du gestrebt und gelitten ge- 10 nug hast, und genug genossen, und satt bist irdischer Schönheit, und wert bist, auszuruhen in dem Arme der Göttin, wert, an ihrem Busen zu fühlen, was den vergötter- ten Herkules neu gebar – nimm ihn auf, himmlische Schönheit, du Mittlerin zwischen Göttern und Menschen, 15 und mehr als Prometheus leit' er die Seligkeit der Götter auf die Erde.

AUS DEN
FRANKFURTER GELEHRTEN ANZEIGEN

(1772)   20

Die schönen Künste in ihrem Ursprung, ihrer wahren Natur und besten Anwendung, betrachtet von J. G. Sulzer. Leipzig 1772. 8. 85 S.

Sehr bequem ins Französische zu übersetzen, könnte auch wohl aus dem Französischen übersetzt sein. Herr 25 Sulzer, der nach dem Zeugnis eines unsrer berühmten Männer ein ebenso großer Philosoph ist als irgendeiner aus dem Altertume, scheint in seiner Theorie, nach Art der Alten, mit einer exoterischen Lehre das arme Publikum abzuspeisen, und diese Bogen sind, wo möglich, unbedeu- 30 tender als alles andre.
Die schönen Künste, ein Artikel der allgemeinen Theorie, tritt hier besonders ans Licht, um die Liebhaber und Kenner desto bälder in Stand zu setzen, vom Ganzen

zu urteilen. Wir haben beim Lesen des großen Werks bisher
schon manchen Zweifel gehabt; da wir nun aber gar die
Grundsätze, worauf sie gebaut ist, den Leim, der die ver-
worfnen Lexikonsglieder zusammenkleben soll, untersuchen,
so finden wir uns in der Meinung nur zu sehr bestärkt: hier
sei für niemanden nichts getan als für den Schüler, der
Elementa sucht, und für den ganz leichten Dilettante nach
der Mode.

Daß eine Theorie der Künste für Deutschland noch nicht
gar in der Zeit sein möchte, haben wir schon ehmals unsre
Gedanken gesagt. Wir bescheiden uns wohl, daß eine solche
Meinung die Ausgabe eines solchen Buches nicht hindern
kann; nur warnen können und müssen wir unsre gute junge
Freunde vor dergleichen Werken. Wer von den Künsten
nicht sinnliche Erfahrung hat, der lasse sie lieber. Warum
sollte er sich damit beschäftigen? Weil es so Mode ist? Er
bedenke, daß er sich durch alle Theorie den Weg zum wahren Genusse versperrt, denn ein schädlicheres Nichts als
sie ist nicht erfunden worden.

Die schönen Künste, der Grundartikel Sulzerischer
Theorie. Da sind sie denn, versteht sich, wieder alle beisammen, verwandt oder nicht. Was steht im Lexiko nicht
alles hintereinander? Was läßt sich durch solche Philosophie nicht verbinden? Malerei und Tanzkunst, Beredsamkeit und Baukunst, Dichtkunst und Bildhauerei, alle aus
einem Loche, durch das magische Licht eines philosophischen Lämpchens auf die weiße Wand gezaubert, tanzen
sie im Wunderschein buntfarbig auf und nieder, und die
verzückten Zuschauer frohlocken sich fast außer Atem.

Daß einer, der ziemlich schlecht räsonierte, sich einfallen
ließ, gewisse Beschäftigungen und Freuden der Menschen,
die bei ungenialischen, gezwungnen Nachahmern Arbeit
und Mühseligkeit wurden, ließen sich unter die Rubrik
Künste, schöne Künste klassifizieren, zum Behuf theoretischer Gaukelei, das ist denn der Bequemlichkeit wegen Leitfaden geblieben zur Philosophie darüber, da sie doch nicht
verwandter sind als septem artes liberales der alten Pfaffenschulen.

Wir erstaunen, wie Herr S., wenn er auch nicht drüber

nachgedacht hätte, in der Ausführung die große Unbequemlichkeit nicht fühlen mußte, daß, solange man in generalioribus sich aufhält, man nichts sagt und höchstens durch Deklamation den Mangel des Stoffes vor Unerfahrnen verbergen kann.

Er will das unbestimmte Prinzipium: Nachahmung der Natur, verdrängen und gibt uns ein gleich unbedeutendes dafür: die Verschönerung der Dinge. Er will, nach hergebrachter Weise, von Natur auf Kunst herüberschließen: „In der ganzen Schöpfung stimmt alles darin überein, daß das Aug' und die andern Sinnen von allen Seiten her durch angenehme Eindrücke gerührt werden." Gehört denn, was unangenehme Eindrücke auf uns macht, nicht so gut in den Plan der Natur als ihr Lieblichstes? Sind die wütenden Stürme, Wasserfluten, Feuerregen, unterirdische Glut, und Tod in allen Elementen nicht ebenso wahre Zeugen ihres ewigen Lebens als die herrlich aufgehende Sonne über volle Weinberge und duftende Orangenhaine? Was würde Herr Sulzer zu der liebreichen Mutter Natur sagen, wenn sie ihm eine Metropolis, die er mit allen schönen Künsten, Handlangerinnen, erbaut und bevölkert hätte, in ihren Bauch hinunterschlänge?

Ebensowenig besteht die Folgerung: „Die Natur wollte durch die von allen Seiten auf uns zuströmenden Annehmlichkeiten unsre Gemüter überhaupt zu der Sanftmut und Empfindsamkeit bilden." Überhaupt tut sie das nie, sie härtet vielmehr, Gott sei Dank, ihre echten Kinder gegen die Schmerzen und Übel ab, die sie ihnen unablässig bereitet, so daß wir den den glücklichsten Menschen nennen können, der der stärkste wäre, dem Übel zu entgegnen, es von sich zu weisen und ihm zum Trutz den Gang seines Willens zu gehen. Das ist nun einem großen Teil der Menschen zu beschwerlich, ja unmöglich; daher retirieren und retranchieren sich die meisten, sonderlich die Philosophen; deswegen sie denn auch überhaupt so adäquat disputieren.

Wie partikular und eingeschränkt ist folgendes, und wie viel soll es beweisen! „Vorzüglich hat diese zärtliche Mutter den vollen Reiz der Annehmlichkeit in die Gegenstände gelegt, die uns zur Glückseligkeit am nötigsten sind, be-

sonders die selige Vereinigung, wodurch der Mensch eine
Gattin findet." Wir ehren die Schönheit von ganzem Herzen, sind für ihre Attraktion nie unfühlbar gewesen; allein
sie hier zum primo mobili zu machen, kann nur der, der
von den geheimnisvollen Kräften nichts ahndet, durch die
jedes zu seinesgleichen gezogen wird, alles unter der
Sonne sich paart und glücklich ist.

Wäre es nun also auch wahr, daß die Künste zu Verschönerung der Dinge um uns wirken, so ist's doch falsch, daß
sie es nach dem Beispiele der Natur tun.

Was wir von Natur sehn, ist Kraft, die Kraft verschlingt;
nichts gegenwärtig, alles vorübergehend, tausend Keime
zertreten, jeden Augenblick tausend geboren, groß und
bedeutend, mannigfaltig ins Unendliche; schön und häß-
lich, gut und bös, alles mit gleichem Rechte nebeneinander
existierend. Und die Kunst ist gerade das Widerspiel; sie
entspringt aus den Bemühungen des Individuums, sich
gegen die zerstörende Kraft des Ganzen zu erhalten. Schon
das Tier durch seine Kunsttriebe scheidet, verwahrt
sich; der Mensch durch alle Zustände befestigt sich gegen
die Natur, ihre tausendfache Übel zu vermeiden und nur
das Maß von Gutem zu genießen; bis es ihm endlich gelingt, die Zirkulation aller seiner wahr- und gemachten
Bedürfnisse in einen Palast einzuschließen, sofern es möglich ist, alle zerstreute Schönheit und Glückseligkeit in seine
gläserne Mauern zu bannen, wo er denn immer weicher
und weicher wird, den Freuden des Körpers Freuden der
Seele substituiert, und seine Kräfte, von keiner Widerwärtigkeit zum Naturgebrauche aufgespannt, in Tugend,
Wohltätigkeit, Empfindsamkeit zerfließen.

Herr S. geht nun seinen Gang, den wir ihm nicht folgen
mögen; an einem großen Trupp Schüler kann's ihm so nicht
fehlen, denn er setzt Milch vor und nicht starke Speise;
redet viel von dem Wesen der Künste, Zweck; und preist
ihre hohe Nutzbarkeit als Mittel zu Beförderung der menschlichen Glückseligkeit. Wer den Menschen nur einigermaßen
kennt, und Künste und Glückseligkeit, wird hier wenig
hoffen; es werden ihm die vielen Könige einfallen, die mitten im Glanz ihrer Herrlichkeit der Ennui zu Tode fraß.

Denn wenn es nur auf Kennerschaft angesehn ist, wenn der Mensch nicht mitwirkend genießt, müssen bald Hunger und Ekel, die zwei feindlichsten Triebe, sich vereinigen, den elenden Pococurante zu quälen.

Hierauf läßt er sich ein auf eine Abbildung der Schick- sale schöner Künste und ihres gegenwärtigen Zustandes, die denn mit recht schönen Farben hin imaginiert ist, so gut und nicht besser als die Geschichten der Menschheit, die wir so gewohnt worden sind in unsern Tagen, wo immer das Märchen der vier Weltalter suffizienter ist, und im Ton der zum Roman umpragmatisierten Geschichte.

Nun kommt Herr S. auf unsere Zeiten und schilt, wie es einem Propheten geziemt, wacker auf sein Jahrhundert; leugnet zwar nicht, daß die schönen Künste mehr als zuviel Beförderer und Freunde gefunden haben, weil sie aber zum großen Zweck, zur moralischen Besserung des Volks, noch nicht gebraucht worden, haben die Großen nichts getan. Er träumt mit andern, eine weise Gesetzgebung würde zugleich Genies beleben und auf den wahren Zweck zu arbeiten anweisen können, und was dergleichen mehr ist.

Zuletzt wirft er die Frage auf, deren Beantwortung den Weg zur wahren Theorie eröffnen soll: „Wie ist es anzufangen, daß der dem Menschen angeborne Hang zur Sinnlichkeit zu Erhöhung seiner Sinnesart angewendet und in besondern Fällen als ein Mittel gebraucht werde, ihn unwiderstehlich zu seiner Pflicht zu reizen?" So halb und mißverstanden und in den Wind, als der Wunsch Ciceros, die Tugend in körperlicher Schönheit seinem Sohne zuzuführen. Herr S. beantwortet auch die Frage nicht, sondern deutet nur, worauf es hier ankomme, und wir machen das Büchlein zu. Ihm mag sein Publikum von Schülern und Kennerchens getreu bleiben, wir wissen, daß alle wahre Künstler und Liebhaber auf unsrer Seite sind, die so über den Philosophen lachen werden, wie sie sich bisher über die Gelehrten beschwert haben. Und zu diesen noch ein paar Worte, auf einige Künste eingeschränkt, das auf so viele gelten mag als kann.

Wenn irgendeine spekulative Bemühung den Künsten

nützen soll, so muß sie den Künstler grade angehen, seinem
natürlichen Feuer Luft machen, daß es um sich greife und
sich tätig erweise. Denn um den Künstler allein ist's zu tun,
daß der keine Seligkeit des Lebens fühlt als in seiner Kunst,
5 daß, in sein Instrument versunken, er mit allen seinen Empfindungen und Kräften da lebt. Am gaffenden Publikum,
ob das, wenn's ausgegafft hat, sich Rechenschaft geben kann,
warum's gaffte, oder nicht, was liegt an dem?

Wer also schriftlich, mündlich oder im Beispiel, immer
10 einer besser als der andre, den sogenannten Liebhaber, das
einzige wahre Publikum des Künstlers, immer näher und
näher zum Künstlergeist aufheben könnte, daß die Seele
mit einflösse ins Instrument, der hätte mehr getan als alle
psychologische Theoristen. Die Herren sind so hoch droben
15 im Empyreum transzendenter Tugendschöne, daß sie sich
um Kleinigkeiten hienieden nichts kümmern, auf die alles
ankommt. Wer von uns Erdensöhnen hingegen sieht nicht
mit Erbarmen, wieviel gute Seelen z. B. in der Musik an
ängstlicher mechanischer Ausübung hangenbleiben, drun-
20 ter erliegen?

Gott erhalt' unsre Sinnen, und bewahr' uns vor der
Theorie der Sinnlichkeit, und gebe jedem Anfänger einen
rechten Meister! Weil denn die nun nicht überall und
immer zu haben sind, und es doch auch geschrieben sein
25 soll, so gebe uns Künstler und Liebhaber ein περὶ ἑαυτοῦ
seiner Bemühungen, der Schwierigkeiten, die ihn am meisten aufgehalten, der Kräfte, mit denen er überwunden,
des Zufalls, der ihm geholfen, des Geistes, der in gewissen Augenblicken über ihn gekommen und ihn auf sein
30 Leben erleuchtet, bis er zuletzt, immer zunehmend, sich
zum mächtigen Besitz hinaufgeschwungen und als König
und Überwinder die benachbarten Künste, ja die ganze
Natur zum Tribute genötigt.

So würden wir nach und nach vom Mechanischen zum
35 Intellektuellen, vom Farbenreiben und Saitenaufziehen
zum wahren Einfluß der Künste auf Herz und Sinn
eine lebendige Theorie versammeln, würden dem Liebhaber
Freude und Mut machen, und vielleicht dem Genie etwas
nutzen.

ENGLISCHE KUPFERSTICHE

... Zwei Landschaften nach Claude Lorrain. Kinder des wärmsten poetischen Gefühls, reich an Gedanken, Ahndungen und paradiesischen Blicken. Das erste, gestochen von Mason, ein Morgen. Hier landet eine Flotte, von der Morgensonne, die überm Horizont noch im Nebel dämmert, angeblickt, an den Küsten des glücklichsten Weltteils; hier hauchen Felsen und Büsche in jugendlicher Schönheit ihren Morgenatem um einen Tempel edelster Baukunst, ein Zeichen edelster Bewohner. Wer bist du? der landet? an den Küsten, die von Göttern geliebt und geschützt, in untadelicher Natur aufblühen, kommst du mit deinen Heeren, Feind oder Gast des edlen Volks? Es ist Äneas, freundliche Winde von den Göttern führen dich in den Busen Italiens. Heil dir, Held! werde die Ahndung wahr! der heilige Morgen verkündet einen Tag der Klarheit, der hohen Sonne, sei er dir Vorbote der Herrlichkeit deines Reichs und seiner taggleich aufsteigenden Größe.

Das zweite! herabgestiegen ist die Sonne, vollendet ihr Taglauf, sinkt in Nebel und dämmert über Ruinen in weiter Gegend. Nacht wird zur Seite hier der Felsenwald, die Schafe stehn und schauen nach dem Heimweg, und mühsam zwingen diese Mädchen die Ziege zum Bade im Teich. Zusammengestürzt bist du Reich, zertrümmert deine Triumphbogen, zerfallen deine Paläste, mit Sträuchen verwachsen und düster, und über deiner öden Grabstätte dämmert Nebel im sinkenden Sonnenglanz.

AUS GOETHES BRIEFTASCHE

Ich hatte vor einiger Zeit versprochen, dies Buch mit Anmerkungen herauszugeben, nun ist mir aber zeither die Lust vergangen, Anmerkungen zu machen, da ich gespürt habe, daß jedermann gerne die Mühe über sich nimmt. Das Buch mag immer für Deutschland brauchbar sein, das in den Taschen seiner französischen Pumphosen viel Wahres, Gutes und Edles mit sich herumträgt.

Es ist endlich einmal Zeit, daß man aufgehöret hat, über die Form dramatischer Stücke zu reden, über ihre Länge und Kürze, ihre Einheiten, ihren Anfang, ihr Mittel und Ende, und wie das Zeug alle hieß. Auch geht unser Verfasser ziemlich stracks auf den Inhalt los, der sich sonst so von selbst zu geben schien.

Deswegen gibt's doch eine Form, die sich von jener unterscheidet wie der innere Sinn vom äußern, die nicht mit Händen gegriffen, die gefühlt sein will. Unser Kopf muß übersehen, was ein andrer Kopf fassen kann; unser Herz muß empfinden, was ein andres füllen mag. Das Zusammenwerfen der Regeln gibt keine Ungebundenheit, und wenn ja das Beispiel gefährlich sein sollte, so ist's doch im Grunde besser, ein verworrnes Stück machen, als ein kaltes.

Freilich wenn mehrere das Gefühl dieser innern Form hätten, die alle Formen in sich begreift, würden wir weniger verschobne Geburten des Geists aneklen. Man würde sich nicht einfallen lassen, jede tragische Begebenheit zum Drama zu strecken, nicht jeden Roman zum Schauspiel zerstücklen! Ich wollte, daß ein guter Kopf dies doppelte Unwesen parodierte, und etwa die Äsopische Fabel vom Wolf und Lamme zum Trauerspiel in fünf Akten umarbeitete.

Jede Form, auch die gefühlteste, hat etwas Unwahres; allein sie ist ein für allemal das Glas, wodurch wir die heiligen Strahlen der verbreiteten Natur an das Herz der Menschen zum Feuerblick sammeln. Aber das Glas! Wem's nicht gegeben wird, wird's nicht erjagen, es ist, wie der geheimnisvolle Stein der Alchimisten, Gefäß und Materie, Feuer und Kühlbad. So einfach, daß es vor allen Türen liegt, und so ein wunderbar Ding, daß just die Leute, die es besitzen, meist keinen Gebrauch davon machen können.

Wer übrigens eigentlich für die Bühne arbeiten will, studiere die Bühne, Wirkung der Fernemalerei, der Lichter, Schminke, Glanzleinewand und Flittern, lasse die Natur an ihrem Ort, und bedenke ja fleißig, nichts anzulegen, als was sich auf Brettern zwischen Latten, Pappendeckel und Leinewand durch Puppen, vor Kindern ausführen läßt.

*

Folgende Blätter streu' ich ins Publikum mit der Hoffnung, daß sie die Menschen finden werden, denen sie
Freude machen können. Sie enthalten Bemerkungen und
Grillen des Augenblicks, meist über bildende Kunst,
und scheinen also hier am unrechten Platz hingeworfen. 5
Sei's also nur denen, die einen Sprung über die Gräben,
wodurch Kunst von Kunst gesondert wird, als salto mortale
nicht fürchten, und solchen, die mit freundlichem Herzen
aufnehmen, was man ihnen in harmloser Zutraulichkeit
hinreicht. So auch mit den Gedichten. 10

I.

NACH FALCONET UND ÜBER FALCONET

– „Aber", möchte einer sagen, „diese schwebende Verbindungen, diese Glanzkraft des Marmors, die die Übereinstimmung hervorbringen, diese Übereinstimmung selbst, 15
begeistert sie nicht den Künstler mit der Weichheit, mit
der Lieblichkeit, die er nachher in seine Werke legt? Der
Gips dagegen, beraubt er ihn nicht einer Quelle von Annehmlichkeiten, die sowohl die Malerei als die Bildhauerkunst erheben? Diese Bemerkung ist nur obenhin. Der 20
Künstler findet die Zusammenstimmung weit stärker in den
Gegenständen der Natur als in einem Marmor, der sie vorstellt. Das ist die Quelle, wo er unaufhörlich schöpft, und da
hat er nicht, wie bei der Arbeit nach dem Marmor, zu
fürchten, ein schwacher Kolorist zu werden. Man ver- 25
gleiche nur, was diesen Teil betrifft, Rembrandt und Rubens mit Poussin und entscheide nachher, was ein Künstler
mit allen den sogenannten Vorzügen des Marmors gewinnt.
Auch sucht der Bildhauer die Stimmung nicht in der Materie, woraus er arbeitet, er versteht sie in der Natur zu 30
sehen, er findet sie so gut in dem Gips als in dem Marmor*;

---

* Warum ist die Natur immer schön? Überall schön? Überall bedeutend? Sprechend! Und der Marmor und Gips, warum will d e r Licht,
besonder Licht haben? Ist's nicht, weil die Natur sich ewig in sich bewegt, ewig neu erschafft und der Marmor, der belebteste, dasteht tot. 35
Erst durch den Zauberstab der Beleuchtung zu retten von seiner Leb-
losigkeit.

denn es ist falsch, daß der Gips eines harmonischen Marmors nicht auch harmonisch sei, sonst würde man nur Abgüsse ohne Gefühl machen können; das Gefühl ist Übereinstimmung und vice versa." Die Liebhaber, die so bezaubert von diesen Tons, diesen feinen Schwingungen sind,
haben nicht unrecht; denn es zeigen sich solche an dem
Marmor so gut wie in der ganzen Natur, nur erkennt man
sie leichter da, wegen der einfachen und starken Wirkung,
und der Liebhaber, weil er sie hier zum erstenmal bemerkt,
glaubt, daß sie nirgends oder wenigstens nirgends so kräftig
anzutreffen seien. Das Aug' des Künstlers aber findet sie
überall. Er mag die Werkstätte eines Schusters betreten
oder einen Stall, er mag das Gesicht seiner Geliebten, seine
Stiefel oder die Antike ansehn, überall sieht er die heiligen
Schwingungen und leise Töne, womit die Natur alle Gegenstände verbindet. Bei jedem Tritte eröffnet sich ihm
die magische Welt, die jene große Künstler innig und beständig umgab, deren Werke in Ewigkeit den wetteifernden
Künstler zur Ehrfurcht hinreißen, alle Verächter, ausländische und inländische, studierte und unstudierte, im Zaum
halten, und den reichen Sammler in Kontribution setzen
werden.

Jeder Mensch hat mehrmal in seinem Leben die Gewalt dieser Zauberei gefühlt, die den Künstler allgegen-
wärtig faßt, dadurch ihm die Welt ringsumher belebt wird.
Wer ist nicht einmal beim Eintritt in einen heiligen Wald
von Schauer überfallen worden? Wen hat die umfangende
Nacht nicht mit einem unheimlichen Grausen geschüttelt?
Wem hat nicht in Gegenwart seines Mädchens die ganze Welt
golden geschienen? Wer fühlte nicht an ihrem Arme Himmel
und Erde in wonnevollsten Harmonien zusammenfließen?

Davon fühlt nun der Künstler nicht allein die Wirkungen,
er dringt bis in die Ursachen hinein, die sie hervorbringen.
Die Welt liegt vor ihm, möcht' ich sagen, wie vor ihrem
Schöpfer, der in dem Augenblick, da er sich des Geschaff-
nen freut, auch alle die Harmonien genießt, durch die er sie
hervorbrachte und in denen sie besteht. Drum glaubt nicht
so schnell zu verstehen, was das heiße: Das Gefühl ist die
Harmonie und vice versa.

Und das ist es, was immer durch die Seele des Künstlers
webt, was in ihm nach und nach sich zum verstandensten
Ausdrucke drängt, ohne durch die Erkenntniskraft durchgegangen zu sein.

Auch dieser Zauber ist's, der aus den Sälen der Großen
und aus ihren Gärten flieht, die nur zum Durchstreifen,
nur zum Schauplatz der aneinander hinwischenden Eitelkeit
ausstaffiert und beschnitten sind. Nur da, wo Vertraulich-
keit, Bedürfnis, Innigkeit wohnen, wohnt alle Dichtungs-
kraft, und weh dem Künstler, der seine Hütte verläßt, um
in den akademischen Pranggebäuden sich zu verflattern!
Denn wie geschrieben steht: es seie schwer, daß ein Reicher
ins Reich Gottes komme, ebenso schwer ist's auch, daß ein
Mann, der sich der veränderlichen modischen Art gleich-
stellt, der sich an der Flitterherrlichkeit der neuen Welt
ergötzt, ein gefühlvoller Künstler werde. Alle Quellen natürlicher Empfindung, die der Fülle unsrer Väter offen
waren, schließen sich ihm. Die papierne Tapete, die an
seiner Wand in wenig Jahren verbleicht, ist ein Zeugnis
seines Sinns und ein Gleichnis seiner Werke.

Über das Übliche sind schon so viel Blätter verdorben
worden; mögen diese mit drein gehn. Mich dünkt, das
Schickliche gelte in aller Welt fürs Übliche; und was
ist in der Welt schicklicher als das Gefühlte? Rembrandt, Raffael, Rubens kommen mir in ihren geistlichen
Geschichten wie wahre Heilige vor, die sich Gott überall
auf Schritt und Tritt, im Kämmerlein und auf dem Felde
gegenwärtig fühlen und nicht des umständlichen Prachts
von Tempeln und Opfern bedürfen, um ihn an ihre Herzen herbeizuzerren. Ich setze da drei Meister zusammen,
die man fast immer durch Berge und Meere zu trennen
pflegt, aber ich dürfte mich wohl getrauen, noch manche
große Namen herzusetzen, und zu beweisen, daß sie sich
alle in diesem wesentlichen Stücke gleich waren.

Ein großer Maler wie der andre lockt durch große und
kleine empfundne Naturzüge den Zuschauer, daß er glauben
soll, er sei in die Zeiten der vorgestellten Geschichte entrückt, und wird nur in die Vorstellungsart, in das Gefühl
des Malers versetzt. Und was kann er im Grunde verlangen,

als daß ihm Geschichte der Menschheit mit und zu wahrer
menschlicher Teilnehmung hingezaubert werde?

Wenn Rembrandt seine Mutter Gottes mit dem Kinde
als niederländische Bäurin vorstellt, sieht freilich jedes
Herrchen, daß entsetzlich gegen die Geschichte geschlägelt
ist, welche vermeldet: Christus seie zu Bethlehem im jüdi-
schen Lande geboren worden. Das haben die Italiener
besser gemacht! sagt er. Und wie? – Hat Raffael was anders, was mehr gemalt als eine liebende Mutter mit ihrem
Ersten, Einzigen? und war aus dem Sujet etwas anders zu
malen? Und ist Mutterliebe in ihren Abschattungen nicht
eine ergiebige Quelle für Dichter und Maler in allen Zeiten? Aber es sind die biblischen Stücke alle durch kalte
Veredlung und die gesteifte Kirchenschicklichkeit aus ihrer
Einfalt und Wahrheit herausgezogen und dem teilnehmenden Herzen entrissen worden, um gaffende Augen des
Dumpfsinns zu blenden. Sitzt nicht Maria zwischen den
Schnörkeln aller Altareinfassungen vor den Hirten mit dem
Knäblein da, als ließ' sie's um Geld sehn oder habe sich,
nach ausgeruhten vier Wochen, mit aller Kindbettsmuße
und Weibseitelkeit auf die Ehre dieses Besuchs vorbereitet?
Das ist nun schicklich! das ist gehörig! das stößt nicht
mit der Geschichte!

Wie behandelt Rembrandt diesen Vorwurf? Er versetzt
uns in einen dunkeln Stall; Not hat die Gebärerin getrieben,
das Kind an der Brust, mit dem Vieh das Lager zu teilen;
sie sind beide bis an Hals mit Stroh und Kleidern zugedeckt;
es ist alles düster, außer einem Lämpchen, das dem Vater
leuchtet, der mit einem Büchelchen dasitzt und Marien
einige Gebete vorzulesen scheint. In dem Augenblick
treten die Hirten herein. Der vorderste, der mit einer Stall-
laterne vorangeht, guckt, indem er die Mütze abnimmt,
in das Stroh. War an diesem Platze die Frage deutlicher
auszudrücken: Ist hier der neugeborne König der Juden?
Und so ist alles Costume lächerlich! denn auch der Maler,
der's euch am besten zu beobachten scheint, beobachtet's
nicht einen Augenblick. Derjenige, der auf die Tafel des
reichen Manns Stengelgläser setzte, würde übel angesehen
werden, und drum hilft er sich mit abenteuerlichen Formen,

belügt euch mit unbekannten Töpfen, aus welchem uralten
Gerümpelschranke er nur immer mag, und zwingt euch
durch den markleeren Adel überirdischer Wesen in statt-
lich gefalteten Schleppmänteln zu Bewundrung und Ehrfurcht.

Was der Künstler nicht geliebt hat, nicht liebt, soll er
nicht schildern, kann er nicht schildern. Ihr findet Rubensens Weiber zu fleischig! Ich sage euch, es waren seine
Weiber, und hätt' er Himmel und Hölle, Luft, Erd' und
Meer mit Idealen bevölkert, so wäre er ein schlechter Ehmann gewesen, und es wäre nie kräftiges Fleisch von seinem Fleisch und Bein von seinem Bein geworden*.

Es ist töricht, von einem Künstler zu fordern, er soll viel,
er soll alle Formen umfassen. Hatte doch oft die Natur
selbst für ganze Provinzen nur eine Gesichtsgestalt zu
vergeben. Wer allgemein sein will, wird nichts, die Einschränkung ist dem Künstler so notwendig als jedem, der
aus sich was Bedeutendes bilden will. Das Haften an ebendenselben Gegenständen, an dem Schrank voll alten Haus-
rats und wunderbaren Lumpen hat Rembrandt zu dem
Einzigen gemacht, der er ist. Denn ich will hier nur von
Licht und Schatten reden, ob sich gleich auf Zeichnung
eben das anwenden läßt. Das Haften an eben der Gestalt
unter einer Lichtsart muß notwendig den, der Auge hat,
endlich in alle Geheimnisse leiten, wodurch sich das Ding
ihm darstellt, wie es ist. Nimm jetzo das Haften an einer
Form, unter allen Lichtern, so wird dir dieses Ding immer
lebendiger, wahrer, runder, es wird endlich du selbst werden. Aber bedenke, daß jeder Menschenkraft ihre Grenzen
gegeben sind. Wieviel Gegenstände bist du imstande so

* In dem Stück von Goudt nach Elsheimer: Philemon und Baucis,
hat sich Jupiter auf einem Großvaterstuhl niedergelassen, Merkur ruht
auf einem niederen Lager aus, Wirt und Wirtin sind nach ihrer Art
beschäftigt, sie zu bedienen. Jupiter hat sich indessen in der Stube um-
gesehen, und just fallen seine Augen auf einen Holzschnitt an der Wand,
wo er einen seiner Liebesschwänke, durch Merkurs Beihülfe ausgeführt,
klärlich abgebildet sieht. Wenn so ein Zug nicht mehr wert ist als ein
ganzes Zeughaus wahrhafter antiker Nachtgeschirre, so will ich alles
Denken, Dichten, Trachten und Schreiben aufgeben.

zu fassen, daß sie aus dir wieder neu hervorgeschaffen werden mögen? Das frag' dich, geh vom Häuslichen aus und
verbreite dich, so du kannst, über alle Welt.

II.

DRITTE WALLFAHRT NACH ERWINS GRABE IM JULI 1775

Vorbereitung

Wieder an deinem Grabe und dem Denkmal des ewigen
Lebens in dir über deinem Grabe, heiliger Erwin! fühle
ich, Gott sei Dank, daß ich bin, wie ich war, noch immer
so kräftig gerührt von dem Großen und, o Wonne! noch
einziger, ausschließender gerührt von dem Wahren als
ehemals, da ich oft aus kindlicher Ergebenheit das zu ehren
mich bestrebte, wofür ich nichts fühlte und, mich selbst
betrügend, den kraft- und wahrheitsleeren Gegenstand mit
liebevoller Ahndung übertünchte. Wieviel Nebel sind von
meinen Augen gefallen, und doch bist du nicht aus meinem
Herzen gewichen, alles belebende Liebe! Die du mit der
Wahrheit wohnst, ob sie gleich sagen, du seist lichtscheu
und entfliehend im Nebel.

Gebet

Du bist Eins und lebendig, gezeugt und entfaltet, nicht
zusammengetragen und geflickt. Vor dir, wie vor dem
schaumstürmenden Sturze des gewaltigen Rheins, wie vor
der glänzenden Krone der ewigen Schneegebirge, wie vor
dem Anblick des heiter ausgebreiteten Sees und deiner
Wolkenfelsen und wüsten Täler, grauer Gotthard! wie vor
jedem großen Gedanken der Schöpfung, wird in der
Seele reg, was auch Schöpfungskraft in ihr ist. In Dichtung
stammelt sie über, in kritzlenden Strichen wühlt sie auf
dem Papier Anbetung dem Schaffenden, ewiges Leben,
umfassendes, unauslöschliches Gefühl des, das da ist und
da war und da sein wird.

Erste Station

Ich will schreiben, denn mir ist's wohl, und sooft ich da schrieb, ist's auch andern wohl worden, die's lasen, wenn ihnen das Blut rein durch die Adern floß und die Augen ihnen hell waren. Mög' es euch wohl sein, meine Freunde, 5 wie mir in der Luft, die mir über alle Dächer der verzerrten Stadt morgendlich auf diesem Umgange entgegenweht.

Zweite Station

Höher in der Luft, hinabschauend, schon überschauend die herrliche Ebne, vaterlandwärts, liebwärts und doch voll 10 bleibenden Gefühls des gegenwärtigen Augenblicks.

Ich schrieb ehmals ein Blatt verhüllter Innigkeit, das wenige lasen, buchstabenweise nicht verstanden, und worin gute Seelen nur Funken wehen sahen des, was sie unaussprechlich und unausgesprochen glücklich macht. Wunder- 15 lich war's, von einem Gebäude geheimnisvoll reden, Tatsachen in Rätsel hüllen, und von Maßverhältnissen poetisch lallen! Und doch geht mir's jetzt nicht besser. So sei es denn mein Schicksal, wie es dein Schicksal ist, himmelan strebender Turn, und deins, weitverbreitete Welt Gottes! 20 angegafft und läppchensweise in den Gehirnchen der Welschen aller Völker auftapeziert zu werden.

Dritte Station

Hätt' ich euch bei mir, schöpfungsvolle Künstler, gefühlvolle Kenner! deren ich auf meinen kleinen Wanderun- 25 gen so viele fand, und auch euch, die ich nicht fand und die sind. Wenn euch dies Blatt reichen wird, laßt es euch Stärkung sein gegen das flache unermüdete Anspulen unbedeutender Mittelmäßigkeit, und solltet ihr an diesen Platz kommen, gedenkt mein in Liebe. 30

Tausend Menschen ist die Welt ein Raritätenkasten, die Bilder gaukeln vorüber und verschwinden, die Eindrücke bleiben flach und einzeln in der Seele; drum lassen sie sich so leicht durch fremdes Urteil leiten, sie sind willig, die Eindrücke anders ordnen, verschieben und ihren Wert auf 35 und ab bestimmen zu lassen.

Hier ward durch Lenzens Ankunft die Andacht des
Schreibers unterbrochen, die Empfindung ging in Gespräche über, unter welchen die übrigen Stationen vollendet wurden. Mit jedem Tritte überzeugte man sich mehr:
5 daß Schöpfungskraft im Künstler sei aufschwellendes Gefühl der Verhältnisse, Maße und des Gehörigen, und daß
nur durch diese ein selbstständig Werk, wie andere Geschöpfe durch ihre individuelle Keimkraft hervorgetrieben
werden.

EINFACHE NACHAHMUNG DER NATUR, MANIER, STIL

Es scheint nicht überflüssig zu sein, genau anzuzeigen,
was wir uns bei diesen Worten denken, welche wir öfters
brauchen werden. Denn wenn man sich gleich auch der-
15 selben schon lange in Schriften bedient, wenn sie gleich
durch theoretische Werke bestimmt zu sein scheinen, so
braucht denn doch jeder sie meistens in einem eigenen
Sinne und denkt sich mehr oder weniger dabei, je schärfer
oder schwächer er den Begriff gefaßt hat, der dadurch aus-
20 gedrückt werden soll.

Einfache Nachahmung der Natur

Wenn ein Künstler, bei dem man das natürliche Talent
voraussetzen muß, in der frühsten Zeit, nachdem er nur
einigermaßen Auge und Hand an Mustern geübt, sich an
25 die Gegenstände der Natur wendete, mit Treue und Fleiß
ihre Gestalten, ihre Farben auf das genaueste nachahmte,
sich gewissenhaft niemals von ihr entfernte, jedes Gemälde,
das er zu fertigen hätte, wieder in ihrer Gegenwart anfinge
und vollendete, ein solcher würde immer ein schätzens-
30 werter Künstler sein; denn es könnte ihm nicht fehlen, daß
er in einem unglaublichen Grade wahr würde, daß seine
Arbeiten sicher, kräftig und reich sein müßten.

Wenn man diese Bedingungen genau überlegt, so sieht
man leicht, daß eine zwar fähige, aber beschränkte Natur

angenehme, aber beschränkte Gegenstände auf diese Weise behandlen könne.

Solche Gegenstände müssen leicht und immer zu haben sein; sie müssen bequem gesehen und ruhig nachgebildet werden können; das Gemüt, das sich mit einer solchen Arbeit beschäftigt, muß still, in sich gekehrt und in einem mäßigen Genuß genügsam sein.

Diese Art der Nachbildung würde also bei sogenannten toten oder stilliegenden Gegenständen von ruhigen, treuen, eingeschränkten Menschen in Ausübung gebracht werden. Sie schließt ihrer Natur nach eine hohe Vollkommenheit nicht aus.

Manier

Allein gewöhnlich wird dem Menschen eine solche Art, zu verfahren, zu ängstlich oder nicht hinreichend. Er sieht eine Übereinstimmung vieler Gegenstände, die er nur in ein Bild bringen kann, indem er das Einzelne aufopfert; es verdrießt ihn, der Natur ihre Buchstaben im Zeichnen nur gleichsam nachzubuchstabieren; er erfindet sich selbst eine Weise, macht sich selbst eine Sprache, um das, was er mit der Seele ergriffen, wieder nach seiner Art auszudrükken, einem Gegenstande, den er öfters wiederholt hat, eine eigne bezeichnende Form zu geben, ohne, wenn er ihn wiederholt, die Natur selbst vor sich zu haben, noch auch sich geradezu ihrer ganz lebhaft zu erinnern.

Nun wird es eine Sprache, in welcher sich der Geist des Sprechenden unmittelbar ausdrückt und bezeichnet. Und wie die Meinungen über sittliche Gegenstände sich in der Seele eines jeden, der selbst denkt, anders reihen und gestalten, so wird auch jeder Künstler dieser Art die Welt anders sehen, ergreifen und nachbilden, er wird ihre Erscheinungen bedächtiger oder leichter fassen, er wird sie gesetzter oder flüchtiger wieder hervorbringen.

Wir sehen, daß diese Art der Nachahmung am geschicktesten bei Gegenständen angewendet wird, welche in einem großen Ganzen viele kleine subordinierte Gegenstände enthalten. Diese letztere müssen aufgeopfert werden, wenn der allgemeine Ausdruck des großen Gegenstandes erreicht

werden soll, wie zum Exempel bei Landschaften der Fall
ist, wo man ganz die Absicht verfehlen würde, wenn man
sich ängstlich beim Einzelnen aufhalten und den Begriff
des Ganzen nicht vielmehr festhalten wollte.

Stil

Gelangt die Kunst durch Nachahmung der Natur, durch
Bemühung, sich eine allgemeine Sprache zu machen, durch
genaues und tiefes Studium der Gegenstände selbst endlich
dahin, daß sie die Eigenschaften der Dinge und die Art,
wie sie bestehen, genau und immer genauer kennen lernt,
daß sie die Reihe der Gestalten übersieht und die verschiedenen charakteristischen Formen nebeneinander zu stellen
und nachzuahmen weiß, dann wird der Stil der höchste
Grad, wohin sie gelangen kann; der Grad, wo sie sich den
höchsten menschlichen Bemühungen gleichstellen darf.

Wie die einfache Nachahmung auf dem ruhigen Dasein
und einer liebevollen Gegenwart beruhet, die Manier eine
Erscheinung mit einem leichten, fähigen Gemüt ergreift,
so ruht der Stil auf den tiefsten Grundfesten der Erkenntnis, auf dem Wesen der Dinge, insofern uns erlaubt ist,
es in sichtbaren und greiflichen Gestalten zu erkennen.

––––

Die Ausführung des oben Gesagten würde ganze Bände
einnehmen; man kann auch schon manches darüber in
Büchern finden; der reine Begriff aber ist allein an der Natur
und den Kunstwerken zu studieren. Wir fügen noch einige
Betrachtungen hinzu und werden, sooft von bildender
Kunst die Rede ist, Gelegenheit haben, uns dieser Blätter
zu erinnern.

Es läßt sich leicht einsehen, daß diese drei hier voneinander geteilten Arten, Kunstwerke hervorzubringen, genau
miteinander verwandt sind, und daß eine in die andere sich
zart verlaufen kann.

Die einfache Nachahmung leicht faßlicher Gegenstände
– wir wollen hier zum Beispiel Blumen und Früchte nehmen
– kann schon auf einen hohen Grad gebracht werden. Es
ist natürlich, daß einer, der Rosen nachbildet, bald die
schönsten und frischesten Rosen kennen und unterscheiden

und unter Tausenden, die ihm der Sommer anbietet, heraussuchen werde. Also tritt hier schon die Wahl ein, ohne daß sich der Künstler einen allgemeinen bestimmten Begriff von der Schönheit der Rose gemacht hätte. Er hat mit faßlichen Formen zu tun; alles kommt auf die mannigfaltige Bestimmung und die Farbe der Oberfläche an. Die pelzige Pfirsche, die fein bestaubte Pflaume, den glatten Apfel, die glänzende Kirsche, die blendende Rose, die mannigfaltigen Nelken, die bunten Tulpen, alle wird er nach Wunsch im höchsten Grade der Vollkommenheit ihrer Blüte und Reife in seinem stillen Arbeitszimmer vor sich haben; er wird ihnen die günstigste Beleuchtung geben; sein Auge wird sich an die Harmonie der glänzenden Farben, gleichsam spielend, gewöhnen; er wird alle Jahre dieselben Gegenstände zu erneuern wieder imstande sein, und durch eine ruhige nachahmende Betrachtung des simpeln Daseins die Eigenschaften dieser Gegenstände ohne mühsame Abstraktion erkennen und fassen: und so werden die Wunderwerke eines Huysums, einer Rachel Ruysch entstehen, welche Künstler sich gleichsam über das Mögliche hinüber gearbeitet haben. Es ist offenbar, daß ein solcher Künstler nur desto größer und entschiedener werden muß, wenn er zu seinem Talente noch ein unterrichteter Botaniker ist: wenn er, von der Wurzel an, den Einfluß der verschiedenen Teile auf das Gedeihen und den Wachstum der Pflanze, ihre Bestimmung und wechselseitige Wirkungen erkennt; wenn er die sukzessive Entwicklung der Blätter, Blumen, Befruchtung, Frucht und des neuen Keimes einsiehet und überdenkt. Er wird alsdenn nicht bloß durch die Wahl aus den Erscheinungen seinen Geschmack zeigen, sondern er wird uns auch durch eine richtige Darstellung der Eigenschaften zugleich in Verwunderung setzen und belehren. In diesem Sinne würde man sagen können, er habe sich einen Stil gebildet; da man von der andern Seite leicht einsehen kann, wie ein solcher Meister, wenn er es nicht gar so genau nähme, wenn er nur das Auffallende, Blendende leicht auszudrücken beflissen wäre, gar bald in die Manier übergehen würde.

Die einfache Nachahmung arbeitet also gleichsam im Vorhofe des Stils. Je treuer, sorgfältiger, reiner sie zu Werke

gehet, je ruhiger sie das, was sie erblickt, empfindet, je
gelassener sie es nachahmt, je mehr sie sich dabei zu denken
gewöhnt, das heißt, je mehr sie das Ähnliche zu vergleichen,
das Unähnliche voneinander abzusondern und einzelne Gegenstände unter allgemeine Begriffe zu ordnen lernet, desto
würdiger wird sie sich machen, die Schwelle des Heiligtums
selbst zu betreten.

Wenn wir nun ferner die Manier betrachten, so sehen wir,
daß sie im höchsten Sinne und in der reinsten Bedeutung
des Worts ein Mittel zwischen der einfachen Nachahmung
und dem Stil sein könne. Je mehr sie bei ihrer leichteren
Methode sich der treuen Nachahmung nähert, je eifriger
sie von der andern Seite das Charakteristische der Gegenstände zu ergreifen und faßlich auszudrücken sucht, je
mehr sie beides durch eine reine, lebhafte, tätige Individualität verbindet, desto höher, größer und respektabler wird
sie werden. Unterläßt ein solcher Künstler, sich an die
Natur zu halten und an die Natur zu denken, so wird er
sich immer mehr von der Grundfeste der Kunst entfernen,
seine Manier wird immer leerer und unbedeutender werden,
je weiter sie sich von der einfachen Nachahmung und von
dem Stil entfernt.

Wir brauchen hier nicht zu wiederholen, daß wir das
Wort Manier in einem hohen und respektablen Sinne nehmen, daß also die Künstler, deren Arbeiten nach unsrer
Meinung in den Kreis der Manier fallen, sich über uns
nicht zu beschweren haben. Es ist uns bloß angelegen,
das Wort Stil in den höchsten Ehren zu halten, damit uns
ein Ausdruck übrig bleibe, um den höchsten Grad zu bezeichnen, welchen die Kunst je erreicht hat und je erreichen
kann. Diesen Grad auch nur zu erkennen, ist schon eine
große Glückseligkeit, und davon sich mit Verständigen
unterhalten, ein edles Vergnügen, das wir uns in der Folge
zu verschaffen manche Gelegenheit finden werden.

BAUKUNST

1795.

In jeder Kunst ist schwerer, als man glaubt, zu bestimmen, was lobens- oder tadelnswert sei; um einigermaßen eine Norm für unsere Urteile über Baukunst zu finden, mache ich folgende Deduktion und bemerke nur vorläufig, daß einiges, was ich sagen werde, allen Künsten gemein ist; um aber nicht in Zweifel zu geraten, spreche ich davon bloß vorzüglich auf die Baukunst.

Die Baukunst setzt ein Material voraus, welches zu dreierlei Zwecken stufenweise angewendet werden kann.

Der Baukünstler lernt die Eigenschaften des Materials kennen und läßt sich entweder von den Eigenschaften gebieten, z. B. daß der Stein bloß vertikal trägt und getragen wird, das Holz hingegen auf eine große Weite horizontal trägt – hierbei ist das gemeine Handwerk hinreichend –, oder er zwingt das Material wie den Stein durch Gewölbe, durch Klammern, den Balken durch Hangwerke, und hierzu ist schon mechanische Kenntnis und Einsicht nötig.

Wir wenden uns nun zu den drei Zwecken, diese sind: der nächste, der höhere und der höchste.

Der nächste, wenn er bloß notwendig ist, läßt sich durch eine rohe Naturpfuscherei sinnlich erreichen; wird diese Notwendigkeit mannigfaltiger, was wir nützlich nennen, so gehört schon eine Handwerksübung dazu, um ihn zu erreichen; dieser nächste Zweck und dessen Beurteilung ist dem mehr oder weniger gebildeten Menschenverstand überlassen, das Notwendige mit Bequemlichkeit vollbringen zu können.

Soll aber das Baugeschäft den Namen einer Kunst verdienen, so muß es neben dem Notwendigen und Nützlichen auch sinnlich-harmonische Gegenstände hervorbringen. Dieses Sinnlich-Harmonische ist in jeder Kunst von eigner Art und bedingt; es kann nur innerhalb seiner Bedingung beurteilt werden. Diese Bedingungen entspringen aus dem Material, aus dem Zweck und aus der Natur des Sinns, für welchen das Ganze harmonisch sein soll.

Man sollte denken, die Baukunst als schöne Kunst arbeite allein fürs Auge; allein sie soll vorzüglich, und worauf man am wenigsten achthat, für den Sinn der mechanischen Bewegung des menschlichen Körpers arbeiten; wir fühlen eine angenehme Empfindung, wenn wir uns im Tanze nach gewissen Gesetzen bewegen; eine ähnliche Empfindung sollten wir bei jemand erregen können, den wir mit verbundenen Augen durch ein wohlgebautes Haus hindurchführen. Hier tritt die schwere und komplizierte Lehre von den Proportionen ein, wodurch der Charakter des Gebäudes und seiner verschiedenen Teile möglich wird.

Hier tritt nun aber bald die Betrachtung des höchsten Zweckes ein, welcher, wenn man so sagen darf, die Überbefriedigung des Sinnes sich vornimmt und einen gebildeten Geist bis zum Erstaunen und Entzücken erhebt; es kann dieses nur durch das Genie, das sich zum Herrn der übrigen Erfordernisse gemacht hätte, hervorgebracht werden; es ist dieses der poetische Teil der Baukunst, in welchem die Fiktion eigentlich wirkt. Die Baukunst ist keine nachahmende Kunst, sondern eine Kunst für sich, aber sie kann auf ihrer höchsten Stufe der Nachahmung nicht entbehren; sie überträgt die Eigenschaften eines Materials zum Schein auf das andere, wie z. B. bei allen Säulenordnungen die Holzbaukunst nachgeahmt ist; sie überträgt die Eigenschaften eines Gebäudes aufs andere, wie sie z. B. Säulen und Pilaster mit Mauren verbindet; sie tut es, um mannigfaltig und reich zu werden, und so schwer es hier vor den Künstler ist, immer zu fühlen, ob er das Schickliche tue, so schwer ist es für den Kenner, zu urteilen, ob das Schickliche getan sei.

Diese Absonderung der verschiedenen Zwecke wird uns sowohl bei Betrachtung der verschiedenen Gebäude sehr zustatten kommen, als auch in der Geschichte der Baukunst zum Leitfaden dienen.

Solange man nur den nächsten Zweck vor Augen hatte und sich von dem Material mehr beherrschen ließ, als daß man es beherrschte, war an keine Kunst zu denken, und es ist die Frage, ob die Etrurier in diesem Sinne ehemals Baukunst gehabt haben; solange man große Steine, wie man sie findet, in allen Gestalten und Richtungen zusammenfügt,

kann noch nicht einmal der Zufall den Handwerker auf
Symmetrie hinweisen; er wird erst eine Weile viereckte
Steine in horizontaler Lage übereinander gemauert haben,
bis es ihm einfällt, daß er jene aussondern, gleich und gleich
zusammenbringen, sie symmetrisch legen oder wohl gar zu 5
einerlei Maß behauen sollen.

Bei Betrachtung der Geschichte der Baukunst unter den
Griechen sieht man, daß es ihr Vorteil war, daß sie sich unablässig in einem engen Kreise herumdrehten und dadurch
ihren Sinn übten und verfeinerten; die dorischen Tempel 10
von Sizilien und Großgriechenland sind alle nach einer Idee
aufgebauet und sind doch sehr verschieden voneinander.

Es scheint, als wenn in den frühern Zeiten der Baukunst
der Begriff des Charakters, den das Gebäude haben soll,
über das Maß geherrscht habe; denn der Charakter läßt 15
sich eigentlich durch Maß nicht ausdrucken, und wir sehen
bei Ausmessungen wirklicher Gebäude, wie schwer es sei,
ihre Teile auf Zahlverhältnisse zu reduzieren; es war gewiß
kein Vorteil für die neuere Baukunst, als man anfing, anstatt
auf den Charakter aufmerksam zu machen, die Zahlverhält- 20
nisse zu lehren, nach welchen die verschiedenen Ordnungen
aufgestellt werden sollen.

Am meisten aber ist man in dem Hauptpunkte zurückge-
blieben, man hat das Eigentliche der Fiktion, das Schickliche
der Nachahmung selten verstanden, da man es doch am 25
nötigsten brauchte, indem man das, was sonst nur Tempeln
und öffentlichen Gebäuden angehörte, auf Privatwohnungen
herübertrug, um ihnen ein herrliches Ansehn zu geben.

Man kann sagen, daß in der neuern Zeit auf diese Art
eine doppelte Fiktion und zweifache Nachahmung entstan- 30
den ist, welche sowohl bei ihrer Anwendung als bei der
Beurteilung Geist und Sinn erfordern.

Hierinne hat niemand den Palladio übertroffen, er hat
sich in dieser Laufbahn am freiesten bewegt, und wenn er
ihre Grenzen überschritt, so verzeiht man ihm doch immer, 35
was man an ihm tadelt. Diese Lehre von der Fiktion, von
ihren geistigen Gesetzen ist nötig, um gewissen Puristen zu
begegnen, die auch in der Baukunst gern alles zu Prosa
machen möchten.

Wenn wir die verschiedenen Teile der Baukunst einzeln werden durchgegangen haben, so kann das bisher Gesagte bestimmter ausgedruckt und besser verstanden werden.

EINLEITUNG IN DIE PROPYLÄEN

5 Der Jüngling, wenn Natur und Kunst ihn anziehen, glaubt mit einem lebhaften Streben bald in das innerste Heiligtum zu dringen; der Mann bemerkt, nach langem Umherwandeln, daß er sich noch immer in den Vorhöfen befinde.

10 Eine solche Betrachtung hat unsern Titel veranlaßt. Stufe, Tor, Eingang, Vorhalle, der Raum zwischen dem Innern und Äußern, zwischen dem Heiligen und Gemeinen kann nur die Stelle sein, auf der wir uns mit unsern Freunden gewöhnlich aufhalten werden.

15 Will jemand noch besonders bei dem Worte Propyläen sich jener Gebäude erinnern, durch die man zur athenisischen Burg, zum Tempel der Minerva gelangte, so ist auch dies nicht gegen unsere Absicht; nur daß man uns nicht die Anmaßung zutraue, als gedächten wir ein solches Werk der
20 Kunst und Pracht hier selbst aufzuführen. Unter dem Namen des Orts verstehe man das, was daselbst allenfalls hätte geschehen können: man erwarte Gespräche, Unterhaltungen, die vielleicht nicht unwürdig jenes Platzes gewesen wären.

25 Werden nicht Denker, Gelehrte, Künstler angelockt, sich in ihren besten Stunden in jene Gegenden zu versetzen, unter einem Volke wenigstens in der Einbildungskraft zu wohnen, dem eine Vollkommenheit, die wir wünschen und nie erreichen, natürlich war, bei dem in einer Folge von Zeit
30 und Leben sich eine Bildung in schöner und steigender Reihe entwickelt, die bei uns nur als Stückwerk vorübergehend erscheint?

Welche neuere Nation verdankt nicht den Griechen ihre Kunstbildung? und, in gewissen Fächern, welche mehr als
35 die deutsche?

So viel zur Entschuldigung des symbolischen Titels,

wenn sie ja nötig sein sollte. Er stehe uns zur Erinnerung,
daß wir uns so wenig als möglich vom klassischen Boden
entfernen, er erleichtere durch seine Kürze und Bedeutsamkeit die Nachfrage der Kunstfreunde, die wir durch gegenwärtiges Werk zu interessieren gedenken, das Bemerkungen 5
und Betrachtungen harmonisch verbundener Freunde über
Natur und Kunst enthalten soll.

Derjenige, der zum Künstler berufen ist, wird auf alles
um sich her lebhaft achtgeben, die Gegenstände und ihre
Teile werden seine Aufmerksamkeit an sich ziehen, und in- 10
dem er praktischen Gebrauch von solchen Erfahrungen
macht, wird er sich nach und nach üben, immer schärfer zu
bemerken, er wird in seiner frühern Zeit alles soviel möglich
zu eignem Gebrauch verwenden, später wird er sich auch
andern gerne mitteilen. So gedenken auch wir manches, 15
was wir für nützlich und angenehm halten, was unter mancherlei Umständen von uns seit mehrern Jahren aufgezeichnet worden, unsern Lesern vorzulegen und zu erzählen.

Allein wer bescheidet sich nicht gern, daß reine Bemerkungen seltner sind, als man glaubt? Wir vermischen 20
so schnell unsere Empfindungen, unsere Meinung, unser
Urteil mit dem, was wir erfahren, daß wir in dem ruhigen
Zustande des Beobachters nicht lange verharren, sondern
bald Betrachtungen anstellen, auf die wir kein größer Gewicht legen dürfen, als insofern wir uns auf die Natur und 25
Ausbildung unsers Geistes einigermaßen verlassen möchten.

Was uns hierin eine stärkere Zuversicht zu geben vermag,
ist die Harmonie, in der wir mit mehreren stehen, ist die Erfahrung, daß wir nicht allein, sondern gemeinschaftlich
denken und wirken. Die zweifelhafte Sorge, unsere Vor- 30
stellungsart möchte uns nur allein angehören, die uns so
oft überfällt, wenn andere gerade das Gegenteil von unserer
Überzeugung aussprechen, wird erst gemildert, ja aufgehoben, wenn wir uns in mehreren wiederfinden; dann fahren
wir erst mit Sicherheit fort, uns in dem Besitze solcher 35
Grundsätze zu erfreuen, die eine lange Erfahrung uns und
andern nach und nach bewährt hat.

Wenn mehrere vereint auf diese Weise zusammenleben,
daß sie sich Freunde nennen dürfen, indem sie ein gleiches

Interesse haben, sich fortschreitend auszubilden, und auf
nahverwandte Zwecke losgehen, dann werden sie gewiß
sein, daß sie sich auf den vielfachsten Wegen wieder begegnen und daß selbst eine Richtung, die sie voneinander zu
entfernen schien, sie doch bald wieder glücklich zusammenführen wird.

Wer hat nicht erfahren, welche Vorteile in solchen Fällen
das Gespräch gewährt! Allein es ist vorübergehend, und
indem die Resultate einer wechselseitigen Ausbildung un-
auslöschlich bleiben, geht die Erinnerung der Mittel verloren, durch welche man dazu gelangt ist.

Ein Briefwechsel bewahrt schon besser die Stufen eines
freundschaftlichen Fortschrittes: jeder Moment des Wachstums ist fixiert, und wenn das Erreichte uns eine beruhigende
Empfindung gibt, so ist ein Blick rückwärts auf das Werden
belehrend, indem er uns zugleich ein künftiges, unablässiges
Fortschreiten hoffen läßt.

Kurze Aufsätze, in die man von Zeit zu Zeit seine Gedanken, seine Überzeugungen und Wünsche niederlegt, um
sich nach einiger Zeit wieder mit sich selbst zu unterhalten,
sind auch ein schönes Hülfsmittel eigner und fremder Bildung, deren keines versäumt werden darf, wenn man die
Kürze der dem Leben zugemeßnen Zeit und die vielen Hindernisse bedenkt, die einer jeden Ausführung im Wege
stehn.

Daß hier besonders von einem Ideenwechsel solcher
Freunde die Rede sei, die sich im allgemeinern zu Künsten
und Wissenschaften auszubilden streben, versteht sich von
selbst, obgleich ein Welt- und Geschäftsleben auch eines
solchen Vorteils nicht ermangeln sollte.

Bei Künsten und Wissenschaften aber ist nicht allein eine
solche engere Verbindung, sondern auch das Verhältnis zu
dem Publikum ebenso günstig, als es ein Bedürfnis wird.
Was man irgend Allgemeines denkt oder leistet, gehört der
Welt an, und das, was sie von den Bemühungen der einzelnen
nutzen kann, bringt sie auch selbst zur Reife. Der Wunsch
nach Beifall, welchen der Schriftsteller fühlt, ist ein Trieb,
den ihm die Natur eingepflanzt hat, um ihn zu etwas Höherem anzulocken; er glaubt den Kranz schon erreicht zu

haben, und.wird bald gewahr, daß eine mühsamere Ausbildung jeder angebornen Fähigkeit nötig ist, um die öffentliche Gunst festzuhalten, die wohl auch durch Glück und
Zufall auf kurze Momente erlangt werden kann.

So bedeutend ist für den Schriftsteller in einer frühern 5
Zeit sein Verhältnis zum Publikum, und selbst in spätern
Tagen kann er es nicht entbehren. So wenig er auch bestimmt sein mag, andere zu belehren, so wünscht er doch,
sich denen mitzuteilen, die er sich gleichgesinnt weiß, deren
Anzahl aber in der Breite der Welt zerstreut ist; er wünscht 10
sein Verhältnis zu den ältesten Freunden dadurch wieder
anzuknüpfen, mit neuen es fortzusetzen und in der letzten
Generation sich wieder andere für seine übrige Lebenszeit
zu gewinnen. Er wünscht der Jugend die Umwege zu ersparen, auf denen er sich selbst verirrte, und, indem er die 15
Vorteile der gegenwärtigen Zeit bemerkt und nützt, das Andenken verdienstlicher früherer Bemühungen zu erhalten.

In diesem ernsten Sinne verband sich eine kleine Gesellschaft; eine heitere Stimmung möge unsere Unternehmungen begleiten, und wohin wir gelangen, mag die Zeit lehren. 20

Die Aufsätze, welche wir vorzulegen gedenken, werden,
ob sie gleich von mehrern verfaßt sind, in Hauptpunkten
hoffentlich niemals miteinander in Widerspruch stehen,
wenn auch die Denkart der Verfasser nicht völlig die gleiche
sein sollte. Kein Mensch betrachtet die Welt ganz wie der 25
andere, und verschiedene Charaktere werden oft den gleichen Grundsatz, den sie sämtlich anerkennen, verschieden
anwenden. Ja, der Mensch ist sich in seinen Anschauungen
und Urteilen nicht immer selbst gleich: frühere Überzeugungen müssen spätern weichen. Möge immerhin das Ein- 30
zelne, was man denkt und äußert, nicht alle Proben aushalten, wenn man nur auf seinem Wege gegen sich selbst und
gegen andre wahr bleibt!

So sehr nun auch die Verfasser untereinander und mit
einem großen Teil des Publikums in Harmonie zu stehen 35
wünschen und hoffen, so dürfen sie sich doch nicht verbergen, daß ihnen von verschiedenen Seiten mancher Mißton entgegenklingen wird. Sie haben dies um so mehr zu
erwarten, als sie von den herrschenden Meinungen in mehr

als einem Punkte abweichen. Weit entfernt, die Denkart irgendeines Dritten meistern oder verändern zu wollen, werden sie ihre eigne Meinung fest aussprechen und, wie es die Umstände geben, einer Fehde ausweichen oder sie auf-
5 nehmen; im ganzen aber immer auf einem Bekenntnisse halten und besonders diejenigen Bedingungen, die ihnen zu Bildung eines Künstlers unerläßlich scheinen, oft genug wiederholen. Wem um die Sache zu tun ist, der muß Partei zu nehmen wissen, sonst verdient er nirgends zu wirken.

10   Wenn wir nun Bemerkungen und Betrachtungen über Natur vorzulegen versprechen, so müssen wir zugleich anzeigen, daß es besonders solche sein werden, die sich zunächst auf bildende Kunst, sowie auf Kunst überhaupt, dann aber auch auf allgemeine Bildung des Künstlers beziehen.

15   Die vornehmste Forderung, die an den Künstler gemacht wird, bleibt immer die: daß er sich an die Natur halten, sie studieren, sie nachbilden, etwas, das ihren Erscheinungen ähnlich ist, hervorbringen solle.

Wie groß, ja wie ungeheuer diese Anforderung sei, wird
20 nicht immer bedacht, und der wahre Künstler selbst erfährt es nur bei fortschreitender Bildung. Die Natur ist von der Kunst durch eine ungeheure Kluft getrennt, welche das Genie selbst, ohne äußere Hülfsmittel, zu überschreiten nicht vermag.

25   Alles, was wir um uns her gewahr werden, ist nur roher Stoff; und wenn sich das schon selten genug ereignet, daß ein Künstler durch Instinkt und Geschmack, durch Übung und Versuche dahin gelangt, daß er den Dingen ihre äußere schöne Seite abzugewinnen, aus dem vorhandenen Guten
30 das Beste auszuwählen und wenigstens einen gefälligen Schein hervorzubringen lernt, so ist es, besonders in der neuern Zeit, noch viel seltner, daß ein Künstler sowohl in die Tiefe der Gegenstände als in die Tiefe seines eignen Gemüts zu dringen vermag, um in seinen Werken nicht bloß etwas
35 leicht und oberflächlich Wirkendes, sondern, wetteifernd mit der Natur, etwas Geistig-Organisches hervorzubringen und seinem Kunstwerk einen solchen Gehalt, eine solche Form zu geben, wodurch es natürlich zugleich und übernatürlich erscheint.

Der Mensch ist der höchste, ja der eigentliche Gegenstand bildender Kunst! Um ihn zu verstehen, um sich aus dem Labyrinthe seines Baues herauszuwickeln, ist eine allgemeine Kenntnis der organischen Natur unerläßlich. Auch von den unorganischen Körpern, so wie von allgemeinen Naturwirkungen, besonders wenn sie, wie zum Beispiel Ton und Farbe, zum Kunstgebrauch anwendbar sind, sollte der Künstler sich theoretisch belehren; allein welchen weiten Umweg müßte er machen, wenn er sich aus der Schule des Zergliederers, des Naturbeschreibers, des Naturlehrers dasjenige mühsam aussuchen sollte, was zu seinem Zwecke dient; ja es ist die Frage, ob er dort gerade das, was ihm das Wichtigste sein muß, finden würde? Jene Männer haben ganz andere Bedürfnisse ihrer eigentlichen Schüler zu befriedigen, als daß sie an das eingeschränkte, besondere Bedürfnis des Künstlers denken sollten. Deshalb ist unsere Absicht, hier ins Mittel zu treten und, wenn wir gleich nicht voraussehen, die nötige Arbeit selbst vollenden zu können, dennoch teils im Ganzen eine Übersicht zu geben, teils im Einzelnen die Ausführung einzuleiten.

Die menschliche Gestalt kann nicht bloß durch das Beschauen ihrer Oberfläche begriffen werden; man muß ihr Inneres entblößen, ihre Teile sondern, die Verbindungen derselben bemerken, die Verschiedenheiten kennen, sich von Wirkung und Gegenwirkung unterrichten, das Verborgne, Ruhende, das Fundament der Erscheinung sich einprägen, wenn man dasjenige wirklich schauen und nachahmen will, was sich als ein schönes ungetrenntes Ganze in lebendigen Wellen vor unserm Auge bewegt. Der Blick auf die Oberfläche eines lebendigen Wesens verwirrt den Beobachter, und man darf wohl hier, wie in andern Fällen, den wahren Spruch anbringen: Was man weiß, sieht man erst! Denn wie derjenige, der ein kurzes Gesicht hat, einen Gegenstand besser sieht, von dem er sich wieder entfernt, als einen, dem er sich erst nähert, weil ihm das geistige Gesicht nunmehr zu Hülfe kommt, so liegt eigentlich in der Kenntnis die Vollendung des Anschauens.

Wie gut bildet ein Kenner der Naturgeschichte, der zugleich Zeichner ist, die Gegenstände nach, indem er das

Wichtige und Bedeutende der Teile, woraus der Charakter des Ganzen entspringt, einsieht und den Nachdruck darauf legt.

So wie nun eine genauere Kenntnis der einzelnen Teile menschlicher Gestalt, die er zuletzt wieder als ein Ganzes betrachten muß, den Künstler äußerst fördert, so ist auch ein Überblick, ein Seitenblick über und auf verwandte Gegenstände höchst nützlich, vorausgesetzt, daß der Künstler fähig ist, sich zu Ideen zu erheben und die nahe Verwandtschaft entfernt scheinender Dinge zu fassen.

Die vergleichende Anatomie hat einen allgemeinen Begriff über organische Naturen vorbereitet: sie führt uns von Gestalt zu Gestalten, und indem wir nah oder fern verwandte Naturen betrachten, erheben wir uns über sie alle, um ihre Eigenschaften in einem idealen Bilde zu erblicken.

Halten wir dasselbe fest, so finden wir erst, daß unsere Aufmerksamkeit bei Beobachtung der Gegenstände eine bestimmte Richtung nimmt, daß abgesonderte Kenntnisse durch Vergleichung leichter gewonnen und festgehalten werden, und daß wir zuletzt beim Kunstgebrauche nur dann mit der Natur wetteifern können, wenn wir die Art, wie sie bei Bildung ihrer Werke verfährt, ihr wenigstens einigermaßen abgelernt haben.

Muntern wir ferner den Künstler auf, auch von unorganischen Naturen einige Kenntnis zu nehmen, so können wir es um so eher tun, als man sich gegenwärtig von dem Mineralreich bequem und schnell unterrichtet. Der Maler bedarf einige Kenntnis der Steine, um sie charakteristisch nachzuahmen, der Bildhauer und Baumeister, um sie zu nutzen; der Steinschneider kann eine Kenntnis der Edelsteine nicht entbehren, der Kenner und Liebhaber wird gleichfalls darnach streben.

Haben wir nun zuletzt dem Künstler geraten, sich von allgemeinen Naturwirkungen einen Begriff zu machen, um diejenigen kennen zu lernen, die ihn besonders interessieren, teils um sich nach mehr Seiten auszubilden, teils um das, was ihn betrifft, besser zu verstehen, so wollen wir auch über diesen bedeutenden Punkt noch einiges hinzufügen.

Bisher konnte der Maler die Lehre des Physikers von den Farben nur anstaunen, ohne daraus einigen Vorteil zu zie-

hen; das natürliche Gefühl des Künstlers aber, eine fortdauernde Übung, eine praktische Notwendigkeit führte ihn
auf einen eignen Weg: er fühlte die lebhaften Gegensätze,
durch deren Vereinigung die Harmonie der Farben entsteht,
er bezeichnete gewisse Eigenschaften derselben durch an-   5
nähernde Empfindungen, er hatte warme und kalte Farben,
Farben, die eine Nähe, andere, die eine Ferne ausdrücken,
und was dergleichen Bezeichnungen mehr sind, durch welche er diese Phänomene den allgemeinsten Naturgesetzen
auf seine Weise näher brachte. Vielleicht bestätigt sich die   10
Vermutung, daß die farbigen Naturwirkungen, so gut als
die magnetischen, elektrischen und andere, auf einem
Wechselverhältnis, einer Polarität, oder wie man die Erscheinungen des Zwiefachen, ja Mehrfachen in einer entschiedenen Einheit nennen mag, beruhen.   15

Diese Lehre umständlich und für den Künstler faßlich
vorzulegen, werden wir uns zur Pflicht machen, und wir
können um so mehr hoffen, hierin etwas zu tun, das ihm
willkommen sei, als wir nur dasjenige, was er bisher aus Instinkt getan, auszulegen und auf Grundsätze zurückzuführen   20
bemüht sein werden.

So viel von dem, was wir zuerst in Absicht auf Natur mitzuteilen hoffen; und nun das Notwendigste in Absicht auf
Kunst.

Da die Einrichtung des gegenwärtigen Werks von der Art   25
ist, daß wir einzelne Abhandlungen, ja dieselben sogar teilweise, vorlegen werden, dabei aber unser Wunsch ist, nicht
ein Ganzes zu zerstücken, sondern aus mannigfaltigen Teilen endlich ein Ganzes zusammenzusetzen, so wird es nötig
sein, baldmöglichst allgemein und summarisch dasjenige   30
vorzulegen, worüber der Leser nach und nach im Einzelnen
unsere Ausarbeitungen erhalten wird. Daher wird uns zunächst ein Aufsatz über bildende Kunst beschäftigen, worin
die bekannten Rubriken nach unserer Vorstellungsart und
Methode vorgetragen werden sollen. Dabei werden wir vor-   35
züglich darauf bedacht sein, die Wichtigkeit eines jeden
Teils der Kunst vor Augen zu stellen, und zu zeigen, daß
der Künstler keinen derselben zu vernachlässigen habe, wie
es leider so oft geschehen ist und geschieht.

Wir betrachteten vorhin die Natur als die Schatzkammer
der Stoffe im allgemeinen; nun gelangen wir aber an den
wichtigen Punkt, wo sich zeigt, wie die Kunst ihre Stoffe
sich selbst näher zubereite.

5 Indem der Künstler irgendeinen Gegenstand der Natur
ergreift, so gehört dieser schon nicht mehr der Natur an,
ja man kann sagen: daß der Künstler ihn in diesem Augenblick erschaffe, indem er ihm das Bedeutende, Charakteristische, Interessante abgewinnt oder vielmehr erst den
10 höhern Wert hineinlegt.

Auf diese Weise werden der menschlichen Gestalt die
schönern Proportionen, die edlern Formen, die höhern Charaktere gleichsam erst aufgedrungen, der Kreis der Regelmäßigkeit, Vollkommenheit, Bedeutsamkeit und Vollendung
15 wird gezogen, in welchem die Natur ihr Bestes gerne niederlegt, wenn sie übrigens, in ihrer großen Breite, leicht in
Häßlichkeit ausartet und sich ins Gleichgültige verliert.

Ebendasselbe gilt von zusammengesetzten Kunstwerken,
ihrem Gegenstand und Inhalt, die Aufgabe sei Fabel oder
20 Geschichte.

Wohl dem Künstler, der sich bei Unternehmung des
Werkes nicht vergreift! der das Kunstgemäße zu wählen
oder vielmehr dasselbe zu bestimmen versteht!

Wer in den zerstreuten Mythen, in der weitläufigen Ge-
25 schichte, um sich eine Aufgabe zu suchen, ängstlich herum-
irrt, mit Gelehrsamkeit bedeutend oder allegorisch interessant sein will, der wird in der Hälfte seiner Arbeit oft bei
unerwarteten Hindernissen stocken oder nach Vollendung
derselben seinen schönsten Zweck verfehlen. Wer zu den
30 Sinnen nicht klar spricht, redet auch nicht rein zum Gemüt,
und wir achten diesen Punkt so wichtig, daß wir gleich zu
Anfang eine ausführlichere Abhandlung darüber einrücken.

Ist nun der Gegenstand glücklich gefunden oder erfunden,
dann tritt die Behandlung ein, die wir in die geistige, sinn-
35 liche und mechanische einteilen möchten.

Die geistige arbeitet den Gegenstand in seinem innern
Zusammenhange aus, sie findet die untergeordneten Motive, und wenn sich bei der Wahl des Gegenstandes überhaupt die Tiefe des künstlerischen Genies beurteilen läßt,

so kann man an der Entdeckung der Motive seine Breite, seinen Reichtum, seine Fülle und Liebenswürdigkeit erkennen.

Die sinnliche Behandlung würden wir diejenige nennen, wodurch das Werk durchaus den Sinnen faßlich, angenehm, erfreulich und durch einen milden Reiz unentbehrlich wird.

Die mechanische zuletzt wäre diejenige, die durch irgendein körperliches Organ auf bestimmte Stoffe wirkt und so der Arbeit ihr Dasein, ihre Wirklichkeit verschafft.

Indem wir nun auf solche Art dem Künstler nützlich zu sein hoffen und lebhaft wünschen, daß er sich manches Rates, mancher Vorschläge bei seinen Arbeiten bedienen möge, so dringt sich uns leider die bedenkliche Betrachtung auf: daß jedes Unternehmen, so wie jeder Mensch, von seinem Zeitalter ebensowohl leide, als man davon gelegentlich Vorteil zu ziehen im Fall ist; und wir können bei uns selbst die Frage nicht ganz ablehnen, welche Aufnahme wir denn wohl finden möchten?

Alles ist einem ewigen Wechsel unterworfen, und da gewisse Dinge nicht nebeneinander bestehen können, verdrängen sie einander. So geht es mit Kenntnissen, mit Anleitungen zu gewissen Übungen, mit Vorstellungsarten und Maximen. Die Zwecke der Menschen bleiben ziemlich immer dieselben: man will jetzt noch ein guter Künstler und Dichter sein oder werden, wie vor Jahrhunderten; die Mittel aber, wodurch man zu dem Zwecke gelangt, sind nicht jedem klar, und warum sollte man leugnen, daß nichts angenehmer wäre, als wenn man einen großen Vorsatz spielend ausführen könnte?

Natürlicherweise hat das Publikum auf die Kunst großen Einfluß, indem es für seinen Beifall, für sein Geld ein Werk verlangt, das ihm gefalle, ein Werk, das unmittelbar zu genießen sei; und meistens wird sich der Künstler gern darnach bequemen, denn er ist ja auch ein Teil des Publikums, auch er ist in gleichen Jahren und Tagen gebildet, auch er fühlt die gleichen Bedürfnisse, er drängt sich in derselbigen Richtung, und so bewegt er sich glücklich mit der Menge fort, die ihn trägt und die er belebt.

Wir sehen auf diese Weise ganze Nationen, ganze Zeit-

alter von ihren Künstlern entzückt, so wie der Künstler sich in seiner Nation, in seinem Zeitalter bespiegelt, ohne daß beide nur den mindesten Argwohn hätten, ihr Weg könnte vielleicht nicht der rechte, ihr Geschmack wenigstens ein-
5 seitig, ihre Kunst auf dem Rückwege und ihr Vordringen nach der falschen Seite gerichtet sein.

Anstatt uns hierüber ins Allgemeinere zu verbreiten, machen wir hier eine Bemerkung, die sich besonders auf bildende Kunst bezieht.

10 Dem deutschen Künstler, so wie überhaupt jedem neuen und nordischen, ist es schwer, ja beinahe unmöglich, von dem Formlosen zur Gestalt überzugehen und, wenn er auch bis dahin durchgedrungen wäre, sich dabei zu erhalten.

Jeder Künstler, der eine Zeitlang in Italien gelebt hat,
15 frage sich: ob nicht die Gegenwart der besten Werke alter und neuer Kunst in ihm das unablässige Streben erregt habe, die menschliche Gestalt in ihren Proportionen, Formen, Charakteren zu studieren und nachzubilden, sich in der Ausführung allen Fleiß und Mühe zu geben, um sich jenen
20 Kunstwerken, die ganz auf sich selbst ruhen, zu nähern, um ein Werk hervorzubringen, das, indem es das sinnliche An-schauen befriedigt, den Geist in seine höchsten Regionen erhebt. Er gestehe aber auch, daß er nach seiner Zurück-kunft nach und nach von jenem Streben heruntersinken
25 müsse, weil er wenig Personen findet, die das Gebildete eigentlich sehen, genießen und denken mögen, sondern meist nur solche, die ein Werk obenhin ansehen, dabei etwas Beliebiges denken und nach ihrer Art etwas dabei empfinden und genießen wollen.

30 Das schlechteste Bild kann zur Empfindung und zur Ein-bildungskraft sprechen, indem es sich in Bewegung setzt, los und frei macht und sich selbst überläßt; das beste Kunst-werk spricht auch zur Empfindung, aber eine höhere Spra-che, die man freilich verstehen muß: es fesselt die Gefühle
35 und die Einbildungskraft; es nimmt uns unsre Willkür: wir können mit dem Vollkommenen nicht schalten und walten, wie wir wollen, wir sind genötigt, uns ihm hinzugeben, um uns selbst von ihm, erhöht und verbessert, wieder zu er-halten.

Daß dieses keine Träume sind, werden wir nach und nach im einzelnen so deutlich als möglich zu zeigen suchen, besonders werden wir auf einen Widerspruch aufmerksam machen, in welchen sich die Neuern so oft verwickeln. Sie nennen die Alten ihre Lehrer, sie gestehen jenen Werken eine unerreichbare Vortrefflichkeit zu und entfernen sich in Theorie und Praxis doch von den Maximen, die jene beständig ausübten.

Indem wir nun von diesem wichtigen Punkte ausgehen und oft wieder auf denselben zurückkehren werden, so finden wir noch andere, davon noch einiges zu erwähnen ist.

Eines der vorzüglichsten Kennzeichen des Verfalles der Kunst ist die Vermischung der verschiedenen Arten derselben.

Die Künste selbst, so wie ihre Arten, sind untereinander verwandt, sie haben eine gewisse Neigung, sich zu vereinigen, ja sich ineinander zu verlieren; aber eben darin besteht die Pflicht, das Verdienst, die Würde des echten Künstlers, daß er das Kunstfach, in welchem er arbeitet, von andern abzusondern, jede Kunst und Kunstart auf sich selbst zu stellen und sie aufs möglichste zu isolieren wisse.

Man hat bemerkt, daß alle bildende Kunst zur Malerei, alle Poesie zum Drama strebe, und es kann uns diese Erfahrung künftig zu wichtigen Betrachtungen Anlaß geben.

Der echte, gesetzgebende Künstler strebt nach Kunstwahrheit, der gesetzlose, der einem blinden Trieb folgt, nach Naturwirklichkeit; durch jenen wird die Kunst zum höchsten Gipfel, durch diesen auf ihre niedrigste Stufe gebracht.

So wie mit dem Allgemeinen der Kunst, ebenso verhält es sich auch mit den Arten derselben. Der Bildhauer muß anders denken und empfinden als der Maler, ja er muß anders zu Werke gehen, wenn er ein halberhobenes Werk, als wenn er ein rundes hervorbringen will. Indem man die flacherhobenen Werke immer höher und höher machte, dann Teile, dann Figuren ablöste, zuletzt Gebäude und Landschaften anbrachte und so halb Malerei, halb Puppenspiel darstellte, ging man immer abwärts in der wahren Kunst; und leider haben treffliche Künstler der neuern Zeit ihren Weg auf diese Weise genommen.

Wenn wir nun künftig solche Maximen, die wir für die rechten halten, aussprechen werden, wünschten wir, daß sie, wie sie aus den Kunstwerken gezogen sind, von dem Künstler praktisch geprüft werden. Wie selten kann man mit dem andern über einen Grundsatz theoretisch einig werden! Hingegen was anwendbar, was brauchbar sei, ist viel geschwinder entschieden. Wie oft sieht man Künstler bei der Wahl ihrer Gegenstände, bei der für ihre Kunst passenden Zusammensetzung im allgemeinen, bei der Anordnung im besondern sowie den Maler bei der Wahl der Farben in Verlegenheit. Dann ist es Zeit, einen Grundsatz zu prüfen, dann wird die Frage leichter zu entscheiden sein: ob wir durch ihn den großen Mustern und allem, was wir an ihnen schätzen und lieben, näher kommen, oder ob er uns in der empirischen Verwirrung einer nicht genug durchdachten Erfahrung stecken läßt.

Gelten nun dergleichen Maximen zur Bildung des Künstlers, zur Leitung desselben in mancher Verlegenheit, so werden sie auch bei Entwicklung, Schätzung und Beurteilung alter und neuer Kunstwerke dienen und wieder wechselsweise aus der Betrachtung derselben entstehen. Ja, es ist um so nötiger, sich auch hier daran zu halten, weil, unerachtet der allgemein gepriesnen Vorzüge des Altertums, dennoch unter den Neuern sowohl einzelne Menschen als ganze Nationen oft eben das verkennen, worin der höchste Vorzug jener Werke liegt.

Eine genaue Prüfung derselben wird uns am meisten vor diesem Übel bewahren. Deshalb sei hier nur ein Beispiel aufgestellt, wie es dem Liebhaber in der plastischen Kunst zu gehen pflegt, damit etwa deutlich werde, wie notwendig eine genaue Kritik der ältern sowohl als der neuern Kunstwerke sei, wenn sie einigermaßen Nutzen bringen soll.

Auf jeden, der ein zwar ungeübtes, aber für das Schöne empfängliches Auge hat, wird ein stumpfer, unvollkommner Gipsabguß eines trefflichen alten Werks noch immer eine große Wirkung tun; denn in einer solchen Nachbildung bleibt doch immer die Idee, die Einfalt und Größe der Form, genug, das Allgemeinste noch übrig, so viel, als man mit schlechten Augen allenfalls in der Ferne gewahr werden könnte.

Man kann bemerken, daß oft eine lebhafte Neigung zur Kunst durch solche ganz unvollkommene Nachbildungen entzündet wird. Allein die Wirkung ist dem Gegenstande gleich: es wird mehr ein dunkles, unbestimmtes Gefühl erregt, als daß eigentlich der Gegenstand, in seinem Wert und in seiner Würde, solchen angehenden Kunstfreunden erscheinen sollte. Solche sind es, die gewöhnlich den Grundsatz äußern, daß eine allzu genaue kritische Untersuchung den Genuß zerstöre, solche sind es, die sich gegen eine Würdigung des Einzelnen zu sträuben und zu wehren pflegen.

Wenn ihnen aber nach und nach, bei weiterer Erfahrung und Übung, ein scharfer Abguß statt eines stumpfen, ein Original statt eines Abgusses vorgelegt wird, dann wächst mit der Einsicht auch das Vergnügen, und so steigt es, wenn Originale selbst, wenn vollkommene Originale ihnen endlich bekannt werden.

Gern läßt man sich in die Labyrinthe genauer Betrachtungen ein, wenn das Einzelne so wie das Ganze vollkommen ist, ja man lernt einsehen, daß man das Vortreffliche nur in dem Maße kennen lernt, insofern man das Mangelhafte einzusehen imstande ist. Die Restauration von den ursprünglichen Teilen, die Kopie von dem Original zu unterscheiden, in dem kleinsten Fragmente noch die zerstörte Herrlichkeit des Ganzen zu schauen, wird der Genuß des vollendeten Kenners; und es ist ein großer Unterschied, ein stumpfes Ganze mit dunklem Sinne oder ein vollendetes mit hellem Sinne zu beschauen und zu fassen.

Wer sich mit irgendeiner Kenntnis abgibt, soll nach dem Höchsten streben! Es ist mit der Einsicht viel anders als mit der Ausübung: denn im Praktischen muß sich jeder bald bescheiden, daß ihm nur ein gewisses Maß von Kräften zugeteilt sei; zur Kenntnis, zur Einsicht aber sind weit mehrere Menschen fähig, ja man kann wohl sagen, ein jeder, der sich selbst verleugnen, sich den Gegenständen unterordnen kann, der nicht mit einem starren, beschränkten Eigensinn sich und seine kleinliche Einseitigkeit in die höchsten Werke der Natur und Kunst überzutragen strebt.

Um von Kunstwerken eigentlich und mit wahrem Nutzen für sich und andere zu sprechen, sollte es freilich nur in

Gegenwart derselben geschehen. Alles kommt aufs Anschauen an, es kommt darauf an, daß bei dem Wort, wodurch man ein Kunstwerk zu erläutern hofft, das Bestimmteste gedacht werde, weil sonst gar nichts gedacht wird.

5   Daher geschieht es so oft, daß derjenige, der über Kunstwerke schreibt, bloß im Allgemeinen verweilt, wodurch
wohl Ideen und Empfindungen erregt werden, ja allen
Lesern, nur demjenigen nicht genuggetan wird, der mit dem
Buche in der Hand vor das Kunstwerk hintritt.

10   Aber eben deswegen werden wir in mehrern Abhandlungen vielleicht in dem Falle sein, das Verlangen der Leser
mehr zu reizen als zu befriedigen; denn es ist nichts natürlicher, als daß sie ein vortreffliches Kunstwerk, das genau
zergliedert wird, sogleich vor Augen zu haben wünschen,

15   um das Ganze, von dem die Rede ist, zu genießen und, was
die Teile betrifft, die Meinung, die sie vernehmen, ihrem
Urteil zu unterwerfen.

Indem nun aber die Verfasser für diejenigen zu arbeiten
denken, welche die Werke teils gesehen haben, teils künftig

20   sehen werden, so hoffen sie für solche, die sich in keinem der
beiden Fälle befinden, dennoch das Mögliche zu tun. Wir
werden der Nachbildungen erwähnen, anzeigen, wo Abgüsse
von alten Kunstwerken, alte Kunstwerke selbst besonders den
Deutschen sich näher befinden, und so echter Liebhaberei

25   und Kunstkenntnis, soviel an uns liegt, zu begegnen suchen.

Denn nur auf dem höchsten und genausten Begriff von
Kunst kann eine Kunstgeschichte beruhen; nur wenn man
das Vortrefflichste kennt, was der Mensch hervorzubringen
imstande war, kann der psychologisch-chronologische Gang

30   dargestellt werden, den man in der Kunst so wie in andern
Fächern nahm, wo erst eine beschränkte Tätigkeit in einer
trocknen, ja traurigen Nachahmung des Unbedeutenden so
wie des Bedeutenden verweilte, sich darauf ein lieblicheres,
gemütlicheres Gefühl gegen die Natur entwickelte, dann,

35   begleitet von Kenntnis, Regelmäßigkeit, Ernst und Strenge,
unter günstigen Umständen, die Kunst bis zum Höchsten
hinaufstieg, wo es denn zuletzt dem glücklichen Genie, das
sich von allen diesen Hülfsmitteln umgeben fand, möglich
ward, das Reizende, Vollendete hervorzubringen.

Leider aber erregen Kunstwerke, die mit solcher Leichtigkeit sich aussprechen, die dem Menschen ein bequemes Gefühl seiner selbst, die ihm Heiterkeit und Freiheit einflößen, bei dem nachstrebenden Künstler den Begriff, daß auch das Hervorbringen bequem sei. Da der Gipfel dessen, was 5 Kunst und Genie darstellen, eine leichte Erscheinung ist, so werden die Nachkommenden gereizt, sich's leicht zu machen und auf den Schein zu arbeiten.

So verliert die Kunst sich nach und nach von ihrer Höhe herunter, im Ganzen so wie im Einzelnen. Wenn wir nun 10 aber hievon einen anschaulichen Begriff bilden wollen, so müssen wir ins Einzelne des Einzelnen hinabsteigen, welches nicht immer eine angenehme und reizende Beschäftigung ist, wofür aber der sichere Blick über das Ganze nach und nach reichlich entschädigt. 15

Wenn uns nun die Erfahrung bei Betrachtung der alten und mittlern Kunstwerke gewisse Maximen bewährt hat, so bedürfen wir ihrer am meisten bei Beurteilung der neuen und neusten Arbeiten; denn da bei Würdigung lebender oder kurz verstorbener Künstler so leicht persönliche Ver- 20 hältnisse, Liebe und Haß der Einzelnen, Neigung und Abneigung der Menge sich einmischen, so brauchen wir Grundsätze um so nötiger, um über unsere Zeitgenossen ein Urteil zu äußern. Die Untersuchung kann alsdann sogleich auf doppelte Weise angestellt werden. Der Einfluß der Willkür 25 wird vermindert, die Frage vor einen höhern Gerichtshof gebracht. Man kann den Grundsatz selbst so wie dessen Anwendung prüfen, und wenn man sich auch nicht vereinigen sollte, so kann der strittige Punkt doch sicher und deutlich bezeichnet werden. 30

Besonders wünschten wir, daß der l e b e n d e Künstler, bei dessen Arbeiten wir vielleicht einiges zu erinnern fänden, unsere Urteile auf diese Weise bedächtig prüfte. Denn jeder, der diesen Namen verdient, ist zu unserer Zeit genötigt, sich aus Arbeit und eignem Nachdenken, wo nicht eine Theorie, 35 doch einen gewissen Inbegriff theoretischer Hausmittel zu bilden, bei deren Gebrauch er sich in mancherlei Fällen ganz leidlich befindet; man wird aber oft bemerken, daß er auf diesem Wege sich solche Maximen als Gesetze aufstellt, die seinem Talent, seiner Neigung und Bequemlichkeit gemäß sind. Er unterliegt einem allgemeinen menschlichen Schicksal. Wie viele handeln nicht in andern Fächern auf eben diese Weise! Aber wir bilden uns nicht, wenn wir das, was in uns liegt, nur mit Leichtigkeit und Bequemlichkeit in Bewegung setzen. Jeder Künstler, wie jeder Mensch, ist nur ein einzelnes Wesen und wird nur immer auf eine Seite hängen. Deswegen hat der Mensch auch das, was seiner Natur entgegengesetzt ist, theoretisch und praktisch, insofern es ihm möglich wird, in sich aufzunehmen. Der Leichte sehe nach Ernst und Strenge sich um, der Strenge habe ein leichtes und bequemes Wesen vor Augen, der Starke die Lieblichkeit, der Liebliche die Stärke, und jeder wird seine eigne Natur nur desto mehr ausbilden, je mehr er sich von ihr zu entfernen scheint. Jede Kunst verlangt den ganzen Menschen, der höchstmögliche Grad derselben die ganze Menschheit.

Die Ausübung der bildenden Kunst ist mechanisch, und die Bildung des Künstlers fängt in seiner frühsten Jugend mit Recht vom Mechanischen an; seine übrige Erziehung hingegen ist oft vernachlässigt, da sie doch weit sorgfältiger sein sollte als die Bildung anderer, welche Gelegenheit haben, aus dem Leben selbst Vorteil zu ziehen. Die Gesellschaft macht einen rohen Menschen bald höflich, ein geschäftiges Leben den offensten vorsichtig; literarische Arbeiten, welche durch den Druck vor ein großes Publikum kommen, finden überall Widerstand und Zurechtweisung; nur der bildende Künstler allein ist meist auf eine einsame Werkstatt beschränkt, er hat fast nur mit dem zu tun, der seine Arbeit bestellt und bezahlt, mit einem Publikum, das oft nur gewissen krankhaften Eindrücken folgt, mit Kennern, die ihn unruhig machen, und mit Marktrufern, welche jedes Neue mit solchen Lob- und Preisformeln empfangen, durch die das Vortrefflichste schon hinlänglich geehrt wäre.

Doch es wird Zeit, diese Einleitung zu schließen, damit sie nicht, anstatt dem Werke bloß voranzugehen, ihm vorlaufe und vorgreife. Wir haben bisher wenigstens den Punkt bezeichnet, von welchem wir auszugehen gedenken; wie weit wir uns verbreiten können und werden, muß sich erst

nach und nach entwickeln. Theorie und Kritik der Dichtkunst wird uns hoffentlich bald beschäftigen; was uns das
Leben überhaupt, was uns Reisen, ja was uns die Begebenheiten des Tags anbieten, soll nicht ausgeschlossen sein; und
so sei denn noch zuletzt von einer wichtigen Angelegenheit 5
des Augenblicks gesprochen.

Für die Bildung des Künstlers, für den Genuß des Kunst-
freundes war es von jeher von der größten Bedeutung, an
welchem Orte sich Kunstwerke befanden; es war eine Zeit,
in der sie, geringere Dislokationen abgerechnet, meistens 10
an Ort und Stelle blieben; nun aber hat sich eine große Veränderung zugetragen, welche für die Kunst im Ganzen so-.
wohl als im Besondern wichtige Folgen haben wird.

Man hat vielleicht jetzo mehr Ursache als jemals, Italien
als einen großen Kunstkörper zu betrachten, wie er vor 15
kurzem noch bestand. Ist es möglich, davon eine Übersicht
zu geben, so wird sich alsdann erst zeigen, was die Welt in
diesem Augenblicke verliert, da so viele Teile von diesem
großen und alten Ganzen abgerissen wurden.

Was in dem Akt des Abreißens selbst zugrunde gegangen, 20
wird wohl ewig ein Geheimnis bleiben; allein eine Darstellung jenes neuen Kunstkörpers, der sich in Paris bildet, wird
in einigen Jahren möglich werden; die Methode, wie ein
Künstler und Kunstliebhaber Frankreich und Italien zu
nutzen hat, wird sich angeben lassen, so wie dabei noch eine 25
wichtige und schöne Frage zu erörtern ist: was andere Nationen, besonders Deutschland und England, tun sollten, um
in dieser Zeit der Zerstreuung und des Verlustes mit einem
wahren weltbürgerlichen Sinne, der vielleicht nirgends reiner
als bei Künsten und Wissenschaften stattfinden kann, die 30
mannigfaltigen Kunstschätze, die bei ihnen zerstreut niedergelegt sind, allgemein brauchbar zu machen und einen idealen Kunstkörper bilden zu helfen, der uns mit der Zeit für
das, was uns der gegenwärtige Augenblick zerreißt, wo
nicht entreißt, vielleicht glücklich zu entschädigen ver- 35
möchte.

So viel im allgemeinen von der Absicht eines Werkes, dem
wir recht viel ernsthafte und wohlwollende Teilnehmer
wünschen.

ÜBER LAOKOON

Ein echtes Kunstwerk bleibt, wie ein Naturwerk, für unsern Verstand immer unendlich: es wird angeschaut, empfunden; es wirkt, es kann aber nicht eigentlich erkannt, viel
5 weniger sein Wesen, sein Verdienst mit Worten ausgesprochen werden. Was also hier über Laokoon gesagt ist, hat keinesweges die Anmaßung, diesen Gegenstand zu erschöpfen, es ist mehr bei Gelegenheit dieses trefflichen Kunstwerks als über dasselbe geschrieben. Möge dieses bald
10 wieder so aufgestellt sein, daß jeder Liebhaber sich daran freuen und darüber nach seiner Art reden könne.

Wenn man von einem trefflichen Kunstwerke sprechen will, so ist es fast nötig, von der ganzen Kunst zu reden, denn es enthält sie ganz, und jeder kann, soviel in seinen
15 Kräften steht, auch das Allgemeine aus einem solchen besondern Fall entwickeln; deswegen sei hier auch etwas Allgemeines vorausgeschickt.

Alle hohen Kunstwerke stellen die menschliche Natur dar, die bildenden Künste beschäftigen sich besonders mit dem
20 menschlichen Körper; wir reden gegenwärtig nur von diesen. Die Kunst hat viele Stufen, auf jeder derselben können vorzügliche Künstler erscheinen, ein vollkommenes Kunstwerk aber begreift alle Eigenschaften, die sonst nur einzeln ausgeteilt sind.

25   Die höchsten Kunstwerke, die wir kennen, zeigen uns:

Lebendige, hochorganisierte Naturen. Man erwartet vor allem Kenntnis des menschlichen Körpers in seinen Teilen, Maßen, innern und äußern Zwecken, Formen und Bewegungen im allgemeinen.

30   Charaktere. Kenntnis des Abweichens dieser Teile in Gestalt und Wirkung. Eigenschaften sondern sich ab und stellen sich einzeln dar; hierdurch entstehen die Charaktere, und es können die verschiedenen Kunstwerke dadurch in ein bedeutendes Verhältnis gegeneinander gebracht werden,
35 so wie auch, wenn ein Werk zusammengesetzt ist, seine Teile sich bedeutend gegeneinander verhalten können. Der Gegenstand ist:

In Ruhe oder Bewegung. Ein Werk oder seine Teile

können entweder für sich bestehend, ruhig ihr bloßes Dasein anzeigend, oder auch bewegt, wirkend, leidenschaftlich ausdrucksvoll dargestellt werden.

Ideal. Um hierzu zu gelangen, bedarf der Künstler eines tiefen, gründlichen, ausdauernden Sinnes, zu dem aber noch ein hoher Sinn sich gesellen muß, um den Gegenstand in seinem ganzen Umfange zu übersehen, den höchsten darzustellenden Moment zu finden, und ihn also aus einer beschränkten Wirklichkeit herauszuheben und ihm in einer idealen Welt Maß, Grenze, Realität und Würde zu geben.

Anmut. Der Gegenstand aber und die Art, ihn vorzustellen, sind den sinnlichen Kunstgesetzen unterworfen, nämlich der Ordnung, Faßlichkeit, Symmetrie, Gegenstellung etc., wodurch er für das Auge schön, das heißt anmutig wird.

Schönheit. Ferner ist er dem Gesetz der geistigen Schönheit unterworfen, die durch das Maß entsteht, welchem der zur Darstellung oder Hervorbringung des Schönen gebildete Mensch alles, sogar die Extreme zu unterwerfen weiß.

Nachdem ich die Bedingungen, welche wir von einem hohen Kunstwerke fordern, zum voraus angegeben habe, so kann ich mit wenigen Worten viel sagen, wenn ich behaupte, daß unsere Gruppe sie alle erfüllt, ja daß man sie aus derselben allein entwickeln könne.

Man wird mir den Beweis erlassen, daß sie Kenntnis des menschlichen Körpers, daß sie das Charakteristische an demselben sowie Ausdruck und Leidenschaft zeige. Wie hoch und ideal der Gegenstand gefaßt sei, wird sich aus dem folgenden ergeben; daß man das Werk schön nennen müsse, wird wohl niemand bezweifeln, welcher das Maß erkennt, womit das Extrem eines physischen und geistigen Leidens hier dargestellt ist.

Hingegen wird manchem paradox scheinen, wenn ich behaupte, daß diese Gruppe auch zugleich anmutig sei. Hierüber also nur einige Worte.

Jedes Kunstwerk muß sich als ein solches anzeigen, und das kann es allein durch das, was wir sinnliche Schönheit oder Anmut nennen. Die Alten, weit entfernt von dem mo-

dernen Wahne, daß ein Kunstwerk dem Scheine nach wieder ein Naturwerk werden müsse, bezeichneten ihre Kunstwerke als solche durch gewählte Ordnung der Teile; sie erleichterten dem Auge die Einsicht in die Verhältnisse durch
5 Symmetrie, und so ward ein verwickeltes Werk faßlich. Durch eben diese Symmetrie und durch Gegenstellungen wurden in leisen Abweichungen die höchsten Kontraste möglich. Die Sorgfalt der Künstler, mannigfaltige Massen gegeneinander zu stellen, besonders die Extremitäten der
10 Körper bei Gruppen gegeneinander in eine regelmäßige Lage zu bringen, war äußerst überlegt und glücklich, so daß ein jedes Kunstwerk, wenn man auch von dem Inhalt abstrahiert, wenn man in der Entfernung auch nur die allgemeinsten Umrisse sieht, noch immer dem Auge als ein
15 Zierat erscheint. Die alten Vasen geben uns hundert Beispiele einer solchen anmutigen Gruppierung, und es würde vielleicht möglich sein, stufenweise von der ruhigsten Vasengruppe bis zu der höchst bewegten des Laokoons die schönsten Beispiele einer symmetrisch künstlichen, den Augen
20 gefälligen Zusammensetzung darzulegen. Ich getraue mir daher nochmals zu wiederholen: daß die Gruppe des Laokoons, neben allen übrigen anerkannten Verdiensten, zugleich ein Muster sei von Symmetrie und Mannigfaltigkeit, von Ruhe und Bewegung, von Gegensätzen und Stufen-
25 gängen, die sich zusammen, teils sinnlich teils geistig, dem Beschauer darbieten, bei dem hohen Pathos der Vorstellung eine angenehme Empfindung erregen und den Sturm der Leiden und Leidenschaft durch Anmut und Schönheit mildern.

30   Es ist ein großer Vorteil für ein Kunstwerk, wenn es selbstständig, wenn es geschlossen ist. Ein ruhiger Gegenstand zeigt sich bloß in seinem Dasein, er ist also durch und in sich selbst geschlossen. Ein Jupiter mit einem Donnerkeil im Schoß, eine Juno, die auf ihrer Majestät und Frauenwürde
35 ruht, eine in sich versenkte Minerva sind Gegenstände, die gleichsam nach außen keine Beziehung haben, sie ruhen auf und in sich und sind die ersten, liebsten Gegenstände der Bildhauerkunst. Aber in dem herrlichen Zirkel des mythischen Kunstkreises, in welchem diese einzelnen selbst-

ständigen Naturen stehen und ruhen, gibt es kleinere Zirkel,
wo die einzelnen Gestalten in Bezug auf andere gedacht und
gearbeitet sind. Z. E. die neun Musen, mit ihrem Führer
Apoll, ist jede für sich gedacht und ausgeführt, aber in dem
ganzen mannigfaltigen Chor wird sie noch interessanter. 5
Geht die Kunst zum leidenschaftlich Bedeutenden über, so
kann sie wieder auf dieselbe Weise handeln: sie stellt uns
entweder einen Kreis von Gestalten dar, die untereinander
einen leidenschaftlichen Bezug haben, wie Niobe mit ihren
Kindern, verfolgt von Apoll und Diana, oder sie zeigt uns 10
in einem Werke die Bewegung zugleich mit ihrer Ursache.
Wir gedenken hier nur des anmutigen Knaben, der sich den
Dorn aus dem Fuße zieht, der Ringer, zweier Gruppen von
Faunen und Nymphen in Dresden, und der bewegten herrlichen Gruppe des Laokoon. 15
  Die Bildhauerkunst wird mit Recht so hoch gehalten,
weil sie die Darstellung auf ihren höchsten Gipfel bringen
kann und muß, weil sie den Menschen von allem, was ihm
nicht wesentlich ist, entblößt. So ist auch bei dieser Gruppe
Laokoon ein bloßer Name; von seiner Priesterschaft, von 20
seinem trojanisch-nationellen, von allem poetischen und
mythologischen Beiwesen haben ihn die Künstler entkleidet;
er ist nichts von allem, wozu ihn die Fabel macht: es ist ein
Vater mit zwei Söhnen, in Gefahr, zwei gefährlichen Tieren
unterzuliegen. So sind auch hier keine göttergesandte, 25
sondern bloß natürliche Schlangen, mächtig genug, einige
Menschen zu überwältigen, aber keineswegs, weder in ihrer
Gestalt noch Handlung, außerordentliche, rächende, stra-
fende Wesen. Ihrer Natur gemäß schleichen sie heran, umschlingen, schnüren zusammen, und die eine beißt erst ge- 30
reizt. Sollte ich diese Gruppe, wenn wir keine weitere Deutung derselben bekannt wäre, erklären, so würde ich sie eine
tragische Idylle nennen. Ein Vater schlief neben seinen beiden Söhnen, sie wurden von Schlangen umwunden und
streben nun, erwachend, sich aus dem lebendigen Netze los- 35
zureißen.
  Äußerst wichtig ist dieses Kunstwerk durch die Darstellung des Moments. Wenn ein Werk der bildenden Kunst
sich wirklich vor dem Auge bewegen soll, so muß ein vor-

übergehender Moment gewählt sein; kurz vorher darf kein
Teil des Ganzen sich in dieser Lage befunden haben, kurz
hernach muß jeder Teil genötigt sein, diese Lage zu verlassen; dadurch wird das Werk Millionen Anschauern immer
5 wieder neu lebendig sein.

Um die Intention des Laokoons recht zu fassen, stelle
man sich in gehöriger Entfernung mit geschloßnen Augen
davor; man öffne sie und schließe sie sogleich wieder, so
wird man den ganzen Marmor in Bewegung sehen, man
10 wird fürchten, indem man die Augen wieder öffnet, die
ganze Gruppe verändert zu finden. Ich möchte sagen, wie
sie jetzt dasteht, ist sie ein fixierter Blitz, eine Welle, ver-
steinert im Augenblicke, da sie gegen das Ufer anströmt.
Dieselbe Wirkung entsteht, wenn man die Gruppe nachts
15 bei der Fackel sieht.

Der Zustand der drei Figuren ist mit der höchsten Weisheit stufenweise dargestellt; der älteste Sohn ist nur an den
Extremitäten verstrickt, der zweite öfters umwunden, besonders ist ihm die Brust zusammengeschnürt; durch die
20 Bewegung des rechten Arms sucht er sich Luft zu machen,
mit der Linken drängt er sanft den Kopf der Schlange zurück, um sie abzuhalten, daß sie nicht noch einen Ring um
die Brust ziehe; sie ist im Begriff, unter der Hand weg-
zuschlüpfen, keinesweges aber beißt sie. Der Vater hin-
25 gegen will sich und die Kinder von diesen Umstrickungen
mit Gewalt befreien, er preßt die andere Schlange, und
diese, gereizt, beißt ihn in die Hüfte.

Um die Stellung des Vaters sowohl im ganzen als nach
allen Teilen des Körpers zu erklären, scheint es mir am vor-
30 teilhaftesten, das augenblickliche Gefühl der Wunde als die
Hauptursache der ganzen Bewegung anzugeben. Die Schlange hat nicht gebissen, sondern sie beißt, und zwar in den
weichen Teil des Körpers, über und etwas hinter der Hüfte.
Die Stellung des restaurierten Kopfes der Schlange hat den
35 eigentlichen Biß nie recht angegeben; glücklicherweise haben sich noch die Reste der beiden Kinnladen an dem hintern Teil der Statue erhalten. Wenn nur nicht diese höchst
wichtigen Spuren bei der jetzigen traurigen Veränderung
auch verlorengehen! Die Schlange bringt dem unglück-

lichen Manne eine Wunde an dem Teile bei, wo der Mensch
gegen jeden Reiz sehr empfindlich ist, wo sogar ein geringer
Kitzel jene Bewegung hervorbringt, welche wir hier durch
die Wunde bewirkt sehen: der Körper flieht auf die entgegengesetzte Seite, der Leib zieht sich ein, die Schulter   5
drängt sich herunter, die Brust tritt hervor, der Kopf senkt
sich nach der berührten Seite; da sich nun noch in den
Füßen, die gefesselt, und in den Armen, die ringend sind,
der Überrest der vorhergehenden Situation oder Handlung
zeigt, so entsteht eine Zusammenwirkung von Streben und   10
Fliehen, von Wirken und Leiden, von Anstrengen und
Nachgeben, die vielleicht unter keiner andern Bedingung
möglich wäre. Man verliert sich in Erstaunen über die Weisheit der Künstler, wenn man versucht, den Biß an einer
andern Stelle anzubringen: die ganze Gebärde würde ver-   15
ändert sein, und auf keine Weise ist sie schicklicher denklich. Es ist also dieses ein Hauptsatz: der Künstler hat uns
eine sinnliche Wirkung dargestellt, er zeigt uns auch die
sinnliche Ursache. Der Punkt des Bisses, ich wiederhole es,
bestimmt die gegenwärtigen Bewegungen der Glieder: das   20
Fliehen des Unterkörpers, das Einziehen des Leibes, das
Hervorstreben der Brust, das Niederzucken der Achsel und
des Hauptes, ja alle die Züge des Angesichts seh' ich durch
diesen augenblicklichen, schmerzlichen, unerwarteten Reiz
entschieden.   25
    Fern aber sei es von mir, daß ich die Einheit der mensch-
lichen Natur trennen, daß ich den geistigen Kräften dieses
herrlich gebildeten Mannes ihr Mitwirken ableugnen, daß
ich das Streben und Leiden einer großen Natur verkennen
sollte. Angst, Furcht, Schrecken, väterliche Neigung schei-   30
nen auch mir sich durch diese Adern zu bewegen, in dieser
Brust aufzusteigen, auf dieser Stirn sich zu furchen; gern
gesteh' ich, daß mit dem sinnlichen auch das geistige Leiden
hier auf der höchsten Stufe dargestellt sei; nur trage man
die Wirkung, die das Kunstwerk auf uns macht, nicht zu   35
lebhaft auf das Werk selbst über, besonders sehe man keine
Wirkung des Gifts bei einem Körper, den erst im Augenblicke die Zähne der Schlange ergreifen; man sehe keinen
Todeskampf bei einem herrlichen, strebenden, gesunden,

kaum verwundeten Körper. Hier sei mir eine Bemerkung
erlaubt, die für die bildende Kunst von Wichtigkeit ist: der
höchste pathetische Ausdruck, den sie darstellen kann,
schwebt auf dem Übergange eines Zustandes in den andern.
5 Man sehe ein lebhaftes Kind, das mit aller Energie und Lust
des Lebens rennt, springt und sich ergötzt, dann aber etwa
unverhofft von einem Gespielen hart getroffen oder sonst
physisch oder moralisch heftig verletzt wird; diese neue
Empfindung teilt sich wie ein elektrischer Schlag allen
10 Gliedern mit, und ein solcher Übersprung ist im höchsten
Sinne pathetisch, es ist ein Gegensatz, von dem man ohne
Erfahrung keinen Begriff hat. Hier wirkt nun offenbar der
geistige sowohl als der physische Mensch. Bleibt alsdann
bei einem solchen Übergange noch die deutliche Spur vom
15 vorhergehenden Zustande, so entsteht der herrlichste Gegenstand für die bildende Kunst, wie beim Laokoon der Fall ist,
wo Streben und Leiden in einem Augenblick vereinigt sind.
So würde z. B. Eurydice, die im Moment, da sie mit ge-
sammelten Blumen fröhlich über die Wiese geht, von einer
20 getretenen Schlange in die Ferse gebissen wird, eine sehr
pathetische Statue machen, wenn nicht allein durch die
herabfallenden Blumen, sondern durch die Richtung aller
Glieder und das Schwanken der Falten der doppelte Zustand des fröhlichen Vorschreitens und des schmerzlichen
25 Anhaltens ausgedrückt werden könnte.

Wenn wir nun die Hauptfigur in diesem Sinne gefaßt
haben, so können wir auf die Verhältnisse, Abstufungen und
Gegensätze sämtlicher Teile des ganzen Werkes mit einem
freien und sichern Blicke hinsehen.

30 Der gewählte Gegenstand ist einer der glücklichsten, die
sich denken lassen. Menschen mit gefährlichen Tieren im
Kampfe, und zwar mit Tieren, die nicht als Massen oder
Gewalten, sondern als ausgeteilte Kräfte wirken, nicht von
einer Seite drohen, nicht einen zusammengefaßten Wider-
35 stand fordern, sondern die nach ihrer ausgedehnten Organisation fähig sind, drei Menschen mehr oder weniger ohne
Verletzung zu paralysieren. Durch dieses Mittel der Läh-
mung wird, bei der großen Bewegung, über das Ganze schon
eine gewisse Ruhe und Einheit verbreitet. Die Wirkungen

der Schlangen sind stufenweise angegeben. Die eine umschlingt nur, die andre wird gereizt und verletzt ihren Gegner.

Die drei Menschen sind gleichfalls äußerst weise gewählt. Ein starker, wohlgebauter Mann, aber schon über die Jahre der größten Energie hinaus, weniger fähig, Schmerz und Leiden zu widerstehen. Man denke sich an seiner Statt einen rüstigen Jüngling, und die Gruppe wird ihren ganzen Wert verlieren. Mit ihm leiden zwei Knaben, die, selbst dem Maße nach, gegen ihn klein gehalten sind; abermals zwei Naturen, empfänglich für Schmerz. Der jüngere strebt ohnmächtig; er ist geängstigt, aber nicht verletzt; der Vater strebt mächtig, aber unwirksam, vielmehr bringt sein Streben die entgegengesetzte Wirkung hervor; er reizt seinen Gegner und wird verwundet. Der älteste Sohn ist am leichtesten verstrickt; er fühlt weder Beklemmung noch Schmerz, er erschrickt über die augenblickliche Verwundung und Bewegung seines Vaters, er schreit auf, indem er das Schlangenende von dem einen Fuße abzustreifen sucht; hier ist also noch ein Beobachter, Zeuge und Teilnehmer bei der Tat, und das Werk ist abgeschlossen.

Was ich schon im Vorbeigehen berührt habe, will ich hier noch besonders bemerken: daß alle drei Figuren eine doppelte Handlung äußern und so höchst mannigfaltig beschäftigt sind. Der jüngste Sohn will sich durch die Erhöhung des rechten Arms Luft machen und drängt mit der linken Hand den Kopf der Schlange zurück, er will sich das gegenwärtige Übel erleichtern und das größere verhindern - der höchste Grad von Tätigkeit, der ihm in seiner gefangenen Lage noch übrigbleibt. Der Vater strebt, sich von den Schlangen loszuwinden, und der Körper flieht zugleich vor dem augenblicklichen Bisse. Der älteste Sohn entsetzt sich vor der Bewegung des Vaters und sucht sich von der leicht umwindenden Schlange zu befreien.

Schon oben ist der Gipfel des vorgestellten Augenblicks als ein großer Vorzug dieses Kunstwerks gerühmt, und hier ist noch besonders davon zu sprechen.

Wir nahmen an, daß natürliche Schlangen einen Vater mit seinen Söhnen im Schlaf umwunden, damit wir bei Be-

trachtung der Momente eine Steigerung vor uns sähen. Die
ersten Augenblicke des Umwindens im Schlafe sind ahndungsvoll, aber für die Kunst unbedeutend. Man könnte
vielleicht einen schlafenden jungen Herkules bilden, wie er
5 von Schlangen umwunden wird, dessen Gestalt und Ruhe uns
aber zeigte, was wir von seinem Erwachen zu erwarten hätten.

Gehen wir nun weiter und denken uns den Vater, der sich
mit seinen Kindern, es sei nun, wie es sei, von Schlangen
umwunden fühlt, so gibt es nur einen Moment des höch-
10 sten Interesse: wenn der eine Körper durch die Umwindung
wehrlos gemacht ist, wenn der andere zwar wehrhaft, aber
verletzt ist und dem dritten eine Hoffnung zur Flucht übrigbleibt. In dem ersten Falle ist der jüngere Sohn, im zweiten
der Vater, im dritten der ältere Sohn. Man versuche noch
15 einen andern Fall zu finden! man suche die Rollen anders,
als sie hier ausgeteilt sind, zu verteilen!

Denken wir nun die Handlung vom Anfang herauf und
erkennen, daß sie gegenwärtig auf dem höchsten Punkt steht,
so werden wir, wenn wir die nächstfolgenden und fernern
20 Momente bedenken, sogleich gewahr werden, daß sich die
ganze Gruppe verändern muß und daß kein Augenblick
gefunden werden kann, der diesem an Kunstwert gleich
sei. Der jüngste Sohn wird entweder von der umwindenden
Schlange erstickt oder, wenn er sie reizen sollte, in seinem
25 völlig hülflosen Zustande noch gebissen. Beide Fälle sind
unerträglich, weil sie ein Letztes sind, das nicht dargestellt
werden soll. Was den Vater betrifft, so wird er entweder von
der Schlange noch an andern Teilen gebissen, wodurch die
ganze Lage seines Körpers sich verändern muß und die
30 ersten Bisse für den Zuschauer entweder verlorengehen oder,
wenn sie angezeigt werden sollten, ekelhaft sein würden;
oder die Schlange kann auch sich umwenden und den ältesten Sohn anfallen, dieser wird alsdann auf sich selbst
zurückgeführt, die Begebenheit verliert ihren Teilnehmer,
35 der letzte Schein von Hoffnung ist aus der Gruppe verschwunden, es ist keine tragische, es ist eine grausame Vorstellung. Der Vater, der jetzt in seiner Größe und in seinem
Leiden auf sich ruht, müßte sich gegen den Sohn wenden,
er würde teilnehmende Nebenfigur.

Der Mensch hat bei eignen und fremden Leiden nur drei Empfindungen: Furcht, Schrecken und Mitleiden, das bange Voraussehen eines sich annähernden Übels, das unerwartete Gewahrwerden gegenwärtigen Leidens und die Teilnahme am dauernden oder vergangenen; alle drei werden durch dieses Kunstwerk dargestellt und erregt, und zwar in den gehörigsten Abstufungen.

Die bildende Kunst, die immer für den Moment arbeitet, wird, sobald sie einen pathetischen Gegenstand wählt, denjenigen ergreifen, der Schrecken erweckt, dahingegen Poesie sich an solche hält, die Furcht und Mitleiden erregen. Bei der Gruppe des Laokoons erregt das Leiden des Vaters Schrecken, und zwar im höchsten Grad, an ihm hat die Bildhauerkunst ihr Höchstes getan; allein teils um den Zirkel aller menschlichen Empfindungen zu durchlaufen, teils um den heftigen Eindruck des Schreckens zu mildern, erregt sie Mitleiden für den Zustand des jüngern Sohns und Furcht für den ältern, indem sie für diesen auch noch Hoffnung übrigläßt. So brachten die Künstler durch Mannigfaltigkeit ein gewisses Gleichgewicht in ihre Arbeit, milderten und erhöhten Wirkung durch Wirkungen und vollendeten sowohl ein geistiges als ein sinnliches Ganze.

Genug, wir dürfen kühnlich behaupten, daß dieses Kunstwerk seinen Gegenstand erschöpfe und alle Kunstbedingungen glücklich erfülle. Es lehrt uns: daß, wenn der Meister sein Schönheitsgefühl ruhigen und einfachen Gegenständen einflößen kann, sich doch eigentlich dasselbe in seiner höchsten Energie und Würde zeige, wenn es bei Bildung mannigfaltiger Charaktere seine Kraft beweist und die leidenschaftlichen Ausbrüche der menschlichen Natur in der Kunstnachahmung zu mäßigen und zu bändigen versteht. Wir geben in der Folge wohl eine genauere Beschreibung der Statuen, welche unter dem Namen der Familie der Niobe bekannt sind, sowie auch der Gruppe des Farnesischen Stiers; sie gehören unter die wenigen pathetischen Darstellungen, welche uns von alter Skulptur übriggeblieben sind.

Gewöhnlich haben sich die Neuern bei der Wahl solcher Gegenstände vergriffen. Wenn Milo, mit beiden Händen

in einer Baumspalte gefangen, von einem Löwen angefallen wird, so wird die Kunst sich vergebens bemühen, daraus ein Werk zu bilden, das eine reine Teilnahme erregen könnte. Ein doppelter Schmerz, eine vergebliche Anstrengung, ein
5 hülfloser Zustand, ein gewisser Untergang können nur Abscheu erregen, wenn sie nicht ganz kalt lassen.

Und zuletzt nur noch ein Wort über das Verhältnis des Gegenstandes zur Poesie.

Man ist höchst ungerecht gegen Virgilen und die Dicht-
10 kunst, wenn man das geschlossenste Meisterwerk der Bildhauerarbeit mit der episodischen Behandlung in der Äneis auch nur einen Augenblick vergleicht. Da einmal der unglückliche vertriebene Äneas selbst erzählen soll, daß er und seine Landsleute die unverzeihliche Torheit begangen
15 haben, das bekannte Pferd in ihre Stadt zu führen, so muß der Dichter nur darauf denken, wie die Handlung zu entschuldigen sei. Alles ist auch darauf angelegt, und die Geschichte des Laokoons steht hier als ein rhetorisches Argument, bei dem eine Übertreibung, wenn sie nur zweckmäßig
20 ist, gar wohl gebilligt werden kann. So kommen ungeheure Schlangen aus dem Meere, mit Kämmen auf dem Haupte, eilen auf die Kinder des Priesters, der das Pferd verletzt hatte, umwickeln sie, beißen sie, begeifern sie; umwinden, umschlingen darauf Brust und Hals des zu Hülfe eilenden
25 Vaters und ragen mit ihren Köpfen triumphierend hoch empor, indem der Unglückliche unter ihren Windungen vergebens um Hülfe schreit. Das Volk entsetzt sich und flieht beim Anblick, niemand wagt es mehr, ein Patriot zu sein, und der Zuhörer, durch die abenteuerliche und ekel-
30 hafte Geschichte erschreckt, gibt denn auch gern zu, daß das Pferd in die Stadt gebracht werde.

So steht also die Geschichte Laokoons im Virgil bloß als Mittel zu einem höhern Zwecke, und es ist noch eine große Frage, ob die Begebenheit an sich ein poetischer Gegen-
35 stand sei.

ÜBER WAHRHEIT UND WAHRSCHEINLICHKEIT DER KUNSTWERKE

Ein Gespräch

Auf einem deutschen Theater ward ein ovales, gewissermaßen amphitheatralisches Gebäude vorgestellt, in dessen Logen viele Zuschauer gemalt sind, als wenn sie an dem, was unten vorgeht, teilnähmen. Manche wirkliche Zuschauer im Parterre und in den Logen waren damit unzufrieden, und wollten übelnehmen, daß man ihnen so etwas Unwahres und Unwahrscheinliches aufzubinden gedächte. Bei dieser Gelegenheit fiel ein Gespräch vor, dessen ungefährer Inhalt hier aufgezeichnet wird.

Der Anwalt des Künstlers. Lassen Sie uns sehen, ob wir uns nicht einander auf irgendeinem Wege nähern können.

Der Zuschauer. Ich begreife nicht, wie Sie eine solche Vorstellung entschuldigen wollen.

Anwalt. Nicht wahr, wenn Sie ins Theater gehen, so erwarten Sie nicht, daß alles, was Sie drinnen sehen werden, wahr und wirklich sein soll?

Zuschauer. Nein! ich verlange aber, daß mir wenigstens alles wahr und wirklich scheinen solle.

Anwalt. Verzeihen Sie, wenn ich in Ihre eigne Seele leugne, und behaupte: Sie verlangen das keineswegs.

Zuschauer. Das wäre doch sonderbar! Wenn ich es nicht verlangte, warum gäbe sich denn der Dekorateur die Mühe, alle Linien aufs genaueste nach den Regeln der Perspektiv zu ziehen, alle Gegenstände nach der vollkommensten Haltung zu malen? Warum studierte man aufs Kostüm? Warum ließe man sich es so viel kosten, ihm treu zu bleiben, um dadurch mich in jene Zeiten zu versetzen? Warum rühmt man den Schauspieler am meisten, der die Empfindungen am wahrsten ausdrückt, der in Rede, Stellung und Gebärden der Wahrheit am nächsten kommt, der mich täuscht, daß ich nicht eine Nachahmung, sondern die Sache selbst zu sehen glaube?

Anwalt. Sie drücken Ihre Empfindungen recht gut aus, nur ist es schwerer, als Sie vielleicht denken, recht deutlich

einzusehen, was man empfindet. Was werden Sie sagen,
wenn ich Ihnen einwende, daß Ihnen alle theatralische
Darstellungen keinesweges wahr scheinen, daß sie vielmehr
nur einen Schein des Wahren haben?

5   Zuschauer. Ich werde sagen, daß Sie eine Subtilität
vorbringen, die wohl nur ein Wortspiel sein könnte.

Anwalt. Und ich darf Ihnen darauf versetzen, daß, wenn
wir von Wirkungen unseres Geistes reden, keine Worte zart
und subtil genug sind und daß Wortspiele dieser Art selbst
10   ein Bedürfnis des Geistes anzeigen, der, da wir das, was in
uns vorgeht, nicht geradezu ausdrücken können, durch
Gegensätze zu operieren, die Frage von zwei Seiten zu
beantworten und so gleichsam die Sache in die Mitte zu
fassen sucht.

15   Zuschauer. Gut denn! Nur erklären Sie sich deutlicher
und, wenn ich bitten darf, in Beispielen.

Anwalt. Die werde ich leicht zu meinem Vorteil aufbrin-
gen können. Z. B. also, wenn Sie in der Oper sind, empfinden
Sie nicht ein lebhaftes vollständiges Vergnügen?

20   Zuschauer. Wenn alles wohl zusammenstimmt, eines
der vollkommensten, deren ich mir bewußt bin.

Anwalt. Wenn aber die guten Leute da droben singend
sich begegnen und bekomplimentieren, Billetts absingen,
die sie erhalten, ihre Liebe, ihren Haß, alle ihre Leidenschaf-
25   ten singend darlegen, sich singend herumschlagen, und singend verscheiden, können Sie sagen, daß die ganze Vorstellung oder auch nur ein Teil derselben wahr scheine? ja
ich darf sagen: auch nur einen Schein des Wahren habe?

Zuschauer. Fürwahr, wenn ich es überlege, so getraue
30   ich mich das nicht zu sagen. Es kommt mir von allem dem
freilich nichts wahr vor.

Anwalt. Und doch sind Sie dabei völlig vergnügt und
zufrieden.

Zuschauer. Ohne Widerrede. Ich erinnre mich zwar
35   noch wohl, wie man sonst die Oper, eben wegen ihrer groben
Unwahrscheinlichkeit, lächerlich machen wollte, und wie
ich von jeher demungeachtet das größte Vergnügen dabei
empfand und immer mehr empfinde, je reicher und voll-
kommner sie geworden ist.

Anwalt. Und fühlen Sie sich nicht auch in der Oper vollkommen getäuscht?

Zuschauer. Getäuscht, das Wort möchte ich nicht brauchen – und doch ja – und doch nein!

Anwalt. Hier sind Sie ja auch in einem völligen Widerspruch, der noch viel schlimmer als ein Wortspiel zu sein scheint.

Zuschauer. Nur ruhig, wir wollen schon ins klare kommen.

Anwalt. Sobald wir im klaren sind, werden wir einig sein. Wollen Sie mir erlauben, auf dem Punkt, wo wir stehen, einige Fragen zu tun?

Zuschauer. Es ist Ihre Pflicht, da Sie mich in diese Verwirrung hineingefragt haben, mich auch wieder herauszufragen.

Anwalt. Sie möchten also die Empfindung, in welche Sie durch eine Oper versetzt werden, nicht gerne Täuschung nennen?

Zuschauer. Nicht gern, und doch ist es eine Art derselben, etwas, das ganz nahe mit ihr verwandt ist.

Anwalt. Nicht wahr, Sie vergessen beinah sich selbst?

Zuschauer. Nicht beinahe, sondern völlig, wenn das Ganze oder der Teil gut ist.

Anwalt. Sie sind entzückt?

Zuschauer. Es ist mir mehr als einmal geschehen.

Anwalt. Können Sie wohl sagen, unter welchen Umständen?

Zuschauer. Es sind so viele Fälle, daß es mir schwer sein würde, sie aufzuzählen.

Anwalt. Und doch haben Sie es schon gesagt; gewiß am meisten, wenn alles zusammenstimmte.

Zuschauer. Ohne Widerrede!

Anwalt. Stimmte eine solche vollkommne Aufführung mit sich selbst oder mit einem andern Naturprodukt zusammen?

Zuschauer. Wohl ohne Frage mit sich selbst.

Anwalt. Und die Übereinstimmung war doch wohl ein Werk der Kunst?

Zuschauer. Gewiß.

Anwalt. Wir sprachen vorher der Oper eine Art Wahrheit ab; wir behaupteten, daß sie keinesweges das, was sie
nachahmt, wahrscheinlich darstelle; können wir ihr aber eine
innere Wahrheit, die aus der Konsequenz eines Kunstwerks
5 entspringt, ableugnen?

Zuschauer. Wenn die Oper gut ist, macht sie freilich
eine kleine Welt für sich aus, in der alles nach gewissen Gesetzen vorgeht, die nach ihren eignen Gesetzen beurteilt,
nach ihren eigenen Eigenschaften gefühlt sein will.

10 Anwalt. Sollte nun nicht daraus folgen, daß das Kunst-
wahre und das Naturwahre völlig verschieden sei, und daß
der Künstler keinesweges streben solle noch dürfe, daß sein
Werk eigentlich als ein Naturwerk erscheine?

Zuschauer. Aber es scheint uns doch so oft als ein
15 Naturwerk.

Anwalt. Ich darf es nicht leugnen. Darf ich dagegen
aber auch aufrichtig sein?

Zuschauer. Warum das nicht! Es ist ja doch unter uns
diesmal nicht auf Komplimente angesehen.

20 Anwalt. So getraue ich mir zu sagen: Nur dem ganz
ungebildeten Zuschauer kann ein Kunstwerk als ein Naturwerk erscheinen, und ein solcher ist dem Künstler auch lieb
und wert, ob er gleich nur auf der untersten Stufe steht.
Leider aber nur so lange, als der Künstler sich zu ihm her-
25 abläßt, wird jener zufrieden sein, niemals wird er sich mit
dem echten Künstler erheben, wenn dieser den Flug, zu
dem ihn das Genie treibt, beginnen, sein Werk im ganzen
Umfang vollenden muß.

Zuschauer. Es ist sonderbar, doch läßt sich's hören.

30 Anwalt. Sie würden es nicht gern hören, wenn Sie nicht
schon selbst eine höhere Stufe erstiegen hätten.

Zuschauer. Lassen Sie mich nun selbst einen Versuch
machen, das Abgehandelte zu ordnen und weiter zu gehen,
lassen Sie mich die Stelle des Fragenden einnehmen.

35 Anwalt. Desto lieber.

Zuschauer. Nur dem Ungebildeten, sagen Sie, könne
ein Kunstwerk als ein Naturwerk erscheinen.

Anwalt. Gewiß! Erinnern Sie sich der Vögel, die nach
des großen Meisters Kirschen flogen.

Zuschauer. Nun, beweist das nicht, daß diese Früchte fürtrefflich gemalt waren?

Anwalt. Keineswegs, vielmehr beweist mir's, daß diese Liebhaber echte Sperlinge waren.

Zuschauer. Ich kann mich doch deswegen nicht erwehren, ein solches Gemälde für fürtrefflich zu halten.

Anwalt. Soll ich Ihnen eine neuere Geschichte erzählen?

Zuschauer. Ich höre Geschichten meistens lieber als Räsonnement.

Anwalt. Ein großer Naturforscher besaß, unter seinen Haustieren, einen Affen, den er einst vermißte und nach langem Suchen in der Bibliothek fand. Dort saß das Tier an der Erde und hatte die Kupfer eines ungebundnen naturgeschichtlichen Werkes um sich her zerstreut. Erstaunt über dieses eifrige Studium des Hausfreundes, nahte sich der Herr, und sah zu seiner Verwunderung und zu seinem Verdruß, daß der genäschige Affe die sämtlichen Käfer, die er hie und da abgebildet gefunden, herausgespeist habe.

Zuschauer. Die Geschichte ist lustig genug.

Anwalt. Und passend, hoffe ich. Sie werden doch nicht diese illuminierten Kupfer dem Gemälde eines so großen Künstlers an die Seite setzen?

Zuschauer. Nicht leicht.

Anwalt. Aber den Affen doch unter die ungebildeten Liebhaber rechnen?

Zuschauer. Wohl, und unter die gierigen dazu. Sie erregen in mir einen sonderbaren Gedanken! Sollte der ungebildete Liebhaber nicht eben deswegen verlangen, daß ein Kunstwerk natürlich sei, um es nur auch auf eine natürliche, oft rohe und gemeine Weise genießen zu können?

Anwalt. Ich bin völlig dieser Meinung.

Zuschauer. Und Sie behaupteten daher, daß ein Künstler sich erniedrige, der auf diese Wirkung losarbeite?

Anwalt. Es ist meine feste Überzeugung.

Zuschauer. Ich fühle aber hier noch immer einen Widerspruch. Sie erzeigten mir vorhin und auch sonst schon die Ehre, mich wenigstens unter die halbgebildeten Liebhaber zu zählen.

Anwalt. Unter die Liebhaber, die auf dem Wege sind, Kenner zu werden.

Zuschauer. Nun, so sagen Sie mir: warum erscheint auch mir ein vollkommnes Kunstwerk als ein Naturwerk?

Anwalt. Weil es mit Ihrer bessern Natur übereinstimmt, weil es übernatürlich, aber nicht außernatürlich ist. Ein vollkommenes Kunstwerk ist ein Werk des menschlichen Geistes, und in diesem Sinne auch ein Werk der Natur. Aber indem die zerstreuten Gegenstände in eins gefaßt und selbst die gemeinsten in ihrer Bedeutung und Würde aufgenommen werden, so ist es über die Natur. Es will durch einen Geist, der harmonisch entsprungen und gebildet ist, aufgefaßt sein, und dieser findet das Fürtreffliche, das in sich Vollendete auch seiner Natur gemäß. Davon hat der gemeine Liebhaber keinen Begriff, er behandelt ein Kunstwerk wie einen Gegenstand, den er auf dem Markte antrifft; aber der wahre Liebhaber sieht nicht nur die Wahrheit des Nachgeahmten, sondern auch die Vorzüge des Ausgewählten, das Geistreiche der Zusammenstellung, das Überirdische der kleinen Kunstwelt; er fühlt, daß er sich zum Künstler erheben müsse, um das Werk zu genießen, er fühlt, daß er sich aus seinem zerstreuten Leben sammeln, mit dem Kunstwerke wohnen, es wiederholt anschauen und sich selbst dadurch eine höhere Existenz geben müsse.

Zuschauer. Gut, mein Freund, ich habe bei Gemälden, im Theater, bei andern Dichtungsarten wohl ähnliche Empfindungen gehabt, und das ungefähr geahnet, was Sie fordern. Ich will künftig noch besser auf mich und auf die Kunstwerke achtgeben; wenn ich mich aber recht besinne, so sind wir sehr weit von dem Anlaß unsers Gesprächs abgekommen. Sie wollten mich überzeugen, daß ich die gemalten Zuschauer in unserer Oper zulässig finden solle; und noch sehe ich nicht, wenn ich bisher auch mit Ihnen einig geworden bin, wie Sie auch diese Lizenz verteidigen und unter welcher Rubrik Sie diese gemalten Teilnehmer bei mir einführen wollen.

Anwalt. Glücklicherweise wird die Oper heute wiederholt, und Sie werden sie doch nicht versäumen wollen?

Zuschauer. Keineswegs.

Anwalt. Und die gemalten Männer?

Zuschauer. Werden mich nicht verscheuchen, weil ich mich für etwas besser als einen Sperling halte.

Anwalt. Ich wünsche, daß ein beiderseitiges Interesse uns bald wieder zusammenführen möge.

DER SAMMLER UND DIE SEINIGEN

FÜNFTER BRIEF

Die Heiterkeit Ihrer Antwort bürgt mir, daß Sie mein Brief in der besten Stimmung angetroffen und Ihnen diese herrliche Gabe des Himmels nicht verkümmert hat; auch mir waren Ihre Blätter ein angenehmes Geschenk in einem angenehmen Augenblick.

Wenn das Glück viel öfter allein und viel seltner in Gesellschaft kommt als das Unglück, so habe ich diesmal eine Ausnahme von der Regel erfahren; erwünschter und bedeutender hätten mir Ihre Blätter nicht kommen können, und Ihre Anmerkungen zu meinen wunderlichen Klassifikationen hätten nicht leicht geschwinder Frucht gebracht als eben in dem Augenblick, da sie, wie ein schon keimender Same, in ein fruchtbares Erdreich fielen. Lassen Sie mich also die Geschichte des gestrigen Tages erzählen, damit Sie erfahren, was für ein neuer Stern mir aufging, mit welchem das Gestirn Ihres Briefs in eine so glückliche Konjunktion tritt.

Gestern meldete sich bei uns ein Fremder an, dessen Name mir nicht unbekannt, der mir als ein guter Kenner gerühmt war. Ich freute mich bei seinem Eintritt, machte ihn mit meinen Besitzungen im allgemeinen bekannt, ließ ihn wählen und zeigte vor. Ich bemerkte bald ein sehr gebildetes Auge für Kunstwerke, besonders für die Geschichte derselben. Er erkannte die Meister so wie ihre Schüler, bei zweifelhaften Bildern wußte er die Ursachen seines Zweifels sehr gut anzugeben, und seine Unterhaltung erfreute mich sehr.

Vielleicht wäre ich hingerissen worden, mich gegen ihn lebhafter zu äußern, wenn nicht der Vorsatz, meinen Gast auszuhorchen, mir gleich beim Eintritt eine ruhigere Stimmung gegeben hätte. Viele seiner Urteile trafen mit den meinigen zusammen, bei manchen mußte ich sein scharfes und geübtes Auge bewundern. Das erste, was mir an ihm besonders auffiel, war ein entschiedener Haß gegen alle Manieristen. Es tat mir für einige meiner Lieblingsbilder leid, und ich war um desto mehr aufgefordert, zu untersuchen, aus welcher Quelle eine solche Abneigung wohl fließen möchte.

Mein Gast war spät gekommen, und die Dämmerung verhinderte uns, weiter zu sehen, ich zog ihn zu einer kleinen Kollation, zu der unser Philosoph eingeladen war, denn dieser hat sich mir seit einiger Zeit genähert; wie das kommt, muß ich Ihnen im Vorbeigehen sagen.

Glücklicherweise hat der Himmel, der die Eigenheiten der Männer voraussah, ein Mittel bereitet, das sie ebenso oft verbindet als entzweit, mein Philosoph ward von Juliens Anmut, die er als Kind verlassen hatte, getroffen. Eine richtige Empfindung legte ihm auf, den Oheim so wie die Nichte zu unterhalten, und unser Gespräch verweilt nun gewöhnlich bei den Neigungen, bei den Leidenschaften des Menschen.

Ehe wir noch alle beisammen waren, ergriff ich die Gelegenheit, meine Manieristen gegen den Fremden in Schutz zu nehmen. Ich sprach von ihrem schönen Naturell, von der glücklichen Übung ihrer Hand und ihrer Anmut, doch setzte ich, um mich zu verwahren, hinzu: „Dies will ich alles nur sagen, um eine gewisse Duldung zu entschuldigen, wenn ich gleich zugebe, daß die hohe Schönheit, das höchste Prinzip und der höchste Zweck der Kunst freilich noch etwas ganz anders sei."

Mit einem Lächeln, das mir nicht ganz gefiel, weil es eine besondere Gefälligkeit gegen sich selbst und eine Art Mitleiden gegen mich auszudrücken schien, erwiderte er darauf: „Sie sind denn also auch den hergebrachten Grundsätzen getreu, daß Schönheit das letzte Ziel der Kunst sei?"

„Mir ist kein höheres bekannt", versetzte ich darauf.

„Können Sie mir sagen, was Schönheit sei?" rief er aus.

„Vielleicht nicht!" versetzte ich, „aber ich kann es Ihnen zeigen. Lassen Sie uns, auch allenfalls noch bei Licht, einen sehr schönen Gipsabguß des Apolls, einen sehr schönen Marmorkopf des Bacchus, den ich besitze, noch geschwind anblicken, und wir wollen sehen, ob wir uns nicht vereinigen können, daß sie schön seien."

„Ehe wir an diese Untersuchung gehen", versetzte er, „möchte es wohl nötig sein, daß wir das Wort Schönheit und seinen Ursprung näher betrachten. Schönheit kommt von Schein, sie ist ein Schein und kann als das höchste Ziel der Kunst nicht gelten, das vollkommen Charakteristische nur verdient schön genannt zu werden, ohne Charakter gibt es keine Schönheit."

Betroffen über diese Art, sich auszudrücken, versetzte ich: „Zugegeben, aber nicht eingestanden, daß das Schöne charakteristisch sein müsse, so folgt doch nur daraus, daß das Charakteristische dem Schönen allenfalls zu Grunde liege, keineswegs aber, daß es eins mit dem Charakteristischen sei. Der Charakter verhält sich zum Schönen wie das Skelett zum lebendigen Menschen. Niemand wird leugnen, daß der Knochenbau zum Grunde aller hoch organisierten Gestalt liege, er begründet, er bestimmt die Gestalt, er ist aber nicht die Gestalt selbst, und noch weniger bewirkt er die letzte Erscheinung, die wir, als Inbegriff und Hülle eines organischen Ganzen, Schönheit nennen."

„Auf Gleichnisse kann ich mich nicht einlassen", versetzte der Gast, „und aus Ihren Worten selbst erhellet, daß die Schönheit etwas Unbegreifliches, oder die Wirkung von etwas Unbegreiflichem sei. Was man nicht begreifen kann, das ist nicht, was man mit Worten nicht klar machen kann, das ist Unsinn."

Ich. Können Sie denn die Wirkung, die ein farbiger Körper auf Ihr Auge macht, mit Worten klar ausdrücken?

Er. Das ist wieder eine Instanz, auf die ich mich nicht einlassen kann. Genug, was Charakter sei, läßt sich nachweisen. Sie finden die Schönheit nie ohne Charakter, denn sonst würde sie leer und unbedeutend sein. Alles Schöne der Alten ist bloß charakteristisch, und bloß aus dieser Eigentümlichkeit entsteht die Schönheit.

Unser Philosoph war gekommen und hatte sich mit den Nichten unterhalten; als er uns eifrig sprechen hörte, trat er hinzu, und mein Gast, durch die Gegenwart eines neuen Zuhörers gleichsam angefeuert, fuhr fort.

„Das ist eben das Unglück, wenn gute Köpfe, wenn Leute von Verdienst solche falsche Grundsätze, die nur einen Schein von Wahrheit haben, immer allgemeiner machen, niemand spricht sie lieber nach, als wer den Gegenstand nicht kennt und versteht. So hat uns Lessing den Grundsatz aufgebunden, daß die Alten nur das Schöne gebildet, so hat uns Winckelmann mit der stillen Größe, der Einfalt und Ruhe eingeschläfert, anstatt daß die Kunst der Alten unter allen möglichen Formen erscheint; aber die Herren verweilen nur bei Jupiter und Juno, bei den Genien und Grazien und verhehlen die unedlen Körper und Schädel der Barbaren, die strippichten Haare, den schmutzigen Bart, die dürren Knochen, die runzlichte Haut des entstellten Alters, die vorliegenden Adern und die schlappen Brüste."

„Um Gottes willen!" rief ich aus, „gibt es denn aus der guten Zeit der alten Kunst selbstständige Kunstwerke, die solche abscheuliche Gegenstände vollendet darstellen? oder sind es nicht vielmehr untergeordnete Werke, Werke der Gelegenheit, Werke der Kunst, die sich nach äußern Absichten bequemen muß, die im Sinken ist?"

Er. Ich gebe Ihnen ein Verzeichnis, und Sie mögen selbst untersuchen und urteilen. Aber daß Laokoon, daß Niobe, daß Dirce mit ihren Stiefsöhnen selbstständige Kunstwerke sind, werden Sie mir nicht leugnen. Treten Sie vor den Laokoon, und sehen Sie die Natur in voller Empörung und Verzweiflung, den letzten erstickenden Schmerz, krampfartige Spannung, wütende Zuckung, die Wirkung eines ätzenden Gifts, heftige Gärung, stockenden Umlauf, erstickende Pressung und paralytischen Tod.

Der Philosoph schien mich mit Verwunderung anzusehen, und ich versetzte: „Man schaudert, man erstarrt nur vor der bloßen Beschreibung. Fürwahr, wenn es sich mit der Gruppe Laokoons so verhält, was will aus der Anmut werden, die man sogar darin so wie in jedem echten Kunstwerke finden will! Doch ich will mich darein nicht mischen, machen Sie das mit den Verfassern der Propyläen aus, welche ganz der entgegengesetzten Meinung sind."

„Das wird sich schon geben", versetzte mein Gast, „das ganze Altertum spricht mir zu; denn wo wütet Schrecken und Tod entsetzlicher als bei den Darstellungen der Niobe?"

Ich erschrak über eine solche Assertion, denn ich hatte noch kurz vorher freilich nur die Kupfer im Fabroni gesehen, den ich sogleich herbeiholte und aufschlug. „Ich finde keine Spur vom wütenden Schrecken des Todes, vielmehr in den Statuen die höchste Subordination der tragischen Situation unter die höchsten Ideen von Würde, Hoheit, Schönheit, gemäßigtem Betragen. Ich sehe hier überall den Kunstzweck, die Glieder zierlich und anmutig erscheinen zu lassen. Der Charakter erscheint nur noch in den allgemeinsten Linien, welche durch die Werke, gleichsam wie ein geistiger Knochenbau, durchgezogen sind."

Er. Lassen Sie uns zu den Basreliefen übergehen, die wir am Ende des Buches finden. –

Wir schlugen sie auf.

Ich. Von allem Entsetzlichen, aufrichtig gesagt, sehe ich auch hier nicht das mindeste. Wo wüten Schrecken und Tod? Hier sehe ich nur Figuren mit solcher Kunst durcheinander bewegt, so glücklich gegeneinander gestellt oder gestreckt, daß sie, indem sie mich an ein trauriges Schicksal erinnern, mir zugleich die angenehmste Empfindung geben. Alles Charakteristische ist gemäßigt, alles natürlich Gewaltsame ist aufgehoben, und so möchte ich sagen: Das Charakteristische liegt zum Grunde, auf ihm ruhen Einfalt und Würde, das höchste Ziel der Kunst ist Schönheit und ihre letzte Wirkung Gefühl der Anmut.

Das Anmutige, das gewiß nicht unmittelbar mit dem Charakteristischen verbunden werden kann, fällt besonders bei diesem Sarkophagen in die Augen. Sind die toten Töchter und Söhne der Niobe nicht hier als Zieraten geordnet? Es ist die höchste Schwelgerei der Kunst! sie verziert nicht mehr mit Blumen und Früchten, sie verziert mit menschlichen Leichnamen, mit dem größten Elend, das einem Vater, das einer Mutter begegnen kann, eine blühende Familie auf einmal vor sich hingerafft zu sehen. Ja, der

schöne Genius, der mit gesenkter Fackel bei dem Grabe
steht, hat hier bei dem erfindenden, bei dem arbeitenden
Künstler gestanden und ihm zu seiner irdischen Größe eine
himmlische Anmut zugehaucht.

5   Mein Gast sah mich lächelnd an und zuckte die Achseln.
„Leider", sagte er, als ich geendigt hatte, „leider sehe ich
wohl, daß wir nicht einig werden können. Wie schade, daß
ein Mann von Ihren Kenntnissen, von Ihrem Geist nicht
einsehen will, daß das alles nur leere Worte sind und daß
10   Schönheit und Ideal einem Manne von Verstand als ein
Traum erscheinen muß, den er freilich nicht in die Wirklichkeit versetzen mag, sondern vielmehr widerstrebend findet."

Mein Philosoph schien während des letzten Teiles unsers
Gespräches etwas unruhig zu werden, so gelassen und
15   gleichgültig er den Anfang anzuhören schien, er rückte den
Stuhl, bewegte ein paarmal die Lippen und fing, als es eine
Pause gab, zu reden an.

Doch was er vorbrachte, mag er Ihnen selbst überliefern!
Er ist diesen Morgen beizeiten wieder da, denn seine Teil-
20   nahme an dem gestrigen Gespräch hat auf einmal die Schalen
unserer wechselseitigen Entfernung abgestoßen, und ein paar
hübsche Pflanzen im Garten der Freundschaft zeigen sich.

Diesen Morgen geht noch eine Post, womit ich die gegenwärtigen Blätter abschicke, über denen ich schon einige
25   Patienten versäumt habe, weshalb ich Verzeihung vom
Apoll, insofern er sich um Ärzte und Künstler zugleich bekümmert, erwarten darf.

Diesen Nachmittag haben wir noch sonderbare Szenen
zu erwarten. Unser Charakteristiker kommt wieder, zugleich
30   haben sich noch ein halb Dutzend Fremde anmelden lassen,
die Jahrszeit ist reizend und alles in Bewegung.

Gegen diese Gesellschaft haben wir einen Bund gemacht,
Julie, der Philosoph und ich; es soll uns keine von ihren
Eigenheiten entgehen.

35   Doch hören Sie erst den Schluß unserer gestrigen Disputation und empfangen nur noch einen lebhaftern Gruß von
Ihrem

zwar diesmal eilfertigen, doch immer
beständigen, treuen Freund und Diener.

SECHSTER BRIEF

Unser würdiger Freund läßt mich an seinem Schreibtisch niedersitzen, und ich danke ihm sowohl für dieses Vertrauen als für den Anlaß, den er mir gibt, mich mit Ihnen zu unterhalten. Er nennt mich den Philosophen, er würde mich den Schüler nennen, wenn er wüßte, wie sehr ich mich zu bilden, wie sehr ich zu lernen wünsche. Doch leider hat man schon vor den Menschen, wenn man sich nur auf gutem Wege glaubt, ein anmaßliches Ansehen.

Daß ich gestern abend mich in ein Gespräch über bildende Kunst lebhaft einmischte, da mir das Anschauen derselben fehlt und ich nur einige literarische Kenntnisse davon besitze, werden Sie mir verzeihen, wenn Sie meine Relation vernehmen und daraus ersehen, daß ich bloß im Allgemeinen geblieben bin, daß ich mein Befugnis, mitzureden, mehr auf einige Kenntnis der alten Poesie gegründet habe.

Ich will nicht leugnen, daß die Art, wie der Gegner mit meinem Freunde verfuhr, mich entrüstete. Ich bin noch jung, entrüste mich vielleicht zur Unzeit und verdiene um desto weniger den Titel eines Philosophen. Die Worte des Gegners griffen mich selbst an; denn wenn der Kenner, der Liebhaber der Kunst das Schöne nicht aufgeben darf, so muß der Schüler der Philosophie sich das Ideal nicht unter die Hirngespinste verweisen lassen.

Nun, soviel ich mich erinnere, wenigstens den Faden und den allgemeinen Inhalt des Gesprächs.

Ich. Erlauben Sie, daß ich auch ein Wort einrede!

Der Gast (etwas schnöde). Von Herzen gern, und wo möglich nichts von Luftbildern.

Ich. Von der Poesie der Alten kann ich einige Rechenschaft geben, von der bildenden Kunst habe ich wenige Kenntnis.

Der Gast. Das tut mir leid! so werden wir wohl schwerlich näher zusammenkommen.

Ich. Und doch sind die schönen Künste nahe verwandt, die Freunde der verschiedensten sollten sich nicht mißverstehn.

Oheim. Lassen Sie hören.

Ich. Die alten Tragödienschreiber verfuhren mit dem Stoff, den sie bearbeiteten, völlig wie die bildenden Künstler, wenn anders diese Kupfer, welche die Familie der Niobe vorstellen, nicht ganz vom Original abweichen.

Gast. Sie sind leidlich genug, sie geben nur einen unvollkommenen, nicht einen falschen Begriff.

Ich. Nun! dann können wir sie insofern zum Grunde legen.

Oheim. Was behaupten Sie von dem Verfahren der alten Tragödienschreiber?

Ich. Sie wählten sehr oft, besonders in der ersten Zeit, unerträgliche Gegenstände, unleidliche Begebenheiten.

Gast. Unerträglich wären die alten Fabeln?

Ich. Gewiß! Ungefähr wie Ihre Beschreibung des Laokoons.

Gast. Diese finden Sie also unerträglich?

Ich. Verzeihen Sie! nicht Ihre Beschreibung, sondern das Beschriebene.

Gast. Also das Kunstwerk?

Ich. Keinesweges! aber das, was Sie darin gesehen haben. Die Fabel, die Erzählung, das Skelett, das, was Sie charakteristisch nennen. Denn wenn Laokoon wirklich so vor unsern Augen stünde, wie Sie ihn beschreiben, so wäre er wert, daß er den Augenblick in Stücken geschlagen würde.

Gast. Sie drücken sich stark aus.

Ich. Das ist wohl einem wie dem andern erlaubt.

Oheim. Nun also zu dem Trauerspiele der Alten.

Gast. Zu den unerträglichen Gegenständen.

Ich. Ganz recht! aber auch zu der alles erträglich, leidlich, schön, anmutig machenden Behandlung.

Gast. Das geschähe denn also wohl durch Einfalt und stille Größe?

Ich. Wahrscheinlich.

Gast. Durch das mildernde Schönheitsprinzip?

Ich. Es wird wohl nicht anders sein.

Gast. Die alten Tragödien wären also nicht schrecklich?

Ich. Nicht leicht, soviel ich weiß, wenn man den Dichter selbst hört. Freilich, wenn man in der Poesie nur den Stoff erblickt, der dem Gedichteten zum Grund liegt, wenn man

vom Kunstwerke spricht, als hätte man an seiner Statt die
Begebenheiten in der Natur erfahren, dann lassen sich wohl
sogar Sophokleische Tragödien als ekelhaft und abscheulich
darstellen.

Gast. Ich will über Poesie nicht entscheiden.

Ich. Und ich nicht über bildende Kunst.

Gast. Ja, es ist wohl das beste, daß jeder in seinem Fache
bleibt.

Ich. Und doch gibt es einen allgemeinen Punkt, in welchem die Wirkungen aller Kunst, redender sowohl als bildender, sich sammeln, aus welchem alle ihre Gesetze aus-
fließen.

Gast. Und dieser wäre?

Ich. Das menschliche Gemüt.

Gast. Ja! ja! es ist die Art der neuen Herren Philosophen,
alle Dinge auf ihren eignen Grund und Boden zu spielen,
und bequemer ist es freilich, die Welt nach der Idee zu
modeln, als seine Vorstellungen den Dingen zu unterwerfen.

Ich. Es ist hier von keinem metaphysischen Streite die
Rede.

Gast. Den ich mir auch verbitten wollte.

Ich. Die Natur, will ich einmal zugeben, lasse sich unabhängig von dem Menschen denken, die Kunst bezieht
sich notwendig auf denselben: denn die Kunst ist nur durch
den Menschen und für ihn.

Gast. Wozu soll das führen?

Ich. Sie selbst, indem Sie der Kunst das Charakteristische
zum Ziel setzen, bestellen den Verstand, der das Charakteristische erkennt, zum Richter.

Gast. Allerdings tue ich das. Was ich mit dem Verstand
nicht begreife, existiert mir nicht.

Ich. Aber der Mensch ist nicht bloß ein denkendes, er ist
zugleich ein empfindendes Wesen. Er ist ein Ganzes, eine
Einheit vielfacher, innig verbundner Kräfte, und zu diesem
Ganzen des Menschen muß das Kunstwerk reden, es muß
dieser reichen Einheit, dieser einigen Mannigfaltigkeit in
ihm entsprechen.

Gast. Führen Sie mich nicht in diese Labyrinthe, denn
wer vermöchte uns herauszuhelfen.

Ich. Da ist es denn freilich am besten, wir heben das Gespräch auf, und jeder behauptet seinen Platz.

Gast. Auf dem meinigen wenigstens stehe ich feste.

Ich. Vielleicht fände sich noch geschwind ein Mittel, daß einer den andern auf seinem Platze, wo nicht besuchen, doch wenigstens beobachten könnte.

Gast. Geben Sie es an.

Ich. Wir wollen uns die Kunst einen Augenblick im Entstehen denken.

Gast. Gut.

Ich. Wir wollen das Kunstwerk auf dem Wege zur Vollkommenheit begleiten.

Gast. Nur auf dem Wege der Erfahrung mag ich Ihnen folgen! Die steilen Pfade der Spekulation verbitte ich mir.

Ich. Sie erlauben, daß ich ganz von vorn anfange.

Gast. Recht gern.

Ich. Der Mensch fühlt eine Neigung zu irgendeinem Gegenstand. Sei es ein einzelnes, belebtes Wesen.

Gast. Also etwa zu diesem artigen Schoßhunde.

Julie. Komm, Bello! es ist keine geringe Ehre, als Beispiel zu einer solchen Abhandlung gebraucht zu werden.

Ich. Fürwahr, der Hund ist zierlich genug, und fühlte der Mann, den wir annehmen, einen Nachahmungstrieb, so würde er dieses Geschöpf auf irgendeine Weise darzustellen suchen. Lassen Sie aber auch seine Nachahmung recht gut geraten, so werden wir doch nicht sehr gefördert sein; denn wir haben nun allenfalls nur zwei Bellos für einen.

Gast. Ich will nicht einreden, sondern erwarten, was hieraus entstehen soll.

Ich. Nehmen Sie an, daß dieser Mann, den wir wegen seines Talents nun schon einen Künstler nennen, sich hierbei nicht beruhigte, daß ihm seine Neigung zu eng, zu beschränkt vorkäme, daß er sich nach mehr Individuen, nach Varietäten, nach Arten, nach Gattungen umtäte, dergestalt daß zuletzt nicht mehr das Geschöpf, sondern der Begriff des Geschöpfs vor ihm stünde, und er diesen endlich durch seine Kunst darzustellen vermöchte.

Gast. Bravo! Das würde mein Mann sein. Das Kunstwerk würde gewiß charakteristisch ausfallen.

Ich. Ohne Zweifel.

Gast. Und ich würde mich dabei beruhigen und nichts weiter fordern.

Ich. Wir andern aber steigen weiter.

Gast. Ich bleibe zurück.

Oheim. Zum Versuche gehe ich mit.

Ich. Durch jene Operation möchte allenfalls ein Kanon entstanden sein, musterhaft, wissenschaftlich schätzbar; aber nicht befriedigend fürs Gemüt.

Gast. Wie wollen Sie auch den wunderlichen Forderungen dieses lieben Gemüts genugtun?

Ich. Es ist nicht wunderlich, es läßt sich nur seine gerechten Ansprüche nicht nehmen. Eine alte Sage berichtet uns, daß die Elohim einst untereinander gesprochen: Lasset uns den Menschen machen, ein Bild, das uns gleich sei, und der Mensch sagt daher mit vollem Recht: Lasset uns Götter machen, Bilder, die uns gleich seien.

Gast. Wir kommen hier schon in eine sehr dunkle Region.

Ich. Es gibt nur ein Licht, uns hier zu leuchten.

Gast. Das wäre?

Ich. Die Vernunft.

Gast. Inwiefern sie ein Licht oder ein Irrlicht sei, ist schwer zu bestimmen.

Ich. Nennen wir sie nicht; aber fragen wir uns die Forderungen ab, die der Geist an ein Kunstwerk macht. Eine beschränkte Neigung soll nicht nur ausgefüllt, unsere Wißbegierde nicht etwa nur befriedigt, unsere Kenntnis nur geordnet und beruhigt werden; das Höhere, was in uns liegt, will erweckt sein, wir wollen verehren und uns selbst als verehrungswürdig fühlen.

Gast. Ich fange an, nichts mehr zu verstehen.

Oheim. Ich aber glaube einigermaßen folgen zu können. Wie weit ich mitgehe, will ich durch ein Beispiel zeigen. Nehmen wir an, daß jener Künstler einen Adler in Erz gebildet habe, der den Gattungsbegriff vollkommen ausdrückte; nun wollte er ihn aber auf den Szepter Jupiters setzen. Glauben Sie, daß er dahin vollkommen passen würde?

Gast. Es käme darauf an.

Oheim. Ich sage nein! Der Künstler müßte ihm vielmehr noch etwas geben.

Gast. Was denn?

Oheim. Das ist freilich schwer auszudrücken.

5 Gast. Ich vermute.

Ich. Und doch ließe sich vielleicht durch Annäherung
etwas tun.

Gast. Nur immer zu.

Ich. Er müßte dem Adler geben, was er dem Jupiter gab,
10 um diesen zu einem Gott zu machen.

Gast. Und das wäre?

Ich. Das Göttliche, das wir freilich nicht kennen würden,
wenn es der Mensch nicht fühlte und selbst hervorbrächte.

Gast. Ich behaupte immer meinen Platz und lasse Sie
15 in die Wolken steigen. Ich sehe recht wohl, Sie wollen den
hohen Stil der griechischen Kunst bezeichnen, den ich aber
auch nur insofern schätze, als er charakteristisch ist.

Ich. Für uns ist er noch etwas mehr, er befriedigt eine
hohe Forderung, die aber doch noch nicht die höchste ist.

20 Gast. Sie scheinen sehr ungenügsam zu sein.

Ich. Dem, der viel erlangen kann, geziemt, viel zu fordern. Lassen Sie mich kurz sein! Der menschliche Geist
befindet sich in einer herrlichen Lage, wenn er verehrt,
wenn er anbetet, wenn er einen Gegenstand erhebt und von
25 ihm erhoben wird; allein er mag in diesem Zustand nicht
lange verharren, der Gattungsbegriff ließ ihn kalt, das Ideale
erhob ihn über sich selbst; nun aber möchte er in sich selbst
wieder zurückkehren, er möchte jene frühere Neigung, die
er zum Individuo gehegt, wieder genießen, ohne in jene
30 Beschränktheit zurückzukehren, und will auch das Bedeutende, das Geisterhebende nicht fahren lassen. Was würde
aus ihm in diesem Zustande werden, wenn die Schönheit
nicht einträte und das Rätsel glücklich löste! Sie gibt dem
Wissenschaftlichen erst Leben und Wärme, und indem sie
35 das Bedeutende, Hohe mildert und himmlischen Reiz darüber ausgießt, bringt sie es uns wieder näher. Ein schönes
Kunstwerk hat den ganzen Kreis durchlaufen, es ist nun
wieder eine Art Individuum, das wir mit Neigung umfassen,
das wir uns zueignen können.

Gast. Sind Sie fertig?

Ich. Für diesmal! Der kleine Kreis ist geschlossen, wir sind wieder da, wo wir ausgegangen sind, das Gemüt hat gefordert, das Gemüt ist befriedigt, und ich habe weiter nichts zu sagen.

(Der gute Oheim ward zu einem Kranken dringend abgerufen.)

Gast. Es ist die Art der Herren Philosophen, daß sie sich hinter sonderbaren Worten, wie hinter einer Ägide, im Streite einherbewegen.

Ich. Diesmal kann ich wohl versichern, daß ich nicht als Philosoph gesprochen habe, es waren lauter Erfahrungssachen.

Gast. Das nennen Sie Erfahrung, wovon ein anderer nichts begreifen kann!

Ich. Zu jeder Erfahrung gehört ein Organ.

Gast. Wohl ein besonderes?

Ich. Kein besonderes, aber eine gewisse Eigenschaft muß es haben.

Gast. Und die wäre?

Ich. Es muß produzieren können.

Gast. Was produzieren?

Ich. Die Erfahrung! Es gibt keine Erfahrung, die nicht produziert, hervorgebracht, erschaffen wird.

Gast. Nun, das ist arg genug!

Ich. Besonders gilt es von dem Künstler.

Gast. Fürwahr, was wäre nicht ein Porträtmaler zu beneiden, was würde er nicht für Zulauf haben, wenn er seine sämtlichen Kunden produzieren könnte, ohne sie mit so mancher Sitzung zu inkommodieren!

Ich. Vor dieser Instanz fürchte ich mich gar nicht, ich bin vielmehr überzeugt: kein Porträt kann etwas taugen, als wenn es der Maler im eigentlichsten Sinne erschafft.

Gast (aufspringend). Das wird zu toll! Ich wollte, Sie hätten mich zum besten, und das alles wäre nur Spaß! Wie würde ich mich freuen, wenn das Rätsel sich dergestalt auflöste! Wie gern würde ich einem wackern Mann, wie Sie sind, die Hand reichen!

Ich. Leider ist es mein völliger Ernst! und ich kann mich weder anders finden noch fügen.

Gast. Nun, so dächte ich, wir reichten einander zum Abschied wenigstens die Hände; besonders da unser Herr Wirt sich entfernt hat, der doch noch allenfalls den Präsidenten bei unserer lebhaften Disputation machen konnte. Leben Sie wohl, Mademoiselle! Leben Sie wohl, mein Herr! Ich lasse morgen anfragen, ob ich wieder aufwarten darf.

So stürmte er zur Türe hinaus, und Julie hatte kaum Zeit, ihm die Magd, die sich mit der Laterne parat hielt, nachzuschicken. Ich blieb mit dem liebenswürdigen Kinde allein. Caroline hatte sich schon früher entfernt. Ich glaube, es war nicht lange hernach, als mein Gegner die reine Schönheit, ohne Charakter, für fade erklärt hatte.

„Sie haben es arg gemacht, mein Freund“, sagte Julie nach einer kurzen Pause. „Wenn er mir nicht ganz recht zu haben scheint, so kann ich Ihnen doch auch unmöglich durchaus Beifall geben; denn es war doch wohl bloß, um ihn zu necken, als Sie zuletzt behaupteten: der Porträtmaler müsse das Bildnis ganz eigentlich erschaffen.“ ·

„Schöne Julie“, versetzte ich darauf, „wie sehr wünschte ich, mich Ihnen hierüber verständlich zu machen! Vielleicht gelingt es mir mit der Zeit! Aber Ihnen, deren lebhafter Geist sich in alle Regionen bewegt, die den Künstler nicht allein schätzt, sondern ihm gewissermaßen zuvoreilt und selbst das, was Sie nicht mit Augen gesehen, sich, als stünde es vor ihr, zu vergegenwärtigen weiß, Sie sollten am wenigsten stutzen, wenn vom Schaffen, vom Hervorbringen die Rede ist.“

Julie. Ich merke, Sie wollen mich bestechen. Es wird Ihnen leicht werden, denn ich höre Ihnen gern zu.

Ich. Lassen Sie uns vom Menschen würdig denken, und bekümmern wir uns nicht, ob es ein wenig bizarr klingt, was wir von ihm sagen. Gibt doch jedermann zu, daß der Poet geboren werden müsse! Schreibt nicht jedermann dem Genie eine schaffende Kraft zu? und niemand glaubt, dadurch eben etwas Paradoxes zu sagen. Wir leugnen es nicht von den Werken der Phantasie: aber wahrlich, der untätige,

untaugende Mensch wird das Gute, das Edle, das Schöne
weder an sich noch an andern gewahr werden! Wo käme es
denn her, wenn es nicht aus uns selbst entspränge? Fragen
Sie Ihr eigen Herz! ist nicht die Handelsweise zugleich mit
dem Handeln ihm eingeboren? Ist es nicht die Fähigkeit zur
guten Tat, die sich der guten Tat erfreut? Wer fühlt lebhaft
ohne den Wunsch, das Gefühlte darzustellen? und was
stellen wir denn eigentlich dar, was wir nicht erschaffen?
und zwar nicht etwa nur ein für allemal, damit es da sei,
sondern damit es wirke, immer wachse und wieder werde
und wieder hervorbringe. Das ist ja eben die göttliche Kraft
der Liebe, von der man nicht aufhört zu singen und zu sagen, daß sie in jedem Augenblick die herrlichen Eigenschaften des geliebten Gegenstandes neu hervorbringt, in den
kleinsten Teilen ausbildet, im Ganzen umfaßt, bei Tage
nicht rastet, bei Nacht nicht ruht, sich an ihrem eignen
Werke entzückt, über ihre eigne rege Tätigkeit erstaunt, das
Bekannte immer neu findet, weil es in jedem Augenblicke,
in dem süßesten aller Geschäfte wieder neu erzeugt wird.
Ja, das Bild der Geliebten kann nicht alt werden, denn jeder
Moment ist seine Geburtsstunde.

Ich habe heute sehr gesündigt, ich handelte gegen meinen
Vorsatz, indem ich über eine Materie sprach, die ich nicht
ergründet habe, und in diesem Augenblick bin ich auf dem
Wege, noch strafwürdiger zu fehlen. Schweigen gebührt
dem Menschen, der sich nicht vollendet fühlt. Schweigen
geziemt auch dem Liebenden, der nicht hoffen darf, glücklich zu sein. Lassen Sie mich von hinnen gehen, damit ich
nicht doppelt scheltenswert sei.

Ich ergriff Juliens Hand, ich war sehr bewegt, sie hielt
mich freundlich fest. Ich darf es sagen. Gebe der Himmel,
daß ich mich nicht geirrt habe, daß ich mich nicht irre!

Doch ich fahre in meiner Erzählung fort. Der Oheim kam
zurück. Er war freundlich genug, das an mir zu loben, was
ich an mir tadelte, war zufrieden, daß meine Ideen über
bildende Kunst mit den seinigen zusammenträfen. Er versprach mir, in kurzer Zeit, die Anschauung zu verschaffen,
deren ich bedürfen könnte. Julie sagte mir scherzend auch
ihren Unterricht zu, wenn ich gesprächiger, wenn ich mit-

teilender werden wollte – und ich fühle schon recht gut, daß sie alles aus mir machen kann, was sie will.

Die Magd kam zurück, die dem Fremden geleuchtet hatte, sie war sehr vergnügt über seine Freigebigkeit, denn er hatte ihr ein ansehnliches Trinkgeld gegeben; noch mehr aber lobte sie seine Artigkeit. Er hatte sie mit freundlichen Worten entlassen und sie obendrein schönes Kind genannt.

Ich war nun eben nicht im Humor, ihn zu schonen, und rief aus: „O ja! das kann einem leicht passieren, der das Ideal verleugnet, daß er das Gemeine für schön erklärt!"

Julie erinnerte mich scherzend, daß Gerechtigkeit und Billigkeit auch ein Ideal sei, wornach der Mensch zu streben habe.

Es war spät geworden, der Oheim bat mich um einen Dienst, durch den ich mir zugleich selbst dienen sollte, er gab mir eine Abschrift jenes Briefes an Sie, meine Herren, worin er die verschiedenen Liebhabereien zu bezeichnen suchte; er gab mir Ihre Antwort, verlangte, daß ich beides geschwind studieren, meine Gedanken darüber zusammenfassen und alsdann gegenwärtig sein möchte, wenn die angemeldeten Fremden sein Kabinett besuchten, um zu sehen, ob wir noch mehr Klassen entdecken und aufzeichnen könnten. Ich habe den Überrest der Nacht damit zugebracht und ein Schema aus dem Stegreif verfertigt, das, wo nicht gründlich, doch wenigstens lustig ist und das für mich einen großen Wert hat, weil Julie heute früh herzlich darüber lachen konnte.

Leben Sie recht wohl! Ich merke, daß dieser Brief mit dem Briefe des guten Oheims, der noch hier auf dem Schreibtische liegt, zugleich fort kann. Nur flüchtig habe ich das Geschriebene wieder überlesen dürfen. Wie manches wäre anders zu sagen, wie manches besser zu bestimmen gewesen! Ja, wenn ich meinem Gefühl nachginge, so sollten diese Blätter eher ins Feuer als auf die Post. Aber wenn nur das Vollendete mitgeteilt werden sollte, wie schlecht würde es überhaupt um Unterhaltung aussehen! Indessen soll unser Gast gesegnet sein, daß er mich in eine Leidenschaft versetzte, daß er mich in eine Aufwallung brachte, die mir diese Unterhaltung mit Ihnen verschaffte und zu neuen, schönen Verhältnissen Anlaß gab.

Aus: ACHTER BRIEF

ERSTE ABTEILUNG

Nachahmer.

Man kann dieses Talent als die Base der bildenden Kunst ansehen. Ob sie davon ausgegangen, mag noch eine Frage bleiben. Fängt ein Künstler damit an, so kann er sich bis zu dem Höchsten erheben, bleibt er dabei kleben, so darf man ihn einen Kopisten nennen und mit diesem Wort gewissermaßen einen ungünstigen Begriff verbinden. Hat aber ein solches Naturell das Verlangen, immer in seinem beschränkten Fache weiter zu gehen, so muß zuletzt eine Forderung an Wirklichkeit entstehen, die der Künstler zu leisten, der Liebhaber zu erfahren strebt. Wird der Übergang zur echten Kunst verfehlt, so findet man sich auf dem schlimmsten Abwege; man gelangt endlich dahin, daß man Statuen malt und sich selbst, wie es unser guter Großvater tat, im damastnen Schlafrock der Nachwelt überliefert.

Die Neigung zu Schattenrissen hat etwas, das sich dieser Liebhaberei nähert. Eine solche Sammlung ist interessant genug, wenn man sie in einem Portefeuille besitzt. Nur müssen die Wände nicht mit diesen traurigen, halben Wirklichkeitserscheinungen verziert werden.

Der Nachahmer verdoppelt nur das Nachgeahmte, ohne etwas hinzu zu tun oder uns weiter zu bringen. Er zieht uns in das einzige höchst beschränkte Dasein hinein, wir erstaunen über die Möglichkeit dieser Operation, wir empfinden ein gewisses Ergötzen; aber recht behaglich kann uns das Werk nicht machen, denn es fehlt ihm die Kunstwahrheit als schöner Schein. Sobald auch dieser nur einigermaßen eintritt, so hat das Bildnis schon einen großen Reiz, wie wir bei manchen deutschen, niederländischen und französischen Porträten und Stilleben empfinden...

ZWEITE ABTEILUNG

Imaginanten.

Mit dieser Gesellschaft sind unsere Freunde gar zu lustig umgesprungen. Es schien, als wenn der Gegenstand sie reizte, ein wenig aus dem Gleise zu treten, und ob ich gleich

dabei saß, mich zu dieser Klasse bekannte und zur Gerechtigkeit und Artigkeit aufforderte, so konnte ich doch nicht
verhindern, daß ihr eine Menge Namen aufgebürdet wurden,
die nicht durchgängig ein Lob anzudeuten scheinen. Man
nannte sie Poetisierer, weil sie, anstatt den poetischen
Teil der bildenden Kunst zu kennen und sich darnach zu
bestreben, vielmehr mit dem Dichter wetteifern, den Vorzügen desselben nachjagen und ihre eignen Vorteile verkennen und versäumen. Man nannte sie Scheinmänner,
weil sie so gern dem Scheine nachstreben, der Einbildungskraft etwas vorzuspielen suchen, ohne sich zu bekümmern,
inwiefern dem Anschauen genug geschieht. Sie wurden
Phantomisten genannt, weil ein hohles Gespensterwesen
sie anzieht, Phantasmisten, weil traumartige Ver-
zerrungen und Inkohärenzen nicht ausbleiben, Nebulisten,
weil sie der Wolken nicht entbehren können, um ihren
Luftbildern einen würdigen Boden zu verschaffen. Ja zuletzt wollte man nach deutscher Reim- und Klangweise sie
als Schwebler und Nebler abfertigen. Man behauptete,
sie seien ohne Realität, hätten nie und nirgends ein Dasein,
und ihnen fehle Kunstwahrheit als schöne Wirklichkeit.

Wenn man den Nachahmern eine falsche Natürlichkeit
zuschrieb, so blieben die Imaginanten von dem Vorwurf
einer falschen Natur nicht befreit, und was dergleichen
Anschuldigungen mehr waren. Ich merkte zwar, daß man
darauf ausging, mich zu reizen, und doch tat ich den Herren
den Gefallen, wirklich böse zu werden.

Ich fragte sie: ob denn nicht das Genie sich hauptsächlich
in der Erfindung äußere? und ob man den Poetisierern
diesen Vorzug streitig machen könne? Ob es nicht auch
schon dankenswert sei, wenn der Geist durch ein glückliches Traumbild ergötzt werde? Ob nicht in dieser Eigenschaft, die man mit so vielen wunderlichen Namen an-
schwärze, der Grund und die Möglichkeit der höchsten
Kunst begriffen sei? Ob irgend etwas mächtiger gegen die
leidige Prosa wirke als eben diese Fähigkeit, neue Welten
zu schaffen? Ob es nicht ein seltnes Talent, ein seltner
Fehler sei, von dem man, wenn man ihn auch auf Abwegen
antrifft, immer noch mit Ehrfurcht sprechen müßte?

Die Herren ergaben sich bald. Sie erinnerten mich, daß hier nur von Einseitigkeit die Rede sei; daß eben diese Eigenschaft, weil sie ins Ganze der Kunst so trefflich wirken könne, dagegen so viel schade, wenn sie sich als einzeln, selbstständig und unabhängig erkläre. Der Nachahmer schadet der Kunst nie, denn er bringt sie mühsam auf eine Stufe, wo sie ihm der echte Künstler abnehmen kann und muß, der Imaginant hingegen schadet der Kunst unendlich, weil er sie über alle ihre Grenzen hinausjagt, und es bedürfte des größten Genies, sie aus ihrer Unbestimmtheit und Unbedingtheit gegen ihren wahren Mittelpunkt, in ihren eigentlichen, angewiesenen Umkreis zurückzuführen.

Es ward noch einiges hin und wider gestritten, zuletzt sagten sie: ob ich nicht gestehen müsse, daß auf diesem Wege die satirische Karikaturzeichnung, als die kunst-, geschmack- und sittenverderblichste Verirrung, entstanden sei und entstehe?

Diese konnte ich denn freilich nicht in Schutz nehmen: ob ich gleich nicht leugnen will, daß mich das häßliche Zeug manchmal unterhält und der Schadenfreude, dieser Erb- und Schoßsünde aller Adamskinder, als eine pikante Speise nicht ganz übel schmeckt.

Fahren wir weiter fort!

DRITTE ABTEILUNG

Charakteristiker.

Mit diesen sind Sie schon bekannt genug, da Sie von dem Streit mit einem merkwürdigen Individuo dieser Art hinreichend unterrichtet sind.

Wenn dieser Klasse an meinem Beifall etwas gelegen ist, so kann ich ihr denselben versichern; denn wenn meine lieben Imaginanten mit Charakterzügen spielen sollen, so muß erst etwas Charakteristisches da sein; wenn mir das Bedeutende Spaß machen soll, so kann ich wohl leiden, daß jemand das Bedeutende ernsthaft aufführt. Wenn uns also ein solcher Charaktermann vorarbeiten will, damit meine Poetisierer keine Phantasmisten werden oder sich gar ins

Schwebeln und Nebeln verlieren, so soll er mir gelobt und gepriesen bleiben.

Der Oheim schien auch, nach der letzten Unterhaltung, mehr für seinen Kunstfreund eingenommen, so daß er die Partei dieser Klasse nahm. Er glaubte, man könne sie auch in einem gewissen Sinne Rigoristen nennen. Ihre Abstraktion, ihre Reduktion auf Begriffe begründe immer etwas, führe zu etwas, und gegen die Leerheit anderer Künstler und Kunstfreunde gehalten, sei der Charakteristiker besonders schätzbar.

Der kleine, hartnäckige Philosoph aber zeigte auch hier wieder seinen Zahn und behauptete, daß ihre Einseitigkeit eben wegen ihres scheinbaren Rechtes durch Beschränkung der Kunst weit mehr schade als das Hinausstreben des Imaginanten, wobei er versicherte, daß er die Fehde gegen sie nicht aufgeben werde.

Es ist eine kuriose Sache um einen Philosophen, daß er in gewissen Dingen so nachgiebig scheint und auf andern so fest besteht. Wenn ich nur erst einmal den Schlüssel dazu habe, wo es hinaus will!

Eben finde ich, da ich in den Papieren nachsehe, daß er sie mit allerlei Unnamen verfolgt. Er nennt sie Skelettisten, Winkler, Steife und bemerkt in einer Note, daß ein bloß logisches Dasein, bloße Verstandesoperation in der Kunst nicht ausreiche noch aushelfe. Was er damit sagen will, darüber mag ich mir den Kopf nicht zerbrechen.

Ferner soll den Charaktermännern die schöne Leichtigkeit fehlen, ohne welche keine Kunst zu denken sei. Das will ich denn auch wohl gelten lassen.

VIERTE ABTEILUNG

Undulisten.

Unter diesem Namen wurden diejenigen bezeichnet, die sich mit den vorhergehenden im Gegensatz befinden, die das Weichere und Gefällige ohne Charakter und Bedeutung lieben, wodurch denn zuletzt höchstens eine gleichgültige Anmut entsteht. Sie wurden auch Schlängler genannt, und man erinnerte sich der Zeit, da man die Schlangenlinie zum Vorbild und Symbol der Schönheit genommen und dabei viel gewonnen zu haben glaubte. Diese Schlängelei und Weichheit bezieht sich, sowohl beim Künstler als Liebhaber, auf eine gewisse Schwäche, Schläfrigkeit und, wenn man will, auf eine gewisse kränkliche Reizbarkeit. Solche Kunstwerke machen bei denen ihr Glück, die im Bilde nur etwas mehr als nichts sehen wollen, denen eine Seifenblase, die bunt in die Luft steigt, schon allenfalls ein angenehmes Gefühl erregt. Da Kunstwerke dieser Art kaum einen Körper oder andern reellen Gehalt haben können, so bezieht sich ihr Verdienst meist auf die Behandlung und auf einen gewissen lieblichen Schein. Es fehlt ihnen Bedeutung und Kraft, und deswegen sind sie im allgemeinen willkommen, so wie die Nullität in der Gesellschaft. Denn von Rechts wegen soll eine gesellige Unterhaltung auch nur etwas mehr als nichts sein.

Sobald der Künstler, der Liebhaber einseitig sich dieser Neigung überläßt, so verklingt die Kunst wie eine ausschwirrende Saite, sie verliert sich wie ein Strom im Sand.

Die Behandlung wird immer flacher und schwächer werden. Aus den Gemälden verschwinden die Farben, die Striche des Kupferstichs verwandeln sich in Punkte, und so wird alles nach und nach, zum Ergötzen der zarten Liebhaber, in Rauch aufgehen . . .

FÜNFTE ABTEILUNG

Kleinkünstler.

Diese Klasse kam noch so ganz gut weg. Niemand glaubte Ursache zu haben, ihnen aufsässig zu sein, manches sprach für sie, wenig wider sie.

Wenn man nur den Effekt betrachtet, so sind sie gar nicht unbequem. Mit der größten Sorgfalt punktieren sie einen kleinen Raum aus, und der Liebhaber kann die Arbeit vieler Jahre in einem Kästchen verwahren. Insofern ihre Arbeit lobenswürdig ist, mag man sie wohl Miniaturisten nennen; fehlt es ihnen ganz und gar an Geiste, haben sie kein Gefühl fürs Ganze, wissen sie keine Einheit ins

Werk zu bringen, so mag man sie Pünktler und Punktierer schelten.

Sie entfernen sich nicht von der wahren Kunst, sie sind
nur im Fall der Nachahmer, sie erinnern den wahren Künstler immer daran, daß er diese Eigenschaft, welche sie abgesondert besitzen, auch zu seinen übrigen haben müsse,
um völlig vollendet zu sein, um seinem Werk die höchste
Ausführung zu geben.

Soeben erinnert mich der Brief meines Oheims an Sie,
daß auch dort schon gut und leidlich von dieser Klasse gesprochen worden, und wir wollen daher diese friedlichen
Menschen auch nicht weiter beunruhigen, sondern ihnen
durchaus Kraft, Bedeutung und Einheit wünschen.

SECHSTE ABTEILUNG

Skizzisten.

Der Oheim hat sich zu dieser Klasse schon bekannt, und
wir waren geneigt, nicht ganz übel von ihr zu sprechen, als
er uns selbst aufmerksam machte, daß die Entwerfer eine
ebenso gefährliche Einseitigkeit in der Kunst befördern
könnten als die Helden der übrigen Rubriken. Die bildende
Kunst soll, durch den äußern Sinn, zum Geiste nicht nur
sprechen, sie soll den äußern Sinn selbst befriedigen; der
Geist mag sich alsdann hinzugesellen und seinen Beifall
nicht versagen. Der Skizzist spricht aber unmittelbar zum
Geiste, besticht und entzückt dadurch jeden Unerfahrnen.
Ein glücklicher Einfall, halbwege deutlich und nur gleichsam symbolisch dargestellt, eilt durch das Auge durch, regt
den Geist, den Witz, die Einbildungskraft auf, und der
überraschte Liebhaber sieht, was nicht da steht. Hier ist
nicht mehr von Zeichnung, von Proportion, von Formen,
Charakter, Ausdruck, Zusammenstellung, Übereinstimmung, Ausführung die Rede, sondern ein Schein von allem
tritt an die Stelle. Der Geist spricht zum Geiste, und das
Mittel, wodurch es geschehen sollte, wird zunichte.

Verdienstvolle Skizzen großer Meister, diese bezaubernde
Hieroglyphen, veranlassen meist diese Liebhaberei und

führen den echten Liebhaber nach und nach an die Schwelle
der gesamten Kunst, von der er, sobald er nur einen Blick
vorwärts getan, nicht wieder zurückkehren wird. Der angehende Künstler aber hat mehr als der Liebhaber zu fürchten,
wenn er sich im Kreise des Erfindens und Entwerfens anhaltend herumdreht; denn wenn er durch diese Pforte am
raschesten in den Kunstkreis hineintritt, so kommt er dabei
gerade am ersten in Gefahr, an der Schwelle haftenzubleiben.

Dies sind ungefähr die Worte meines Oheims.

Aber ich habe die Namen der Künstler vergessen, die bei
einem schönen Talent, das sehr viel versprach, sich auf
dieser Seite beschränkt und die Hoffnungen, die man von
ihnen gehegt hatte, nicht erfüllt haben.

Mein Onkel besaß in seiner Sammlung ein besonderes
Portefeuille von Zeichnungen solcher Künstler, die es nie
weiter als bis zum Skizzisten gebracht, und behauptet, daß
dabei sich besonders interessante Bemerkungen machen
lassen, wenn man diese mit den Skizzen großer Meister,
die zugleich vollenden konnten, vergleicht.

———

Als man so weit gekommen war, diese sechs Klassen voneinander abgesondert eine Weile zu betrachten, so fing man
an, sie wieder zusammen zu verbinden, wie sie oft bei einzelnen Künstlern vereinigt erscheinen, und wovon ich schon
im Lauf meiner Relation einiges bemerkte. So fand sich der
Nachahmer manchmal mit dem Kleinkünstler zusammen,
auch manchmal mit dem Charakteristiker. Der Skizziste
konnte sich auf die Seite des Imaginanten, Skelettisten oder
Undulisten werfen, und dieser konnte sich bequem mit dem
Phantomisten verbinden.

Jede Verbindung brachte schon ein Werk höherer Art
hervor als die völlige Einseitigkeit, welche sogar, wenn man
sie in der Erfahrung aufsuchte, nur in seltenen Beispielen
aufgefunden werden konnte.

Auf diesem Weg gelangte man zu der Betrachtung, von
welcher man ausgegangen war, zurück: daß nämlich nur
durch die Verbindung der sechs Eigenschaften der vollendete
Künstler entstehe, so wie der echte Liebhaber alle sechs
Neigungen in sich vereinigen müsse.

Die eine Hälfte des halben Dutzends nimmt es zu ernst, streng und ängstlich, die andere zu spielend, leicht und lose. Nur aus innig verbundenem Ernst und Spiel kann wahre Kunst entspringen, und wenn unsere einseitigen Künstler
5 und Kunstliebhaber je zwei und zwei einander entgegenstehen,

> der Nachahmer dem Imaginanten,
> der Charakteristiker dem Undulisten,
> der Kleinkünstler dem Skizzisten,
10 so entsteht, indem man diese Gegensätze verbindet, immer eins der drei Erfordernisse des vollkommenen Kunstwerks, wie zur Übersicht das Ganze folgendermaßen kurz dargestellt werden kann.

Ernst allein.	Ernst und Spiel verbunden.	Spiel allein.
Individuelle Neigung, Manier.	Ausbildung ins Allgemeine, Stil.	Individuelle Neigung, Manier.
Nachahmer. Charakteristiker. Kleinkünstler.	Kunstwahrheit. Schönheit. Vollendung.	Phantomisten. Undulisten. Skizzisten.

Hier haben Sie nun die ganze Übersicht! Mein Geschäft ist vollendet, und ich scheide abermals um so schneller von Ihnen, als ich überzeugt bin, daß ein beistimmendes oder
25 abstimmendes Gespräch eben da anfangen muß, wo ich aufhöre.

WINCKELMANN

Einleitung

Das Andenken merkwürdiger Menschen, so wie die Ge-
30 genwart bedeutender Kunstwerke, regt von Zeit zu Zeit den Geist der Betrachtung auf. Beide stehen da als Vermächtnisse für jede Generation, in Taten und Nachruhm jene, diese wirklich erhalten als unaussprechliche Wesen. Jeder Einsichtige weiß recht gut, daß nur das Anschaun ihres be-
35 sonderen Ganzen einen wahren Wert hätte; und doch ver-

sucht man immer aufs neue, durch Reflexion und Wort ihnen etwas abzugewinnen.

Hiezu werden wir besonders aufgereizt, wenn etwas Neues entdeckt und bekannt wird, das auf solche Gegenstände Bezug hat; und so wird man unsre erneuerte Betrachtung über Winckelmann, seinen Charakter und sein Geleistetes in dem Augenblicke schicklich finden, da die eben jetzt herausgegebenen Briefe über seine Denkweise und Zustände ein lebhafteres Licht verbreiten.

Eintritt

Wenn die Natur gewöhnlichen Menschen die köstliche Mitgift nicht versagt, ich meine jenen lebhaften Trieb, von Kindheit an die äußere Welt mit Lust zu ergreifen, sie kennen zu lernen, sich mit ihr in Verhältnis zu setzen, mit ihr verbunden ein Ganzes zu bilden, so haben vorzügliche Geister öfters die Eigenheit, eine Art von Scheu vor dem wirklichen Leben zu empfinden, sich in sich selbst zurückzuziehen, in sich selbst eine eigene Welt zu erschaffen und auf diese Weise das Vortrefflichste nach innen bezüglich zu leisten.

Findet sich hingegen in besonders begabten Menschen jenes gemeinsame Bedürfnis, eifrig zu allem, was die Natur in sie gelegt hat, auch in der äußeren Welt die antwortenden Gegenbilder zu suchen und dadurch das Innere völlig zum Ganzen und Gewissen zu steigern, so kann man versichert sein, daß auch so ein für Welt und Nachwelt höchst erfreuliches Dasein sich ausbilden werde.

Unser Winckelmann war von dieser Art. In ihn hatte die Natur gelegt, was den Mann macht und ziert. Dagegen verwendete er sein ganzes Leben, ein ihm Gemäßes, Treffliches und Würdiges im Menschen und in der Kunst, die sich vorzüglich mit dem Menschen beschäftigt, aufzusuchen.

Eine niedrige Kindheit, unzulänglicher Unterricht in der Jugend, zerrissene, zerstreute Studien im Jünglingsalter, der Druck eines Schulamtes, und was in einer solchen Laufbahn Ängstliches und Beschwerliches erfahren wird, hatte er mit vielen andern geduldet. Er war dreißig Jahr alt geworden, ohne irgendeine Gunst des Schicksals genossen zu haben;

aber in ihm selbst lagen die Keime eines wünschenswerten und möglichen Glücks.

Wir finden schon in diesen seinen traurigen Zeiten die Spur jener Forderung, sich von den Zuständen der Welt mit eigenen Augen zu überzeugen, zwar dunkel und verworren, doch entschieden genug ausgesprochen. Einige nicht genugsam überlegte Versuche, fremde Länder zu sehen, mißglückten ihm. Er träumte sich eine Reise nach Ägypten; er begab sich auf den Weg nach Frankreich: unvorhergesehene Hindernisse wiesen ihn zurück. Besser geleitet von seinem Genius, ergriff er endlich die Idee, sich nach Rom durchzudrängen. Er fühlte, wie sehr ihm ein solcher Aufenthalt gemäß sei. Dies war kein Einfall, kein Gedanke mehr, es war ein entschiedener Plan, dem er mit Klugheit und Festigkeit entgegenging.

Antikes

Der Mensch vermag gar manches durch zweckmäßigen Gebrauch einzelner Kräfte, er vermag das Außerordentliche durch Verbindung mehrerer Fähigkeiten; aber das Einzige, ganz Unerwartete leistet er nur, wenn sich die sämtlichen Eigenschaften gleichmäßig in ihm vereinigen. Das letzte war das glückliche Los der Alten, besonders der Griechen in ihrer besten Zeit; auf die beiden ersten sind wir Neuern vom Schicksal angewiesen.

Wenn die gesunde Natur des Menschen als ein Ganzes wirkt, wenn er sich in der Welt als in einem großen, schönen, würdigen und werten Ganzen fühlt, wenn das harmonische Behagen ihm ein reines, freies Entzücken gewährt – dann würde das Weltall, wenn es sich selbst empfinden könnte, als an sein Ziel gelangt aufjauchzen und den Gipfel des eigenen Werdens und Wesens bewundern. Denn wozu dient alle der Aufwand von Sonnen und Planeten und Monden, von Sternen und Milchstraßen, von Kometen und Nebelflecken, von gewordenen und werdenden Welten, wenn sich nicht zuletzt ein glücklicher Mensch unbewußt seines Daseins erfreut?

Wirft sich der Neuere, wie es uns eben jetzt ergangen, fast bei jeder Betrachtung ins Unendliche, um zuletzt, wenn es ihm glückt, auf einen beschränkten Punkt wieder zurückzukehren, so fühlten die Alten ohne weitern Umweg sogleich ihre einzige Behaglichkeit innerhalb der lieblichen Grenzen der schönen Welt. Hieher waren sie gesetzt, hiezu berufen, hier fand ihre Tätigkeit Raum, ihre Leidenschaft Gegenstand und Nahrung.

Warum sind ihre Dichter und Geschichtschreiber die Bewunderung des Einsichtigen, die Verzweiflung des Nacheifernden, als weil jene handelnden Personen, die aufgeführt werden, an ihrem eigenen Selbst, an dem engen Kreise ihres Vaterlandes, an der bezeichneten Bahn des eigenen sowohl als des mitbürgerlichen Lebens einen so tiefen Anteil nahmen, mit allem Sinn, aller Neigung, aller Kraft auf die Gegenwart wirkten; daher es einem gleichgesinnten Darsteller nicht schwer fallen konnte, eine solche Gegenwart zu verewigen.

Das, was geschah, hatte für sie den einzigen Wert, so wie für uns nur dasjenige, was gedacht oder empfunden worden, einigen Wert zu gewinnen scheint.

Nach einerlei Weise lebte der Dichter in seiner Einbildungskraft, der Geschichtschreiber in der politischen, der Forscher in der natürlichen Welt. Alle hielten sich am Nächsten, Wahren, Wirklichen fest, und selbst ihre Phantasiebilder haben Knochen und Mark. Der Mensch und das Menschliche wurden am wertesten geachtet, und alle seine innern, seine äußern Verhältnisse zur Welt mit so großem Sinne dargestellt als angeschaut. Noch fand sich das Gefühl, die Betrachtung nicht zerstückelt, noch war jene kaum heilbare Trennung in der gesunden Menschenkraft nicht vorgegangen.

Aber nicht allein das Glück zu genießen, sondern auch das Unglück zu ertragen, waren jene Naturen höchlich geschickt: denn wie die gesunde Faser dem Übel widerstrebt und bei jedem krankhaften Anfall sich eilig wiederherstellt, so vermag der jenen eigene gesunde Sinn sich gegen innern und äußern Unfall geschwind und leicht wiederherzustellen. Eine solche antike Natur war, insofern man es nur von einem unsrer Zeitgenossen behaupten kann, in Winckelmann wieder erschienen, die gleich anfangs ihr ungeheures Probestück ablegte, daß sie durch dreißig Jahre Niedrigkeit, Un-

behagen und Kummer nicht gebändigt, nicht aus dem Wege
gerückt, nicht abgestumpft werden konnte. Sobald er nur
zu einer ihm gemäßen Freiheit gelangte, erscheint er ganz
und abgeschlossen, völlig im antiken Sinne. Angewiesen auf
5 Tätigkeit, Genuß und Entbehrung, Freude und Leid, Besitz
und Verlust, Erhebung und Erniedrigung, und in solchem
seltsamen Wechsel immer mit dem schönen Boden zufrieden,
auf dem uns ein so veränderliches Schicksal heimsucht.

Hatte er nun im Leben einen wirklich altertümlichen
10 Geist, so blieb ihm derselbe auch in seinen Studien getreu.
Doch wenn bei Behandlung der Wissenschaften im Großen
und Breiten die Alten sich schon in einer gewissen peinlichen
Lage befanden, indem zu Erfassung der mannigfaltigen
außermenschlichen Gegenstände eine Zerteilung der Kräfte
15 und Fähigkeiten, eine Zerstückelung der Einheit fast unerläßlich ist, so hat ein Neuerer im ähnlichen Falle ein noch
gewagteres Spiel, indem er bei der einzelnen Ausarbeitung
des mannigfaltigen Wißbaren sich zu zerstreuen, in un-
zusammenhängenden Kenntnissen sich zu verlieren in Ge-
20 fahr kömmt, ohne, wie es den Alten glückte, das Unzulängliche durch das Vollständige seiner Persönlichkeit zu ver-
güten.

So vielfach Winckelmann auch in dem Wißbaren und
Wissenswerten herumschweifte, teils durch Lust und Liebe,
25 teils durch Notwendigkeit geleitet, so kam er doch früher
oder später immer zum Altertum, besonders zum griechischen,
zurück, mit dem er sich so nahe verwandt fühlte und mit
dem er sich in seinen besten Tagen so glücklich vereinigen
sollte.

30   Heidnisches

Jene Schilderung des altertümlichen, auf diese Welt und
ihre Güter angewiesenen Sinnes führt uns unmittelbar zur
Betrachtung, daß dergleichen Vorzüge nur mit einem heidnischen Sinne vereinbar seien. Jenes Vertrauen auf sich
35 selbst, jenes Wirken in der Gegenwart, die reine Verehrung
der Götter als Ahnherren, die Bewunderung derselben gleichsam nur als Kunstwerke, die Ergebenheit in ein übermäch-
tiges Schicksal, die in dem hohen Werte des Nachruhms

selbst wieder auf diese Welt angewiesene Zukunft gehören
so notwendig zusammen, machen solch ein unzertrennliches
Ganze, bilden sich zu einem von der Natur selbst beabsichtigten Zustand des menschlichen Wesens, daß wir in dem
höchsten Augenblicke des Genusses wie in dem tiefsten der 5
Aufopferung, ja des Untergangs eine unverwüstliche Gesundheit gewahr werden.

Dieser heidnische Sinn leuchtet aus Winckelmanns Handlungen und Schriften hervor und spricht sich besonders in
seinen frühern Briefen aus, wo er sich noch im Konflikt mit 10
neuern Religionsgesinnungen abarbeitet. Diese seine Denkweise, diese Entfernung von aller christlichen Sinnesart, ja
seinen Widerwillen dagegen muß man im Auge haben, wenn
man seine sogenannte Religionsveränderung beurteilen will.
Diejenigen Parteien, in welche sich die christliche Religion 15
teilt, waren ihm völlig gleichgültig, indem er, seiner Natur
nach, niemals zu einer der Kirchen gehörte, welche sich ihr
subordinieren.

Freundschaft

Waren jedoch die Alten, so wie wir von ihnen rühmen, 20
wahrhaft ganze Menschen, so mußten sie, indem sie sich
selbst und die Welt behaglich empfanden, die Verbindungen
menschlicher Wesen in ihrem ganzen Umfange kennen lernen; sie durften jenes Entzückens nicht ermangeln, das aus
der Verbindung ähnlicher Naturen hervorspringt.   25

Auch hier zeigt sich ein merkwürdiger Unterschied alter
und neuer Zeit. Das Verhältnis zu den Frauen, das bei uns
so zart und geistig geworden, erhob sich kaum über die
Grenze des gemeinsten Bedürfnisses. Das Verhältnis der
Eltern zu den Kindern scheint einigermaßen zarter gewesen 30
zu sein. Statt aller Empfindungen aber galt ihnen die Freundschaft unter Personen männlichen Geschlechts, obgleich
auch Chloris und Thyia noch im Hades als Freundinnen
unzertrennlich sind.

Die leidenschaftliche Erfüllung liebevoller Pflichten, die 35
Wonne der Unzertrennlichkeit, die Hingebung eines für den
andern, die ausgesprochene Bestimmung für das ganze Leben, die notwendige Begleitung in den Tod setzen uns bei

Verbindung zweier Jünglinge in Erstaunen, ja man fühlt
sich beschämt, wenn uns Dichter, Geschichtschreiber,
Philosophen, Redner mit Fabeln, Ereignissen, Gefühlen,
Gesinnungen solchen Inhaltes und Gehaltes überhäufen.
⁵ Zu einer Freundschaft dieser Art fühlte Winckelmann
sich geboren, derselben nicht allein sich fähig, sondern auch
im höchsten Grade bedürftig; er empfand sein eigenes
Selbst nur unter der Form der Freundschaft, er erkannte
sich nur unter dem Bilde des durch einen Dritten zu voll-
¹⁰ endenden Ganzen. Frühe schon legte er dieser Idee einen
vielleicht unwürdigen Gegenstand unter, er widmete sich
ihm, für ihn zu leben und zu leiden; für denselben fand er
selbst in seiner Armut Mittel reich zu sein, zu geben, aufzuopfern, ja er zweifelt nicht, sein Dasein, sein Leben zu
¹⁵ verpfänden. Hier ist es, wo sich Winckelmann selbst mitten
in Druck und Not groß, reich, freigebig und glücklich fühlt,
weil er dem etwas leisten kann, den er über alles liebt, ja dem
er sogar, als höchste Aufopferung, Undankbarkeit zu verzeihen hat.
²⁰ Wie auch die Zeiten und Zustände wechseln, so bildet
Winckelmann alles Würdige, was ihm naht, nach dieser
Urform zu seinem Freund um, und wenn ihm gleich manches
von diesen Gebilden leicht und bald vorüberschwindet, so
erwirbt ihm doch diese schöne Gesinnung das Herz manches
²⁵ Trefflichen, und er hat das Glück, mit den Besten seines
Zeitalters und Kreises in dem schönsten Verhältnisse zu
stehen.

Schönheit

Wenn aber jenes tiefe Freundschaftsbedürfnis sich eigent-
³⁰ lich seinen Gegenstand erschafft und ausbildet, so würde
dem altertümlich Gesinnten dadurch nur ein einseitiges, ein
sittliches Wohl zuwachsen, die äußere Welt würde ihm wenig
leisten, wenn nicht ein verwandtes, gleiches Bedürfnis und
ein befriedigender Gegenstand desselben glücklich hervor-
³⁵ träte; wir meinen die Forderung des sinnlich Schönen und
das sinnlich Schöne selbst: denn das letzte Produkt der sich
immer steigernden Natur ist der schöne Mensch. Zwar
kann sie ihn nur selten hervorbringen, weil ihren Ideen gar

viele Bedingungen widerstreben, und selbst ihrer Allmacht
ist es unmöglich, lange im Vollkommnen zu verweilen und
dem hervorgebrachten Schönen eine Dauer zu geben. Denn
genau genommen kann man sagen, es sei nur ein Augenblick,
in welchem der schöne Mensch schön sei.   5

Dagegen tritt nun die Kunst ein: denn indem der Mensch
auf den Gipfel der Natur gestellt ist, so sieht er sich wieder
als eine ganze Natur an, die in sich abermals einen Gipfel
hervorzubringen hat. Dazu steigert er sich, indem er sich
mit allen Vollkommenheiten und Tugenden durchdringt,   10
Wahl, Ordnung, Harmonie und Bedeutung aufruft und sich
endlich bis zur Produktion des Kunstwerkes erhebt, das
neben seinen übrigen Taten und Werken einen glänzenden
Platz einnimmt. Ist es einmal hervorgebracht, steht es in
seiner idealen Wirklichkeit vor der Welt, so bringt es eine   15
dauernde Wirkung, es bringt die höchste hervor: denn indem
es aus den gesamten Kräften sich geistig entwickelt, so
nimmt es alles Herrliche, Verehrungs- und Liebenswürdige
in sich auf und erhebt, indem es die menschliche Gestalt
beseelt, den Menschen über sich selbst, schließt seinen Le-   20
bens- und Tatenkreis ab und vergöttert ihn für die Gegenwart, in der das Vergangene und Künftige begriffen ist. Von
solchen Gefühlen wurden die ergriffen, die den olympischen
Jupiter erblickten, wie wir aus den Beschreibungen, Nachrichten und Zeugnissen der Alten uns entwickeln können.   25
Der Gott war zum Menschen geworden, um den Menschen
zum Gott zu erheben. Man erblickte die höchste Würde und
ward für die höchste Schönheit begeistert. In diesem Sinne
kann man wohl jenen Alten recht geben, welche mit völliger
Überzeugung aussprachen: es sei ein Unglück, zu sterben,   30
ohne dieses Werk gesehen zu haben.

Für diese Schönheit war Winckelmann, seiner Natur
nach, fähig, er ward sie in den Schriften der Alten zuerst
gewahr; aber sie kam ihm aus den Werken der bildenden
Kunst persönlich entgegen, aus denen wir sie erst kennen   35
lernen, um sie an den Gebilden der lebendigen Natur gewahr zu werden und zu schätzen.

Finden nun beide Bedürfnisse der Freundschaft und der
Schönheit zugleich an einem Gegenstande Nahrung, so

scheint das Glück und die Dankbarkeit des Menschen über alle Grenzen hinauszusteigen, und alles, was er besitzt, mag er so gern als schwache Zeugnisse seiner Anhänglichkeit und seiner Verehrung hingeben.

So finden wir Winckelmann oft in Verhältnis mit schönen Jünglingen, und niemals erscheint er belebter und liebenswürdiger als in solchen oft nur flüchtigen Augenblicken.

Katholizismus

Mit solchen Gesinnungen, mit solchen Bedürfnissen und Wünschen frönte Winckelmann lange Zeit fremden Zwecken. Nirgend um sich her sah er die mindeste Hoffnung zu Hülfe und Beistand.

Der Graf Bünau, der als Particulier nur ein bedeutendes Buch weniger hätte kaufen dürfen, um Winckelmann einen Weg nach Rom zu eröffnen, der als Minister Einfluß genug hatte, dem trefflichen Mann aus aller Verlegenheit zu helfen, mochte ihn wahrscheinlich als tätigen Diener nicht gern entbehren oder hatte keinen Sinn für das große Verdienst, der Welt einen tüchtigen Mann zugefördert zu haben. Der Dresdner Hof, woher allenfalls eine hinlängliche Unterstützung zu hoffen war, bekannte sich zur römischen Kirche, und kaum war ein anderer Weg, zu Gunst und Gnade zu gelangen, als durch Beichtväter und andre geistliche Personen.

Das Beispiel des Fürsten wirkt mächtig um sich her und fordert mit heimlicher Gewalt jeden Staatsbürger zu ähnlichen Handlungen auf, die in dem Kreise des Privatmanns irgend zu leisten sind, vorzüglich also zu sittlichen. Die Religion des Fürsten bleibt, in gewissem Sinne, immer die herrschende, und die römische Religion reißt, gleich einem immer bewegten Strudel, die ruhig vorbeiziehende Welle an sich und in ihren Kreis.

Dabei mußte Winckelmann fühlen, daß man, um in Rom ein Römer zu sein, um sich innig mit dem dortigen Dasein zu verweben, eines zutraulichen Umgangs zu genießen, notwendig zu jener Gemeine sich bekennen, ihren Glauben zugeben, sich nach ihren Gebräuchen bequemen müsse. Und so zeigte der Erfolg, daß er ohne diesen früheren Entschluß

seinen Zweck nicht vollständig erreicht hätte; und dieser
Entschluß ward ihm dadurch gar sehr erleichtert, daß ihn,
als einen gründlich gebornen Heiden, die protestantische
Taufe zum Christen einzuweihen nicht vermögend gewesen.

Doch gelang ihm die Veränderung seines Zustandes nicht
ohne heftigen Kampf. Wir können nach unserer Überzeugung, nach genugsam abgewogenen Gründen endlich
einen Entschluß fassen, der mit unserm Wollen, Wünschen
und Bedürfnissen völlig harmonisch ist, ja zu Erhaltung
und Förderung unserer Existenz unausweichlich scheint,
so daß wir mit uns völlig zur Einigkeit gelangen. Ein solcher
Entschluß aber kann mit der allgemeinen Denkweise, mit
der Überzeugung vieler Menschen im Widerspruch stehen;
dann beginnt ein neuer Streit, der zwar bei uns keine Ungewißheit, aber eine Unbehaglichkeit erregt, einen ungeduldigen Verdruß, daß wir nach außen hie und da Brüche
finden, wo wir nach innen eine ganze Zahl zu sehen glauben.

Und so erscheint auch Winckelmann bei seinem vor-
gehabten Schritt besorgt, ängstlich, kummervoll und in
leidenschaftlicher Bewegung, wenn er sich die Wirkung dieses Unternehmens, besonders auf seinen ersten Gönner, den
Grafen, bedenkt. Wie schön, tief und rechtlich sind seine
vertraulichen Äußerungen über diesen Punkt!

Denn es bleibt freilich ein jeder, der die Religion verändert, mit einer Art von Makel bespritzt, von der es unmöglich scheint ihn zu reinigen. Wir sehen daraus, daß die
Menschen den beharrenden Willen über alles zu schätzen
wissen und um so mehr schätzen, als sie, sämtlich in Parteien geteilt, ihre eigene Sicherheit und Dauer beständig im
Auge haben. Hier ist weder von Gefühl noch von Überzeugung die Rede. Ausdauern soll man da, wo uns mehr das
Geschick als die Wahl hingestellt. Bei einem Volke, einer
Stadt, einem Fürsten, einem Freunde, einem Weibe festhalten, darauf alles beziehen, deshalb alles wirken, alles
entbehren und dulden, das wird geschätzt; Abfall dagegen
bleibt verhaßt, Wankelmut wird lächerlich.

War dieses nun die eine schroffe, sehr ernste Seite, so
läßt sich die Sache auch von einer andern ansehn, von der
man sie heiterer und leichter nehmen kann. Gewisse Zu-

stände des Menschen, die wir keinesweges billigen, gewisse
sittliche Flecken an dritten Personen haben für unsre Phantasie einen besondern Reiz. Will man uns ein Gleichnis
erlauben, so möchten wir sagen: es ist damit wie mit dem
5 Wildbret, das dem feinen Gaumen mit einer kleinen An-
deutung von Fäulnis weit besser als frisch gebraten schmeckt.
Eine geschiedene Frau, ein Renegat machen auf uns einen
besonders reizenden Eindruck. Personen, die uns sonst
vielleicht nur merkwürdig und liebenswürdig vorkämen,
10 erscheinen uns nun als wundersam, und es ist nicht zu leugnen, daß die Religionsveränderung Winckelmanns das Romantische seines Lebens und Wesens vor unserer Einbildungskraft merklich erhöht.

Aber für Winckelmann selbst hatte die katholische Re-
15 ligion nichts Anzügliches. Er sah in ihr bloß das Masken-
kleid, das er umnahm, und drückt sich darüber hart genug
aus. Auch später scheint er an ihren Gebräuchen nicht genugsam festgehalten, ja vielleicht gar durch lose Reden sich bei
eifrigen Bekennern verdächtig gemacht zu haben; wenigstens
20 ist hie und da eine kleine Furcht vor der Inquisition sichtbar.

Gewahrwerden griechischer Kunst

Von allem Literarischen, ja selbst von dem Höchsten, was
sich mit Wort und Sprache beschäftigt, von Poesie und Rhetorik, zu den bildenden Künsten überzugehen, ist schwer,
25 ja fast unmöglich; denn es liegt eine ungeheure Kluft dazwischen, über welche uns nur ein besonders geeignetes
Naturell hinüberhebt. Um zu beurteilen, inwiefern dieses
Winckelmannen gelungen, liegen der Dokumente nunmehr genugsam vor uns.

30 Durch die Freude des Genusses ward er zuerst zu den
Kunstschätzen hingezogen; allein zu Benutzung, zu Beurteilung derselben bedurfte er noch der Künstler als
Mittelspersonen, deren mehr oder weniger gültige Meinungen er aufzufassen, zu redigieren und aufzustellen wußte,
35 woraus denn seine noch in Dresden herausgegebene Schrift
Über die Nachahmung der griechischen Werke
in der Malerei und Bildhauerkunst, nebst zwei An-
hängen, entstanden ist.

So sehr Winckelmann schon hier auf dem rechten Wege erscheint, so köstliche Grundstellen diese Schriften auch enthalten, so richtig das letzte Ziel der Kunst darin schon aufgesteckt ist, so sind sie doch, sowohl dem Stoff als der Form nach, dergestalt barock und wunderlich, daß man ihnen wohl vergebens durchaus einen Sinn abzugewinnen suchen möchte, wenn man nicht von der Persönlichkeit der damals in Sachsen versammelten Kenner und Kunstrichter, von ihren Fähigkeiten, Meinungen, Neigungen und Grillen näher unterrichtet ist; weshalb diese Schriften für die Nach- kommenden ein verschlossenes Buch bleiben werden, wenn sich nicht unterrichtete Liebhaber der Kunst, die jenen Zeiten näher gelebt haben, bald entschließen sollten, eine Schilderung der damaligen Zustände, insofern es noch möglich ist, zu geben oder zu veranlassen.

Lippert, Hagedorn, Oeser, Dietrich, Heinecke, Österreich liebten, trieben, beförderten die Kunst, jeder auf seine Weise. Ihre Zwecke waren beschränkt, ihre Maximen ein- seitig, ja öfters wunderlich. Geschichten und Anekdoten kursierten, deren mannigfaltige Anwendung nicht allein die Gesellschaft unterhalten, sondern auch belehren sollte. Aus solchen Elementen entstanden jene Schriften Winckelmanns, der diese Arbeiten gar bald selbst unzulänglich fand, wie er es denn auch seinen Freunden nicht verhehlte.

Doch trat er endlich, wo nicht genugsam vorbereitet, doch einigermaßen vorgeübt, seinen Weg an und gelangte nach jenem Lande, wo für jeden Empfänglichen die eigenste Bildungsepoche beginnt, welche sich über dessen ganzes Wesen verbreitet und solche Wirkungen äußert, die ebenso reell als harmonisch sein müssen, weil sie sich in der Folge als ein festes Band zwischen höchst verschiedenen Menschen kräftig erweisen.

Rom

Winckelmann war nun in Rom, und wer konnte würdiger sein, die Wirkung zu fühlen, die jener große Zustand auf eine wahrhaft empfängliche Natur hervorzubringen imstande ist. Er sieht seine Wünsche erfüllt, sein Glück begründet, seine Hoffnungen überbefriedigt. Verkörpert stehn seine

Ideen um ihn her, mit Staunen wandert er durch die Reste
eines Riesenzeitalters; das Herrlichste, was die Kunst hervorgebracht hat, steht unter freiem Himmel; unentgeltlich
wie zu den Sternen des Firmaments wendet er seine Augen
zu solchen Wunderwerken empor, und jeder verschlossene
Schatz öffnet sich für eine kleine Gabe. Der Ankömmling
schleicht wie ein Pilgrim unbemerkt umher, dem Herrlichsten und Heiligsten naht er sich in unscheinbarem Gewand;
noch läßt er nichts Einzelnes auf sich eindringen, das Ganze
wirkt auf ihn unendlich mannigfaltig, und schon fühlt er die
Harmonie voraus, die aus diesen vielen oft feindselig scheinenden Elementen zuletzt für ihn entstehen muß. Er beschaut, er betrachtet alles und wird, auf daß ja sein Behagen
vollkommener werde, für einen Künstler gehalten, für den
man denn doch am Ende so gerne gelten mag.

Wie uns ein Freund die mächtige Wirkung, welche jener
Zustand ausübt, geistvoll entwickelte, teilen wir unsern Lesern statt aller weitern Betrachtungen mit.

„Rom ist der Ort, in dem sich für unsere Ansicht das
ganze Altertum in Eins zusammenzieht, und was wir also
bei den alten Dichtern, bei den alten Staatsverfassungen
empfinden, glauben wir in Rom mehr noch als zu empfinden,
selbst anzuschauen. Wie Homer sich nicht mit andern Dichtern, so läßt sich Rom mit keiner andern Stadt, römische
Gegend mit keiner andern vergleichen. Es gehört allerdings
das meiste von diesem Eindruck uns und nicht dem Gegenstande; aber es ist nicht bloß der empfindelnde Gedanke,
zu stehen, wo dieser oder jener große Mann stand, es ist ein
gewaltsames Hinreißen in eine von uns nun einmal, sei es
auch durch eine notwendige Täuschung, als edler und er-
habener angesehene Vergangenheit; eine Gewalt, der selbst,
wer wollte, nicht widerstehen kann, weil die Öde, in der die
jetzigen Bewohner das Land lassen, und die unglaubliche
Masse von Trümmern selbst das Auge dahin führen. Und
da nun diese Vergangenheit dem innern Sinne in einer
Größe erscheint, die allen Neid ausschließt, an der man sich
überglücklich fühlt nur mit der Phantasie teilzunehmen, ja
an der keine andre Teilnahme nur denkbar ist, und dann den
äußern Sinn zugleich die Lieblichkeit der Formen, die Größe

und Einfachheit der Gestalten, der Reichtum der Vegetation, die doch wieder nicht üppig ist wie in noch südlichern Gegenden, die Bestimmtheit der Umrisse in dem klaren Medium und die Schönheit der Farben in durchgängige Klarheit versetzt – so ist hier der Naturgenuß reiner, von aller 5 Bedürftigkeit entfernter Kunstgenuß. Überall sonst reihen sich Ideen des Kontrastes daran, und er wird elegisch oder satirisch. Freilich indes ist es auch nur für uns so. Horaz empfand Tibur moderner als wir Tivoli. Das beweist sein Beatus ille, qui procul negotiis. Aber es ist auch nur eine 10 Täuschung, wenn wir selbst Bewohner Athens und Roms zu sein wünschten. Nur aus der Ferne, nur von allem Gemeinen getrennt, nur als vergangen muß das Altertum uns erscheinen. Es geht damit wie wenigstens mir und einem Freunde mit den Ruinen: wir haben immer einen Ärger, 15 wenn man eine halb versunkene ausgräbt; es kann höchstens ein Gewinn für die Gelehrsamkeit auf Kosten der Phantasie sein. Ich kenne für mich nur noch zwei gleich schreckliche Dinge: wenn man die Campagna di Roma anbauen und Rom zu einer polizierten Stadt machen wollte, in der kein Mensch 20 mehr Messer trüge. Kommt je ein so ordentlicher Papst, was denn die 72 Kardinäle verhüten mögen, so ziehe ich aus. Nur wenn in Rom eine so göttliche Anarchie und um Rom eine so himmlische Wüstenei ist, bleibt für die Schatten Platz, deren einer mehr wert ist als dies ganze Geschlecht." 25

Mengs

Aber Winckelmann hätte lange Zeit in den weiten Kreisen altertümlicher Überbleibsel nach den wertesten, seiner Betrachtung würdigsten Gegenständen umhergetastet, hätte das Glück ihn nicht sogleich mit Mengs zu- 30 sammengebracht. Dieser, dessen eigenes großes Talent auf die alten und besonders die schönen Kunstwerke gerichtet war, machte seinen Freund sogleich mit dem Vorzüglichsten bekannt, was unserer Aufmerksamkeit wert ist. Hier lernte dieser die Schönheit der Formen und ihrer Behandlung 35 kennen und sah sich sogleich aufgeregt, eine Schrift vom Geschmack der griechischen Künstler zu unternehmen.

Wie man aber nicht lange mit Kunstwerken aufmerksam umgehen kann, ohne zu finden, daß sie nicht allein von verschiedenen Künstlern, sondern auch aus verschiedenen Zeiten herrühren und daß sämtliche Betrachtungen des Ortes, des Zeitalters, des individuellen Verdienstes zugleich angestellt werden müssen, also fand auch Winckelmann mit seinem Geradsinne, daß hier die Achse der ganzen Kunstkenntnis befestigt sei. Er hielt sich zuerst an das Höchste, das er in einer Abhandlung von dem Stile der Bildhauerei in den Zeiten des Phidias darzustellen gedachte. Doch bald erhob er sich über die Einzelheiten zu der Idee einer Geschichte der Kunst und entdeckte, als ein neuer Kolumbus, ein lange geahndetes, gedeutetes und besprochenes, ja man kann sagen ein früher schon gekanntes und wieder verlornes Land.

Traurig ist immer die Betrachtung, wie erst durch die Römer, nachher durch das Eindrängen nordischer Völker und durch die daraus entstandene Verwirrung das Menschengeschlecht in eine solche Lage gekommen, daß alle wahre, reine Bildung in ihren Fortschritten für lange Zeit gehindert, ja beinahe für alle Zukunft unmöglich gemacht worden.

Man mag in eine Kunst oder Wissenschaft hineinblicken, in welche man will, so hatte der gerade, richtige Sinn dem alten Beobachter schon manches entdeckt, was durch die folgende Barbarei und durch die barbarische Art, sich aus der Barbarei zu retten, ein Geheimnis ward, blieb und für die Menge noch lange ein Geheimnis bleiben wird, da die höhere Kultur der neuern Zeit nur langsam ins Allgemeine wirken kann.

Vom Technischen ist hier die Rede nicht, dessen sich glücklicherweise das Menschengeschlecht bedient, ohne zu fragen, woher es komme und wohin es führe.

Zu diesen Betrachtungen werden wir durch einige Stellen alter Autoren veranlaßt, wo sich schon Ahndungen, ja sogar Andeutungen einer möglichen und notwendigen Kunstgeschichte finden.

Vellejus Paterculus bemerkt mit großem Anteil das ähnliche Steigen und Fallen aller Künste. Ihn als Weltmann beschäftigte besonders die Betrachtung, daß sie sich nur

kurze Zeit auf dem höchsten Punkte, den sie erreichen können, zu erhalten wissen. Auf seinem Standorte war es ihm
nicht gegeben, die ganze Kunst als ein Lebendiges (ζωον)
anzusehen, das einen unmerklichen Ursprung, einen langsamen Wachstum, einen glänzenden Augenblick seiner Voll-   5
endung, eine stufenfällige Abnahme, wie jedes andre organische Wesen, nur in mehreren Individuen, notwendig
darstellen muß. Er gibt daher nur sittliche Ursachen an,
die freilich als mitwirkend nicht ausgeschlossen werden
können, seinem großen Scharfsinn aber nicht genugtun,   10
weil er wohl fühlt, daß eine Notwendigkeit hier im Spiel ist,
die sich aus freien Elementen nicht zusammensetzen läßt.

„Daß wie den Rednern es auch den Grammatikern, Malern und Bildhauern gegangen, wird jeder finden, der die
Zeugnisse der Zeiten verfolgt; durchaus wird die Vortreff-   15
lichkeit der Kunst von dem engsten Zeitraume umschlossen.
Warum nun mehrere ähnliche, fähige Menschen sich in
einem gewissen Jahreskreis zusammenziehen und sich zu
gleicher Kunst und deren Beförderung versammeln, bedenke
ich immer, ohne die Ursachen zu entdecken, die ich als wahr   20
angeben möchte. Unter den wahrscheinlichen sind mir folgende die wichtigsten. Nacheiferung nährt die Talente; bald
reizt der Neid, bald die Bewunderung zur Nachahmung,
und schnell erhebt sich das mit so großem Fleiß Geförderte
auf die höchste Stelle. Schwer verweilt sich's im Vollkomme-   25
nen, und was nicht vorwärts gehen kann, schreitet zurück.
Und so sind wir anfangs unsern Vordermännern nachzukommen bemüht; dann aber, wenn wir sie zu übertreffen
oder zu erreichen verzweifeln, veraltet der Fleiß mit der
Hoffnung, und was man nicht erlangen kann, verfolgt man   30
nicht mehr, man strebt nicht mehr nach dem Besitz, den
andre schon ergriffen, man späht nach etwas Neuem, und
so lassen wir das, worin wir nicht glänzen können, fahren und
suchen für unser Streben ein ander Ziel. Aus dieser Un-
beständigkeit, wie mich dünkt, entsteht das größte Hinder-   35
nis, vollkommene Werke hervorzubringen."

Auch eine Stelle Quintilians, die einen bündigen Entwurf der alten Kunstgeschichte enthält, verdient als ein
wichtiges Denkmal in diesem Fache ausgezeichnet zu werden.

Quintilian mag gleichfalls, bei Unterhaltung mit römischen Kunstliebhabern, eine auffallende Ähnlichkeit zwischen dem Charakter der griechischen bildenden Künstler mit dem der römischen Redner gefunden und sich bei
5 Kennern und Kunstfreunden deshalb näher unterrichtet haben, so daß er bei seiner gleichnisweisen Aufstellung, da jedesmal der Kunstcharakter mit dem Zeitcharakter zusammenfällt, ohne es zu wissen oder zu wollen, eine Kunstgeschichte selbst darzustellen genötigt ist.

10 „Man sagt, die ersten berühmten Maler, deren Werke man nicht bloß des Altertums wegen besucht, seien Polygnot und Aglaophon. Ihr einfaches Kolorit findet noch eifrige Liebhaber, welche dergleichen rohe Arbeiten und Anfänge einer sich entwickelnden Kunst den größten Meistern der
15 folgenden Zeit vorziehen, wie mich dünkt, nach einer eigenen Sinnesweise.

Nachher haben Zeuxis und Parrhasius, die nicht weit auseinander lebten, beide ungefähr um die Zeit des Peloponnesischen Kriegs, die Kunst sehr befördert. Der erste soll
20 die Gesetze des Lichtes und Schattens erfunden, der andre aber sich auf genaue Untersuchung der Linien eingelassen haben. Ferner gab Zeuxis den Gliedern mehr Inhalt und machte sie völliger und ansehnlicher. Er folgte hierin, wie man glaubt, dem Homer, welchem die gewaltigste Form
25 auch an den Weibern gefällt. Parrhasius aber bestimmte alles dergestalt, daß sie ihn den Gesetzgeber nennen, weil die Vorbilder von Göttern und Helden, wie er sie überliefert hat, von andern als nötigend befolgt und beibehalten werden.

So blühte die Malerei um die Zeit des Philippus bis zu den
30 Nachfolgern Alexanders, aber in verschiedenen Talenten. Denn an Sorgfalt ist Protogenes, an Überlegung Pamphilus und Melanthius, an Leichtigkeit Antiphilus, an Erfindung seltsamer Erscheinungen, die man Phantasien nennt, Theon der Samier, an Geist und Anmut Apelles von niemanden
35 übertroffen worden. Euphranorn bewundert man, daß er in Rücksicht der Kunsterfordernisse überhaupt unter die Besten gerechnet werden muß und zugleich in der Maler- und Bildhauerkunst vortrefflich war.

Denselben Unterschied findet man auch bei der Plastik.

Denn Kalon und Hegesias haben härter und den Toskanern ähnlich gearbeitet, Kalamis weniger streng, noch weicher Myron.

Fleiß und Zierlichkeit besitzt Polyklet vor allen. Ihm wird von vielen der Preis zuerkannt; doch damit ihm etwas ab- 5 gehe, meint man, ihm fehle das Gewicht. Denn wie er die menschliche Form zierlicher gemacht, als die Natur sie zeigt, so scheint er die Würde der Götter nicht völlig aus-zufüllen, ja er soll sogar das ernstere Alter vermieden und sich über glatte Wangen nicht hinausgewagt haben. 10

Was aber dem Polyklet abgeht, wird dem Phidias und Alkamenes zugestanden. Phidias soll Götter und Menschen am vollkommensten gebildet, besonders in Elfenbein seinen Nebenbuhler weit übertroffen haben. Also würde man ur-teilen, wenn er auch nichts als die Minerva zu Athen oder den 15 olympischen Jupiter in Elis gemacht hätte, dessen Schönheit der angenommenen Religion, wie man sagt, zustatten kam; so sehr hat die Majestät des Werkes dem Gotte sich gleich-gestellt.

Lysippus und Praxiteles sollen nach der allgemeinen Mei- 20 nung sich der Wahrheit am besten genähert haben; Deme-trius aber wird getadelt, daß er hierin zuviel getan: er hat die Ähnlichkeit der Schönheit vorgezogen.“

Literarisches Metier

Nicht leicht ist ein Mensch glücklich genug, für seine 25 höhere Ausbildung von ganz uneigennützigen Gönnern die Hülfsmittel zu erlangen. Selbst wer das Beste zu wollen glaubt, kann nur das befördern, was er liebt und kennt, oder noch eher, was ihm nutzt. Und so war auch die literarisch-bibliographische Bildung dasjenige Verdienst, das Winckel- 30 mann früher dem Grafen Bünau und später dem Kardinal Passionei empfahl.

Ein Bücherkenner ist überall willkommen, und er war es in jener Zeit noch mehr, als die Lust, merkwürdige und rare Bücher zu sammeln, lebendiger, das bibliothekarische Ge- 35 schäft noch mehr in sich selbst beschränkt war. Eine große deutsche Bibliothek sah einer großen römischen ähnlich. Sie konnten miteinander im Besitz der Bücher wetteifern.

Der Bibliothekar eines deutschen Grafen war für einen Kardinal ein erwünschter Hausgenosse und konnte sich auch da gleich wieder als zu Hause finden. Die Bibliotheken waren wirkliche Schatzkammern, anstatt daß man sie jetzt, bei dem
5 schnellen Fortschreiten der Wissenschaften, bei dem zweckmäßigen und zwecklosen Anhäufen der Druckschriften, mehr als nützliche Vorratskammern und zugleich als unnütze Gerümpelkammern anzusehen hat, so daß ein Bibliothekar weit mehr als sonst sich von dem Gange der Wissenschaft,
10 von dem Wert und Unwert der Schriften zu unterrichten Ursache hat und ein deutscher Bibliothekar Kenntnisse besitzen muß, die fürs Ausland verloren wären.

Aber nur kurze Zeit und nur so lange, als es nötig war, um sich einen mäßigen Lebensunterhalt zu verschaffen,
15 blieb Winckelmann seiner eigentlichen literarischen Beschäftigung getreu, so wie er auch bald das Interesse an dem, was sich auf kritische Untersuchungen bezog, verlor, weder Handschriften vergleichen noch deutschen Gelehrten, die ihn über manches befragten, zur Rede stehen wollte.

20 Doch hatten ihm seine Kenntnisse schon früher zu einer vorteilhaften Einleitung gedient. Das Privatleben der Italiener überhaupt, besonders aber der Römer, hat aus mancherlei Ursachen etwas Geheimnisvolles. Dieses Geheimnis, diese Absonderung, wenn man will, erstreckte sich auch
25 über die Literatur. Gar mancher Gelehrter widmete sein Leben im stillen einem bedeutenden Werke, ohne jemals damit erscheinen zu wollen oder zu können. Auch fanden sich häufiger als in irgendeinem Lande Männer, welche, bei mannigfaltigen Kenntnissen und Einsichten, sich schriftlich
30 oder gar gedruckt mitzuteilen nicht zu bewegen waren. Zu solchen fand Winckelmann den Eintritt gar bald eröffnet. Er nennt unter ihnen vorzüglich Giacomelli und Baldani und erwähnt seiner zunehmenden Bekanntschaften, seines wachsenden Einflusses mit Vergnügen.

35   Kardinal Albani
Über alles förderte ihn das Glück, ein Hausgenosse des Kardinal Albani geworden zu sein. Dieser, der bei einem großen Vermögen und bedeutendem Einfluß von Jugend

auf eine entschiedene Kunstliebhaberei, die beste Gelegenheit, sie zu befriedigen, und ein bis ans Wunderbare grenzendes Sammlerglück gehabt hatte, fand in späteren Jahren in dem Geschäft, diese Sammlung würdig aufzustellen und so mit jenen römischen Familien zu wetteifern, die früher auf den Wert solcher Schätze aufmerksam gewesen, sein höchstes Vergnügen, ja den dazu bestimmten Raum nach Art der Alten zu überfüllen, war sein Geschmack und seine Lust. Gebäude drängten sich an Gebäude, Saal an Saal, Halle zu Halle; Brunnen und Obelisken, Karyatiden und Basreliefe, Statuen und Gefäße fehlten weder im Hof- noch Gartenraum, indes große und kleinere Zimmer, Galerien und Kabinette die merkwürdigsten Monumente aller Zeiten enthielten.

Im Vorbeigehen gedachten wir, daß die Alten ihre Anlagen durchaus gleicher Weise gefüllt. So überhäuften die Römer ihr Kapitol, daß es unmöglich scheint, alles habe darauf Platz gehabt. So war die Via sacra, das Forum, der Palatin überdrängt mit Gebäuden und Denkmälern, so daß die Einbildungskraft kaum noch eine Menschenmasse in diesen Räumen unterbringen könnte, wenn ihr nicht die Wirklichkeit ausgegrabener Städte zu Hülfe käme, wenn man nicht mit Augen sehen könnte, wie eng, wie klein, wie gleichsam nur als Modell zu Gebäuden ihre Gebäude angelegt sind. Diese Bemerkung gilt sogar von der Villa des Hadrian, bei deren Anlage Raum und Vermögen genug zum Großen vorhanden war.

In einem solchen überfüllten Zustande verließ Winckelmann die Villa seines Herrn und Freundes, den Ort seiner höhern und erfreulichsten Bildung. So stand sie auch lange noch nach dem Tode des Kardinals zur Freude und Bewunderung der Welt, bis sie in der alles bewegenden und zerstreuenden Zeit ihres sämtlichen Schmuckes beraubt wurde. Die Statuen waren aus ihren Nischen und von ihren Stellen gehoben, die Basreliefe aus den Mauern herausgerissen und der ungeheure Vorrat zum Transport eingepackt. Durch den sonderbarsten Wechsel der Dinge führte man diese Schätze nur bis an die Tiber. In kurzer Zeit gab man sie dem Besitzer zurück, und der größte Teil, bis auf wenige

Juwelen, befindet sich wieder an der alten Stelle. Jenes erste
traurige Schicksal dieses Kunstelysiums und dessen Wiederherstellung durch eine abenteuerliche Wendung der Dinge
hätte Winckelmann erleben können. Doch wohl ihm, daß·
5 er dem irdischen Leid, so wie der zum Ersatz nicht immer
hinreichenden Freude, schon entwachsen war.

Glücksfälle

Aber auch manches äußere Glück begegnete ihm auf
seinem Wege, nicht allein, daß in Rom das Aufgraben der
10 Altertümer lebhaft und glücklich vonstatten ging, sondern
es waren auch die Herkulanischen und Pompejischen Entdeckungen teils neu, teils durch Neid, Verheimlichung und
Langsamkeit unbekannt geblieben; und so kam er in eine
Ernte, die seinem Geiste und seiner Tätigkeit genugsam zu
15 schaffen gab.

Traurig ist es, wenn man das Vorhandne als fertig und
abgeschlossen ansehen muß. Rüstkammern, Galerien und
Museen, zu denen nichts hinzugefügt wird, haben etwas
Grab- und Gespensterartiges; man beschränkt seinen Sinn
20 in einem so beschränkten Kunstkreis, man gewöhnt sich,
solche Sammlungen als ein Ganzes anzusehen, anstatt daß
man durch immer neuen Zuwachs erinnert werden sollte,
daß in der Kunst, wie im Leben, kein Abgeschlossenes beharre, sondern ein Unendliches in Bewegung sei.

25 In einer so glücklichen Lage befand sich Winckelmann.
Die Erde gab ihre Schätze her, und durch den immerfort
regen Kunsthandel bewegten sich manche alte Besitzungen
ans Tageslicht, gingen vor seinen Augen vorbei, ermunterten
seine Neigung, erregten sein Urteil und vermehrten seine
30 Kenntnisse.

Kein geringer Vorteil für ihn war sein Verhältnis zu dem
Erben der großen Stoschischen Besitzungen. Erst nach dem
Tode des Sammlers lernte er diese kleine Kunstwelt kennen
und herrschte darin nach seiner Einsicht und Überzeugung.
35 Freilich ging man nicht mit allen Teilen dieser äußerst
schätzbaren Sammlung gleich vorsichtig um, wiewohl das
Ganze einen Katalog, zur Freude und zum Nutzen nachfolgender Liebhaber und Sammler, verdient hätte. Manches

ward verschleudert; doch um die treffliche Gemmensamm-
lung bekannter und verkäuflicher zu machen, unternahm
Winckelmann mit dem Erben Stosch die Fertigung eines
Katalogs, von welchem Geschäft und dessen übereilter und
doch immer geistreicher Behandlung uns die überbliebene 5
Korrespondenz ein merkwürdiges Zeugnis ablegt.

Bei diesem auseinanderfallenden Kunstkörper, wie bei der
sich immer vergrößernden und mehr vereinigenden Alba-
nischen Sammlung, zeigte sich unser Freund geschäftig,
und alles, was zum Sammeln oder Zerstreuen durch seine 10
Hände ging, vermehrte den Schatz, den er in seinem Geiste
angefangen hatte aufzustellen.

Unternommene Schriften

Schon als Winckelmann zuerst in Dresden der Kunst und
den Künstlern sich näherte und in diesem Fach als Anfänger 15
erschien, war er als Literator ein gemachter Mann. Er über-
sah die Vorzeit so wie die Wissenschaften in manchem Sinne.
Er fühlte und kannte das Altertum, so wie das Würdige der
Gegenwart, des Lebens und des Charakters, selbst in seinem
tiefgedrückten Zustande. Er hatte sich einen Stil gebildet. 20
In der neuen Schule, die er betrat, horchte er nicht nur als
ein gelehriger, sondern als ein gelehrter Jünger seinen
Meistern zu, er horchte ihnen ihre bestimmten Kenntnisse
leicht ab und fing sogleich an, alles zu nutzen und zu verbrauchen. 25

Auf einem höhern Schauplatze als zu Dresden, in einem
höhern Sinne, der sich ihm geöffnet hatte, blieb er derselbige.
Was er von Mengs vernahm, was die Umgebung ihm zurief,
bewahrte er nicht etwa lange bei sich, ließ den frischen
Most nicht etwa gären und klar werden, sondern wie man 30
sagt, daß man durch Lehren lerne, so lernte er im Entwerfen
und Schreiben. Wie manchen Titel hat er uns hinterlassen,
wie manche Gegenstände benannt, über die ein Werk erfolgen sollte, und diesem Anfang glich seine ganze anti-
quarische Laufbahn. Wir finden ihn immer in Tätigkeit, 35
mit dem Augenblick beschäftigt, ihn dergestalt ergreifend
und festhaltend, als wenn der Augenblick vollständig und befriedigend sein könnte; und ebenso ließ er sich wieder vom

nächsten Augenblicke belehren. Diese Ansicht dient zu
Würdigung seiner Werke.

Daß sie so, wie sie da liegen, erst als Manuskript auf das
Papier gekommen und sodann später im Druck für die
5 Folgezeit fixiert worden, hing von unendlich mannigfaltigen
kleinen Umständen ab. Nur einen Monat später, so hätten
wir ein anderes Werk, richtiger an Gehalt, bestimmter in der
Form, vielleicht etwas ganz anderes. Und eben darum bedauern wir höchlich seinen frühzeitigen Tod, weil er sich
10 immer wieder umgeschrieben und immer sein ferneres und
neustes Leben in seine Schriften eingearbeitet hätte.

Und so ist alles, was er uns hinterlassen, als ein Lebendiges
für die Lebendigen, nicht für die im Buchstaben Toten geschrieben. Seine Werke, verbunden mit seinen Briefen, sind
15 eine Lebensdarstellung, sind ein Leben selbst. Sie sehen,
wie das Leben der meisten Menschen, nur einer Vorbereitung, nicht einem Werke gleich. Sie veranlassen zu Hoffnungen, zu Wünschen, zu Ahndungen; wie man daran
bessern will, so sieht man, daß man sich selbst zu bessern
20 hätte; wie man sie tadeln will, so sieht man, daß man demselbigen Tadel, vielleicht auf einer höhern Stufe der Erkenntnis, selbst ausgesetzt sein möchte: denn Beschränkung
ist überall unser Los.

Philosophie

25 Da bei dem Fortrücken der Kultur nicht alle Teile des
menschlichen Wirkens und Umtreibens, an denen sich die
Bildung offenbaret, in gleichem Wachstum gedeihen, vielmehr nach günstiger Beschaffenheit der Personen und Umstände einer dem andern voreilen und ein allgemeineres
30 Interesse erregen muß, so entsteht daraus ein gewisses eifer-
süchtiges Mißvergnügen bei den Gliedern der so mannigfaltig verzweigten großen Familie, die sich oft um desto
weniger vertragen, je näher sie verwandt sind.

Zwar ist es meistens eine leere Klage, wenn sich bald
35 diese oder jene Kunst- und Wissenschaftsbeflissene beschweren, daß gerade ihr Fach von den Mitlebenden vernachlässigt werde: denn es darf nur ein tüchtiger Meister
sich zeigen, so wird er die Aufmerksamkeit auf sich ziehen.

Raffael möchte nur immer heute wieder hervortreten, und wir wollten ihm ein Übermaß von Ehre und Reichtum zusichern. Ein tüchtiger Meister weckt brave Schüler, und ihre Tätigkeit ästet wieder ins Unendliche.

Doch haben freilich von jeher die Philosophen besonders den Haß nicht allein ihrer Wissenschaftsverwandten, sondern auch der Welt- und Lebensmenschen auf sich gezogen, und vielleicht mehr durch ihre Lage als durch eigene Schuld. Denn da die Philosophie, ihrer Natur nach, an das Allgemeinste, an das Höchste Anforderung macht, so muß sie die weltlichen Dinge als in ihr begriffen, als ihr untergeordnet ansehen und behandeln.

Auch verleugnet man ihr diese anmaßlichen Forderungen nicht ausdrücklich, vielmehr glaubt jeder ein Recht zu haben, an ihren Entdeckungen teilzunehmen, ihre Maximen zu nutzen und, was sie sonst reichen mag, zu verbrauchen. Da sie aber, um allgemein zu werden, sich eigener Worte, fremdartiger Kombinationen und seltsamer Einleitungen bedienen muß, die mit den besondern Zuständen der Weltbürger und mit ihren augenblicklichen Bedürfnissen nicht eben zusammenfallen, so wird sie von denen geschmäht, die nicht gerade die Handhabe finden können, wobei sie allenfalls noch anzufassen wäre.

Wollte man aber dagegen die Philosophen beschuldigen, daß sie selbst den Übergang zum Leben nicht sicher zu finden wissen, daß sie gerade da, wo sie ihre Überzeugung in Tat und Wirkung verwandeln wollen, die meisten Fehlgriffe tun und dadurch ihren Kredit vor der Welt selbst schmälern, so würde es hiezu an mancherlei Beispielen nicht fehlen.

Winckelmann beklagt sich bitter über die Philosophen seiner Zeit und über ihren ausgebreiteten Einfluß; aber mich dünkt, man kann einem jeden Einfluß aus dem Wege gehen, indem man sich in sein eigenes Fach zurückzieht. Sonderbar ist es, daß Winckelmann die Leipziger Akademie nicht bezog, wo er unter Christs Anleitung, und ohne sich um einen Philosophen in der Welt zu bekümmern, sich in seinem Hauptstudium bequemer hätte ausbilden können.

Doch steht, indem uns die Ereignisse der neuern Zeit vorschweben, eine Bemerkung hier wohl am rechten Platze,

die wir auf unserm Lebenswege machen können, daß kein
Gelehrter ungestraft jene große philosophische Bewegung,
die durch Kant begonnen, von sich abgewiesen, sich ihr
widersetzt, sie verachtet habe, außer etwa die echten Altertumsforscher, welche durch die Eigenheit ihres Studiums
vor allen andern Menschen vorzüglich begünstigt zu sein
scheinen.

Denn indem sie sich nur mit dem Besten, was die Welt
hervorgebracht hat, beschäftigen und das Geringe, ja das
Schlechtere nur im Bezug auf jenes Vortreffliche betrachten,
so erlangen ihre Kenntnisse eine solche Fülle, ihre Urteile
eine solche Sicherheit, ihr Geschmack eine solche Konsi-
stenz, daß sie innerhalb ihres eigenen Kreises bis zur Verwunderung, ja bis zum Erstaunen ausgebildet erscheinen.

Auch Winckelmann gelang dieses Glück, wobei ihm freilich die bildende Kunst und das Leben kräftig einwirkend
zu Hülfe kamen.

Poesie

So sehr Winckelmann bei Lesung der alten Schriftsteller
auch auf die Dichter Rücksicht genommen, so finden wir
doch, bei genauer Betrachtung seiner Studien und seines
Lebensganges, keine eigentliche Neigung zur Poesie, ja man
könnte eher sagen, daß hie und da eine Abneigung hervor-
blicke; wie denn seine Vorliebe für alte gewohnte Luthersche
Kirchenlieder und sein Verlangen, ein solches unverfälschtes
Gesangbuch selbst in Rom zu besitzen, wohl von einem
tüchtigen, wackern Deutschen, aber nicht eben von einem
Freunde der Dichtkunst zeuget.

Die Poeten der Vorzeit scheinen ihn früher als Dokumente
der alten Sprachen und Literaturen, später als Zeugnisse
für bildende Kunst interessiert zu haben. Desto wunder-
barer und erfreulicher ist es, wenn er selbst als Poet auftritt,
und zwar als ein tüchtiger, unverkennbarer, in seinen Beschreibungen der Statuen, ja beinahe durchaus in seinen
spätern Schriften. Er sieht mit den Augen, er faßt mit dem
Sinn unaussprechliche Werke, und doch fühlt er den unwiderstehlichen Drang, mit Worten und Buchstaben ihnen beizukommen. Das vollendete Herrliche, die Idee, woraus diese

Gestalt entsprang, das Gefühl, das in ihm beim Schauen
erregt ward, soll dem Hörer, dem Leser mitgeteilt werden,
und indem er nun die ganze Rüstkammer seiner Fähigkeiten mustert, sieht er sich genötigt, nach dem Kräftigsten
und Würdigsten zu greifen, was ihm zu Gebote steht. Er 5
muß Poet sein, er mag daran denken, er mag wollen oder
nicht.

Erlangte Einsicht

So sehr Winckelmann überhaupt auf ein gewisses Ansehn
vor der Welt achtete, so sehr er sich einen literarischen 10
Ruhm wünschte, so gut er seine Werke auszustatten und
sie durch einen gewissen feierlichen Stil zu erheben suchte,
so war er doch keinesweges blind gegen ihre Mängel, die er
vielmehr auf das schnellste bemerkte, wie sich's bei seiner
fortschreitenden, immer neue Gegenstände fassenden und 15
bearbeitenden Natur notwendig ereignen mußte. Je mehr
er nun in irgendeinem Aufsatze dogmatisch und didaktisch
zu Werke gegangen war, diese oder jene Erklärung eines
Monuments, diese oder jene Auslegung und Anwendung
einer Stelle behauptet und festgesetzt hatte, desto auffal- 20
lender war ihm der Irrtum, sobald er durch neue Data sich
davon überzeugt hielt, desto schneller war er geneigt, ihn auf
irgendeine Weise zu verbessern.

Hatte er das Manuskript noch in der Hand, so ward es
umgeschrieben; war es zum Druck abgesendet, so wurden 25
Verbesserungen und Nachträge hinterdrein geschickt, und
von allen diesen Reuschritten machte er seinen Freunden
kein Geheimnis: denn auf Wahrheit, Geradheit, Derbheit
und Redlichkeit stand sein ganzes Wesen gegründet.

Spätere Werke 30

Ein glücklicher Gedanke ward ihm, zwar auch nicht auf
einmal, sondern nur durch die Tat selbst, klar, das Unternehmen seiner Monumenti inediti.

Man sieht wohl, daß jene Lust, neue Gegenstände bekannt zu machen, sie auf eine glückliche Weise zu erklären, 35
die Altertumskunde in so großem Maße zu erweitern, ihn
zuerst angelockt habe; dann tritt das Interesse hinzu, die

von ihm in der Kunstgeschichte einmal aufgestellte Methode auch hier an Gegenständen, die er dem Leser vor
Augen legt, zu prüfen, da denn zuletzt der glückliche Vorsatz sich entwickelte, in der vorausgeschickten Abhandlung
5 das Werk über die Kunstgeschichte, das ihm schon im
Rücken lag, stillschweigend zu verbessern, zu reinigen, zu-
sammenzudrängen und vielleicht sogar teilweise aufzuheben.

Im Bewußtsein früherer Mißgriffe, über die ihn der
Nichtrömer kaum zurechtweisen durfte, schrieb er ein Werk
10 in italienischer Sprache, das auch in Rom gelten sollte.
Nicht allein befleißigt er sich dabei der größten Aufmerksamkeit, sondern wählt sich auch freundschaftliche Kenner,
mit denen er die Arbeit genau durchgeht, sich ihrer Einsicht, ihres Urteils auf das klügste bedient und so ein Werk
15 zustande bringt, das als Vermächtnis auf alle Zeiten übergehen wird. Und er schreibt es nicht allein, er besorgt es,
unternimmt es und leistet als ein armer Privatmann das,
was einem wohlgegründeten Verleger, was akademischen
Kräften Ehre machen würde.

20   Papst

Sollte man so viel von Rom sprechen, ohne des Papstes zu
gedenken, der doch Winckelmannen wenigstens mittelbar
manches Gute zufließen lassen!

Winckelmanns Aufenthalt in Rom fiel zum größten Teil
25 unter die Regierung Benedikt des XIV. Lambertini, der
als ein heiterer, behaglicher Mann lieber regieren ließ als
regierte; und so mögen auch die verschiedenen Stellen,
welche Winckelmann bekleidete, ihm durch die Gunst seiner
hohen Freunde mehr als durch die Einsicht des Papstes in
30 seine Verdienste geworden sein.

Doch finden wir ihn einmal auf eine bedeutende Weise
in der Gegenwart des Hauptes der Kirche; ihm wird die
besondre Auszeichnung, dem Papste aus den Monumenti
inediti einige Stellen vorlesen zu dürfen, und er gelangt auch
35 von dieser Seite zur höchsten Ehre, die einem Schriftsteller
werden kann.

Charakter

Wenn bei sehr vielen Menschen, besonders aber bei Gelehrten, dasjenige, was sie leisten, als die Hauptsache erscheint und der Charakter sich dabei wenig äußert, so tritt im Gegenteil bei Winckelmann der Fall ein, daß alles dasjenige, was er hervorbringt, hauptsächlich deswegen merkwürdig und schätzenswert ist, weil sein Charakter sich immer dabei offenbart. Haben wir schon unter der Aufschrift vom Antiken und Heidnischen, vom Schönheits- und Freundschaftssinne einiges Allgemeine zum Anfang ausgesprochen, so wird das mehr Besondere hier gegen das Ende wohl seinen Platz verdienen.

Winckelmann war durchaus eine Natur, die es redlich mit sich selbst und mit andern meinte; seine angeborne Wahrheitsliebe entfaltete sich immer mehr und mehr, je selbstständiger und unabhängiger er sich fühlte, so daß er sich zuletzt die höfliche Nachsicht gegen Irrtümer, die im Leben und in der Literatur so sehr hergebracht ist, zum Verbrechen machte.

Eine solche Natur konnte wohl mit Behaglichkeit in sich selbst zurückkehren, doch finden wir auch hier jene altertümliche Eigenheit, daß er sich immer mit sich selbst beschäftigte, ohne sich eigentlich zu beobachten. Er denkt nur an sich, nicht über sich, ihm liegt im Sinne, was er vorhat, er interessiert sich für sein ganzes Wesen, für den ganzen Umfang seines Wesens und hat das Zutrauen, daß seine Freunde sich auch dafür interessieren werden. Wir finden daher in seinen Briefen, vom höchsten moralischen bis zum gemeinsten physischen Bedürfnis, alles erwähnt, ja er spricht es aus, daß er sich von persönlichen Kleinigkeiten lieber als von wichtigen Dingen unterhalte. Dabei bleibt er sich durchaus ein Rätsel und erstaunt manchmal über seine eigene Erscheinung, besonders in Betrachtung dessen, was er war und was er geworden ist. Doch so kann man überhaupt jeden Menschen als eine vielsilbige Scharade ansehen, wovon er selbst nur wenige Silben zusammenbuchstabiert, indessen andre leicht das ganze Wort entziffern.

Auch finden wir bei ihm keine ausgesprochenen Grundsätze; sein richtiges Gefühl, sein gebildeter Geist dienen

ihm im Sittlichen, wie im Ästhetischen, zum Leitfaden. Ihm
schwebt eine Art natürlicher Religion vor, wobei jedoch
Gott als Urquell des Schönen und kaum als ein auf den
Menschen sonst bezügliches Wesen erscheint. Sehr schön
5 beträgt sich Winckelmann innerhalb der Grenzen der Pflicht
und Dankbarkeit.

Seine Vorsorge für sich selbst ist mäßig, ja nicht durch
alle Zeiten gleich. Indessen arbeitet er aufs fleißigste, sich
eine Existenz aufs Alter zu sichern. Seine Mittel sind edel;
10 er zeigt sich selbst auf dem Wege zu jedem Zweck redlich,
gerade, sogar trotzig und dabei klug und beharrlich. Er
arbeitet nie planmäßig, immer aus Instinkt und mit Leidenschaft. Seine Freude an jedem Gefundenen ist heftig, daher
Irrtümer unvermeidlich, die er jedoch bei lebhaftem Vor-
15 schreiten ebenso geschwind zurücknimmt als einsieht. Auch
hier bewährt sich durchaus jene antike Anlage, die Sicherheit des Punktes, von dem man ausgeht, die Unsicherheit
des Zieles, wohin man gelangen will, sowie die Unvollständigkeit und Unvollkommenheit der Behandlung, sobald sie
20 eine ansehnliche Breite gewinnt.

Gesellschaft

Wenn er sich, durch seine frühere Lebensart wenig vorbereitet, in der Gesellschaft anfangs nicht ganz bequem
befand, so trat ein Gefühl von Würde bald an die Stelle der
25 Erziehung und Gewohnheit, und er lernte sehr schnell sich
den Umständen gemäß betragen. Die Lust am Umgang
mit vornehmen, reichen und berühmten Leuten, die Freude,
von ihnen geschätzt zu werden, dringt überall durch, und in
Absicht auf die Leichtigkeit des Umgangs hätte er sich in
30 keinem bessern Elemente als in dem römischen befinden
können.

Er bemerkt selbst, daß die dortigen besonders geistlichen
Großen, so zeremoniös sie nach außen erscheinen, doch
nach innen gegen ihre Hausgenossen bequem und vertrau-
35 lich leben; allein er bemerkte nicht, daß hinter dieser Ver-
traulichkeit sich doch das orientalische Verhältnis des Herrn
zum Knechte verbirgt. Alle südlichen Nationen würden eine
unendliche lange Weile finden, wenn sie gegen die Ihrigen sich

in der fortdauernden wechselseitigen Spannung erhalten
sollten, wie es die Nordländer gewohnt sind. Reisende haben
bemerkt, daß die Sklaven sich gegen ihre türkischen Herren
mit weit mehr Aisance betragen als nordische Hofleute gegen
ihre Fürsten, und bei uns Untergebene gegen ihre Vorge-   5
setzten; allein wenn man es genau betrachtet, so sind diese
Achtungsbezeigungen eigentlich zugunsten der Untergebe-
nen eingeführt, die dadurch ihren Obern immer erinnern,
was er ihnen schuldig ist.

Der Südländer aber will Zeiten haben, wo er sich gehn   10
läßt, und diese kommen seiner Umgebung zugut. Dergleichen
Szenen schildert Winckelmann mit großem Behagen; sie
erleichtern ihm seine übrige Abhängigkeit und nähren seinen
Freiheitssinn, der mit Scheu auf jede Fessel hinsieht, die ihn
allenfalls bedrohen könnte.   15

Fremde

Wenn Winckelmann durch den Umgang mit Einheimi-
schen sehr glücklich ward, so erlebte er desto mehr Pein
und Not von Fremden. Es ist wahr, nichts kann schrecklicher sein als der gewöhnliche Fremde in Rom. An jedem   20
andern Orte kann sich der Reisende eher selbst suchen und
auch etwas ihm Gemäßes finden; wer sich aber nicht nach
Rom bequemt, ist den wahrhaft römisch Gesinnten ein
Greuel.

Man wirft den Engländern vor, daß sie ihren Teekessel   25
überall mitführen und sogar bis auf den Ätna hinauf-
schleppen; aber hat nicht jede Nation ihren Teekessel,
worin sie, selbst auf Reisen, ihre von Hause mitgebrachten
getrockneten Kräuterbündel aufbraut?

Solche nach ihrem engen Maßstab urteilende, nicht um   30
sich her sehende, vorübereilende, anmaßliche Fremde ver-
wünscht Winckelmann mehr als einmal, verschwört, sie
nicht mehr herumzuführen, und läßt sich zuletzt doch wieder
bewegen. Er scherzt über seine Neigung zum Schul-
meistern, zu unterrichten, zu überzeugen, da ihm denn auch   35
wieder in der Gegenwart durch Stand und Verdienste bedeutender Personen gar manches Gute zuwächst. Wir nennen
hier nur den Fürsten von Dessau, die Erbprinzen von

Mecklenburg-Strelitz und Braunschweig, sowie den Baron
von Riedesel, einen Mann, der sich in der Sinnesart gegen
Kunst und Altertum ganz unseres Freundes würdig erzeigte.

Welt

5   Wir finden bei Winckelmann das unnachlassende Streben
nach Ästimation und Konsideration; aber er wünscht sie
durch etwas Reelles zu erlangen. Durchaus dringt er auf das
Reale der Gegenstände, der Mittel und der Behandlung;
daher hat er eine so große Feindschaft gegen den französi-
10 schen Schein.

So wie er in Rom Gelegenheit gefunden hatte, mit Fremden aller Nationen umzugehen, so erhielt er auch solche
Konnexionen auf eine geschickte und tätige Weise. Die
Ehrenbezeigungen von Akademien und gelehrten Gesell-
15 schaften waren ihm angenehm, ja er bemühte sich darum.

Am meisten aber förderte ihn das im stillen mit großem
Fleiß ausgearbeitete Dokument seines Verdienstes; ich meine
die Geschichte der Kunst. Sie ward sogleich ins Französische
übersetzt, und er dadurch weit und breit bekannt.

20   Das, was ein solches Werk leistet, wird vielleicht am
besten in den ersten Augenblicken anerkannt: das Wirksame
desselben wird empfunden, das Neue lebhaft aufgenommen,
die Menschen erstaunen, wie sie auf einmal gefördert werden; dahingegen eine kältere Nachkommenschaft mit eklem
25 Zahn an den Werken ihrer Meister und Lehrer herumkostet
und Forderungen aufstellt, die ihr gar nicht eingefallen
wären, hätten jene nicht so viel geleistet, von denen man nun
noch mehr fordert.

Und so war Winckelmann den gebildeten Nationen
30 Europens bekannt geworden, in einem Augenblicke, da man
ihm in Rom genugsam vertraute, um ihn mit der nicht unbedeutenden Stelle eines Präsidenten der Altertümer zu
beehren.

Unruhe

35   Ungeachtet jener anerkannten und von ihm selbst öfters
gerühmten Glückseligkeit war er doch immer von einer
Unruhe gepeinigt, die, indem sie tief in seinem Charakter
lag, gar mancherlei Gestalten annahm.

Er hatte sich früher kümmerlich beholfen, später von der Gnade des Hofs, von der Gunst manches Wohlwollenden gelebt, wobei er sich immer auf das geringste Bedürfnis einschränkte, um nicht abhängig, oder abhängiger zu werden. Indessen war er auch auf das tüchtigste bemüht, sich für die Gegenwart, für die Zukunft aus eigenen Kräften einen Unterhalt zu verschaffen, wozu ihm endlich die gelungene Ausgabe seines Kupferwerks die schönste Hoffnung gab.

Allein jener ungewisse Zustand hatte ihn gewöhnt, wegen seiner Subsistenz bald hierhin bald dorthin zu sehen, bald sich mit geringen Vorteilen im Hause eines Kardinals, in der Vaticana und sonst unterzutun, bald aber, wenn er wieder eine andre Aussicht vor sich sah, großmütig seinen Platz aufzugeben, indessen sich doch wieder nach andern Stellen umzusehen und manchen Anträgen ein Gehör zu leihen.

Sodann ist einer, der in Rom wohnt, der Reiselust nach allen Weltgegenden ausgesetzt. Er sieht sich im Mittelpunkt der alten Welt und die für den Altertumsforscher interessantesten Länder nah um sich her. Großgriechenland und Sizilien, Dalmatien, der Peloponnes, Ionien und Ägypten, alles wird den Bewohnern Roms gleichsam angeboten und erregt in einem, der wie Winckelmann mit Begierde des Schauens geboren ist, von Zeit zu Zeit ein unsägliches Verlangen, welches durch so viele Fremde noch vermehrt wird, die auf ihren Durchzügen bald vernünftig, bald zwecklos jene Länder zu bereisen Anstalt machen, bald, indem sie zurückkehren, von den Wundern der Ferne zu erzählen und aufzuzeigen nicht müde werden.

So will denn unser Winckelmann auch überall hin, teils aus eigenen Kräften, teils in Gesellschaft solcher wohlhabender Reisenden, die den Wert eines unterrichteten, talentvollen Gefährten mehr oder weniger zu schätzen wissen.

Noch eine Ursache dieser innern Unruhe und Unbehaglichkeit macht seinem Herzen Ehre: es ist das unwiderstehliche Verlangen nach abwesenden Freunden. Hier scheint sich die Sehnsucht des Mannes, der sonst so sehr von der Gegenwart lebte, ganz eigentlich konzentriert zu haben. Er sieht sie vor sich, er unterhält sich mit ihnen durch Briefe, er sehnt sich nach ihrer Umarmung und

wünscht die früher zusammen verlebten Tage zu wiederholen.

Diese besonders nach Norden gerichteten Wünsche hatte
der Friede aufs neue belebt. Sich dem großen König darzustellen, der ihn schon früher eines Antrags seiner Dienste
gewürdigt, war sein Stolz; den Fürsten von Dessau wieder-
zusehen, dessen hohe ruhige Natur er als von Gott auf die
Erde gesandt betrachtete, den Herzog von Braunschweig,
dessen große Eigenschaften er zu würdigen wußte, zu verehren, den Minister von Münchhausen, der so viel für die
Wissenschaften tat, persönlich zu preisen, dessen unsterbliche
Schöpfung in Göttingen zu bewundern, sich mit seinen
Schweizer Freunden wieder einmal lebhaft und vertraulich
zu freuen, solche Lockungen tönten in seinem Herzen, in
seiner Einbildungskraft wider, mit solchen Bildern hatte er
sich lange beschäftigt, lange gespielt, bis er zuletzt unglücklicherweise diesem Trieb gelegentlich folgt und so in
seinen Tod geht.

Schon war er mit Leib und Seele dem italienischen Zustand gewidmet, jeder andere schien ihm unerträglich, und
wenn ihn der frühere Hineinweg durch das bergichte und
felsichte Tirol interessiert, ja entzückt hatte, so fühlte er sich
auf dem Rückwege in sein Vaterland wie durch eine cimme-
rische Pforte hindurch geschleppt, beängstet und mit der
Unmöglichkeit, seinen Weg fortzusetzen, behaftet.

Hingang

So war er denn auf der höchsten Stufe des Glücks, das er
sich nur hätte wünschen dürfen, der Welt verschwunden.
Ihn erwartete sein Vaterland, ihm streckten seine Freunde
die Arme entgegen, alle Äußerungen der Liebe, deren er
so sehr bedurfte, alle Zeugnisse der öffentlichen Achtung,
auf die er so viel Wert legte, warteten seiner Erscheinung,
um ihn zu überhäufen. Und in diesem Sinne dürfen wir ihn
wohl glücklich preisen, daß er von dem Gipfel des menschlichen Daseins zu den Seligen emporgestiegen, daß ein
kurzer Schrecken, ein schneller Schmerz ihn von den Lebendigen hinweggenommen. Die Gebrechen des Alters, die
Abnahme der Geisteskräfte hat er nicht empfunden, die

Zerstreuung der Kunstschätze, die er, obgleich in einem
andern Sinne, vorausgesagt, ist nicht vor seinen Augen geschehen, er hat als Mann gelebt und ist als ein vollständiger
Mann von hinnen gegangen. Nun genießt er im Andenken
der Nachwelt den Vorteil, als ein ewig Tüchtiger und Kräf- 5
tiger zu erscheinen: denn in der Gestalt, wie der Mensch
die Erde verläßt, wandelt er unter den Schatten, und so
bleibt uns Achill als ewig strebender Jüngling gegenwärtig.
Daß Winckelmann früh hinwegschied, kommt auch uns
zugute. Von seinem Grabe her stärkt uns der Anhauch seiner 10
Kraft und erregt in uns den lebhaftesten Drang, das, was er
begonnen, mit Eifer und Liebe fort- und immer fortzusetzen.

LETZTE KUNSTAUSSTELLUNG
1805.   15

Wenn die bisherigen Ausstellungen, sowohl den Künstlern als uns, gar manchen Vorteil brachten, so schieden wir
nur ungern davon, und zwar auch aus dem Grunde: weil
eine durch Frömmelei ihr unverantwortliches Rückstreben
beschönigende Kunst desto leichter überhandnahm, als 20
süßliche Reden und schmeichelhafte Phrasen sich viel besser
anhören und wiederholen als ernste Forderungen, auf die
höchstmögliche Kunsttätigkeit menschlicher Natur gerichtet.

Das Entgegengesetzte von unsern Wünschen und Bestrebungen tut sich hervor, bedeutende Männer wirken auf eine 25
der Menge behagliche Weise; ihre Lehre und Beispiel
schmeichelt den meisten; die Weimarischen Kunstfreunde,
da sie Schiller verlassen hat, sehen einer großen Einsamkeit
entgegen.

Gemüt wird über Geist gesetzt, Naturell über Kunst, und 30
so ist der Fähige wie der Unfähige gewonnen. Gemüt hat
jedermann, Naturell mehrere; der Geist ist selten, die Kunst
ist schwer.

Das Gemüt hat einen Zug gegen die Religion, ein reli-
giöses Gemüt mit Naturell zur Kunst, sich selbst überlassen, 35

wird nur unvollkommene Werke hervorbringen; ein solcher
Künstler verläßt sich auf das Sittlich-Hohe, welches die
Kunstmängel ausgleichen soll. Eine Ahnung des Sittlich-
Höchsten will sich durch Kunst ausdrücken, und man be-
denkt nicht, daß nur das Sinnlich-Höchste das Element
ist, worin sich jenes verkörpern kann.

MYRONS KUH

Myron, ein griechischer Bildner, verfertigte ungefähr
vierhundert Jahre vor unserer Zeitrechnung eine Kuh von
Erz, welche Cicero zu Athen, Procopius im siebenten Jahrhundert zu Rom sah, also daß über tausend Jahre dieses
Kunstwerk die Aufmerksamkeit der Menschen auf sich gezogen. Es sind uns von demselben mancherlei Nachrichten
übriggeblieben; allein wir können uns doch daraus keine
deutliche Vorstellung des eigentlichen Gebildes machen; ja
was noch sonderbarer scheinen muß, Epigramme, sechsund-
dreißig an der Zahl, haben uns bisher ebenso wenig genutzt,
sie sind nur merkwürdig geworden als Verirrungen poetisie-
render Kunstbeschauer. Man findet sie eintönig, sie stellen
nicht dar, sie belehren uns nicht. Sie verwirren viel mehr den
Begriff, den man sich von der verlorenen Gestalt machen
möchte, als daß sie ihn bestimmten.

Genannte und ungenannte Dichter scheinen in diesen
rhythmischen Scherzen mehr untereinander zu wetteifern
als mit dem Kunstwerke; sie wissen nichts davon zu sagen,
als daß sie sämtlich die große Natürlichkeit desselben an-
zupreisen beflissen sind. Ein solches Dilettantenlob ist aber
höchst verdächtig.

Denn bis zur Verwechselung mit der Natur Natürlichkeit
darzustellen, war gewiß nicht Myrons Bestreben, der, als
unmittelbarer Nachfolger von Phidias und Polyklet, in einem
höheren Sinne verfuhr, beschäftigt war, Athleten, ja sogar
den Herkules zu bilden, und gewiß seinen Werken Stil zu
geben, sie von der Natur abzusondern wußte.

Man kann als ausgemacht annehmen, daß im Altertum
kein Werk berühmt worden, das nicht von vorzüglicher

Erfindung gewesen wäre: denn diese ist's doch, die am Ende den Kenner wie die Menge entzückt. Wie mag denn aber Myron eine Kuh wichtig, bedeutend und für die Aufmerksamkeit der Menge durch Jahrhunderte durch anziehend gemacht haben?

Die sämtlichen Epigramme preisen durchaus an ihr Wahrheit und Natürlichkeit und wissen die mögliche Verwechselung mit dem Wirklichen nicht genug hervorzuheben. Ein Löwe will die Kuh zerreißen, ein Stier sie bespringen, ein Kalb an ihr saugen, die übrige Herde schließt sich an sie an; der Hirte wirft einen Stein nach ihr, um sie von der Stelle zu bewegen, er schlägt nach ihr, er peitscht sie, er dutet sie an; der Ackersmann bringt Kummet und Pflug, sie einzuspannen, ein Dieb will sie stehlen, eine Bremse setzt sich auf ihr Fell, ja Myron selbst verwechselt sie mit den übrigen Kühen seiner Herde.

Offenbar strebt hier ein Dichter, den andern mit leeren rednerischen Floskeln zu überbieten, und die eigentliche Gestalt, die Handlung der Kuh bleibt immer im Dunkeln. Nun soll sie zuletzt gar noch brüllen; dieses fehlte freilich noch zum Natürlichen. Aber eine brüllende Kuh, insofern sie plastisch vorzustellen wäre, ist ein so gemeines und noch dazu unbestimmtes Motiv, daß es der hochsinnige Grieche unmöglich brauchen konnte.

Wie gemein es sei, fällt jedermann in die Augen, aber unbestimmt und unbedeutend ist es dazu. Sie kann brüllen nach der Weide, nach der Herde, dem Stier, dem Kalbe, nach dem Stalle, der Melkerin, und wer weiß nach was allem. Auch sagen die Epigramme keineswegs, daß sie gebrüllt habe, nur daß sie brüllen würde, wenn sie Eingeweide hätte, so wie sie sich fortbewegen würde, wenn sie nicht an das Piedestal angegossen wäre.

Sollten wir aber nicht trotz aller dieser Hindernisse doch zum Zwecke gelangen und uns das Kunstwerk vergegenwärtigen, wenn wir alle die falschen Umstände, welche in den Epigrammen enthalten sind, ablösen und den wahren Umstand übrigzubehalten suchen?

Niemand wird in der Nähe dieser Kuh oder als Gegen- und Mitbild einen Löwen, den Stier, den Hirten, die übrige

Herde, den Ackersmann, den Dieb oder die Bremse denken. Aber ein Lebendiges konnte der Künstler ihr zugesellen, und zwar das einzige Mögliche und Schickliche, das Kalb. Es war eine säugende Kuh: denn nur insofern sie säugt, ist es erst eine Kuh, die uns als Herdenbesitzern bloß durch Fortpflanzung und Nahrung, durch Milch und Kalb bedeutend wird.

Wirft man nun alle jene fremden Blumen hinweg, womit die Dichter, und vielleicht manche derselben ohne eigne Anschauung, das Kunstwerk zu schmücken glaubten, so sagen mehrere Epigramme ausdrücklich, daß es eine Kuh mit dem Kalbe, daß es eine säugende Kuh gewesen.

> Myron formte, Wandrer, die Kuh; das Kalb, sie erblickend,
> Nahet lechzend sich ihr, glaubet die Mutter zu sehn.

> Armes Kalb, was nahst du dich mir mit bittendem Blöken?
> Milch ins Euter hat mir nicht geschaffen die Kunst.

Wollte man jedoch gegen die Entschiedenheit dieser beiden Gedichte einigen Zweifel erregen und behaupten, es sei hier das Kalb wie die übrigen hinzugedichteten Wesen auch nur eine poetische Figur, so erhalten sie doch durch nachstehendes eine unwidersprechliche Bekräftigung.

> Vorbei, Hirt, bei der Kuh, und deine Flöte schweige,
> Daß ungestört ihr Kalb sie säuge!

Flöte heißt hier offenbar das Horn, worein der Hirte stößt, um die Herde in Bewegung zu setzen. Er soll in ihrer Nähe nicht duten, damit sie sich nicht rühre; das Kalb ist hier nicht supponiert, sondern wirklich bei ihr und wird für so lebendig angesprochen als sie selbst.

Bleibt nun hierüber kein Zweifel übrig, finden wir uns nunmehr auf der rechten Spur, haben wir das wahre Attribut von den eingebildeten, das plastische Beiwerk von den poetischen abzusondern gewußt, so haben wir uns noch mehr zu freuen, daß zu Vollendung unserer Absicht, zum Lohne unseres Bemühens uns eine Abbildung aus dem Altertume überliefert worden; sie ist auf den Münzen von Dyrrhachium oft genug wiederholt, in der Hauptsache sich immer

gleich. Wir fügen einen Umriß davon hier bei und sähen
gern durch geschickte Künstler die flach erhabene Arbeit
wieder zur Statue verwandelt.

Da nun dies herrliche Werk, wenn auch nur in entfernter
Nachbildung, abermals vor den Augen der Kenner steht, 5
so darf ich die Vortrefflichkeit der Komposition wohl nicht
umständlich herausheben. Die Mutter, stramm auf ihren
Füßen wie auf Säulen, bereitet durch ihren prächtigen
Körper dem jungen Säugling ein Obdach; wie in einer Ni-
sche, einer Zelle, einem Heiligtum ist das kleine nahrungs- 10
bedürftige Geschöpf eingefaßt und füllt den organisch um-
gebenen Raum mit der größten Zierlichkeit aus. Die halb-
kniende Stellung, gleich einem Bittenden, das aufgerichtete
Haupt, gleich einem Flehenden und Empfangenden, die
gelinde Anstrengung, die zarte Heftigkeit, alles ist in den 15
besten dieser Kopien angedeutet, was dort im Original über
allen Begriff muß vollendet gewesen sein. Und nun wendet
die Mutter das Haupt nach innen, und die Gruppe schließt
sich auf die vollkommenste Weise selbst ab. Sie konzentriert
den Blick, die Betrachtung, die Teilnahme des Beschauenden, 20
und er mag, er kann sich nichts draußen, nichts daneben,
nichts anders denken; wie eigentlich ein vortreffliches Kunstwerk alles übrige ausschließen und für den Augenblick
vernichten soll.

Die technische Weisheit dieser Gruppe, das Gleichgewicht 25
im Ungleichen, den Gegensatz des Ähnlichen, die Harmonie
des Unähnlichen und alles, was mit Worten kaum ausgesprochen werden kann, verehre der bildende Künstler. Wir
aber äußern hier ohne Bedenken die Behauptung, daß die
Naivetät der Konzeption und nicht die Natürlichkeit der 30
Ausführung das ganze Altertum entzückt hat.

Das Säugen ist eine tierische Funktion und bei vier-
füßigen Tieren von großer Anmut. Das starre bewußtlose
Staunen des säugenden Geschöpfes, die bewegliche bewußte
Tätigkeit des Gesäugten stehen in dem herrlichsten Kon- 35
trast. Das Fohlen, schon zu ziemlicher Größe erwachsen,
kniet nieder, um sich dem Euter zu bequemen, aus dem es
stoßweise die erwünschte Nahrung zieht. Die Mutter, halb
verletzt, halb erleichtert, schaut sich um, und durch diesen

Akt entspringt das vertraulichste Bild. Wir andern Städte-
bewohner erblicken seltner die Kuh mit dem Kalbe, die
Stute mit dem Fohlen; aber bei jedem Frühlingsspaziergang
können wir diesen Akt an Schafen und Lämmern mit Er-
5 getzen gewahr werden, und ich fordere jeden Freund der Natur und Kunst auf, solchen über Wies' und Feld zerstreuten
Gruppen mehr Aufmerksamkeit als bisher zu schenken.

Wenden wir uns nun wieder zu dem Kunstwerk, so werden wir zu der allgemeinen Bemerkung veranlaßt, daß tieri-
10 sche Gestalten, einzeln oder gesellt, sich hauptsächlich zu
Darstellungen qualifizieren, die nur von einer Seite gesehen
werden, weil alles Interesse auf der Seite liegt, wohin der
Kopf gewendet ist; deshalb eignen sie sich zu Nischen- und
Wandbildern so wie zum Basrelief, und gerade dadurch konn-
15 te uns Myrons Kuh, auch flach erhoben, so vollkommen
überliefert werden.

Von den, wie billig, so sehr gepriesenen Tierbildungen
wenden wir uns zu der noch preiswürdigeren Götterbildung.
Unmöglich wäre es einem griechischen plastischen Künstler
20 gewesen, eine Göttin säugend vorzustellen. Juno, die dem
Herkules die Brust reicht, wird dem Poeten verziehen, wegen
der ungeheuern Wirkung, die er hervorbringt, indem er die
Milchstraße durch den verspritzten göttlichen Nahrungs-
saft entstehn läßt. Der bildende Künstler verwirft derglei-
25 chen ganz und gar. Einer Juno, einer Pallas in Marmor, Erz
oder Elfenbein einen Sohn zuzugesellen, wäre für diese
Majestäten höchst erniedrigend gewesen. Venus, durch ihren
Gürtel eine ewige Jungfrau, hat im höheren Altertum keinen
Sohn; Eros, Amor, Cupido selbst erscheinen als Aus-
30 geburten der Urzeit, Aphroditen wohl zugesellt, aber nicht
so nahe verwandt.

Untergeordnete Wesen, Heroinen, Nymphen, Faunen,
welchen die Dienste der Ammen, der Erzieher zugeteilt
sind, mögen allenfalls für einen Knaben Sorge tragend er-
35 scheinen, da Jupiter selbst von einer Nymphe, wo nicht gar
von einer Ziege genährt worden, andere Götter und Heroen
gleichfalls eine wilde Erziehung im verborgenen genossen.
Wer gedenkt hier nicht der Amalthea, des Chirons und so
mancher andern?

Bildende Künstler jedoch haben ihren großen Sinn und
Geschmack am höchsten dadurch betätigt, daß sie sich der
tierischen Handlung des Säugens an Halbmenschen erfreut.
Davon zeigt uns ein leuchtendes Beispiel jene Centauren-
familie des Zeuxis. Die Centaurin, auf das Gras hingestreckt,   5
gibt der jüngsten Ausgeburt ihres Doppelwesens die Milch
der Mutterbrust, indessen ein anderes Tierkind sich an den
Zitzen der Stute erlabt und der Vater einen erbeuteten
jungen Löwen hinten herein zeigt. So ist uns auch ein schönes Familienbild von Wassergöttern auf einem geschnittenen   10
Stein übriggeblieben, wahrscheinlich Nachbildung einer der
berühmten Gruppen des Skopas.

Ein Tritonen-Ehepaar zieht geruhig durch die Fluten;
ein kleiner Fischknabe schwimmt muntervoraus, ein anderer,
dem das salzige Element auf die Milch der Mutter noch   15
nicht schmecken mag, strebt an ihr hinauf; sie hilft ihm
nach, indessen sie ein Jüngstes an die Brust geschlossen trägt.
Anmutiger ist nicht leicht etwas gedacht und ausgeführt.

Wie manches Ähnliche übergehen wir, wodurch uns die
großen Alten belehrt, wie höchst schätzbar die Natur auf   20
allen ihren Stufen sei, da, wo sie mit dem Haupte den göttlichen Himmel, und da, wo sie mit den Füßen die tierische
Erde berührt.

Noch einer Darstellung jedoch können wir nicht geschweigen: es ist die römische Wölfin. Man sehe sie, wo man   25
will, auch in der geringsten Nachbildung, so erregt sie immer
ein hohes Vergnügen. Wenn an dem zitzenreichen Leibe
dieser wilden Bestie sich zwei Heldenkinder einer würdigen
Nahrung erfreuen und sich das fürchterliche Scheusal des
Waldes auch mütterlich nach diesen fremden Gastsäug-   30
lingen umsieht, der Mensch mit dem wilden Tiere auf das
zärtlichste in Kontakt kommt, das zerreißende Monstrum
sich als Mutter, als Pflegerin darstellt, so kann man wohl
von einem solchen Wunder auch eine wundervolle Wirkung für die Welt erwarten. Sollte die Sage nicht durch den   35
bildenden Künstler zuerst entsprungen sein, der einen
solchen Gedanken plastisch am besten zu schätzen wußte?

Wie schwach erscheint aber, mit so großen Konzeptionen
verglichen, eine Augusta Puerpera, –––––––.

Der Sinn und das Bestreben der Griechen ist, den Menschen zu vergöttern, nicht die Gottheit zu vermenschen. Hier ist ein Theomorphism, kein Anthropomorphismus! Ferner soll nicht das Tierische am Menschen geadelt werden,
5 sondern das Menschliche des Tiers werde hervorgehoben, damit wir uns in höherem Kunstsinne daran ergetzen, wie wir es ja schon, nach einem unwiderstehlichen Naturtrieb, an lebenden Tiergeschöpfen tun, die wir uns so gern zu Gesellen und Dienern erwählen.

10 Schauen wir nun nochmals auf Myrons Kuh zurück, so bringen wir noch einige Vermutungen nach, die nämlich, daß er eine junge Kuh vorgestellt, welche zum ersten Male gekalbt; ferner, daß sie vielleicht unter Lebensgröße gewesen.

Wir wiederholen sodann das oben zuerst Gesagte, daß
15 ein Künstler wie Myron nicht das sogenannte Natürliche zu gemeiner Täuschung gesucht haben könne, sondern daß er den Sinn der Natur aufzufassen und auszudrücken gewußt. Der Menge, dem Dilettanten, dem Redner, dem Dichter ist zu verzeihen, wenn er das, was im Bilde die
20 höchste absichtliche Kunst ist, nämlich den harmonischen Effekt, welcher Seele und Geist des Beschauers auf einen Punkt konzentriert, als rein natürlich empfindet, weil es sich als höchste Natur mitteilt; aber unverzeihlich wäre es, nur einen Augenblick zu behaupten, daß dem hohen Myron,
25 dem Nachfolger des Phidias, dem Vorfahren des Praxiteles, bei der Vollendung seines Werks das Seelenvolle, die Anmut des Ausdrucks gemangelt habe.

Zum Schlusse sei uns erlaubt, ein paar moderne Epigramme beizubringen, und zwar das erste von Ménage,
30 welcher Juno auf diese Kuh eifersüchtig sein läßt, weil sie ihr eine zweite Io vorzubilden scheint. Diesem braven Neueren ist also zuerst beigegangen, daß es im Altertum so viele ideelle Tiergestalten gibt, ja daß sie, bei so vielen Liebeshändeln und Metamorphosen, sehr geeignet sind, das Zu-
35 sammentreffen von Göttern und Menschen zu vermitteln. Ein hoher Kunstbegriff, auf den man bei Beurteilung alter Arbeiten wohl zu merken hat.

Als sie das Kühlein ersah, dein ehernes, eiferte Juno,
     Myron! Sie glaubte fürwahr, Inachus' Tochter zu sehn.

Zuletzt aber mögen einige rhythmische Zeilen stehen, die unsere Ansicht gedrängt darzustellen geeignet sind.

Daß du die Herrlichste bist, Admetos' Herden ein Schmuck wärst,
  Selber des Sonnengotts Rindern Entsprungene scheinst:
Alles reißet zum Staunen mich hin! zum Preise des Künstlers,   5
  Doch daß du mütterlich auch fühlest, es ziehet mich an.

Jena, den 20 sten November 1812.

———

Anschließlich mag ich hier gern bemerken, daß meine alte Vorliebe für die Abbildung des Säuglings mit der Mutter, von Myrons Kuh ausgehend (Kunst und Altertum II,1,9),   10 durch Herrn Zahns Gefälligkeit abermals belohnt worden, indem er mir eine Durchzeichnung des Kindes Telephus, der in Gegenwart seines Heldenvaters und aller schützenden Wald- und Berggötter an der Hinde säugt, zum Abschied verehrte. Von dieser Gruppe, die vielleicht alles übertrifft,   15 was in der Art je geleistet worden, kann man sich Band 1, Seite 31 der Herkulanischen Altertümer einen allgemeinen, obgleich nicht genügenden Begriff machen, welcher nunmehr durch den gedachten Umriß in der Größe des Originals vollkommen überliefert wird. Die Verschränkung der   20 Glieder eines zarten säugenden Knaben mit dem leichtfüßigen Tiergebilde einer zierlichen Hinde ist eine kunstreiche Komposition, die man nicht genug bewundern kann.

Undankbar aber wäre es, wenn ich hier, wo es Gelegenheit gibt, nicht eines Ölbildes erwähnte, welches ich täglich gern   25 vor Augen sehe. In einem still-engen, doch heiter-mannigfaltigen Tal, unter einem alten Eichbaume, säugt ein weißes Reh einen gleichfalls blendend weißen Abkömmling unter liebkosender Teilnahme.

Auf diese Weise bildet sich denn um mich, angeregt durch   30 jene früheren Bemerkungen, ein heiterer Zyklus dieses anmutigen Zeugnisses ursprünglichster Verwandtschaft und notwendigster Neigung. Vielleicht kommen wir auf diesem Wege am ersten zu dem hohen philosophischen Ziel, das göttlich Belebende im Menschen mit dem tierisch Belebten   35 auf das unschuldigste verbunden gewahr zu werden.

RUYSDAEL ALS DICHTER

Jakob Ruysdael, geboren zu Harlem 1635, fleißig arbeitend
bis 1681, ist als einer der vortrefflichsten Landschaftsmaler
anerkannt. Seine Werke befriedigen vorerst alle Forderungen,
5 die der äußere Sinn an Kunstwerke machen kann. Hand und
Pinsel wirken mit größter Freiheit zu der genauesten Vollendung. Licht, Schatten, Haltung und Wirkung des Ganzen
läßt nichts zu wünschen übrig. Hievon überzeugt der Anblick sogleich jeden Liebhaber und Kenner. Gegenwärtig
10 aber wollen wir ihn als denkenden Künstler, ja als Dichter
betrachten, und auch hier werden wir gestehen, daß ein
hoher Preis ihm gebühre.

Zum gehaltreichen Texte kommen uns hiezu drei Gemälde der Königlich Sächsischen Sammlung zustatten, wo
15 verschiedene Zustände der bewohnten Erdoberfläche mit
großem Sinn dargestellt sind, jeder einzeln, abgeschlossen,
konzentriert. Der Künstler hat bewunderungswürdig geistreich den Punkt gefaßt, wo die Produktionskraft mit dem
reinen Verstande zusammentrifft, und dem Beschauer ein
20 Kunstwerk überliefert, welches, dem Auge an und für sich
erfreulich, den innern Sinn aufruft, das Andenken anregt
und zuletzt einen Begriff ausspricht, ohne sich darin aufzulösen oder zu verkühlen. Wir haben wohlgeratene Kopien
dieser drei Bilder vor uns und können also darüber aus-
25 führlich und gewissenhaft sprechen.

I.

Das erste Bild stellt die sukzessiv bewohnte Welt zusammen dar. Auf einem Felsen, der ein begrenztes Tal überschaut, steht ein alter Turm, nebenan wohlerhaltene neuere
30 Baulichkeiten; an dem Fuße der Felsen eine ansehnliche
Wohnung behaglicher Gutsbesitzer. Die uralten hohen
Fichten um dieselbe zeigen uns an, welch ein langer fried-
lich-vererbter Besitz einer Reihe von Abkömmlingen an
dieser Stelle gegönnt gewesen. Im Grunde am Abhange
35 eines Berges ein weithingestrecktes Dorf, gleichfalls auf
Fruchtbarkeit und Wohnlichkeit dieses Tals hindeutend.
Ein stark strömendes Wasser stürzt im Vordergrunde über

Felsen und abgebrochene schlanke Baumstämme, und so
fehlt es denn nicht an dem allbelebenden Elemente, und man
denkt sich sogleich, daß es ober- und unterhalb durch Mühlen und Hammerwerke werde benutzt sein. Die Bewegung,
Klarheit, Haltung dieser Massen beleben köstlich das übrige ⁵
Ruhende. Daher wird auch dieses Gemälde der Wasserfall
genannt. Es befriedigt jeden, der auch nicht gerade in den
Sinn des Bildes einzudringen Zeit und Veranlassung hat.

II.

Das zweite Bild, unter dem Namen des Klosters be- ¹⁰
rühmt, hat bei einer reichern, mehr anziehenden Komposition die ähnliche Absicht: im Gegenwärtigen das Vergangene
darzustellen, und dies ist auf das bewundernswürdigste erreicht, das Abgestorbene mit dem Lebendigen in die an-
schaulichste Verbindung gebracht. ¹⁵

Zu seiner linken Hand erblickt der Beschauer ein ver-
fallenes, ja verwüstetes Kloster, an welchem man jedoch
hinterwärts wohlerhaltene Gebäude sieht, wahrscheinlich
den Aufenthalt eines Amtmanns oder Schössers, welcher
die ehemals hieher fließenden Zinsen und Gefälle noch ferner- ²⁰
hin einnimmt, ohne daß sie von hier aus, wie sonst, ein
allgemeines Leben verbreiten.

Im Angesicht dieser Gebäude steht ein vor alten Zeiten
gepflanztes, noch immer fortwachsendes Lindenrund, um
anzudeuten, daß die Werke der Natur ein längeres Leben, ²⁵
eine größere Dauer haben als die Werke der Menschen;
denn unter diesen Bäumen haben sich schon vor mehrern
Jahrhunderten bei Kirchweihfesten und Jahrmärkten zahlreiche Pilgrime versammelt, um sich nach frommen Wanderungen zu erquicken. ³⁰

Daß übrigens hier ein großer Zusammenfluß von Menschen, eine fortdauernde Lebensbewegung gewesen, darauf
deuten die an und in dem Wasser übriggebliebenen Funda-
mente von Brückenpfeilern, die gegenwärtig malerischem
Zwecke dienen, indem sie den Lauf des Flüßchens hemmen ³⁵
und kleine rauschende Kaskaden hervorbringen.

Aber daß diese Brücke zerstört ist, kann den lebendigen
Verkehr nicht hindern, der sich durch alles durch seine

Straße sucht. Menschen und Vieh, Hirten und Wanderer
ziehen nunmehr durch das seichte Wasser und geben dem
sanften Zuge desselben einen neuen Reiz. Auch reich an
Fischen sind noch bis auf den heutigen Tag diese Fluten,
so wie zu jener Zeit, als man bei Fastentafeln notwendig
ihrer bedurfte; denn Fischer waten diesen unschuldigen
Grundbewohnern noch immer entgegen und suchen sich
ihrer zu bemächtigen.

Wenn nun die Berge des Hintergrundes mit jungen
Büschen umlaubt scheinen, so mag man daraus schließen,
daß starke Wälder hier abgetrieben und diese sanften Höhen
dem Stockausschlag und dem kleinern Gesträuch überlassen
werden.

Aber diesseits des Wassers hat sich zunächst an einer
verwitterten, zerbröckelten Felspartie eine merkwürdige
Baumgruppe angesiedelt. Schon steht veraltet eine herrliche
Buche da, entblättert, entästet, mit geborstener Rinde. Damit sie uns aber durch ihren herrlich dargestellten Schaft
nicht betrübe, sondern erfreue, so sind ihr andere, noch
vollebendige Bäume zugesellt, die dem kahlen Stamme
durch den Reichtum ihrer Äste und Zweige zu Hülfe kommen. Diesen üppigen Wuchs begünstigt die nahe Feuchtig-
keit, welche durch Moos und Rohr und Sumpfkräuter genugsam angedeutet wird.

Indem nun ein sanftes Licht von dem Kloster zu den
Linden und weiter hin sich zieht, an dem weißen Stamm der
Buche wie im Widerscheine glänzt, sodann über den sanften
Fluß und die rauschenden Fälle, über Herden und Fischer
zurückgleitet und das ganze Bild belebt, sitzt nah am Wasser
im Vordergrund, uns den Rücken zukehrend, der zeich-
nende Künstler selbst, und diese so oft mißbrauchte Staffage
erblicken wir mit Rührung hier am Platze, so bedeutend als
wirksam. Er sitzt hier als Betrachter, als Repräsentant von
allen, welche das Bild künftig beschauen werden, welche
sich mit ihm in die Betrachtung der Vergangenheit und
Gegenwart, die sich so lieblich durcheinander webt, gern
vertiefen mögen. Glücklich aus der Natur gegriffen ist
dies Bild, glücklich durch den Gedanken erhöht, und da
man es noch überdies nach allen Erfordernissen der Kunst

angelegt und ausgeführt findet, so wird es uns immer anziehen, es wird seinen wohlverdienten Ruf durch alle Zeiten
erhalten und auch in einer Kopie, wenn sie einigermaßen
gelang, das größere Verdienst des Originals zur Ahnung
bringen.   5

III.

Das dritte Bild dagegen ist allein der Vergangenheit gewidmet, ohne dem gegenwärtigen Leben irgendein Recht
zu gönnen. Man kennt es unter dem Namen des Kirchhofs.
Es ist auch einer. Die Grabmale sogar deuten in ihrem zer-   10
störten Zustande auf ein Mehr-als-Vergangenes; sie sind
Grabmäler von sich selbst.

In dem Hintergrunde sieht man, von einem vorüber-
ziehenden Regenschauer umhüllt, magere Ruinen eines
ehemals ungeheuern, in den Himmel strebenden Doms.   15
Eine freistehende spindelförmige Giebelmauer wird nicht
mehr lange halten. Die ganze sonst gewiß fruchtbare Kloster-
umgebung ist verwildert, mit Stauden und Sträuchen, ja
mit schon veralteten und verdorrten Bäumen zum Teil bedeckt. Auch auf dem Kirchhofe dringt diese Wildnis ein,   20
von dessen ehemaliger frommen Befriedigung keine Spur
mehr zu sehen ist. Bedeutende, wundersame Gräber aller
Art, durch ihre Formen teils an Särge erinnernd, teils durch
große aufgerichtete Steinplatten bezeichnet, geben Beweis
von der Wichtigkeit des Kirchsprengels, und was für edle   25
und wohlhabende Geschlechter an diesem Orte ruhen mögen. Der Verfall der Gräber selbst ist mit großem Geschmack
und schöner Künstlermäßigung ausgeführt; sehr gern verweilt der Blick an ihnen. Aber zuletzt wird der Betrachter
überrascht, wenn er weit hinten neue bescheidene Monu-   30
mente mehr ahnet als erblickt, um welche sich Trauernde
beschäftigen – als wenn uns das Vergangene nichts außer
der Sterblichkeit zurücklassen könnte.

Der bedeutendste Gedanke dieses Bildes jedoch macht
zugleich den größten malerischen Eindruck. Durch das Zu-   35
sammenstürzen ungeheurer Gebäude mag ein freundlicher,
sonst wohlgeleiteter Bach verschüttet, gestemmt und aus
seinem Wege gedrängt worden sein. Dieser sucht sich nun

einen Weg ins Wüste, bis durch die Gräber. Ein Lichtblick,
den Regenschauer überwindend, beleuchtet ein paar aufgerichtete, schon beschädigte Grabestafeln, einen ergrauten
Baumstamm und Stock, vor allem aber die heranflutende
5 Wassermasse, ihre stürzenden Strahlen und den sich entwickelnden Schaum.

Diese sämtlichen Gemälde, so oft kopiert, werden vielen
Liebhabern vor Augen sein. Wer das Glück hat, die Originale zu sehen, durchdringe sich von der Einsicht, wie weit
10 die Kunst gehen kann und soll.

Wir werden in der Folge noch mehr Beispiele aufsuchen,
wo der reinfühlende, klardenkende Künstler, sich als Dichter
erweisend, eine vollkommene Symbolik erreicht und durch
die Gesundheit seines äußern und innern Sinnes uns zu-
15 gleich ergötzt, belehrt, erquickt und belebt.

KUNST UND ALTERTUM AM RHEIN UND MAIN

Mit einem Nachbilde der Vera Icon, byzantinisch-niederrheinisch.

Heidelberg

Diese Stadt, von so mancher Seite merkwürdig, beschäf-
20 tigt und unterhält den Besuchenden auf mehr als eine Weise.
Der Weg jedoch, welchen wir zu unsern Zwecken einge-
schlagen haben, führt uns zuerst in die Sammlung alter Gemälde, welche, vom Niederrhein heraufgebracht, seit einigen
Jahren als besondere Zierde des Ortes, ja der Gegend an-
25 gesehen werden kann.

Indem ich nun die Boisseréesche Sammlung nach einer
jährigen Pause zum zweitenmal betrachte, in ihren Sinn und
Absicht tiefer eindringe, auch nicht abgeneigt bin, darüber
ein Wort öffentlich auszusprechen, so begegnen mir alle
30 vorgefühlte Schwierigkeiten: denn weil aller Vorzug der
bildenden Kunst darin besteht, daß man ihre Darstellungen
mit Worten zwar andeuten, aber nicht ausdrücken kann, so
weiß der Einsichtige, daß er in solchem Falle ein Unmög-
liches übernähme, wenn er sich nicht zu seiner Bahn selbst

Maß und Ziel setzen wollte. Da erkennt er denn, daß auf historischem Wege hier das Reinste und Nützlichste zu wirken ist; er wird den Vorsatz fassen, eine so wohlversehene und wohlgeordnete Sammlung dadurch zu ehren, daß er nicht sowohl von den Bildern selbst als von ihrem Bezug untereinander Rechenschaft zu geben trachtet; er wird sich vor Vergleichungen nach außen im einzelnen hüten, ob er gleich die Kunstepoche, von welcher hier die Rede ist, aus entfernten, durch Zeit und Ort geschiedenen Kunsttätigkeiten ableiten muß. Und so wird er den kostbaren Werken, mit denen wir uns gegenwärtig beschäftigen, an ihrem Platz vollkommnes Recht widerfahren lassen und sie dergestalt behandeln, daß ihnen der gründliche Geschichtskenner gern ihre Stelle in dem großen Kreise der allgemeinen Kunstwelt anweisen mag.

Als Einleitung hiezu, und damit das Besondere dieser Sammlung deutlicher hervortrete, ist vor allen Dingen ihre Entstehung zu bedenken. Die Gebrüder Boisserée, welche solche in Gesellschaft mit Bertram gegenwärtig besitzen, und den Genuß derselben mit Kunstfreunden auf das offenste teilen, waren früher dem Kaufmannstande geweiht, und hatten auf diesen Zweck ihre Studien sowohl zu Hause als auswärts in großen Handelsstädten gerichtet. Indessen suchten sie zugleich einen Trieb nach höherer Bildung zu befriedigen, wozu sie schöne Gelegenheit fanden, als auf die Kölner neuerrichtete Schule vorzügliche deutsche Männer zu Lehrern berufen wurden. Dadurch gewannen sie eine jenen Gegenden seltenere Ausbildung. Und obgleich ihnen, die sich von Jugend auf von alten und neuen Kunstwerken umgeben gesehen, Freude daran und Liebe derselben angeboren und anerzogen sein mußte, so war es doch eigentlich ein Zufall, der die Neigung dergleichen zu besitzen erweckte, und zu dem lobenswürdigsten Unternehmen den Anlaß gab.

Man erinnere sich jenes Jünglings, der am Strande des Meeres einen Ruderpflock fand und, durch das Wohlgefallen an diesem einfachen Werkzeug bewogen, sich ein Ruder, darauf einen Kahn, hiezu Mast und Segel anschaffte und, sich erst an Uferfahrten vorübend, zuletzt mutig in die

See stach und mit immer vergrößertem Fahrzeug endlich zu
einem reichen und glücklichen Kauffahrer gedieh. Diesem
gleich erhandelten unsere Jünglinge zufällig eines der auf
den Trödel gesprengten Kirchenbilder um den geringsten
5 Preis, bald mehrere; und indem· sie durch Besitz und
Wiederherstellung immer tiefer in den Wert solcher Arbeiten eindrangen, verwandelte sich die Neigung in Leidenschaft, welche sich mit wachsender Kenntnis im Besitz guter
und vortrefflicher Dinge immer vermehrte, so daß es ihnen
10 keine Aufopferung schien, wenn sie durch kostspielige Reisen, neue Anschaffungen und sonstiges Unternehmen einen
Teil ihres Vermögens so wie ihre ganze Zeit auf die Ausführung des einmal gefaßten Vorsatzes verwendeten.

Jener Trieb, die alten deutschen Baudenkmale aus der
15 Vergessenheit zu ziehn, die besseren in ihrer Reinheit darzustellen, und dadurch ein Urteil über die Verschlimmerung
dieser Bauart festzusetzen, wurde gleichermaßen belebt. Ein
Bemühen schritt neben den andern fort, und sie sind nun imstande, ein in Deutschland ungewöhnliches Prachtwerk her-
20 auszugeben, und eine aus zweihundert Bildern bestehende
Sammlung vorzuweisen, die an Seltenheit, Reinheit, glücklicher Erhaltung und Wiederherstellung, besonders aber an
reiner geschichtlicher Folge, ihresgleichen schwerlich haben
möchte.

25 Um nun aber so viel, als es mit Worten geschehen kann,
hierüber verständlich zu werden, müssen wir in ältere Zeiten
zurückgehen, gleichwie derjenige, der einen Stammbaum
ausarbeiten soll, so weit als möglich von den Zweigen zur
Wurzel dringen muß; wobei wir jedoch immer voraussetzen,
30 daß dem Leser diese Sammlung entweder wirklich oder in
Gedanken gegenwärtig sei, nicht weniger, daß er sonstige
Kunstwerke, deren wir erwähnen, gleichfalls kenne, und
mit nüchternem Sinn sich ernstlich mit uns unterrichten
wolle.

———

35 Durch militärisches und politisches Unheil war das Römische Reich auf einen Grad von Verwirrung und Erniedrigung gesunken, daß gute Anstalten jeder Art und also auch
die Kunstfertigkeit von der Erde verschwanden. Die noch

vor wenigen Jahrhunderten so hochstehende Kunst hatte
sich in dem wilden Kriegs- und Heereswesen völlig verloren,
wie uns die Münzen dieser so sehr erniedrigten Zeiten den
deutlichsten Beweis geben, wo eine Unzahl Kaiser und
Kaiserlinge sich nicht entehrt fanden, in der fratzenhaftesten   5
Gestalt auf den schlechtesten Kupferpfennigen zu erscheinen, und ihren Soldaten, statt ehrenvollen Soldes, ein bettel-
haftes Almosen kümmerlich zu spenden.

Der christlichen Kirche dagegen sind wir die Erhaltung
der Kunst, und wär' es auch nur als Funken unter der Asche,   10
schuldig. Denn obgleich die neue, innerliche, sittlich-sanft-
mütige Lehre jene äußere, kräftig-sinnliche Kunst ablehnen
und ihre Werke wo nicht zerstören doch entfernen mußte,
so lag doch in dem Geschichtlichen der Religion ein so vielfacher, ja unendlicher Same als in keiner andern, und daß   15
dieser, selbst ohne Wollen und Zutun der neuen Bekenner,
aufgehen würde, lag in der Natur.

Die neue Religion bekannte einen obersten Gott, nicht so
königlich gedacht wie Zeus, aber menschlicher; denn er ist
Vater eines geheimnisvollen Sohnes, der die sittlichen Eigen-   20
schaften der Gottheit auf Erden darstellen sollte. Zu beiden
gesellte sich eine flatternde unschuldige Taube als eine gestaltete und gekühlte Flamme und bildete ein wundersames
Kleeblatt, wo umher ein seliges Geisterchor in unzähligen
Abstufungen sich versammelte. Die Mutter jenes Sohnes   25
konnte als die reinste der Frauen verehrt werden; denn schon
im heidnischen Altertum war Jungfräulichkeit und Mutter-
schaft verbunden denkbar. Zu ihr tritt ein Greis, und von
oben her wird eine Mißheirat gebilligt, damit es dem neu-
gebornen Gotte nicht an einem irdischen Vater zu Schein   30
und Pflege fehlen möge.

Was nun beim Erwachsen und bei endlicher Tätigkeit
dieses göttlich-menschliche Wesen für Anziehungskraft ausübt, zeigt uns die Masse und Mannigfaltigkeit seiner Jünger
und Anhänger männlichen und weiblichen Geschlechts, die   35
sich, an Alter und Charakteren verschieden, um den einen
versammeln: die aus der Menge hervortretenden Apostel,
die vier Annalenschreiber, so manche Bekenner aller Art und
Stände, und, von Stephanus an, eine Reihe Märtyrer.

Gründet sich nun ferner dieser neue Bund auf einen ältern, dessen Überlieferungen bis zu Erschaffung der Welt reichen und auch mehr historisch als dogmatisch sind; bringen wir die ersten Eltern, die Erzväter und Richter, Propheten, Könige, Wiederhersteller in Anschlag, deren jeder sich besonders auszeichnet oder auszuzeichnen ist: so sehen wir, wie natürlich es war, daß Kunst und Kirche ineinander verschmolzen und eins ohne das andere nicht zu bestehen schien.

Wenn daher die hellenische Kunst vom Allgemeinen begann und sich ganz spät ins Besondere verlor, so hatte die christliche den Vorteil, von einer Unzahl Individualitäten ausgehen zu können, um sich nach und nach ins Allgemeine zu erheben. Man tue nur noch einen Blick auf die hererzählte Menge historischer und mythischer Gestalten; man erinnere sich, daß von jeder bedeutend charakteristische Handlungen gerühmt werden; daß ferner der neue Bund zu seiner Berechtigung sich im alten symbolisch wiederzufinden bemüht war, und sowohl historisch-irdische als himmlisch-geistige Bezüge auf tausendfache Weise anspielten: so sollten freilich auch in der bildenden Kunst der ersten christlich-kirchlichen Jahrhunderte schöne Denkmäler übriggeblieben sein.

Allein die Welt war im ganzen zu sehr verworren und gedrückt, die immer wachsende Unordnung vertrieb die Bildung aus dem Westen; nur Byzanz blieb noch ein fester Sitz für die Kirche und die mit ihr verbundne Kunst.

Jedoch hatte leider in dieser Epoche der Orient schon ein trauriges Ansehn, und was die Kunst betrifft, blühten jene obgenannten Individualitäten nicht sogleich auf, aber sie verhinderten doch, daß ein alter, starrer, mumienhafter Stil nicht alle Bedeutsamkeit verlor. Man unterschied immerfort die Gestalten; aber diesen Unterschied fühlbar zu machen, schrieb man Name für Name auf das Bild, oder unter dasselbe, damit man ja unter den immer häufiger und häufiger werdenden Heiligen und Märtyrern nicht einen statt des andern verehrte, sondern einem jeden sein Recht wie billig bewahrte. Und so ward es denn eine kirchliche Angelegenheit, die Bilder zu fertigen. Dies geschah nach genauer Vorschrift, unter Aufsicht der Geistlichkeit, wie man sie denn auch durch Weihe und Wunder dem einmal bestehenden Gottesdienste völlig aneignete. Und so werden bis auf den heutigen Tag die unter den Gläubigen der griechischen Kirche zu Hause und auf Reisen verehrten Andachtsbilder in Susdal, einer Stadt des einundzwanzigsten Gouvernements von Rußland, und deren Umgebung unter Aufsicht der Geistlichkeit gefertigt; daher denn eine große Übereinstimmung erwachsen und bleiben muß.

Kehren wir nun nach Byzanz und in jene besprochne Zeit zurück, so läßt sich bemerken, daß die Religion selbst durchaus einen diplomatisch-pedantischen Charakter, die Feste hingegen die Gestalt von Hof- und Staatsfesten annehmen.

Dieser Begrenzung und Hartnäckigkeit ist es auch zuzuschreiben, daß selbst das Bilderstürmen der Kunst keinen Vorteil gebracht hat, indem die bei dem Siege der Hauptpartei wiederhergestellten Bilder den alten völlig gleich sein mußten, um in ihre Rechte einzutreten.

Wie sich aber die tristeste aller Erscheinungen eingeschlichen, daß man, wahrscheinlich aus ägyptischen, äthiopischen, abyssinischen Anlässen, die Mutter Gottes braun gebildet und dem auf dem Tuche Veronicas abgedruckten Heilandsgesicht gleichfalls eine Mohrenfarbe gegeben, mag sich bei besonderer Bearbeitung der Kunstgeschichte jenes Teils genauer nachweisen lassen; alles aber deutet auf einen nach und nach immer mehr verkümmerten Zustand, dessen völlige Auflösung immer noch später erfolgte, als man hätte vermuten sollen.

Hier müssen wir nun deutlich zu machen suchen, was die byzantinische Schule, von der wir wenig Löbliches zu sagen wußten, in ihrem Innern noch für große Verdienste mit sich trug, die aus der hohen Erbschaft älterer griechischer und römischer Vorfahren kunstmäßig auf sie übergegangen, gildenmäßig aber in ihr erhalten worden.

Denn wenn wir sie früher nicht mit Unrecht mumisiert genannt haben, so wollen wir bedenken, daß bei ausgehöhlten Körpern, bei vertrockneten und verharzten Muskeln dennoch die Gestalt des Gebeins ihr Recht behaupte. Und so ist es auch hier, wie eine weitere Ausführung zeigen wird.

Die höchste Aufgabe der bildenden Kunst ist, einen bestimmten Raum zu verzieren oder eine Zierde in einen
unbestimmten Raum zu setzen; aus dieser Forderung entspringt alles, was wir kunstgerechte Komposition heißen.
5 Hierin waren die Griechen und nach ihnen die Römer große
Meister.

Alles was uns daher als Zierde ansprechen soll, muß
gegliedert sein, und zwar im höhern Sinne, daß es aus Teilen
bestehe, die sich wechselsweise aufeinander beziehen. Hiezu
10 wird erfordert, daß es eine Mitte habe, ein Oben und Unten,
ein Hüben und Drüben, woraus zuerst Symmetrie entsteht,
welche, wenn sie dem Verstande völlig faßlich bleibt, die
Zierde auf der geringsten Stufe genannt werden kann. Je
mannigfaltiger dann aber die Glieder werden, und je mehr
15 jene anfängliche Symmetrie, verflochten, versteckt, in Gegensätzen abgewechselt, als ein offenbares Geheimnis vor unsern
Augen steht, desto angenehmer wird die Zierde sein, und
ganz vollkommen, wenn wir an jene ersten Grundlagen
dabei nicht mehr denken, sondern als von einem Willkür-
20 lichen und Zufälligen überrascht werden.

An jene strenge trockne Symmetrie hat sich die byzantinische
Schule immerfort gehalten, und obgleich dadurch ihre Bilder
steif und unangenehm werden, so kommen doch Fälle vor,
wo durch Abwechslung der Gliederstellung bei Figuren, die
25 einander entgegenstehen, eine gewisse Anmut hervorgebracht wird. Diesen Vorzug also, ingleichen jene oben
gerühmte Mannigfaltigkeit der Gegenstände alt- und neu-
testamentlicher Überlieferungen, verbreiteten diese östlichen
Kunst- und Handwerksgenossen über die damals ganze be-
30 kehrte Welt.

Was hierauf in Italien sich ereignet, ist allgemein bekannt.
Das praktische Talent war ganz und gar verschwunden, und
alles, was gebildet werden sollte, hing von den Griechen ab.
Die Türen des Tempels St. Paul außerhalb der Mauern
35 wurden im eilften Jahrhundert zu Konstantinopel gegossen
und die Felder derselben mit eingegrabenen Figuren abscheulich verziert. Zu eben dieser Zeit verbreiteten sich
griechische Malerschulen durch Italien, Konstantinopel
sendete Baumeister und Musivarbeiter, und diese bedeckten

mit einer traurigen Kunst den zerstörten Westen. Als aber im dreizehnten Jahrhundert das Gefühl an Wahrheit und Lieblichkeit der Natur wieder aufwachte, so ergriffen die Italiener sogleich die an den Byzantinern gerühmten Verdienste, die symmetrische Komposition und den Unterschied der Charaktere. Dieses gelang ihnen um so eher, als sich der Sinn für Form schnell hervortat. Er konnte bei ihnen nicht ganz untergehen. Prächtige Gebäude des Altertums standen Jahrhunderte vor ihren Augen, und die erhaltenen Teile der eingegangenen oder zerstörten wurden sogleich wieder zu kirchlichen und öffentlichen Zwecken benutzt. Die herrlichsten Statuen entgingen dem Verderben, wie denn die beiden Kolossen niemals verschüttet worden. Und so war denn auch noch jede Trümmer gestaltet. Der Römer besonders konnte den Fuß nicht niedersetzen, ohne etwas Geformtes zu berühren, nicht seinen Garten, sein Feld bauen, ohne das Köstlichste an den Tag zu fördern. Wie es in Siena, Florenz und sonst ergangen, darf uns hier nicht aufhalten, um so weniger als jeder Kunstfreund sich sowohl hierüber als über die sämtlichen schon besprochenen Gegenstände aus dem höchst schätzbaren Werk des Herrn d'Agincourt auf das genauste unterrichten kann.

Die Betrachtung jedoch, daß die Venezianer als Bewohner von Küsten und Niederungen den Sinn der Farbe bei sich so bald aufgeschlossen gefühlt, ist uns hier wichtig, da wir sie als Übergang zu den Niederländern benutzen, bei denen wir dieselbe Eigenschaft antreffen.

Und so nähern wir uns denn unserm eigentlichen Ziele, dem Niederrhein, welchem zuliebe wir jenen großen Umweg zu machen nicht angestanden.

Nur mit wenigem erinnern wir uns, wie die Ufer dieses herrlichen Flusses von römischen Heeren durchzogen, kriegerisch befestigt, bewohnt und kräftig gebildet worden. Führt nun sogar die dortige vorzüglichste Kolonie den Namen von Germanicus' Gemahlin, so bleibt uns wohl kein Zweifel, daß in jenen Zeiten große Kunstbemühungen daselbst stattgefunden: denn es mußten ja bei solchen Anlagen Künstler aller Art, Baumeister, Bildhauer, Töpfer und Münzmeister mitwirken, wie uns die vielen Reste bezeugen können, die man

ausgrub und ausgräbt. Inwiefern in späterer Zeit die Mutter
Konstantin des Großen, die Gemahlin Ottos, hier gewirkt,
bleibt den Geschichtsforschern zu untersuchen. Unsere Absicht fördert es mehr, der Legende näher zu treten und in ihr
oder hinter ihr einen welthistorischen Sinn auszuspähen.

Man läßt eine britannische Prinzessin Ursula über Rom,
einen afrikanischen Prinzen Gereon gleichfalls über Rom
nach Köln gelangen; jene mit einer Schar von edlen Jungfrauen, diesen mit einem Heldenchor umgeben. Scharfsinnige Männer, welche durch den Duft der Überlieferung
hindurchschauen, teilten bei diesen Überlieferungen folgendes mit. Wenn zwei Parteien in einem Reiche entstehen
und sich unwiderruflich voneinander trennen, wird sich die
schwächere von dem Mittelpunkte entfernen und der Grenze
zu nähern suchen. Da ist ein Spielraum für Faktionen, dahin
reicht nicht sogleich der tyrannische Wille. Dort macht
allenfalls ein Präfekt, ein Statthalter sich selbst durch Miß-
vergnügte stark, indem er ihre Gesinnungen, ihre Meinungen
duldet, begünstigt und wohl gar teilen mag. Diese Ansicht
hat für mich viel Reiz, denn wir haben das ähnliche, ja gleiche
Schauspiel in unsern Tagen erlebt, welches in grauer Vorzeit auch mehr als einmal stattfand. Eine Schar der edelsten
und bravsten christlichen Ausgewanderten, eine nach der
andern begibt sich nach der berühmten, schön gelegenen
Agrippinischen Kolonie, wo sie wohl aufgenommen und
geschützt eines heitern und frommen Lebens in der herrlichsten Gegend genießen, bis sie den gewaltsamen Maß-
regeln einer Gegenpartei schmählich unterliegen. Betrachten
wir die Art des Martyrtums, wie Ursula und ihre Gesellschaft dasselbe erlitten, so finden wir nicht etwa jene absurden Geschichten wiederholt, wie in dem bestialischen
Rom zarte, unschuldige, höher gebildete Menschen von
Henkern und Tieren gemartert und gemordet werden, zur
Schaulust eines wahnsinnigen unteren und oberen Pöbels;
nein, wir sehen in Köln ein Blutbad, das eine Partei an der
andern ausübt, um sie schneller aus dem Wege zu räumen.
Der über die edeln Jungfrauen verhängte Mord gleicht
einer Bartholomäusnacht, einem Septembertage; ebenso
scheint Gereon mit den Seinen gefallen zu sein.

Wurde nun zu gleicher Zeit am Oberrhein die Thebaische
Legion niedergemetzelt, so finden wir uns in einer Epoche,
wo nicht etwa die herrschende Partei eine heranwachsende
zu unterdrücken, sondern eine ihr zu Kopf gewachsene zu
vertilgen strebt.

Alles bisher Gesagte, obgleich in möglichster Kürze, doch
umständlich ausgeführt, war höchst nötig, um einen Begriff
der niederländischen Kunstschule zu gründen. Die byzantinische Malerschule hatte in allen ihren Verzweigungen
mehrere Jahre wie über den ganzen Westen auch am Rhein
geherrscht, und einheimische Gesellen und Schüler zu
allgemeinen Kirchenarbeiten gebildet; daher sich denn auch
manches Trockne, jener düstern Schule völlig Ähnliche in
Köln und in der Nachbarschaft findet. Allein der Nationalcharakter, die klimatische Einwirkung tut sich in der Kunstgeschichte vielleicht nirgend so schön hervor als in den
Rheingegenden, deshalb wir auch der Entwicklung dieses
Punktes alle Sorgfalt gönnen und unserem Vortrag freundliche Aufmerksamkeit erbitten.

Wir übergehen die wichtige Epoche, in welcher Karl der
Große die linke Rheinseite von Mainz bis Aachen mit einer
Reihe von Residenzen bepflanzte, weil die daraus entsprungene Bildung auf die Malerkunst, von der wir eigentlich
reden, keinen Einfluß hatte. Denn jene orientalische düstere
Trockenheit erheiterte sich auch in diesen Gegenden nicht
vor dem dreizehnten Jahrhundert. Nun aber bricht ein frohes Naturgefühl auf einmal durch, und zwar nicht etwa als
Nachahmung des einzelnen Wirklichen, sondern es ist eine
behagliche Augenlust, die sich im allgemeinen über die sinnliche Welt auftut. Apfelrunde Knaben- und Mädchen-
gesichter, eiförmiges Männer- und Frauenantlitz, wohlhäbige Greise mit fließenden oder gekrausten Bärten, das
ganze Geschlecht gut, fromm und heiter, und sämtlich, obgleich noch immer charakteristisch genug, durch einen zarten,
ja weichlichen Pinsel dargestellt. Ebenso verhält es sich mit
den Farben. Auch diese sind heiter, klar, ja kräftig, ohne
eigentliche Harmonie, aber auch ohne Buntheit, durchaus
dem Auge angenehm und gefällig.

Die materiellen und technischen Kennzeichen der Ge-

mälde, die wir hier charakterisieren, sind der Goldgrund
mit eingedruckten Heiligenscheinen ums Haupt, worin der
Name zu lesen. Auch ist die glänzende Metallfläche oft mit
wunderlichen Blumen tapetenartig gestempelt oder durch
5 braune Umrisse und Schattierungen zu vergoldetem Schnitz-
werk scheinbar umgewandelt. Daß man diese Bilder dem
dreizehnten Jahrhundert zuschreiben könne, bezeugen diejenigen Kirchen und Kapellen, wo man sie ihrer ersten Bestimmung gemäß noch aufgestellt gefunden. Den stärksten
10 Beweis gibt aber, daß die Kreuzgänge und andere Räume
mehrerer Kirchen und Klöster mit ähnlichen Bildern, an
welchen dieselbigen Merkmale anzutreffen, ihrer Erbauung
gleichzeitig gemalt gewesen.

Unter den in der Boisseréeschen Sammlung befindlichen
15 Bildern steht eine heilige Veronica billig obenan, weil sie
zum Beleg des bisher Gesagten von mehreren Seiten dienen
kann. Man wird vielleicht in der Folge entdecken, daß dieses
Bild, was Komposition und Zeichnung betrifft, eine herkömmliche byzantinische heilige Vorstellung gewesen. Das
20 schwarzbraune, wahrscheinlich nachgedunkelte, dorngè-
krönte Antlitz ist von einem wundersamen, edel schmerzlichen Ausdrucke. Die Zipfel des Tuchs werden von der
Heiligen gehalten, welche kaum ein Drittel Lebensgröße
dahinter steht und bis an die Brust davon bedeckt wird.
25 Höchst anmutig sind Mienen und Gebärden; das Tuch
stößt unten auf einen angedeuteten Fußboden, auf welchem
in den Ecken des Bildes an jeder Seite drei ganz kleine, wenn
sie stünden höchstens fußhohe, singende Engelchen sitzen,
die in zwei Gruppen so schön und künstlich zusammen-
30 gerückt sind, daß die höchste Forderung an Komposition dadurch vollkommen befriedigt wird. Die ganze Denkweise
des Bildes deutet auf eine herkömmliche, überlegte, durch-
gearbeitete Kunst; denn welche Abstraktion gehört nicht
dazu, die aufgeführten Gestalten in drei Dimensionen hin-
35 zustellen und das Ganze durchgängig zu symbolisieren. Die
Körperchen der Engel, besonders aber Köpfchen und Händ-
chen bewegen und stellen sich so schön gegeneinander, daß
dabei nichts zu erinnern übrigbleibt. Begründen wir nun
hiemit das Recht, dem Bilde einen byzantinischen Ursprung

Vera Icon
byzantinisch = niederrheinisch.

zu geben, so nötigt uns die Anmut und Weichheit, womit
die Heilige gemalt ist, womit die Kinder dargestellt sind,
die Ausführung des Bildes in jene niederrheinische Epoche
zu setzen, die wir schon weitläufig charakterisiert haben. Es
übt daher, weil es das doppelte Element eines strengen Gedankens und einer gefälligen Ausführung in sich vereinigt,
eine unglaubliche Gewalt auf die Beschauenden aus, wozu
denn der Kontrast des furchtbaren medusenhaften Angesichtes
zu der zierlichen Jungfrau und den anmutigen Kindern nicht
wenig beiträgt.

Einige größere Tafeln, worauf mit ebenso weichem angenehmen Pinsel, heiteren und erfreulichen Farben Apostel
und Kirchenväter, halb Lebensgröße zwischen goldenen
Zinnen und andern architektonisch-gemalten Zieraten,
gleichsam als farbige Schnitzbilder inne stehen, geben uns
zu ähnlichen Betrachtungen Anlaß, deuten aber zugleich
auf neue Bedingungen. Es ist nämlich gegen das Ende des
sogenannten Mittelalters die Plastik auch in Deutschland
der Malerei vorgeeilt, weil sie der Baukunst unentbehrlicher,
der Sinnlichkeit gemäßer und dem Talente näher zur Hand
war. Der Maler, wenn er aus dem mehr oder weniger Manierierten sich durch eigene Anschauung der Wirklichkeit
retten will, hat den doppelten Weg, die Nachahmung der
Natur oder die Nachbildung schon vorhandener Kunstwerke. Wir verkürzen daher in dieser malerischen Epoche
dem niederländischen Künstler keineswegs sein Verdienst,
wenn wir die Frage aufwerfen, ob nicht diese hier mit lieblicher Weichheit und Zartheit in Gemälden aufgeführten,
reich, aber frei bemäntelten heiligen Männer Nachbildungen
von geschnitzten Bildnissen seien, die entweder ungefärbt
oder gefärbt zwischen ähnlichen vergoldeten, architektonischen, wirklichen Schnitzwerken gestanden. Wir glauben
uns zu dieser Vermutung besonders berechtigt durch die zu
den Füßen dieser Heiligen in verzierten Fächern gemalt liegenden Schädel, woraus wir denn folgern, daß diese Bilder
ein irgendwo aufgestelltes Reliquiarium mit dessen Zieraten und Figuren nachahmen. Ein solches Bild nun wird
um desto angenehmer, als ein gewisser Ernst, den die Plastik vor der Malerei immer voraus hat, durch eine freund-

liche Behandlung würdig hindurchsieht. Alles was wir hier behaupten, mag sich in der Folge noch mehr bestätigen, wenn man auf die freilich zerstreuten altkirchlichen Überreste eine vorurteilsfreie Aufmerksamkeit wenden wird.

Wenn nun schon zu Anfang des dreizehnten Jahrhunderts Wolfram von Eschilbach in seinem Parcival die Maler von Köln und Maestricht gleichsam sprüchwörtlich als die besten von Deutschland aufführt, so wird es niemand wundern, daß wir von alten Bildern dieser Gegenden so viel Gutes gesagt haben. Nun aber fordert eine neue, zu Anfang des fünfzehnten Jahrhunderts eintretende Epoche unsere ganze Aufmerksamkeit, wenn wir derselben gleichfalls ihren entschiedenen Charakter abzugewinnen gedenken. Ehe wir aber weiter gehen und von der Behandlungsweise sprechen, welche sich nunmehr hervortut, erwähnen wir nochmals der Gegenstände, welche den niederrheinischen Malern vorzüglich gegeben waren.

Wir bemerkten schon oben, daß die Hauptheiligen jener Gegend edle Jungfrauen und Jünglinge gewesen, daß ihr Tod nichts von den widerlichen Zufälligkeiten gehabt, welche bei Darstellung anderer Märtyrer der Kunst so äußerst unbequem fallen. Doch zum höchsten Glück mögen es sich die Maler des Niederrheines zählen, daß die Gebeine der drei morgenländischen frommen Könige von Mailand nach Köln gebracht wurden. Vergebens durchsucht man Geschichte, Fabel, Überliefrung und Legende, um einen gleich günstigen, reichen, gemütlichen und anmutigen Gegenstand auszufinden als den, der sich hier darbietet. Zwischen verfallenem Gemäuer, unter kümmerlichem Obdach ein neugeborner und doch schon sich selbst bewußter Knabe auf der Mutter Schoß gepflegt, von einem Greise besorgt. Vor ihm nun beugen sich die Würdigen und Großen der Welt, unterwerfen der Unmündigkeit Verehrung, der Armut Schätze, der Niedrigkeit Kronen. Ein zahlreiches Gefolge steht verwundert über das seltsame Ziel einer langen und beschwerlichen Reise. Diesem allerliebsten Gegenstande sind die niederländischen Maler ihr Glück schuldig, und es ist nicht zu verwundern, daß sie denselben kunstreich zu wiederholen Jahrhunderte durch nicht ermüdeten. Nun

aber kommen wir an den wichtigen Schritt, welchen die
rheinische Kunst auf der Grenze des vierzehnten und funfzehnten Jahrhunderts tut. Schon längst waren die Künstler
wegen der vielen darzustellenden Charaktere an die Mannigfaltigkeit der Natur gewiesen, aber sie begnügten sich an
einem allgemeinen Ausdruck derselben, ob man gleich hie
und da etwas Porträtartiges wahrnimmt. Nun aber wird der
Meister Wilhelm von Köln ausdrücklich genannt, welchem in Nachbildung menschlicher Gesichter niemand
gleichgekommen sei. Diese Eigenschaft tritt nun in dem
Dombild zu Köln auf das bewundernswürdigste hervor, wie
es denn überhaupt als die Achse der niederrheinischen Kunstgeschichte angesehen werden kann. Nur ist zu wünschen,
daß sein wahres Verdienst historisch-kritisch anerkannt
bleibe. Denn freilich wird es jetzt dergestalt mit Hymnen
umräuchert, daß zu befürchten ist, es werde bald wieder so
verdüstert vor den Augen des Geistes dastehen, wie es ehemals von Lampen- und Kerzenruß verdunkelt den leiblichen Augen entzogen gewesen. Es besteht aus einem Mittelbilde und zwei Seitentafeln. Auf allen dreien ist der Goldgrund nach Maßgabe der bisher beschriebenen Bilder beibehalten. Ferner ist der Teppich hinter Maria mit Stempeln
gepreßt und bunt aufgefärbt. Im übrigen ist dieses sonst
so häufig gebrauchte Mittel durchaus verschmäht, der
Maler wird gewahr, daß er Brokat und Damast, und was
sonst farbenwechselnd, glänzend und scheinend ist, durch
seinen Pinsel hervorbringen könne und mechanischer Hülfsmittel nicht weiter bedürfe.

Die Figuren des Hauptbildes sowie der Seitenbilder beziehen sich auf die Mitte, symmetrisch, aber mit viel Mannigfaltigkeit bedeutender Kontraste an Gestalt und Bewegung. Die herkömmlich byzantinische Maxime herrscht
noch vollkommen, doch mit Lieblichkeit und Freiheit beobachtet.

Einen verwandten Nationalcharakter hat die sämtliche
Menge, welche weiblich die heilige Ursula, ritterlich den
Gereon, ins Orientalische maskiert die Hauptgruppe umgibt.
Vollkommen Porträt aber sind die beiden knieenden Könige,
und ein Gleiches möchten wir von der Mutter behaupten.

Weitläufiger über diese reiche Zusammensetzung und die
Verdienste derselben wollen wir uns hier nicht aussprechen,
indem das Taschenbuch für Freunde altdeutscher
Zeit und Kunst uns eine sehr willkommene Abbildung
dieses vorzüglichen Werkes vor Augen legt, nicht weniger
eine ausreichende Beschreibung hinzufügt, welche wir mit
reinerem Dank erkennen würden, wenn nicht darin eine
enthusiastische Mystik waltete, unter deren Einfluß weder
Kunst noch Wissen gedeihen kann.

Da dieses Bild eine große Übung des Meisters voraussetzt, so mag sich bei genauerer Untersuchung noch ein
und das andre der Art künftig vorfinden, wenn auch die
Zeit manches zerstört und eine nachfolgende Kunst manches verdrängt hat. Für uns ist es ein wichtiges Dokument
eines entschiedenen Schrittes, der sich von der gestempelten
Wirklichkeit losmacht und von einer allgemeinen National-
gesichtsbildung auf die vollkommene Wirklichkeit des
Porträts losarbeitet. Nach dieser Ableitung also halten wir
uns überzeugt, daß dieser Künstler, er heiße auch wie er
wolle, echt deutschen Sinnes und Ursprungs gewesen, so
daß wir nicht nötig haben, italienische Einflüsse zur Erklärung seiner Verdienste herbeizurufen.

Da dieses Bild 1410 gemalt ist, so stellt es sich in die Epoche, wo Johann von Eyck schon als entschiedener Künstler blühte, und so dient es uns, das Unbegreifliche der
Eyckischen Vortrefflichkeit einigermaßen zu erklären, indem es bezeugt, was für Zeitgenossen der genannte vorzügliche Mann gehabt habe. Wir nannten das Dombild die
Achse, worauf sich die ältere niederländische Kunst in die
neue dreht, und nun betrachten wir die Eyckischen Werke
als zur Epoche der völligen Umwälzung jener Kunst gehörig. Schon in den ältern byzantinisch-niederrheinischen
Bildern finden wir die eingedruckten Teppiche manchmal
perspektivisch, obgleich ungeschickt behandelt. Im Dombild erscheint keine Perspektive, weil der reine Goldgrund
alles abschließt. Nun wirft Eyck alles Gestempelte so wie
den Goldgrund völlig weg, ein freies Lokal tut sich auf,
worin nicht allein die Hauptpersonen, sondern auch alle
Nebenfiguren vollkommen Porträt sind, von Angesicht,

Statur und Kleidung, so auch völlig Porträt jede Nebensache.

So schwer es immer bleibt, Rechenschaft von einem solchen Manne zu geben, so wagen wir doch einen Versuch,
in Hoffnung, daß die Anschauung seiner Werke dem Leser
nicht entgehen werde, und hier zweifeln wir keinen Augenblick, unsern Eyck in die erste Klasse derjenigen zu setzen,
welche die Natur mit malerischen Fähigkeiten begabt hat.
Zugleich ward ihm das Glück, in der Zeit einer technisch
hochgebildeten, allgemein verbreiteten und bis an eine gewisse Grenze gelangten Kunst zu leben. Hiezu kam noch,
daß er eines höheren, ja des höchsten technischen Vorteils
in der Malerei gewahrte; denn es mag mit der Erfindung
der Ölmalerei beschaffen sein wie es will, so möchten wir
nicht in Zweifel ziehen, daß Eyck der erste gewesen, der
ölige Substanzen, die man sonst über die fertigen Bilder zog,
unter die Farben selbst gemischt, aus den Ölen die am leichtesten trocknenden, aus den Farben die klärsten, die am
wenigsten deckenden ausgesucht habe, um beim Auftragen
derselben das Licht des weißen Grundes und Farbe durch
Farbe nach Belieben durchscheinen zu lassen. Weil nun die
ganze Kraft der Farbe, welche an sich ein Dunkeles ist,
nicht dadurch erregt wird, daß Licht davon zurückscheint,
sondern daß es durch sie durchscheint, so ward durch diese
Entdeckung und Behandlung zugleich die höchste physische und artistische Forderung befriedigt. Das Gefühl aber
für Farbe hatte ihm als einem Niederländer die Natur verliehen. Die Macht der Farbe war ihm wie seinen Zeitgenossen bekannt, und so brachte er es dahin, daß er, um nur von
Gewändern und Teppichen zu reden, den Schein der Tafel
weit über alle Erscheinung der Wirklichkeit erhob. Ein
solches muß denn freilich die echte Kunst leisten, denn das
wirkliche Sehen ist, sowohl in dem Auge als an den Gegenständen, durch unendliche Zufälligkeiten bedingt; dahingegen der Maler nach Gesetzen malt, wie die Gegenstände,
durch Licht, Schatten und Farbe voneinander abgesondert,
in ihrer vollkommensten Sehbarkeit von einem gesunden
frischen Auge geschaut werden sollen. Ferner hatte sich
Eyck in Besitz der perspektivischen Kunst gesetzt und

sich die Mannigfaltigkeit der Landschaft, besonders unendlicher Baulichkeiten eigen gemacht, die nun an der Stelle des kümmerlichen Goldgrundes oder Teppiches hervortreten.

Jetzt aber möchte es sonderbar scheinen, wenn wir aussprechen, daß er, materielle und mechanische Unvollkommenheiten der bisherigen Kunst wegwerfend, sich zugleich einer bisher im stillen bewahrten technischen Vollkommenheit entäußerte, des Begriffs nämlich der symmetrischen Komposition. Allein auch dieses liegt in der Natur eines außerordentlichen Geistes, der, wenn er eine materielle Schale durchbricht, nie bedenkt, daß über derselben noch eine ideelle geistige Grenze gezogen sei, gegen die er umsonst ankämpft, in die er sich ergeben, oder sie nach seinem Sinne erschaffen muß. Die Kompositionen Eycks sind daher von der größten Wahrheit und Lieblichkeit, ob sie gleich die strengen Kunstforderungen nicht befriedigen, ja es scheint, als ob er von allen dem, was seine Vorgänger hierin besessen und geübt, vorsätzlich keinen Gebrauch machen wollen. In seinen uns bekannt gewordenen Bildern ist keine Gruppe, die sich jenen Engelchen neben der heiligen Veronica vergleichen könnte. Weil aber ohne Symmetrie irgendein Gesehenes keinen Reiz ausübt, so hat er sie als ein Mann von Geschmack und Zartgefühl auf seine eigene Weise hervorgebracht, woraus etwas entstanden ist, welches anmutiger und eindringlicher wirkt als das Kunstgerechte, sobald dieses die Naivetät entbehrt, indem es alsdann nur den Verstand anspricht und den Kalkül hervorruft.

Hat man uns bisher geduldig zugehört, und stimmen Kenner mit uns überein, daß jeder Vorschritt aus einem erstarrten, veralteten, künstlichen Zustand in die freie lebendige Naturwahrheit sogleich einen Verlust nach sich ziehe, der erst nach und nach und oft in späteren Zeiten sich wiederherstellt, so können wir unsern Eyck nunmehr in seiner Eigentümlichkeit betrachten, da wir denn in den Fall kommen, sein individuelles Wesen unbedingt zu verehren. Schon die früheren niederländischen Künstler stellten alles Zarte, was sich in dem neuen Testament darbot, gern in

einer gewissen Folge dar, und so finden wir in dem großen
Eyckischen Werke, welches diese Sammlung schmückt,
das aus einem Mittelbilde und zwei Flügelbildern besteht,
den denkenden Künstler, der mit Gefühl und Sinn eine
fortschreitende Trilogie darzustellen unternimmt. Zu unserer Linken wird der mädchenhaftesten Jungfrau durch einen
himmlischen Jüngling ein seltsames Ereignis angekündigt.
In der Mitte sehen wir sie als glückliche, verwunderte, in
ihrem Sohn verehrte Mutter, und zur Rechten erscheint sie,
das Kind im Tempel zur Weihe bringend, schon beinah
als Matrone, die in hohem Ernste vorfühlt, was dem vom
Hohenpriester mit Entzücken aufgenommenen Knaben be-
vorstehe. Der Ausdruck aller drei Gesichter so wie die jedesmalige Gestalt und Stellung, das erstemal kniend, dann
sitzend, zuletzt stehend, ist einnehmend und würdig. Der
Bezug der Personen untereinander auf allen drei Bildern
zeugt von dem zartesten Gefühl. In der Darstellung im
Tempel findet sich auch eine Art von Parallelism, der ohne
Mitte durch eine Gegenüberstellung der Charaktere bewirkt
wird. Eine geistige Symmetrie, so gefühlt und sinnig, daß man
angezogen und eingenommen wird, ob man ihr gleich den
Maßstab der vollendeten Kunst nicht anlegen kann.

So wie nun Johann von Eyck als ein trefflich denkender
und empfindender Künstler gesteigerte Mannigfaltigkeit
seiner Hauptfigur zu bewirken gewußt, hat er auch mit
gleichem Glück die Lokalitäten behandelt. Die Verkündigung geschieht in einem verschlossenen, schmalen, aber
hohen, durch einen obern Fensterflügel erleuchteten Zimmer. Alles ist darin so reinlich und nett, wie es sich geziemt
für die Unschuld, die nur sich selbst und ihre nächste Umgebung besorgt. Wandbänke, ein Betstuhl, Bettstätte, alles
zierlich und glatt. Das Bett rot bedeckt und umhängt, alles
so wie die brokatne hintere Bettwand auf das bewundernswürdigste dargestellt. Das mittlere Bild dagegen zeigt uns
die freiste Aussicht, denn die edle, aber zerrüttete Kapelle
der Mitte dient mehr zum Rahmen mannigfaltiger Gegenstände, als daß sie solche verdeckte. Links des Zuschauers
eine mäßig entfernte straßen- und häuserreiche Stadt, voll
Gewerbes und Bewegung, welche gegen den Grund hin

sich in das Bild hereinzieht und einem weiten Felde Raum läßt. Dieses, mit mancherlei ländlichen Gegenständen geziert, verläuft sich zuletzt in eine wasserreiche Weite. Rechts des Zuschauers tritt ein Teil eines runden Tempelgebäudes von mehrern Stockwerken in das Bild; das Innere dieser Rotonde aber zeigt sich auf dem daran stoßenden Türflügel und kontrastiert durch seine Höhe, Weite und Klarheit auf das herrlichste mit jenem ersten Zimmerchen der Jungfrau. Sagen und wiederholen wir nun, daß alle Gegenstände der drei Bilder auf das vollkommenste mit meisterhafter Genauigkeit ausgeführt sind, so kann man sich im allgemeinen einen Begriff von der Vortrefflichkeit dieser wohlerhaltenen Bilder machen. Von den Flechtbreiten auf dem verwitterten zerbröckelten Ruingestein, von den Grashalmen, die auf dem vermoderten Strohdache wachsen, bis zu den goldenen juwelenreichen Bechergeschenken, vom Gewand zum Antlitz, von der Nähe bis zur Ferne, alles ist mit gleicher Sorgfalt behandelt und keine Stelle dieser Tafeln, die nicht durchs Vergrößrungsglas gewönne. Ein Gleiches gilt von einer einzelnen Tafel, worauf Lukas das Bild der heiligen säugenden Mutter entwirft.

Und hier kommt der wichtige Umstand zur Sprache, daß der Künstler die von uns so dringend verlangte Symmetrie in die Umgebung gelegt und dadurch an die Stelle des gleichgültigen Goldgrundes ein künstlerisches und augengefälliges Mittel gestellt hat. Mögen nun auch seine Figuren nicht ganz kunstgerecht sich darin bewegen und gegeneinander verhalten, so ist es doch eine gesetzliche Lokalität, die ihnen eine bestimmte Grenze vorschreibt, wodurch ihre natürlichen und gleichsam zufälligen Bewegungen auf das angenehmste geregelt erscheinen.

Doch alles dieses, so genau und bestimmt wir auch zu sprechen gesucht, bleiben doch nur leere Worte ohne die Anschauung der Bilder selbst. Höchst wünschenswert wäre es deshalb, daß uns die Herrn Besitzer vorerst von den erwähnten Bildern in mäßiger Größe genaue Umrisse mitteilten, wodurch auch ein jeder, der das Glück nicht hat, die Gemälde selbst zu sehen, dasjenige, was wir bisher gesagt, würde prüfen und beurteilen können.

Indem wir nun diesen Wunsch äußern, so haben wir um desto mehr zu bedauern, daß ein junger talentvoller Mann, der sich an dieser Sammlung gebildet, zu früh mit Tode abgegangen. Sein Name, Epp, ist noch allen denjenigen wert, die ihn gekannt, besonders aber den Liebhabern, welche Kopien alter Werke von ihm besitzen, die er mit Treue und Fleiß aufs redlichste verfertigt hat. Doch dürfen wir auch deshalb nicht verzweifeln, indem ein sehr geschickter Künstler, Herr Köster, sich an die Besitzer angeschlossen und der Erhaltung einer so bedeutenden Sammlung sich gewidmet hat. Dieser würde sein schönes und gewissenhaftes Talent am sichersten betätigen, wenn er sich zu Ausführung jener gewünschten Umrisse und deren Herausgabe bemühte. Wir würden alsdann, voraussetzend, daß sie in den Händen aller Liebhaber wären, noch gar manches hinzufügen, welches jetzt, wie es bei Wortbeschreibung von Gemälden gewöhnlich geschieht, die Einbildungskraft nur verwirren müßte.

Ungern bequeme ich mich hier zu einer Pause, denn gerade das, was in der Reihe nun zu melden wäre, hat gar manches Anmutige und Erfreuliche. Von Johann von Eyck selbst dürfen wir kaum mehr sagen, denn auf ihn kehren wir immer wieder zurück, wenn von den folgenden Künstlern gesprochen wird. Die nächsten aber sind solche, bei denen wir ebensowenig als bei ihm genötigt sind, fremdländischen Einfluß vorauszusetzen. Überhaupt ist es nur ein schwacher Behelf, wenn man bei Würdigung außerordentlicher Talente voreilig auszumitteln denkt, woher sie allenfalls ihre Vorzüge genommen. Der aus der Kindheit aufblickende Mensch findet die Natur nicht etwa rein und nackt um sich her: denn die göttliche Kraft seiner Vorfahren hat eine zweite Welt in die Welt erschaffen. Aufgenötigte Angewöhnungen, herkömmliche Gebräuche, beliebte Sitten, ehrwürdige Überlieferungen, schätzbare Denkmale, ersprießliche Gesetze und so mannigfache herrliche Kunsterzeugnisse umzingeln den Menschen dergestalt, daß er nie zu unterscheiden weiß, was ursprünglich und was abgeleitet ist. Er bedient sich der Welt, wie er sie findet, und hat dazu ein vollkommnes Recht.

Den originalen Künstler kann man also denjenigen nennen, welcher die Gegenstände um sich her nach individueller, nationeller und zunächst überlieferter Weise behandelt und zu einem gefugten Ganzen zusammenbildet. Wenn wir also von einem solchen sprechen, so ist es unsere Pflicht, zuallererst seine Kraft und die Ausbildung derselben zu betrachten, sodann seine nächste Umgebung, insofern sie ihm Gegenstände, Fertigkeiten und Gesinnungen überliefert, und zuletzt dürfen wir erst unsern Blick nach außen richten und untersuchen, nicht sowohl was er Fremdes gekannt, als wie er es benutzt habe. Denn der Hauch von vielem Guten, Vergnüglichen, Nützlichen wehet über die Welt, oft Jahrhunderte hindurch, ehe man seinen Einfluß spürt. Man wundert sich oft in der Geschichte über den langsamen Fortschritt nur mechanischer Fertigkeiten. Den Byzantinern standen die unschätzbaren Werke hellenischer Kunst vor Augen, ohne daß sie aus dem Kummer ihrer ausgetrockneten Pinselei sich hervorheben konnten. Und sieht man es denn Albrecht Dürern sonderlich an, daß er in Venedig gewesen? Dieser Treffliche läßt sich durchgängig aus sich selbst erklären.

Und so wünsch' ich den Patriotismus zu finden, zu dem jedes Reich, Land, Provinz, ja Stadt berechtigt ist: denn wie wir den Charakter des Einzelnen erheben, welcher darin besteht, daß er sich nicht von den Umgebungen meistern läßt, sondern dieselben meistert und bezwingt, so erzeigen wir jedem Volk, jeder Volksabteilung die Gebühr und Ehre, daß wir ihnen auch einen Charakter zuschreiben, der sich in einem Künstler oder sonst vorzüglichen Manne veroffenbart. Und so werden wir zunächst handeln, wenn von schätzenswerten Künstlern, von Hemmling, Israel von Mecheln, Lucas von Leyden, Quintin Messis u. a. die Rede sein wird. Diese halten sich sämtlich in ihrem heimischen Kreise, und unsere Pflicht ist, so viel als möglich, fremden Einfluß auf ihre Vorzüge abzulehnen. Nun aber tritt Schoreel auf, später Hemskerk und mehrere, die ihre Talente in Italien ausgebildet haben, demungeachtet aber den Niederländer nicht verleugnen können. Hier mag nun das Beispiel von Leonard da Vinci, Correggio, Tizian, Michel

Angelo hervorscheinen, der Niederländer bleibt Niederländer, ja die Nationaleigentümlichkeit beherrscht sie dergestalt, daß sie sich zuletzt wieder in ihren Zauberkreis einschließen und jede fremde Bildung abweisen. So hat Rembrandt das höchste Künstlertalent betätigt, wozu ihm Stoff und Anlaß in der unmittelbarsten Umgebung genügte, ohne daß er je die mindeste Kenntnis genommen hätte, ob jemals Griechen und Römer in der Welt gewesen.

Wäre uns nun eine solche beabsichtigte Darstellung gelungen, so müssen wir uns an den Oberrhein begeben und uns an Ort und Stelle sowie in Schwaben, Franken und Bayern von den Vorzügen und Eigentümlichkeiten der oberdeutschen Schule zu durchdringen suchen. Auch hier würde es unsere vornehmste Pflicht sein, den Unterschied, ja den Gegensatz zwischen beiden herauszuheben, um zu bewirken, daß eine Schule die andere schätze, die außerordentlichen Männer beiderseitig anerkenne, die Fortschritte einander nicht ableugne und was alles für Gutes und Edles aus gemeinsamen Gesinnungen hervortritt. Auf diesem Wege werden wir die deutsche Kunst des funfzehnten und sechzehnten Jahrhunderts freudig verehren, und der Schaum der Überschätzung, der jetzt schon dem Kenner und Liebhaber widerlich ist, wird sich nach und nach verlieren. Mit Sicherheit können wir alsdann immer weiter ost- und südwärts blicken und uns mit Wohlwollen an Genossen und Nachbarn anreihen.

JOSEPH BOSSI
ÜBER LEONARD DA VINCIS ABENDMAHL
ZU MAILAND

Das Abendmahl

Wir wenden uns nunmehr gegen das eigentliche Ziel unserer Bemühung, zu dem Abendmahl, welches im Kloster alle Grazie zu Mailand auf die Wand gemalt war; möchten unsere Leser Morghens Kupferstich vor sich nehmen, welcher hinreicht, uns sowohl über das Ganze als wie das Einzelne zu verständigen.

Die Stelle, wo das Bild gemalt ist, wird allervörderst in Betrachtung gezogen: denn hier tut sich die Weisheit des Künstlers in ihrem Brennpunkte vollkommen hervor. Konnte für ein Refektorium etwas schicklicher und edler ausgedacht werden als ein Scheidemahl, das der ganzen Welt 5 für alle Zeiten als heilig gelten sollte?

Als Reisende haben wir dieses Speisezimmer vor manchen Jahren noch unzerstört gesehen. Dem Eingang an der schmalen Seite gegenüber, im Grunde des Saals, stand die Tafel des Priors, zu beiden Seiten die Mönchstische, sämt- 10 lich auf einer Stufe vom Boden erhöht; und nun, wenn der Hereintretende sich umkehrte, sah er an der vierten Wand über den nicht allzuhohen Türen den vierten Tisch gemalt, an demselben Christus und seine Jünger, eben als wenn sie zur Gesellschaft gehörten. Es muß zur Speisestunde 15 ein bedeutender Anblick gewesen sein, wenn die Tische des Priors und Christi, als zwei Gegenbilder, auf ein- ander blickten und die Mönche an ihren Tafeln sich da- zwischen eingeschlossen fanden. Und eben deshalb mußte die Weisheit des Malers die vorhandenen Mönchstische 20 zum Vorbild nehmen. Auch ist gewiß das Tischtuch mit seinen gequetschten Falten, gemusterten Streifen und auf- geknüpften Zipfeln aus der Waschkammer des Klosters genommen. Schüsseln, Teller, Becher und sonstiges Geräte gleichfalls denjenigen nachgeahmt, der sich die Mönche 25 bedienten.

Hier war also keineswegs die Rede von Annäherung an ein unsichres, veraltetes Kostüm. Höchst ungeschickt wäre es gewesen, an diesem Orte die heilige Gesellschaft auf Polster auszustrecken. Nein! sie sollte der Gegenwart an- 30 genähert werden, Christus sollte sein Abendmahl bei den Dominikanern zu Mailand einnehmen.

Auch in manchem andern Betracht mußte das Bild große Wirkung tun. Ungefähr zehn Fuß über der Erde nehmen die dreizehn Figuren, sämtlich etwa anderthalbmal die Le- 35 bensgröße gebildet, den Raum von achtundzwanzig Pariser Fuß der Länge nach ein. Nur zwei derselben sieht man ganz an den entgegengesetzten Enden der Tafel, die übrigen sind Halbfiguren, und auch hier fand der Künstler in der

Notwendigkeit seinen Vorteil. Jeder sittliche Ausdruck gehört nur dem oberen Teil des Körpers an, und die Füße
sind in solchen Fällen überall im Wege; der Künstler schuf
sich hier elf Halbfiguren, deren Schoß und Knie von Tisch
5 und Tischtuch bedeckt wird, unten aber die Füße im bescheidenen Dämmerlicht kaum bemerklich sein sollten.

Nun versetze man sich an Ort und Stelle, denke sich die
sittliche äußere Ruhe, die in einem solchen mönchischen
Speisesaale obwaltet, und bewundere den Künstler, der
10 seinem Bilde kräftige Erschütterung, leidenschaftliche Bewegung einhaucht und, indem er sein Kunstwerk möglichst
an die Natur herangebracht hat, es alsobald mit der nächsten Wirklichkeit in Kontrast setzt.

Das Aufregungsmittel, wodurch der Künstler die ruhig
15 heilige Abendtafel erschüttert, sind die Worte des Meisters:
Einer ist unter euch, der mich verrät! Ausgesprochen
sind sie, die ganze Gesellschaft kommt darüber in Unruhe;
er aber neigt sein Haupt, gesenkten Blickes; die ganze
Stellung, die Bewegung der Arme, der Hände, alles wieder-
20 holt mit himmlischer Ergebenheit die unglücklichen Worte,
das Schweigen selbst bekräftigt: Ja es ist nicht anders!
Einer ist unter euch, der mich verrät.

Ehe wir aber weiter gehen, müssen wir ein großes Mittel
entwickeln, wodurch Leonard dieses Bild hauptsächlich
25 belebte: es ist die Bewegung der Hände; dies konnte aber
auch nur ein Italiener finden. Bei seiner Nation ist der ganze
Körper geistreich, alle Glieder nehmen teil an jedem Ausdruck des Gefühls, der Leidenschaft, ja des Gedankens.
Durch verschiedene Gestaltung und Bewegung der Hände
30 drückt er aus: „Was kümmert's mich! – Komm her! – Dies
ist ein Schelm – nimm dich in acht vor ihm! – Er soll nicht
lange leben! – Dies ist ein Hauptpunkt. Dies merket besonders wohl, meine Zuhörer!" Einer solchen National-
eigenschaft mußte der alles Charakteristische höchst auf-
35 merksam betrachtende Leonard sein forschendes Auge besonders zuwenden; hieran ist das gegenwärtige Bild einzig,
und man kann ihm nicht genug Betrachtung widmen. Vollkommen übereinstimmend ist Gesichtsbildung und jede
Bewegung, auch dabei eine dem Auge gleich faßliche Zu-

sammen- und Gegeneinanderstellung aller Glieder auf das lobenswürdigste geleistet.

Die Gestalten überhaupt zu beiden Seiten des Herrn lassen sich drei und drei zusammen betrachten, wie sie denn auch so jedesmal in eins gedacht, in Verhältnis gestellt und doch in Bezug auf ihre Nachbarn gehalten sind. Zunächst an Christi rechter Seite Johannes, Judas und Petrus.

Petrus, der Entfernteste, fährt nach seinem heftigen Charakter, als er des Herrn Wort vernommen, eilig hinter Judas her, der sich, erschrocken aufwärts sehend, vorwärts über den Tisch beugt, mit der rechten festgeschlossenen Hand den Beutel hält, mit der linken aber eine unwillkürliche krampfhafte Bewegung macht, als wollte er sagen: Was soll das heißen? – Was soll das werden? Petrus hat indessen mit seiner linken Hand des gegen ihn geneigten Johannes rechte Schulter gefaßt, hindeutend auf Christum und zugleich den geliebten Jünger anregend, er solle fragen, wer denn der Verräter sei? Einen Messergriff in der Rechten setzt er dem Judas unwillkürlich zufällig in die Rippen, wodurch dessen erschrockene Vorwärtsbewegung, die sogar ein Salzfaß umschüttet, glücklich bewirkt wird. Diese Gruppe kann als die zuerst gedachte des Bildes angesehen werden, sie ist die vollkommenste.

Wenn nun auf der rechten Seite des Herrn mit mäßiger Bewegung unmittelbare Rache angedroht wird, entspringt auf seiner linken lebhaftestes Entsetzen und Abscheu vor dem Verrat. Jakobus der Ältere beugt sich vor Schrecken zurück, breitet die Arme aus, starrt, das Haupt niedergebeugt, vor sich hin, wie einer, der das Ungeheure, das er durchs Ohr vernimmt, schon mit Augen zu sehen glaubt. Thomas erscheint hinter seiner Schulter hervor, und sich dem Heiland nähernd, hebt er den Zeigefinger der rechten Hand gegen die Stirne. Philippus, der dritte zu dieser Gruppe Gehörige, rundet sie aufs lieblichste; er ist aufgestanden, beugt sich gegen den Meister, legt die Hände auf die Brust, mit größter Klarheit aussprechend: Herr, ich bin's nicht! Du weißt es! Du kennst mein reines Herz. Ich bin's nicht!

Und nunmehr geben uns die benachbarten drei Letzteren

dieser Seite neuen Stoff zur Betrachtung. Sie unterhalten sich untereinander über das schrecklich Vernommene. Matthäus wendet mit eifriger Bewegung das Gesicht links zu seinen beiden Genossen, die Hände hingegen streckt er
5 mit Schnelligkeit gegen den Meister und verbindet so, durch das unschätzbarste Kunstmittel, seine Gruppe mit der vorhergehenden. Thaddäus zeigt die heftigste Überraschung, Zweifel und Argwohn; er hat die linke Hand offen auf den Tisch gelegt und die rechte dergestalt erhoben,
10 als stehe er im Begriff, mit dem Rücken derselben in die linke einzuschlagen; eine Bewegung, die man wohl noch von Naturmenschen sieht, wenn sie bei unerwartetem Vorfall ausdrücken wollen: Hab' ich's nicht gesagt! Habe ich's nicht immer vermutet! – Simon sitzt höchst
15 würdig am Ende des Tisches, wir sehen daher dessen ganze Figur; er, der Älteste von allen, ist reich mit Falten bekleidet, Gesicht und Bewegung zeigen, er sei betroffen und nachdenkend, nicht erschüttert, kaum bewegt.

Wenden wir nun die Augen sogleich auf das entgegen
20 gesetzte Tischende, so sehen wir Bartholomäus, der auf dem rechten Fuß, den linken übergeschlagen, steht, mit beiden ruhig auf den Tisch gestemmten Händen seinen übergebogenen Körper unterstützend. Er horcht, wahrscheinlich zu vernehmen, was Johannes vom Herrn aus
25 fragen wird: denn überhaupt scheint die Anregung des Lieblingsjüngers von dieser ganzen Seite auszugehen. Jakobus der Jüngere, neben und hinter Bartholomäus, legt die linke Hand auf Petrus' Schulter, so wie Petrus auf die Schulter Johannis, aber Jakobus mild, nur Aufklärung ver
30 langend, wo Petrus schon Rache droht.

Und also wie Petrus hinter Judas, so greift Jakob der Jüngere hinter Andreas her, welcher als eine der bedeutendsten Figuren mit halbaufgehobenen Armen die flachen Hände vorwärts zeigt, als entschiedenen Ausdruck des Ent
35 setzens, der in diesem Bilde nur einmal vorkommt, da er in andern, weniger geistreich und gründlich gedachten Werken sich leider nur zu oft wiederholt.

– „Das Lebendige, die Großheit des Stils, Anordnung, Behandlung des Reliefs, alles ist herrlich. Hingegen kann man bei so viel Schönem die außerordentliche Gedrungenheit der Figuren, die oft kaum sechs Kopflängen haben, überhaupt die vernachlässigten Proportionen der einzelnen Teile, wo oft Fuß oder Hand die Länge des ganzen Beins oder Arms haben, u. s. w. kaum begreifen. Und da soll man sagen, daß man an den Koloß beinahe in allen Vorstellungen erinnert wird!" –

Was werden Sie aber, teuere Freundin, zu dem entschiedenen Verehrer der griechischen Kunst sagen, wenn er bekennt, daß er das alles zugibt, es aber keineswegs entschuldigt oder auf sich beruhen läßt, sondern behauptet, daß alle diese Mängel mit Bewußtsein, vorsätzlich, geflissentlich, aus Grundsatz verübt worden. Zuerst also ist die Plastik Dienerin der Architektur; ein Fries an einem Tempel dorischer Ordnung fordert Gestalten, die sich zur Proportion seines ganzen Profiles nähern: schon in diesem Sinn mußte das Gedrängte, Derbe schon hier vorzuziehen sein.

Aber warum gar innerhalb dieser Verhältnisse, und wenn wir sie zugegeben haben, noch Disproportionen, inwiefern sollte denn dies zu entschuldigen sein? Nicht zu entschuldigen, sondern zu rühmen, denn wenn der Künstler mit Vorsatz abweicht, so steht er höher als wir, und wir müssen ihn nicht zur Rede ziehn, sondern ihn verehren. Bei solchen Darstellungen kommt es darauf an, die Kraft der Gestalten gegeneinander vortreten zu lassen; wie wollte hier die weibliche Brust der Amazonenkönigin gegen eine herkulische Mannesbrust und einen kräftigen Pferdehals in ihrer Mitte sich halten, wenn die Brüste nicht auseinandergezogen und der Rumpf dadurch viereckt und breit wäre. Das linke, fliehende Bein kommt gar nicht in Betracht; es dient nur als Nebenwesen zu Eurhythmie des Ganzen. Was die Endglieder, Füße und Hände, betrifft, so ist nur die Frage, ob sie im Bilde ihren rechten Platz einnehmen, und dann ist es einerlei, ob der Arm, der sie bringt, das Bein, das ihnen die rechte Stelle anweist, zu lang oder zu kurz ist. Von diesem

großen Begriff sind wir ganz zurückgekommen; denn kein
einzelner Meister darf sich anmaßen, mit Vorsatz zu fehlen,
aber wohl eine ganze Schule.

Und doch können wir jenen Fall auch anführen.

5   Leonard da Vinci, der für sich selbst eine ganze Kunstwelt war, mit dem wir uns viel und lange nicht genug beschäftigten, erfrecht sich eben der Kühnheit wie die Künstler von Phigalia. Wir haben das Abendmahl mit Leidenschaft durchgedacht und durchdenkend verehrt; nun sei
10 uns aber ein Scherz darüber erlaubt. Dreizehn Personen
sitzen an einem sehr langen schmalen Tische; es gibt eine
Erschütterung unter ihnen. Wenige blieben sitzen, andere
sind halb, andere ganz aufgestanden. Sie entzücken uns
durch ihr sittlich leidenschaftliches Betragen, aber mögen
15 sich die guten Leute wohl in acht nehmen, ja nicht etwa den
Versuch machen, sich wieder niederzusetzen; zwei kommen
wenigstens einander auf den Schoß, wenn auch Christus
und Johannes noch so nahe zusammenrücken.

Aber eben daran erkennt man den Meister, daß er zu
20 höhern Zwecken mit Vorsatz einen Fehler begeht. Wahrscheinlichkeit ist die Bedingung der Kunst, aber innerhalb
des Reiches der Wahrscheinlichkeit muß das Höchste geliefert werden, was sonst nicht zur Erscheinung kömmt.
Das Richtige ist nicht sechs Pfennige wert, wenn es weiter
25 nichts zu bringen hat.

Die Frage ist also nicht, ob in diesem Sinne irgendein
bedeutend Glied in dieser Zusammensetzung zu groß oder
zu klein sei. Nach allen drei Kopien des Abendmahls, die
wir vor uns haben, können die Köpfe des Judas und Thad-
30 däus nicht zusammen an einem Tische sitzen, und doch,
besonders wenn wir das Original vor uns hätten, würden wir
darüber nicht querulieren; der unendliche Geschmack (daß
wir dieses unbestimmte Wort hier in entschiedenem Sinne
brauchen), den Leonard besaß, wüßte hier dem Zuschauer
35 schon durchzuhelfen.

Und beruht denn nicht die ganze theatralische Kunst
gerade auf solchen Maximen! Nur ist sie vorübergehend,
poetisch-rhetorisch bestechend, verleitend, und man kann
sie nicht so vor Gericht ziehen, als wenn sie gemalt, in Mar-
40 mor gehauen oder in Erz gegossen wäre.

Analogie oder auch nur Gleichnis haben wir in der Musik:
das was dort gleichschwebende Temperatur ist, wozu die
Töne, die sich nicht genau untereinander verhalten wollen,
so lange gebogen und gezogen werden, daß kaum einer seine
vollkommene Natur behält, aber sich alle doch zu des Ton-
künstlers Willen schicken. Dieser bedient sich ihrer, als
wenn alles ganz richtig wäre; der hat gewonnen Spiel, das
Ohr will nicht richten, sondern genießen und Genuß mitteilen. Das Auge hat einen anmaßlichen Verstand hinter sich,
der wunder meint, wie hoch er stehe, wenn er beweist, ein
Sichtbares sei zu lang oder zu kurz.

Wenden wir uns nun zu der Frage, warum wir den Kolossen von Monte Cavallo immer wiederholt sehen, so antwort'
ich: Weil er dort schon zweimal steht. Das Vortrefflichste
gilt nun einmal; wohl dem, der es wiederholen kann: diesen
Sinn nährten die Alten im höchsten Grad. Die Stellung des
Kolossen, die mannigfaltige zarte Abänderung zuläßt, ist
die einzige, die einem tätigen Helden ziemt; darüber hinaus
kann man nicht, und zu seinem Zwecke variierend es immer
wiederbringen ist der höchste Verstand, die höchste Originalität. Aber nicht allein diese Wiederholung findet sich auf
den mir gegönnten Basreliefs, sondern Herkules und die
Amazonenkönigin stehen in derselbigen Bewegung gegeneinander wie Neptun und Pallas im Fronton des Parthe-
nons. Und so muß es immer bleiben, weil man nicht weiter
kann. Lassen wir die Pallas in der Mitte des Giebelfeldes
von Ägina gelten, auch Niobe und ihre jüngste Tochter
irgendwo, so sind das immer nur Vorahndungen der Kunst;
die Mitte darf nicht streng bezeichnet sein, und bei einer
vollkommenen guten Komposition, sie sei plastisch, malerisch oder architektonisch, muß die Mitte leer sein oder
unbedeutend, damit man sich mit den Seiten beschäftige,
ohne zu denken, daß ihre Wirksamkeit irgendwoher ent-
springe.

Da wir aber, was man nicht tun sollte, damit angefangen,
Einwürfe zu beseitigen, so wollen wir nunmehr zu den Vorzügen des vor mir stehenden Basreliefs ohne irgendeine andere Rücksicht uns wenden.

ANTIK UND MODERN

Da ich in vorstehendem genötigt war, zugunsten des Altertums, besonders aber der damaligen bildenden Künstler,
so viel Gutes zu sagen, so wünschte ich doch nicht mißverstanden zu werden, wie es leider gar oft geschieht, indem
der Leser sich eher auf den Gegensatz wirft, als daß er zu
einer billigen Ausgleichung sich geneigt fände. Ich ergreife
daher eine dargebotene Gelegenheit, um beispielweise zu
erklären, wie es eigentlich gemeint sei, und auf das ewig
fortdauernde Leben des menschlichen Tuns und Handelns,
unter dem Symbol der bildenden Kunst, hinzudeuten.

Ein junger Freund, Karl Ernst Schubarth, in seinem
Hefte „Zur Beurteilung Goethes", welches ich in jedem Sinne zu schätzen und dankbar anzuerkennen habe,
sagt: „Ich bin nicht der Meinung wie die meisten Verehrer
der Alten, unter die Goethe selbst gehört, daß in der Welt
für eine hohe, vollendete Bildung der Menschheit nichts
ähnlich Günstiges sich hervorgetan habe wie bei den Griechen." Glücklicherweise können wir diese Differenz mit
Schubarths eigenen Worten ins gleiche bringen, indem er
spricht: „Von unserem Goethe aber sei es gesagt, daß ich
Shakespeare ihm darum vorziehe, weil ich in Shakespeare
einen solchen tüchtigen, sich selbst unbewußten Menschen
gefunden zu haben glaube, der mit höchster Sicherheit,
ohne alles Räsonieren, Reflektieren, Subtilisieren, Klassifizieren und Potenzieren den wahren und falschen Punkt
der Menschheit überall so genau, mit so nie irrendem Griff
und so natürlich hervorhebt, daß ich zwar am Schluß bei
Goethe immer das nämliche Ziel erkenne, von vornherein
aber stets mit dem Entgegengesetzten zuerst zu kämpfen,
es zu überwinden und mich sorgfältig in acht zu nehmen
habe, daß ich nicht für blanke Wahrheit hinnehme, was doch
nur als entschiedener Irrtum abgelehnt werden soll."

Hier trifft unser Freund den Nagel auf den Kopf; denn
gerade da, wo er mich gegen Shakespeare im Nachteil findet,
stehen wir im Nachteil gegen die Alten. Und was reden wir
von den Alten? Ein jedes Talent, dessen Entwickelung von
Zeit und Umständen nicht begünstigt wird, so daß es sich

vielmehr erst durch vielfache Hindernisse durcharbeiten, von manchen Irrtümern sich losarbeiten muß, steht unendlich im Nachteil gegen ein gleichzeitiges, welches Gelegenheit findet, sich mit Leichtigkeit auszubilden und, was es vermag, ohne Widerstand auszuüben.

Bejahrten Personen fällt aus der Fülle der Erfahrung oft bei Gelegenheit ein, was eine Behauptung erläutern und bestärken könnte; deshalb sei folgende Anekdote zu erzählen vergönnt. Ein geübter Diplomat, der meine Bekanntschaft wünschte, sagte, nachdem er mich bei dem ersten Zusammentreffen nur überhin angesehen und gesprochen, zu seinen Freunden: Voilà un homme qui a eu de grands chagrins! Diese Worte gaben mir zu denken: der gewandte Gesichtsforscher hatte recht gesehen, aber das Phänomen bloß durch den Begriff von Duldung ausgedrückt, was er auch der Gegenwirkung hätte zuschreiben sollen. Ein aufmerksamer, gerader Deutscher hätte vielleicht gesagt: Das ist auch einer, der sich's hat sauer werden lassen!

Wenn sich nun in unseren Gesichtszügen die Spur überstandenen Leidens, durchgeführter Tätigkeit nicht auslöschen läßt, so ist es kein Wunder, wenn alles, was von uns und unserem Bestreben übrigbleibt, dieselbe Spur trägt und dem aufmerksamen Beobachter auf ein Dasein hindeutet, das in einer glücklichsten Entfaltung so wie in der notgedrungensten Beschränkung sich gleich zu bleiben und, wo nicht immer die Würde, doch wenigstens die Hartnäckigkeit des menschlichen Wesens durchzuführen trachtete.

Lassen wir also Altes und Neues, Vergangenes und Gegenwärtiges fahren, und sagen im allgemeinen: Jedes künstlerisch Hervorgebrachte versetzt uns in die Stimmung, in welcher sich der Verfasser befand. War sie heiter und leicht, so werden wir uns frei fühlen; war sie beschränkt, sorglich und bedenklich, so zieht sie uns gleichmäßig in die Enge.

Nun bemerken wir bei einigem Nachdenken, daß hier eigentlich nur von der Behandlung die Rede sei; Stoff und Gehalt kommt nicht in Betracht. Schauen wir sodann diesem gemäß in der Kunstwelt frei umher, so gestehen wir, daß ein jedes Erzeugnis uns Freude macht, was dem Künstler mit Bequemlichkeit und Leichtigkeit gelungen. Welcher

Liebhaber besitzt nicht mit Vergnügen eine wohlgeratne Zeichnung oder Radierung unseres Chodowiecki? Hier sehen wir eine solche Unmittelbarkeit an der uns bekannten Natur, daß nichts zu wünschen übrigbleibt. Nur darf er
5 nicht aus seinem Kreise, nicht aus seinem Format herausgehen, wenn nicht alle seiner Individualität gegönnten Vorteile sollen verloren sein.

Wir wagen uns weiter und bekennen, daß Manieristen sogar, wenn sie es nur nicht allzuweit treiben, uns
10 viel Vergnügen machen und daß wir ihre eigenhändigen Arbeiten sehr gern besitzen. Künstler, die man mit diesem Namen benennt, sind mit entschiedenem Talente geboren; allein sie fühlen bald, daß nach Verhältnis der Tage so wie der Schule, worein sie gekommen, nicht zu Federlesen
15 Raum bleibt, sondern daß man sich entschließen und fertig werden müsse. Sie bilden sich daher eine Sprache, mit welcher sie, ohne weiteres Bedenken, die sichtbaren Zustände leicht und kühn behandeln und uns, mit mehr oder minderm Glück, allerlei Weltbilder vorspiegeln, wodurch
20 denn manchmal ganze Nationen mehrere Dezennien hindurch angenehm unterhalten und getäuscht werden, bis zuletzt einer oder der andere wieder zur Natur und höheren Sinnesart zurückkehrt.

Daß es bei den Alten auch zuletzt auf eine solche Art von
25 Manier hinauslief, sehen wir an den Herkulanischen Altertümern; allein die Vorbilder waren zu groß, zu frisch, wohlerhalten und gegenwärtig, als daß ihre Dutzendmaler sich hätten ganz ins Nichtige verlieren können.

Treten wir nun auf einen höhern und angenehmern
30 Standpunkt und betrachten das einzige Talent Raffaels. Dieser, mit dem glücklichsten Naturell geboren, erwuchs in einer Zeit, wo man redlichste Bemühung, Aufmerksamkeit, Fleiß und Treue der Kunst widmete. Vorausgehende Meister führten den Jüngling bis an die Schwelle, und er
35 brauchte nur den Fuß aufzuheben, um in den Tempel zu treten. Durch Peter Perugin zur sorgfältigsten Ausführung angehalten, entwickelt sich sein Genie an Leonard da Vinci und Michel Angelo. Beide gelangten während eines langen Lebens, ungeachtet der höchsten Steigerung ihrer Talente,

kaum zu dem eigentlichen Behagen des Kunstwirkens. Jener hatte sich, genau besehen, wirklich müde gedacht und sich allzusehr am Technischen abgearbeitet, dieser, anstatt uns zu dem, was wir ihm schon verdanken, noch Überschwengliches im Plastischen zu hinterlassen, quält sich die schönsten Jahre durch in Steinbrüchen nach Marmorblöcken und Bänken, so daß zuletzt von allen beabsichtigten Heroen des Alten und Neuen Testamentes der einzige Moses fertig wird, als ein Musterbild dessen, was hätte geschehen können und sollen. Raffael hingegen wirkt seine ganze Lebenszeit hindurch mit immer gleicher und größerer Leichtigkeit. Gemüts- und Tatkraft stehen bei ihm in so entschiedenem Gleichgewicht, daß man wohl behaupten darf, kein neuerer Künstler habe so rein und vollkommen gedacht als er und sich so klar ausgesprochen. Hier haben wir also wieder ein Talent, das uns aus der ersten Quelle das frischeste Wasser entgegensendet. Er gräzisiert nirgends, fühlt, denkt, handelt aber durchaus wie ein Grieche. Wir sehen hier das schönste Talent zu ebenso glücklicher Stunde entwickelt, als es unter ähnlichen Bedingungen und Umständen zu Perikles' Zeit geschah.

Und so muß man immer wiederholen: Das geborne Talent wird zur Produktion gefordert, es fordert dagegen aber auch eine natur- und kunstgemäße Entwickelung für sich; es kann sich seiner Vorzüge nicht begeben und kann sie ohne äußere Zeitbegünstigung nicht gemäß vollenden.

Man betrachte die Schule der Carracci. Hier lag Talent, Ernst, Fleiß und Konsequenz zum Grunde, hier war ein Element, in welchem sich schöne Talente natur- und kunstgemäß entwickeln konnten. Wir sehen ein ganzes Dutzend vorzüglicher Künstler von dort ausgehen, jeden in gleichem allgemeinen Sinn sein besonderes Talent üben und bilden, so daß kaum nach der Zeit ähnliche wieder erscheinen konnten.

Sehen wir ferner die ungeheuren Schritte, welche der talentreiche Rubens in die Kunstwelt hineintut! Auch er ist kein Erdgeborner; man schaue die große Erbschaft, in die er eintritt, von den Urvätern des 14ten und 15ten Jahrhunderts durch alle die trefflichen des 16ten hindurch, gegen dessen Ende er geboren wird.

Betrachtet man neben und nach ihm die Fülle niederländischer Meister des 17ten, deren große Fähigkeiten sich
bald zu Hause, bald südlich, bald nördlich ausbilden, so
wird man nicht leugnen können, daß die unglaubliche Saga-
zität, womit ihr Auge die Natur durchdrungen, und die
Leichtigkeit, womit sie ihr eignes gesetzliches Behagen
ausgedrückt, uns durchaus zu entzücken geeignet sei. Ja,
insofern wir dergleichen besitzen, beschränken wir uns gern
ganze Zeiten hindurch auf Betrachtung und Liebe solcher
Erzeugnisse und verargen es Kunstfreunden keineswegs,
die sich ganz allein im Besitz und Verehrung dieses Faches
begnügen.

Und so könnten wir noch hundert Beispiele bringen, das,
was wir aussprechen, zu bewahrheiten. Die Klarheit der
Ansicht, die Heiterkeit der Aufnahme, die Leichtigkeit der
Mitteilung, das ist es, was uns entzückt; und wenn wir nun
behaupten, dieses alles finden wir in den echt griechischen
Werken, und zwar geleistet am edelsten Stoff, am würdigsten Gehalt, mit sicherer und vollendeter Ausführung, so
wird man uns verstehen, wenn wir immer von dort ausgehen
und immer dort hinweisen. Jeder sei auf seine Art ein
Grieche! Aber er sei's.

Ebenso ist es mit dem schriftstellerischen Verdienste.
Das Faßliche wird uns immer zuerst ergreifen und vollkommen befriedigen; ja wenn wir die Werke eines und desselben Dichters vornehmen, so finden wir manche, die auf
eine gewisse peinliche Arbeit hindeuten, andere dagegen,
weil das Talent dem Gehalt und der Form vollkommen
gewachsen war, wie freie Naturerzeugnisse hervortreten.
Und so ist unser wiederholtes, aufrichtiges Bekenntnis,
daß keiner Zeit versagt sei, das schönste Talent hervorzubringen, daß aber nicht einer jeden gegeben ist, es vollkommen würdig zu entwickeln.

VON DEUTSCHER BAUKUNST
(1823)

Einen großen Reiz muß die Bauart haben, welche die Italiener und Spanier schon von alten Zeiten her, wir aber erst in der neuesten die deutsche (tedesca, germanica) genannt haben. Mehrere Jahrhunderte ward sie zu kleinern und zu ungeheuren Gebäuden angewendet, der größte Teil von Europa nahm sie auf; Tausende von Künstlern, Abertausende von Handwerkern übten sie; den christlichen Kultus förderte sie höchlich und wirkte mächtig auf Geist und Sinn: sie muß also etwas Großes, gründlich Gefühltes, Gedachtes, Durchgearbeitetes enthalten, Verhältnisse verbergen und an den Tag legen, deren Wirkung unwiderstehlich ist.

Merkwürdig war uns daher das Zeugnis eines Franzosen, eines Mannes, dessen eigene Bauweise der gerühmten sich entgegensetzte, dessen Zeit von derselben äußerst ungünstig urteilte; und dennoch spricht er folgendermaßen:

„Alle Zufriedenheit, die wir an irgendeinem Kunstschönen empfinden, hängt davon ab, daß Regel und Maß beobachtet sei; unser Behagen wird nur durch Proportion bewirkt. Ist hieran Mangel, so mag man noch so viel äußere Zierat anwenden, Schönheit und Gefälligkeit, die ihnen innerlich fehlen, wird nicht ersetzt; ja man kann sagen, daß ihre Häßlichkeit nur verhaßter und unerträglicher wird, wenn man die äußeren Zieraten durch Reichtum der Arbeit oder der Materie steigert.

Um diese Behauptung noch weiter zu treiben, sag' ich, daß die Schönheit, welche aus Maß und Proportion entspringt, keineswegs kostbarer Materien und zierlicher Arbeit bedarf, um Bewunderung zu erlangen; sie glänzt vielmehr und macht sich fühlbar, hervorblickend aus dem Wuste und der Verworrenheit des Stoffes und der Behandlung. So beschauen wir mit Vergnügen einige Massen jener gotischen Gebäude, deren Schönheit aus Symmetrie und Proportion des Ganzen zu den Teilen und der Teile untereinander entsprungen erscheint und bemerklich ist, ungeachtet der häßlichen Zieraten, womit sie verdeckt sind, und zum Trutz

derselben. Was uns aber am meisten überzeugen muß, ist, daß, wenn man diese Massen mit Genauigkeit untersucht, man im ganzen dieselben Proportionen findet wie an Gebäuden, welche, nach Regeln der guten Baukunst erbaut,
5 uns beim Anblick so viel Vergnügen gewähren."

François Blondel, Cours d'Architecture. Cinquième partie. Liv. V. Chap. XVI. XVII.

Erinnern dürfen wir uns hierbei gar wohl jüngerer Jahre, wo der Straßburger Münster so große Wirkung auf uns
10 ausübte, daß wir unberufen unser Entzücken auszusprechen nicht unterlassen konnten. Eben das, was der französische Baumeister nach gepflogener Messung und Untersuchung gesteht und behauptet, ist uns unbewußt begegnet, und es wird ja auch nicht von jedem gefordert, daß er von Ein-
15 drücken, die ihn überraschen, Rechenschaft geben solle.

Standen aber diese Gebäude Jahrhunderte lang nur wie eine alte Überlieferung da, ohne sonderlichen Eindruck auf die größere Menschenmasse, so ließen sich die Ursachen davon gar wohl angeben. Wie mächtig hingegen erschien
20 ihre Wirksamkeit in den letzten Zeiten, welche den Sinn dafür wieder erweckten! Jüngere und Ältere beiderlei Geschlechts waren von solchen Eindrücken übermannt und hingerissen, daß sie sich nicht allein durch wiederholte Beschauung, Messung, Nachzeichnung daran erquickten und
25 erbauten, sondern auch diesen Stil bei noch erst zu errichtenden, lebendigem Gebrauch gewidmeten Gebäuden wirklich anwendeten und eine Zufriedenheit fanden, sich gleichsam urväterlich in solchen Umgebungen zu empfinden.

Da nun aber einmal der Anteil an solchen Produktionen
30 der Vergangenheit erregt worden, so verdienen diejenigen großen Dank, die uns in den Stand setzen, Wert und Würde im rechten Sinne, das heißt historisch zu fühlen und zu erkennen, wovon ich nunmehr einiges zur Sprache bringe, indem ich mich durch mein näheres Verhältnis zu so be-
35 deutenden Gegenständen aufgefordert fühle.

Seit meiner Entfernung von Straßburg sah ich kein wichtiges imposantes Werk dieser Art; der Eindruck erlosch, und ich erinnerte mich kaum jenes Zustandes, wo mich ein solcher Anblick zum lebhaftesten Enthusiasmus angeregt

hatte. Der Aufenthalt in Italien konnte solche Gesinnungen
nicht wieder beleben, um so weniger, als die modernen Veränderungen am Dome zu Mailand den alten Charakter nicht
mehr erkennen ließen; und so lebte ich viele Jahre solchem
Kunstzweige entfernt, wo nicht gar entfremdet.   5

Im Jahre 1810 jedoch trat ich, durch Vermittelung eines
edlen Freundes, mit den Gebrüdern Boisserée in ein näheres
Verhältnis. Sie teilten mir glänzende Beweise ihrer Bemühungen mit; sorgfältig ausgeführte Zeichnungen des
Doms zu Köln, teils im Grundriß, teils von mehreren Seiten,   10
machten mich mit einem Gebäude bekannt, das nach scharfer Prüfung gar wohl die erste Stelle in dieser Bauart verdient; ich nahm ältere Studien wieder vor und belehrte mich
durch wechselseitige freundschaftliche Besuche und emsige
Betrachtung gar mancher aus dieser Zeit sich herschreiben-   15
den Gebäude, in Kupfern, Zeichnungen, Gemälden, so daß
ich mich endlich wieder in jenen Zuständen ganz einheimisch
fand.

Allein der Natur der Sache nach, besonders aber in meinem
Alter und meiner Stellung, mußte mir das Geschichtliche   20
dieser ganzen Angelegenheit das Wichtigste werden, wozu
mir denn die bedeutenden Sammlungen meiner Freunde die
besten Fördernisse darreichten.

Nun fand sich glücklicherweise, daß Herr Moller, ein
höchst gebildeter, einsichtiger Künstler, auch für diese Ge-   25
genstände entzündet ward und auf das glücklichste mitwirkte.
Ein entdeckter Originalriß des Kölner Doms gab der Sache
ein neues Ansehen; die lithographische Kopie desselben,
ja die Kontradrücke, wodurch sich das ganze zweitürmige
Bild durch Zusammenfügen und Austuschen den Augen   30
darstellen ließ, wirkte bedeutsam; und was dem Geschichtsfreunde zu gleicher Zeit höchst willkommen sein mußte, war
des vorzüglichen Mannes Unternehmen, eine Reihe von
Abbildungen älterer und neuerer Zeit uns vorzulegen, da
man denn zuerst das Herankommen der von uns diesmal   35
betrachteten Bauart, sodann ihre höchste Höhe und endlich
ihr Abnehmen vor Augen sehen und bequem erkennen sollte. Dieses findet nun um desto eher statt, da das erste Werk
vollendet vor uns liegt und das zweite, das von einzelnen

Gebäuden dieser Art handeln wird, auch schon in seinen ersten Heften zu uns gekommen ist.

Mögen die Unternehmungen dieses ebenso einsichtigen als tätigen Mannes möglichst vom Publikum begünstigt werden; denn mit solchen Dingen sich zu beschäftigen ist an der Zeit, die wir zu benutzen haben, wenn für uns und unsere Nachkommen ein vollständiger Begriff hervorgehen soll.

Und so müssen wir denn gleiche Aufmerksamkeit und Teilnahme dem wichtigen Werke der Gebrüder Boisserée wünschen, dessen erste Lieferung wir früher schon im allgemeinen angezeigt.

Mit aufrichtiger Teilnahme sehe ich nun das Publikum die Vorteile genießen, die mir seit dreizehn Jahren gegönnt sind: denn so lange bin ich Zeuge der ebenso schwierigen als anhaltenden Arbeit der Boisseréeschen Verbündeten. Mir fehlte es nicht diese Zeit her an Mitteilung frisch gezeichneter Risse, alter Zeichnungen und Kupfer, die sich auf solche Gegenstände bezogen; besonders aber wichtig waren die Probedrücke der bedeutenden Platten, die sich durch die vorzüglichsten Kupferstecher ihrer Vollendung näherten.

So schön mich aber auch dieser frische Anteil in die Neigungen meiner früheren Jahre wieder zurückversetzte, fand ich doch den größten Vorteil bei einem kurzen Besuche in Köln, den ich an der Seite des Herrn Staatsministers von Stein abzulegen das Glück hatte.

Ich will nicht leugnen, daß der Anblick des Kölner Doms von außen eine gewisse Apprehension in mir erregte, der ich keinen Namen zu geben wüßte. Hat eine bedeutende Ruine etwas Ehrwürdiges, ahnen, sehen wir in ihr den Konflikt eines würdigen Menschenwerks mit der stillmächtigen, aber auch alles nicht achtenden Zeit, so tritt uns hier ein Unvollendetes, Ungeheures entgegen, wo eben dieses Unfertige uns an die Unzulänglichkeit des Menschen erinnert, sobald er sich unterfängt, etwas Übergroßes leisten zu wollen.

Selbst der Dom inwendig macht uns, wenn wir aufrichtig sein wollen, zwar einen bedeutenden, aber doch unharmonischen Effekt; nur wenn wir ins Chor treten, wo das Vollendete uns mit überraschender Harmonie anspricht, da erstaunen wir fröhlich, da erschrecken wir freudig und fühlen unsere Sehnsucht mehr als erfüllt.

Ich aber hatte mich längst schon besonders mit dem Grundriß beschäftigt, viel darüber mit den Freunden verhandelt, und so konnte ich, da beinahe zu allem der Grund gelegt ist, die Spuren der ersten Intention an Ort und Stelle genau verfolgen. Ebenso halfen mir die Probedrücke der Seitenansicht und die Zeichnung des vorderen Aufrisses einigermaßen das Bild in meiner Seele auferbauen; doch blieb das, was fehlte, immer noch so übergroß, daß man sich zu dessen Höhe nicht aufschwingen konnte.

Jetzt aber, da die Boisseréesche Arbeit sich ihrem Ende naht, Abbildung und Erklärung in die Hände aller Liebhaber gelangen werden, jetzt hat der wahre Kunstfreund auch in der Ferne Gelegenheit, sich von dem höchsten Gipfel, wozu sich diese Bauweise erhoben, völlig zu überzeugen; da er denn, wenn er gelegentlich sich als Reisender jener wundersamen Stätte nähert, nicht mehr der persönlichen Empfindung, dem trüben Vorurteil oder, im Gegensatz, einer übereilten Abneigung sich hingeben, sondern als ein Wissender und in die Hüttengeheimnisse Eingeweihter das Vorhandene betrachten und das Vermißte in Gedanken ersetzen wird. Ich wenigstens wünsche mir Glück, zu dieser Klarheit nach funfzigjährigem Streben durch die Bemühungen patriotisch gesinnter, geistreicher, emsiger, unermüdeter junger Männer gelangt zu sein.

Daß ich bei diesen erneuten Studien deutscher Baukunst des zwölften Jahrhunderts öfters meiner frühern Anhänglichkeit an den Straßburger Münster gedachte und des damals, 1773, im ersten Enthusiasmus verfaßten Druckbogens mich erfreute, da ich mich desselben beim späteren Lesen nicht zu schämen brauchte, ist wohl natürlich: denn ich hatte doch die innern Proportionen des Ganzen gefühlt, ich hatte die Entwickelung der einzelnen Zieraten eben aus diesem Ganzen eingesehen und nach langem und wiederholtem Anschauen gefunden, daß der eine hoch genug auferbaute Turm doch seiner eigentlichen Vollendung ermangle. Das alles traf mit den neueren Überzeugungen der Freunde und meiner eigenen ganz wohl überein, und wenn jener

Aufsatz etwas Amphigurisches in seinem Stil bemerken
läßt, so möchte es wohl zu verzeihen sein, da wo etwas Un-
aussprechliches auszusprechen ist.

Wir werden noch oft auf diesen Gegenstand zurück-
kommen und schließen hier dankbar gegen diejenigen, denen
wir die gründlichsten Vorarbeiten schuldig sind, Herrn
Moller und Büsching, jenem in seiner Auslegung der gegebenen Kupfertafeln, diesem in dem Versuch einer Einleitung in die Geschichte der altdeutschen Baukunst; wozu
mir denn gegenwärtig als erwünschtestes Hülfsmittel die
Darstellung zuhanden liegt, welche Herr Sulpiz Boisserée
als Einleitung und Erklärung der Kupfertafeln mit gründ-
licher Kenntnis aufgesetzt hat.

Indessen möge ein Abdruck jenes oft genannten früheren
Aufsatzes nächstens folgen, um auch den Unterschied zwischen dem ersten Keimen und der letzten Frucht recht
anschaulich und eindringlich zu machen.

JULIUS CÄSARS TRIUMPHZUG,
GEMALT VON MANTEGNA

Des Meisters Kunst im allgemeinsten

An den Werken dieses außerordentlichen Künstlers, vorzüglich auch an dem Triumphzug Cäsars, einer Haupt-
arbeit, wovon wir näher zu handeln gedenken, glauben wir
einen Widerstreit zu fühlen, welcher beim ersten Anblick
nicht aufzulösen scheint.

Zuvörderst also werden wir gewahr, daß er nach dem
strebt, was man Stil nennt, nach einer allgemeinen Norm
der Gestalten; denn sind auch mitunter seine Proportionen
zu lang, die Formen zu hager, so ist doch ein allgemein
Kräftiges, Tüchtiges, Übereinstimmendes durchaus wahrzunehmen an Menschen und Tieren, nicht weniger in allen
Nebensachen von Kleidern, Waffen und erdenklichem Gerät. Hier überzeugt man sich von seinem Studium der
Antike; hier muß man anerkennen, er sei in das Altertum
eingeweiht, er habe sich darein völlig versenkt.

Nun gelingt ihm aber auch die unmittelbarste und individuellste Natürlichkeit bei Darstellung der mannigfaltigsten Gestalten und Charaktere. Die Menschen, wie sie leiben und leben, mit persönlichen Vorzügen und Mängeln, wie sie auf dem Markte schlendern, in Prozessionen einhergehen, 5 sich in Haufen zusammendrängen, weiß er zu schildern; jedes Alter, jedes Temperament wird in seiner Eigentümlichkeit vorgeführt, so daß, wenn wir erst das allgemeinste ideellste Streben gewahr wurden, wir sodann, nicht etwa nebenan, sondern mit dem Höhern verkörpert, auch das 10 Besonderste, Natürlichste, Gemeinste aufgefaßt und überliefert sehen.

Lebensereignisse

Diese beinahe unmöglich scheinende Leistung erklärt sich nur durch Ereignisse seines Lebens. Ein vorzüglicher Maler 15 jener Zeit, Francesco Squarcione, gewinnt unter vielen Schülern den jungen, früh sich auszeichnenden Mantegna lieb, daß er ihm nicht allein den treusten und entschiedensten Unterricht gönnt, sondern ihn sogar an Kindesstatt annimmt und also mit ihm, für und durch ihn fortwirken zu wollen 20 erklärt.

Als aber endlich dieser herangebildete glückliche Zögling mit der Familie Bellin bekannt wird und sie an ihm gleichfalls den Künstler wie den Menschen anzuerkennen und zu schätzen weiß, in solchem Grade, daß ihm eine 25 Tochter Jakobs, die Schwester von Johann und Gentile, angetraut wird, da verwandelt sich die eifersüchtige Neigung des ersten väterlichen Meisters in einen grenzenlosen Haß, sein Beistand in Verfolgung, sein Lob in Schmähungen.

Nun gehörte aber Squarcione zu den Künstlern, denen 30 im funfzehnten Jahrhunderte der hohe Wert antiker Kunst aufgegangen war; er selbst arbeitete in diesem Sinne nach Vermögen und säumte nicht, seine Schüler unverrückt dahin zu weisen. – Es sei sehr töricht, war sein Behaupten, das Schöne, Hohe, Herrliche mit eigenen Augen in der Natur 35 suchen, es mit eigenen Kräften ihr abgewinnen zu wollen, da unsere großen griechischen Vorfahren sich schon längst des Edelsten und des Darstellenswertesten bemächtigt

und wir also aus ihren Schmelzöfen schon das geläuterte
Gold erhalten könnten, das wir aus Schutt und Grus der
Natur nur mühselig ausklaubend als kümmerlichen Gewinn
eines vergeudeten Lebens bedauern müssen.

5   In diesem Sinne hatte sich denn der hohe Geist des
talentvollsten Jünglings unablässig gehalten, zu Freude
seines Meisters und eigenen großen Ehren. Als nun aber
Lehrer und Schüler feindselig zerfallen, vergißt jener seines
Leitens und Strebens, seines Lehrens und Unterweisens;
10   widersinnig tadelt er nunmehr, was der Jüngling auf seinen
Rat, auf sein Geheiß vollbracht hat und vollbringt; er verbindet sich mit der Menge, welche einen Künstler zu sich
herabziehen will, um ihn beurteilen zu können. Sie fordert
Natürlichkeit und Wirklichkeit, damit sie einen Vergleichs-
15   punkt habe, nicht den höheren, der im Geiste ruht, sondern
den gemeineren äußeren, wo sich denn Ähnlichkeit und Un-
ähnlichkeit des Originals und der Kopie allenfalls in Anspruch nehmen läßt. Nun soll Mantegna nicht mehr gelten:
er vermag, so heißt es, nichts Lebendiges hervorzubringen,
20   seine herrlichsten Arbeiten werden als steinern und hölzern,
als starr und steif gescholten. Der edle Künstler, noch in
seiner kräftigsten Zeit, ergrimmt und fühlt recht gut, daß
ihm eben vom Standpunkt der Antike die Natur nur desto
natürlicher, seinem Kunstblick verständlicher geworden; er
25   fühlt sich ihr gewachsen und wagt auch auf dieser Woge zu
schwimmen. Von dem Augenblick an ziert er seine Gemälde
mit den Ebenbildnissen vieler Mitbürger, und indem er das
gereifte Alter im individuellen Freund, die köstliche Jugend
in seinen Geliebten verewigt und so den edelsten, würdigsten
30   Menschen das erfreulichste Denkmal setzt, so verschmäht
er nicht, auch seltsam ausgezeichnete, allgemein bekannte,
wunderlich gebildete, ja den letzten Gegensatz, mißgebildete,
darzustellen.

Jene beiden Elemente nun fühlt man in seinen Werken,
35   nicht etwa getrennt, sondern verflochten; das Ideelle, Höhere zeigt sich in der Anlage, in Wert und Würde des Ganzen; hier offenbart sich der große Sinn, Absicht, Grund und
Halt. Dagegen dringt aber auch die Natur mit ursprünglicher Gewaltsamkeit herein, und wie der Bergstrom durch

alle Zacken des Felsens Wege zu finden weiß und mit gleicher Macht, wie er angekommen, wieder ganz vom Ganzen
herunterstürzt, so ist es auch hier. Das Studium der Antike
gibt die Gestalt, sodann aber die Natur Gewandtheit und
letztes Leben.

Da nun aber selbst das größte Talent, welches in seiner
Bildung einen Zwiespalt erfuhr, indem es sich zweimal, und
zwar nach entgegengesetzten Seiten, auszubilden Anlaß und
Antrieb fand, kaum vermögend ist, diesen Widerspruch ganz
auszugleichen, das Entgegengesetzte völlig zu vereinigen,
so wird jenes Gefühl, von dem wir zuerst gesprochen, das
uns vor Mantegnas Werken ergreift, vielleicht durch einen
nicht völlig aufgelösten Widerstreit erregt. Indessen möcht'
es der höchste Konflikt sein, in welchem sich jemals ein
Künstler befunden, da er ein solches Abenteuer zu bestehen
zu einer Zeit berufen war, wo eine sich entwickelnde höchste
Kunst über ihr Wollen und Vermögen sich noch nicht deutliche Rechenschaft ablegen konnte.

Dieses Doppelleben also, welches Mantegnas Werke
eigentümlich auszeichnet und wovon noch viel zu sagen wäre,
manifestiert sich besonders in seinem Triumphzuge Cäsars,
wo er alles, was ein großes Talent vermochte, in höchster
Fülle vorüberführt.

Hievon gibt uns nun einen genugsam allgemeinen Begriff
die Arbeit, welche Andreas Andreani gegen das Ende des
16ten Jahrhunderts unternommen, indem er die neun Bilder
Mantegnas auf ebensoviel Blättern, mit Holzstöcken, in
bedeutender Größe nachgebildet und also die Ansicht und
den Genuß derselben allgemeiner verbreitet hat. Wir legen
sie vor uns und beschreiben sie der Reihe nach.

1. Posaunen und Hörner, kriegerische Ankündigung,
pausbäckige Musikanten voraus. Hierauf andringende Soldaten, Feld-, Kriegs- und Glückszeichen auf Stangen hoch
emportragend. Romas Büste voran, Juno, die Verleiherin,
der Pfau besonders, Abundantien mit Fruchthorn und
Blumenkorb, sie schwanken über fliegenden Wimpeln und
schwebenden Tafeln. Dazwischen in den Lüften flammende,
dampfende Fackelpfannen, den Elementen zur Ehre, zu
Anregung aller Sinne.

Andere Krieger, vorwärts zu schreiten gehindert, stehen
still, den unmittelbar nachfolgenden gewaltsamen Drang
abzuwehren; je zwei und zwei halten senkrecht hohe, voneinander entfernte Stangen, an denen man hüben und drüben
5 angeheftet Gemälde, lang und schmal ausgespannt, erblickt.
Diese Schildereien, in Felder abgeteilt, dienen zur Exposi-
tion: hier wird dem Auge bildlich dargebracht, was geschehen mußte, damit dieser überschwengliche Triumphzug
stattfände.

10   Feste Städte, von Kriegsheeren umringt, bestürmt durch
Maschinen, eingenommen, verbrannt, zerstört; weggeführte
Gefangene zwischen Niederlage und Tod. Völlig die an-
kündigende Symphonie, die Introduktion einer großen Oper.

2. Hier nun die nächste und höchste Folge des unbeding-
15 ten Sieges. Weggeführte Götter, welche die nicht mehr zu
schützenden Tempel verlassen. Lebensgroße Statuen von
Jupiter und Juno auf zweispännigem, Kolossalbüste der
Cybele auf einspännigem Wagen, sodann eine kleinere trag-
bare Gottheit, in den Armen eines Knechtes. Der Hinter-
20 grund überhaupt von hochaufgetürmten Wagengerüsten,
Tempelmodellen, baulichen Herrlichkeiten angefüllt, zugleich Belagerungsmaschinen, Widder und Ballisten. Aber
ganz grenzenlos mannigfaltig aufgeschichtet gleich hinterdrein Waffen aller Heeresarten, mit großem ernsten Ge-
25 schmack zusammen und übereinander gestellt und gehängt.
Erst in der folgenden Abteilung

3. wird jedoch die größte Masse aufgehäuft vorüber-
geschafft. Sodann sieht man, von tüchtigen Jünglingen getragen, jede Art von Schätzen: dickbäuchige Urnen, ange-
30 füllt mit aufgehäuften Münzen, und auf denselben Trag-
gestellen Vasen und Krüge; auf den Schultern lasten diese
schon schwer genug, aber nebenbei trägt jeder noch ein
Gefäß oder sonst etwas Bedeutendes. Dergleichen Gruppen
ziehen sich auch noch ins folgende Blatt fort.

35 4. Die Gefäße sind von der mannigfaltigsten Art, aber die
Hauptbestimmung ist, gemünztes Silber heranzubringen.
Nun schieben sich, über dieses Gedränge, überlange Po-
saunen in die Luft vor; an ihnen spielen herabhängende
Bänder, mit inschriftlicher Widmung: dem triumphierenden

Halbgott Julius Cäsar; geschmückte Opfertiere; zierliche
Kamillen und fleischermäßige Popen.

5. Vier Elefanten, der vordere völlig sichtbar, die drei
andern perspektivisch weichend; Blumen und Fruchtkörbe
auf den Häuptern, kranzartig. Auf ihrem Rücken hohe
flammende Kandelaber; schöne Jünglinge leicht bewegt
aufreichend, wohlriechendes Holz in die Flammen zu legen,
andere die Elefanten leitend, andere anders beschäftigt.

6. Auf die beschwerliche Masse der ungeheuern Tiere
folgt mannigfaltige Bewegung; das Kostbarste, das höchste
Gewonnene wird nun herangebracht. Die Träger schlagen
einen andern Weg ein, hinter den Elefanten ins Bild
schreitend. Was aber tragen sie? Wahrscheinlich lauteres
Gold, Goldmünzen in kleinerem Geschirr, kleinere Vasen
und Gefäße. Hinter ihnen folgt noch eine Beute von größerem Wert und Wichtigkeit, die Beute der Beuten, die alle
vorhergehende in sich begreift. Es sind die Rüstungen der
überwundenen Könige und Helden, jede Persönlichkeit als
eigene Trophäe. Die Derbheit und Tüchtigkeit der überwundenen Fürsten wird dadurch angezeigt, daß die Träger
ihre Stangenlast kaum heben können, sie nah am Boden
herschleppen oder gar niedersetzen, um, einen Augenblick
ausruhend, sie wieder frischer fortzutragen.

7. Doch sie werden nicht sehr gedrängt; hinter ihnen
schreiten Gefangene einher; kein Abzeichen unterscheidet
sie, wohl aber persönliche Würde. Edle Matronen gehen
voran mit erwachsenen Töchtern. Zunächst gegen den
Zuschauer geht ein Fräulchen von acht bis zehen Jahren an
der Mutter Seite, so schmuck und zierlich als bei dem an-
ständigsten Feste. Treffliche, tüchtige Männer folgen hierauf, in langen Gewändern, ernst, nicht erniedrigt; es ist ein
höheres Geschick, das sie hinzieht. Auffallend ist daher im
folgenden Glied ein großer, wohlgebildeter, gleichfalls ehren-
voll gekleideter Mann, welcher mit grimmigem, beinahe
fratzenhaftem Gesicht rückwärts blickt, ohne daß wir ihn
begreifen. Wir lassen ihn vorüber, denn ihm folgt eine
Gruppe von anziehenden Frauen. Eine junge Braut in ganzer
Jugendfülle, im Vollgesicht dargestellt – wir sagen Braut,
weil sie auch ohne Kranz in den Haaren so bezeichnet zu

werden verdiente –, steht hinterwärts, vor dem Zuschauer
zum Teil verdeckt von einer älteren kinderbelästigten Frau;
diese hat ein Wickelkind auf dem rechten Arme, und ihre
linke Hand nimmt ein stillstehender Knabe in Anspruch, der
5 den Fuß aufgereckt; weinend will er auch getragen sein.
Eine ältere, sich über ihn hinneigende Person, vielleicht die
Großmutter, sucht ihn vergebens zu begütigen.

Höchlich rühmen müssen wir indes den Künstler, daß
kein Kriegsheld, kein Heerführer als Gefangener vorgeführt
10 wird. Sie sind nicht mehr, ihre Rüstungen trug man hohl
vorbei; aber die eigentlichen Staaten, die uralten edlen Familien, die tüchtigen Ratsherrn, die behäbigen, fruchtbar
sich fortpflanzenden Bürger führt man im Triumph auf;
und so ist es denn alles gesagt: die einen sind totgeschla-
15 gen, und die anderen leiden.

Zwischen diesem und dem folgenden Bilde werden wir
nun gewahr, warum der stattliche Gefangene so grimmig
zurückblickt. Mißgestaltete Narren und Possenreißer schleichen sich heran und verhöhnen die edlen Unglücklichen;
20 diesem Würdigen ist das noch zu neu, er kann nicht ruhig
vorübergehen; wenn er dagegen nicht schimpfen mag, so
grinst er dagegen.

8. Aber der Ehrenmann scheint noch auf eine schmäh-
lichere Weise verletzt, es folgt ein Chor Musikanten in kon-
25 trastierenden Figuren. Ein wohlbehaglicher, hübscher Jüngling, in langer, fast weiblicher Kleidung, singt zur Leier und
scheint dabei zu springen und zu gestikulieren. Ein solcher
durfte beim Triumphzug nicht fehlen: sein Geschäft war,
sich seltsam zu gebärden, neckische Lieder zu singen, die
30 überwundenen Gefangenen frevelhaft zu verspotten. Die
Schalksnarren deuten auf ihn und scheinen mit albernen
Gebärden seine Worte zu kommentieren, welches jenem
Ehrenmann allzu ärgerlich auffallen mag.

Daß übrigens von keiner ernsthaft edlen Musik die Rede
35 sei, ergibt sich sogleich aus der folgenden Figur: denn ein
himmellanger, schafbepelzter, hochgemützter Dudelsack-
pfeifer tritt unmittelbar hinterdrein; Knaben mit Schellentrommeln scheinen den Mißlaut zu vermehren. Einige rückwärts blickende Soldaten aber und andere Andeutungen

machen uns aufmerksam, daß nun bald das Höchste erfolgen werde.

9. Und nun erscheint auch, auf einem übermäßig, obgleich mit großem Sinn und Geschmack verzierten Wagen, Julius Cäsar selbst, dem ein tüchtig gestalteter Jüngling auf einer Art Standarte das Veni Vidi Vici entgegenhält. Dieses Blatt ist so gedrängt voll, daß man die nackten Kinder mit Siegeszweigen zwischen Pferden und Rädern nur mit Angst ansieht; in der Wirklichkeit müßten sie längst zerquetscht sein. Trefflicher war jedoch ein solches Gedränge, das für die Augen immer unfaßlich und für den Sinn verwirrend ist, bildlich nicht darzustellen.

10. Ein zehntes Bild aber ist für uns nun von der größten Bedeutung: denn das Gefühl, der Zug sei nicht geschlossen, wandelt einen jeden an, der die neun Blätter hintereinanderlegt. Wir finden nicht allein den Wagen steil, sondern sogar hinter demselben durch den Rahmen abgeschnittene Figuren; das Auge verlangt einen Nachklang und wenigstens einige der Hauptgestalt nahetretende, den Rücken deckende Gestalten.

Zu Hülfe kommt uns nun ein eigenhändiger Kupferstich, welcher mit der größten Sorgfalt gearbeitet und zu den vorzüglichsten Werken des Meisters dieser Art zu rechnen ist. Eine Schar tritt heran männlicher, älterer und jüngerer, sämtlich charakteristischer Personen. Daß es der Senat sei, ist keineswegs zuzugeben; der Senat wird den Triumphzug am schicklichen Ort durch eine Deputation empfangen haben, aber auch diese konnte ihm nicht weiter entgegengehen, als nötig war, umzukehren und vorauszuschreiten und den versammelten Vätern die Ankömmlinge vorzuführen.

Doch sei diese Untersuchung dem Altertumsforscher vorbehalten. Nach unserer Weise dürfen wir nur das Blatt aufmerksam betrachten, so spricht es sich, wie jedes vortreffliche Kunstwerk, selbst aus; da sagen wir denn geradezu: es ist der Lehrstand, der gern dem siegenden Wehrstand huldiget, weil durch diesen allein Sicherheit und Fördernis zu hoffen ist. Den Nährstand hatte Mantegna in den Triumphzug als Tragende, Bringende, Feiernde, Preisende verteilt, auch in der Umgebung als Zuschauer aufgestellt.

Nun aber freut sich der Lehrstand, den Überwinder zu begleiten, weil durch ihn Staat und Kultur wieder gesichert ist.

In Absicht auf Mannigfaltigkeit der Charakteristik ist das beschriebene Blatt eines der schätzbarsten, die wir kennen, und Mantegna hat gewiß diesen Zug auf der hohen Schule von Padua studiert.

Voran im ersten Glied, in langen faltigen Gewändern, drei Männer, mittleren Alters, teils ernsten, teils heiteren Angesichts, wie beides Gelehrten und Lehrern ziemt. Im zweiten Gliede zeichnet sich zunächst eine alte, kolossale, behaglich-dicke, kräftige Natur aus, die hinter allem dem mächtigen Triumphgewirre sich noch ganz tüchtig hervortut. Das bartlose Kinn läßt einen fleischigen Hals sehen, die Haare sind kurz geschnitten; höchst behaglich hält er die Hände auf Brust und Bauch und macht sich nach allen bedeutenden Vorgängern noch immer auffallend bemerklich. Unter den Lebendigen hab' ich niemanden gesehen, der ihm zu vergleichen wäre, außer Gottsched; dieser würde in ähnlichem Fall und gleicher Kleidung ebenso einhergeschritten sein: er sieht vollkommen dem Pfeiler einer dogmatisch-didaktischen Anstalt gleich. Wie er ohne Bart und Haupthaare, sind auch seine Kollegen, wenngleich behaart, doch ohne Bärte; der vorderste, etwas ernster und grämlicher, scheint eher dialektischen Sinn zu haben. Solcher Lehrenden sind sechs, welche in Haupt und Geist alles mit sich zu tragen scheinen; dagegen die Schüler nicht allein durch jüngere, leichtere Gestalten bezeichnet sind, sondern auch dadurch, daß sie gebundene Bücher in Händen tragen, anzuzeigen, daß sie, sowohl hörend als lesend, sich zu unterrichten geneigt seien.

Zwischen jene Ältesten und Mittleren ist ein Knabe von etwa acht Jahren eingeklemmt, um die ersten Lehrjahre zu bezeichnen, wo das Kind sich anzuschließen geneigt ist, sich einzumischen Lust hat; es hängt ein Pennal an seiner Seite, anzudeuten, daß er auf dem Bildungswege sei, wo dem Herankömmling manches Unangenehme begegnet. Wunderlicher und anmutig-natürlicher ist nichts zu ersinnen als dies Figürchen in solcher Lage.

Die Lehrer gehen jeder vor sich hin, die Schüler unterhalten sich untereinander.

Nun aber macht den ganzen Schluß, wie billig, das Militär, von welchem denn doch zuerst und zuletzt die Herrlichkeit des Reiches nach außen erworben und die Sicherheit nach innen erhalten werden muß. Diese ganze große Forderung aber befriedigt Mantegna mit ein paar Figuren: ein jüngerer Krieger, einen Ölzweig tragend, den Blick aufwärts gerichtet, läßt uns im Zweifel, ob er sich des Siegs erfreue, oder ob er sich über das Ende des Kriegs betrübe; dagegen ein alter, ganz abgelebter, in den schwersten Waffen, indem er die Dauer des Krieges repräsentiert, überdeutlich ausspricht, dieser Triumphzug sei ihm beschwerlich und er werde sich glücklich schätzen, heute abend irgendwo zur Ruhe zu kommen.

Der Hintergrund dieses Blatts nun, anstatt daß wir bisher meistens freie Aussichten gehabt, drängt sich, dem Menschendrang gemäß, gleichfalls zusammen; rechter Hand sehen wir einen Palast, zur Linken Turm und Mauern; die Nähe des Stadttors möchte damit angedeutet sein, angezeigt, daß wir uns wirklich am Ende befinden, daß nunmehr der ganze Triumphzug in die Stadt eingetreten und innerhalb derselben beschlossen sei.

Sollten auch dieser Vermutung die Hintergründe der vorhergehenden Blätter zu widersprechen scheinen, indem landschaftliche Aussichten, viel freie Luft, zwar auf Hügeln Tempel und Paläste, doch auch Ruinen gesehen werden, so läßt sich doch auch annehmen, daß der Künstler hiebei die verschiedenen Hügel von Rom gedacht und sie so bebaut und so ruinenhaft, wie er sie zu seiner Zeit gefunden, vorgestellt habe. Diese Auslegung gewinnt um so mehr Kraft, als doch wohl einmal ein Palast, ein Kerker, eine Brücke, die als Wasserleitung gelten kann, eine hohe Ehrensäule da steht, die man denn doch auf städtischem Grund und Boden vermuten muß.

Doch wir halten inne, weil wir sonst ins Grenzenlose gerieten und man mit noch so viel gehäuften Worten den Wert der flüchtig beschriebenen Blätter doch nicht ausdrücken könnte.

CÄSARS TRIUMPHZUG, GEMALT VON
MANTEGNA

ZWEITER ABSCHNITT

1) Ursprung, Wanderung, Beschaffenheit der Bilder.
2) Fernere Geschichte derselben. Sammlungen Karls I. von England.
3) Mantegnas eigene Kupferstiche in bezug auf den Triumph.
4) Zeugnis von Vasari mit Bemerkungen darüber.
5) Allgemeine Betrachtung und Mißbilligung seiner falschen Methode, von hinten hervor zu beschreiben.
6) Emendation der Bartschischen Auslegung.
7) Schwerdgeburths Zeichnung.

1. Mantegna lebte 1451 bis 1517 und malte in seiner besten Zeit auf Anregen seines großen Gönners, Ludwig Gonzaga, Herzogs von Mantua, gedachten Triumphzug für den Palast in der Nähe des Klosters St. Sebastian. Der Zug ist nicht auf die Wand, nicht im unmittelbaren Zusammenhange gemalt, sondern in neun abgesonderten Bildern, vom Platze beweglich; daher sie denn auch nicht an Ort und Stelle geblieben. Sie kamen vielmehr unter Karl I., welcher als ein großer Kunstfreund die köstlichsten Schätze zusammenbrachte und also auch den Herzog von Mantua auskaufte, nach London und blieben daselbst, obgleich nach seinem unglücklichen Tode die meisten Besitzungen dieser Art durch eine Auktion verschleudert wurden.

Gegenwärtig befinden sie sich, hochgeehrt, im Palaste Hamptoncourt, neun Stücke, alle von gleicher Größe, völlig quadrat, jede Seite neun Fuß, mit Wasserfarben auf Papier gemalt, mit Leinwand unterzogen, wie die Raffaelischen Kartone, welche denselben Palast verherrlichen.

Die Farben dieser Bilder sind höchst mannigfaltig, wohl erhalten und lebhaft, die Hauptfarben in allen ihren Abstufungen, Mischungen und Übergängen zu sehen: dem Scharlach steht anderes Hell- und Tiefrot entgegen, an Dunkel- und Hellgelb fehlt es nicht, Himmelblau zeigt sich, Blaßblau, Braun, Schwarz, Weiß und Gold.

Die Gemälde sind überhaupt in gutem Zustande, besonders die sieben ersten; die zwei letzteren, ein wenig verbleicht,
scheinen von der Zeit gelitten zu haben oder abgerieben zu
sein; doch ist dies auch nicht bedeutend. Sie hangen in
vergoldeten Rahmen neun Fuß hoch über dem Boden, drei 5
und drei auf drei Wände verteilt; die östliche ist eine Fenster-
seite, und folgen sie, von der südlichen zur nördlichen, völlig
in der Ordnung, wie sie Andreas Andreani numeriert hat.

Erwähnung derselben tut Hamptoncourt-Guide, Seite 19,
mit wenigen Worten; nicht viel umständlicher das Pracht- 10
werk The History of the Royal Residences of Windsor Castle,
St. James's Palace p. p. By W. H. Pyne. In three Volumes.
London 1819, welches gerade diesem Zimmer keine bildliche Darstellung gegönnt hat.

Vorstehende nähere Nachricht verdanken wir der Ge- 15
fälligkeit eines in England wohnenden deutschen Freundes,
des Herrn Dr. Noehden, welcher nichts ermangeln läßt,
das in Weimar angeknüpfte schöne Verhältnis auch in der
Ferne dauerhaft und in Wechselwirkung zu erhalten. Auf
unser zutrauliches Ansuchen begab er sich wiederholt nach 20
Hamptoncourt, und alles, was wir genau von Maß, Grund,
Farben, Erhaltung, Aufstellung und so weiter angeben, ist
die Frucht seiner aufmerksamen Genauigkeit.

2. Die frühste Neigung der Engländer zur Kunst mußte
sich, in Ermangelung inländischer Talente, nach auswärti- 25
gen Künstlern und Kunstwerken umsehen. Unter Heinrich
dem Achten arbeitete Holbein viel in England. Was unter
Elisabeth und Jakob dem Ersten geschehen, wäre noch zu
untersuchen. Der hoffnungsvolle Kronprinz Heinrich, zu
Anfang des siebzehnten Jahrhunderts geboren, hatte viel 30
Sinn für die Künste und legte bedeutende Sammlungen an.
Als er vor dem achtzehnten Jahre mit Tode abging, erbte
Karl der Erste mit der Krone die Sammlung des Bruders und
seine Liebhaberei. Rubens und van Dyck werden als Künst-
ler beschäftigt, als Kunstkenner zu Sammlungen behülflich. 35

Die Sammlung des Herzogs von Mantua wird angekauft,
mit ihr also die neun Tafeln Triumphzug. Über das Jahr
sind wir nicht genau belehrt, es muß aber zwischen 1625
und 1642 fallen, indem nachher, während der Bürgerkriege,

Geldmangel dem König dergleichen Akquisitionen unter-
sagte.

„Nach des Königs Ermordung wurde sowohl sein als
seiner Gemahlin und Prinzen Vermögen der Nation heim-
gefallen erklärt und durch einen Parlamentsbeschluß vom
März 1649 auktionsweise zum Verkauf angeboten, worunter
auch sämtliche Kunstwerke und Gemälde. Aber erst den
folgenden Juni faßte die Gemeine, um ihr neues Gemeingut
desto kräftiger zu befestigen, über die Verwendung des
persönlichen Vermögens des letzten Königs, der Königin
und Prinzen einen Beschluß. Sie erließ einen Befehl, alles
zu verzeichnen, zu schätzen und zu verkaufen, ausgenommen solche Teile, welche zum Gebrauch des Staates vor-
zubehalten seien; jedoch mit solcher Vorsicht, um alle Nachrede einzelnen Interesses zu vermeiden, daß kein Glied des
Hauses sich damit befasse. In diese Schätzung und Verkauf
waren eingeschlossen, heu dolor! die ganze Sammlung von
edlen Gemälden, alten Statuen und Büsten, welche der letzte
König mit grenzenlosen Kosten und Mühen von Rom und
allen Teilen Italiens herbeigeschafft hatte."

Ein Verzeichnis dieser höchst kostbaren Merkwürdigkeiten, wovon jetzt gar manche den Palästen des Louvre
und Escurials, auch mancher ausländischen Fürsten zur
Verherrlichung dienen, mit Schätzungs- und Verkaufs-
preisen, ward unter folgendem Titel 1757 in London gedruckt: A Catalogue and Description of King Charles the
First's Capital Collection of Pictures, Bronzes, Limnings,
Medals, Statues and other Curiosities.

Nun heißt es auf der fünften Seite: Gemälde zu Hamptoncourt Nr. 332, geschätzt 4675 Pfund 10 Schill., darunter
waren:

1) Neun Stück, der Triumphzug des Julius Cäsar, gemalt
   von Andreas Mantegna, geschätzt 1000 Pfund.

2) Herodias, St. Johannes' Haupt in einer Schüssel haltend, von Tizian, geschätzt 150 Pfund.

Die größere Anzahl der Gemälde, welche den übrigen
Wert von 3525 Pfund 10 Schillinge ausmachte, ist nicht
einzeln aufgeführt.

Da nun aber hieraus hervorgeht, daß Karl der Erste die Gemälde Mantegnas besessen, so wird noch zum Überfluß dargetan, woher sie zu ihm gekommen; folgendes diene zur Erläuterung:

„König Karls Museum war das berühmteste in Europa; er liebte, verstand und schätzte die Künste. Da er nicht das Glück hatte, große Malergeister unter seinen Untertanen zu finden, so rief er die geschicktesten Meister anderer Nationen herbei, mit rühmlicher Vorliebe, um sein eigenes Land zu bereichern und zu unterrichten. Auch beschränkte er seinen Aufwand keineswegs auf lebende Künstler: denn außer einzelnen Stücken kaufte er die berühmte Sammlung des Herzogs von Mantua, nachdem er vorher eine Grundstiftung gelegt hatte von dem, was er von seinem Bruder erbte, dem liebenswürdigen Prinzen Heinrich, der, wie man aus dem Katalog sieht, auch, außer andern würdigen Eigenschaften, Geschmack für Gemälde besaß und einen edlen Eifer, die Künste zu ermuntern.

Glücklicherweise sind diese so oft belobten Bilder in England geblieben und wohl auch noch andere, die wir dort bewundern. Ob zufällig, wollen wir nicht entscheiden: denn die Klausel des republikanischen Beschlusses, daß man zurückhalten könne, was zum Gebrauch des Staates dienlich sei, ließ ja gar wohl zu, daß jene zwar gewaltsamen, aber keineswegs rohen und unwissenden Machthaber das Beste auf den nunmehr republikanischen Schlössern zurückbehielten.“

Dem sei nun, wie ihm sei, der Engländer, dem wir die bisherige Aufklärung schuldig sind, äußert sich folgendermaßen: „Der Streich, der die Königswürde so tief niederlegte, zerstreute zugleich die königliche tugendsame Sammlung. Die ersten Kabinette von Europa glänzen von diesem Raube; die wenigen guten, in den königlichen Palästen zerstreuten Stücke sind bei uns nur kümmerliche Überreste von dem, was gesammelt oder wieder versammelt war von König Karls glänzenden Galerien. Man sagt, die Holländer hätten vieles angekauft und einiges seinem Sohne wieder überlassen. Der beste Teil aber bleibt begraben in der Düsternis, wenn er nicht gar untergeht in den Gewölben des Escurials.“

3. Mantegnas Kupferstiche werden hochgehalten wegen
Charakter und meisterhafter Ausführung, freilich nicht im
Sinne neuer Kupferstecherkunst. Bartsch zählt ihrer sieben-
undzwanzig, die Kopien mitgerechnet; in England befinden
5 sich nach Noehden siebenzehn; darunter sind auf den
Triumphzug bezüglich nur viere, Nr. 5, 6 und 7, die sechste
doppelt, aber umgekehrt, worauf ein Pilaster.

Ein englischer noch lebender Kenner hegt die Überzeugung, daß nicht mehr als genannte vier Stücke vor-
10 kommen, und auch wir sind der Meinung, daß Mantegna
sie niemals alle neun in Kupfer gestochen habe. Uns irret
keineswegs, daß Strutt in seinem biographischen Wörter-
buche der Kupferstecher, Band II, Seite 120, sich folgendermaßen ausdrückt: „Der Triumph des Julius Cäsar, gesto-
15 chen nach seinen eigenen Gemälden, in neun Platten mitt-
lerer Größe, beinahe viereckig. Eine vollständige Sammlung
dieser Kupfer ist äußerst rar; kopiert aber wurden sie von
Andreas Andreani."

Wenn denn nun auch Baldinucci in seiner Geschichte der
20 Kupferstecherkunst sagt, Mantegna habe den Triumphzug
des Julius Cäsar während seines Aufenthaltes in Rom in
Kupfer gestochen, so darf uns dieses keineswegs zum Wanken bringen; vielmehr können wir denken, daß der außerordentliche Künstler diese einzelnen Vorarbeiten in Kupfer,
25 wahrscheinlich auch in Zeichnungen, die verloren oder
unbekannt sind, gemacht und bei seiner Rückkehr nach
Mantua das Ganze höchst wundersam ausgeführt.

Und nun sollen die aus der innern Kunst entnommenen
Gründe folgen, die uns berechtigen, dieser Angabe kühnlich
30 zu widersprechen. Die Nummern fünf und sechs (Bartsch
12, 13), von Mantegnas eigener Hand, liegen, durch Glück
und Freundesgunst, neben den Platten von Andreani uns
vor Augen. Ohne daß wir unternehmen, mit Worten den
Unterschied im besonderen auszudrücken, so erklären wir
35 im allgemeinen, daß aus den Kupfern etwas Ursprüngliches
durchaus hervorleuchte; man sieht darin die große Konzeption eines Meisters, der sogleich weiß, was er will, und in
dem ersten Entwurf unmittelbar alles Nötige der Hauptsache nach darstellt und einander folgen läßt. Als er aber an

eine Ausführung im großen zu denken hatte, ist es wundersam zu beobachten und zu vergleichen, wie er hier verfahren.
– Jene ersten Anfänge sind völlig unschuldig, naiv, obschon reich, die Figuren zierlich, ja gewissermaßen nachlässig, und jede im höchsten Sinne ausdrucksvoll; die andern aber, nach 5 den Gemälden gefertigt, sind ausgebildet, kräftig, überreich, die Figuren tüchtig, Wendung und Ausdruck kunstvoll, ja mitunter künstlich; man erstaunt über die Beweglichkeit des Meisters bei entschiedenem Verharren; da ist alles dasselbe und alles anders; der Gedanke unverrückt, das Walten 10 der Anordnung völlig gleich, im Abändern nirgends gemäkelt noch gezweifelt, sondern ein anderes, höheren Zweck Erreichendes ergriffen.

Daher haben jene ersten eine Gemütlichkeit ohnegleichen, weil sie unmittelbar aus der Seele des großen Meisters hervortraten, ohne daß er an eigentliche Kunstzwecke gedacht 15 zu haben scheint. Wir würden sie einem liebenswürdigen häuslichen Mädchen vergleichen, um welche zu werben ein jeder Jüngling sich geneigt fühlen müßte; in den andern aber, den ausgeführten, würden wir dieselbe Person wieder- 20 finden, aber als entwickelte, erst verheiratete junge Frau, und wenn wir jene einfach gekleidet, häuslich beschäftigt gesehen, finden wir sie nun in aller Pracht, womit der Liebende das Geliebte so gern ausschmückt. Wir sehen sie in die Welt hervorgetreten, bei Festen und Tänzen, wir vermissen jene, 25 indem wir diese bewundern. Doch eigentlich darf man die Unschuld nicht vermissen, wo sie einem höheren Zwecke aufgeopfert ist.

Wir wünschen einem jeden wahren Kunstfreunde diesen Genuß und hoffen, daß er dabei unsere Überzeugung ge- 30 winnen solle.

In dieser werden wir nur um so mehr bestärkt durch das, was Herr Dr. Noehden von dem dritten Kupfer des Mantegna, welches Bartsch nicht hat, in Vergleichung mit der siebenten Tafel des Andreas Andreani meldet: „Wenn auf 35 den beiden andern Blättern, Nummer fünf und sechs, gegen die Gemälde Abänderungen vorkommen, so sind sie noch stärker bei der gegenwärtigen Nummer. Die edlen Gefangenen werden zwar vorgeführt, allein die höchst liebliche

Gruppe der Mutter mit Kindern und Ältermutter fehlt ganz, welche also später von dem Künstler hinzugedacht worden. Ferner ist ein gewöhnliches Fenster auf dem Kupferstiche dargestellt, aus welchem drei Personen heraussehen; in dem Gemälde ist es ein breites gegittertes Fenster, als welches zu einem Gefängnis gehört, hinter welchem mehrere Personen, die man für Gefangene halten kann, stehen. Wir betrachten dies als eine übereinstimmende Anspielung auf den vorübergehenden Zug, in welchem ebenfalls Veränderungen stattgefunden."

Und wir von unserer Seite sehen hier eine bedeutende Steigerung der künstlerischen Darstellung und überzeugen uns, daß dieses Kupfer, wie die beiden andern, dem Gemälde vorgegangen.

4. Vasari spricht mit großem Lobe von diesem Werke, und zwar folgendermaßen: „Dem Marchese von Mantua, Ludwig Gonzaga, einem großen Gönner und Schätzer von Andreas' Kunstfertigkeit, malte er, bei St. Sebastian in Mantua, Cäsars Triumphzug, das Beste, was er jemals geliefert hat. Hier sieht man in schönster Ordnung den herrlich verzierten Wagen (*), Verwandte, Weihrauch und Wohlgerüche, Opfer, Priester, bekränzte geweihte Stiere, Gefangene, von Soldaten eroberte Beute, geordneten Heereszug, Elefanten, abermals Beute, Viktorien, Städte und Festungen auf verschiedenen Wagen; zugleich auch abgebildet grenzenlose Trophäen auf Spießen und Stangen, auch mancherlei Schutzwaffen für Haupt und Rumpf, Ausputz, Zierat, unendliche Gefäße. Unter der Menge bemerkt man ein Weib, das einen Knaben an der Hand führt, der weinend einen Dorn im Füßchen sehr anmutig und natürlich der Mutter hinweist. (**)

In diesem Werke hat man auch abermals einen Beweis von seiner schönen Einsicht in die perspektivischen Künste; denn indem er seine Bodenfläche über dem Auge anzunehmen hatte, so ließ er die ersten Füße an der vordern Linie des Planums vollkommen sehen, stellte jedoch die folgenden desselben Gliedes mehr perspektivisch, gleichsam sinkend vor, so daß nach und nach Füße und Schenkel dem Gesetz des Augpunktes gemäß sich verstecken.

Ebenso hält er es auch mit Beute, Gefäßen, Instrumenten und Zieraten; er läßt nur die untere Fläche sehen, die obere verliert sich ebenfalls nach denselben Regeln. Wie er denn überhaupt Verkürzungen darzustellen besonders geschickt war."

Mit einem solchen (*) Sternchen haben wir vorhin eine Lücke angedeutet, die wir nunmehr ausfüllen wollen. Vasari glaubt in einem nahe vor dem Triumphwagen stehenden Jüngling einen Soldaten zu sehen, der den Sieger mitten in der Herrlichkeit des Festzuges mit Schimpf- und Schmäh- reden zu demütigen gedenkt, welche Art von übermütiger Gewohnheit aus dem Altertume wohl überliefert wird. Allein wir glauben die Sache anders auslegen zu müssen; der vor dem Wagen stehende Jüngling hält auf einer Stange, gleich- sam als Feldzeichen, einen Kranz, in welchem die Worte veni, vidi, vici eingeschrieben sind; dies möchte also wohl dem Schluß die Krone aufsetzen. Denn wenn vorher auf mancherlei Bändern und Banderolen an Zinken und Posau- nen, auf Tafeln und Täfelchen schon Cäsar genannt und also diese Feierlichkeit auf ihn bezogen wird, so ist doch hier zum Abschluß das höchste Verdienst einer entscheiden- den Schnelligkeit verkündet und ihm von einem frohen An- hänger vorgehalten, woran bei genauerer Betrachtung wohl kein Zweifel übrigbleiben möchte.

(**) Das zweite Zeichen deutet abermals auf eine vom Vasari abweichende Meinung. Wir fragten nämlich, da auf dem Andreanischen Blatte Nr. 7 dieser vom Vasari gerühmte Dorn nicht zu entdecken war, bei Herrn Dr. Noehden in London an, inwiefern das Gemälde hierüber Auskunft gebe; er eilte dieser und einiger andern Anfragen wegen gefälligst nach Hamptoncourt und ließ nach genauer Untersuchung sich folgendermaßen vernehmen:

„An der linken Seite der Mutter ist ein Knabe (vielleicht drei Jahre alt), welcher an dieselbe hinaufklimmen will. Er hebt sich auf der Zehe des rechten Fußes, seine rechte Hand faßt das Gewand der Mutter, welche ihre Linke nach ihm herabgestreckt und mit derselben seinen linken Arm er- griffen hat, um ihm aufzuhelfen. Der linke Fuß des Knaben hat sich vom Boden gehoben, dem Anscheine nach bloß

zufolge des aufstrebenden Körpers. Ich hätte es nie erraten, daß ein Dorn in diesen Fuß getreten, oder der Fuß auf irgendeine andere Weise verwundet wäre, da das Bild, wenn meine Augen nicht ganz wunderlich trügen, gewiß nichts von der
5 Art zeigt. Das Bein ist zwar steif aufgezogen, welches sich freilich zu einem verwundeten Fuße passen würde; aber dies reimt sich ebenso gut mit dem bloß in die Höhe strebenden Körper. Der ganz schmerzenlose Ausdruck des Gesichtes bei dem Knaben, welcher heiter und froh, obgleich begierig,
10 hinaufsieht, und der ruhige Blick der herabsehenden Mutter scheinen mir der angenommenen Verletzung ganz zu widersprechen. An dem Fuße selbst müßte man doch wohl eine Spur der Verwundung, z. B. einen fallenden Blutstropfen bemerken; aber durchaus nichts Ähnliches ist zu erblicken.
15 Es ist unmöglich, daß der Künstler, wenn er ein solches Bild dem Zuschauer hätte eindrücken wollen, es so zweifelhaft und versteckt gelassen haben könnte. Um ganz ohne Vorurteil bei der Sache zu verfahren, fragte ich den Diener, welcher die Zimmer und Gemälde im Schlosse zu Hampton-
20 court zeigt und der mehrere Jahre lang dieses Geschäft verwaltet hat, einen ganz mechanischen kenntnislosen Menschen, ob er etwas von einem verwundeten Fuße oder einem Dornstich an dem Knaben bemerkte. Ich wollte sehen, welchen Eindruck die Darstellung auf das gemeine Auge
25 und den gemeinen Verstand machte. ‚Nein‘, war die Antwort, ‚davon läßt sich nichts erkennen: es kann nicht sein, der Knabe sieht ja viel zu heiter und froh aus, als daß man ihn sich verwundet denken könnte.‘ Über den linken Arm der Mutter ist, so wie bei dem rechten, ein rotes Tuch oder Shawl
30 geworfen, und die linke Brust ist ebenfalls ganz entblößt.

Hinter dem Knaben, zur linken Seite der Mutter, steht gebückt eine ältliche Frau, mit rotem Schleiertuche über dem Kopfe. Ich halte sie für die Großmutter des Knaben, da sie so teilnehmend um ihn beschäftigt ist. In ihrem Ge-
35 sichte ist auch nichts von Mitleiden, welches doch wahrscheinlich ausgedrückt worden wäre, wenn das Enkelchen an einer Dornwunde litte. In der rechten Hand scheint sie die Kopfbedeckung des Knaben (ein Hütchen oder Käppchen) zu halten, und mit der linken berührt sie den Kopf desselben."

5. Sieht man nun die ganze Stelle, wodurch uns Vasari über diesen Triumphzug hat belehren wollen, mit lebendigem Blick an, so empfindet man alsbald den inneren Mangel einer solchen Vortragsweise; sie erregt in unserer Einbildungskraft nur einen wüsten Wirrwarr und läßt kaum ahnen, daß jene Einzelnheiten sich klar in eine wohlgedachte Folge reihen würden. Schon darin hat es Vasari gleich anfangs versehen, daß er von hinten anfängt und vor allem auf die schöne Verziertheit des Triumphwagens merken läßt; daraus folgt denn, daß es ihm unmöglich wird, die voraustretenden gedrängten, aber doch gesonderten Scharen ordnungsgemäß aufeinander folgen zu lassen; vielmehr greift er auffallende Gegenstände zufällig heraus, daher denn eine nicht zu entwirrende Verwickelung entsteht.

Wir wollen ihn aber deshalb nicht schelten, weil er von Bildern spricht, die ihm vor Augen stehen, von denen er glaubt, daß jedermann sie sehen wird. Auf seinem Standpunkte konnte die Absicht nicht sein, sie den Abwesenden oder gar Künftigen, wenn die Bilder verlorengegangen, zu vergegenwärtigen.

Ist dieses doch auch die Art der Alten, die uns oft in Verzweiflung bringt. Wie anders hätte Pausanias verfahren müssen, wenn er sich des Zweckes hätte bewußt sein können, uns durch Worte über den Verlust herrlicher Kunstwerke zu trösten! Die Alten sprachen als gegenwärtig zu Gegenwärtigen, und da bedarf es nicht vieler Worte. Den absichtlichen Redekünsten Philostrats sind wir schuldig, daß wir uns einen deutlichern Begriff von verlornen köstlichen Bildern aufzubauen wagen.

6. Bartsch in seinem Peintre graveur, Band XIII, Seite 234, spricht unter der eilften Nummer der Kupferstiche des Andreas Mantegna: „Der römische Senat begleitet einen Triumph. Die Senatoren richten ihren Schritt gegen die rechte Seite, auf sie folgen mehrere Krieger, die man zur Linken sieht, unter welchen einer besonders auffällt, der mit der Linken eine Hellebarde faßt, am rechten Arme ein ungeheures Schild tragend. Der Grund läßt zur Rechten ein Gebäude sehen, zur Linken einen runden Turm. Mantegna hat dieses Blatt nach einer Zeichnung gestochen, die er bei

seinem Triumphzug Cäsars wahrscheinlich benutzen wollte, wovon er jedoch keinen Gebrauch gemacht hat."

Wie wir dieses Blatt auslegen, ist in dem ersten Aufsatze über Mantegna im vorigen Stücke zu ersehen; deshalb wir unsere Überzeugung nicht wiederholen, sondern nur bei dieser Gelegenheit den Dank, den wir unserm verewigten Bartsch schuldig sind, auch von unserer Seite gebührend abstatten.

Hat uns dieser treffliche Mann in den Stand gesetzt, die bedeutendsten und mannigfaltigsten Kenntnisse mit weniger Mühe zu gewinnen, so sind wir in einem andern Betracht auch schuldig, ihn als Vorarbeiter anzusehen und hie und da, besonders in Absicht auf die gebrauchten Motive, nach-zuhelfen; denn das ist ja eben eins der größten Verdienste der Kupferstecherkunst, daß sie uns mit der Denkweise so vieler Künstler bekannt macht und, wenn sie uns die Farbe entbehren lehrt, das geistige Verdienst der Erfindung auf das sicherste überliefert.

7. Um nun aber sowohl uns als andern teilnehmenden Kunstfreunden den vollen Genuß des Ganzen zu verschaffen, ließen wir durch unseren geschickten und geübten Kupfer-stecher Schwerdgeburth diesen abschließenden Nachzug, völlig in der Dimension der Andreanischen Tafeln und in einer den Holzstock sowohl in Umrissen als Haltung nach-ahmenden Zeichnungsart, ausführen, und zwar in umgekehr-ter Richtung, so daß die Wandelnden nach der Linken zu schreiten. Und so legen wir dieses Blatt unmittelbar hinter den Triumphwagen Cäsars, wodurch denn, wenn die zehn Blätter hintereinander gesehen werden, für den geistreichen Kenner und Liebhaber das anmutigste Schauspiel entsteht, indem etwas, von einem der außerordentlichsten Menschen vor mehr als dreihundert Jahren intentioniert, zum ersten-mal zur Anschauung gebracht wird.

LA CENA, PITTURA IN MURO DI GIOTTO,

nel refettorio del Convento di S. Croce di Firenze,

J. A. Ramboux dis., Ferd. Ruscheweyh inc.

Romae 1821

In drei Blättern groß Querfol. 5

Die Weimarischen Kunstfreunde könnten sich die Anzeige dieses Kupferstichs leicht machen und nur sagen, Herr Ramboux habe Giottos Freskogemälde treufleißig nachgezeichnet und Herr Ruscheweyh sei als Kupferstecher wegen der angewendeten großen Sorgfalt und reinlichen Arbeit nicht weniger zu loben. Sie könnten etwa ferner noch hinzusetzen, daß jeder echte verständige Kunstliebhaber eilen soll, mit diesen Blättern seine Sammlung zu bereichern; und so wäre die Sache wahrscheinlich zu jedermanns Wohlgefallen abgetan und besagte W. K. F. hätten noch dazu ihrem eigenen Gewissen nicht das geringste vorzuwerfen, denn alles verhält sich in der Tat also.

Aber es haben seit geraumer Zeit schwere Verirrungen des Geschmacks sich eingefunden, und sie mehren sich; daher liegt uns, liegt jedem in Sachen der Kunst Unbefangenen die Pflicht ob, bessere Überzeugung bei dargebotener Gelegenheit auszusprechen, und so müssen wir uns auch im gegenwärtigen Falle zu etwas mehr Umständlichkeit entschließen.

Werke wie das Abendmahl des Giotto werden gewöhnlich aus ganz verschiedenen Gesichtspunkten und in entgegengesetztem Sinne beurteilt. Liebhaber, welche Vorliebe hegen für die alte Schule, bewundern die Simplizität, das Gemütvolle, Treuherzige: Eigenschaften, die freilich der Kunst unserer Tage sehr zu mangeln pflegen, übersehen aber die unzulängliche Kunstbeschaffenheit der Werke aus dem vierzehnten Jahrhundert und möchten solche gar als Muster zur Nachahmung empfehlen, welches vermutlich auch der Fall mit den Blättern des Herrn Ruscheweyh nach Giotto sein wird. Andere hingegen regeln ihr Urteil nach unverdauten Schönheitsbegriffen, verlangen nie weniger als das Voll-

kommene, und so wie jene die einzelnen guten Eigenschaften
unbedingt preisen, ebenso scheinen diese nur nach Fehlern
zu spähen; sie bemerken die ungleiche Länge der Füße am
Apollo, finden am Laokoon einiges nicht richtig, versichern,
5 daß am borghesischen Fechter die Linie des Rückens mit
der Linie des Vorderleibs wenig übereinstimme u.s.w. Diesen
Gestrengen ist nun freilich der alte ehrliche Giotto mit seinen langen steifen Figuren, Proportions- und Zeichnungs-
mängeln und Sünden wider die Perspektive ein Ärgernis.
10 Sei uns aber erlaubt, zwischen beiderlei Urteilen in die
Mitte zu treten und frei ohne Umschweife zu sagen: Die
erstgenannten irren, und die andern verderben uns den Genuß am Kunstwerk.

Wahrhaft nützliches Prüfen, gerechtes Würdigen wird
15 nie, wofern nicht besondere Zwecke solches erheischen, bei
den Fehlern verweilen, doch dieselben nicht übersehen; das
Verdienstliche aber, erscheine dasselbe in welcher Gestalt
es wolle, anerkennen, immerfort sich erinnernd, wie vom
Winter nicht Rosen, vom Frühjahr keine Trauben verlangt
20 werden dürfen; das heißt: der billige verständige Kunstrichter lobt und tadelt nicht bloß nach mehr oder weniger
Lust und Unlust, so er im Anschauen eines Werks empfindet,
sondern sein Urteil hat jedesmal die Geschichte der Kunst zur
Unterlage, er berücksichtigt sorgfältig Ort und Zeit der Ent-
25 stehung, den jedesmaligen Zustand der Kunst; ferner den Geschmack der Schule, auch den eigentümlichen des Meisters.

Um aber auf das Abendmahl des Giotto zurückzukommen,
so ist dasselbe allerdings ein merkwürdiges Bild, zwar nicht
in dem Sinne, als ob es sich zum Studium eignete für an-
30 gehende Künstler: denn wer hieran den guten Geschmack
erwerben, sich in der Zeichnung und andern ebenso notwendigen Kunsterfordernissen festsetzen wollte, verfehlte
sicherlich seinen Zweck; aber in kunsthistorischem Betracht
und für Denkende ist das Werk in hohem Grade schätzbar,
35 indem es Gelegenheit gibt, zu sehen, wie der reichbegabte
Giotto den Gegenstand vom Abendmahl unseres Herrn sich
gedacht, jedoch mit kindlicher, der schweren Aufgabe noch
nicht gewachsener Kunst hinter seinen bessern Absichten
und Bestrebungen zurückbleiben mußte.

Betrachtet man dagegen denselben Gegenstand von Leonardo da Vinci ausgeführt, so ergibt sich aus der Vergleichung beider die deutlichste, fruchtbarste Ansicht von den Fortschritten, welche die Kunst neuerer Zeit im Verlauf von nicht viel weniger als zwei Jahrhunderten gemacht hat, weil beide, Meister von bewundernswürdigen Talenten und jeder mit Hinsicht auf seine Zeit groß zu nennen, für ihre Darstellungen ungefähr den gleichen Moment wählten; L. da Vinci nämlich den, wo Christus zu den Jüngern sagt: „Einer unter euch wird mich verraten." (Matth. Kap. 26, V. 21.) Giotto aber scheint vornehmlich die Stelle (V. 23) beachtet zu haben, wo es heißt: „Der mit mir in die Schüssel tauchet, wird mich verraten." Bei ihm verursacht das vom Herrn gesprochene Wort bloß eine Unterredung; mehrere der Apostel scheinen sich entschuldigen zu wollen, andere sehen wehmütig aus, einer (der vierte, Christo zur Rechten sitzende) macht die Gebärde des Entsetzens, Judas langt ruhig sich einen Bissen. Das Bemühen des Malers, dem Verräter einen von den übrigen Aposteln unterschiedenen, gemeinern Charakter zu geben, ist jedoch nicht zu verkennen.

In der Darstellung des Leonard da Vinci hingegen waltet die Kunst frei, und war schon ausgebildet genug, um das Schwerste zu unternehmen. Das Wort, die Voraussagung des Herrn, es werde ihn einer der mit zu Tische Sitzenden verraten, regt die ganze Gesellschaft urplötzlich gewaltsam auf; alle fahren zusammen und bilden höchst belebte, vortrefflich angeordnete Gruppen; alles lebt, alles ist in Bewegung; die Mannigfaltigkeit der Affekte, der Gebärden kann nicht größer sein, Gestalt und Züge einer jeden Figur sind mit dem, was sie vornimmt, was sie leidet, ganz übereinstimmend, der Ausdruck wahr und kräftig; Judas erschrickt, fährt zurück und stößt das vor ihm stehende Salzfaß um. Mehrere dergleichen bedeutende Züge ließen sich noch angeben, allein es ist genug geschehen, um das Nützliche, Belehrende einer Vergleichung beider Werke darzutun. Anfang und Vollendung der neuern Kunst dürften durch andere Beispiele kaum wieder so anschaulich und hervortretend gemacht werden können.

DIE EXTERNSTEINE

An der südwestlichen Grenze der Grafschaft Lippe zieht
sich ein langes waldiges Gebirg hin, der Lippische Wald,
sonst auch der Teutoburger Wald genannt, und zwar in der
Richtung von Südost nach Nordwest; die Gebirgsart ist
bunter Sandstein.

An der nordöstlichen Seite gegen das flache Land zu, in
der Nähe der Stadt Horn am Ausgange eines Tales, stehen,
abgesondert vom Gebirg, drei bis vier einzelne senkrecht
in die Höhe strebende Felsen; ein Umstand, der bei ge-
nannter Gebirgsart nicht selten ist. Ihre ausgezeichnete
Merkwürdigkeit erregte von den frühsten Zeiten Ehrfurcht;
sie mochten dem heidnischen Gottesdienst gewidmet sein
und wurden sodann dem christlichen geweiht. Der kompakte,
aber leicht zu bearbeitende Stein gab Gelegenheit, Einsiedeleien und Kapellen auszuhöhlen, die Feinheit des Korns
erlaubte sogar, Bildwerke darin zu arbeiten. An dem ersten
und größten dieser Steine ist die Abnahme Christi vom
Kreuz, in Lebensgröße, halb erhaben, in die Felswand ein-
gemeißelt.

Eine treffliche Nachbildung dieses merkwürdigen Altertums verdanken wir dem Königlich Preußischen Hofbildhauer Herrn Rauch, welcher dasselbe im Sommer 1823
gezeichnet, und erwehrt man sich auch nicht des Vermutens,
daß ein zarter Hauch der Ausbildung dem Künstler des
neunzehnten Jahrhunderts angehöre, so ist doch die Anlage
selbst schon bedeutend genug, deren Verdienst einer früheren Epoche nicht abgesprochen werden kann.

Wenn von solchen Altertümern die Rede ist, muß man
immer voraussagen und -setzen, daß, von der christlichen
Zeitrechnung an, die bildende Kunst, die sich im Nordwesten niemals hervortat, nur noch im Südosten, wo sie
ehemals den höchsten Grad erreicht, sich erhalten, wiewohl
nach und nach verschlechtert habe. Der Byzantiner hatte
Schulen oder vielmehr Gilden der Malerei, der Mosaik, des
Schnitzwerks; auch wurzelten diese und rankten um so
fester, als die christliche Religion eine von den Heiden er-
erbte Leidenschaft, sich an Bildern zu erfreuen und zu

erbauen, unablässig forthegte und daher dergleichen sinnliche Darstellungen geistiger und heiliger Gegenstände auf einen solchen Grad vermehrte, daß Vernunft und Politik empört sich dagegen zu sträuben anfingen, wodurch denn das größte Unheil entschiedener Spaltungen der morgenländischen Kirche bewirkt ward.

Im Westen war dagegen alle Fähigkeit, irgendeine Gestalt hervorzubringen, wenn sie je dagewesen, völlig verloren. Die eindringenden Völker hatten alles, was in früherer Zeit dahin gewandert sein mochte, weggeschwemmt, eine öde, bildlose Landweite war entstanden; wie man aber, um ein unausweichliches Bedürfnis zu befriedigen, sich überall nach den Mitteln umsieht, auch der Künstler sich immer gern dahin begibt, wo man sein bedarf, so konnte es nicht fehlen, daß nach einiger Beruhigung der Welt, bei Ausbreitung des christlichen Glaubens, zu Bestimmung der Einbildungskraft die Bilder im nördlichen Westen gefordert und östliche Künstler dahin gelockt wurden.

Ohne also weitläufiger zu sein, geben wir gerne zu, daß ein mönchischer Künstler unter den Scharen der Geistlichen, die der erobernde Hof Karl des Großen nach sich zog, dieses Werk könne verfertigt haben. Solche Techniker, wie noch jetzt unsere Stukkatoren und Arabeskenmaler, führten Muster mit sich, wornach sie auch deshalb genau arbeiteten, weil die einmal gegebene Gestalt sich zu sicherem, andächtigem Behuf immerfort identisch eindrücken und so ihre Wahrhaftigkeit bestärken sollte.

Wie dem nun auch sei, so ist das gegenwärtig in Frage stehende Kunstwerk seiner Art und Zeit nach gut, echt und ein östliches Altertum zu nennen, und da die treffliche Abbildung jedermann im Steindruck zugänglich sein wird, so wenden wir unsere Aufmerksamkeit zuerst auf die gestauchte Form des Kreuzes, die sich der gleichschenkligen des griechischen annähert; sodann aber auf Sonn' und Mond, welche in den obern Winkeln zu beiden Seiten sichtbar sind und in ihren Scheiben zwei Kinder sehen lassen, auf welchen besonders unsere Betrachtung ruht.

Es sind halbe Figuren, mit gesenkten Köpfen, vorgestellt, wie sie große herabsinkende Vorhänge halten, als wenn sie damit ihr Angesicht verbergen und ihre Tränen abtrocknen wollten.

Daß dieses aber eine uralte sinnliche Vorstellung der orientalischen Lehre, welche zwei Prinzipien annimmt, gewesen sei, erfahren wir durch Simplicius' Auslegung zu Epiktet, indem derselbe im vierunddreißigsten Abschnitt spottend sagt: „Ihre Erklärung der Sonn- und Mondfinsternisse legt eine zum Erstaunen hohe Gelehrsamkeit an den Tag: denn sie sagen, weil die Übel, die mit dem Bau der Welt verflochten sind, durch ihre Bewegungen viel Verwirrung und Aufruhr machen, so ziehen die Himmelslichter gewisse Vorhänge vor, damit sie an jenem Gewühl nicht den mindesten Teil nehmen, und die Finsternisse seien nichts anders als dieses Verbergen der Sonne oder des Mondes hinter ihrem Vorhang."

Nach diesen historischen Grundlagen gehen wir noch etwas weiter und bedenken, daß Simplicius mit mehreren Philosophen aus dem Abendlande um die Zeit des Manes nach Persien wanderte, welcher ein geschickter Maler oder doch mit einem solchen verbündet gewesen zu sein scheint, indem er sein Evangelium mit wirksamen Bildern schmückte und ihm dadurch den besten Eingang verschaffte. Und so wäre es wohl möglich, daß sich diese Vorstellung von dort herschriebe, da ja die Argumente des Simplicius gegen die Lehre von zwei Prinzipien gerichtet sind.

Doch da in solchen historischen Dingen aus strenger Untersuchung immer mehr Ungewißheit erfolgt, so wollen wir uns nicht allzu fest hierauf lehnen, sondern nur andeuten, daß diese Vorstellung des Externsteins einer uralten orientalischen Denkweise gemäß gebildet sei.

Übrigens hat die Komposition des Bildes wegen Einfalt und Adel wirkliche Vorzüge. Ein den Leichnam herablassender Teilnehmer scheint auf einen niedrigen Baum getreten zu sein, der sich durch die Schwere des Mannes umbog, wodurch denn die immer unangenehme Leiter vermieden ist. Der Aufnehmende ist anständig gekleidet, ehrwürdig und ehrerbietig hingestellt. Vorzüglich aber loben wir den Gedanken, daß der Kopf des herabsinkenden Heilandes an das Antlitz der zur Rechten stehenden Mutter sich lehnt, ja durch ihre Hand sanft angedrückt wird; ein schönes, würdiges Zusammentreffen, das wir nirgends wiedergefunden haben, ob es gleich der Größe einer so erhabenen Mutter zukommt. In späteren Vorstellungen erscheint sie dagegen heftig in Schmerz ausbrechend, sodann in dem Schoß ihrer Frauen ohnmächtig liegend, bis sie zuletzt, bei Daniel von Volterra, rücklings quer hingestreckt, unwürdig auf dem Boden gesehen wird.

Aus einer solchen das Bild durchschneidenden horizontalen Lage der Mutter jedoch haben sich die Künstler wahrscheinlich deshalb nicht wieder herausgefunden, weil eine solche Linie, als Kontrast des schroff in die Höhe stehenden Kreuzes, unerläßlich scheint.

Daß eine Spur des Manichäismus durch das Ganze gehe, möchte sich auch noch durch den Umstand bekräftigen, daß, wenn Gott der Vater sich über dem Kreuze mit der Siegsfahne zeigt, in einer Höhle unter dem Boden ein Paar hart gegeneinander knieende Männer von einem löwenklauigen Schlangendrachen als dem bösen Prinzip umschlungen sind, welche, da die beiden Hauptweltmächte einander das Gleichgewicht halten, durch das obere große Opfer kaum zu retten sein möchten.

Und nun vergessen wir nicht anzuführen, daß in d'Agincourts Werk Histoire des Arts par les Monuments, und zwar auf dessen 163. Tafel, eine ähnliche Vorstellung vorhanden ist, wo auf einem Gemälde, die Kreuzabnahme vorstellend, oben an der einen Seite der Sonnenknabe deutlich zu sehen ist, indessen der Mondknabe durch die Unbilden der Zeit ausgelöscht worden.

Nun aber zum Schluß werd' ich erinnert, daß ähnliche Abbildungen in den Mithratafeln zu sehen seien, weshalb ich denn die erste Tafel aus Thomas Hyde Historia religionis veterum Persarum bezeichne, wo die alten Götter Sol und Luna noch aus Wolken oder hinter Gebirgen in erhobener Arbeit hervortreten, sodann aber die Tafeln XIX und XX zu Heinrich Seels Mithrageheimnissen, Aarau 1823, noch anführe, wo die genannten Gottheiten in flachvertieften Schalen wenig erhöht symbolisch gebildet sind.

CHRISTUS

nebst zwölf alt- und neutestamentlichen Figuren, den Bildhauern vorgeschlagen

Wenn wir den Malern abgeraten, sich vorerst mit biblischen Gegenständen zu beschäftigen, so wenden wir uns,
um die hohe Ehrfurcht, die wir vor jenem Zyklus hegen, zu
betätigen, an die Bildhauer und denken hier die Angelegenheit im Großen zu behandeln.

Es ist uns schmerzlich zu vernehmen, wenn man einen
Plastiker auffordert, Christus und seine Apostel in einzelnen
Bildnissen aufzustellen; Raffael hat es mit Geist und Heiterkeit einmal malerisch behandelt, und nun sollte man es
dabei bewenden lassen. Wo soll der Plastiker die Charaktere
hernehmen, um sie genugsam zu sondern? Die Zeichen des
Märtyrertums sind der neuern Welt nicht anständig genügend, der Künstler will die Bestellung nicht abweisen, und
da bleibt ihm denn zuletzt nichts übrig, als wackern, wohlgebildeten Männern Ellen auf Ellen Tuch um den Leib zu
drapieren, mehr als sie je in ihrem ganzen Leben möchten
gebraucht haben.

In einer Art von Verzweiflung, die uns immer ergreift,
wenn wir mißgeleitete oder mißbrauchte schöne Talente zu
bedauern haben, bildete sich bei mir der Gedanke, dreizehn
Figuren aufzustellen, in welchen der ganze biblische Zyklus
begriffen werden könnte, welches wir denn mit gutem
Wissen und Gewissen hiedurch mitteilen.

I. Adam,

in vollkommen menschlicher Kraft und Schönheit; ein Kanon, nicht wie der Heldenmann, sondern wie der frucht-
reiche, weichstarke Vater der Menschen zu denken sein
möchte; mit dem Fell bekleidet, das, seine Nacktheit zu
decken, ihm von oben gegeben ward. Zu der Bildung seiner
Gesichtszüge würden wir den größten Meister auffordern.
Der Urvater sieht mit ernstem Blick, halb traurig lächelnd,
auf einen derben, tüchtigen Knaben, dem er die rechte
Hand aufs Haupt legt, indem er mit der linken das Grab-
scheit, als von der Arbeit ausruhend, nachlässig sinken läßt.

Der erstgeborne Knabe, ein tüchtiger Junge, erwürgt mit wildem Kindesblick und kräftigen Fäusten ein Paar Drachen, die ihn bedrohen wollten, wozu der Vater, gleichsam über den Verlust des Paradieses getröstet, hinsieht. Wir stellen bloß das Bild dem Künstler vor die Augen, es ist für sich deutlich und rein, was man hinzudenken kann, ist gering.

II. Noah,

als Winzer, leicht gekleidet und geschürzt, aber doch schon gegen das Tierfell anmutig kontrastierend, einen reich behangenen Rebestock in der linken Hand, einen Becher, den er zutraulich hinweist, in der rechten. Sein Gesicht edelheiter, leicht von dem Geiste des Weins belebt. Er muß die zufriedene Sicherheit seiner selbst andeuten, ein behagliches Bewußtsein, daß, wenn er auch die Menschen von wirklichen Übeln nicht zu befreien vermöge, er ihnen doch ein Mittel, das gegen Sorge und Kummer, wenn auch nur augenblicklich, wirken solle, darzureichen das Glück habe.

III. Moses.

Diesen Heroen kann ich mir freilich nicht anders als sitzend denken, und ich erwehre mich dessen um so weniger, als ich um der Abwechselung willen auch wohl einen Sitzenden und in dieser Lage Ruhenden möchte dargestellt sehen. Wahrscheinlich hat die überkräftige Statue des Michel Angelo am Grabe Julius' des Zweiten sich meiner Einbildungskraft dergestalt bemächtigt, daß ich nicht von ihr loskommen kann; auch sei deswegen das fernere Nachdenken und Erfinden dem Künstler und Kenner überlassen.

IV. David

darf nicht fehlen, ob er mir gleich auch als eine schwierige Aufgabe erscheint. Den Hirtensohn, Glücksritter, Helden, Sänger, König und Frauenlieb in einer Person, oder eine vorzügliche Eigenschaft derselben hervorgehoben darzustellen, möge dem genialen Künstler glücken.

V. Jesaias.

Fürstensohn, Patriot und Prophet, ausgezeichnet durch eine würdige, warnende Gestalt. Könnte man durch irgendeine Überlieferung dem Kostüm jener Zeiten beikommen, so wäre das hier von großem Werte.

VI. Daniel.

Diesen getrau' ich mir schon näher zu bezeichnen. Ein heiteres, längliches, wohlgebildetes Gesicht, schicklich bekleidet, von langem lockigem Haar, schlanke zierliche Gestalt, enthusiastisch in Blick und Bewegung. Da er in der Reihe zunächst an Christum zu stehen kommt, würd' ich ihn gegen diesen gewendet vorschlagen, gleichsam im Geiste den Verkündeten vorausschauend.

———

Wenn wir uns vorstellen, in eine Basilika eingetreten zu sein und im Vorschreiten links die beschriebenen Gestalten betrachtet zu haben, so gelangen wir nun in der Mitte vor

VII. Christus selbst,

welcher als hervortretend aus dem Grabe darzustellen ist. Die herabsinkenden Grabestücher werden Gelegenheit geben, den göttlich aufs neue Belebten in verherrlichter Mannesnatur und schicklicher Nacktheit darzustellen, zur Versöhnung, daß wir ihn sehr unschicklich gemartert, sehr oft nackt am Kreuze und als Leichnam sehen mußten. Es wird dieses eine der schönsten Aufgaben für den Künstler werden, welche unsres Wissens noch niemals glücklich gelöst worden ist.

Gehen wir nun an der andern Seite hinunter und betrachten die sechs folgenden neutestamentlichen Gestalten, so finden wir

VIII. den Jünger Johannes.

Diesem würden wir ein rundliches Gesicht, krause Haare und durchaus eine derbere Gestalt als dem Daniel geben, um durch jenen das sehnsüchtige Liebestreben nach dem Höchsten, hier die befriedigte Liebe in der herrlichsten

Gegenwart auszudrücken. Bei solchen Kontrasten läßt sich auf eine zarte, kaum den Augen bemerkbare Weise die Idee darstellen, von welcher wir eigentlich ergriffen sind.

IX. Matthäus, der Evangelist.

Diesen würden wir vorstellen als einen ernsten, stillen Mann von entschieden ruhigem Charakter. Ein Genius, wie ihm ja immer zugeteilt wird, hier aber in Knabengestalt, würde ihm beigesellt, der in flach erhobener Arbeit eine Platte ausmeißelt, auf deren sichtbarem Teil man die Verehrung des auf der Mutter Schoße sitzenden Jesuskindlein durch einen König, im Fernen durch einen Hirten mit Andeutungen von folgenden zu sehen hätte. Der Evangelist, ein Täfelchen in der Linken, einen Griffel in der Rechten, blickt heiter aufmerksam nach dem Vorbilde, als einer, der augenblicklich niederschreiben will. Wir sehen diese Gestalt mit ihrer Umgebung auf mannigfaltige Weise freudig im Geiste.

Wir betrachten überhaupt diesen dem Sinne nach als das Gegenbild von Moses und wünschen, daß der Künstler tiefen Geistes hier Gesetz und Evangelium in Kontrast bringe; jener hat die schon eingegrabenen starren Gebote im Urstein, dieser ist im Begriff, das lebendige Ereignis leicht und schnell aufzufassen. Jenem möchte ich keinen Gesellen geben, denn er erhielt seine Tafeln unmittelbar aus der Hand Gottes; bei diesem aber kann, wenn man allegorisieren will, der Genius die Überlieferung vorstellen, durch welche eine dergleichen Kunde erst zu dem Evangelisten mochte gekommen sein.

X.

Diesen Platz wollen wir dem Hauptmann von Kapernaum gönnen; er ist einer der ersten Gläubigen, der von dem hohen Wundermanne Hülfe fordert, nicht für sich noch einen Blutsverwandten, sondern für den treusten, willfährigsten Diener. Es liegt hierin etwas so Zartes, daß wir wünschten, es möchte mit empfunden werden.

Da bei dem ganzen Vorschlag eigentlich Mannigfaltigkeit zugleich beabsichtigt ist, so haben wir hier einen römischen

Hauptmann in seinem Kostüme, der sich trefflich ausnehmen wird. Wir verlangen nicht gerade, daß man ihm
ausdrücklich ansehe, was er bringt und will; es ist uns genug,
wenn der Künstler einen kräftig verständigen und zugleich wohlwollenden Mann darstellt.

XI. Maria Magdalena.

Diese würde ich sitzend oder halb gelehnt dargestellt
wünschen, aber weder mit einem Totenkopf noch einem
Buche beschäftigt; ein zu ihr gesellter Genius müßte ihr
das Salbfläschchen vorweisen, womit sie die Füße des Herrn
geehrt, und sie sähe es mit frommem, wohlgefälligem Behagen an. Diesen Gedanken haben wir schon in einer allerliebsten Zeichnung ausgeführt gesehen, und wir glauben
nicht, daß etwas Frommanmutigeres zu denken sei.

XII. Paulus.

Der ernste gewaltige Lehrer! Er wird gewöhnlich mit
dem Schwerte vorgestellt, welches wir aber wie alle Marter-
instrumente ablehnen und ihn lieber in der bewegten Stellung zu sehen wünschten eines, der seinem Wort mit Mienen
sowohl als Gebärde Nachdruck verleihen und Überzeugung
erringen will. Er würde als Gegenstück von Jesaias, dem vor
Gefahr warnenden Lehrer, dem die traurigsten Zustände
vorauserblickenden Seher nicht gerade gegenüberstehen,
aber doch in Bezug zu denken sein.

XIII. Petrus.

Diesen wünscht' ich nun auf das geistreichste und wahr-
hafteste behandelt.

Wir sind oben in eine Basilika hereingetreten, haben zu
beiden Seiten in den Interkolumnien die zwölf Figuren im
allgemeinen erblickt, in der Mitte, in dem würdigsten Raum,
den Einzelnen, Unvergleichbaren. Wir fingen historisch auf
unserer linken Hand an und betrachteten das Einzelne der
Reihe nach.

In der Gestalt, Miene, Bewegung St. Peters aber wünscht'
ich folgendes ausgedruckt. In der Linken hängt ihm ein
kolossaler Schlüssel, in der Rechten trägt er den Gegenpart,

eben wie einer, der im Begriff ist, auf- oder zuzuschließen.
Diese Haltung, diese Miene recht wahrhaft auszudrücken,
müßte einem echten Künstler die größte Freude machen.
Ein ernster forschender Blick würde gerade auf den Eintretenden gerichtet sein, ob er denn auch sich hierher zu
wagen berechtigt sei? und dadurch würde zugleich dem
Scheidenden die Warnung gegeben, er möge sich in acht
nehmen, daß nicht hinter ihm die Türe für immer zugeschlossen werde.

Wiederaufnahme

Ehe wir aber wieder hinaustreten, drängen sich uns noch
folgende Betrachtungen auf. Hier haben wir das Alte und
Neue Testament, jenes vorbildlich auf Christum deutend,
sodann den Herrn selbst in seine Herrlichkeit eingehend und
das Neue Testament sich in jedem Sinne auf ihn beziehend.
Wir sehen die größte Mannigfaltigkeit der Gestalten und
doch immer, gewissermaßen paarweise, sich aufeinander
beziehend, ohne Zwang und Anforderung: Adam auf Noah,
Moses auf Matthäus, Jesaias auf Paulus, Daniel auf Johannes;
David und Magdalena möchten sich unmittelbar auf Christum selbst beziehen, jener stolz auf solch einen Nachkommen, diese durchdrungen von dem allerschönsten Gefühle, einen würdigen Gegenstand für ihr liebevolles Herz
gefunden zu haben. Christus steht allein im geistigsten Bezug zu seinem himmlischen Vater. Den Gedanken, ihn darzustellen, wie die Grabestücher von ihm wegsinken, haben
wir schon benutzt gefunden; aber es ist die Frage nicht, neu
zu sein, sondern das Gehörige zu finden oder, wenn es gefunden ist, es anzuerkennen.

Es ist offenbar, daß bei der Fruchtbarkeit der Bildhauer
sie nicht immer glücklich in der Wahl ihrer Gegenstände
sind; hier werden ihnen viele Figuren geboten, deren jede
einzeln wert ist des Unternehmens; und sollt' auch das
Ganze, im Großen ausgeführt, nur der Einbildungskraft
anheimgegeben werden, so wäre doch in Modellen mäßiger
Größe mancher Ausstellung eine anmutige Mannigfaltigkeit zu geben. Der Verein, der dergleichen billigte, würde
wahrscheinlich Beifall und Zufriedenheit erwerben.

Würden mehrere Bildhauer aufgerufen, sich nach ihrer
Neigung und Fähigkeit in die einzelnen Figuren zu teilen,
sie in gleichem Maßstab zu modellieren, so könnte man eine
Ausstellung machen, die in einer großen bedeutenden Stadt
gewiß nicht ohne Zulauf sein würde.

LANDSCHAFTLICHE MALEREI

Kurzes Schema

Die Folge der Landschaftsmalerei zu beachten.

Beispiele als bedeutende Nebensache.

Loslösung unter Paul Bril – Jodocus Momper – Muzian
– Hondekoeter – Heinrich von Kleve.

Verbindung mit dem Einsiedlerwesen, oder mit Ruinen
und dergleichen.

Fortgehende Erhebung bis zu Rubens.

Höchst künstlerisch gewaltsamer Gebrauch aller Elemente.

Italienische horizontale Anmut.

Carraccische Schule. Claude Lorrain. Dominichin. Eingreifen der Franzosen. Poussin. Dughet. Glauber. Eingreifen der Niederländer. Insofern sie sich in Italien bildeten. Insofern sie zu Hause blieben und sich an der Natur
mit Geschmack ausbildeten.

Einwirkung der Rheingegenden durch Sachtleben.

Nachwirkung aller dieser Vorstellungen und Studien bis
über die Hälfte des 18. Jahrhunderts.

Eintreten der Veduten durch englische Reisende verursacht.

Im Gegensatz Nachklang von Claude Lorrain, durch
Engländer und Deutsche.

Jena, den 22ten März 1818.

Schema auf einem Blatt mit Notizen
für die Zeitschrift Über Kunst und Altertum

Der Künstler peinliche Art zu denken.

Woher abzuleiten.

Der echte Künstler wendet sich aufs Bedeutende. Daher 5
die Spuren der ältesten landschaftlichen Darstellungen alle
groß, höchst mannigfaltig und erhaben sind.

Hintergrund in Mantegnas Triumphzug.

Tizians Landschaften.

Das Bedeutende des Gebirgs, der Gebäude beruht auf 10
der Höhe.

Daher das Steile.

Das Anmutige beruht auf der Ferne.

Daher von oben herab das Weite.

Hiedurch zeichnen sich aus alle, die in Tirol, Salzburgi- 15
schen und sonst mögen gearbeitet haben.

Breughel, Jodokus Momper, Roland Savery, Isaak Major
haben alle diesen Charakter.

Albrecht Dürer und die übrigen Deutschen. Sie haben
alle mehr oder weniger etwas Peinliches, indem sie gegen 20
die ungeheuern Gegenstände die Freiheit des Wirkens verlieren oder solche behaupten, insofern ihr Geist groß und
denselben gewachsen ist.

Daher sie bei allem Anschauen der Natur, ja Nachahmung derselben ins Abenteuerliche gehen, auch manieriert 25
werden.

Bei Paul Brill mildert sich dieses, ob er gleich noch immer
hohen Horizont liebt und es im Vordergrund an Gebirgsmassen und in dem übrigen an Mannigfaltigkeit es fehlen
läßt.   30

Eintretende Niederländer.

Vor Rubens.

Rubens selbst.

Nach Rubens.

Er als Historienmaler suchte nicht sowohl das Bedeu- 35
tende, als daß er es jedem Gegenstand zu verleihen wußte,
daher seine Landschaften einzig sind. Es fehlt auch nicht

an steilen Gebirgen und grenzenlosen Gegenden, aber auch
dem ruhigsten, einfachsten, ländlichen Gegenstand weiß er
etwas von seinem Geiste zu erteilen und das Geringste dadurch wichtig und anmutig zu machen.

5   Rembrandts Realism in Absicht auf die Gegenstände.
Licht, Schatten und Haltung sind bei ihm das Ideelle.
Bolognesische Schule.
Die Caracci.
Grimaldi.

10   Im Claude Lorrain erklärt sich die Natur für ewig.
Die Poussins führen sie ins Ernste, Hohe, sogenannte
Heroische.
Anregung der Nachfolger.
Endliches Auslaufen in die Porträtlandschaften.

15   *Ausführliches Schema*

Landschaftliche Malerei

In ihren Anfängen als Nebenwerk des Geschichtlichen.
Durchaus einen steilen Charakter, weil ja ohne Höhen und
Tiefen keine Ferne interessant dargestellt werden kann.

20   Männlicher Charakter der ersten Zeit.
Die erste Kunst durchaus ahnungsreich, deshalb die Land-
schaft ernst und gleichsam drohend.
Forderung des Reichtums.
Daher hohe Standpunkte, weite Aussichten.

25   Beispiele.
Breughel.
Paul Brill; dieser schon höchst gebildet, geistreich und
mannigfaltig.
Man sehe seine zwölf Monate in sechs Blättern und die

30   vielen anderen nach ihm gestochenen Bilder.
Jodokus Momper, Roland Savery.
Einsiedeleien. Tizian.
Nach und nach steigende Anmut.

Die Caraccis.

Dominichin. Claude Lorrain. – Grimaldi.

Ausbreitung über eine heitere Welt – Zartheit – Wirkung der atmosphärischen Erscheinungen aufs Gemüt.

Poussin der Historienmaler.

Caspar Poussin.

Heroische Landschaft.

Genau besehen eine nutzlose Erde.

Abwechselndes Terrain ohne irgendeinen gebauten Boden zu sehen.

Ernste, nicht gerade idyllische, aber einfache Menschen.

Anständige Wohnungen ohne Bequemlichkeit.

Sicherung der Bewohner und Umwohner durch Türme und Festungswerke.

In diesem Sinn eine fortgesetzte Schule, vielleicht die einzige, von der man sagen kann, daß der reine Begriff die Anschauung der Meister ohne merkliche Abnahme überliefert habe.

Glauber.

Seb. Bourdon.

Francisque Milet.

Neve.

Die Niederländer berühren wir nicht.

(Am Rande nachträglicher Zusatz der folgenden 4 Namen:)
Rubens — Van der Neer — Ruisdael — Everdingen.

Übergang aus dem Ideellen zum Wirklichen durch Topographieen.

Merians weit umherschauende Arbeiten.

Beide Arten gehen noch nebeneinander.

Endlich, besonders durch Engländer, der Übergang in die Veduten.

So wie beim Geschichtlichen die Porträtform.

Neuere Engländer, an der großen Liebhaberei zu Claude und Poussin noch immer verharrend.

Sich zu den Veduten hinneigend, aber immer noch in der Komposition an atmosphärischen Effekten sich ergötzend und übend.

Die Hackertsche klare, strenge Manier steht dagegen; seine merkwürdigen, meisterhaften Bleistift- und Feder-

zeichnungen nach der Natur auf weiß Papier, um ihnen mit
Sepia Kraft und Haltung zu geben.

Studien der Engländer auf blau und grau Papier mit
schwarzer Kreide und wenig Pastell, etwas nebulistisch,
5 aber gut gedacht und sauber ausgeführt.

Entwurf des Aufsatzes

I.

Als sich die Malerei im Westen, besonders in Italien, von
dem östlichen byzantinischen mumienhaften Herkommen
10 wieder zur Natur wendete, war bei ihren ernsten, großen
Anfängen die Tätigkeit bloß auf menschliche Gestalt gerichtet, unter welcher das Göttliche und Gottähnliche vorgestellt ward. Eine kapellenartige Einfassung ward den Bildern allenfalls zuteil, und zwar ganz der Sache angemessen,
15 weil sie ja in Kirchen und Kapellen aufgestellt werden
sollten.

Wie man aber bei weiterem Fortrücken der Kunst sich in
freier Natur umsah, sollte doch immer auch Bedeutendes
und Würdiges den Figuren zur Seite stehen; deshalb denn
20 auch hohe Augpunkte gewählt, auf starren Felsen vielfach
übereinander getürmte Schlösser, tiefe Täler, Wälder und
Wasserfälle dargestellt wurden. Diese Umgebungen nahmen
in der Folge immer mehr überhand, drängten die Figuren
ins Engere und Kleinere, bis sie zuletzt in dasjenige, was wir
25 Staffage nennen, zusammenschrumpften. Diese landschaftlichen Tafeln aber sollten, wie vorher die Heiligenbilder,
auch durchaus interessant sein, und man überfüllte sie deshalb nicht allein mit dem, was eine Gegend liefern konnte,
sondern man wollte zugleich eine ganze Welt bringen, da-
30 mit der Beschauer etwas zu sehen hätte und der Liebhaber
für sein Geld doch auch Wert genug erhielte. Von den
höchsten Felsen, worauf man Gemsen umherklettern sah,
stürzten Wasserfälle zu Wasserfällen hinab durch Ruinen
und Gebüsch. Diese Wasserfälle wurden endlich benutzt zu
35 Hammerwerken und Mühlen; tiefer hinunter bespülten sie
ländliche Ufer, größere Städte, trugen Schiffe von Bedeu-

tung und verloren sich endlich in den Ozean. Daß dazwischen Jäger und Fischer ihr Handwerk trieben und tausend andere irdische Wesen sich tätig zeigten, läßt sich denken; es fehlte der Luft nicht an Vögeln, Hirsche und Rehe weideten auf den Waldblößen, und man würde nicht endigen, das- 5 jenige herzuzählen, was man dort mit einem einzigen Blick zu überschauen hatte. Damit aber zuletzt noch eine Erinnerung an die erste Bestimmung der Tafel übrigbliebe, bemerkte man in einer Ecke irgendeinen heiligen Einsiedler. Hieronymus mit dem Löwen, Magdalene mit dem Haarge- 10 wande fehlten selten.

II.

Tizian, insofern er sich zur Landschaft wandte, fing schon an, mit diesem Reichtum sparsamer umzugehen; seine Bilder dieser Art haben einen ganz eigenen Charakter. Höl- 15 zerne, wunderlich übereinandergezimmerte Häuser, mittelgebirgige Gegenden, mannigfaltige Hügel, anspülende Seen, niemals ohne bedeutende Figuren, menschliche, tierische. Auch legte er seine schönen Kinder ohne Bedenken, ganz nackt, unter freien Himmel ins Gras. 20

III.

Breughels Bilder zeigen die wundersamste Mannigfaltigkeit: gleichfalls *(Lücke)* Horizonte, weit ausgebreitete Gegenden, die Wasser hinab bis zum Meere; aber der Verlauf seiner Gebirge, obgleich rauh genug, ist doch weniger steil, 25 besonders aber durch eine seltnere Vegetation merkwürdig; das Gestein hat überall den Vorrang, doch ist die Lage seiner Schlösser, Städte höchst mannigfaltig und charakteristisch; durchaus aber ist der ernste Charakter des sechzehnten Jahrhunderts nicht zu verkennen. 30

Paul Bril, ein hochbegabtes Naturell; in seinen Werken läßt sich die oben beschriebene Herkunft noch wohl vermerken; aber es ist alles schon froher, weitherziger und die Charaktere der Landschaft schon getrennt: es ist nicht mehr eine ganze Welt, sondern bedeutende, aber immer noch 35 weitgreifende Einzelnheiten.

Wie trefflich er die Zustände der Lokalitäten, des Bewoh-
nens und Benutzens irdischer Örtlichkeiten gekannt, beurteilt und genutzt, davon geben seine zwölf Monate in sechs
Blättern das schönste Beispiel. Besonders angenehm ist zu
⁵ sehen, wie er immer zwei auf zwei zu paaren gewußt und wie
ihm aus dem Verlauf des einen in den andern ein vollständiges Bild darzustellen gelungen sei.

Der Einsiedeleien des vorzüglichen *(Lücke im Text)* ist
auch hier zu gedenken. Hier stehen die Figuren der from-
¹⁰ men Männer und Frauen mit wilden Umgebungen im
Gleichgewicht; beide sind mit großem Ernst und tüchtiger
Kunst vorgetragen.

IV.

Das siebzehnte Jahrhundert befreit sich immer mehr von
¹⁵ der zudringlichen, ängstigenden Welt: die Figuren der Carracci erfordern weitern Spielraum. Vorzüglich setzt sich
eine große, schön bedeutende Welt mit den Figuren ins
Gleichgewicht und überwiegt vielleicht durch höchst interessante Gegenden selbst die Gestalten.

²⁰ Dominichin vertieft sich bei seinem bolognesischen
Aufenthalt in die gebirgigen und einsamen Umgebungen;
sein zartes Gefühl, seine meisterhafte Behandlung und das
höchst zierliche Menschengeschlecht, das in seinen Räumen
wandelt, sind nicht genug zu schätzen.

²⁵ Von Claude Lorrain, der nun ganz ins Freie, Ferne,
Heitere, Ländliche, Feenhaft-Architektonische sich ergeht,
ist nur zu sagen, daß er ans Letzte einer freien Kunstäuße-
rung in diesem Fache gelangt. Jedermann kennt, jeder
Künstler strebt ihm nach, und jeder fühlt mehr oder weniger,
³⁰ daß er ihm *(Lücke im Text)* lassen muß.

V.

Hier nun entstand auch die sogenannte heroische Landschaft, in welcher ein Menschengeschlecht zu hausen schien
von wenigen Bedürfnissen und von großen Gesinnungen.
³⁵ Abwechselung von Feldern, Felsen und Wäldern, unter-
brochenen Hügeln und steilen Bergen, Wohnungen ohne

Bequemlichkeit, aber ernst und anständig, Türme und Be-
festigungen, ohne eigentlichen Kriegszustand auszudrücken,
durchaus aber eine unnütze Welt, keine Spur von Feld- und
Gartenbau, hie und da eine Schafherde, auf die älteste und
einfachste Benutzung der Erdoberfläche hindeutend.   5

Fragment aus dem Nachlaß, von Eckermann betitelt:
Zu malende Gegenstände

Nachdem ich über vieles gleichgültig geworden, betrübt
es mich noch immer und in der neuesten Zeit sehr oft, wenn
ich des bildenden Künstlers Talent und Fleiß auf ungün-
stige, widerstrebende Gegenstände verwendet sehe; daher   10
kann ich mich nicht enthalten, von Zeit zu Zeit auf einiges
Vorteilhafte hinzudeuten...

Eine so zarte wie einfache Darstellung gäbe jene jugend-
lich-unverdorbene reife Jungfrau Thisbe, die an der ge-
sprungenen Wand horcht. Wer den Gesichtsausdruck und   15
das Behaben eines blühenden, in Liebe befangenen Mädchens, dem Ort und Stelle einer Zusammenkunft ins Ohr
geraunt wird, vollkommen darzustellen wüßte, sollte gepriesen werden.

Nun aber zum Heiligsten überzugehen, wüßte ich in dem   20
ganzen Evangelium keinen höheren und ausdruckvollern
Gegenstand als Christus, der, leicht über das Meer wan-
delnd, dem sinkenden Petrus zu Hülfe tritt. Die göttliche
und menschliche Natur des Erlösers ist nie den Sinnen und
so identisch darzustellen, ja der ganze Sinn der christlichen   25
Religion nicht besser mit wenigem auszudrücken. Das Über-
natürliche, das dem Natürlichen auf eine übernatürlich-
natürliche Weise zu Hülfe kommt und deshalb das augenblickliche Anerkennen der Schiffer und Fischer, daß der
Sohn Gottes bei ihnen gegenwärtig sei, hervorruft, ist selten   30
gemalt worden, und der größte Vorteil für den lebenden
Künstler ist, daß es Raffael nicht unternommen; denn mit
ihm zu ringen ist so gefährlich als mit Phanuel. (1. B. Mos.
XXXII.)

ZUM SHAKESPEARES-TAG

Mir kommt vor, das sei die edelste von unsern Empfindungen, die Hoffnung, auch dann zu bleiben, wenn das
Schicksal uns zur allgemeinen Nonexistenz zurückgeführt
zu haben scheint. Dieses Leben, meine Herren, ist für unsre
Seele viel zu kurz, Zeuge, daß jeder Mensch, der geringste
wie der höchste, der unfähigste wie der würdigste, eher
alles müd' wird als zu leben; und daß keiner sein Ziel erreicht,
wornach er so sehnlich ausging – denn wenn es einem auf
seinem Gange auch noch so lang' glückt, fällt er doch endlich, und oft im Angesicht des gehofften Zwecks, in eine
Grube, die ihm, Gott weiß wer, gegraben hat, und wird für
nichts gerechnet.

Für nichts gerechnet! Ich! Der ich mir alles bin, da ich
alles nur durch mich kenne! So ruft jeder, der sich fühlt, und
macht große Schritte durch dieses Leben, eine Bereitung für
den unendlichen Weg drüben. Freilich jeder nach seinem
Maß. Macht der eine mit dem stärksten Wandertrab sich
auf, so hat der andre Siebenmeilenstiefel an, überschreitet
ihn, und zwei Schritte des letzten bezeichnen die Tagreise
des ersten. Dem sei, wie ihm wolle, dieser emsige Wandrer
bleibt unser Freund und unser Geselle, wenn wir die gigan-
tischen Schritte jenes anstaunen und ehren, seinen Fußtapfen folgen, seine Schritte mit den unsrigen abmessen.

Auf die Reise, meine Herren! die Betrachtung so eines
einzigen Tapfs macht unsre Seele feuriger und größer als das
Angaffen eines tausendfüßigen königlichen Einzugs.

Wir ehren heute das Andenken des größten Wandrers und
tun uns dadurch selbst eine Ehre an. Von Verdiensten, die
wir zu schätzen wissen, haben wir den Keim in uns.

Erwarten Sie nicht, daß ich viel und ordentlich schreibe,
Ruhe der Seele ist kein Festtagskleid; und noch zurzeit habe
ich wenig über Shakespearen gedacht; geahndet, empfunden, wenn's hoch kam, ist das höchste, wohin ich's habe
bringen können. Die erste Seite, die ich in ihm las, machte

mich auf zeitlebens ihm eigen, und wie ich mit dem ersten
Stücke fertig war, stund ich wie ein Blindgeborner, dem eine
Wunderhand das Gesicht in einem Augenblicke schenkt.
Ich erkannte, ich fühlte aufs lebhafteste meine Existenz um
eine Unendlichkeit erweitert, alles war mir neu, unbekannt,
und das ungewohnte Licht machte mir Augenschmerzen.
Nach und nach lernt' ich sehen, und, Dank sei meinem er-
kenntlichen Genius, ich fühle noch immer lebhaft, was ich
gewonnen habe.

Ich zweifelte keinen Augenblick, dem regelmäßigen Theater zu entsagen. Es schien mir die Einheit des Orts so
kerkermäßig ängstlich, die Einheiten der Handlung und der
Zeit lästige Fesseln unsrer Einbildungskraft. Ich sprang in
die freie Luft und fühlte erst, daß ich Hände und Füße hatte.
Und jetzo, da ich sahe, wie viel Unrecht mir die Herrn der
Regeln in ihrem Loch angetan haben, wie viel freie Seelen
noch drinne sich krümmen, so wäre mir mein Herz gebor-
sten, wenn ich ihnen nicht Fehde angekündigt hätte und
nicht täglich suchte, ihre Türne zusammenzuschlagen.

Das griechische Theater, das die Franzosen zum Muster
nahmen, war nach innrer und äußerer Beschaffenheit so, daß
eher ein Marquis den Alcibiades nachahmen könnte, als es
Corneillen dem Sophokles zu folgen möglich wär'.

Erst Intermezzo des Gottesdiensts, dann feierlich politisch,
zeigte das Trauerspiel einzelne große Handlungen der Väter
dem Volk mit der reinen Einfalt der Vollkommenheit, erregte
ganze, große Empfindungen in den Seelen, denn es war
selbst ganz und groß.

Und in was für Seelen!

Griechischen! Ich kann mich nicht erklären, was das heißt,
aber ich fühl's und berufe mich der Kürze halber auf Homer
und Sophokles und Theokrit, die haben's mich fühlen gelehrt.

Nun sag' ich geschwind hintendrein: „Französchen, was
willst du mit der griechischen Rüstung, sie ist dir zu groß
und zu schwer."

Drum sind auch alle französche Trauerspiele Parodien von
sich selbst.

Wie das so regelmäßig zugeht, und daß sie einander
ähnlich sind wie Schuhe und auch langweilig mitunter,

besonders in genere im vierten Akt, das wissen die Herren
leider aus der Erfahrung, und ich sage nichts davon.

Wer eigentlich zuerst drauf gekommen ist, die Haupt-
und Staatsaktionen aufs Theater zu bringen, weiß ich nicht,
es gibt Gelegenheit für den Liebhaber zu einer kritischen
Abhandlung. Ob Shakespearen die Ehre der Erfindung gehört, zweifl' ich: genung, er brachte diese Art auf den Grad,
der noch immer der höchste geschienen hat, da so wenig
Augen hinaufreichen, und also schwer zu hoffen ist, einer
könne ihn übersehen oder gar übersteigen.

Shakespeare, mein Freund, wenn du noch unter uns
wärest, ich könnte nirgend leben als mit dir, wie gern wollt'
ich die Nebenrolle eines Pylades spielen, wenn du Orest
wärst, lieber als die geehrwürdigte Person eines Oberpriesters
im Tempel zu Delphos.

Ich will abbrechen, meine Herren, und morgen weiter
schreiben, denn ich bin in einem Ton, der Ihnen vielleicht
nicht so erbaulich ist, als er mir von Herzen geht.

Shakespeares Theater ist ein schöner Raritätenkasten, in
dem die Geschichte der Welt vor unsern Augen an dem unsichtbaren Faden der Zeit vorbeiwallt. Seine Plane sind,
nach dem gemeinen Stil zu reden, keine Plane, aber seine
Stücke drehen sich alle um den geheimen Punkt (den noch
kein Philosoph gesehen und bestimmt hat), in dem das
Eigentümliche unsres Ichs, die prätendierte Freiheit unsres
Wollens, mit dem notwendigen Gang des Ganzen zusammen-
stößt. Unser verdorbner Geschmack aber umnebelt dergestalt unsere Augen, daß wir fast eine neue Schöpfung
nötig haben, uns aus dieser Finsternis zu entwickeln.

Alle Franzosen und angesteckte Deutsche, sogar Wieland,
haben sich bei dieser Gelegenheit wie bei mehreren wenig
Ehre gemacht. Voltaire, der von jeher Profession machte, alle
Majestäten zu lästern, hat sich auch hier als ein echter Thersit bewiesen. Wäre ich Ulysses, er sollte seinen Rücken unter
meinem Szepter verzerren.

Die meisten von diesen Herren stoßen auch besonders an
seinen Charakteren an.

Und ich rufe: Natur! Natur! nichts so Natur als Shakespeares Menschen.

Da hab' ich sie alle überm Hals.

Laßt mir Luft, daß ich reden kann!

Er wetteiferte mit dem Prometheus, bildete ihm Zug vor Zug seine Menschen nach, nur in kolossalischer Größe; darin liegt's, daß wir unsre Brüder verkennen; und dann belebte er sie alle mit dem Hauch seines Geistes, er redet aus allen, und man erkennt ihre Verwandtschaft.

Und was will sich unser Jahrhundert unterstehen, von Natur zu urteilen? Wo sollten wir sie her kennen, die wir von Jugend auf alles geschnürt und geziert an uns fühlen und an andern sehen. Ich schäme mich oft vor Shakespearen, denn es kommt manchmal vor, daß ich beim ersten Blick denke, das hätt' ich anders gemacht! Hintendrein erkenn' ich, daß ich ein armer Sünder bin, daß aus Shakespearen die Natur weissagt, und daß meine Menschen Seifenblasen sind, von Romanengrillen aufgetrieben.

Und nun zum Schluß, ob ich gleich noch nicht angefangen habe.

Das, was edle Philosophen von der Welt gesagt haben, gilt auch von Shakespearen, das, was wir bös nennen, ist nur die andre Seite vom Guten, die so notwendig zu seiner Existenz und in das Ganze gehört, als Zona torrida brennen und Lappland einfrieren muß, daß es einen gemäßigten Himmelsstrich gebe. Er führt uns durch die ganze Welt, aber wir verzärtelte, unerfahrne Menschen schreien bei jeder fremden Heuschrecke, die uns begegnet: „Herr, er will uns fressen."

Auf, meine Herren! trompeten Sie mir alle edle Seelen aus dem Elysium des sogenannten guten Geschmacks, wo sie schlaftrunken in langweiliger Dämmerung halb sind, halb nicht sind, Leidenschaften im Herzen und kein Mark in den Knochen haben und, weil sie nicht müde genug zu ruhen und doch zu faul sind, um tätig zu sein, ihr Schattenleben zwischen Myrten und Lorbeergebüschen verschlendern und vergähnen.

BRIEF DES PASTORS ZU ***
AN DEN NEUEN PASTOR ZU ***

Aus dem Französischen.

Lieber Herr Amtsbruder,

Da die Veränderung in meiner Nachbarschaft vorging, daß der alte Pastor starb, an dessen Stelle Ihr kommt, freute ich mich von ganzem Herzen. Denn ob ich gleich kein unleidsamer Mann bin und meinem Nächsten nichts mehr gönne als sein bißchen Leben, das bei manchen, wie beim Vieh, das einzige ist, was sie haben, so muß ich doch aufrichtig gestehen, daß Eures Vorfahren Totengeläut mir ebenso eine freudige Wallung ins Blut brachte als das Geläute Sonntags früh, wenn es mich zur Kirche ruft, da mein Herz vor Liebe und Neigung gegen meine Zuhörer überfließt. Er konnte niemanden leiden, Euer Vorfahr, und Gott wird mir vergeben, daß ich ihn auch nicht leiden konnte; ich hoffe, Ihr sollt mir so viel Freude machen, als er mir Verdruß gemacht hat; denn ich höre so viel Guts von Euch, als man von einem Geistlichen sagen kann, das heißt: Ihr treibt Euer Amt still und mit nicht mehr Eifer, als nötig ist, und seid ein Feind von Kontroversen. Ich weiß nicht, ob's Euerm Verstand oder Euerm Herzen mehr Ehre macht, daß Ihr so jung und so friedfertig seid, ohne deswegen schwach zu sein; denn freilich ist's auch kein Vorteil für die Herde, wenn der Schäfer ein Schaf ist.

Ihr glaubt nicht, lieber Herr Amtsbruder, was mir Euer Vorfahr für Not gemacht hat. Unsre Sprengel liegen so nah beisammen, und da steckten seine Leute meine Leute an, daß die zuletzt haben wollten, ich sollte mehr Menschen verdammen, als ich nicht täte; es wäre keine Freude, meinten sie, ein Christ zu sein, wenn nicht alle Heiden ewig gebraten würden. Ich versichre, lieber Bruder, ich wurde manchmal ganz mutlos; denn es gibt gewisse Materien, von denen anzufangen ich so entfernt bin, daß ich vielmehr jedesmal am Ende der Woche meinem Gott von ganzem Herzen danke, wenn mich niemand darum gefragt hat, und, wenn's geschehen ist, ihn bitte, daß er's inskünftige abwenden möge;

und so wird's jedem rechtschaffnen Geistlichen sein, der
gutdenkende Gemüter nicht mit Worten bezahlen will, und
doch weiß, wie gefährlich es ist, sie halbbefriedigt wegzu-
schicken oder sie gar abzuweisen. Ich muß Euch gestehen,
daß die Lehre von Verdammung der Heiden eine von denen   5
ist, über die ich wie über glühendes Eisen eile. Ich bin alt
geworden und habe die Wege des Herrn betrachtet, so viel
ein Sterblicher in ehrfurchtsvoller Stille darf; wenn Ihr
ebenso alt sein werdet als ich, sollt Ihr auch bekennen, daß
Gott und Liebe Synonymen sind, wenigstens wünsche ich's   10
Euch. Zwar müßt Ihr nicht denken, daß meine Toleranz
mich indifferent gemacht habe. Das ist bei allen Eiferern vor
ihre Sekte ein mächtiger Behuf der Redekunst, daß sie mit
Worten um sich werfen, die sie nicht verstehen. So wenig
die ewige, einzige Quelle der Wahrheit indifferent sein kann, 15
so tolerant sie auch ist, so wenig kann ein Herz, das sich
seiner Seligkeit versichern will, von der Gleichgültigkeit
Profession machen. Die Nachfolger des Pyrrho waren
Elende. Wer möchte zeitlebens auf dem Meer von Stürmen
getrieben werden? Unsere Seele ist einfach und zur Ruhe   20
geboren; so lang' sie zwischen Gegenständen geteilt ist, so
fühlt sie was, das jeder am besten weiß, wer zweifelt.

   Also, lieber Bruder, danke ich Gott für nichts mehr als
die Gewißheit meines Glaubens; denn darauf sterb' ich, daß
ich kein Glück besitze und keine Seligkeit zu hoffen habe, als 25
die mir von der ewigen Liebe Gottes mitgeteilt wird, die sich
in das Elend der Welt mischte und auch elend ward, damit
das Elend der Welt mit ihr herrlich gemacht werde. Und so
lieb' ich Jesum Christum, und so glaub' ich an ihn und danke
Gott, daß ich an ihn glaube; denn wahrhaftig, es ist meine   30
Schuld nicht, daß ich glaube. Es war eine Zeit, da ich Saulus
war; gottlob, daß ich Paulus geworden bin; gewiß, ich war
sehr erwischt, da ich nicht mehr leugnen konnte. Man fühlt
einen Augenblick, und der Augenblick ist entscheidend
für das ganze Leben, und der Geist Gottes hat sich vor-   35
behalten, ihn zu bestimmen. So wenig bin ich indifferent,
darf ich deswegen nicht tolerant sein? Um wieviel Millionen
Meilen verrechnet sich der Astronom? Wer der Liebe Gottes
Grenzen bestimmen wollte, würde sich noch mehr ver-

rechnen. Weiß ich, wie mancherlei seine Wege sind? Soviel
weiß ich, daß ich auf meinem Weg gewiß in den Himmel
komme, und ich hoffe, daß er andern auch auf dem ihrigen
hineinhelfen wird. Unsre Kirche behauptet, daß Glauben
und nicht Werke selig machen, und Christus und seine
Apostel lehren das ohngefähr auch. Das zeigt nun von der
großen Liebe Gottes, denn für die Erbsünde können wir
nichts und für die wirkliche auch nichts, das ist so natürlich,
als daß einer geht, der Füße hat; und darum verlangt Gott
zur Seligkeit keine Taten, keine Tugenden, sondern den
einfältigsten Glauben, und durch den Glauben allein wird
uns das Verdienst Christi mitgeteilt, so daß wir die Herrschaft der Sünde einigermaßen los werden hier im Leben
und nach unserm Tode, Gott weiß wie, auch das eingeborne
Verderben im Grabe bleibt. Wenn nun der Glaube das einzige ist, wodurch wir Christi Verdienst uns zueignen, so
sagt mir, wie ist's denn mit den Kindern? Die sprecht ihr
selig? Nicht wahr? Warum denn? Weil sie nicht gesündigt
haben! Das ist ein schöner Satz, man wird ja nicht ver-
dammet, weil man sündigt. Und das eingeborne Verderben
haben sie ja doch an sich und werden also nicht aus Verdienst selig; nun, so sagt mir die Art, wie die Gerechtigkeit
der menschgewordenen Liebe sich den Kindern mitteilt.
Seht, ich finde in dem Beispiel einen Beweis, daß wir nicht
wissen, was Gott tut, und daß wir nicht Ursache haben, an
jemands Seligkeit zu verzweifeln. Ihr wißt, lieber Herr Amtsbruder, daß viele Leute, die so barmherzig waren wie ich,
auf die Wiederbringung gefallen sind, und ich versichre
Euch, es ist die Lehre, womit ich mich insgeheim tröste;
aber das weiß ich wohl, es ist keine Sache, davon zu predigen.
Übers Grab geht unser Amt nicht, und wenn ich ja einmal
sagen muß, daß es eine Hölle gibt, so red' ich davon, wie die
Schrift davon redet, und sage immerhin ewig! Wenn man
von Dingen spricht, die niemand begreift, so ist's einerlei,
was für Worte man braucht. Übrigens hab' ich gefunden,
daß ein rechtschaffner Geistlicher in dieser Zeitlichkeit so
viel zu tun hat, daß er gern Gott überläßt, was in der Ewigkeit zu tun sein möchte.

So, mein lieber Herr Konfrater, sind meine Gesinnungen

über diesen Punkt: Ich halte den Glauben an die göttliche
Liebe, die vor so viel hundert Jahren unter dem Namen Jesus
Christus auf einem kleinen Stückchen Welt eine kleine Zeit
als Mensch herumzog, für den einzigen Grund meiner
Seligkeit, und das sage ich meiner Gemeinde, so oft Gelegenheit dazu ist; ich subtilisiere die Materie nicht; denn da Gott
Mensch geworden ist, damit wir arme, sinnliche Kreaturen
ihn möchten fassen und begreifen können, so muß man sich
vor nichts mehr hüten, als ihn wieder zu Gott zu machen.

Ihr habt in Eurer vorigen Pfarre, wie ich höre, viel von
denen Leuten um Euch gehabt, die sich Philosophen nennen
und eine sehr lächerliche Person in der Welt spielen. Es ist
nichts jämmerlicher, als Leute unaufhörlich von Vernunft
reden zu hören, mittlerweile sie allein nach Vorurteilen
handeln. Es liegt ihnen nichts so sehr am Herzen als die
Toleranz, und ihr Spott über alles, was nicht ihre Meinung
ist, beweist, wie wenig Friede man von ihnen zu hoffen hat.
Ich war recht erfreut, lieber Herr Bruder, zu hören, daß Ihr
Euch niemals mit ihnen gezankt, noch Euch Mühe gegeben
habt, sie eines Bessern zu überweisen. Man hält einen Aal
am Schwanze fester als einen Lacher mit Gründen. Es geschah dem portugiesischen Juden recht, der den Spötter
von Ferney Vernunft hören machen wollte; seine Gründe
mußten einer Sottise weichen, und anstatt seinen Gegner
überführt zu sehen, fertigte ihn dieser sehr tolerant ab und
sagte: „Bleibt denn Jude, weil Ihr es einmal seid."

„Bleibt denn Philosoph, weil Ihr's einmal seid, und Gott
habe Mitleiden mit Euch!" So pflege ich zu sagen, wenn ich
mit so einem zu tun habe.

Ich weiß nicht, ob man die Göttlichkeit der Bibel einem
beweisen kann, der sie nicht fühlt, wenigstens halte ich es
für unnötig. Denn wenn Ihr fertig seid, und es antwortet
Euch einer wie der savoyische Vikar: „Es ist meine Schuld
nicht, daß ich keine Gnade am Herzen fühle", so seid Ihr
geschlagen und könnt nichts antworten, wenn Ihr Euch
nicht in Weitläufigkeiten vom freien Willen und von der
Gnadenwahl einlassen wollt, wovon Ihr doch, alles zusam-
mengenommen, zu wenig wißt, um davon disputieren zu
können.

Wer die Süßigkeit des Evangelii schmecken kann, der mag so was Herrliches niemanden aufdringen. Und gibt uns unser Herr nicht das exzellenteste Beispiel selbst? Ging er nicht gleich von Gergesa ohne böse zu werden, sobald man
5 ihn darum bat? Und vielleicht war's ihm selbst um die Leute nicht zu tun, die ihre Schweine nicht drum geben wollten, um den Teufel los zu werden. Denn man mag ihnen vorsagen, was man will, so bleiben sie auf ihrem Kopfe. Was wir tun können, ist, die Heilsbegierigen zurechtzuweisen, und
10 den andern läßt man, weil sie's nicht besser haben wollen, ihre Teufel und ihre Schweine.

Da habt Ihr also die eine Ursache, warum und wie tolerant ich bin; ich überlasse, wie Ihr seht, alle Ungläubigen der ewigen wiederbringenden Liebe, und habe das Zutrauen
15 zu ihr, daß sie am besten wissen wird, den unsterblichen und unbeflecklichen Funken, unsre Seele, aus dem Leibe des Todes auszuführen und mit einem neuen und unsterblich reinen Kleide zu umgeben. Und diese Seligkeit meiner friedfertigen Empfindung vertauschte ich nicht mit dem
20 höchsten Ansehn der Infallibilität. Welche Wonne ist es, zu denken, daß der Türke, der mich für einen Hund, und der Jude, der mich für ein Schwein hält, sich einst freuen werden, meine Brüder zu sein.

So weit davon, mein lieber Bruder! und gleichsam im
25 Vorbeigehen; denn das Hauptelend der Intoleranz offenbart sich doch am meisten in den Uneinigkeiten der Christen selbst, und das ist was Trauriges. Nicht, daß ich meine, man sollte eine Vereinigung suchen, das ist eine Sottise wie die Republik Heinrichs des Vierten. Wir sind alle Christen, und
30 Augsburg und Dordrecht machen so wenig einen wesentlichen Unterschied der Religion als Frankreich und Deutschland in dem Wesen der Menschen. Ein Franzose ist von Kopf bis auf die Füße eben ein Mensch wie ein Deutscher, das andre sind politische Konsiderationen, die fürtrefflich
35 sind, und die niemand unbestraft einreißen soll.

Wer die Geschichte des Wortes Gottes unter den Menschen mit liebevollem Herzen betrachtet, der wird die Wege der ewigen Weisheit anbeten. Aber wahrhaftig, weder Bellarmin noch Seckendorf wird Euch eine reine Geschichte erzählen. Warum sollte ich leugnen, daß der Anfang der Reformation eine Mönchszänkerei war, und daß es Luthers Intention im Anfang gar nicht war, das auszurichten, was er ausrichtete. Was sollte mich antreiben, die Augsburgische Konfession für was anders als eine Formel auszugeben, die damals nötig war und noch nötig ist, etwas festzusetzen, das mich aber nur äußerlich verbindet und mir übrigens meine Bibel läßt. Kommt aber ein Glaubensbekenntnis dem Worte Gottes näher als das andre, so sind die Bekenner desto besser dran, aber das bekümmert niemand anders.

Luther arbeitete, uns von der geistlichen Knechtschaft zu befreien; möchten doch alle seine Nachfolger so viel Abscheu vor der Hierarchie behalten haben, als der große Mann empfand.

Er arbeitete sich durch verjährte Vorurteile durch und schied das Göttliche vom Menschlichen, soviel ein Mensch scheiden kann, und, was noch mehr war, er gab dem Herzen seine Freiheit wieder und machte es der Liebe fähiger; aber man lasse sich nicht blenden, als hätte er das Reich erworben, davon er einen andern herunterwarf, man bilde sich nicht ein, die alte Kirche sei deswegen ein Gegenstand des Abscheus und der Verachtung; hat sie doch wenige menschliche Satzungen, die nicht auf etwas göttlich Wahres gegründet wären; laßt sie, leidet sie und segnet sie. Warum lästert ihr ihre Messe? Sie tun zu viel, das weiß ich, aber laßt sie tun, was sie wollen; verflucht sei der, der einen Dienst Abgötterei nennt, dessen Gegenstand Christus ist. Lieber Bruder, es wird täglich lichter in der römischen Kirche, ob's aber Gottes Werk ist, wird die Zeit ausweisen. Vielleicht protestiert sie bald mehr, als gut ist. Luther hatte die Schwärmerei zur Empfindung gemacht, Calvin machte die Empfindung zu Verstand. Diese Trennung war unvermeidlich, und daß sie politisch geworden ist, lag in den Umständen. Ich bin so fern, eine Vereinigung zu wünschen, daß ich sie vielmehr äußerst gefährlich halte; jeder Teil, der sich ein Haar vergäbe, hätte unrecht. Doch es ist gut, daß politische Betrachtungen der Sache im Wege stehen, sonst würde man vielleicht den Gewissen ihre Freiheit rauben. Beides läuft auf eins hinaus, ob ein Sakrament ein Zeichen oder mehr ist, und wie könnte ich böse sein, daß ein andrer nicht empfinden kann wie ich. Ich kenne die Seligkeit zu gut, es für mehr zu halten als ein Zeichen, und doch habe ich unter meiner Gemeinde eine große Anzahl Menschen, die die Gnade nicht haben, es auch zu fühlen, es sind Leute, wo der Kopf das Herz überwiegt, mit diesen leb' ich in so zärtlicher Eintracht und bitte Gott, daß er jedem Freude und Seligkeit gebe nach seinem Maß; denn der Geist Gottes weiß am besten, was einer fassen kann. Ebenso ist's mit der Gnadenwahl, davon verstehen wir ja alle nichts, und so ist's mit tausend Dingen. Denn wenn man's beim Lichte besieht, so hat jeder seine eigene Religion, und Gott muß mit unserm armseligen Dienste zufrieden sein aus übergroßer Güte; denn das müßte mir ein rechter Mann sein, der Gott diente, wie sich gehört.

Ach, es ist unwidersprechlich, lieber Bruder, daß keine Lehre uns von Vorurteilen reinigt, als die vorher unsern Stolz zu erniedrigen weiß; und welche Lehre ist's, die auf Demut baut, als die aus der Höhe. Wenn wir das immer bedächten und recht im Herzen fühlten, was das sei: Religion, und jeden auch fühlen ließen, wie er könnte, und dann mit brüderlicher Liebe unter alle Sekten und Parteien träten, wie würde es uns freuen, den göttlichen Samen auf so vielerlei Weise Frucht bringen zu sehen. Dann würden wir ausrufen: Gottlob, daß das Reich Gottes auch da zu finden ist, wo ich's nicht suchte.

Unser lieber Herr wollte nicht, daß es ein Ohr kosten sollte, dieses Reich auszubreiten, er wußte, daß es damit nicht ausgerichtet wäre, er wollte anklopfen an der Türe und sie nicht einschmeißen. Wenn wir das nur recht bedächten und Gott dankten, daß wir in diesen schlimmen Zeiten noch ungestört lehren dürfen. Und einmal vor allemal, eine Hierarchie ist ganz und gar wider den Begriff einer echten Kirche. Denn, mein lieber Bruder, betrachtet nur selbst die Zeiten der Apostel gleich nach Christi Tod, und Ihr werdet bekennen müssen, es war nie eine sichtbare Kirche auf Erden. Es sind wunderliche Leute, die Theologen; da prätendieren sie, was nicht möglich ist. Die christliche Religion in ein Glaubensbekenntnis bringen, o ihr guten Leute! Petrus meinte schon,

in Bruder Pauli Briefen wäre viel schwer zu verstehen, und
Petrus war doch ein andrer Mann als unsre Superintenden-
ten; aber er hatte recht, Paulus hat Dinge geschrieben, die
die ganze christliche Kirche in corpore bis auf den heutigen
Tag nicht versteht. Da sieht's denn schon gewaltig scheu
um unsre Lehre aus, wenn wir alles, was in der Bibel steht,
in ein System zerren wollen, und mit dem Wandel läßt sich
ebensowenig Gewisses bestimmen. Peter tate schon Sachen,
die Paulen nicht gefielen, und ich möchte wissen, mit was
für Titeln der große Apostel unsre Geistlichen beehren
würde, die noch eine weit ungegründetere und verwerf-
lichere Prädilektion für ihre Sekte haben als Petrus für die
Juden.

Daß bei der Einsetzung des Abendmahls die Jünger das
Brot und Wein genossen wie die reformierte Kirche, ist
unleugbar, denn ihr Meister, den sie viel kannten, der saß
bei ihnen, sie versprachen's gleichsam zu seinem Gedächtnis
zu wiederholen, weil sie ihn liebten, und mehr prätendierte
er auch nicht. Wahrhaftig, Johannes, der an seinem Busen
lag, brauchte nicht erst das Brot, um sich von der Existenz
seines Herrn lebendig zu überzeugen, genug, es mag den
Jüngern dabei der Kopf gedreht haben, wie selbigen ganzen Abend, denn sie verstunden nicht eine Silbe von dem,
was der Herr sagte.

Kaum war der Herr von der Erde weg, als zärtliche,
liebesgesinnte Leute sich nach einer innigen Vereinigung
mit ihm sehnten, und weil wir immer nur halb befriedigt
sind, wenn unsere Seele genossen hat, so verlangten sie
auch was für den Körper, und hatten nicht unrecht, denn der
Körper bleibt immer ein merkwürdiger Teil des Menschen,
und dazu gaben ihnen die Sakramente die erwünschteste
Gelegenheit. Durch die sinnliche Handlung der Taufe oder
des Händeauflegens gerührt, gab vielleicht ihr Körper der
Seele eben denjenigen Ton, der nötig ist, um mit dem Wehen
des Heiligen Geistes zu sympathisieren, das uns unaufhörlich umgibt. Ich sage „vielleicht", und ich darf „gewiß"
sagen. Eben das fühlten sie beim Abendmahl und glaubten,
durch die Worte Christi geleitet, es für das halten zu können,
was sie so sehr wünschten. Besonders da die Unarten ihres

Körpers sich durch diese Heiligung am besten heilen ließen, so blieb ihnen kein Zweifel übrig, daß ihr verherrlichter Bruder ihnen von dem Wesen seiner göttlichen Menschheit durch diese sinnliche Zeichen mitteile. Aber das waren unaussprechliche Empfindungen, die sie wohl im Anfang zur gemeinschaftlichen Erbauung einander kommunizierten, die aber leider nachher zum Gesetz gemacht wurden. Und da konnte es nicht fehlen, daß die, deren Herz keiner solchen Empfindung fähig war, und die mit einer bedächtigen geistlichen Vereinigung sich genügten, daß die sich trennten und sich zu behaupten getrauten, eine Empfindung, die nicht allgemein sei, könne kein allgemein verbindendes Gesetz werden.

Ich denke, daß das der ehrlichste Status causae ist, den man erwarten kann, und wenn man wohl tun will, so verfährt man mit seiner Gemeinde so billig von der Seite als möglich. Einem Meinungen aufzwingen, ist schon grausam, aber von einem verlangen, er müsse empfinden, was er nicht empfinden kann, das ist tyrannischer Unsinn.

Noch was, lieber Bruder: unsre Kirche hat sich nicht allein mit der reformierten gezankt, weil die zu wenig empfindet, sondern auch mit andern ehrlichen Leuten, weil sie zu viel empfanden. Die Schwärmer und Inspiranten haben sich oft unglücklicherweise ihrer Erleuchtung überhoben, man hat ihnen ihre eingebildete Offenbarung vorgeworfen; aber weh' uns, daß unsre Geistlichen nichts mehr von einer unmittelbaren Eingebung wissen, und wehe dem Christen, der aus Kommentaren die Schrift verstehen lernen will. Wollt ihr die Wirkungen des Heiligen Geistes schmälern? Bestimmet mir die Zeit, wenn er aufgehöret hat, an die Herzen zu predigen, und euern schalen Diskursen das Amt überlassen hat, von dem Reiche Gottes zu zeugen. Unverständlich nennt ihr unnütz! Was sah der Apostel im dritten Himmel? Nicht wahr, unaussprechliche Dinge? Und was waren denn das für Leute, die in der Gemeine Sachen redeten, die einer Auslegung bedurften? O meine Herren, eure Dogmatik hat noch viel Lücken. Lieber Bruder, der Heilige Geist gibt allen Weisheit, die ihn darum bitten, und ich habe Schneider gekannt, die Mosheimen zu raten aufgegeben hätten.

Genung, die Wahrheit sei uns lieb, wo wir sie finden. Laßt
uns unser Gewissen nicht beflecken, daß wir an jenem Tage
rein sein mögen, wenn an das Licht kommen wird, daß die
Lehre von Christo nirgends gedruckter war als in der christlichen Kirche. Und wem darum zu tun ist, die Wahrheit   5
dieses Satzes noch bei seinem Leben zu erfahren, der wage,
ein Nachfolger Christi öffentlich zu sein, der wage, sich's
merken zu lassen, daß ihm um seine Seligkeit zu tun ist! Er
wird einen Unnamen am Halse haben, eh' er sich's versieht,
und eine christliche Gemeine macht ein Kreuz vor ihm.   10

Laßt uns also darauf arbeiten, lieber Bruder, nicht daß
unsere, sondern daß Christi Lehre lauter gepredigt werde.
Laßt uns unbekümmert über andere Reiche sein, nur laßt
uns für unser Reich sorgen, und besonders hütet Euch vor
den falschen Propheten. Diese nichtswürdige Schmeichler   15
nennen sich Christen, und unter ihrem Schafspelz sind sie
reißende Wölfe; sie predigen eine glänzende Sittenlehre und
einen tugendhaften Wandel und schmälern das Verdienst
Christi, wo sie können. Wahrhaftig, alle Religionsspötter
sind wenigstens ehrliche Leute, die über das lachen, was sie   20
nicht fühlen, und einen öffentlichen Feind hat man wenig zu
fürchten; aber diese heimlichen sucht aus Eurer Gemeinde
zu scheiden, nicht, daß Ihr sie in Eurem Sprengel nicht
leiden wollt, sondern nur, daß Ihr sie als ehrliche Leute verlangt, die bekennen, was sie sind.   25

Der liebe Johannes lehrt uns ganz kurz allen Religions-
unterschied; das sei der einzige, den wir kennen. Ich habe in
meinem Amt Jesum so laut geprediget, daß sich die Wider-
christen geschieden haben, und weiter braucht's keine Scheidung. Wer Jesum einen Herrn heißt, der sei uns willkom-   30
men, können die andre auf ihre eigne Hand leben und sterben, wohl bekomme es ihnen. Wenn der Geistliche ein Mann
ist, der nicht vom Hauptpunkte abweicht, so wird unter der
Gemeine auch kein Zwist entstehen, hier habt Ihr mein und
meiner ganzen Gemeine Glaubensbekenntnis.   35

Wir sind elend! Wie wir's sind und warum wir's sind,
das kann uns sehr einerlei sein, wir sehnen uns nur nach
einem Weg, auf dem uns geholfen werden könnte. Wir
glauben, daß die ewige Liebe darum Mensch geworden ist,

um uns das zu verschaffen, wornach wir uns sehnen, und alles, was uns dient, uns mit ihr näher zu vereinigen, ist uns liebenswürdig, was zu diesem Zwecke nicht zielt, gleichgültig und, was davon entfernt, verhaßt. Ihr könnet Euch denken, Herr Konfrater, in was für einem Kredit die Kontroversen bei uns stehen.

Laßt uns Friede halten, lieber Herr Amtsbruder, ich weiß nicht, wie ein Pastor sich unterstehen kann, mit Haß im Herzen auf einen Stuhl zu treten, wo nur Liebe erschallen sollte, und um keinem Zwist Gelegenheit zu geben, laßt uns alle Kleinigkeiten fliehen, wo man Grillen für Wahrheit und Hypothesen für Grundlehren verkauft. Es ist immer lächerlich, wenn ein Pastor seine Gemeine belehrt, daß die Sonne nicht um die Erde geht, und doch kommt so was vor.

Noch eins, Herr Bruder, laßt Eure Gemeine ja die Bibel lesen so viel sie wollen, wenn sie sie gleich nicht verstehen, das tut nichts; es kommt doch immer viel Guts dabei heraus; und wenn Eure Leute Respekt für der Bibel haben, so habt Ihr viel gewonnen. Doch bitte ich Euch, nichts vorzubringen, was Ihr nicht jedem an seinem Herzen beweisen könnt, und wenn's hundertmal geschrieben stünde. Ich habe sonst auch gesorgt, die Leute möchten Anstoß an Dingen nehmen, die hier und da in der Bibel fürkommen, aber ich habe gefunden, daß der Geist Gottes sie gerade über die Stellen wegführt, die ihnen nichts nützen dürften. Ich weiß zum Exempel kein zärtliches Herz, das an Salomons Diskursen, die freilich herzlich trocken sind, einigen Geschmack hätte finden können.

Überhaupt ist es ein eignes Ding um die Erbauung. Es ist oft nicht die Sache, die einen erbaut, sondern die Lage des Herzens, worin sie uns überrascht, ist das, was einer Kleinigkeit den Wert gibt.

Darum kann ich die Liederverbesserungen nicht leiden, das möchte für Leute sein, die dem Verstand viel und dem Herzen wenig geben; was ist dran gelegen, was man singt, wenn sich nur meine Seele hebt und in den Flug kömmt, in dem der Geist des Dichters war; aber wahrhaftig, das wird einem bei denen gedrechselten Liedern sehr einerlei bleiben, die mit aller kritisch richtigen Kälte hinter dem Schreibepulte mühsam poliert worden sind.

Adieu, lieber Herr Konfrater, Gott gebe Eurem Amte Segen. Prediget Liebe, so werdet Ihr Liebe haben. Segnet alles, was Christi ist, und seid übrigens in Gottes Namen indifferent, wenn man Euch so schelten will. So oft ich an Euerm Geläute höre, daß Ihr auf die Kanzel geht, so oft will ich für Euch beten. Und wenn Euer allgemeiner Vortrag nach aller Maß eingerichtet ist und Ihr die Seelen, die sich Euch besonders vertrauen, insbesondere belehret, so daß Ihr sie doch alle auf den großen Mittelpunkt unsres Glaubens, die ewige Liebe, hinweiset, wenn Ihr dem Starken genug und dem Schwachen so viel gebet, als er braucht, wenn Ihr die Gewissensskrupel vermindert und allen die Süßigkeit des Friedens wünschenswert macht, so werdet Ihr dereinst mit der Überzeugung, Euer Amt wohl geführt zu haben, vor den Richterstuhl des Herrn treten können, der über Hirten und Schafe als Oberhirt allein zu richten das Recht hat. Ich bin mit aller Zärtlichkeit

Euer Bruder

* * *

Pastor zu * * *

LITERARISCHER SANSCULOTTISMUS

In dem „Berlinischen Archiv der Zeit und ihres Geschmacks", und zwar im Märzstücke dieses Jahres, findet sich ein Aufsatz „Über Prosa und Beredsamkeit der Deutschen", den die Herausgeber, wie sie selbst bekennen, nicht ohne Bedenken einrückten. Wir, unsrerseits, tadeln sie nicht, daß sie dieses unreife Produkt aufnahmen: denn wenn ein Archiv Zeugnisse von der Art eines Zeitalters aufbehalten soll, so ist es zugleich seine Pflicht, auch dessen Unarten zu verewigen. Zwar ist der entscheidende Ton und die Manier, womit man sich das Ansehn eines umfassenden Geistes zu geben denkt, in dem Kreise unserer Kritik nichts weniger als neu; aber auch die Rückfälle einzelner Menschen in ein roheres Zeitalter sind zu bemerken, da man sie nicht hindern kann; und so mögen denn die „Horen" dagegen in demjenigen, was wir zu sagen haben, ob es gleich auch

schon oft und vielleicht besser gesagt ist, ein Zeugnis aufbewahren, daß neben jenen unbilligen und übertriebenen
Forderungen an unsre Schriftsteller auch noch billige und
dankbare Gesinnungen gegen diese verhältnismäßig zu
ihren Bemühungen wenig belohnten Männer im stillen
walten.

Der Verfasser bedauert die Armseligkeit der Deutschen an vortrefflich klassisch prosaischen Werken
und hebt alsdann seinen Fuß hoch auf, um mit einem Riesen-
schritte über beinahe ein Dutzend unserer besten Autoren
hinwegzuschreiten, die er nicht nennt und mit mäßigem Lob
und mit strengem Tadel so charakterisiert, daß man sie
wohl schwerlich aus seinen Karikaturen herausfinden möchte.

Wir sind überzeugt, daß kein deutscher Autor sich selbst
für klassisch hält, und daß die Forderungen eines jeden an
sich selbst strenger sind als die verworrnen Prätensionen
eines Thersiten, der gegen eine ehrwürdige Gesellschaft
aufsteht, die keineswegs verlangt, daß man ihre Bemühungen unbedingt bewundere, die aber erwarten kann, daß man
sie zu schätzen wisse.

Ferne sei es von uns, den übelgedachten und übelgeschrie-
benen Text, den wir vor uns haben, zu kommentieren; nicht
ohne Unwillen werden unsre Leser jene Blätter am angezeig-
ten Orte durchlaufen und die ungebildete Anmaßung, womit man sich in einen Kreis von Bessern zu drängen, ja
Bessere zu verdrängen und sich an ihre Stelle zu setzen
denkt, diesen eigentlichen Sansculottismus zu beurteilen
und zu bestrafen wissen. Nur weniges werde dieser rohen
Zudringlichkeit entgegengestellt.

Wer mit den Worten, deren er sich im Sprechen oder
Schreiben bedient, bestimmte Begriffe zu verbinden für
eine unerläßliche Pflicht hält, wird die Ausdrücke: klassischer Autor, klassisches Werk höchst selten gebrauchen. Wann und wo entsteht ein klassischer Nationalautor?
Wenn er in der Geschichte seiner Nation große Begebenheiten und ihre Folgen in einer glücklichen und bedeutenden
Einheit vorfindet; wenn er in den Gesinnungen seiner
Landsleute Größe, in ihren Empfindungen Tiefe und in
ihren Handlungen Stärke und Konsequenz nicht vermißt;

wenn er selbst, vom Nationalgeiste durchdrungen, durch ein einwohnendes Genie sich fähig fühlt, mit dem Vergangnen wie mit dem Gegenwärtigen zu sympathisieren; wenn er seine Nation auf einem hohen Grade der Kultur findet, so daß ihm seine eigene Bildung leicht wird; wenn er viele Materialien gesammelt, vollkommene oder unvollkommene Versuche seiner Vorgänger vor sich sieht und so viel äußere und innere Umstände zusammentreffen, daß er kein schweres Lehrgeld zu zahlen braucht, daß er in den besten Jahren seines Lebens ein großes Werk zu übersehen, zu ordnen und in einem Sinne auszuführen fähig ist.

Man halte diese Bedingungen, unter denen allein ein klassischer Schriftsteller, besonders ein prosaischer, möglich wird, gegen die Umstände, unter denen die besten Deutschen dieses Jahrhunderts gearbeitet haben, so wird, wer klar sieht und billig denkt, dasjenige, was ihnen gelungen ist, mit Ehrfurcht bewundern und das, was ihnen mißlang, anständig bedauern.

Eine bedeutende Schrift ist, wie eine bedeutende Rede, nur Folge des Lebens; der Schriftsteller so wenig als der handelnde Mensch bildet die Umstände, unter denen er geboren wird und unter denen er wirkt. Jeder, auch das größte Genie, leidet von seinem Jahrhundert in einigen Stücken, wie er von andern Vorteil zieht, und einen vortrefflichen Nationalschriftsteller kann man nur von der Nation fordern.

Aber auch der deutschen Nation darf es nicht zum Vorwurfe gereichen, daß ihre geographische Lage sie eng zusammenhält, indem ihre politische sie zerstückelt. Wir wollen die Umwälzungen nicht wünschen, die in Deutschland klassische Werke vorbereiten könnten.

Und so ist der ungerechteste Tadel derjenige, der den Gesichtspunkt verrückt. Man sehe unsere Lage wie sie war und ist; man betrachte die individuellen Verhältnisse, in denen sich deutsche Schriftsteller bildeten, so wird man auch den Standpunkt, aus dem sie zu beurteilen sind, leicht finden. Nirgends in Deutschland ist ein Mittelpunkt gesellschaftlicher Lebensbildung, wo sich Schriftsteller zusammenfänden und nach einer Art, in einem Sinne, jeder in seinem Fache sich ausbilden könnten. Zerstreut geboren, höchst verschieden erzogen, meist nur sich selbst und den Eindrücken ganz verschiedener Verhältnisse überlassen; von der Vorliebe für dieses oder jenes Beispiel einheimischer oder fremder Literatur hingerissen; zu allerlei Versuchen, ja Pfuschereien genötigt, um ohne Anleitung seine eigenen Kräfte zu prüfen; erst nach und nach durch Nachdenken von dem überzeugt, was man machen soll; durch Praktik unterrichtet, was man machen kann; immer wieder irre gemacht durch ein großes Publikum ohne Geschmack, das das Schlechte nach dem Guten mit eben demselben Vergnügen verschlingt; dann wieder ermuntert durch Bekanntschaft mit der gebildeten, aber durch alle Teile des großen Reichs zerstreuten Menge; gestärkt durch mitarbeitende, mitstrebende Zeitgenossen – so findet sich der deutsche Schriftsteller endlich in dem männlichen Alter, wo ihn Sorge für seinen Unterhalt, Sorge für eine Familie sich nach außen umzusehen zwingt, und wo er oft mit dem traurigsten Gefühl durch Arbeiten, die er selbst nicht achtet, sich die Mittel verschaffen muß, dasjenige hervorbringen zu dürfen, womit sein ausgebildeter Geist sich allein zu beschäftigen strebt. Welcher deutsche geschätzte Schriftsteller wird sich nicht in diesem Bilde erkennen, und welcher wird nicht mit bescheidener Trauer gestehen, daß er oft genug nach Gelegenheit geseufzt habe, früher die Eigenheiten seines originellen Genius einer allgemeinen Nationalkultur, die er leider nicht vorfand, zu unterwerfen? Denn die Bildung der höheren Klassen durch fremde Sitten und ausländische Literatur, so viel Vorteil sie uns auch gebracht hat, hinderte doch den Deutschen, als Deutschen sich früher zu entwickeln.

Und nun betrachte man die Arbeiten deutscher Poeten und Prosaisten von entschiednem Namen! Mit welcher Sorgfalt, mit welcher Religion folgten sie auf ihrer Bahn einer aufgeklärten Überzeugung! So ist es zum Beispiel nicht zu viel gesagt, wenn wir behaupten, daß ein verständiger, fleißiger Literator durch Vergleichung der sämtlichen Ausgaben unsres Wielands, eines Mannes, dessen wir uns trotz dem Knurren aller Smelfungen mit stolzer Freude

rühmen dürfen, allein aus den stufenweisen Korrekturen
dieses unermüdet zum Bessern arbeitenden Schriftstellers
die ganze Lehre des Geschmacks würde entwickeln können.
Jeder aufmerksame Bibliothekar sorge, daß eine solche
Sammlung aufgestellt werde, die jetzt noch möglich ist, 5
und das folgende Jahrhundert wird einen dankbaren Gebrauch davon zu machen wissen.

Vielleicht wagen wir in der Folge, die Geschichte der Ausbildung unsrer vorzüglichsten Schriftsteller, wie sie sich in
ihren Werken zeigt, dem Publikum vorzulegen. Wollten sie 10
selbst, so wenig wir an Konfessionen Ansprüche machen,
uns nach ihrem Gefallen nur diejenigen Momente mitteilen,
die zu ihrer Bildung am meisten beigetragen haben, und
dasjenige, was ihr am stärksten entgegengestanden, bekannt
machen, so würde der Nutzen, den sie gestiftet, noch aus- 15
gebreiteter werden.

Denn worauf ungeschickte Tadler am wenigsten merken,
das Glück, das junge Männer von Talent jetzt genießen,
indem sie sich früher ausbilden, eher zu einem reinen, dem
Gegenstande angemessenen Stil gelangen können, wem sind 20
sie es schuldig als ihren Vorgängern, die in der letzten Hälfte
dieses Jahrhunderts mit einem unablässigen Bestreben, unter mancherlei Hindernissen sich jeder auf seine eigene
Weise ausgebildet haben? Dadurch ist eine Art von unsichtbarer Schule entstanden, und der junge Mann, der jetzt 25
hineintritt, kommt in einen viel größeren und lichteren
Kreis als der frühere Schriftsteller, der ihn erst selbst beim
Dämmerschein durchirren mußte, um ihn nach und nach,
gleichsam nur zufällig, erweitern zu helfen. Viel zu spät
kommt der Halbkritiker, der uns mit seinem Lämpchen vor- 30
leuchten will; der Tag ist angebrochen, und wir werden die
Läden nicht wieder zumachen.

Üble Laune läßt man in guter Gesellschaft nicht aus, und
der muß sehr üble Laune haben, der in dem Augenblicke
Deutschland vortreffliche Schriftsteller abspricht, da fast 35
jedermann gut schreibt. Man braucht nicht weit zu suchen,
um einen artigen Roman, eine glückliche Erzählung, einen
reinen Aufsatz über diesen oder jenen Gegenstand zu finden.
Unsre kritischen Blätter, Journale und Kompendien, welchen

Beweis geben sie nicht oft eines übereinstimmenden guten
Stils! Die Sachkenntnis erweitert sich beim Deutschen
mehr und mehr, und die Übersicht wird klarer. Eine würdige
Philosophie macht ihn, trotz allem Widerstand schwanken-
der Meinungen, mit seinen Geisteskräften immer bekannter
und erleichtert ihm die Anwendung derselben. Die vielen
Beispiele des Stils, die Vorarbeiten und Bemühungen so
mancher Männer setzen den Jüngling früher instand, das,
was er von außen aufgenommen und in sich ausgebildet hat,
dem Gegenstande gemäß mit Klarheit und Anmut darzustellen. So sieht ein heitrer, billiger Deutscher die Schriftsteller seiner Nation auf einer schönen Stufe und ist überzeugt, daß sich auch das Publikum nicht durch einen miß-
launischen Krittler werde irre machen lassen. Man entferne
ihn aus der Gesellschaft, aus der man jeden ausschließen
sollte, dessen vernichtende Bemühungen nur die Handelnden mißmutig, die Teilnehmenden lässig und die Zuschauer
mißtrauisch und gleichgültig machen könnten.

PLATO ALS MITGENOSSE
EINER CHRISTLICHEN OFFENBARUNG

(Im Jahre 1796 durch eine Übersetzung veranlaßt.)

Niemand glaubt, genug von dem ewigen Urheber erhalten
zu haben, wenn er gestehen müßte, daß für alle seine Brüder
ebenso wie für ihn gesorgt wäre; ein besonderes Buch, ein
besonderer Prophet hat ihm vorzüglich den Lebensweg
vorgezeichnet, und auf diesem allein sollen alle zum Heil
gelangen.

Wie sehr verwundert waren daher zu jeden Zeiten alle die,
welche sich einer ausschließenden Lehre ergeben hatten,
wenn sie auch außer ihrem Kreise vernünftige und gute
Menschen fanden, denen es angelegen war, ihre moralische
Natur auf das vollkommenste auszubilden! Was blieb ihnen
daher übrig, als auch diesen eine Offenbarung und gewissermaßen eine spezielle Offenbarung zuzugestehen.

Doch es sei! Diese Meinung wird immer bei denen bestehen, die sich gern Vorrechte wünschen und zuschreiben,

denen der Blick über Gottes große Welt, die Erkenntnis
seiner allgemeinen, ununterbrochenen und nicht zu unter-
brechenden Wirkungen nicht behagt, die vielmehr um ihres
lieben Ichs, ihrer Kirche und Schule willen Privilegien,
Ausnahmen und Wunder für ganz natürlich halten.   5

So ist denn auch Plato früher schon zu der Ehre eines Mitgenossen einer christlichen Offenbarung gelangt, und so
wird er uns auch hier wieder dargestellt.

Wie nötig bei einem solchen Schriftsteller, der bei seinen
großen Verdiensten den Vorwurf sophistischer und theur-   10
gischer Kunstgriffe wohl schwerlich von sich ablehnen
könnte, eine kritische, deutliche Darstellung der Umstände,
unter welchen er geschrieben, der Motive, aus welchen er
geschrieben, sein möchte, das Bedürfnis fühlt ein jeder, der
ihn liest, nicht um sich dunkel aus ihm zu erbauen – das   15
leisten viel geringere Schriftsteller –, sondern um einen vortrefflichen Mann in seiner Individualität kennen zu lernen;
denn nicht der Schein desjenigen, was andere sein konnten,
sondern die Erkenntnis dessen, was sie waren und sind,
bildet uns.   20

Welchen Dank würde der Übersetzer bei uns verdient
haben, wenn er zu seinen unterrichtenden Noten uns auch
noch, wie Wieland zum Horaz, die wahrscheinliche Lage
des alten Schriftstellers, den Inhalt und den Zweck jedes
einzelnen Werkes selbst kürzlich vorgelegt hätte!   25

Denn wie kommt z. B. „Ion" dazu, als ein kanonisches
Buch mit aufgeführt zu werden, da dieser kleine Dialog
nichts als eine Persiflage ist? Wahrscheinlich, weil am Ende
von göttlicher Eingebung die Rede ist! Leider spricht aber
Sokrates hier, wie an mehreren Orten, nur ironisch.   30

Durch jede philosophische Schrift geht, und wenn es
auch noch so wenig sichtbar würde, ein gewisser polemischer
Faden; wer philosophiert, ist mit den Vorstellungsarten seiner Vor- und Mitwelt uneins, und so sind die Gespräche des
Plato oft nicht allein auf etwas, sondern auch gegen etwas   35
gerichtet. Und eben dieses doppelte Etwas mehr, als vielleicht bisher geschehen, zu entwickeln und dem deutschen
Leser bequem vorzulegen, würde ein unschätzbares Verdienst des Übersetzers sein.

Man erlaube uns, noch einige Worte über „Ion" in diesem Sinne hinzuzufügen.

Die Maske des Platonischen Sokrates – denn so darf man jene phantastische Figur wohl nennen, welche Sokrates so wenig als die Aristophanische für sein Ebenbild erkannte – begegnet einem Rhapsoden, einem Vorleser, einem Deklamator, der berühmt war wegen seines Vortrags der Homerischen Gedichte und der soeben den Preis davongetragen hat und bald einen andern davonzutragen gedenkt. Diesen Ion gibt uns Plato als einen äußerst beschränkten Menschen, als einen, der zwar die Homerischen Gedichte mit Emphase vorzutragen und seine Zuhörer zu rühren versteht, der es auch wagt, über den Homer zu reden, aber wahrscheinlich mehr, um die darin vorkommenden Stellen zu erläutern als zu erklären, mehr, bei dieser Gelegenheit etwas zu sagen als durch seine Auslegung die Zuhörer dem Geist des Dichters näher zu bringen. Denn was mußte das für ein Mensch sein, der aufrichtig gesteht, daß er einschlafe, wenn die Gedichte anderer Poeten vorgelesen oder erklärt würden! Man sieht, ein solcher Mensch kann nur durch Tradition oder durch Übung zu seinem Talente gekommen sein. Wahrscheinlich begünstigte ihn eine gute Gestalt, ein glückliches Organ, ein Herz, fähig, gerührt zu werden; aber bei alledem blieb er ein Naturalist, ein bloßer Empiriker, der weder über seine Kunst noch über die Kunstwerke gedacht hatte, sondern sich in einem engen Kreise mechanisch herumdrehte und sich dennoch für einen Künstler hielt und wahrscheinlich von ganz Griechenland für einen großen Künstler gehalten wurde. Einen solchen Tropf nimmt der Platonische Sokrates vor, um ihn zuschanden zu machen. Erst gibt er ihm seine Beschränktheit zu fühlen, dann läßt er ihn merken, daß er von dem Homerischen Detail wenig verstehe, und nötigt ihn, da der arme Teufel sich nicht mehr zu helfen weiß, sich für einen Mann zu erkennen, der durch unmittelbare göttliche Eingebung begeistert wird.

Wenn das heiliger Boden ist, so möchte die Aristophanische Bühne auch ein geweihter Platz sein. So wenig der Maske des Sokrates Ernst ist, den Ion zu bekehren, so wenig ist es des Verfassers Absicht, den Leser zu belehren. Der berühmte, bewunderte, gekrönte, bezahlte Ion sollte in seiner ganzen Blöße dargestellt werden, und der Titel müßte heißen: Ion oder der beschämte Rhapsode; denn mit der Poesie hat das ganze Gespräch nichts zu tun.

Überhaupt fällt in diesem Gespräch, wie in andern Platonischen, die unglaubliche Dummheit einiger Personen auf, damit nur Sokrates von seiner Seite recht weise sein könne. Hätte Ion nur einen Schimmer Kenntnis der Poesie gehabt, so würde er auf die alberne Frage des Sokrates: wer den Homer, wenn er von Wagenlenken spricht, besser verstehe, der Wagenführer oder der Rhapsode? keck geantwortet haben: „Gewiß der Rhapsode; denn der Wagenlenker weiß nur, ob Homer richtig spricht; der einsichtsvolle Rhapsode weiß, ob er gehörig spricht, ob er als Dichter, nicht als Beschreiber eines Wettlaufs, seine Pflicht erfüllt." Zur Beurteilung des epischen Dichters gehört nur Anschauen und Gefühl und nicht eigentlich Kenntnis, obgleich auch ein freier Blick über die Welt und alles, was sie betrifft. Was braucht man, wenn man einen nicht mystifizieren will, hier zu einer göttlichen Eingebung seine Zuflucht zu nehmen? Wir haben in Künsten mehr Fälle, wo nicht einmal der Schuster von der Sohle urteilen darf; denn der Künstler findet für nötig, subordinierte Teile höhern Zwecken völlig aufzuopfern. So habe ich selbst in meinem Leben mehr als einen Wagenlenker alte Gemmen tadeln hören, worauf die Pferde ohne Geschirr dennoch den Wagen ziehen sollten. Freilich hatte der Wagenlenker recht, weil er das ganz unnatürlich fand; aber der Künstler hatte auch recht, die schöne Form seines Pferdekörpers nicht durch einen unglücklichen Faden zu unterbrechen. Diese Fiktionen, diese Hieroglyphen, deren jede Kunst bedarf, werden so übel von allen denen verstanden, welche alles Wahre natürlich haben wollen und dadurch die Kunst aus ihrer Sphäre reißen. Dergleichen hypothetische Äußerungen alter und berühmter Schriftsteller, die am Platz, wo sie stehen, zweckmäßig sein mögen, ohne Bemerkung, wie relativ falsch sie werden können, sollte man nicht wieder ohne Zurechtweisung abdrucken lassen, so wenig als die falsche Lehre von Inspirationen.

Daß einem Menschen, der eben kein dichterisches Genie hat, einmal ein artiges, lobenswertes Gedicht gelingt, diese Erfahrung wiederholt sich oft, und es zeigt sich darin nur, was lebhafter Anteil, gute Laune und Leidenschaft hervor-
5 bringen kann. Man gesteht dem Haß zu, daß er das Genie suppliere, und man kann es von allen Leidenschaften sagen, die uns zur Tätigkeit auffordern. Selbst der anerkannte Dichter ist nur in Momenten fähig, sein Talent im höchsten Grade zu zeigen, und es läßt sich dieser Wirkung des mensch-
10 lichen Geistes psychologisch nachkommen, ohne daß man nötig hätte, zu Wundern und seltsamen Wirkungen seine Zuflucht zu nehmen, wenn man Geduld genug besäße, den natürlichen Phänomenen zu folgen, deren Kenntnis uns die Wissenschaft anbietet, über die es freilich bequemer ist vor-
15 nehm hinwegzusehen, als das, was sie leistet, mit Einsicht und Billigkeit zu schätzen.

Sonderbar ist es in dem Platonischen Gespräch, daß Ion, nachdem er seine Unwissenheit in mehreren Künsten, im Wahrsagen, Wagenfahren, in der Arzneikunde und Fische-
20 rei bekannt hat, zuletzt doch behauptet, daß er sich zum Feldherrn besonders qualifiziert fühle. Wahrscheinlich war dies ein individuelles Steckenpferd dieses talentreichen, aber albernen Individui, eine Grille, die ihn bei seinem innigen Umgang mit Homerischen Helden angewandelt sein mochte
25 und die seinen Zuhörern nicht unbekannt war. Und haben wir diese und ähnliche Grillen nicht an Männern bemerkt, welche sonst verständiger sind, als Ion sich hier zeigt? Ja, wer verbirgt wohl zu unsern Zeiten die gute Meinung, die er von sich hegt, daß er zum Regimente nicht der Unfähigste
30 sei?

Mit wahrer Aristophanischer Bosheit verspart Plato diesen letzten Schlag für seinen armen Sünder, der nun freilich sehr betäubt dasteht und zuletzt, da ihm Sokrates die Wahl zwischen dem Prädikate eines Schurken oder göttlichen
35 Mannes läßt, natürlicherweise nach dem letzten greift und sich auf eine sehr verblüffte Art höflich bedankt, daß man ihn zum besten haben wollen. Wahrhaftig, wenn das heiliges Land ist, möchte das Aristophanische Theater auch für einen geweihten Boden gelten.

Gewiß, wer uns auseinandersetzte, was Männer wie Plato im Ernst, Scherz und Halbscherz, was sie aus Überzeugung oder nur diskursive gesagt haben, würde uns einen außerordentlichen Dienst erzeigen und zu unserer Bildung unendlich viel beitragen; denn die Zeit ist vorbei, da die Sibyllen unter der Erde weissagten; wir fordern Kritik und wollen urteilen, ehe wir etwas annehmen und auf uns anwenden.

ÜBER EPISCHE UND DRAMATISCHE DICHTUNG

von Goethe und Schiller

Der Epiker und Dramatiker sind beide den allgemeinen poetischen Gesetzen unterworfen, besonders dem Gesetze der Einheit und dem Gesetze der Entfaltung; ferner behandeln sie beide ähnliche Gegenstände und können beide alle Arten von Motiven brauchen; ihr großer wesentlicher Unterschied beruht aber darin, daß der Epiker die Begebenheit als vollkommen vergangen vorträgt und der Dramatiker sie als vollkommen gegenwärtig darstellt. Wollte man das Detail der Gesetze, wonach beide zu handeln haben, aus der Natur des Menschen herleiten, so müßte man sich einen Rhapsoden und einen Mimen, beide als Dichter, jenen mit seinem ruhig horchenden, diesen mit seinem ungeduldig schauenden und hörenden Kreise umgeben, immer vergegenwärtigen, und es würde nicht schwer fallen, zu entwickeln, was einer jeden von diesen beiden Dichtarten am meisten frommt, welche Gegenstände jede vorzüglich wählen, welcher Motive sie sich vorzüglich bedienen wird; ich sage vorzüglich: denn, wie ich schon zu Anfang bemerkte, ganz ausschließlich kann sich keine etwas anmaßen.

Die Gegenstände des Epos und der Tragödie sollten rein menschlich, bedeutend und pathetisch sein: die Personen stehen am besten auf einem gewissen Grade der Kultur, wo die Selbsttätigkeit noch auf sich allein angewiesen ist, wo man nicht moralisch, politisch, mechanisch, sondern persönlich wirkt. Die Sagen aus der heroischen Zeit der Griechen waren in diesem Sinne den Dichtern besonders günstig.

Das epische Gedicht stellt vorzüglich persönlich beschränkte Tätigkeit, die Tragödie persönlich beschränktes
Leiden vor; das epische Gedicht den außer sich wirkenden Menschen: Schlachten, Reisen, jede Art von Unternehmung, die eine gewisse sinnliche Breite fordert; die
Tragödie den nach innen geführten Menschen, und die
Handlungen der echten Tragödie bedürfen daher nur wenigen Raums.

Der Motive kenne ich fünferlei Arten:

1) Vorwärtsschreitende, welche die Handlung fördern; deren bedient sich vorzüglich das Drama.

2) Rückwärtsschreitende, welche die Handlung von
ihrem Ziele entfernen; deren bedient sich das epische Gedicht fast ausschließlich.

3) Retardierende, welche den Gang aufhalten oder
den Weg verlängern; dieser bedienen sich beide Dichtarten
mit dem größten Vorteile.

4) Zurückgreifende, durch die dasjenige, was vor der
Epoche des Gedichts geschehen ist, hereingehoben wird.

5) Vorgreifende, die dasjenige, was nach der Epoche
des Gedichts geschehen wird, antizipieren; beide Arten
braucht der epische so wie der dramatische Dichter, um
sein Gedicht vollständig zu machen.

Die Welten, welche zum Anschauen gebracht werden
sollen, sind beiden gemein:

1) Die physische, und zwar erstlich die nächste,
wozu die dargestellten Personen gehören und die sie umgibt.
In dieser steht der Dramatiker meist auf einem Punkte fest,
der Epiker bewegt sich freier in einem größern Lokal;
zweitens die entferntere Welt, wozu ich die ganze Natur
rechne. Diese bringt der epische Dichter, der sich überhaupt
an die Imagination wendet, durch Gleichnisse näher, deren
sich der Dramatiker sparsamer bedient.

2) Die sittliche ist beiden ganz gemein und wird am
glücklichsten in ihrer physiologischen und pathologischen
Einfalt dargestellt.

3) Die Welt der Phantasien, Ahnungen, Erscheinungen, Zufälle und Schicksale. Diese steht beiden
offen, nur versteht sich, daß sie an die sinnliche herangebracht

werde; wobei denn für die Modernen eine besondere Schwierigkeit entsteht, weil wir für die Wundergeschöpfe, Götter, Wahrsager und Orakel der Alten, so sehr es zu wünschen wäre, nicht leicht Ersatz finden.

Die Behandlung im ganzen betreffend, wird der Rhapsode, der das vollkommen Vergangene vorträgt, als ein weiser Mann erscheinen, der in ruhiger Besonnenheit das Geschehene übersieht; sein Vortrag wird dahin zwecken, die Zuhörer zu beruhigen, damit sie ihm gern und lange zuhören, er wird das Interesse egal verteilen, weil er nicht imstande ist, einen allzu lebhaften Eindruck geschwind zu balancieren, er wird nach Belieben rückwärts und vorwärts greifen und wandeln, man wird ihm überall folgen; denn er hat es nur mit der Einbildungskraft zu tun, die sich ihre Bilder selbst hervorbringt, und der es auf einen gewissen Grad gleichgültig ist, was für welche sie aufruft. Der Rhapsode sollte als ein höheres Wesen in seinem Gedicht nicht selbst erscheinen, er läse hinter einem Vorhange am allerbesten, so daß man von aller Persönlichkeit abstrahierte und nur die Stimme der Musen im allgemeinen zu hören glaubte.

Der Mime dagegen ist gerade in dem entgegengesetzten Fall, er stellt sich als ein bestimmtes Individuum dar, er will, daß man an ihm und seiner nächsten Umgebung ausschließlich teilnehme, daß man die Leiden seiner Seele und seines Körpers mitfühle, seine Verlegenheiten teile und sich selbst über ihn vergesse. Zwar wird auch er stufenweise zu Werke gehen; aber er kann viel lebhaftere Wirkungen wagen, weil bei sinnlicher Gegenwart auch sogar der stärkere Eindruck durch einen schwächern vertilgt werden kann. Der zuschauende Hörer muß von Rechts wegen in einer steten sinnlichen Anstrengung bleiben, er darf sich nicht zum Nachdenken erheben, er muß leidenschaftlich folgen, seine Phantasie ist ganz zum Schweigen gebracht, man darf keine Ansprüche an sie machen, und selbst, was erzählt wird, muß gleichsam darstellend vor die Augen gebracht werden.

ÜBER SCHILLERS WALLENSTEIN

...Wollte man das Objekt des ganzen Gedichts mit wenig
Worten aussprechen, so würde es sein: die Darstellung
einer phantastischen Existenz, welche durch ein außerordentliches Individuum und unter Vergünstigung eines
außerordentlichen Zeitmoments unnatürlich und augenblicklich gegründet wird, aber durch ihren notwendigen Widerspruch mit der gemeinen Wirklichkeit des Lebens und mit
der Rechtlichkeit der menschlichen Natur scheitert und
samt allem, was an ihr befestigt ist, zu Grunde geht. Der
Dichter hat also zwei Gegenstände darzustellen, die miteinander im Streit erscheinen: den phantastischen Geist,
der von der einen Seite an das Große und Idealische, von der
andern an den Wahnsinn und das Verbrechen grenzt, und
das gemeine wirkliche Leben, welches von der einen
Seite sich an das Sittliche und Verständige anschließt, von
der andern dem Kleinen, dem Niedrigen und Veräcbt-
lichen sich nähert. In die Mitte zwischen beiden, als eine
ideale, phantastische und zugleich sittliche Erscheinung,
stellt er uns die Liebe, und so hat er in seinem Gemälde
einen gewissen Kreis der Menschheit vollendet ...

Aus: REGELN FÜR SCHAUSPIELER

Die Kunst des Schauspielers besteht in Sprache und
Körperbewegung. Über beides wollen wir in nachfolgenden
Paragraphen einige Regeln und Andeutungen geben, indem
wir zunächst mit der Sprache den Anfang machen.

Dialekt.

§ 1.

Wenn mitten in einer tragischen Rede sich ein Provinzialismus eindrängt, so wird die schönste Dichtung ver-
unstaltet und das Gehör des Zuschauers beleidigt. Das ist
das Erste und Notwendigste für den sich bildenden Schauspieler, daß er sich von allen Fehlern des Dialekts befreie
und eine vollständige, reine Aussprache zu erlangen suche.

Kein Provinzialismus taugt auf die Bühne! Dort herrsche nur die reine deutsche Mundart, wie sie durch Geschmack, Kunst und Wissenschaft ausgebildet und verfeinert worden.

§ 2.

Wer mit Angewohnheiten des Dialekts zu kämpfen hat, halte sich an die allgemeinen Regeln der deutschen Sprache und suche das neu Anzuübende recht scharf, ja schärfer auszusprechen, als es eigentlich sein soll. Selbst Übertreibungen sind in diesem Falle zu raten, ohne Gefahr eines Nachteils; denn es ist der menschlichen Natur eigen, daß sie immer gern zu ihren alten Gewohnheiten zurückkehrt und das Übertriebene von selbst ausgleicht.

Aussprache.

§ 3.

So wie in der Musik das richtige, genaue und reine Treffen jedes einzelnen Tones der Grund alles weiteren künstlerischen Vortrages ist, so ist auch in der Schauspielkunst der Grund aller höheren Rezitation und Deklamation die reine und vollständige Aussprache jedes einzelnen Worts.

§ 4.

Vollständig aber ist die Aussprache, wenn kein Buchstabe eines Wortes unterdrückt wird, sondern wo alle nach ihrem wahren Werte hervorkommen.

§ 5.

Rein ist sie, wenn alle Wörter so gesagt werden, daß der Sinn leicht und bestimmt den Zuhörer ergreife.

Beides verbunden macht die Aussprache vollkommen.

§ 11.

Alle Endsilben und Endbuchstaben hüte man sich besonders, undeutlich auszusprechen; vorzüglich ist diese Regel bei m, n und s zu merken, weil diese Buchstaben die Endungen bezeichnen, welche das Hauptwort regieren, folglich das Verhältnis anzeigen, in welchem das Hauptwort zu dem übrigen Satze steht, und mithin durch sie der eigentliche Sinn des Satzes bestimmt wird.

§ 13.

Auf die Eigennamen muß im allgemeinen ein stärkerer
Ausdruck in der Aussprache gelegt werden als gewöhnlich,
weil so ein Name dem Zuhörer besonders auffallen soll. Denn
sehr oft ist es der Fall, daß von einer Person schon im ersten
Akte gesprochen wird, welche erst im dritten und oft noch
später vorkommt. Das Publikum soll nun darauf aufmerksam gemacht werden, und wie kann das anders geschehen
als durch deutliche, energische Aussprache?

§ 15.

Zugleich ist zu raten, im Anfange so tief zu sprechen, als
man es zu tun imstande ist, und dann abwechselnd immer im
Ton zu steigen; denn dadurch bekommt die Stimme einen
großen Umfang und wird zu den verschiedenen Modula-
tionen gebildet, deren man in der Deklamation bedarf.

Rezitation und Deklamation.

§ 18.

Unter Rezitation wird ein solcher Vortrag verstanden,
wie er ohne leidenschaftliche Tonerhebung, doch auch nicht
ganz ohne Tonveränderung zwischen der kalten, ruhigen
und der höchst aufgeregten Sprache in der Mitte liegt.

Der Zuhörer fühle immer, daß hier von einem dritten Objekte die Rede sei.

§ 20.

Ganz anders aber ist es bei der Deklamation oder gesteigerten Rezitation. Hier muß ich meinen angebornen Charakter verlassen, mein Naturell verleugnen und mich ganz
in die Lage und Stimmung desjenigen versetzen, dessen
Rolle ich deklamiere. Die Worte, welche ich ausspreche,
müssen mit Energie und dem lebendigsten Ausdruck hervorgebracht werden, so daß ich jede leidenschaftliche Re-
gung als wirklich gegenwärtig mit zu empfinden scheine.

§ 21.

Man könnte die Deklamierkunst eine prosaische Tonkunst nennen, wie sie denn überhaupt mit der Musik sehr

viel Analoges hat. Nur muß man unterscheiden, daß die Musik, ihren selbsteignen Zwecken gemäß, sich mit mehr Freiheit bewegt, die Deklamierkunst aber im Umfang ihrer Töne weit beschränkter und einem fremden Zwecke unterworfen ist. Auf diesen Grundsatz muß der Deklamierende immer die strengste Rücksicht nehmen. Denn wechselt er die Töne zu schnell, spricht er entweder zu tief oder zu hoch oder durch zu viele Halbtöne, so kommt er in das Singen; im entgegengesetzten Fall aber gerät er in Monotonie, die selbst in der einfachen Rezitation fehlerhaft ist – zwei Klippen, eine so gefährlich wie die andere, zwischen denen noch eine dritte verborgen liegt, nämlich der Predigerton. Leicht, indem man der einen oder anderen Gefahr ausweicht, scheitert man an dieser.

§ 25.

Wenn ein Wort vorkommt, das vermöge seines Sinnes sich zu einem erhöhten Ausdruck eignet oder vielleicht schon an und für sich selbst, seiner innern Natur und nicht des darauf gelegten Sinnes wegen, mit stärker artikuliertem Ton ausgesprochen werden muß, so ist wohl zu bemerken, daß man nicht wie abgeschnitten sich aus dem ruhigen Vortrag herausreiße und mit aller Gewalt dieses bedeutende Wort herausstoße und dann wieder zu dem ruhigen Ton übergehe, sondern man bereite durch eine weise Einteilung des erhöhten Ausdrucks gleichsam den Zuhörer vor, indem man schon auf die vorhergehenden Wörter einen mehr artikulierten Ton lege und so steige und falle bis zu dem geltenden Wort, damit solches in einer vollen und runden Verbindung mit den andern ausgesprochen werde.

Rhythmischer Vortrag.

§ 31.

Alle bei der Deklamation gemachten Regeln und Bemerkungen werden auch hier zur Grundlage vorausgesetzt. Insbesondere ist aber der Charakter des rhythmischen Vortrags, daß der Gegenstand mit noch mehr erhöhtem, pathetischem Ausdruck deklamiert sein will. Mit einem gewissen Gewicht soll da jedes Wort ausgesprochen werden.

§ 32.

Der Silbenbau aber so wie die gereimten Endsilben dürfen nicht zu auffallend bezeichnet, sondern es muß der Zusammenhang beobachtet werden wie in Prosa.

§ 33.

Hat man Iamben zu deklamieren, so ist zu bemerken, daß man jeden Anfang eines Verses durch ein kleines, kaum merkbares Innehalten bezeichnet; doch muß der Gang der Deklamation dadurch nicht gestört werden.

Stellung und Bewegung des Körpers auf der Bühne.

§ 34.

Über diesen Teil der Schauspielkunst lassen sich gleichfalls einige allgemeine Hauptregeln geben, wobei es freilich unendlich viele Ausnahmen gibt, welche aber alle wieder zu den Grundregeln zurückkehren. Diese trachte man sich so sehr einzuverleiben, daß sie zur zweiten Natur werden.

§ 35.

Zunächst bedenke der Schauspieler, daß er nicht allein die Natur nachahmen, sondern sie auch idealisch vorstellen solle und er also in seiner Darstellung das Wahre mit dem Schönen zu vereinigen habe.

§ 36.

Jeder Teil des Körpers stehe daher ganz in seiner Gewalt, so daß er jedes Glied gemäß dem zu erzielenden Ausdruck frei, harmonisch und mit Grazie gebrauchen könne.

§ 41.

Ein Hauptpunkt aber ist, daß unter zwei zusammen Agierenden der Sprechende sich stets zurück- und der, welcher zu reden aufhört, sich ein wenig vorbewege. Bedient man sich dieses Vorteils mit Verstand und weiß durch Übung ganz zwanglos zu verfahren, so entsteht sowohl für das Auge als für die Verständlichkeit der Deklamation die beste Wirkung, und ein Schauspieler, der sich Meister hierin macht wird mit Gleichgeübten sehr schönen Effekt hervorbringen und über diejenigen, die es nicht beobachten, sehr im Vorteil sein.

§ 42.

Wenn zwei Personen mit einander sprechen, sollte diejenige, die zur Linken steht, sich ja hüten, gegen die Person zur Rechten allzu stark einzudringen. Auf der rechten Seite steht immer die geachtete Person: Frauenzimmer, Ältere, Vornehmere. Schon im gemeinen Leben hält man sich in einiger Entfernung von dem, vor dem man Respekt hat; das Gegenteil zeugt von einem Mangel an Bildung. Der Schauspieler soll sich als einen Gebildeten zeigen und obiges deshalb auf das genaueste beobachten. Wer auf der rechten Seite steht, behaupte daher sein Recht und lasse sich nicht gegen die Kulisse treiben, sondern halte stand und gebe dem Zudringlichen allenfalls mit der linken Hand ein Zeichen, sich zu entfernen.

Haltung und Bewegung der Hände und Arme.

§ 46.

Es ist äußerst fehlerhaft, wenn man die Hände entweder über einander oder auf dem Bauche ruhend hält oder eine in die Weste oder vielleicht gar beide dahin steckt.

§ 47.

Die Hand selbst aber muß weder eine Faust machen, noch wie beim Soldaten mit ihrer ganzen Fläche am Schenkel liegen, sondern die Finger müssen teils halb gebogen, teils gerade, aber nur nicht gezwungen gehalten werden.

§ 49.

Die obere Hälfte der Arme soll sich immer etwas an den Leib anschließen und sich in einem viel geringeren Grade bewegen als die untere Hälfte, in welcher die größte Gelenksamkeit sein soll. Denn wenn ich meinen Arm, wenn von gewöhnlichen Dingen die Rede ist, nur wenig erhebe, um so viel mehr Effekt bringt es dann hervor, wenn ich ihn ganz emporhalte. Mäßige ich mein Spiel nicht bei schwächeren Ausdrücken meiner Rede, so habe ich nicht Stärke genug zu den heftigeren, wodurch alsdann die Gradation des Effekts ganz verloren geht.

§ 59.

Der Schauspieler bedenke, auf welcher Seite des Theaters er stehe, um seine Gebärde darnach einzurichten.

§ 60.

Wer auf der rechten Seite steht, agiere mit der linken Hand, und umgekehrt, wer auf der linken Seite steht, mit der rechten, damit die Brust so wenig als möglich durch den Arm verdeckt werde.

Gebärdenspiel.

§ 63.

Um zu einem richtigen Gebärdenspiel zu kommen und solches gleich richtig beurteilen zu können, merke man sich folgende Regeln:

Man stelle sich vor einen Spiegel und spreche dasjenige, was man zu deklamieren hat, nur leise oder vielmehr gar nicht, sondern denke sich nur die Worte. Dadurch wird gewonnen, daß man von der Deklamation nicht hingerissen wird, sondern jede falsche Bewegung, welche das Gedachte oder leise Gesagte nicht ausdrückt, leicht bemerken so wie auch die schönen und richtigen Gebärden auswählen und dem ganzen Gebärdenspiel eine analoge Bewegung mit dem Sinne der Wörter als Gepräge der Kunst aufdrücken kann.

§ 64.

Dabei muß aber vorausgesetzt werden, daß der Schauspieler vorher den Charakter und die ganze Lage des Vorzustellenden sich völlig eigen mache, und daß seine Einbildungskraft den Stoff recht verarbeite; denn ohne diese Vorbereitung wird er weder richtig zu deklamieren noch zu handeln imstande sein.

§ 65.

Für den Anfänger ist es von großem Vorteil, um Gebärdenspiel zu bekommen und seine Arme beweglich und
gelenksam zu machen, wenn er seine Rolle, ohne sie zu rezitieren, einem andern bloß durch Pantomime verständlich
zu machen sucht; denn da ist er gezwungen, die passendsten
Gesten zu wählen.

In der Probe zu beobachten.

§ 68.

Auch in der Probe sollte man sich nichts erlauben, was
nicht im Stücke vorkommen darf.

§ 70.

Kein Schauspieler sollte im Mantel probieren, sondern
die Hände und Arme wie im Stücke frei haben. Denn der
Mantel hindert ihn nicht allein, die gehörigen Gebärden zu
machen, sondern zwingt ihn auch, falsche anzunehmen, die
er denn bei der Vorstellung unwillkürlich wiederholt.

§ 71.

Der Schauspieler soll auch in der Probe keine Bewegung
machen, die nicht zur Rolle paßt.

§ 72.

Wer bei Proben tragischer Rollen die Hand in den Busen
steckt, kommt in Gefahr, bei der Aufführung eine Öffnung
im Harnisch zu suchen.

Haltung des Schauspielers im gewöhnlichen Leben.

§ 75.

Der Schauspieler soll auch im gemeinen Leben bedenken,
daß er öffentlich zur Kunstschau stehen werde.

§ 76.

Vor angewöhnten Gebärden, Stellungen, Haltung der
Arme und des Körpers soll er sich daher hüten, denn wenn
der Geist während dem Spiel darauf gerichtet sein soll,
solche Angewöhnungen zu vermeiden, so muß er natürlich
für die Hauptsache zum großen Teil verloren gehen.

§ 78.

Dagegen ist es eine wichtige Regel für den Schauspieler, daß er sich bemühe, seinem Körper, seinem Betragen, ja allen seinen übrigen Handlungen im gewöhnlichen Leben eine solche Wendung zu geben, daß er dadurch gleichsam wie in einer beständigen Übung erhalten werde. Es wird dieses für jeden Teil der Schauspielkunst von unendlichem Vorteil sein.

§ 80.

Da man auf der Bühne nicht nur alles wahr, sondern auch schön dargestellt haben will, da das Auge des Zuschauers auch durch anmutige Gruppierungen und Attitüden gereizt sein will, so soll der Schauspieler auch außer der Bühne trachten, selbe zu erhalten; er soll sich immer einen Platz von Zuschauern vor sich denken.

Stellung und Gruppierung auf der Bühne.

§ 82.

Die Bühne und der Saal, die Schauspieler und die Zuschauer machen erst ein Ganzes.

§ 83.

Das Theater ist als ein figurloses Tableau anzusehen, worin der Schauspieler die Staffage macht.

§ 84.

Man spiele daher niemals zu nahe an den Kulissen.

§ 85.

Ebensowenig trete man ins Proszenium. Dies ist der größte Mißstand; denn die Figur tritt aus dem Raume heraus, innerhalb dessen sie mit dem Szenengemälde und den Mitspielenden ein Ganzes macht.

§ 86.

Wer allein auf dem Theater steht, bedenke, daß auch er die Bühne zu staffieren berufen ist, und dieses um so mehr, als die Aufmerksamkeit ganz allein auf ihn gerichtet bleibt.

§ 88.

Wer zu einem Monolog aus der hintern Kulisse auf das
Theater tritt, tut wohl, wenn er sich in der Diagonale bewegt, so daß er an der entgegengesetzten Seite des Prosze-
niums anlangt; wie denn überhaupt die Diagonalbewegun-
gen sehr reizend sind.

§ 90.

Alle diese technisch-grammatischen Vorschriften mache
man sich eigen nach ihrem Sinne und übe sie stets aus, daß
sie zur Gewohnheit werden. Das Steife muß verschwinden
und die Regel nur die geheime Grundlinie des lebendigen
Handelns werden.

ALEMANNISCHE GEDICHTE

Für Freunde ländlicher Natur und Sitten,

von J. P. Hebel.

Der Verfasser dieser Gedichte, die in einem oberdeutschen
Dialekt geschrieben sind, ist im Begriff, sich einen eignen
Platz auf dem deutschen Parnaß zu erwerben. Sein Talent
neigt sich gegen zwei entgegengesetzte Seiten. An der einen
beobachtet er mit frischem, frohem Blick die Gegenstände
der Natur, die in einem festen Dasein, Wachstum und Bewegung ihr Leben aussprechen und die wir gewöhnlich leb-
los zu nennen pflegen, und nähert sich der beschreibenden
Poesie; doch weiß er durch glückliche Personifikationen
seine Darstellung auf eine höhere Stufe der Kunst herauf-
zuheben. An der andern Seite neigt er sich zum Sittlich-
Didaktischen und zum Allegorischen; aber auch hier kommt
ihm jene Personifikation zu Hilfe, und wie er dort für seine
Körper einen Geist fand, so findet er hier für seine Geister
einen Körper. Dies gelingt ihm nicht durchaus; aber wo es
ihm gelingt, sind seine Arbeiten vortrefflich, und nach unserer Überzeugung verdient der größte Teil dieses Lob.
   Wenn antike oder andere durch plastischen Kunstge-
schmack gebildete Dichter das sogenannte Leblose durch

idealische Figuren beleben und höhere, göttergleiche Naturen, als Nymphen, Dryaden und Hamadryaden, an die
Stelle der Felsen, Quellen, Bäume setzen, so verwandelt der
Verfasser diese Naturgegenstände zu Landleuten und ver-
bauert auf die naivste, anmutigste Weise durchaus das Universum; so daß die Landschaft, in der man denn doch den
Landmann immer erblickt, mit ihm in unserer erhöhten und
erheiterten Phantasie nur Eins auszumachen scheint.

Das Lokal ist dem Dichter äußerst günstig. Er hält sich
besonders in dem Landwinkel auf, den der bei Basel gegen
Norden sich wendende Rhein macht. Heiterkeit des Him-
mels, Fruchtbarkeit der Erde, Mannigfaltigkeit der Gegend,
Lebendigkeit des Wassers, Behaglichkeit der Menschen,
Geschwätzigkeit und Darstellungsgabe, zudringliche Ge-
sprächsformen, neckische Sprachweise, so viel steht ihm zu
Gebot, um das, was ihm sein Talent eingibt, auszuführen.

Gleich das erste Gedicht enthält einen sehr artigen Anthropomorphism. Ein kleiner Fluß, die Wiese genannt, auf
dem Feldberg im Österreichischen entspringend, ist als ein
immer fortschreitendes und wachsendes Bauermädchen
vorgestellt, das, nachdem es eine sehr bedeutende Berg-
gegend durchlaufen hat, endlich in die Ebene kommt und
sich zuletzt mit dem Rhein vermählt. Das Detail dieser
Wanderung ist außerordentlich artig, geistreich und mannigfaltig, und mit vollkommener, sich selbst immer erhöhen-
der Stetigkeit ausgeführt.

Wenden wir von der Erde unser Auge an den Himmel, so
finden wir die großen leuchtenden Körper auch als gute,
wohlmeinende, ehrliche Landleute. Die Sonne ruht hinter
ihren Fensterläden; der Mond, ihr Mann, kommt forschend
herauf, ob sie wohl schon zur Ruhe sei, daß er noch eins
trinken könne; ihr Sohn, der Morgenstern, steht früher auf
als die Mutter, um sein Liebchen aufzusuchen.

Hat unser Dichter auf Erden seine Liebesleute vorzustellen, so weiß er etwas Abenteuerliches drein zu mischen
wie im „Hexlein“, etwas Romantisches wie im „Bettler“.
Dann sind sie auch wohl einmal recht freudig beisammen,
wie in „Hans und Verene“.

Sehr gern verweilt er bei Gewerb' und häuslicher Be-

schäftigung. „Der zufriedene Landmann", „Der Schmelz-
ofen", „Der Schreinergesell" stellen mehr oder weniger
eine derbe Wirklichkeit mit heiterer Laune dar. „Die Markt-
weiber in der Stadt" sind am wenigsten geglückt, da sie
beim Ausgebot ihrer ländlichen Ware den Städtern gar zu   5
ernstlich den Text lesen. Wir ersuchen den Verfasser, diesen
Gegenstand nochmals vorzunehmen und einer wahrhaft
naiven Poesie zu vindizieren.

Jahres- und Tageszeiten gelingen dem Verfasser besonders. Hier kommt ihm zu gute, daß er ein vorzügliches   10
Talent hat, die Eigentümlichkeiten der Zustände zu fassen
und zu schildern. Nicht allein das Sichtbare daran, sondern
das Hörbare, Riechbare, Greifbare und die aus allen sinnlichen Eindrücken zusammen entspringende Empfindung
weiß er sich zuzueignen und wiederzugeben. Dergleichen   15
sind: „Der Winter", „Der Jänner", „Der Sommerabend",
vorzüglich aber „Sonntagsfrühe", ein Gedicht, das zu den
besten gehört, die jemals in dieser Art gemacht worden.

Eine gleiche Nähe fühlt der Verfasser zu Pflanzen, zu
Tieren. Der Wachstum des Hafers, bei Gelegenheit eines   20
Habermuses von einer Mutter ihren Kindern erzählt, ist
vortrefflich idyllisch ausgeführt. Den „Storch" wünschten
wir vom Verfasser nochmals behandelt und bloß die friedlichen Motive in das Gedicht aufgenommen. „Die Spinne"
und „Der Käfer" dagegen sind Stücke, deren schöne An-   25
lage und Ausführung man bewundern muß.

Deutet nun der Verfasser in allen genannten Gedichten
immer auf Sittlichkeit hin, ist Fleiß, Tätigkeit, Ordnung,
Mäßigkeit, Zufriedenheit überall das Wünschenswerte, was
die ganze Natur ausspricht, so gibt es noch andere Gedichte, 30
die zwar direkter, aber doch mit großer Anmut der Erfindung und Ausführung auf eine heitere Weise vom Unsitt-
lichen ab- und zum Sittlichen hinleiten sollen. Dahin rechnen wir den „Wegweiser", den „Mann im Mond", die
„Irrlichter", das „Gespenst an der Kanderer Straße", von   35
welchem letzten man besonders auch sagen kann, daß in
seiner Art nichts Besseres gedacht noch gemacht worden ist.

Das Verhältnis von Eltern zu Kindern wird auch von
dem Dichter öfters benutzt, um zum Guten und Rechten

zärtlicher und dringender hinzuleiten. Hieher gehören „Die Mutter am Christabend", „Eine Frage", „Noch eine Frage".

Hat uns nun dergestalt der Dichter mit Heiterkeit durch das Leben geführt, so spricht er nun auch durch die Organe der Bauern und Nachtwächter die höheren Gefühle von Tod, Vergänglichkeit des Irdischen, Dauer des Himmlischen, vom Leben jenseits mit Ernst, ja melancholisch aus. „Auf einem Grabe", „Wächterruf", „Der Wächter in der Mitternacht", „Die Vergänglichkeit" sind Gedichte, in denen der dämmernde, dunkle Zustand glücklich dargestellt wird. Hier scheint die Würde des Gegenstandes den Dichter manchmal aus dem Kreise der Volkspoesie in eine andere Region zu verleiten. Doch sind die Gegenstände, die realen Umgebungen durchaus so schön benutzt, daß man sich immer wieder in den einmal beschriebenen Kreis zurückgezogen fühlt.

Überhaupt hat der Verfasser den Charakter der Volkspoesie darin sehr gut getroffen, daß er durchaus, zarter oder derber, die Nutzanwendung ausspricht. Wenn der höher Gebildete von dem ganzen Kunstwerke die Einwirkung auf sein inneres Ganze erfahren und so in einem höheren Sinne erbaut sein will, so verlangen Menschen auf einer niederen Stufe der Kultur die Nutzanwendung von jedem Einzelnen, um es auch sogleich zum Hausgebrauch benutzen zu können. Der Verfasser hat nach unserem Gefühl das fabula docet meist sehr glücklich und mit viel Geschmack angebracht, so daß, indem der Charakter einer Volkspoesie ausgesprochen wird, der ästhetisch Genießende sich nicht verletzt fühlt.

Die höhere Gottheit bleibt bei ihm im Hintergrund der Sterne, und was positive Religion betrifft, so müssen wir gestehen, daß es uns sehr behaglich war, durch ein erzkatholisches Land zu wandern, ohne der Jungfrau Maria und den blutenden Wunden des Heilands auf jedem Schritte zu begegnen. Von Engeln macht der Dichter einen allerliebsten Gebrauch, indem er sie an Menschengeschick und Naturerscheinungen anschließt.

Hat nun der Dichter in den bisher erwähnten Stücken durchaus einen glücklichen Blick ins Wirkliche bewährt, so

hat er, wie man bald bemerkt, die Hauptmotive der Volks-
gesinnung und Volkssagen sehr wohl aufzufassen verstanden. Diese schätzenswerte Eigenschaft zeigt sich vorzüglich
in zwei Volksmärchen, die er idyllenartig behandelt.

Die erste, „Der Karfunkel", eine gespensterhafte Sage,
stellt einen liederlichen, besonders dem Kartenspiel ergebe-
nen Bauernsohn dar, der unaufhaltsam dem Bösen ins Garn
läuft, erst die Seinigen, dann sich zu Grunde richtet. Die
Fabel mit der ganzen Folge der aus ihr entspringenden
Motive ist vortrefflich und ebenso die Behandlung.

Ein gleiches kann man von der zweiten, „Der Statthalter
von Schopfheim", sagen. Sie beginnt ernst und ahnungsvoll, fast ließe sich ein tragisches Ende vermuten; allein sie
zieht sich sehr geschickt einem glücklichen Ausgang zu.
Eigentlich ist es die Geschichte von David und Abigail, in
moderne Bauertracht nicht parodiert, sondern verkörpert.

Beide Gedichte, idyllenartig behandelt, bringen ihre Geschichte als von Bauern erzählt dem Hörer entgegen und gewinnen dadurch sehr viel, indem die wackern naiven Er-
zähler durch lebhafte Prosopopöien und unmittelbaren Anteil als an etwas Gegenwärtigem die Lebendigkeit des Vorgetragenen zu erhöhen an der Art haben.

Allen diesen innern guten Eigenschaften kommt die behagliche naive Sprache sehr zustatten. Man findet mehrere
sinnlich bedeutende und wohlklingende Worte, teils jenen
Gegenden selbst angehörig, teils aus dem Französischen
und Italienischen herübergenommen, Worte von einem, von
zwei Buchstaben, Abbreviationen, Kontraktionen, viele
kurze, leichte Silben, neue Reime, welches, mehr als man
glaubt, ein Vorteil für den Dichter ist. Diese Elemente werden
durch glückliche Konstruktionen und lebhafte Formen zu
einem Stil zusammengedrängt, der zu diesem Zwecke vor
unserer Büchersprache große Vorzüge hat.

Möge es doch dem Verfasser gefallen, auf diesem Wege
fortzufahren, dabei unsere Erinnerungen über das innere
Wesen der Dichtung vielleicht zu beherzigen und auch dem
äußeren, technischen Teil, besonders seinen reimfreien Versen, noch einige Aufmerksamkeit zu schenken, damit sie
immer vollkommener und der Nation angenehmer werden

mögen! Denn so sehr zu wünschen ist, daß uns der ganze
deutsche Sprachschatz durch ein allgemeines Wörterbuch
möge vorgelegt werden, so ist doch die praktische Mitteilung
durch Gedichte und Schrift sehr viel schneller und lebendig
eingreifender.

Vielleicht könnte man sogar dem Verfasser zu bedenken
geben, daß, wie es für eine Nation ein Hauptschritt zur Kultur ist, wenn sie fremde Werke in ihre Sprache übersetzt, es
ebenso ein Schritt zur Kultur der einzelnen Provinz sein muß,
wenn man ihr Werke derselben Nation in ihrem eigenen
Dialekt zu lesen gibt. Versuche doch der Verfasser, aus dem
sogenannten Hochdeutschen schickliche Gedichte in seinen
oberrheinischen Dialekt zu übersetzen. Haben doch die
Italiener ihren Tasso in mehrere Dialekte übersetzt.

Nachdem wir nun die Zufriedenheit, die uns diese kleine
Sammlung gewährt, nicht verbergen können, so wünschen
wir nur auch, daß jenes Hindernis einer für das mittlere und
niedere Deutschland seltsamen Sprech- und Schreibart
einigermaßen gehoben werden möge, um der ganzen Nation
diesen erfreulichen Genuß zu verschaffen. Dazu gibt es verschiedene Mittel, teils durch Vorlesen, teils durch Annäherung an die gewohnte Schreib- und Sprechweise, wenn
jemand von Geschmack das, was ihm aus der Sammlung am
besten gefällt, für seinen Kreis umzuschreiben unternimmt –
eine kleine Mühe, die in jeder Sozietät großen Gewinn bringen wird. Wir fügen ein Musterstück unserer Anzeige bei
und empfehlen nochmals angelegentlich dieses Bändchen
allen Freunden des Guten und Schönen. Sonntagsfrühe:
„Der Samstig het zum Sunntig gseit" etc.

RAMEAUS NEFFE

Ein Dialog von Diderot.

Marivaux.
Geb. zu Paris 1688. Gest. 1763.   5

Die Geschichte seines erworbenen und wiederverlorenen
Rufes ist die Geschichte so vieler andern, besonders bei dem
französischen Theater.

Es gibt so viele Stücke, die zu ihrer Zeit sehr gut aufgenommen worden, bei denen die französischen Kritiker   10
selbst nicht begreifen, wie es zugegangen, und doch ist die
Sache leicht erklärlich.

Das Neue hat als solches schon eine besondre Gunst.
Nehme man dazu, daß ein junger Mann auftritt, der als ein
Neuer das Neue liefert, der sich durch Bescheidenheit Gunst   15
zu erwerben weiß, um so leichter, als er nicht den höchsten
Kranz davonzutragen, sondern nur Hoffnungen zu erregen
verspricht. Man nehme das Publikum, das jederzeit nur von
augenblicklichen Eindrücken abhängt, das einen neuen
Namen wie ein weißes Blatt ansieht, worauf man Gunst oder   20
Ungunst nach Befinden schreiben kann, und man denke
sich ein Stück, mit einigem Talent geschrieben, von vorzüglichen Schauspielern aufgeführt, warum sollte es nicht günstig aufgenommen werden? warum sollte es nicht sich und
seinen Autor durch Gewohnheit empfehlen?   25

Selbst ein erster Mißgriff ist in der Folge zu verbessern,
und wem es zuerst nicht ganz geglückt, kann sich durch
fortdauerndes Bestreben in Gunst setzen und erhalten. Von
jenem sowohl als diesem Fall kommen in der französischen
Theatergeschichte mannigfaltige Beispiele vor.   30

Aber, was unmöglich ist, zeigt sich auch. Unmöglich ist
es, die Gunst der Menge bis ans Ende zu erhalten. Das
Genie erschöpft sich, um so mehr das Talent. Was der Autor
nicht merkt, merkt das Publikum. Er befriedigt selbst seine
Gönner nicht mehr lebhaft. Neue Anforderungen an Gunst   35
werden gemacht, die Zeit schreitet vor, eine frische Jugend

wirkt, und man findet die Richtung, die Wendung eines frühern Talentes veraltet.

Der Schriftsteller, der nicht selbst bei Zeiten zurückgetreten, der noch immer eine ähnliche Aufnahme erwartet, sieht einem unglücklichen Alter entgegen, wie eine Frau, die von den scheidenden Reizen nicht Abschied nehmen will.

In diese traurige Lage kam Marivaux; er mochte sich mit der Allgemeinheit seines Geschicks nicht trösten, zeigte sich übellaunig und wird hier um deswillen von Diderot verspottet.

Montesquieu.
Geb. 1689. Gest. 1755.

„Daß Montesquieu nur ein schöner Geist sei." Eine ähnliche Redensart ist oben schon bei d'Alembert angeführt worden.

Durch seine Lettres Persanes machte sich Montesquieu zuerst bekannt. Die große Wirkung, welche sie hervorbrachten, war ihrem Gehalt und der glücklichen Behandlung desselben gleich. Unter dem Vehikel einer reizenden Sinnlichkeit weiß der Verfasser seine Nation auf die bedeutendsten, ja die gefährlichsten Materien aufmerksam zu machen, und schon ganz deutlich kündigt sich der Geist an, welcher den Esprit des lois hervorbringen sollte. Weil er sich nun aber bei diesem ersten Eintritt einer leichten Hülle bedient, so will man ihn denn auch nur, da er sie schon abgeworfen, nach ihr schätzen und ihm das weitere größere Verdienst halbkennerisch ableugnen.

Voltaire.
Geb. 1694. Gest. 1778.

Wenn Familien sich lange erhalten, so kann man bemerken, daß die Natur endlich ein Individuum hervorbringt, das die Eigenschaften seiner sämtlichen Ahnherren in sich begreift und alle bisher vereinzelten und angedeuteten Anlagen vereinigt und vollkommen ausspricht. Eben so geht es mit Nationen, deren sämtliche Verdienste sich wohl einmal, wenn es glückt, in einem Individuum aussprechen. So entstand in Ludwig dem XIV. ein französischer König im höchsten Sinne, und eben so in Voltairen der höchste unter den Franzosen denkbare, der Nation gemäßeste Schriftsteller.

Die Eigenschaften sind mannigfaltig, die man von einem geistvollen Manne fordert, die man an ihm bewundert, und die Forderungen der Franzosen sind hierin, wo nicht größer, doch mannigfaltiger als die andrer Nationen.

Wir setzen den bezeichneten Maßstab, vielleicht nicht ganz vollständig und freilich nicht methodisch genug gereiht, zu heiterer Übersicht hieher.

Tiefe, Genie, Anschauung, Erhabenheit, Naturell, Talent, Verdienst, Adel, Geist, schöner Geist, guter Geist, Gefühl, Sensibilität, Geschmack, guter Geschmack, Verstand, Richtigkeit, Schickliches, Ton, guter Ton, Hofton, Mannigfaltigkeit, Fülle, Reichtum, Fruchtbarkeit, Wärme, Magie, Anmut, Grazie, Gefälligkeit, Leichtigkeit, Lebhaftigkeit, Feinheit, Brillantes, Saillantes, Petillantes, Pikantes, Delikates, Ingenioses, Stil, Versifikation, Harmonie, Reinheit, Korrektion, Eleganz, Vollendung.

Von allen diesen Eigenschaften und Geistesäußerungen kann man vielleicht Voltairen nur die erste und die letzte, die Tiefe in der Anlage und die Vollendung in der Ausführung, streitig machen. Alles, was übrigens von Fähigkeiten und Fertigkeiten auf eine glänzende Weise die Breite der Welt ausfüllt, hat er besessen und dadurch seinen Ruhm über die Erde ausgedehnt.

Es ist sehr merkwürdig zu beobachten, bei welcher Gelegenheit die Franzosen in ihrer Sprache, statt jener von uns verzeichneten Worte, ähnliche oder gleichbedeutende gebrauchen und in diesem oder jenem Falle anwenden. Eine historische Darstellung der französischen Ästhetik von einem Deutschen wäre daher höchst interessant, und wir würden auf diesem Wege vielleicht einige Standpunkte gewinnen, um gewisse Regionen deutscher Art und Kunst, in welchen noch viel Verwirrung herrscht, zu übersehen und zu beurteilen und eine allgemeine deutsche Ästhetik, die jetzt noch so sehr an Einseitigkeiten leidet, vorzubereiten.

DES KNABEN WUNDERHORN

Alte deutsche Lieder, herausgegeben von
Achim von Arnim und Clemens Brentano.

Die Kritik dürfte sich vorerst nach unserem Dafürhalten
mit dieser Sammlung nicht befassen. Die Herausgeber haben
solche mit so viel Neigung, Fleiß, Geschmack, Zartheit zusammengebracht und behandelt, daß ihre Landsleute dieser
liebevollen Mühe nun wohl erst mit gutem Willen, Teilnahme und Mitgenuß zu danken hätten. Von Rechts wegen
sollte dieses Büchlein in jedem Hause, wo frische Menschen
wohnen, am Fenster, unterm Spiegel, oder wo sonst Gesang-
und Kochbücher zu liegen pflegen, zu finden sein, um aufgeschlagen zu werden in jedem Augenblick der Stimmung
oder Unstimmung, wo man denn immer etwas Gleich-
tönendes oder Anregendes fände, wenn man auch allenfalls
das Blatt ein paarmal umschlagen müßte.

Am besten aber läge doch dieser Band auf dem Klavier
des Liebhabers oder Meisters der Tonkunst, um den darin
enthaltenen Liedern entweder mit bekannten, hergebrachten
Melodien ganz ihr Recht widerfahren zu lassen oder ihnen
schickliche Weisen anzuschmiegen, oder, wenn Gott wollte,
neue bedeutende Melodien durch sie hervorzulocken.

Würden dann diese Lieder nach und nach in ihrem eigenen Ton- und Klangelemente von Ohr zu Ohr, von Mund
zu Mund getragen, kehrten sie allmählich belebt und ver-
herrlicht zum Volke zurück, von dem sie zum Teil gewissermaßen ausgegangen, so könnte man sagen, das Büchlein
habe seine Bestimmung erfüllt und könne nun wieder als
geschrieben und gedruckt verloren gehen, weil es in Leben
und Bildung der Nation übergegangen.

Weil nun aber in der neueren Zeit, besonders in Deutschland, nichts zu existieren und zu wirken scheint, wenn nicht
darüber geschrieben und wieder geschrieben und geurteilt
und gestritten wird, so mag denn auch über diese Sammlung
hier einige Betrachtung stehen, die, wenn sie den Genuß
auch nicht erhöht und verbreitet, doch wenigstens ihm nicht
entgegenwirken soll.

Was man entschieden zu Lob und Ehren dieser Sammlung sagen kann, ist, daß die Teile derselben durchaus mannigfaltig charakteristisch sind. Sie enthält über zweihundert Gedichte aus den drei letzten Jahrhunderten, sämtlich dem Sinne, der Erfindung, dem Ton, der Art und Weise nach dergestalt voneinander unterschieden, daß man keins dem andern vollkommen gleichstellen kann. Wir übernehmen das unterhaltende Geschäft, sie alle der Reihe nach, so, wie es uns der Augenblick eingibt, zu charakterisieren.

Das Wunderhorn. (Seite 13.) Feenhaft, kindlich, gefällig.

Des Sultans Töchterlein. (15.) Christlich zart, anmutig.

Tell und sein Kind. (17.) Rechtlich und tüchtig.

Großmutter Schlangenköchin. (19.) Tief, rätselhaft, dramatisch vortrefflich behandelt.

Jesaias Gesicht. (20.) Barbarisch groß.

Das Feuerbesprechen. (21.) Räuberisch ganz gehörig und recht.

Der arme Schwartenhals. (22.) Vagabundisch, launig, lustig.

Der Tod und das Mädchen. (24.) In Totentanzart, holzschnittmäßig, lobenswürdig.

Nachtmusikanten. (29.) Närrisch, ausgelassen, köstlich.

Widerspenstige Braut. (30.) Humoristisch, etwas fratzenhaft.

Klosterscheu. (32.) Launenhaft verworren und doch zum Zweck.

Der vorlaute Ritter. (32.) Im real-romantischen Sinn gar zu gut.

Die schwarzbraune Hexe. (34.) Durch Überlieferung etwas konfus, der Grund aber unschätzbar.

Der Dollinger. (36.) Ritterhaft tüchtig.

Liebe ohne Stand. (37.) Dunkel romantisch.

Gastlichkeit des Winters. (39.) Sehr zierlich.

Die hohe Magd. (40.) Christlich pedantisch, nicht ganz unpoetisch.

Liebe spinnt keine Seide. (42.) Lieblich konfus und deswegen Phantasie erregend.

Husarenglaube. (43.) Schnelligkeit, Leichtigkeit musterhaft ausgedrückt.

Rattenfänger von Hameln. (44.) Zuckt aufs Bänkelsängerische, aber nicht unfein.

Schürz' dich, Gretlein. (46.) Im Vagabundensinn. Unerwartet epigrammatisch.

Lied vom Ringe. (48.) Romantisch zart.

Der Ritter und die Magd. (50.) Dunkel romantisch, gewaltsam.

Der Schreiber im Korb. (53.) Den Schlag wiederholendes, zweckmäßiges Spottgedicht.

Erntelied. (55.) Katholisches Kirchentodeslied. Verdiente, protestantisch zu sein.

Überdruß der Gelahrtheit. (57.) Sehr wacker. Aber der Pedant kann die Gelahrtheit nicht los werden.

Schlacht bei Murten. (58.) Realistisch, wahrscheinlich modernisiert.

Liebesprobe. (61.) Im besten Handwerksburschensinne und auch trefflich gemacht.

Der Falke. (63.) Groß und gut.

Die Eile der Zeit in Gott. (64.) Christlich, etwas zu historisch; aber dem Gegenstande gemäß und recht gut.

Das Rautensträuchlein. (69.) Eine Art Trümmer, sehr lieblich.

Die Nonne. (70.) Romantisch, empfindungsvoll und schön.

Revelje. (72.) Unschätzbar für den, dessen Phantasie folgen kann.

Fastnacht. (74.) Liebehaft, leise.

Diebsstellung. (75.) Holzschnittartig, sehr gut.

Wassersnot. (77.) Anschauung, Gefühl, Darstellung, überall das Rechte.

Tamboursgesell. (78.) Heitere Vergegenwärtigung eines ängstlichen Zustandes. Ein Gedicht, dem der Einsehende schwerlich ein gleiches an die Seite setzen könnte.

David. (79.) Katholisch hergebracht, aber noch ganz gut und zweckmäßig.

Sollen und Müssen. (80.) Vortrefflich in der Anlage, obgleich hier in einem zerstückten und wunderlich restaurierten Zustande.

Liebesdienst. (83.) Deutsch romantisch, frommsinnig und gefällig.

Geht dir's wohl, so denk' an mich. (84.) Anmutiger, singbarer Klang.

Der Tannhäuser. (86.) Großes christlich-katholisches Motiv.

Mißheirat. (90.) Treffliche, rätselhafte Fabel, ließe sich vielleicht mit wenigem anschaulicher und für den Teilnehmer befriedigender behandeln.

Wiegenlied. (92.) Reimhafter Unsinn, zum Einschläfern völlig zweckmäßig.

Frau Nachtigall. (93.) Eine kunstlose Behandlung zugegeben, dem Sinne nach höchst anmutig.

Die Juden in Passau. (93.) Bänkelsängerisch, aber lobenswert.

Kriegslied gegen Karl V. (97.) Protestantisch, höchst tüchtig.

Der Bettelvogt. (100.) Im Vagabundensinne gründlich und unschätzbar.

Von den klugen Jungfrauen. (101.) Recht großmütig, herzerhebend, wenn man in den Sinn eindringt.

Müllers Abschied. (102.) Für den, der die Lage fassen kann, unschätzbar, nur daß die erste Strophe einer Emendation bedarf.

Abt Neidhard und seine Mönche. (103.) Ein Tillstreich von der besten Sorte und trefflich dargestellt.

Von zwölf Knaben. (109.) Leichtfertig, ganz köstlich.

Kurze Weile. (110.) Deutsch romantisch, sehr lieblich.

Kriegslied des Glaubens. (112.) Protestantisch derb, treffend und durchschlagend.

Tabakslied. (114.) Trümmerhaft, aber Bergbau und Tabak gut bezeichnend.

Das fahrende Fräulein. (114.) Tief und schön.

Bettelei der Vögel. (115.) Gar liebenswürdig.

Die Greuelhochzeit. (117.) Ungeheurer Fall, bänkelsängerisch, aber lobenswürdig behandelt.

Der vortreffliche Stallbruder. (120.) Unsinn, aber wohl dem, der ihn behaglich singen könnte.

Unerhörte Liebe. (121.) Schön, sich aber doch einer gewissen philisterhaften Prosa nähernd.

Das Bäumlein. (124.) Sehnsuchtsvoll, spielend und doch herzinniglich.

Lindenschmied. (125.) Von dem Reiterhaften, Holzschnittartigen die allerbeste Sorte.

Lied vom alten Hildebrand. (128.) Auch sehr gut, doch früher und in der breiteren Manier gedichtet.

Friedenslied. (134.) Andächtig, bekannte Melodie, ans Herz redend.

Friedenslied. (137.) Gut, aber zu modern und reflektiert.

Drei Schwestern. (139.) Sehr wacker in der derben Art.

Der englische Gruß. (140.) Die anmutige, bloß katholische Art, christliche Mysterien ans menschliche, besonders deutsche Gefühl herüberzuführen.

Vertraue. (141.) Seltsam, tragisch, zum Grund ein vortreffliches Motiv.

Das Leiden des Herrn. (142.) Die große Situation ins Gemeine gezogen, in diesem Sinne nicht tadelhaft.

Der Schweizer. (145.) Recht gut, sentimentaler, aber lange nicht so gut als der Tamboursgesell (78.).

Pura. (146.) Schöne Fabel, nicht schlecht, aber auch nicht vorzüglich behandelt.

Die kluge Schäferin. (149.) Gar heiter, frei- und frohmütig.

Ritter St. Georg. (151.) Ritterlich, christlich, nicht ungeschickt dargestellt, aber nicht erfreulich.

Die Pantoffeln. (156.) Schöne Anlage, hier fragmentarisch, ungenießbar.

Xaver. (157.) Sehr wacker dem Charakter nach, doch zu wort- und phrasenhaft.

Wachtelwacht. (159.) Als Ton nachahmend, Zustand darstellend, bestimmtes Gefühl aufrufend, unschätzbar.

Das Tod-Austreiben. (161.) Gar lustig, wohlgefühlt und zweckmäßig.

Gegen das Quartanfieber. (161.) Unsinnige Formel, wie billig.

Zum Festmachen. (162.) Glücklicher Einfall.

Aufgegebene Jagd. (162.) Fordert den Ton des Waldhorns.

Wer 's Lieben erdacht. (163.) Gar knabenhaft von
Grund aus.

Des Herrn Weingarten. (165.) Liebliche Versinn-
lichung christlicher Mysterien.

Cedrons Klage. (166.) Nicht eben so glücklich. Man
sieht dieser Klage zu sehr den Gradus ad Parnassum an.

Frühlingsbeklemmung. (172.) Besser als das vorige.
Doch hört man immer noch das Wort- und Bildgeklapper.

Lobgesang auf Maria. (174.) Auch diesem läßt sich
vielleicht ein Geschmack abgewinnen.

Abschied von Maria. (178.) Interessante Fabel und
anmutige Behandlung.

Ehstand der Freude. (181.) Derb-lustig, muß gesungen werden wie irgend eins.

Amor. (182.) Niedlich und wunderlich genug.

Vom großen Bergbau der Welt. (183.) Tief und
ahnungsvoll, dem Gegenstande gemäß. Ein Schatz für Berg-
leute.

Husarenbraut. (188.) Nicht eben schlimm.

Das Straßburger Mädchen. (189.) Liegt ein liebliches Begebnis zum Grund, zart und phantastisch behandelt.

Zwei Röselein. (190.) Ein Ereignen zwischen Liebes-
leuten, von der zartesten Art, dargestellt, wie es besser
nicht möglich ist.

Das Mädchen und die Hasel. (192.) Gar natürlich
gute und frische Sittenlehre.

Königstochter aus England. (193.) Nicht zu schelten; doch spürt man zu sehr das Pfaffenhafte.

Schall der Nacht. (198.) Wird gesungen herzerfreulich
sein.

Große Wäsche. (201.) Feenhaft und besonders.

Der Palmbaum. (202.) So recht von Grund aus herzlich.

Der Fuhrmann. (203.) Gehört zu den guten Vaga-
bunden-, Handwerks- und Gewerbsliedern.

Pfauenart. (204.) Gute Neigung, bescheiden ausgedrückt.

Der Schildwache Nachtlied. (205.) Ans Quodlibet
streifend, dem tiefen und dunklen Sinne der Ausdruck gemäß.

Der traurige Garten. (206.) Süße Neigung.

Hüt' du dich. (207.) Im Sinn und Klang des Vaudeville sehr gut.

Die mystische Wurzel. (208.) Geistreich, wobei man sich doch des Lächelns über ein falsches Gleichnis nicht enthalten kann.

Rätsel. (209.) Nicht ganz glücklich.

Wie kommt's, daß du so traurig bist. (210.) Streift ans Quodlibet, wahrscheinlich Trümmer.

Unkraut. (211.) Quodlibet von der besten Art.

Der Wirtin Töchterlein. (212.) Höchst lieblich, aber nicht so recht ganz.

Wer hat das Liedlein erdacht. (213.) Eine Art übermütiger Fratze, zur rechten Zeit und Stunde wohl lustig genug.

Doktor Faust. (214.) Tiefe und gründliche Motive, könnten vielleicht besser dargestellt sein.

Müllertücke. (218.) Bedeutende Mordgeschichte, gut dargestellt.

Der unschuldig Hingerichtete. (220.) Ernste Fabel, lakonisch trefflich vorgetragen.

Ringlein und Fähnlein. (223.) Sehr gefällig romantisch. Das Reimgeklingel tut der Darstellung Schaden, bis man sich allenfalls daran gewöhnen mag.

Die Hand. (226.) Bedeutendes Motiv kurz abgefertigt.

Martinsgans. (226.) Bauerburschenhaft, lustig losgebunden.

Die Mutter muß gar sein allein. (227.) Nicht recht von Grund und Brust aus, sondern nach einer schon vorhandenen Melodie gesungen.

Der stolze Schäfersmann. (229.) Tiefe, schöne Fabel, durch den Widerklang des Vaudeville ein sonderbarer, aber für den Gesang bedeutender Vortrag.

Wenn ich ein Vöglein wär'. (231.) Einzig schön und wahr.

An einen Boten. (232.) Einzig lustig und gutlaunig.

Weine nur nicht. (232.) Leidlicher Humor, aber doch ein bißchen plump.

Käuzlein. (233.) Wunderlich, von tiefem, ernstem, köstlichem Sinn.

Weinschröterlied. (234.) Unsinn der Beschwörungs-
formeln.

Maikäferlied. (235.) Desgleichen.

Marienwürmchen. (235.) Desgleichen, mehr ins Zarte
geleitet.

Der verlorne Schwimmer. (236.) Anmutig und voll
Gefühl.

Die Prager Schlacht. (237.) Rasch und knapp, eben
als wenn es drei Husaren gemacht hätten.

Frühlingsblumen. (239.) Wenn man die Blumen
nicht so entsetzlich satt hätte, so möchte dieser Kranz wohl
artig sein.

Guckguck. (241.) Neckisch bis zum Fratzenhaften, doch
gefällig.

Die Frau von Weißenburg. (242.) Eine gewaltige
Fabel, nicht ungemäß vorgetragen.

Soldatentod. (245.) Möchte vielleicht im Frieden und
beim Ausmarsch erbaulich zu singen sein. Im Krieg und in
der ernsten Nähe des Unheils wird so etwas greulich wie
das neuerlich belobte Lied: „Der Krieg ist gut."

Die Rose. (251.) Liebliche Liebesergebenheit.

Die Judentochter. (252.) Passender, seltsamer Vortrag
zu konfusem und zerrüttetem Gemütswesen.

Drei Reiter. (253.) Ewiges und unzerstörliches Lied des
Scheidens und Meidens.

Schlachtlied. (254.) In künftigen Zeiten zu singen.

Herr von Falkenstein. (255.) Von der guten, zarten,
innigen Romanzenart.

Das römische Glas. (257.) Desgleichen. Etwas rätsel-
hafter.

Rosmarin. (258.) Ruhiger Blick ins Reich der Trennung.

Der Pfalzgraf am Rhein. (259.) Barbarische Fabel
und gemäßer Vortrag.

Vogel Phönix. (261.) Nicht mißlungene christliche Allegorie.

Der unterirdische Pilger. (262.) Müßte in Schächten,
Stollen und auf Strecken gesungen und empfunden werden.
Über der Erde wird's einem zu dunkel dabei.

Herr Olof. (261b.) Unschätzbare Ballade.

Ewigkeit. (263b.) Katholischer Kirchengesang. Wenn man die Menschen konfus machen will, so ist dies ganz der rechte Weg.

Der Graf und die Königstochter. (265b.) Eine Art von Pyramus und Thisbe. Die Behandlung solcher Fabeln gelang unsern Voreltern nicht.

Moritz von Sachsen. (270.) Ein ahnungsvoller Zustand und großes trauriges Ereignis mit Phantasie dargestellt.

Ulrich und Ännchen. (274.) Die Fabel vom Blaubart in mehr nördlicher Form, gemäß dargestellt.

Vom vornehmen Räuber. (276.) Sehr tüchtig, dem Lindenschmied (125.) zu vergleichen.

Der geistliche Kämpfer. (277.) „Christ Gottes Sohn allhie" hätte durch sein Leiden wohl einen besseren Poeten verdient.

Dusle und Babeli. (281.) Köstlicher Abdruck des schweizerbäurischen Zustandes und des höchsten Ereignisses dort zwischen zwei Liebenden.

Der eifersüchtige Knabe. (282.) Das Wehen und Weben der rätselhaft mordgeschichtlichen Romanzen ist hier höchst lebhaft zu fühlen.

Der Herr am Ölberg. (283.) Diesem Gedicht geschieht unrecht, daß es hier steht. In dieser meist natürlichen Gesellschaft wird einem die Allegorie der Anlage, so wie das poetisch Blumenhafte der Ausführung unbillig zuwider.

Abschied von Bremen. (289.) Handwerksburschenhaft genug, doch zu prosaisch.

Aurora. (291.) Gut gedacht, aber doch nur gedacht.

Werd' ein Kind. (291.) Ein schönes Motiv, pfaffenhaft verschoben.

Der ernsthafte Jäger. (292.) Ein bißchen barsch, aber gut.

Der Mordknecht. (294.) Bedeutend, seltsam und tüchtig.

Der Prinzenraub. (296.) Nicht gerade zu schelten, aber nicht befriedigend.

Nächten und heute. (298.) Ein artig Lied des Inhalts, der so oft vorkommt: così fan tutte und tutti.

Der Spaziergang. (299.) Mehr Reflexion als Gesang.

Das Weltende. (300.) Deutet aufs Quodlibet, läßt was zu wünschen übrig.

Bayrisches Alpenlied. (301.) Allerliebst, nur wird man vornherein irre, wenn man nicht weiß, daß unter dem Palmbaum die Stechpalme gemeint ist. Mit einem Dutzend solcher Noten wäre manchem Liede zu mehrerer Klarheit zu helfen gewesen.

Jäger Wohlgemut. (303.) Gut, aber nicht vorzüglich.

Der Himmel hängt voll Geigen. (304.) Eine christliche Cocagne, nicht ohne Geist.

Die fromme Magd. (306.) Gar hübsch und sittig.

Jagdglück. (306.) Zum Gesang erfreulich, im Sinne nicht besonders. Überhaupt wiederholen die Jägerlieder, vom Tone des Waldhorns gewiegt, ihre Motive zu oft ohne Abwechseln.

Kartenspiel. (308.) Artiger Einfall und guter Humor.

Für funfzehn Pfennige. (309.) Von der allerbesten Art, einen humoristischen Refrain zu nutzen.

Der angeschossene Guckguck. (311.) Nur Schall, ohne irgend eine Art von Inhalt.

Warnung. (313.) Ein Guckguck von einer viel besseren Sorte.

Das große Kind. (314.) Höchst süße. Wäre wohl wert, daß man ihm das Ungeschickte einiger Reime und Wendungen benähme.

Das heiße Afrika. (315.) Spukt doch eigentlich nur der Halberstädter Grenadier.

Das Wiedersehn am Brunnen. (317.) Voll Anmut und Gefühl.

Das Haßlocher Tal. (319.) Seltsame Mordgeschichte, gehörig vorgetragen.

Abendlied. (321.) Sehr lobenswürdig, von der recht guten lyrisch-episch-dramatischen Art.

Der Scheintod. (322.) Sehr schöne, wohlausgestattete Fabel, gut vorgetragen.

Die drei Schneider. (325.) Wenn doch einmal eine Gilde vexiert werden soll, so geschieht's hier lustig genug.

Nächtliche Jagd. (327.) Die Intention ist gut, der Ton nicht zu schelten, aber der Vortrag ist nicht hinreichend.

Spielmanns Grab. (328.) Ausgelassenheit, unschätzbarer sinnlicher Bauernhumor.

Knabe und Veilchen. (329.) Zart und zierlich.

Der Graf im Pfluge. (330.) Gute Ballade, doch zu lang.

Drei Winterrosen. (339.) Zu sehr abgekürzte Fabel von dem Wintergarten, der schon im Bojardo vorkommt.

Der beständige Freier. (341.) Echo, versteckter Totentanz, wirklich sehr zu loben.

Von Hofleuten. (343.) Wäre noch erfreulicher, wenn nicht eine, wie es scheint, falsche Überschrift auf eine Allegorie deutete, die man im Lied weder finden kann noch mag.

Lied beim Heuen. (345.) Köstliches Vaudeville, das unter mehreren Ausgaben bekannt ist.

Fischpredigt. (347.) Unvergleichlich, dem Sinne und der Behandlung nach.

Die Schlacht bei Sempach. (349.) Wacker und derb, doch nahe zu chronikenhaft prosaisch.

Algerius. (353.) Fromm, zart und voll Glaubenskraft.

Doppelte Liebe. (354.) Artig, könnte aber der Situation nach artiger sein.

Manschettenblume. (356.) Wunderlich romantisch, gehaltvoll.

Der Fähndrich. (358.) Mit Eigenheit; doch hätte die Gewalt, welche der Fähndrich dem Mädchen angetan, müssen ausgedrückt werden, sonst hat es keinen Sinn, daß er hängen soll.

Gegen die Schweizer Bauern. (360.) Tüchtige und doch poetische Gegenwart. Der Zug, daß ein Bauer das Glas in den Rhein wirft, weil er in dessen Farbenspiel den Pfauenschwanz zu sehen glaubt, ist höchst revolutionär und treffend.

Kinder still zu machen. (362.) Recht artig und kindlich.

Gesellschaftslied. (363.) In Tillen-Art kapital.

Das Gnadenbild. (366.) Ist hübsch, wenn man sich den Zustand um einen solchen Wallfahrtsort vergegenwärtigen mag.

Geh du nur hin. (371.) Frank und frech.

Verlorne Mühe. (372.) Treffliche Darstellung weiblicher Betulichkeit und täppischen Männerwesens.

Starke Einbildungskraft. (373.) Zarter Hauch, kaum festzuhalten.

Die schlechte Liebste. (374.) Innig gefühlt und recht gedacht.

Maria auf der Reise. (375.) Hübsch und zart, wie die Katholiken mit ihren mythologischen Figuren das gläubige Publikum gar zweckmäßig zu beschäftigen und zu belehren wissen.

Der geadelte Bauer. (376.) Recht gut gesehen und mit Verdruß launisch dargestellt.

Abschiedszeichen. (378.) Recht lieblich.

Die Ausgleichung. (379.) Die bekannte Fabel vom Becher und Mantel, kurz und bedeutend genug dargestellt.

Petrus. (382.) Scheint uns gezwungen freigeistisch.

Gott grüß' Euch, Alter. (384.) Modern und sentimental, aber nicht zu schelten.

Schwere Wacht. (386.) Zieht schon in das umständliche klang- und sangreiche Minnesängerwesen herüber.

1) Jungfrau und Wächter. Gar liebreich, doch auch zu umständlich.

2) Der lustige Geselle. Ist uns lieber als die vorhergehenden.

3) Variation. Macht hier zu großen Kontrast: denn es gehört zu der tiefen, wunderlichen deutschen Balladenart.

4) Beschluß. Paßt nicht in diese Reihe.

Der Pilger und die fromme Dame. (396.) Ein guter, wohl dargestellter Schwank.

Kaiserliches Hochzeitlied. (397.) Barbarisch-pedantisch und doch nicht ohne poetisches Verdienst.

Antwort Mariä auf den Gruß der Engel. (406.) Das liebenswürdigste von allen christkatholischen Gedichten in diesem Bande.

Staufenberg und die Meerfeie. (407.) Recht lobenswerte Fabel, gedrängt genug vorgetragen, klug verteilt. Würde zu kurz scheinen, wenn man nicht an lauter kürzere Gedichte gewöhnt wäre.

Des Schneiders Feierabend. (418.) In der Holzschnittsart, so gut, als man es nur wünschen kann.

Mit dieser Charakterisierung aus dem Stegreife – denn

wie könnte man sie anders unternehmen? – gedenken wir
niemand vorzugreifen, denen am wenigsten, die durch wahrhaft lyrischen Genuß und echte Teilnahme einer sich aus-
dehnenden Brust viel mehr von diesen Gedichten fassen
werden, als in irgend einer lakonischen Bestimmung des
mehr oder minderen Bedeutens geleistet werden kann. Indessen sei uns über den Wert des Ganzen noch folgendes zu
sagen vergönnt.

Diese Art Gedichte, die wir seit Jahren Volkslieder zu
nennen pflegen, ob sie gleich eigentlich weder vom Volk noch
fürs Volk gedichtet sind, sondern weil sie so etwas Stämmiges,
Tüchtiges in sich haben und begreifen, daß der kern- und
stammhafte Teil der Nationen dergleichen Dinge faßt, behält, sich zueignet und mitunter fortpflanzt – dergleichen
Gedichte sind so wahre Poesie, als sie irgend nur sein kann;
sie haben einen unglaublichen Reiz, selbst für uns, die wir auf
einer höheren Stufe der Bildung stehen, wie der Anblick und
die Erinnerung der Jugend fürs Alter hat. Hier ist die Kunst
mit der Natur im Konflikt, und eben dieses Werden, dieses
wechselseitige Wirken, dieses Streben scheint ein Ziel zu
suchen, und es hat sein Ziel schon erreicht. Das wahre dichterische Genie, wo es auftritt, ist in sich vollendet; mag ihm
Unvollkommenheit der Sprache, der äußeren Technik oder
was sonst will entgegenstehen, es besitzt die höhere innere
Form, der doch am Ende alles zu Gebote steht, und wirkt
selbst im dunkeln und trüben Elemente oft herrlicher, als es
später im klaren vermag. Das lebhafte poetische Anschauen
eines beschränkten Zustandes erhebt ein Einzelnes zum zwar
begrenzten, doch unumschränkten All, so daß wir im kleinen
Raume die ganze Welt zu sehen glauben. Der Drang einer
tiefen Anschauung fordert Lakonismus. Was der Prose ein
unverzeihliches Hinterstzuvörderst wäre, ist dem wahren poetischen Sinne Notwendigkeit, Tugend, und selbst das Ungehörige, wenn es an unsere ganze Kraft mit Ernst anspricht, regt
sie zu einer unglaublich genußreichen Tätigkeit auf.

Durch die obige einzelne Charakteristik sind wir einer
Klassifikation ausgewichen, die vielleicht künftig noch eher
geleistet werden kann, wenn mehrere dergleichen echte,
bedeutende Grundgesänge zusammengestellt sind. Wir

können jedoch unsere Vorliebe für diejenigen nicht bergen, wo lyrische, dramatische und epische Behandlung dergestalt ineinander geflochten ist, daß sich erst ein Rätsel aufbaut und sodann mehr oder weniger und wenn man will epigrammatisch auflöst. Das bekannte „Dein Schwert, wie ist's vom Blut so rot, Eduard, Eduard!" ist besonders im Originale das Höchste, was wir in dieser Art kennen.

Möchten die Herausgeber aufgemuntert werden, aus dem reichen Vorrat ihrer Sammlungen, so wie aus alten vorliegenden schon gedruckten, bald noch einen Band folgen zu lassen, wobei wir denn freilich wünschen, daß sie sich vor dem Singsang der Minnesinger, vor der bänkelsängerischen Gemeinheit und vor der Plattheit der Meistersänger, so wie vor allem Pfäffischen und Pedantischen höchlich hüten mögen.

Brächten sie uns noch einen zweiten Teil dieser Art deutscher Lieder zusammen, so wären sie wohl aufzurufen, auch, was fremde Nationen, Engländer am meisten, Franzosen weniger, Spanier in einem andern Sinne, Italiener fast gar nicht, dieser Liederweise besitzen, auszusuchen und sie im Original und nach vorhandenen oder von ihnen selbst zu leistenden Übersetzungen darzulegen.

Haben wir gleich zu Anfang die Kompetenz der Kritik, selbst im höheren Sinn, auf diese Arbeit gewissermaßen bezweifelt, so finden wir noch mehr Ursache, eine sondernde Untersuchung, inwiefern das alles, was uns hier gebracht ist, völlig echt oder mehr und weniger restauriert sei, von diesen Blättern abzulehnen.

Die Herausgeber sind im Sinne des Erfordernisses so sehr, als man es in späterer Zeit sein kann, und das hie und da seltsam Restaurierte, aus fremdartigen Teilen Verbundene, ja das Untergeschobene ist mit Dank anzunehmen. Wer weiß nicht, was ein Lied auszustehen hat, wenn es durch den Mund des Volkes, und nicht etwa nur des ungebildeten, eine Weile durchgeht! Warum soll der, der es in letzter Instanz aufzeichnet, mit andern zusammenstellt, nicht auch ein gewisses Recht daran haben? Besitzen wir doch aus früherer Zeit kein poetisches und kein heiliges Buch, als insofern es dem Auf- und Abschreiber solches zu überliefern gelang oder beliebte.

Wenn wir in diesem Sinne die vor uns liegende gedruckte
Sammlung dankbar und läßlich behandeln, so legen wir den
Herausgebern desto ernstlicher ans Herz, ihr poetisches
Archiv rein, streng und ordentlich zu halten. Es ist nicht
nütze, daß alles gedruckt werde; aber sie werden sich ein
Verdienst um die Nation erwerben, wenn sie mitwirken, daß
wir eine Geschichte unserer Poesie und poetischen Kultur,
worauf es denn doch nunmehr nach und nach hinausgehen
muß, gründlich, aufrichtig und geistreich erhalten.

PLAN EINES LYRISCHEN VOLKSBUCHES

In dem mir gefällig mitgeteilten Aufsatz ist zuvörderst
von einem deutschen Volksbuch im allgemeinen die Rede;
nachher mehr von einer Sammlung poetischen Inhalts zu
diesem Zwecke; zuletzt scheint nur eine lyrische beabsichtigt
zu sein. Ich nehme das letzte an und setze nur voraus, daß
man auch andre kleine Gedichte, die sich etwa anschließen
möchten, mit aufnehmen wolle.

Faßte man den Vorsatz, eine solche Sammlung frei und
ohne Rücksicht zu veranstalten, so könnte man sie sich entweder historisch-genetisch denken: die Gedichte würden
aufgeführt, um zu zeigen, wie sich die Individuen ausgebildet, teils für sich, teils an ihren Vorgängern, und wie weit
diese Dichtart bei uns gediehen; oder man wollte etwas Fer-
tiges, Abgeschlossenes, Vollbrachtes darstellen. In jenem
Falle können die Mittelstufen nicht entbehrt werden; in
diesem würde nur das Beste aufgeführt. In beiden Fällen
hätte man nur die innern Verhältnisse zu bedenken, und
wer den Begriff einmal gefaßt hätte und übrigens Herr vom
Stoff wäre, könnte mit Beruhigung für sich und andre höherer Belehrung, höherem Genuß entgegenarbeiten.

Denkt man sich jedoch bei einer solchen Sammlung noch
eine äußere Bedingung, wie hier der Fall ist, den Volks-
bedarf, die Volksbildung, so verändert sich sogleich
jene Ansicht und macht die Unternehmung schwankend und
schwierig.

Unter Volk verstehen wir gewöhnlich eine ungebildete bildungsfähige Menge, ganze Nationen, insofern sie auf den ersten Stufen der Kultur stehen, oder Teile kultivierter Nationen, die untern Volksklassen, Kinder. Für eine solche Menge müßte also das Buch geeignet sein.

Und was bedarf diese wohl? Ein Höheres, aber ihrem Zustande Analoges. Was wirkt auf sie? Der tüchtige Gehalt mehr als die Form. Was ist an ihr zu bilden wünschenswert? Der Charakter, nicht der Geschmack: der letzte muß sich aus dem ersten entwickeln.

Über diese drei Punkte wäre viel im allgemeinen zu sagen; ich halte mich aber ganz nahe an vorstehenden Zweck und fasse eine Sammlung kleiner, besonders lyrischer Gedichte für die Deutschen ins Auge.

Das Vortreffliche aller Art, das zugleich populär wäre, ist das Seltenste. Dies müßte man zu allererst aufsuchen und zum Grunde der Sammlung legen. Außer diesem ist aber noch das Gute, Nützliche und Vorbereitende aufzunehmen.

In einer solchen Sammlung gäbe es ein Oberstes, das vielleicht die Fassungskraft der Menge überstiege. Sie soll daran ihr Ideenvermögen, ihre Ahndungsfähigkeit üben. Sie soll verehren und achten lernen; etwas Unerreichbares über sich sehen; wodurch wenigstens eine Anzahl Individuen auf die höhern Stufen der Kultur herangelockt würden. Ein Mittleres fände sich alsdann, und dies wäre dasjenige, wozu man sie bilden wollte, was man wünschte nach und nach von ihr aufgenommen zu sehen. Das Untere ist das zu nennen, was ihr sogleich gemäß ist, was sie befriedigt und anlockt.

Eine solche Sammlung würde vielleicht nach Rubriken aufgestellt und gliche alsdann den protestantischen Gesangbüchern.

Man begänne mit dem Hohen und Ideellen: Gott, Unsterblichkeit, höhere Sehnsucht und Liebe; höhere Naturansichten stünden daran.

Was sich schon mehr für den Begriff eignet: Tugend, Tauglichkeit, Sitte, Sittlichkeit, Anhänglichkeit an Familie und Vaterland würden hier ihren Raum finden. Doch müßten

die Gedichte nicht didaktisch, sondern gemütlich und herz-
erregend sein.

Die Phantasie würde durch Begebenheiten, Mythen,
Legenden und Fabeln erregt.

Der Sinnlichkeit würde die unmittelbar ergreifende Liebe
mit ihrem Wohl und Weh, naive Scherze, besondre Zustände, Neckereien und derbe Späße darzubieten sein.

Alles, was zwischen diese Einteilungen hineinfällt oder
sich mit ihnen verbindet, das Geistreiche, Witzige, Anmutige,
Gefällige dürfte nicht fehlen und keine Art von Gegenstand
ausgeschlossen sein. Wenn man mit einer Ode an Gott, an
die Sonne anfinge, so dürfte man mit Studenten- und Hand-
werksliedern, ja mit dem Spottgedicht endigen. Kein Stoff
wäre auszuschließen; nur hätte man die Extreme: das Abstruse, das Flache, das Freche, das Lüsterne, das Trockne,
das Sentimentale zu vermeiden.

Was die äußern poetischen Formen betrifft, so dürfte
gleichfalls keine fehlen. Im Knittelverse würde die für uns
natürlichste und vielleicht die künstlichste in Sonett und
Terzinen aufzunehmen sein.

Bedenkt man, daß so wenig Nationen überhaupt, besonders keine neuere Anspruch an absolute Originalität
machen kann, so braucht sich der Deutsche nicht zu schämen, der seiner Lage nach in den Fall kam, seine Bildung
von außen zu erhalten, und, besonders was Poesie betrifft,
Gehalt und Form von Fremden genommen hat.

Ist doch das fremde Gut unser Eigentum geworden. Mit
dem rein Eigenen würde Angeeignetes, es wäre durch Übersetzung oder durch innigere Behandlung unser geworden,
aufzunehmen sein; ja man müßte ausdrücklich auf Verdienste fremder Nationen hinüberweisen, weil man das
Buch ja auch für Kinder bestimmt, die man besonders jetzt
früh genug auf die Verdienste fremder Nationen aufmerksam zu machen hat.

Das Buch müßte eine große Masse sein, die sich nicht in
Teile trennen ließe, in größtem Oktav, vier Alphabete; so
daß das Werk in seiner äußern Form sich schon dem Bro-
schüren- und Blätterwesen des Tages entgegensetzte.

Überhaupt kann ein solches Buch nur durch Masse im-

ponieren. Es muß dergestalt gehalt- und formreich sein, daß
nicht leicht jemand sagen könne: er sei imstande, es zu
übersehen.

Von den vielen Betrachtungen, die sich bei dieser Gelegenheit aufdringen, von den Maximen, die eine solche
Redaktion durchaus leiten müssen, schweige ich. Es läßt
sich gar manches nur aussprechen, wenn die Sache getan
ist; doch wird man, wie das Geschäft fortschreitet, manches
näher mitteilen können.

SHAKESPEARE UND KEIN ENDE

Es ist über Shakespeare schon so viel gesagt, daß es scheinen möchte, als wäre nichts mehr zu sagen übrig, und doch
ist das die Eigenschaft des Geistes, daß er den Geist ewig
anregt. Diesmal will ich Shakespeare von mehr als einer
Seite betrachten, und zwar erstlich als Dichter überhaupt,
sodann verglichen mit den Alten und den Neusten und zuletzt als eigentlichen Theaterdichter. Ich werde zu entwickeln suchen, was die Nachahmung seiner Art auf uns
gewirkt und was sie überhaupt wirken kann. Ich werde
meine Beistimmung zu dem, was schon gesagt ist, dadurch
geben, daß ich es allenfalls wiederhole, meine Abstimmung
aber kurz und positiv ausdrücken, ohne mich in Streit und
Widerspruch zu verwickeln. Hier sei also von jenem ersten
Punkt zuvörderst die Rede.

I.
Shakespeare als Dichter überhaupt.

Das Höchste, wozu der Mensch gelangen kann, ist das
Bewußtsein eigner Gesinnungen und Gedanken, das Erkennen seiner selbst, welches ihm die Einleitung gibt, auch
fremde Gemütsarten innig zu erkennen. Nun gibt es Menschen, die mit einer natürlichen Anlage hiezu geboren sind
und solche durch Erfahrung zu praktischen Zwecken ausbilden. Hieraus entsteht die Fähigkeit, der Welt und den
Geschäften im höheren Sinn etwas abzugewinnen. Mit jener
Anlage nun wird auch der Dichter geboren, nur daß er sie

nicht zu unmittelbaren, irdischen Zwecken, sondern zu einem höhern, geistigen, allgemeinen Zweck ausbildet. Nennen wir nun Shakespeare einen der größten Dichter, so gestehen wir zugleich, daß nicht leicht jemand die Welt so gewahrte wie er, daß nicht leicht jemand, der sein inneres Anschauen aussprach, den Leser in höherm Grade mit in das Bewußtsein der Welt versetzt. Sie wird für uns völlig durchsichtig; wir finden uns auf einmal als Vertraute der Tugend und des Lasters, der Größe, der Kleinheit, des Adels, der Verworfenheit, und dieses alles, ja noch mehr, durch die einfachsten Mittel. Fragen wir aber nach diesen Mitteln, so scheint es, als arbeite er für unsre Augen; aber wir sind getäuscht: Shakespeares Werke sind nicht für die Augen des Leibes. Ich will mich zu erklären suchen.

Das Auge mag wohl der klarste Sinn genannt werden, durch den die leichteste Überlieferung möglich ist. Aber der innere Sinn ist noch klarer, und zu ihm gelangt die höchste und schnellste Überlieferung durchs Wort; denn dieses ist eigentlich fruchtbringend, wenn das, was wir durchs Auge auffassen, an und für sich fremd und keineswegs so tiefwirkend vor uns steht. Shakespeare nun spricht durchaus an unsern innern Sinn; durch diesen belebt sich zugleich die Bilderwelt der Einbildungskraft, und so entspringt eine vollständige Wirkung, von der wir uns keine Rechenschaft zu geben wissen; denn hier liegt eben der Grund von jener Täuschung, als begebe sich alles vor unsern Augen. Betrachtet man aber die Shakespeareschen Stücke genau, so enthalten sie viel weniger sinnliche Tat als geistiges Wort. Er läßt geschehen, was sich leicht imaginieren läßt, ja was besser imaginiert als gesehen wird. Hamlets Geist, Macbeths Hexen, manche Grausamkeiten erhalten ihren Wert erst durch die Einbildungskraft, und die vielfältigen kleinen Zwischenszenen sind bloß auf sie berechnet. Alle solche Dinge gehen beim Lesen leicht und gehörig an uns vorbei, da sie bei der Vorstellung lasten und störend, ja widerlich erscheinen.

Durchs lebendige Wort wirkt Shakespeare, und dies läßt sich beim Vorlesen am besten überliefern; der Hörer wird nicht zerstreut, weder durch schickliche noch unschickliche

Darstellung. Es gibt keinen höhern Genuß und keinen reinern, als sich mit geschloßnen Augen durch eine natürlich richtige Stimme ein Shakespearesches Stück nicht deklamieren, sondern rezitieren zu lassen. Man folgt dem schlichten Faden, an dem er die Ereignisse abspinnt. Nach der Bezeichnung der Charaktere bilden wir uns zwar gewisse Gestalten, aber eigentlich sollen wir durch eine Folge von Worten und Reden erfahren, was im Innern vorgeht, und hier scheinen alle Mitspielenden sich verabredet zu haben, uns über nichts im Dunkeln, im Zweifel zu lassen. Dazu konspirieren Helden und Kriegsknechte, Herren und Sklaven, Könige und Boten, ja die untergeordneten Figuren wirken hier oft tätiger als die Hauptgestalten. Alles, was bei einer großen Weltbegebenheit heimlich durch die Lüfte säuselt, was in Momenten ungeheurer Ereignisse sich in dem Herzen der Menschen verbirgt, wird ausgesprochen; was ein Gemüt ängstlich verschließt und versteckt, wird hier frei und flüssig an den Tag gefördert; wir erfahren die Wahrheit des Lebens und wissen nicht wie.

Shakespeare gesellt sich zum Weltgeist; er durchdringt die Welt wie jener; beiden ist nichts verborgen; aber wenn des Weltgeists Geschäft ist, Geheimnisse vor, ja oft nach der Tat zu bewahren, so ist es der Sinn des Dichters, das Geheimnis zu verschwätzen und uns vor oder doch gewiß in der Tat zu Vertrauten zu machen. Der lasterhafte Mächtige, der wohldenkende Beschränkte, der leidenschaftlich Hingerissene, der ruhig Betrachtende, alle tragen ihr Herz in der Hand, oft gegen alle Wahrscheinlichkeit; jedermann ist redsam und redselig. Genug, das Geheimnis muß heraus, und sollten es die Steine verkünden. Selbst das Unbelebte drängt sich hinzu, alles Untergeordnete spricht mit, die Elemente, Himmel-, Erd- und Meerphänomene, Donner und Blitz, wilde Tiere erheben ihre Stimme, oft scheinbar als Gleichnis, aber ein wie das andre Mal mithandelnd.

Aber auch die zivilisierte Welt muß ihre Schätze hergeben; Künste und Wissenschaften, Handwerke und Gewerbe, alles reicht seine Gaben dar. Shakespeares Dichtungen sind ein großer, belebter Jahrmarkt, und diesen Reichtum hat er seinem Vaterlande zu danken.

Überall ist England, das meerumflossene, von Nebel und
Wolken umzogene, nach allen Weltgegenden tätige. Der
Dichter lebt zur würdigen und wichtigen Zeit und stellt ihre
Bildung, ja Verbildung mit großer Heiterkeit uns dar, ja er
5 würde nicht so sehr auf uns wirken, wenn er sich nicht seiner
lebendigen Zeit gleichgestellt hätte. Niemand hat das materielle Kostüm mehr verachtet als er; er kennt recht gut das
innere Menschenkostüm, und hier gleichen sich alle. Man
sagt, er habe die Römer vortrefflich dargestellt; ich finde es
10 nicht; es sind lauter eingefleischte Engländer, aber freilich
Menschen sind es, Menschen von Grund aus, und denen
paßt wohl auch die römische Toga. Hat man sich einmal
hierauf eingerichtet, so findet man seine Anachronismen
höchst lobenswürdig, und gerade daß er gegen das äußere
15 Kostüm verstößt, das ist es, was seine Werke so lebendig
macht.

Und so sei es genug an diesen wenigen Worten, wodurch
Shakespeares Verdienst keineswegs erschöpft ist. Seine
Freunde und Verehrer werden noch manches hinzuzusetzen
20 haben. Doch stehe noch eine Bemerkung hier: schwerlich
wird man einen Dichter finden, dessen einzelnen Werken
jedesmal ein andrer Begriff zu Grunde liegt und im Ganzen
wirksam ist, wie an den seinigen sich nachweisen läßt.

So geht durch den ganzen „Coriolan" der Ärger durch,
25 daß die Volksmasse den Vorzug der Bessern nicht anerkennen will. Im „Cäsar" bezieht sich alles auf den Begriff, daß
die Bessern den obersten Platz nicht wollen eingenommen
sehen, weil sie irrig wähnen, in Gesamtheit wirken zu
können. „Antonius und Kleopatra" spricht mit tausend
30 Zungen, daß Genuß und Tat unverträglich sei. Und so
würde man bei weiterer Untersuchung ihn noch öfter zu
bewundern haben.

II.
Shakespeare,
35   verglichen mit den Alten und Neusten.

Das Interesse, welches Shakespeares großen Geist belebt,
liegt innerhalb der Welt: denn wenn auch Wahrsagung und
Wahnsinn, Träume, Ahnungen, Wunderzeichen, Feen und

Gnomen, Gespenster, Unholde und Zauberer ein magisches
Element bilden, das zur rechten Zeit seine Dichtungen
durchschwebt, so sind doch jene Truggestalten keineswegs
Hauptingredienzien seiner Werke, sondern die Wahrheit
und Tüchtigkeit seines Lebens ist die große Base, worauf   5
sie ruhen; deshalb uns alles, was sich von ihm herschreibt,
so echt und kernhaft erscheint. Man hat daher schon eingesehen, daß er nicht sowohl zu den Dichtern der neuern
Welt, welche man die romantischen genannt hat, sondern
vielmehr zu jenen der naiven Gattung gehöre, da sein Wert   10
eigentlich auf der Gegenwart ruht und er kaum von der
zartesten Seite, ja nur mit der äußersten Spitze an die Sehnsucht grenzt.

Desungeachtet aber ist er, näher betrachtet, ein entschieden moderner Dichter, von den Alten durch eine ungeheure   15
Kluft getrennt, nicht etwa der äußern Form nach, welche
hier ganz zu beseitigen ist, sondern dem innersten, tiefsten
Sinne nach.

Zuvörderst aber verwahre ich mich und sage, daß keineswegs meine Absicht sei, nachfolgende Terminologie als   20
erschöpfend und abschließend zu gebrauchen; vielmehr
soll es nur ein Versuch sein, zu andern, uns schon bekannten
Gegensätzen nicht sowohl einen neuen hinzuzufügen, als,
daß er schon in jenen enthalten sei, anzudeuten. Diese Gegensätze sind: 25

Antik,	Modern.
Naiv,	Sentimental.
Heidnisch,	Christlich.
Heldenhaft,	Romantisch.
Real,	Ideal.
Notwendigkeit,	Freiheit.
Sollen,	Wollen.

Die größten Qualen, so wie die meisten, welchen der
Mensch ausgesetzt sein kann, entspringen aus den einem
jeden inwohnenden Mißverhältnissen zwischen Sollen und   35
Wollen, sodann aber zwischen Sollen und Vollbringen,
Wollen und Vollbringen, und diese sind es, die ihn auf sei-
nem Lebensgange so oft in Verlegenheit setzen. Die geringste
Verlegenheit, die aus einem leichten Irrtum, der unerwartet

und schadlos gelöst werden kann, entspringt, gibt die Anlage zu lächerlichen Situationen. Die höchste Verlegenheit hingegen, unauflöslich oder unaufgelöst, bringt uns die tragischen Momente dar.

5   Vorherrschend in den alten Dichtungen ist das Unverhältnis zwischen Sollen und Vollbringen, in den neuern zwischen Wollen und Vollbringen. Man nehme diesen durchgreifenden Unterschied unter die übrigen Gegensätze einstweilen auf und versuche, ob sich damit etwas leisten 10 lasse. Vorherrschend, sagte ich, sind in beiden Epochen bald diese, bald jene Seite; weil aber Sollen und Wollen im Menschen nicht radikal getrennt werden kann, so müssen überall beide Ansichten zugleich, wenn schon die eine vorwaltend und die andre untergeordnet, gefunden werden. Das Sollen 15 wird dem Menschen auferlegt, das Muß ist eine harte Nuß; das Wollen legt der Mensch sich selbst auf, des Menschen Wille ist sein Himmelreich. Ein beharrendes Sollen ist lästig, Unvermögen des Vollbringens fürchterlich, ein beharrliches Wollen erfreulich, und bei einem festen Willen kann man sich 20 sogar über das Unvermögen des Vollbringens getröstet sehen.

Betrachte man als eine Art Dichtung die Kartenspiele; auch diese bestehen aus jenen beiden Elementen. Die Form des Spiels, verbunden mit dem Zufalle, vertritt hier die Stelle des Sollens, gerade wie es die Alten unter der Form 25 des Schicksals kannten; das Wollen, verbunden mit der Fähigkeit des Spielers, wirkt ihm entgegen. In diesem Sinn möchte ich das Whistspiel antik nennen. Die Form dieses Spiels beschränkt den Zufall, ja das Wollen selbst. Ich muß bei gegebenen Mit- und Gegenspielern mit den Karten, die 30 mir in die Hand kommen, eine lange Reihe von Zufällen lenken, ohne ihnen ausweichen zu können; beim L'hombre und ähnlichen Spielen findet das Gegenteil statt. Hier sind meinem Wollen und Wagen gar viele Türen gelassen; ich kann die Karten, die mir zufallen, verleugnen, in verschiede- 35 nem Sinne gelten lassen, halb oder ganz verwerfen, vom Glück Hilfe rufen, ja durch ein umgekehrtes Verfahren aus den schlechtesten Blättern den größten Vorteil ziehen, und so gleichen diese Art Spiele vollkommen der modernen Denk- und Dichtart.

Die alte Tragödie beruht auf einem unausweichlichen Sollen, das durch ein entgegenwirkendes Wollen nur geschärft und beschleunigt wird. Hier ist der Sitz alles Furchtbaren der Orakel, die Region, in welcher „Ödipus" über alle thront. Zarter erscheint uns das Sollen als Pflicht in der „Antigone", und in wie viele Formen verwandelt tritt es nicht auf! Aber alles Sollen ist despotisch. Es gehöre der Vernunft an, wie das Sitten- und Stadtgesetz, oder der Natur, wie die Gesetze des Werdens, Wachsens und Vergehens, des Lebens und Todes. Vor allem diesem schaudern wir, ohne zu bedenken, daß das Wohl des Ganzen dadurch bezielt sei. Das Wollen hingegen ist frei, scheint frei und begünstigt den einzelnen. Daher ist das Wollen schmeichlerisch und mußte sich der Menschen bemächtigen, sobald sie es kennen lernten. Es ist der Gott der neuern Zeit; ihm hingegeben, fürchten wir uns vor dem Entgegengesetzten, und hier liegt der Grund, warum unsre Kunst sowie unsre Sinnesart von der antiken ewig getrennt bleibt. Durch das Sollen wird die Tragödie groß und stark, durch das Wollen schwach und klein. Auf dem letzten Wege ist das sogenannte Drama entstanden, indem man das ungeheure Sollen durch ein Wollen auflöste; aber eben weil dieses unsrer Schwachheit zu Hilfe kommt, so fühlen wir uns gerührt, wenn wir nach peinlicher Erwartung zuletzt noch kümmerlich getröstet werden.

Wende ich mich nun nach diesen Vorbetrachtungen zu Shakespeare, so muß der Wunsch entspringen, daß meine Leser selbst Vergleichung und Anwendung übernehmen möchten. Hier tritt Shakespeare einzig hervor, indem er das Alte und Neue auf eine überschwengliche Weise verbindet. Wollen und Sollen suchen sich durchaus in seinen Stücken ins Gleichgewicht zu setzen; beide bekämpfen sich mit Gewalt, doch immer so, daß das Wollen im Nachteile bleibt.

Niemand hat vielleicht herrlicher als er die erste große Verknüpfung des Wollens und Sollens im individuellen Charakter dargestellt. Die Person, von der Seite des Charakters betrachtet, soll: sie ist beschränkt, zu einem Besondern bestimmt; als Mensch aber will sie: sie ist unbegrenzt und fordert das Allgemeine. Hier entspringt schon ein innerer

Konflikt, und diesen läßt Shakespeare vor allen andern hervortreten. Nun aber kommt ein äußerer hinzu, und der erhitzt sich öfters dadurch, daß ein unzulängliches Wollen durch Veranlassungen zum unerläßlichen Sollen erhöht wird. Diese Maxime habe ich früher an „Hamlet" nachgewiesen; sie wiederholt sich aber bei Shakespeare; denn wie Hamlet durch den Geist, so kommt Macbeth durch Hexen, Hekate und die Überhexe, sein Weib, Brutus durch die Freunde in eine Klemme, der sie nicht gewachsen sind; ja sogar im „Coriolan" läßt sich das Ähnliche finden; genug, ein Wollen, das über die Kräfte eines Individuums hinausgeht, ist modern. Daß es aber Shakespeare nicht von innen entspringen, sondern durch äußere Veranlassung aufregen läßt, dadurch wird es zu einer Art von Sollen und nähert sich dem Antiken. Denn alle Helden des dichterischen Altertums wollen nur das, was Menschen möglich ist, und daher entspringt das schöne Gleichgewicht zwischen Wollen, Sollen und Vollbringen; doch steht ihr Sollen immer zu schroff da, als daß es uns, wenn wir es auch bewundern, anmuten könnte. Eine Notwendigkeit, die mehr oder weniger oder völlig alle Freiheit ausschließt, verträgt sich nicht mehr mit unsern Gesinnungen; diesen hat jedoch Shakespeare auf seinem Wege sich genähert: denn indem er das Notwendige sittlich macht, so verknüpft er die alte und neue Welt zu unserm freudigen Erstaunen. Ließe sich etwas von ihm lernen, so wäre hier der Punkt, den wir in seiner Schule studieren müßten. Anstatt unsre Romantik, die nicht zu schelten noch zu verwerfen sein mag, über die Gebühr ausschließlich zu erheben und ihr einseitig nachzuhängen, wodurch ihre starke, derbe, tüchtige Seite verkannt und verderbt wird, sollten wir suchen, jenen großen, unvereinbar scheinenden Gegensatz um so mehr in uns zu vereinigen, als ein großer und einziger Meister, den wir so höchlich schätzen und oft, ohne zu wissen warum, über alles präkonisieren, das Wunder wirklich schon geleistet hat. Freilich hatte er den Vorteil, daß er zur rechten Erntezeit kam, daß er in einem lebensreichen protestantischen Lande wirken durfte, wo der bigotte Wahn eine Zeitlang schwieg, so daß einem wahren Naturfrommen wie Shakespeare die Freiheit blieb, sein reines Innere ohne Bezug auf irgend eine bestimmte Religion religios zu entwickeln.

———

Vorstehendes ward im Sommer 1813 geschrieben, und man will daran nicht markten noch mäkeln, sondern nur an das oben Gesagte erinnern: daß Gegenwärtiges gleichfalls ein einzelner Versuch sei, um zu zeigen, wie die verschiedenen poetischen Geister jenen ungeheuern und unter so viel Gestalten hervortretenden Gegensatz auf ihre Weise zu vereinigen und aufzulösen gesucht. Mehreres zu sagen, wäre um so überflüssiger, als man seit gedachter Zeit auf diese Frage von allen Seiten aufmerksam gemacht worden und wir darüber vortreffliche Erklärungen erhalten haben. Vor allen gedenke ich Blümners höchst schätzbare Abhandlung „Über die Idee des Schicksals in den Tragödien des Äschylus" und deren vortreffliche Rezension in den Ergänzungsblättern der „Jenaischen Literaturzeitung". Worauf ich mich denn ohne weiteres zu dem dritten Punkt wende, welcher sich unmittelbar auf das deutsche Theater bezieht und auf jenen Vorsatz, welchen Schiller gefaßt, dasselbe auch für die Zukunft zu begründen.

III.
Shakespeare als Theaterdichter.

Wenn Kunstliebhaber und -freunde irgend ein Werk freudig genießen wollen, so ergötzen sie sich am Ganzen und durchdringen sich von der Einheit, die ihm der Künstler geben können. Wer hingegen theoretisch über solche Arbeiten sprechen, etwas von ihnen behaupten und also lehren und belehren will, dem wird Sondern zur Pflicht. Diese glaubten wir zu erfüllen, indem wir Shakespeare erst als Dichter überhaupt betrachteten und sodann mit den Alten und den Neusten verglichen. Nun aber gedenken wir unsern Vorsatz dadurch abzuschließen, daß wir ihn als Theaterdichter betrachten.

Shakespeares Name und Verdienst gehören in die Geschichte der Poesie; aber es ist eine Ungerechtigkeit gegen alle Theaterdichter früherer und späterer Zeiten, sein ganzes Verdienst in der Geschichte des Theaters aufzuführen.

Ein allgemein anerkanntes Talent kann von seinen Fähigkeiten einen Gebrauch machen, der problematisch ist. Nicht
alles, was der Vortreffliche tut, geschieht auf die vortrefflichste Weise. So gehört Shakespeare notwendig in die Geschichte der Poesie; in der Geschichte des Theaters tritt er
nur zufällig auf. Weil man ihn dort unbedingt verehren
kann, so muß man hier die Bedingungen erwägen, in die er
sich fügte, und diese Bedingungen nicht als Tugenden oder
als Muster anpreisen.

Wir unterscheiden nahverwandte Dichtungsarten, die
aber bei lebendiger Behandlung oft zusammenfließen:
Epos, Dialog, Drama, Theaterstück lassen sich sondern.
Epos fordert mündliche Überlieferungen an die Menge durch
einen einzelnen; Dialog Gespräch in geschlossener Gesellschaft, wo die Menge allenfalls zuhören mag; Drama
Gespräch in Handlungen, wenn es auch nur vor der Einbildungskraft geführt würde; Theaterstück alles dreies
zusammen, insofern es den Sinn des Auges mit beschäftigt
und unter gewissen Bedingungen örtlicher und persönlicher
Gegenwart faßlich werden kann.

Shakespeares Werke sind in diesem Sinne am meisten
dramatisch; durch seine Behandlungsart, das innerste Leben
hervorzukehren, gewinnt er den Leser; die theatralischen
Forderungen erscheinen ihm nichtig, und so macht er sich's
bequem, und man läßt sich's, geistig genommen, mit ihm
bequem werden. Wir springen mit ihm von Lokalität zu
Lokalität, unsere Einbildungskraft ersetzt alle Zwischenhandlungen, die er ausläßt, ja, wir wissen ihm Dank, daß er
unsere Geisteskräfte auf eine so würdige Weise anregt.
Dadurch, daß er alles unter der Theaterform vorbringt, erleichtert er der Einbildungskraft die Operation; denn mit
den „Brettern, die die Welt bedeuten", sind wir bekannter
als mit der Welt selbst, und wir mögen das Wunderlichste
lesen und hören, so meinen wir, das könne auch da droben
einmal vor unsern Augen vorgehen; daher die so oft mißlungene Bearbeitung von beliebten Romanen in Schauspielen.

Genau aber genommen, so ist nichts theatralisch, als was
für die Augen zugleich symbolisch ist: eine wichtige Hand-

lung, die auf eine noch wichtigere deutet. Daß Shakespeare
auch diesen Gipfel zu erfassen gewußt, bezeugt jener Augenblick, wo dem todkranken schlummernden König der Sohn
und Nachfolger die Krone von seiner Seite wegnimmt, sie
aufsetzt und damit fortstolziert. Dieses sind aber nur Mo-   5
mente, ausgesäte Juwelen, die durch viel Untheatralisches
auseinander gehalten werden. Shakespeares ganze Verfah-
rungsart findet an der eigentlichen Bühne etwas Wider-
strebendes; sein großes Talent ist das eines Epitomators,
und da der Dichter überhaupt als Epitomator der Natur   10
erscheint, so müssen wir auch hier Shakespeares großes
Verdienst anerkennen, nur leugnen wir dabei, und zwar zu
seinen Ehren, daß die Bühne ein würdiger Raum für sein
Genie gewesen. Indessen veranlaßt ihn gerade diese Bühnen-
enge zu eigner Begrenzung. Hier aber nicht, wie andere   15
Dichter, wählt er sich zu einzelnen Arbeiten besondere
Stoffe, sondern er legt einen Begriff in den Mittelpunkt und
bezieht auf diesen die Welt und das Universum. Wie er alte
und neue Geschichte in die Enge zieht, kann er den Stoff
von jeder Chronik brauchen, an die er sich oft sogar wörtlich   20
hält. Nicht so gewissenhaft verfährt er mit den Novellen,
wie uns „Hamlet" bezeugt. „Romeo und Julie" bleibt der
Überlieferung getreuer, doch zerstört er den tragischen Gehalt derselben beinahe ganz durch die zwei komischen
Figuren Mercutio und die Amme, wahrscheinlich von zwei   25
beliebten Schauspielern, die Amme wohl auch von einer
Mannsperson gespielt. Betrachtet man die Ökonomie des
Stücks recht genau, so bemerkt man, daß diese beiden Figuren und was an sie grenzt nur als possenhafte Inter-
mezzisten auftreten, die uns bei unserer folgerechten, Über-   30
einstimmung liebenden Denkart auf der Bühne unerträglich
sein müssen.

Am merkwürdigsten erscheint jedoch Shakespeare, wenn
er schon vorhandene Stücke redigiert und zusammenschnei-
det. Bei „König Johann" und „Lear" können wir diese   35
Vergleichung anstellen, denn die ältern Stücke sind noch
übrig. Aber auch in diesen Fällen ist er wieder mehr Dichter
überhaupt als Theaterdichter.

Lasset uns denn aber zum Schluß zur Auflösung des

Rätsels schreiten. Die Unvollkommenheit der englischen
Bretterbühne ist uns durch kenntnisreiche Männer vor
Augen gestellt. Es ist keine Spur von der Natürlichkeits-
forderung, in die wir nach und nach durch Verbesserung
der Maschinerie und der perspektivischen Kunst und der
Garderobe hineingewachsen sind und von wo man uns wohl
schwerlich in jene Kindheit der Anfänge wieder zurückführen dürfte: vor ein Gerüste, wo man wenig sah, wo alles
nur bedeutete, wo sich das Publikum gefallen ließ, hinter
einem grünen Vorhang das Zimmer des Königs anzunehmen,
den Trompeter, der an einer gewissen Stelle immer trom-
petete, und was dergleichen mehr ist. Wer will sich nun
gegenwärtig so etwas zumuten lassen? Unter solchen Umständen waren Shakespeares Stücke höchst interessante
Märchen, nur von mehreren Personen erzählt, die sich, um
etwas mehr Eindruck zu machen, charakteristisch maskiert
hatten, sich, wie es not tat, hin und her bewegten, kamen
und gingen, dem Zuschauer jedoch überließen, sich auf der
öden Bühne nach Belieben Paradies und Paläste zu imaginieren.

GEISTESEPOCHEN,
nach Hermanns neusten Mitteilungen

Die Urzeit der Welt, der Nationen, der einzelnen Menschen ist sich gleich. Wüste Leerheit umfängt erst alles, der
Geist jedoch brütet schon über Beweglichem und Gebilde-
tem. Indes die Autochthonenmenge staunend ängstlich
umherblickt, kümmerlich das unentbehrlichste Bedürfnis zu
befriedigen, schaut ein begünstigter Geist in die großen
Welterscheinungen hinein, bemerkt, was sich ereignet, und
spricht das Vorhandene ahnungsvoll aus, als wenn es ent-
stünde. So haben wir in der ältesten Zeit Betrachtung,
Philosophie, Benamsung und Poesie der Natur alles in einem.
    Die Welt wird heiterer, jene düsteren Elemente klären sich
auf, entwirren sich, der Mensch greift nach ihnen, sie auf
andere Weise zu gewältigen. Eine frische, gesunde Sinnlichkeit blickt umher, freundlich sieht sie im Vergangenen

und Gegenwärtigen nur ihresgleichen. Dem alten Namen verleiht sie neue Gestalt, anthropomorphosiert, personifiziert das Leblose wie das Abgestorbene und verteilt ihren eigenen Charakter über alle Geschöpfe. So lebt und webt der Volksglaube, der sich von allem Abstrusen, was aus jener Urepoche übrig geblieben sein mag, oft leichtsinnig befreit. Das Reich der Poesie blüht auf, und nur der ist Poet, der den Volksglauben besitzt oder sich ihn anzueignen weiß. Der Charakter dieser Epoche ist freie, tüchtige, ernste, edle Sinnlichkeit, durch Einbildungskraft erhöht.

Da jedoch der Mensch in Absicht der Veredlung sein selbst keine Grenzen kennt, auch die klare Region des Daseins ihm nicht in allen Umständen zusagt, so strebt er ins Geheimnis zurück, sucht höhere Ableitung dessen, was ihm erscheint. Und wie die Poesie Dryaden und Hamadryaden schafft, über denen höhere Götter ihr Wesen treiben, so erzeugt die Theologie Dämonen, die sie so lange einander unterordnet, bis sie zuletzt sämtlich von einem Gotte abhängig gedacht werden. Diese Epoche dürfen wir die heilige nennen, sie gehört im höchsten Sinne der Vernunft an, kann sich aber nicht lange rein erhalten und muß, weil sie denn doch zu ihrem Behuf den Volksglauben aufstutzt, ohne Poesie zu sein, weil sie das Wunderbarste ausspricht und ihm objektive Gültigkeit zuschreibt, endlich dem Verstand verdächtig werden. Dieser, in seiner größten Energie und Reinheit, verehrt die Uranfänge, erfreut sich am poetischen Volksglauben und schätzt das edle Menschenbedürfnis, ein Oberstes anzuerkennen. Allein der Verständige strebt, alles Denkbare seiner Klarheit anzueignen und selbst die geheimnisvollsten Erscheinungen faßlich aufzulösen. Volks- und Priesterglaube wird daher keineswegs verworfen, aber hinter demselben ein Begreifliches, Löbliches, Nützliches angenommen, die Bedeutung gesucht, das Besondere ins Allgemeine verwandelt und aus allem Nationalen, Provinzialen, ja Individuellen etwas der Menschheit überhaupt Zuständiges herausgeleitet. Dieser Epoche kann man ein edles, reines, kluges Bestreben nicht absprechen, sie genügt aber mehr dem einzelnen wohlbegabten Menschen als ganzen Völkern.

Denn wie sich diese Sinnesart verbreitet, folgt sogleich die
letzte Epoche, welche wir die prosaische nennen dürfen, da
sie nicht etwa den Gehalt der frühern humanisieren, dem
reinen Menschenverstand und Hausgebrauch aneignen
möchte, sondern das Älteste in die Gestalt des gemeinen
Tags zieht und auf diese Weise Urgefühle, Volks- und
Priesterglauben, ja den Glauben des Verstandes, der hinter
dem Seltsamen noch einen löblichen Zusammenhang vermutet, völlig zerstört.

Diese Epoche kann nicht lange dauern. Das Menschenbedürfnis, durch Weltschicksale aufgeregt, überspringt
rückwärts die verständige Leitung, vermischt Priester-,
Volks- und Urglauben, klammert sich bald da, bald dort an
Überlieferungen, versenkt sich in Geheimnisse, setzt Märchen an die Stelle der Poesie und erhebt sie zu Glaubens-
artikeln. Anstatt verständig zu belehren und ruhig einzuwir-
ken, streut man willkürlich Samen und Unkraut zugleich
nach allen Seiten; kein Mittelpunkt, auf den hingeschaut
werde, ist mehr gegeben, jeder einzelne tritt als Lehrer und
Führer hervor und gibt seine vollkommene Torheit für ein
vollendetes Ganze.

Und so wird denn auch der Wert eines jeden Geheimnisses
zerstört, der Volksglaube selbst entweiht; Eigenschaften,
die sich vorher naturgemäß auseinander entwickelten, arbeiten wie streitende Elemente gegeneinander, und so ist das
Tohu wa Bohu wieder da: aber nicht das erste, befruchtete,
gebärende, sondern ein absterbendes, in Verwesung über-
gehendes, aus dem der Geist Gottes kaum selbst eine ihm
würdige Welt abermals erschaffen könnte.

Uranfänge,
tiefsinnig beschaut, schicklich benamst.

Poesie	Volksglaube	Tüchtig	Einbildungskraft
Theologie	Ideelle Erhebung	Heilig	Vernunft
Philosophie	Aufklärendes Her-	Klug	Verstand
	abziehen		
Prosa	Auflösung ins	Gemein	Sinnlichkeit
	Alltägliche		

Vermischung, Widerstreben, Auflösung.

Wir würden höchst undankbar sein, wenn wir nicht indischer Dichtungen gleichfalls gedenken wollten, und zwar solcher, die deshalb bewundernswürdig sind, weil sie sich aus dem Konflikt mit der abstrusesten Philosophie auf einer und mit der monstrosesten Religion auf der andern Seite im glücklichsten Naturell durchhelfen und von beiden nicht mehr annehmen, als ihnen zur innern Tiefe und äußern Würde frommen mag.

Vor allen wird „Sakontala" von uns genannt, in deren Bewunderung wir uns jahrelang versenkten. Weibliche Reinheit, schuldlose Nachgiebigkeit, Vergeßlichkeit des Mannes, mütterliche Abgesondertheit, Vater und Mutter durch den Sohn vereint, die allernatürlichsten Zustände, hier aber in die Regionen der Wunder, die zwischen Himmel und Erde wie fruchtbare Wolken schweben, poetisch erhöht, und ein ganz gewöhnliches Naturschauspiel durch Götter und Götterkinder aufgeführt.

Mit „Gita-Govinda" ist es derselbige Fall; auch hier kann das Äußerste nur dargestellt werden, wenn Götter und Halbgötter die Handlung bilden.

Uns Westländern konnte der würdige Übersetzer nur die erste Hälfte zuteilen, welche die grenzenloseste Eifersucht darstellt einer Halbgöttin, die von ihrem Liebhaber verlassen ist oder sich verlassen glaubt. Die Ausführlichkeit dieser Malerei bis ins Allerkleinste spricht uns durchgängig an; wie müßte uns aber bei der zweiten Hälfte zumute werden, welche den rückkehrenden Gott, die unmäßige Freude der Geliebten, den grenzenlosen Genuß der Liebenden darzustellen bestimmt ist und es wohl auf eine solche Weise tun mag, die jene erste überschwengliche Entbehrung aufzuwiegen geeignet sei!

Der unvergleichliche Jones kannte seine westlichen Insulaner gut genug, um sich auch in diesem Falle wie immer in den Grenzen europäischer Schicklichkeit zu halten, und doch hat er solche Andeutungen gewagt, daß einer seiner deutschen Übersetzer sie zu beseitigen und zu tilgen für nötig erachtet.

Enthalten können wir uns ferner nicht, des neueren be-

kannt gewordenen Gedichtes „Megha-Duta" zu gedenken.
Auch dieses enthält wie die vorigen rein menschliche Verhältnisse. Ein aus dem nördlichen Indien in das südliche
verbannter Höfling gibt zur Zeit, da der ungeheure Zug
geballter und sich ewig verwandelnder Wolken von der
Südspitze der Halbinsel nach den nördlichen Gebirgen unaufhaltsam hinzieht und die Regenzeit vorbereitet, einer
dieser riesenhaften Lufterscheinungen den Auftrag, seine
zurückgebliebene Gattin zu begrüßen, sie wegen der noch
kurzen Zeit seines Exils zu trösten, unterwegs aber Städte
und Länder, wo seine Freunde befindlich, zu beachten und
sie zu segnen, wodurch man einen Begriff des Raumes erhält, der ihn von der Geliebten trennt, und zugleich ein Bild,
wie reichlich diese Landschaft im einzelnen ausgestattet
sein müsse.

Alle diese Gedichte sind uns durch Übersetzungen mitgeteilt, die sich mehr oder weniger vom Original entfernen,
so daß wir nur ein allgemeines Bild ohne die begrenzte Eigentümlichkeit des Originals gewahr werden. Der Unterschied
ist freilich sehr groß, wie aus einer Übersetzung mehrerer
Verse unmittelbar aus dem Sanskrit, die ich Herrn Professor
Kosegarten schuldig geworden, aufs klarste in die Augen
leuchtet.

Aus diesem fernen Osten können wir nicht zurückkehren,
ohne des neuerlich mitgeteilten chinesischen Dramas zu
gedenken; hier ist das wahre Gefühl eines alternden Mannes,
der ohne männliche Erben abscheiden soll, auf das rührendste
dargestellt, und zwar gerade dadurch, daß hervortritt, wie
er der schönsten Zeremonien, die zur Ehre des Abgeschiedenen landesüblich verordnet sind, wo nicht gar entbehren,
doch wenigstens sie unwilligen und nachlässigen Verwandten überlassen soll.

Es ist ein ganz eigentliches, nicht im Besondern, sondern
ins Allgemeine gedichtetes Familiengemälde. Es erinnert
sehr an Ifflands „Hagestolzen", nur daß bei dem Deutschen
alles aus dem Gemüt oder aus den Unbilden häuslicher und
bürgerlicher Umgebung ausgehen konnte, bei dem Chinesen
aber außer ebendenselben Motiven noch alle religiösen und
polizeilichen Zeremonien mitwirken, die einem glücklichen

Stammvater zugute kommen, unsern wackern Greis aber
unendlich peinigen und einer grenzenlosen Verzweiflung
überliefern, bis denn zuletzt durch eine leise vorbereitete,
aber doch überraschende Wendung das Ganze noch einen
fröhlichen Abschluß gewinnt.

CALDERONS „TOCHTER DER LUFT"

De nugis hominum seria veritas
Uno volvitur assere.

Und gewiß, wenn irgend ein Verlauf menschlicher Torheiten hohen Stils über Theaterbretter hervorgeführt werden
sollte, so möchte genanntes Drama wohl den Preis davon-
tragen.

Zwar lassen wir uns oft von den Vorzügen eines Kunstwerks dergestalt hinreißen, daß wir das letzte Vortreffliche,
was uns entgegentritt, für das Allerbeste halten und erklären; doch kann dies niemals zum Schaden gereichen:
denn wir betrachten ein solches Erzeugnis liebevoll um desto
näher und suchen seine Verdienste zu entwickeln, damit
unser Urteil gerechtfertigt werde. Deshalb nehme ich auch
keinen Anstand, zu bekennen, daß ich in der „Tochter der
Luft" mehr als jemals Calderons großes Talent bewundert,
seinen hohen Geist und klaren Verstand verehrt habe. Hiebei
darf man denn nicht verkennen, daß der Gegenstand vorzüglicher ist als ein anderer seiner Stücke, indem die Fabel
sich ganz rein menschlich erweist und ihr nicht mehr Dämo-
nisches zugeteilt ist, als nötig war, damit das Außerordentliche, Überschwengliche des Menschlichen sich desto leichter entfalte und bewege. Anfang und Ende nur sind wunderbar, alles übrige läuft seinen natürlichen Weg fort.

Was nun von diesem Stücke zu sagen wäre, gilt von allen
unseres Dichters. Eigentliche Naturanschauung verleiht er
keineswegs; er ist vielmehr durchaus theatralisch, ja bretterhaft; was wir Illusion heißen, besonders eine solche, die
Rührung erregt, davon treffen wir keine Spur; der Plan
liegt klar vor dem Verstand, die Szenen folgen notwendig,
mit einer Art von Ballettschritt, welche kunstgemäß wohltut

und auf die Technik unserer neuesten komischen Oper hindeutet; die innern Hauptmotive sind immer dieselben: Widerstreit der Pflichten, Leidenschaften, Bedingnisse, aus dem Gegensatz der Charaktere, aus den jedesmaligen Verhältnissen abgeleitet.

Die Haupthandlung geht ihren großen poetischen Gang, die Zwischenszenen, welche menuettartig in zierlichen Figuren sich bewegen, sind rhetorisch, dialektisch, sophistisch. Alle Elemente der Menschheit werden erschöpft, und so fehlt auch zuletzt der Narr nicht, dessen hausbackener Verstand, wenn irgend eine Täuschung auf Anteil und Neigung Anspruch machen sollte, sie alsobald, wo nicht gar schon im voraus, zu zerstören droht.

Nun gesteht man bei einigem Nachdenken, daß menschliche Zustände, Gefühle, Ereignisse in ursprünglicher Natürlichkeit sich nicht in dieser Art aufs Theater bringen lassen, sie müssen schon verarbeitet, zubereitet, sublimiert sein; und so finden wir sie auch hier: der Dichter steht an der Schwelle der Überkultur, er gibt eine Quintessenz der Menschheit.

Shakespeare reicht uns im Gegenteil die volle, reife Traube vom Stock; wir mögen sie nun beliebig Beere für Beere genießen, sie auspressen, keltern, als Most, als gegornen Wein kosten oder schlürfen, auf jede Weise sind wir erquickt. Bei Calderon dagegen ist dem Zuschauer, dessen Wahl und Wollen nichts überlassen; wir empfangen abgezogenen, höchst rektifizierten Weingeist, mit manchen Spezereien geschärft, mit Süßigkeiten gemildert; wir müssen den Trank einnehmen, wie er ist, als schmackhaftes köstliches Reizmittel, oder ihn abweisen.

Warum wir aber die „Tochter der Luft" so gar hoch stellen dürfen, ist schon angedeutet: sie wird begünstigt durch den vorzüglichen Gegenstand. Denn leider sieht man in mehreren Stücken Calderons den hoch- und freisinnigen Mann genötigt, düsterem Wahn zu frönen und dem Unverstand eine Kunstvernunft zu verleihen, weshalb wir denn mit dem Dichter selbst in widerwärtigen Zwiespalt geraten, da der Stoff beleidigt, indes die Behandlung entzückt; wie dies der Fall mit der „Andacht zum Kreuze", der „Aurora von Copacabana" gar wohl sein möchte.

Bei dieser Gelegenheit bekennen wir öffentlich, was wir schon oft im stillen ausgesprochen: es sei für den größten Lebensvorteil, welchen Shakespeare genoß, zu achten, daß er als Protestant geboren und erzogen worden. Überall erscheint er als Mensch, mit Menschlichem vollkommen vertraut, Wahn und Aberglauben sieht er unter sich und spielt nur damit, außerirdische Wesen nötigt er, seinem Unternehmen zu dienen, tragische Gespenster, possenhafte Kobolde beruft er zu seinem Zwecke, in welchem sich zuletzt alles reinigt, ohne daß der Dichter jemals die Verlegenheit fühlte, das Absurde vergöttern zu müssen, der allertraurigste Fall, in welchen der seiner Vernunft sich bewußte Mensch geraten kann.

Wir kehren zur „Tochter der Luft" zurück und fügen noch hinzu: Wenn wir uns nun in einen so abgelegenen Zustand, ohne das Lokale zu kennen, ohne die Sprache zu verstehen, unmittelbar versetzen, in eine fremde Literatur ohne vorläufige historische Untersuchungen bequem hineinblicken, uns den Geschmack einer gewissen Zeit, Sinn und Geist eines Volks an einem Beispiel vergegenwärtigen können, wem sind wir dafür Dank schuldig? Doch wohl dem Übersetzer, der lebenslänglich sein Talent, fleißig bemüht, für uns verwendet hat. Diesen herzlichen Dank wollen wir Herrn Dr. Gries diesmal schuldig darbringen; er verleiht uns eine Gabe, deren Wert überschwenglich ist, eine Gabe, bei der man sich aller Vergleichung gern enthält, weil sie uns durch Klarheit alsobald anzieht, durch Anmut gewinnt und durch vollkommene Übereinstimmung aller Teile uns überzeugt, daß es nicht anders hätte sein können, noch sollen.

Dergleichen Vorzüge mögen erst vom Alter vollkommen geschätzt werden, wo man mit Bequemlichkeit ein treffliches Dargebotenes genießen will, dahingegen die Jugend, mitstrebend, mit- und fortarbeitend, nicht immer ein Verdienst anerkennt, was sie selbst zu erreichen hofft.

Heil also dem Übersetzer, der seine Kräfte auf einen Punkt konzentrierte, in einer einzigen Richtung sich bewegte, damit wir tausendfältig genießen können!

VON KNEBELS ÜBERSETZUNG DES LUCREZ

Endlich tritt die vieljährige Arbeit eines geprüften Freundes an den Tag, der ich um so mehr einen guten Empfang wünsche, als ich seit geraumer Zeit dieser unverdroßnen Bemühung gar manche Hilfe und Fördernis zu danken habe. Die Schwierigkeiten, welche ein jeder bei dem Studium des Lucrez empfindet, waren auch mir hinderlich, und so gereichten die Studien eines Freundes, sich mit einem so wichtigen Rest des Altertums zu verständigen, eigenem Verständnis zu großem Vorteil. Denn es wird hiebei nichts weniger verlangt, als daß man sich siebzig bis achtzig Jahre vor unserer Ära in den Mittelpunkt der Welt, das heißt nach Rom versetze, sich vergegenwärtige, wie es daselbst in bürgerlichen, kriegrischen, religiosen und ästhetischen Zuständen ausgesehen. Den echten Dichter wird niemand kennen, als wer dessen Zeit kennt.

Man darf wohl sagen, daß Lucrez in die Epoche kam und sie selbst mit bildete, wo die römische Dichtkunst den hohen Stil erreicht hatte. Die alte, tüchtige, barsche Roheit war gemildert, weitere Weltumsicht, praktisch tieferer Blick in bedeutende Charaktere, die man um und neben sich handeln sah, hatten die römische Bildung auf den bewundernswürdigen Punkt gebracht, wo Kraft und Ernst sich mit Anmut, wo starke, gewaltige Äußerungen sich mit Gefälligkeit vermählen konnten. Daraus entwickelte sich im Fortgang das Zeitalter Augusts, wo die feinere Sitte den großen Abstand zwischen Herrscher und Beherrschten auszugleichen suchte und das für den Römer erreichbare Gute und Schöne in Vollendung darstellte. In der Folgezeit war an eine Vermittelung nicht mehr zu denken; Tyrannei trieb den Redner von dem Markt in die Schule, den Poeten in sich selbst zurück; daher ich denn gar gern, diesem Verlauf in Gedanken folgend, wenn ich mit Lucrez angefangen, mit Persius endige, der, in sibyllinische Sprüche den bittersten Unmut verhüllend, seine Verzweiflung in düstern Hexametern ausspricht.

Wie viel freier bewegt sich noch Lucrez; zwar auch er ist bedrängt von den Stürmen der Zeit, die ihm eine behagliche

Ruhe verkümmern, er entfernt sich vom Weltschauplatz, beklagt des wertesten Freundes Abwesenheit und tröstet sich durch Mitteilung des höchsten Bestrebens. Woher aber kommt eigentlich für ihn das Bedrängende? Seit Erbauung Roms zog der Staatsmann, der Kriegsheld vom Aberglauben nach Bedürfnis die größten Vorteile; aber wenn man von günstigen Göttern durch Vögelflug und Eingeweidegestalt treuen Rat und Warnung zu erhalten glaubte, wenn der Himmel an den Gläubigen teilzunehmen schien, so waren diese dagegen doch nicht vor den Schrecken der Hölle ge- sichert; und weil das Fürchterliche immer mehr aufregt, als das Milde zu beschwichtigen vermag, so verdüsterte der Flammenqualm des Orkus den olympischen Äther, und die stygische Gorgone löschte die sämtlichen reinen, ruhigen Götterbilder aus, die man ihren schönen Wohnsitzen ent- rissen und in römische Knechtschaft geschleppt hatte.

Nun waren schwache Gemüter mehr und mehr bemüht, drohende Wahrzeichen abzulenken und von Furcht sich demütig zu retten. Angst und Bangigkeit steigerte sich jedoch, als ein Leben nach dem Tode bei einem unseligen Leben auf Erden immer wünschenswerter erschien; wer aber gab sodann Bürgschaft, daß es nicht ebenso schlimm, vielleicht gar schlimmer als am Tage des Tags unten aus- sehen werde? So zwischen Furcht und Hoffnung schwebte die Menge, der bald hernach das Christentum höchst will- kommen und das tausendjährige Reich als der wünschens- werteste Zustand ersehnt werden sollte.

Starke Geister hingegen wie Lucrez, die wohl zu ver- zichten, aber sich nicht zu ergeben genaturt waren, suchten, indem sie die Hoffnung ablehnten, auch die Furcht los zu werden; doch hiebei war, wenn man auch mit sich selbst übereinzukommen gewußt, doch von außen große An- fechtung zu erleiden.

Einer, der immer wieder hören muß, was er längst besei- tigt hat, fühlt ein Mißbehagen, das sich von Ungeduld zur Wut steigern kann; daher die Heftigkeit, mit welcher Lucrez auf diejenigen eifernd losfährt, die im Tode nicht vergehen wollen. Dieses gewaltige Schelten hab' ich jedoch immer beinahe komisch empfunden und mich dabei an jenen Feld-

herrn erinnert, der im prägnantesten Augenblick der
Schlacht, da seine Truppen dem unvermeidlichen Tod ent-
gegenzugehen stockten, verdrießlich ausrief: „Ihr Hunde,
wollt ihr denn ewig leben!" So nah grenzt das Ungeheure
5 ans Lächerliche.

So viel sei diesmal über ein Werk gesagt, das, allgemeine
Aufmerksamkeit verdienend, den Anteil der jetzigen Zeit
besonders erregen muß.

Man soll in vielen Stücken nicht denken wie Lucrez, ja
10 man kann es nicht einmal, und wenn man wollte; aber man
sollte erfahren, wie man sechs bis acht Dezennien vor unserer
Ära gedacht hat: als Prologus der christlichen Kirchengeschichte ist dieses Dokument höchst merkwürdig.

Auf einen so wichtigen Gegenstand nun sei mir erlaubt
15 wieder zurückzukommen, indem ich Lucrez in mehrfacher
Eigenschaft darzustellen wünschte, als Menschen und Römer,
als Naturphilosophen und Dichter. Diesen alten Vorsatz
auszuführen, erleichtert mir zu rechter Zeit die wohlgelun-
gene Übersetzung, sie macht es allein möglich. Denn wir
20 sehen sie durchaus würdig mit edler Freiheit vorschreiten,
sich selbst klar unser Verständnis aufschließen, auch wenn
von den abstrusesten Problemen gehandelt wird. Graziös
und anmutig lockt sie uns in die tiefsten Geheimnisse hinein, kommentiert ohne Umschreibung und belebt ein uraltes
25 bedenkliches Original; wie dies alles in der Folge umständlich nachzuweisen sein wird.

NEUE LIEDERSAMMLUNG
VON KARL FRIEDRICH ZELTER

In derselben ist auch vorstehendes Lied *(Um Mitternacht.*
30 *Bd. 1, S. 372)* enthalten; ich lade meine in Deutschland aus-
gesäeten Freunde und Freundinnen hiedurch schönstens
ein, sich es recht innigst anzueignen und zu meinem Andenken von Zeit zu Zeit bei nächtlicher Weile liebevoll zu
wiederholen. Man lasse mich bekennen, daß ich, mit dem
35 Schlag Mitternacht im hellsten Vollmond aus guter, mäßig-
aufgeregter, geistreich-anmutiger Gesellschaft zurückkeh-

rend, das Gedicht aus dem Stegreife niederschrieb, ohne auch nur früher eine Ahnung davon gehabt zu haben.

Außerdem sind in genannte Sammlung nahezu ein Dutzend meiner mehr oder weniger bekannten Lieder aufgenommen, deren musikalische Ausbildung ich durchaus empfehlen darf. Sie zeugen von der Wechselwirkung zweier Freunde, die seit mehreren Jahren einander kein Rätsel sind; daher es denn dem Komponisten natürlich ward, sich mit dem Dichter zu identifizieren, so daß dieser sein Inneres aufgefrischt und belebt, seine Intentionen ganz aufs neue wieder hervorgebracht fühlen mag und dabei erwarten darf, daß diese Anklänge in Ohr und Gemüt so manches Wohlwollenden noch lange widerzutönen geeignet sind.

ÖSTLICHE ROSEN VON FRIEDRICH RÜCKERT

Es läßt sich bemerken, daß von Zeit zu Zeit in der deutschen Nation sich gewisse dichterische Epochen hervortun, die, in sittlichem und ästhetischem Boden ruhend, durch irgend einen Anlaß hervorgerufen, eine Zeitlang dauern, denselben Stoff wiederholen und vervielfältigen. Man tadelt öfters einen solchen Verlauf, ich finde ihn aber notwendig und wünschenswert. Wir hören, weil hier besonders von Liedern die Rede sein soll, einen sanft melancholischen Anklang, der sich von Hölty bis zu Ernst Schulze durchzieht; der hochgesinnte deutsche Hermannsgeist, von Klopstock ausgehend, hat uns wenige, aber herrliche Melodien geliefert; in wie viel hundert Klängen erscholl zur Kriegs- und Siegeszeit das Gefühl älterer und jüngerer Deutschen, wie eifrig begleiteten sie nicht mit Gesängen und Liedern ihre Taten und Gesinnungen. Da man aber denn doch im Frieden auch einmal, und wär' es nur auf kurze Stunden, in heiterer Gesellschaft sich als Ohnesorge fühlen will, so war ein fremder Hauch nicht unwillkommen, der, dem Ostwind vergleichbar, abkühlend erfrischte und zugleich uns der herrlichen Sonne, des reinen blauen Äthers genießen ließe. Von den Kompositionen meines „Divans" hab' ich schon manche Freude gewonnen. Die Zelterischen und

Eberweinischen gut vorgetragen zu hören, wie es von der so talent- als sangreichen Gattin des letztern geschieht, wird gewiß jeden Genußfähigen in die beste Stimmung versetzen.

Und so kann ich denn Rückerts oben bezeichnete Lieder allen Musikern empfehlen; aus diesem Büchlein, zu rechter Stunde aufgeschlagen, wird ihnen gewiß manche Rose, Narzisse und was sonst sich hinzugesellt, entgegenduften; von blendenden Augen, fesselnden Locken, gefährlichen Grübchen findet sich manches Wünschenswerte; an solchen Gefahren mag sich jung und alt gerne üben und ergötzen.

Obgleich die Ghaselen des Grafen Platen nicht für den Gesang bestimmt sind, so erwähnen wir doch derselben gern als wohlgefühlter, geistreicher, dem Orient vollkommen gemäßer, sinniger Gedichte.

PHAETHON,

Tragödie des Euripides

Versuch einer Wiederherstellung aus Bruchstücken.

Ehrfurchtsvoll an solche köstliche Reliquien herantretend, müssen wir vorerst alles aus der Einbildungskraft auslöschen, was in späterer Zeit dieser einfach großen Fabel angeheftet worden, durchaus vergessen, wie Ovid und Nonnus sich verirren, den Schauplatz derselben ins Universum erweiternd. Wir beschränken uns in einer engen, zusammengezogenen Lokalität, wie sie der griechischen Bühne wohl geziemen mochte; dahin ladet uns der

PROLOG. Des Okeans, der Thetis Tochter, Klymenen,
Umarmt als Gatte Merops, dieses Landes Herr,
Das von dem vierbespannten Wagen allererst
Mit leisen Strahlen Phöbus morgendlich begrüßt;
Die Glut des Königs aber, wie sie sich erhebt,
Verbrennt das Ferne, Nahes aber mäßigt sie.
Dies Land benennt ein nachbar-schwarzgefärbtes Volk
Eos, die glänzende, des Helios Rossestand.

Und zwar mit Recht, denn rosenfingernd spielt zuerst
10 An leichten Wölkchen Eos bunten Wechselscherz.
Hier bricht sodann des Gottes ganze Kraft hervor,
Der, Tag und Stunden regelnd, alles Volk beherrscht,
Von dieser Felsenküsten steilem Anbeginn   5
Das Jahr bestimmt der breiten, ausgedehnten Welt.
15 So sei ihm denn, dem Hausgott unserer Königsburg,
'Verehrung, Preis und jeden Morgens frisch Gemüt.
Auch ich, der Wächter, ihn zu grüßen hier bereit,
Nach diesen Sommernächten, wo's nicht nachten will,   10
Erfreue mich des Tages vor dem Tagesblick
20 Und harre gern, doch ungeduldig, seiner Glut,
Die alles wieder bildet, was die Nacht entstellt.
So sei denn aber heute mehr als je begrüßt
Des Tages Anglanz! Feiert prächtig heute ja   15
Merops, der Herrscher, seinem kräftig einzigen Sohn
25 Verbindungsfest mit gottgezeugter Nymphenzier;
Deshalb sich alles regt und rührt im Hause schon.
Doch sagen andere – Mißgunst waltet stets im Volk –,
Daß seiner Freuden innigste Zufriedenheit,   20
Der Sohn, den er vermählet heute, Phaethon,
30 Nicht seiner Lenden sei; woher denn aber wohl?
Doch schweige jeder – solche zarten Dinge sind
Nicht glücklich anzurühren, die ein Gott verbirgt.

Vers 5, 6. Hier scheint der Dichter durch einen Wider-   25
spruch den Widerspruch der Erscheinung auflösen zu wollen;
er spricht die Erfahrung aus, daß die Sonne das östliche
Land nicht versengt, da sie doch so nah und unmittelbar an
ihm hervortritt, dagegen aber die südliche Erde, von der sie
sich entfernt, so glühend heiß bescheint.   30
Vers 7, 8. Nicht über dem Ozean, sondern diesseits am
Rande der Erde suchen wir den Ruheplatz der himmlischen
Rosse, wir finden keine Burg, wie sie Ovid prächtig auf-
erbaut, alles ist einfach und geht natürlich zu. Im letzten
Osten also, an der Welt Grenze, wo der Ozean ans feste Land 35
umkreisend sich anschließt, wird ihm von Thetis eine herrliche Tochter geboren, Klymene. Helios, als nächster Nachbar zu betrachten, entbrennt für sie in Liebe; sie gibt nach,
doch unter der Bedingung, daß er einem aus ihnen ent-
sprossenen Sohn eine einzige Bitte nicht versagen wolle.   40
Indessen wird sie an Merops, den Herrscher jener äußersten

Erde, getraut, und der ältliche Mann empfängt mit Freuden
den im stillen ihm zugebrachten Sohn.

    Nachdem nun Phaethon herangewachsen, gedenkt ihn der
Vater standesgemäß irgend einer Nymphe oder Halbgöttin
5 zu verheiraten, der Jüngling aber, mutig, ruhm- und herrsch-
süchtig, erfährt zur bedeutenden Zeit, daß Helios sein Vater
sei, verlangt Bestätigung von der Mutter und will sich sogleich selbst überzeugen.

Klymene. Phaethon.

10 KLYMENE. So bist du denn dem Ehebett ganz abgeneigt?
  PHAETHON. Das bin ich nicht, doch einer Göttin soll ich nahn
    Als Gatte, dies beklemmet mir das Herz allein.   35
    Der Freie macht zum Knechte sich des Weibs,
    Verkaufend seinen Leib um Morgengift.
15 KLYMENE. O Sohn! soll ich es sagen? dieses fürchte nicht.
  PHAETHON. Was mich beglückt, zu sagen, warum zauderst du?
  KLYMENE. So wisse denn: auch du bist eines Gottes Sohn.   40
  PHAETHON. Und wessen?
  KLYMENE.   Bist ein Sohn des Nachbargottes Helios,
20 Der morgens früh die Pferde hergestellt erregt,
    Geweckt von Eos, hochbestimmten Weg ergreift;
    Auch mich ergriff. Du aber bist die liebe Frucht.
  PHAETHON. Wie, Mutter, darf ich willig glauben, was erschreckt? 45
    Ich bin erschrocken vor so hohen Stammes Wert,
25 Wenn dies mir gleich den ewig innern Flammenruf
    Des Herzens deutet, der zum Allerhöchsten treibt.
  KLYMENE. Befrag' ihn selber! Denn es hat der Sohn das Recht,
    Den Vater dringend anzugehn im Lebensdrang.   50
    Erinner' ihn, daß umarmend er mir zugesagt:
30 Dir einen Wunsch zu gewähren, aber keinen mehr.
    Gewährt er ihn, dann glaube fest, daß Helios
    Gezeugt dich hat; wo nicht, so log die Mutter dir.
  PHAETHON. Wie find' ich mich zur heißen Wohnung Helios'?   55
  KLYMENE. Er selbst wird deinen Leib bewahren, der ihm lieb.
35 PHAETHON. Wenn er mein Vater wäre, du mir Wahrheit sprächst!
  KLYMENE. O glaub' es fest! Du überzeugst dich selbst dereinst.
  PHAETHON. Genug! Ich traue deines Worts Wahrhaftigkeit.
    Doch eile jetzt von hinnen! Denn aus dem Palast   60
    Nahn schon die Dienerinnen, die des schlummernden
40 Erzeugers Zimmer säubern, der Gemächer Prunk
    Tagtäglich ordnen und mit vaterländischen

Gerüchen des Palasts Eingang zu füllen gehn.
65 Wenn dann der greise Vater von dem Schlummer sich
Erhoben und der Hochzeit frohes Fest mit mir
Im Freien hier beredet, eil' ich flugs hinweg,
Zu prüfen, ob dein Mund, o Mutter, Wahres sprach.   5

(Beide ab.)

Hier ist zu bemerken, daß das Stück sehr früh angeht,
man muß es vor Sonnenaufgang denken und dem Dichter
zugeben, daß er in einen kurzen Zeitraum sehr viel zusam-
menpreßt. Es ließen sich hievon ältere und neuere Beispiele 10
wohl anführen, wo das Dargestellte in einer gewissen Zeit
unmöglich geschehen kann und doch geschieht. Auf dieser
Fiktion des Dichters und der Zustimmung des Hörers und
Schauers ruht die oft angefochtene und immer wieder-
kehrende dramatische Zeit- und Ortseinheit der Alten und 15
Neuern.

Der nun folgende Chor spricht von der Gegend, und was
darin vorgeht, ganz morgendlich. Man hört noch die Nachtigall singen, wobei es höchst wichtig ist, daß ein Hochzeit-
gesang mit der Klage einer Mutter um ihren Sohn beginnt. 20

CHOR DER DIENERINNEN. Leise, leise, weckt mir den König nicht!
70 Morgenschlaf gönn' ich jedem,
Greisem Haupt zu allererst.
Kaum noch tagt es,
Aber bereitet, vollendet das Werk!   25
Noch weint im Hain Philomele
75 Ihr sanft harmonisches Lied;
In frühem Jammer ertönt
,,Itys, o Itys", ihr Rufen!
Syrinx-Ton hallt im Gebirg,   30
Felsanklimmender Hirten Musik;
80 Es eilt schon fern auf die Trift
Brauner Füllen mutige Schar;
Zum wildaufjagenden Weidwerk
Zieht schon der Jäger hinaus;   35
Am Uferrande des Meers
85 Tönt des melodischen Schwans Lied.
Und es treibt in die Wogen den Nachen hinaus
Windwehen und rauschender Ruderschlag;
Aufziehn sie die Segel,   40

Aufbläht sich bis zum mitteln Tau das Segel.
So rüstet sich jeder zum andern Geschäft;   90
Doch mich treibt Lieb' und Verehrung heraus,
Des Gebieters fröhliches Hochzeitfest
5   Mit Gesang zu begehn: denn den Dienern
Schwillt freudig der Mut bei der Herrschaft
Sich fügenden Festen –   95
Doch brütet das Schicksal Unglück aus,
Gleich trifft's auch schwer die treuen Hausgenossen.
10 Zum frohen Hochzeitfest ist dieser Tag bestimmt,
Den betend ich sonst ersehnt,
Daß mir am festlichen Morgen der Herrschaft das Brautlied   100
Zu singen einst sei vergönnt.
Götter gewährten, Zeiten brachten
15 Meinem Herrn den schönen Tag.
Drum tön', o Weihlied, zum frohen Brautfest!
Doch seht, aus der Pforte der König tritt   105
Mit dem heiligen Herold und Phaethon,
Her schreiten die dreie verbunden! O schweig'
20 Mein Mund in Ruh'!
Denn Großes bewegt ihm die Seel' anjetzt:
Hin gibt er den Sohn in der Ehe Gesetz,   110
In die süßen bräutlichen Bande.
DER HEROLD. Ihr, des Okeanos Strand Anwohnende,
25   Schweigt und höret!
Tretet hinweg vom Bereich des Palastes!
Stehe von fern, Volk!   115
Ehrfurcht hegt vor dem nahenden Könige! –
Heil entsprieße,
30 Frucht und Segen dem heitern Vereine,
Welchem ihr Nahn gilt,
Des Vaters und des Sohns, die am Morgen heut'   120
Dies Fest zu weihen beginnen. Drum schweige jeder Mund!

    Leider ist die nächste Szene so gut wie ganz verloren;
35 allein man sieht aus der Lage selbst, daß sie von herrlichem
Inhalt sein könnte. Ein Vater, der seinem Sohne ein feierlich
Hochzeitfest bereitet, dagegen ein Sohn, der seiner Mutter
erklärt hat, daß er unter diesen Anstalten sich wegschleichen
und ein gefährliches Abenteuer unternehmen wolle, machen
40 den wirksamsten Gegensatz, und wir müßten uns sehr irren,
wenn ihn Euripides nicht auch dialektisch zur Sprache geführt hätte.

Und da wäre denn zu vermuten, daß, wenn der Vater zugunsten des Ehestandes gesprochen, der Sohn dagegen auch allenfalls argumentiert habe; die wenigen Worte, die bald auf den angeführten Chor folgen:

MEROPS. – – – – – denn wenn ich Gutes sprach, –   5

geben unserer Vermutung einiges Gewicht; aber nun verläßt uns Licht und Leuchte. Setzen wir voraus, daß der Vater den Vorteil, das Leben am Geburtsorte fortzusetzen, herausgehoben, so paßt die ablehnende Antwort des Sohns ganz gut: 10

PHAETHON. Auf Erden grünet überall ein Vaterland.

Gewiß wird dagegen der wohlhäbige Greis den Besitz, an dem er so reich ist, hervorheben und wünschen, daß der Sohn in seine Fußtapfen trete; da könnten wir denn diesem das Fragment in den Mund legen: 15

PHAETHON. Es sei gesagt! Den Reichen ist es eingezeugt,
125   Feige zu sein; was aber ist die Ursach' des?
      Vielleicht daß Reichtum, weil er selber blind,
      Der Reichen Sinn verblendet wie des Glücks.

Wie es denn aber auch damit beschaffen mag gewesen   20
sein, auf diese Szene folgte notwendig ein abermaliger Eintritt des Chors. Wir vermuten, daß die Menge sich hier zum Festzuge angestellt und geordnet, woraus schönere Motive hervorgehen als aus dem Zuge selbst. Wahrscheinlich hat hier der Dichter nach seiner Art das Bekannte, Verwandte,   25
Herkömmliche in das Kostüm seiner Fabel eingeflochten.

Indes nun Aug' und Ohr des Zuschauers freudig und feierlich beschäftigt sind, schleicht Phaethon weg, seinen göttlichen eigentlichen Vater aufzusuchen. Der Weg ist nicht weit: er darf nur die steilen Felsen hinabsteigen, an   30
welchen die Sonnenpferde täglich heraufstürmen, ganz nah da unten ist ihre Ruhestätte; wir finden kein Hindernis, uns unmittelbar vor den Marstall des Phöbus zu versetzen.

Die nunmehr folgende, leider in dem Zusammenhang verlorne Szene war an sich vom größten Interesse und   35
machte mit der vorhergehenden einen Kontrast, welcher

schöner nicht gedacht werden kann. Der irdische Vater will
den Sohn begründen wie sich selbst, der himmlische muß
ihn abhalten, sich ihm gleichzustellen.

Sodann bemerken wir noch folgendes: wir nehmen an,
5 daß Phaethon, hinabgehend, mit sich nicht einig gewesen,
welches Zeichen seiner Abkunft er sich vom Vater erbitten
solle; nun, als er die angespannten Pferde hervorschnauben
sieht, da regt sich sein kühner, des Vaters werter, göttlicher
Mut und verlangt das Übermäßige, seine Kräfte weit Über-
10 steigende.

Aus Fragmenten läßt sich vielleicht folgendes schließen:
die Anerkennung ist geschehen, der Sohn hat den Wagen
verlangt, der Vater abgeschlagen.

PHÖBUS. Den Toren zugesell' ich jenen Sterblichen,
15 Den Vater, der den Söhnen, ungebildeten,
Den Bürgern auch des Reiches Zügel überläßt.   130

Hieraus läßt sich mutmaßen, daß Euripides nach seiner
Weise das Gespräch ins Politische spielt, da Ovid nur
menschliche, väterliche, wahrhaft rührende Argumente vor-
20 bringt.

PHAETHON. Ein Anker rettet nicht das Schiff im Sturm,
Drei aber wohl. Ein einziger Vorstand ist der Stadt
Zu schwach, ein zweiter auch ist not gemeinem Heil.

Wir vermuten, daß der Widerstreit zwischen Ein- und
25 Mehrherrschaft umständlich sei verhandelt worden. Der
Sohn, ungeduldig zuletzt, mag tätlich zu Werke gehn und
dem Gespann sich nahen.

PHÖBUS. Berühre nicht die Zügel,
Du Unerfahrner, o mein Sohn! Den Wagen nicht   135
30 Besteige, Lenkens unbelehrt.

Es scheint, Helios habe ihn auf rühmliche Taten, auf
kriegerische Heldenübungen hingewiesen, wo so viel zu tun
ist; ablehnend versetzt der Sohn:

PHAETHON. Den schlanken Bogen hass' ich, Spieß und
35   Übungsplatz.

Der Vater mag ihn sodann im Gegensatz auf ein idylli-
sches Leben hinweisen:

PHÖBUS.   Die kühlenden,
Baumschattenden Gezweige, sie umarmen ihn.

Endlich hat Helios nachgegeben. Alles Vorhergehende
geschieht vor Sonnenaufgang; wie denn auch Ovid gar
schön durch das Vorrücken der Aurora den Entschluß des
Gottes beschleunigen läßt; der höchst besorgte Vater unterrichtet hastig den auf dem Wagen stehenden Sohn.

140 So siehst du obenum den Äther grenzenlos,
   Die Erde hier im feuchten Arm des Ozeans,

ferner:

  So fahre hin! Den Dunstkreis Libyens meide doch,
  Nicht Feuchte hat er, sengt die Räder dir herab.

Die Abfahrt geschieht, und wir werden glücklicherweise
durch ein Bruchstück benachrichtigt, wie es dabei zugegangen; doch ist zu bemerken, daß die folgende Stelle Erzählung sei und also einem Boten angehöre.

ANGELOS. „Nun fort! Zu den Plejaden richte deinen Lauf!" –
145 Dergleichen hörend, rührte die Zügel Phaethon
   Und stachelte die Seiten der Geflügelten.
   So ging's, sie flogen zu des Äthers Höh'.
   Der Vater aber, schreitend nah dem Seitenroß,
   Verfolgte warnend: „Dahin also halte dich!
150 So hin! Den Wagen wende dieserwärts!"

Wer nun der Bote gewesen, läßt sich so leicht nicht bestimmen; dem Lokal nach könnten gar wohl die früh schon
ausziehenden Hirten der Verhandlung zwischen Vater und
Sohn von ihren Felsen zugesehen, ja sodann, als die Erscheinung an ihnen vorbeistürmt, zugehört haben. Wann
aber und wo erzählt wird, ergibt sich vielleicht am Ende.
Der Chor tritt abermals ein, und zwar in der Ordnung,
wie die heilige Ehstandsfeier nun vor sich gehen soll. Erschreckt wird aber die Menge durch einen Donnerschlag
aus klarem Himmel, worauf jedoch nichts weiter zu erfolgen
scheint. Sie erholen sich, obgleich von Ahnungen betroffen,
welche zu köstlichen lyrischen Stellen Gelegenheit geben
mußten.

Die Katastrophe, daß Phaethon, von dem Blitze Zeus'
getroffen, nah vor seiner Mutter Hause niederstürzt, ohne
daß die Hochzeitfeier dadurch sonderlich gestört werde,
deutet abermals auf einen enggehaltenen lakonischen Her-
5 gang und läßt keine Spur merken von jenem Wirrwarr, womit Ovid und Nonnus das Universum zerrütten. Wir denken
uns das Phänomen, als wenn mit Donnergepolter ein
Meteorstein herabstürzte, in die Erde schlüge und sodann
alles gleich wieder vorbei wäre. Nun aber eilen wir zum
10 Schluß, der uns glücklicherweise meistens erhalten ist.

KLYMENE. (Dienerinnen tragen den toten Phaethon.) Erinnys ist's, die
                    flammend hier um Leichen webt,
Die Götterzorn traf; sichtbar steigt der Dampf empor!
Ich bin vernichtet! – Tragt hinein den toten Sohn! –
15 O rasch! Ihr hört ja, wie, der Hochzeit Feiersang
Anstimmend, mein Gemahl sich mit den Jungfraun naht.   155
Fort, fort! Und schnell gereinigt, wo des Blutes Spur
Vom Leichnam sich vielleicht hinab zum Boden stahl!
O eilet, eilet, Dienerinnen! Im Gemach
20 Will ich ihn bergen, wo des Gatten Gold sich häuft,
Das zu verschließen mir alleinig angehört.   160
O Helios, glanzleuchtender! Wie hast du mich
Und diesen hier vernichtet! Ja, Apollon nennt
Mit Recht dich, wer der Götter dunkle Namen weiß.
25 CHOR. Hymen, Hymen!
Himmlische Tochter des Zeus, dich singen wir,   165
Aphrodite! Du, der Liebe Königin,
Bringst süßen Verein den Jungfrauen,
Herrliche Kypris, allein dir, holde Göttin,
30 Dank' ich die heutige Feier;
Dank auch bring' ich dem Knaben,   170
Den du hüllst in ätherischen Schleier,
Daß er leise vereint.
Ihr beide führt
35 Unserer Stadt großmächtigen König,
Ihr den Herrscher in dem goldglanzstrahlenden   175
Palast zu der Liebe Freuden.
Seliger du, o gesegneter noch als Könige,
Der die Göttin heimführt
40 Und auf unendlicher Erde
Allein als der Ewigen Schwäher   180
Hoch sich preisen hört!

Merops. Du geh voran uns! Führe diese Mädchenschar
　　Ins Haus und heiß mein Weib den Hochzeitreihen jetzt
　　Mit Festgesang zu aller Götter Preis begehn.
185　Zieht Hymnen singend um das Haus und Hestias
　　Altäre, welcher jeden frommen Werks Beginn　　　　　　　5
　　Gewidmet sein muß — — — — — — —
　　— — — — — — — — — — — —
　　— — — — — — — aus meinem Haus
190　Mag dann der Festchor zu der Göttin Tempel ziehn.
　　Diener. O König! Eilend wandt' ich aus dem Haus hinweg　　10
　　Den schnellen Fuß; denn wo des Goldes Schätze du,
　　Die herrlichen, bewahrest, dort — ein Feuerqualm
　　Schwarz aus der Türe Fugen mir entgegen dringt.
195　An leg' ich rasch das Auge; doch nicht Flammen sieht's,
　　Nur innen ganz geschwärzt vom Dampfe das Gemach.　　　15
　　O eile selbst hinein, daß nicht Hephästos' Zorn
　　Dir in das Haus bricht und in Flammen der Palast
　　Aufloht am frohen Hochzeittage Phaethons!
200　Merops. Was sagst du? Sieh denn zu, ob nicht vom flammenden
　　Weihrauch des Altars Dampf in die Gemächer drang!　　　20
　　Diener. Rein ist der ganze Weg von dort und ohne Rauch.
　　Merops. Weiß meine Gattin, oder weiß sie nichts davon?
　　Diener. Ganz hingegeben ist sie nur dem Opfer jetzt.
205　Merops. So geh' ich; denn es schafft aus unbedeutendem
　　Ursprunge das Geschick ein Ungewitter gern.　　　　　25
　　Doch du, des Feuers Herrin, o Persephone,
　　Und du, Hephästos, schützt mein Haus mir gnadenreich!
　　Chor. O wehe, weh mir Armen! Wohin eilt
210　Mein beflügelter Fuß? Wohin?
　　Zum Äther auf? Soll ich in dunkelem Schacht　　　　　30
　　Der Erde mich bergen?
　　O weh mir! Entdeckt wird die Königin,
　　Die verlorene! Drinnen liegt der Sohn,
215　Ein Leichnam, geheim.
　　Nicht mehr verborgen bleibt Zeus' Wetterstrahl,　　　　35
　　Nicht die Glut mehr, mit Apollon die Verbindung nicht.
　　O Gottgebeugte! Welch ein Jammer stürzt auf dich?
　　　Tochter Okeans,
220　Eile zum Vater hin,
　　Fasse sein Knie　　　　　　　　　　　　　　　　40
　　　Und wende den Todesstreich von deinem Nacken!
　　Merops. O wehe! — Weh!
　　Chor. O hört ihr ihn, des greisen Vaters Trauerton?

MEROPS. O weh! – Mein Kind!   225
CHOR. Dem Sohne ruft er, der sein Seufzen nicht vernimmt,
Der seiner Augen Tränen nicht mehr schauen kann.

Nach diesen Wehklagen erholt man sich, bringt den
5 Leichnam aus dem Palast und begräbt ihn. Vielleicht, daß
der Bote dabei auftritt und nacherzählt, was noch zu wissen
nötig; wie denn vermutlich die von Vers 144–150 ein-
geschaltete Stelle hierher gehört.

KLYMENE. – – – – – – Doch der Liebste mir
10 Vermodert ungesalbt im Erdengrab.

JUSTUS MÖSER

Gern erwähn' ich dieses trefflichen Mannes, der, ob ich
ihn gleich niemals persönlich gekannt, durch seine Schriften
und durch die Korrespondenz, die ich mit seiner Tochter
15 geführt, worin ich die Gesinnungen des Vaters über meine
Art und Wesen mit Einsicht und Klugheit ausgesprochen
fand, sehr großen Einfluß auf meine Bildung gehabt hat.
Er war der tüchtige Menschenverstand selbst, wert, ein
Zeitgenosse von Lessing zu sein, dem Repräsentanten des
20 kritischen Geistes; daß ich ihn aber nenne, bin ich veranlaßt
durch die Nachricht: im nächsten Jahre werde ein ziemlicher
Band Fortsetzung der „Osnabrückischen Geschichte",
aus Mösers hinterlassenen Papieren entnommen, uns ge-
schenkt werden. Und wären es nur Fragmente, so verdienen
25 sie aufbewahrt zu werden, indem die Äußerungen eines
solchen Geistes und Charakters gleich Goldkörnern und
Goldstaub denselben Wert haben wie reine Goldbarren und
noch einen höheren als das Ausgemünzte selbst.

Hier nur einen Hauch dieses himmlischen Geistes, der
30 uns anregt, ähnliche Gedanken und Überzeugungen bei-
zufügen.

„Über den Aberglauben unserer Vorfahren. Es
wird so viel von dem Aberglauben unserer Vorfahren erzählt
und so mancher Schluß zum Nachteil ihrer Geisteskräfte
35 daraus gezogen, daß ich nicht umhin kann, etwas, wo nicht

zu ihrer Rechtfertigung, doch wenigstens zu ihrer Entschuldigung zu sagen. Meiner Meinung nach hatten dieselben bei allen ihren sogenannten abergläubischen Ideen
keine andere Absicht, als gewissen Wahrheiten ein Zeichen
(was noch jetzt seinen eigenen Namen in der Volkssprache
hat: Wahrzeichen) aufzudrücken, wobei man sich ihrer
erinnern sollte, so wie sie dem Schlüssel ein Stück Holz
anknüpften, um ihn nicht zu verlieren oder ihn um so geschwinder wiederzufinden. So sagten sie z. E. zu einem
Kinde, das sein Messer auf den Rücken oder so legte, daß
sich leicht jemand damit verletzen konnte: die heiligen
Engel würden sich, wenn sie auf dem Tische herumspazier-
ten, die Füße daran verwunden; nicht, weil sie dieses so
glaubten, sondern um dem Kinde eine Gedächtnishilfe zu
geben. Sie lehrten, daß jemand so manche Stunde vor der
Himmelstüre warten müsse, als er Salzkörner in seinem
Leben unnützerweise verstreuet hätte, um ihren Kindern
oder ihrem Gesinde einen Denkzettel zu geben und sie vor
einer gewöhnlichen Nachlässigkeit in Kleinigkeiten, die,
zusammen genommen, beträchtlich werden können, zu warnen. Sie sagten zu einem eitlen Mädchen, welches sogar noch
des Abends dem Spiegel nicht vorübergehen konnte, ohne
einen verstohlnen Blick hineinzutun: der Teufel gucke
derjenigen über die Schulter, welche sich des Abends im
Spiegel besehe, und was dergleichen Anhängsel mehr sind,
wodurch sie eine gute Lehre zu bezeichnen und einzuprägen
sich bemüheten. Mit einem Worte: sie holten aus der
Geisterwelt, wie wir aus der Tierwelt, belehrende Fabeln,
die dem Kinde eine Wahrheit recht tief eindrücken sollten."

Gar löblich stellt Möser die fromme und die politische
Fabel gegeneinander; die letztere will zur Klugheit bilden,
sie deutet auf Nutzen und Schaden, die erstere bezweckt
sittliche Bildung und ruft religiose Vorstellungen zur Hilfe.
In der politischen spielt Reineke Fuchs die große Rolle,
indem er entschieden seinen Vorteil versteht und ohne
weitere Rücksichten auf seine Zwecke losgeht; in der frommen Fabel sind dagegen Engel und Teufel fast allein die
Wirkenden.

Origenes sagt, seine Zeitgenossen hielten die warmen Quellen für heiße Tränen verstoßener Engel.

———

Der Aberglaube ist die Poesie des Lebens; beide erfinden eingebildete Wesen, und zwischen dem Wirklichen, Hand-
5 greiflichen ahnen sie die seltsamsten Beziehungen; Sympathie und Antipathie walten hin und her.

Die Poesie befreit sich immer gar bald von solchen Fesseln, die sie sich immer willkürlich anlegt; der Aberglaube dagegen läßt sich Zauberstricken vergleichen, die sich immer
10 stärker zusammenziehn, je mehr man sich gegen sie sträubt. Die hellste Zeit ist nicht vor ihm sicher; trifft er aber gar in ein dunkles Jahrhundert, so strebt des armen Menschen umwölkter Sinn alsbald nach dem Unmöglichen, nach Einwirkung ins Geisterreich, in die Ferne, in die Zukunft; es
15 bildet sich eine wundersame reiche Welt, von einem trüben Dunstkreise umgeben. Auf ganzen Jahrhunderten lasten solche Nebel und werden immer dichter und dichter; die Einbildungskraft brütet über einer wüsten Sinnlichkeit, die Vernunft scheint zu ihrem göttlichen Ursprung
20 gleich Asträen zurückgekehrt zu sein, der Verstand verzweifelt, da ihm nicht gelingt, seine Rechte durchzusetzen.

———

Dem Poeten schadet der Aberglaube nicht, weil er seinen Halbwahn, dem er nur eine mentale Gültigkeit verleiht,
25 mehrseitig zugute machen kann.

WIEDERHOLTE SPIEGELUNGEN

Um über die Nachrichten von Sesenheim meine Gedanken kürzlich auszusprechen, muß ich mich eines allgemein physischen, im besondern aber aus der Entoptik
30 hergenommenen Symbols bedienen; es wird hier von wiederholten Spiegelungen die Rede sein.

1) Ein jugendlich-seliges Wahnleben spiegelt sich unbewußt-eindrücklich in dem Jüngling ab.

2) Das lange Zeit fortgehegte, auch wohl erneuerte Bild

wogt immer lieblich und freundlich hin und her, viele Jahre
im Innern.

3) Das liebevoll früh Gewonnene, lang Erhaltene wird
endlich in lebhafter Erinnerung nach außen ausgesprochen
und abermals abgespiegelt.

4) Dieses Nachbild strahlt nach allen Seiten in die Welt
aus, und ein schönes, edles Gemüt mag an dieser Erscheinung, als wäre sie Wirklichkeit, sich entzücken und empfängt davon einen tiefen Eindruck.

5) Hieraus entfaltet sich ein Trieb, alles, was von Vergangenheit noch herauszuzaubern wäre, zu verwirklichen.

6) Die Sehnsucht wächst, und um sie zu befriedigen, wird
es unumgänglich nötig, an Ort und Stelle zu gelangen, um
sich die Örtlichkeit wenigstens anzueignen.

7) Hier trifft sich der glückliche Fall, daß an der gefeierten
Stelle ein teilnehmender, unterrichteter Mann gefunden
wird, in welchem das Bild sich gleichfalls eingedrückt hat.

8) Hier entsteht nun in der gewissermaßen verödeten
Lokalität die Möglichkeit, ein Wahrhaftes wiederherzustellen, aus Trümmern von Dasein und Überlieferung sich eine
zweite Gegenwart zu verschaffen und Friederiken von
ehmals in ihrer ganzen Liebenswürdigkeit zu lieben.

9) So kann sie nun, ungeachtet alles irdischen Dazwischen-
tretens, sich auch wieder in der Seele des alten Liebhabers
nochmals abspiegeln und demselben eine holde, werte, belebende Gegenwart lieblich erneuen.

Bedenkt man nun, daß wiederholte sittliche Spiegelungen
das Vergangene nicht allein lebendig erhalten, sondern sogar
zu einem höheren Leben emporsteigern, so wird man der
entoptischen Erscheinungen gedenken, welche gleichfalls
von Spiegel zu Spiegel nicht etwa verbleichen, sondern sich
erst recht entzünden, und man wird ein Symbol gewinnen
dessen, was in der Geschichte der Künste und Wissenschaften, der Kirche, auch wohl der politischen Welt sich
mehrmals wiederholt hat und noch täglich wiederholt.

VORSCHLAG ZUR GÜTE

Man hat einen Oktavband herausgegeben: „Goethe in den wohlwollenden Zeugnissen der Mitlebenden". Nun würde ich raten, ein Gegenstück zu besorgen: „Goethe in
5 den mißwollenden Zeugnissen der Mitlebenden". Die dabei zu übernehmende Arbeit würde den Gegnern leicht werden und zur Unterhaltung dienen, einem Verleger, dem Gewinn von allen Seiten her guten Geruch bringt, sichern Vorteil gewähren.
10 Zu diesem Vorschlag bewegt mich die Betrachtung, daß, da man mich aus der allgemeinen Literatur und der besondern deutschen jetzt und künftig, wie es scheint, nicht los werden wird, es jedem Geschichtsfreunde gewiß nicht unangenehm sein muß, auf eine bequeme Weise zu erfahren,
15 wie es in unsern Tagen ausgesehen und welche Geister darinnen gewaltet.

Mir selbst würde es bei dem Rückblick auf mein eigenes Leben höchst interessant sein; denn wann sollt' ich mir leugnen, daß ich vielen Menschen widerwärtig und verhaßt
20 geworden und daß diese mich auf ihre Weise dem Publikum vorzubilden gesucht. Ich bin mir wohl bewußt, daß ich niemals unmittelbar dagegen gewirkt, daß ich mich in ununterbrochener Tätigkeit erhalten und sie bis jetzt, wiewohl angefochten, bis gegen das Ende durchgeführt.

25 ## GOETHES BEITRAG
ZUM ANDENKEN LORD BYRONS

Man hat gewünscht, einige Nachrichten von dem Verhältnis zu erlangen, welches zwischen dem leider zu früh abgeschiedenen Lord Noel Byron und Herrn von Goethe
30 bestanden; hiervon wäre kürzlich so viel zu sagen.

Der deutsche Dichter, bis ins hohe Alter bemüht, die Verdienste früherer und mitlebender Männer sorgfältig und rein anzuerkennen, indem er dies als das sicherste Mittel eigener Bildung von jeher betrachtete, mußte wohl auch
35 auf das große Talent des Lords bald nach dessen erstem

Erscheinen aufmerksam werden, wie er denn auch die Fortschritte jener bedeutenden Leistungen und eines ununterbrochenen Wirkens unablässig begleitete.

Hierbei war denn leicht zu bemerken, daß die allgemeine
Anerkennung des dichterischen Verdienstes mit Vermehrung und Steigerung rasch aufeinander folgender Produktionen in gleichem Maße fortwuchs. Auch wäre die dies-
seitige frohe Teilnahme hieran höchst vollkommen gewesen,
hätte nicht der geniale Dichter durch eine leidenschaftliche
Lebensweise und inneres Mißbehagen ein so geistreiches
als grenzenloses Hervorbringen sich selbst, und seinen
Freunden den reizenden Genuß an seinem hohen Dasein
einigermaßen verkümmert.

Der deutsche Bewunderer jedoch, hiedurch nicht geirrt,
folgte mit Aufmerksamkeit einem so seltenen Leben und
Dichten in aller seiner Exzentrizität, die freilich um desto
auffallender sein mußte, als ihresgleichen in vergangenen
Jahrhunderten nicht wohl zu entdecken gewesen und uns
die Elemente zu Berechnung einer solchen Bahn völlig ab-
gingen.

Indessen waren die Bemühungen des Deutschen dem
Engländer nicht unbekannt geblieben, der davon in seinen
Gedichten unzweideutige Beweise darlegte, nicht weniger
sich durch Reisende mit manchem freundlichem Gruß vernehmen ließ.

Sodann aber folgte überraschend, gleichfalls durch Vermittelung, das Originalblatt einer Dedikation des Trauerspiels „Sardanapalus“ in den ehrenreichsten Ausdrücken
und mit der freundlichen Anfrage, ob solche gedachtem
Stück vorgedruckt werden könnte.

Der deutsche, mit sich selbst und seinen Leistungen im
hohen Alter wohlbekannte Dichter durfte den Inhalt jener
Widmung nur als Äußerung eines trefflichen, hochfühlen-
den, sich selbst seine Gegenstände schaffenden, unerschöpflichen Geistes mit Dank und Bescheidenheit betrachten;
auch fühlte er sich nicht unzufrieden, als, bei mancherlei
Verspätung, „Sardanapal“ ohne ein solches Vorwort gedruckt wurde, und fand sich schon glücklich im Besitz eines
lithographierten Faksimile zu höchst wertem Andenken.

Doch gab der edle Lord seinen Vorsatz nicht auf, dem deutschen Zeit- und Geistgenossen eine bedeutende Freundlichkeit zu erweisen; wie denn das Trauerspiel „Werner" ein höchst schätzbares Denkmal an der Stirne führt.

5 Hiernach wird man denn wohl dem deutschen Dichtergreise zutrauen, daß er, einen so gründlich guten Willen, welcher uns auf dieser Erde selten begegnet, von einem so hochgefeierten Manne ganz unverhofft erfahrend, sich gleichfalls bereitete, mit Klarheit und Kraft auszusprechen,
10 von welcher Hochachtung er für seinen unübertroffenen Zeitgenossen durchdrungen, von welchem teilnehmendem Gefühl für ihn er belebt sei. Aber die Aufgabe fand sich so groß und erschien immer größer, je mehr man ihr näher trat; denn was soll man von einem Erdgebornen sagen,
15 dessen Verdienste durch Betrachtung und Wort nicht zu erschöpfen sind?

Als daher ein junger Mann, Herr Sterling, angenehm von Person und rein von Sitten, im Frühjahr 1823 seinen Weg von Genua gerade nach Weimar nahm und auf einem kleinen
20 Blatte wenig eigenhändige Worte des verehrten Mannes als Empfehlung überbrachte, als nun bald darauf das Gerücht verlautete, der Lord werde seinen großen Sinn, seine mannigfaltigen Kräfte an erhaben-gefährliche Taten über Meer verwenden, da war nicht länger zu zaudern und eilig nach-
25 stehendes Gedicht geschrieben *(vgl. Bd. 1 dieser Ausgabe, S. 348).*

Es gelangte nach Genua, fand ihn aber nicht mehr daselbst, schon war der treffliche Freund abgesegelt und schien einem jeden schon weit entfernt; durch Stürme jedoch zu-
30 rückgehalten, landete er in Livorno, wo ihn das herzlich Gesendete gerade noch traf, um es im Augenblicke seiner Abfahrt, den 22. Juli 1823, mit einem reinen, schön gefühlten Blatt erwidern zu können, als wertestes Zeugnis eines würdigen Verhältnisses unter den kostbarsten Dokumenten
35 vom Besitzer aufzubewahren.

So sehr uns nun ein solches Blatt erfreuen und rühren und zu der schönsten Lebenshoffnung aufregen mußte, so erhält es gegenwärtig durch das unzeitige Ableben des hohen Schreibenden den größten, schmerzlichsten Wert, indem es die allgemeine Trauer der Sitten- und Dichterwelt über seinen Verlust für uns leider ganz ins Besondere schärft, die wir nach vollbrachtem großem Bemühen hoffen durften, den vorzüglichsten Geist, den glücklich erworbenen Freund und zugleich den menschlichsten Sieger persönlich zu begrüßen.

Nun aber erhebt uns die Überzeugung, daß seine Nation aus dem teilweise gegen ihn aufbrausenden, tadelnden, scheltenden Taumel plötzlich zur Nüchternheit erwachen und allgemein begreifen werde, daß alle Schalen und Schlakken der Zeit und des Individuums, durch welche sich auch der Beste hindurch- und herauszuarbeiten hat, nur augenblicklich, vergänglich und hinfällig gewesen, wogegen der staunungswürdige Ruhm, zu dem er sein Vaterland für jetzt und künftig erhebt, in seiner Herrlichkeit grenzenlos und in seinen Folgen unberechenbar bleibt. Gewiß, diese Nation, die sich so vieler großer Namen rühmen darf, wird ihn verklärt zu denjenigen stellen, durch die sie sich immerfort selbst zu ehren hat.

SERBISCHE LIEDER

Schon seit geraumer Zeit gesteht man den verschiedenen eigentümlichen Volksdichtungen einen besondern Wert zu, es sei nun, daß dadurch die Nationen im ganzen ihre Angelegenheiten, auf große Staats- und Familienverhältnisse, auf Einigkeit und Streit, auf Bündnisse und Krieg bezüglich, überliefern oder daß die Einzelnen ihr stilles, häusliches und herzliches Interesse vertraulich geltend machen. Bereits ein halbes Jahrhundert hindurch beschäftigt man sich in Deutschland ernstlich und gemütlich damit, und ich leugne nicht, daß ich unter diejenigen gehöre, die ein auf diese Vorliebe gegründetes Studium unablässig selbst fortsetzten, auf alle Weise zu verbreiten und zu fördern suchten; wie ich denn auch gar manche Gedichte, dieser Sinnes- und Gesangesart verwandt, von Zeit zu Zeit dem rein fühlenden Komponisten entgegenzubringen nicht unterließ.

Hiebei gestehen wir denn gerne, daß jene sogenannten

Volkslieder vorzüglich Eingang gewinnen durch schmei-
chelnde Melodien, die in einfachen, einer geregelten Musik
nicht anzupassenden Tönen einherfließen, sich meist in
weicher Tonart ergehen und so das Gemüt in eine Lage des
5 Mitgefühls versetzen, in der wir, einem gewissen allgemeinen unbestimmten Wohlbehagen wie den Klängen einer
Äolsharfe hingegeben, mit weichlichem Genusse gern verweilen und uns in der Folge immer wieder sehnsüchtig
darnach zurückbestreben.

10 Sehen wir aber endlich solche Gedichte geschrieben oder
wohl gar gedruckt vor uns, so werden wir ihnen nur alsdann
entschiedenen Wert beilegen, wenn sie auch Geist und Verstand, Einbildungs- und Erinnerungskraft aufregend beschäftigen und uns eines ursprünglichen Volksstammes
15 Eigentümlichkeiten in unmittelbar gehaltvoller Überlieferung darbringen, wenn sie uns die Lokalitäten, woran der
Zustand gebunden ist, und die daraus hergeleiteten Verhältnisse klar und auf das bestimmteste vor die Anschauung
führen.

20 Indem nun aber solche Gesänge sich meist aus einer
späteren Zeit herschreiben, die sich auf eine frühere bezieht,
so verlangen wir von ihnen einen angeerbten, wenn auch
nach und nach modifizierten Charakter zugleich mit einem
einfachen, den ältesten Zeiten gemäßen Vortrag; und in
25 solchen Rücksichten werden wir uns an einer natürlichen,
kunstlosen Poesie nur einfache, vielleicht eintönige Rhythmen gefallen lassen.

Von gar Mannigfaltigem, was in dieser Art neuerlich mitgeteilt worden, nennen wir nur die neugriechischen, die bis
30 in die letzten Zeiten heraufreichen, an welche die serbischen,
obgleich altertümlicher, gar wohl sich anschließen oder vielmehr nachbarlich ein- und übergreifen.

Nun bedenke man aber einen Hauptpunkt, den wir hervorzuheben nicht verfehlen: solche Nationalgedichte sind
35 einzeln, außer Zusammenhang nicht füglich anzusehen,
noch weniger zu beurteilen, am wenigsten dem rechten
Sinne nach zu genießen. Das allgemein Menschliche wiederholt sich in allen Völkern, gibt aber unter fremder Tracht,
unter fernem Himmel kein eigentliches Interesse; das Be-

sonderste aber eines jeden Volks befremdet nur, es erscheint
seltsam, oft widerwärtig, wie alles Eigentümliche, das wir
noch nicht in einen Begriff auffassen, uns noch nicht anzueignen gelernt haben: in Masse muß man deshalb dergleichen Gedichte vor sich sehen, da alsdann Reichtum und
Armut, Beschränktheit oder Weitsinn, tiefes Herkommen
oder Tagesflachheit sich eher gewahren und beurteilen läßt.

Verweilen wir aber nicht zu lange im allgemeinen Vor-
worte und treten unser Geschäft ungesäumt an. Wir gedenken von serbischen Liedern zunächst zu sprechen.

Man erinnere sich jener Zeiten, wo unzählbare Völkerschaften sich von Osten her bewegen, wandernd, stockend,
drängend, gedrängt, verwüstend, anbauend, abermals im
Besitz gestört und ein altes Nomadenleben wieder von vorn
beginnend.

Serben und Verwandte, von Norden nach Osten wandernd, verweilen in Macedonien und kehren bald nach der
Mitte zurück, nach dem eigentlichen sogenannten Serbien.

Das ältere serbische Lokale wäre nun vor allen Dingen zu
betrachten, allein es ist schwer, sich davon in der Kürze einen
Begriff zu machen. Es blieb sich wenige Zeiten gleich, wir
finden es bald ausgedehnt, bald zusammengedrängt, zer-
splittert oder gesammelt, wie innere Spaltung oder äußerer
Druck die Nation bedingte.

Auf alle Fälle denke man sich die Landschaft weiter und
breiter als in unsern Zeiten, und will man sich einigermaßen
an Ort und Stelle versetzen, so halte man vorerst an dem Zusammenfluß der Save mit der Donau, wo wir gegenwärtig
Belgrad gelegen finden. Bewegt sich die Einbildungskraft
an dem rechten Ufer des erstern Flusses hinauf, des andern
hinunter, hat sie diese nördliche Grenze gewonnen, so erlaube sie sich dann, südwärts ins Gebirg und darüber weg
bis zum Adriatischen Meer, ostwärts bis gegen Montenegro
hin zu schweifen.

Schaut man sich sodann nach näheren und fernen Nachbarn um, so findet man Verhältnisse zu den Venezianern, zu
den Ungarn und sonstigen wechselnden Völkern, vorzüglich aber in früherer Zeit zum griechischen Kaisertum, bald
Tribut gebend, bald empfangend, bald als Feind, bald als

Hilfsvolk; späterhin bleibt mehr oder weniger dasselbe Verhältnis zum türkischen Reich.

Wenn nun auch die zuletzt Eingewanderten eine Liebe zu Grund und Boden in der Flußregion der Donau gewannen und, um ihren Besitz zu sichern, auf den nächsten und ferneren Höhen so Schlösser als befestigte Städte erbauten, so bleibt das Volk immer in kriegerischer Spannung; ihre Verfassung ist eine Art von Fürstenverein unter dem losen Band eines Oberherrn, dem einige auf Befehl, andere auf höfliches Ersuchen wohl Folge leisten.

Bei der Erbfolge jedoch größerer und kleinerer Despoten hält man viel, ja ausschließlich auf uralte Bücher, die entweder in der Hand der Geistlichkeit verwahrt liegen oder in den Schatzkammern der einzelnen Teilnehmer.

Überzeugen wir uns nun, daß vorliegenden Gedichten, so sehr sie auch der Einbildungskraft gehören, doch ein historischer Grund, ein wahrhafter Inhalt eigen sei, so entsteht die Frage: inwiefern die Chronologie derselben auszumitteln möglich, d. h. hier, in welche Zeit das Faktum gesetzt, nicht aus welcher Zeit das Gedicht sei, eine Frage, die ohnehin bei mündlich überlieferten Gesängen sehr schwer zu beantworten sein möchte. Ein altes Faktum ist da, wird erzählt, wird gesungen, wieder gesungen; wann zum ersten- oder zum letztenmal, bleibt unerörtert.

Und so wird sich denn auch jene Zeitrechnung serbischer Gedichte erst nach und nach ergeben. Wenige scheinen vor Ankunft der Türken in Europa, vor 1355, sich auszusprechen, sodann aber bezeugen mehrere deutlich den Hauptsitz des türkischen Kaisers in Adrianopel; spätere fallen in die Zeit, wo nach Eroberung von Byzanz die türkische Macht den Nachbarn immer fühlbarer wurde; zuletzt sieht man in den neusten Tagen Türken und Christen friedlich durcheinander leben, durch Handel und Liebesabenteuer wechselseitig einwirkend.

Die ältesten zeichnen sich bei schon bedeutender Kultur durch abergläubisch-barbarische Gesinnungen aus; es finden sich Menschenopfer, und zwar von der widerwärtigsten Art. Eine junge Frau wird eingemauert, damit die Feste Skutari erbaut werden könne, welches um so roher erscheint, als wir im Orient nur geweihte Bilder gleich Talismanen an geheimgehaltenen Orten in den Grund der Burgen eingelegt finden, um die Unüberwindlichkeit solcher Schutz- und Trutzgebäude zu sichern.

Von kriegerischen Abenteuern sei nun billig vorerst die Rede. Ihr größter Held, Marko, der mit dem Kaiser zu Adrianopel in leidlichem Verhältnis steht, kann als ein rohes Gegenbild zu dem griechischen Herkules, dem persischen Rustan auftreten, aber freilich in scythisch höchst barbarischer Weise. Er ist der oberste und unbezwinglichste aller serbischen Helden, von grenzenloser Stärke, von unbedingtem Wollen und Vollbringen. Er reitet ein Pferd hundertundfunfzig Jahre und wird selbst dreihundert Jahr alt; er stirbt zuletzt bei vollkommenen Kräften und weiß selbst nicht, wie er dazu kommt.

Die frühste dieser Epochen sieht also ganz heidnisch aus, die mittleren Gedichte haben einen christlichen Anstrich; er ist aber eigentlich nur kirchlich. Gute Werke sind der einzige Trost dessen, der sich große Untaten nicht verzeihen kann. Die ganze Nation ist eines poetischen Aberglaubens; gar manches Ereignis wird von Engeln durchflochten, dagegen keine Spur eines Satans; rückkehrende Tote spielen große Rollen; auch durch wunderliche Ahnungen, Weissagungen, Vögelbotschaften werden die wackersten Menschen verschüchtert.

Über alle jedoch und überall herrscht eine Art von unvernünftiger Gottheit. Durchaus waltet ein unwiderstehlich Schicksalswesen, in der Einöde hausend, Berg und Wälder bewohnend, durch Ton und Stimme Weissagung und Befehl erteilend, Wila genannt, der Eule vergleichbar, aber auch manchmal in Frauengestalt erscheinend, als Jägerin höchst schön gepriesen, endlich sogar als Wolkensammlerin geltend, im allgemeinen aber von den ältesten Zeiten her – wie überhaupt alles sogenannte Schicksal, das man nicht zur Rede stellen darf – mehr schadend als wohltätig.

In der mittlern Zeit haben wir den Kampf mit den überhandnehmenden Türken zu beachten bis zur Schlacht vom Amselfelde 1389, welche durch Verrat verloren wird, worauf die gänzliche Unterjochung des Volkes nicht ausbleibt. Von

den Kämpfen des Czerny Georg sind wohl auch noch
dichterische Denkmale übriggeblieben; in der allerneusten
Zeit schließen sich die Stoßseufzer der Sulioten unmittelbar
an, zwar in griechischer Sprache, aber im allgemeinen Sinn
5 unglücklicher Mittelnationen, die sich nicht in sich selbst
zu gründen und gegen benachbarte Macht nicht ins Gleichgewicht zu setzen geeignet sind.

Die Liebeslieder, die man aber auch nicht einzeln, sondern in ganzer Masse an sich herannehmen, genießen und
10 schätzen kann, sind von der größten Schönheit; sie verkünden vor allen Dingen ein ohne allen Rückhalt vollkommenes
Genügen der Liebenden aneinander; zugleich werden sie
geistreich, scherzhaft anmutig; gewandte Erklärung, von
einer oder von beiden Seiten, überrascht und ergötzt; man
15 ist klug und kühn, Hindernisse zu besiegen, um zum ersehn-
ten Besitz zu gelangen; dagegen wird eine schmerzlich
empfundene unheilbare Trennung auch wohl durch Aussichten über das Grab hinüber beschwichtigt.

Alles, was es auch sei, ist kurz, aber zur Genüge dargestellt,
20 meistens eingeleitet durch eine Naturschilderung, durch
irgend ein landschaftliches Gefühl oder Ahnung eines Elements. Immer bleiben die Empfindungen die wahrhaftesten.
Ausschließliche Zärtlichkeit ist der Jugend gewidmet, das
Alter verschmäht und hintangesetzt; allzu willige Mädchen
25 werden abgelehnt und verlassen; dagegen erweist sich auch
wohl der Jüngling flüchtig ohne Vorwand, mehr seinem
Pferd als seiner Schönen zugetan. Hält man aber ernstlich
und treulich zusammen, so wird gewiß die unwillkommene
Herrschaft eines Bruders oder sonstiger Verwandten, wenn
30 sie Wahl und Neigung stört, mit viel Entschlossenheit vernichtet.

Solche Vorzüge werden jedoch nur an und durch sich
selbst erkannt, und es ist schon gewagt, die Mannigfaltigkeit
der Motive und Wendungen, welche wir an den serbischen
35 Liebesliedern bewundern, mit wenig Worten zu schildern,
wie wir gleichwohl in folgendem zu Anregung der Aufmerksamkeit zu tun uns nicht versagen.

1) Sittsamkeit eines serbischen Mädchens, welches die
schönen Augenwimpern niemals aufschlägt; von unend-

licher Schönheit. 2) Scherzhaft leidenschaftliche Verwünschung eines Geliebten. 3) Morgengefühl einer aufwachen-
den Liebenden; der Geliebte schläft so süß, sie scheut sich,
ihn zu wecken. 4) Scheiden zum Tode; wunderbar: Rose,
Becher und Schneeball. 5) Sarajewo durch die Pest ver- 5
wüstet. 6) Verwünschung einer Ungetreuen. 7) Liebesabenteuer; seltsamlich: Mädchen im Garten. 8) Freundesbotschaft, der Verlobten gebracht durch zwei Nachtigallen,
welche ihren dritten Gesellen, den Bräutigam, vermissen.
9) Lebensüberdruß über ein erzürntes Liebchen; drei Wehe 10
sind ausgerufen. 10) Innerer Streit des Liebenden, der als
Brautführer seine Geliebte einem Dritten zuführen soll.
11) Liebeswunsch; ein Mädchen wünscht ihrem Geliebten
als quellender Bach durch den Hof zu fließen. 12) Jagdabenteuer; gar wunderlich. 13) Besorgt um den Geliebten, 15
will das Mädchen nicht singen, um nicht froh zu scheinen.
14) Klage über Umkehrung der Sitten, daß der Jüngling
die Witwe freie, der Alte die Jungfrau. 15) Klage eines
Jünglings, daß die Mutter der Tochter zu viel Freiheit gebe.
16) Das Mädchen schilt den Wankelmut der Männer. 20
17) Vertraulich-frohes Gespräch des Mädchens mit dem
Pferde, das ihr seines Herrn Neigung und Absichten verrät.
18) Fluch dem Ungetreuen. 19) Wohlwollen und Sorge.
20) Die Jugend dem Alter vorgezogen, auf gar liebliche
Weise. 21) Unterschied von Geschenk und Ring. 22) Hirsch 25
und Wila; die Waldgöttin tröstet den liebekranken Hirsch.
23) Mädchen vergiftet ihren Bruder, um den Liebsten zu
erlangen. 24) Mädchen will den Ungeliebten nicht. 25) Die
schöne Kellnerin; ihr Geliebter ist nicht mit unter den
Gästen. 26) Liebevolle Rast nach Arbeit; sehr schön! es 30
hält Vergleichung aus mit dem „Hohenliede". 27) Gebun-
denes Mädchen, Kapitulation um Erlösung. 28) Zwiefache
Verwünschung, ihrer eigenen Augen und des ungetreuen
Liebhabers. 29) Vorzug des kleinen Mädchens und sonstiger Kleinheiten. 30) Finden und zartes Aufwecken der Ge- 35
liebten. 31) Welchen Gewerbes wird der Gatte sein?
32) Liebesfreuden verschwatzt. 33) Treu im Tode; vom
Grabe aufblühende Pflanzen. 34) Abhaltung; die Fremde
fesselt den Bruder, der die Schwester zu besuchen zögert.

35) Der Liebende kommt aus der Fremde, beobachtet sie
am Tage, überrascht sie zu Nacht. 36) Im Schnee geht das
verlassene Mädchen, fühlt aber nur das erkältete Herz.
37) Drei Mädchen wünschen Ring, Gürtel, den Jüngling;
die letzte hat das beste Teil erwählt. 38) Schwur, zu entbehren; Reue deshalb. 39) Stille Neigung; höchst schön.
40) Die Vermählte, früher den Wiederkehrenden liebend.
41) Hochzeitanstalten, Überraschung der Braut. 42) Eilig,
neckisch. 43) Gehinderte Liebe, verwelkte Herzen. 44) Herzogs Stephans Braut hintangesetzt. 45) Welches Denkmal
dauert am längsten? 46) Klein und gelehrt. 47) Gatte über
alles, über Vater, Mutter und Brüder; an den gerüsteten
Gemahl. 48) Tödliche Liebeskrankheit. 49) Nah und versagt. 50) Wen nahm sich das Mädchen zum Vorbild?
51) Mädchen als Fahnenträger. 52) Die gefangene, bald
befreite Nachtigall. 53) Serbische Schönheit. 54) Locken
wirkt am sichersten. 55) Belgrad in Flammen.

Von der Sprache nunmehr mit wenigem das Nötige zu
melden, hat seine besondere Schwierigkeit.

Die slawische teilt sich in zwei Hauptdialekte, den nördlichen und südlichen. Dem ersten gehört das Russische,
Polnische, Böhmische, dem letzten fallen Slowenen, Bulga-
ren und Serben zu.

Die serbische Mundart ist also eine Unterabteilung des
südslawischen Dialekts, sie lebt noch in dem Munde von
fünf Millionen Menschen und darf unter allen südslawischen
für die kräftigste geachtet werden.

Über ihre Vorzüge jedoch waltet in der Nation selbst ein
Widerstreit; zwei Parteien stehen gegeneinander, und zwar
folgendermaßen.

Die Serben besitzen eine alte Bibelübersetzung aus dem
neunten Jahrhundert, geschrieben in einem verwandten
Dialekt, dem altpannonischen. Dieser wird nun von der
Geistlichkeit und allen, die sich den Wissenschaften widmen,
als Sprachgrund und -muster angesehen; sie bedienen sich
desselben im Reden, Schreiben und Verhandeln, fördern und
begünstigen ihn; dagegen halten sie sich entfernt von der
Sprache des Volks, schelten diese als abgeleitet von jenem
und als Verderb des echten, rechtmäßigen Idioms.

Betrachtet man aber diese Sprache des Volkes genauer, so erscheint sie in ursprünglicher Eigentümlichkeit, von jener im Grunde verschieden und in sich selbst lebendig, allem Ausdruck des tätigsten Wirkens und ebenso poetischer Darstellung genügend. Die in derselben verfaßten Gedichte sind es, von denen wir sprechen, die wir loben, die aber von jenem vornehmern Teil der Nation gering geschätzt werden; deswegen sie auch niemals aufgeschrieben, noch weniger abgedruckt worden. Daher rührte denn auch die Schwierigkeit, sie zu erlangen, welche viele Jahre unüberwindlich schien, deren Ursache uns aber jetzt erst, da sie gehoben ist, offenbar wird.

Um nun von meinem Verhältnis zu dieser Literatur zu reden, so muß ich vorerst gestehen, daß ich keinen der slawischen Dialekte, unerachtet mehrerer Gelegenheiten, mir jemals eigen gemacht noch studiert und also von aller Originalliteratur dieser großen Völkerschaften völlig abgeschlossen blieb, ohne jedoch den Wert ihrer Dichtungen, insofern solche zu mir gelangten, jemals zu verkennen.

Schon sind es funfzig Jahre, daß ich den „Klaggesang der edlen Frauen Asan Agas" übersetzte, der sich in des Abbate Fortis Reise, auch von da in den Morlackischen Notizen der Gräfin Rosenberg finden ließ. Ich übertrug ihn nach dem beigefügten Französischen, mit Ahnung des Rhythmus und Beachtung der Wortstellung des Originals. Gar manche Sendung erhielt ich auf lebhaftes Anfragen sodann von Gedichten sämtlicher slawischer Sprachen; jedoch nur einzeln sah ich sie vor mir, weder einen Hauptbegriff konnt' ich fassen, noch die Abteilungen charakteristisch sondern.

Was nun aber die serbischen Gedichte betraf, so blieb ihre Mitteilung aus oben gemeldeter Ursache schwer zu erlangen. Nicht geschrieben, sondern durch mündlichen Vortrag, den ein sehr einfaches Saiteninstrument, Gusle genannt, begleitet, waren sie in dem niedern Kreise der Nation erhalten worden; ja es ereignete sich der Fall, als man in Wien von einigen Serben verlangte, dergleichen Lieder zu diktieren, daß dieses Gesuch abgeschlagen wurde, weil die guten, einfachen Menschen sich keinen Begriff machen konnten, wie man ihre kunstlosen, im eigenen Vaterlande von gebildeten

Männern verachteten Gesänge einigermaßen hochschätzen könne. Sie fürchteten vielmehr, daß man diese Naturlieder mit einer ausgebildeten deutschen Dichtkunst ungünstig zu vergleichen und dadurch den roheren Zustand ihrer Nation spöttisch kundzugeben gedenke. Von dem Gegenteil und einer ernstlichen Absicht überzeugte man sie durch die Aufmerksamkeit der Deutschen auf jenen Klaggesang und mochte denn wohl auch durch gutes Betragen die längst ersehnte Mitteilung, obgleich nur einzeln, hin und wieder erlangen.

Alles dieses war jedoch von keiner Folge, wenn nicht ein tüchtiger Mann, namens Wuk Stephanowitsch Karadschitsch, geboren 1787 und erzogen an der Scheide von Serbien und Bosnien, mit seiner Muttersprache, die auf dem Lande weit reiner als in den Städten geredet wird, frühzeitig vertraut geworden wäre und ihre Volkspoesie liebgewonnen hätte. Er benahm sich mit dem größten Ernst in dieser Sache und gab im Jahre 1814 in Wien eine serbische Grammatik an den Tag und zugleich serbische Volkslieder, hundert an der Zahl. Gleich damals erhielt ich sie mit einer deutschen Übersetzung, auch jener Trauergesang fand sich nunmehr im Original; allein wie sehr ich auch die Gabe wert hielt, wie sehr sie mich erfreute, so konnt' ich doch zu jener Zeit noch zu keinem Überblick gelangen. In Westen hatten sich die Angelegenheiten verwirrt, und die Entwicklung schien auf neue Verwirrung zu deuten; ich hatte mich nach Osten geflüchtet und wohnte in glücklicher Abgeschiedenheit eine Zeitlang entfernt von Westen und Norden.

Nun aber enthüllt sich diese langsam reifende Angelegenheit immer mehr und mehr. Herr Wuk begab sich nach Leipzig, wo er in der Breitkopf-Härtelischen Offizin drei Bände Lieder herausgab, von deren Gehalt oben gesprochen wurde, sodann Grammatik und Wörterbuch hinzufügte, wodurch denn dieses Feld dem Kenner und Liebhaber um vieles zugänglicher geworden.

Auch brachte des werten Mannes Aufenthalt in Deutschland denselben in Berührung mit vorzüglichen Männern. Bibliothekar Grimm in Kassel ergriff mit der Gewandtheit eines Sprachgewaltigen auch das Serbische; er übersetzte

die Wukische Grammatik und begabte sie mit einer Vorrede,
die unsern obigen Mitteilungen zum Grunde liegt. Wir verdanken ihm bedeutende Übersetzungen, die in Sinn und
Silbenmaß jenes Nationelle wiedergeben.

Auch Professor Vater, der gründliche und zuverlässige
Forscher, nahm ernstlichen Teil, und so rückt uns dieses
bisher fremd gebliebene und gewissermaßen zurückschrek-
kende Studium immer näher.

Auf diesem Punkt nun, wie die Sachen gekommen sind,
konnte nichts erfreulicher sein, als daß ein Frauenzimmer
von besondern Eigenschaften und Talenten, mit den slawischen Sprachen durch einen frühern Aufenthalt in Rußland nicht unbekannt, ihre Neigung für die serbische entschied, sich mit aufmerksamster Tätigkeit diesem Lieder-
schatz widmete und jener langwierigen Säumnis durch eine
reiche Leistung ein Ende machte. Sie übersetzte, ohne äußeren Antrieb, aus innerer Neigung und Gutachten eine große
Masse der vorliegenden Gedichte und wird in einem Oktavband so viel derselben zusammenfassen, als man braucht,
um sich mit dieser ausgezeichneten Dichtart hinreichend
bekannt zu machen. An einer Einleitung wird's nicht fehlen,
die das, was wir vorläufig hier eingeführt, genauer und umständlicher darlege, um einen wahren Anteil dieser verdienst-
vollen neuen Erscheinung allgemein zu fördern.

Die deutsche Sprache ist hiezu besonders geeignet; sie
schließt sich an die Idiome sämtlich mit Leichtigkeit an, sie
entsagt allem Eigensinn und fürchtet nicht, daß man ihr
Ungewöhnliches, Unzulässiges vorwerfe; sie weiß sich in
Worte, Wortbildungen, Wortfügungen, Redewendungen
und was alles zur Grammatik und Rhetorik gehören mag,
so wohl zu finden, daß, wenn man auch ihren Autoren bei
selbsteignen Produktionen irgend eine seltsamliche Kühnheit vorwerfen möchte, man ihr doch vorgeben wird, sie
dürfe sich bei Übersetzung dem Original in jedem Sinne
nahe halten.

Und es ist keine Kleinigkeit, wenn eine Sprache dies von
sich rühmen darf; denn müssen wir es zwar höchst dankenswert achten, wenn fremde Völkerschaften dasjenige nach
ihrer Art sich aneignen, was wir selbst innerhalb unseres

Kreises Originelles hervorgebracht, so ist es doch nicht von
geringerer Bedeutung, wenn Fremde auch das Ausheimische
bei uns zu suchen haben. Wenn uns eine solche Annäherung
ohne Affektation wie bisher nach mehrern Seiten hin gelingt,
so wird der Ausheimische in kurzer Zeit bei uns zu Markte
gehen müssen und die Waren, die er aus der ersten Hand
zu nehmen beschwerlich fände, durch unsere Vermittelung
empfangen.

Um also nun vom Allgemeinsten ins Besonderste zurückzukehren, dürfen wir ohne Widerrede behaupten, daß die
serbischen Lieder sich in deutscher Sprache besonders
glücklich ausnehmen. Wir haben mehrere Beispiele vor uns:
Wuk Stephanowitsch übersetzte uns zuliebe mehrere derselben wörtlich, Grimm auf seinem Wege war geneigt, sie
im Silbenmaße darzustellen; auch Vatern sind wir Dank
schuldig, daß er uns das wichtigste Gedicht, „Die Hochzeit
des Maxim Cernojewitsch", im Auszuge prosaisch näher
brachte, und so verdanken wir denn auch der raschen, unmittelbar einwirkenden Teilnahme unserer Freundin schnell
eine weitere Umsicht, die, wie wir hoffen, das Publikum
bald mit uns teilen wird.

FRIEDRICH VON RAUMER, GESCHICHTE DER HOHENSTAUFEN

Die vier starken Bände habe behaglich in kurzer Zeit nacheinander weggelesen, durchaus mit Dankgefühl gegen den
Verfasser. In meinen Jahren ist es angenehm, wenn die einzelnen, vor langer Zeit bei uns vorübergegangenen, ver-
blichenen Gespenster auf einmal sich frisch zusammen-
nehmen und in lebenslustigem Gange vor uns vorüberziehen.
Verschollene Namen erscheinen auf einmal in charakteristischer Gestalt, unzusammenhängende Taten, die sich
im Gedächtnis meist um eine Figur versammelten und
dadurch ihres Herkommens, ihrer Folgen verlustig gingen,
schließen sich vor- und rückwärts faßlich an, und so scheint
der Unsinn des Weltwesens einige Vernunft zu gewinnen.
Die kurze Darstellung dieses Werks in dem „Literarischen

Konversationsblatt" war hierauf höchst angenehm und belehrend.

Das Buch wird viele Leser finden, man muß sich aber ein
Gesetz machen, nicht nach neuster Art momentsweise, zer-
stückt zu lesen, sondern Tag vor Tag sein Pensum zu ab- 5
solvieren; welches so leicht wird bei der schicklichen Abteilung in Kapitel und der Versammlung in Massen, wodurch
wir uns unzerstreut mit dem Ganzen vorwärts bewegen.

Hätte ich jungen Männern zu raten, die sich höherer
Staatskunst und also dem diplomatischen Fache widmen, so 10
würde ich ihnen es als Handbuch anrühmen, um sich daraus
zu vergegenwärtigen, wie man unzählige Fakta sammelt und
zuletzt sich selbst eine Überzeugung bildet. Diese Überzeugung kann freilich nicht historisch werden, denn man
wird ihr irgend einmal kritisch widersprechen; wie sie aber 15
praktisch wird, so zeigt sich aus einem glücklichen Erfolg,
daß man recht gedacht hat.

DANTE

Bei Anerkennung der großen Geistes- und Gemütseigen-
schaften Dantes werden wir in Würdigung seiner Werke 20
sehr gefördert, wenn wir im Auge behalten, daß gerade zu
seiner Zeit, wo auch Giotto lebte, die bildende Kunst in
ihrer natürlichen Kraft wieder hervortrat. Dieser sinnlich-
bildlich bedeutend wirkende Genius beherrschte auch ihn.
Er faßte die Gegenstände so deutlich ins Auge seiner Ein- 25
bildungskraft, daß er sie scharf umrissen wiedergeben
konnte; deshalb wir denn das Abstruseste und Seltsamste
gleichsam nach der Natur gezeichnet vor uns sehen. Wie
ihn denn auch der dritte Reim selten oder niemals geniert,
sondern auf eine oder andere Weise seinen Zweck ausführen 30
und seine Gestalten umgrenzen hilft. Der Übersetzer nun
ist ihm hierin meist gefolgt, hat sich das Vorgebildete ver-
gegenwärtigt und, was zu dessen Darstellung erforderlich
war, in seiner Sprache und seinen Reimen zu leisten gesucht.
Bleibt mir dabei etwas zu wünschen übrig, so ist es in diesem 35
Betracht.

Die ganze Anlage des Danteschen Höllenlokals hat etwas Mikromegisches und deshalb Sinneverwirrendes. Von oben herein bis in den tiefsten Abgrund soll man sich Kreis' in Kreisen imaginieren; dieses gibt aber gleich den Begriff eines Amphitheaters, das, ungeheuer, wie es sein möchte, uns immer als etwas künstlerisch Beschränktes vor die Einbildungskraft sich hinstellt, indem man ja von oben herein alles bis in die Arena und diese selbst überblickt. Man beschaue das Gemälde des Orcagna, und man wird eine umgekehrte Tafel des Cebes zu sehen glauben. Die Erfindung ist mehr rhetorisch als poetisch, die Einbildungskraft ist aufgeregt, aber nicht befriedigt.

Indem wir aber das Ganze nicht eben rühmen wollen, so werden wir durch den seltsamen Reichtum der einzelnen Lokalitäten überrascht, in Staunen gesetzt, verwirrt und zur Verehrung genötigt. Hier, bei der strengsten und deutlichsten Ausführung der Szenerie, die uns Schritt für Schritt die Aussicht benimmt, gilt das, was ebenmäßig von allen sinnlichen Bedingungen und Beziehungen wie auch von den Personen selbst, deren Strafen und Martern zu rühmen ist. Wir wählen ein Beispiel, und zwar den zwölften Gesang:

> „Rauhfelsig war's da, wo wir niederklommen,
> Das Steingehäuf' den Augen übergroß;
> So wie ihr dieser Tage wahrgenommen
> Am Bergsturz diesseits Trento, der den Schoß
> Der Etsch verengte, niemand konnte wissen,
> Durch Unterwühlung oder Erdenstoß? –
> Von Felsenmassen, dem Gebirg entrissen,
> Unübersehbar lag der Hang bedeckt,
> Fels über Felsen zackig hingeschmissen;
> Bei jedem Schritte zaudert' ich erschreckt.
>
> So gingen wir, von Trümmern rings umfaßt,
> Auf Trümmern sorglich; schwankend aber wanken
> Sie unter meinem Fuß, der neuen Last.
> Er sprach darauf: „In düstersten Gedanken
> Beschauest du den Felsenschutt, bewacht
> Von toller Wut, sie trieb ich in die Schranken;
> Allein vernimm: als in der Hölle Nacht
> Zum erstenmal so tief ich abgedrungen,

War dieser Fels noch nicht herabgekracht;
Doch kurz vorher, eh' der herabgeschwungen
Vom höchsten Himmel herkam, der dem Dis
Des ersten Kreises große Beut' entrungen,
Erbebte so die grause Finsternis, 5
Daß ich die Meinung faßte, Liebe zücke
Durchs Weltenall und stürz' in mächtigem Riß
Ins alte Chaos neu die Welt zurücke.
Der Fels, der seit dem Anfang fest geruht,
Ging damals hier und anderwärts in Stücke." 10

Zuvörderst nun muß ich folgendes erklären: Obgleich in meiner Originalausgabe des Dante, Venedig 1739, die Stelle: e per quel bis schiva auch auf den Minotaur gedeutet wird, so bleibt sie mir doch bloß auf das Lokal bezüglich. Der Ort war gebirgig, rauhfelsig (alpestro), aber das ist dem 15 Dichter nicht genug gesagt; das Besondere daran (per quel ch' iv' er' anco) war so schrecklich, daß es Augen und Sinn verwirrte. Daher, um sich und andern nur einigermaßen genugzutun, erwähnt er, nicht sowohl gleichnisweise als zu einem sinnlichen Beispiel, eines Bergsturzes, der wahrschein- 20 lich zu seiner Zeit den Weg von Trento nach Verona versperrt hatte. Dort mochten große Felsenplatten und Trümmerkeile des Urgebirgs noch scharf und frisch übereinander liegen, nicht etwa verwittert, durch Vegetation verbunden und ausgeglichen, sondern so, daß die einzelnen großen 25 Stücke, hebelartig aufruhend, durch irgend einen Fußtritt leicht ins Schwanken zu bringen gewesen. Dieses geschieht denn auch hier, als Dante herabsteigt.

Nun aber will der Dichter jenes Naturphänomen unendlich überbieten; er braucht Christi Höllenfahrt, um nicht 30 allein diesem Sturz, sondern auch noch manchem andern umher in dem Höllenreiche eine hinreichende Ursache zu finden.

Die Wandrer nähern sich nunmehr dem Blutgraben, der bogenartig von einem gleichrunden ebenen Strande um- 35 fangen ist, wo Tausende von Kentauren umhersprengen und ihr wildes Wächterwesen treiben. Virgil ist auf der Fläche schon nah genug dem Chiron getreten, aber Dante schwankt noch mit unsicherem Schritt zwischen den Felsen; wir

müssen noch einmal dahinsehen, denn der Kentaur spricht
zu seinen Gesellen:

> „Bemerkt! der hinten kommt, bewegt,
> Was er berührt, wie ich es wohl gewahrte,
> Und wie's kein Totenfuß zu machen pflegt."

Man frage nun seine Einbildungskraft, ob dieser ungeheure
Berg- und Felsensturz im Geiste nicht vollkommen gegenwärtig geworden sei?

In den übrigen Gesängen lassen sich bei veränderter
Szene eben ein solches Festhalten und Ausmalen durch
Wiederkehr derselben Bedingungen finden und vorweisen.
Solche Parallelstellen machen uns mit dem eigentlichsten
Dichtergeist Dantes auf den höchsten Grad vertraut.

Der Unterschied des lebendigen Dante und der abgeschiedenen Toten wird auch anderwärts auffallend, wie z. B.
die geistigen Bewohner des Reinigungsortes (Purgatorio)
vor Dante erschrecken, weil er Schatten wirft, woran sie
seine Körperlichkeit erkennen.

NACHLESE ZU ARISTOTELES' POETIK

Ein jeder, der sich einigermaßen um die Theorie der
Dichtkunst überhaupt, besonders aber der Tragödie bekümmert hat, wird sich einer Stelle des Aristoteles erinnern,
welche den Auslegern viel Not machte, ohne daß sie sich
über ihre Bedeutung völlig hätten verständigen können. In
der nähern Bezeichnung der Tragödie nämlich scheint der
große Mann von ihr zu verlangen, daß sie durch Darstellung
Mitleid und Furcht erregender Handlungen und Ereignisse
von den genannten Leidenschaften das Gemüt des Zuschauers reinigen solle.

Meine Gedanken und Überzeugung von gedachter Stelle
glaube ich aber am besten durch eine Übersetzung derselben
mitteilen zu können.

„Die Tragödie ist die Nachahmung einer bedeutenden
und abgeschlossenen Handlung, die eine gewisse Ausdehnung hat und in anmutiger Sprache vorgetragen wird, und

zwar von abgesonderten Gestalten, deren jede ihre eigne
Rolle spielt, und nicht erzählungsweise von einem einzelnen;
nach einem Verlauf aber von Mitleid und Furcht mit Ausgleichung solcher Leidenschaften ihr Geschäft abschließt."

Durch vorstehende Übersetzung glaube ich nun die bisher dunkel geachtete Stelle ins klare gesetzt zu sehen und
füge nur folgendes hinzu: Wie konnte Aristoteles in seiner
jederzeit auf den Gegenstand hinweisenden Art, indem er
ganz eigentlich von der Konstruktion des Trauerspiels redet,
an die Wirkung und, was mehr ist, an die entfernte Wirkung
denken, welche eine Tragödie auf den Zuschauer vielleicht
machen würde? Keineswegs! Er spricht ganz klar und
richtig aus: wenn sie durch einen Verlauf von Mitleid und
Furcht erregenden Mitteln durchgegangen, so müsse sie
mit Ausgleichung, mit Versöhnung solcher Leidenschaften
zuletzt auf dem Theater ihre Arbeit abschließen.

Er versteht unter Katharsis diese aussöhnende Abrundung, welche eigentlich von allem Drama, ja sogar von allen
poetischen Werken gefordert wird.

In der Tragödie geschieht sie durch eine Art Menschenopfer, es mag nun wirklich vollbracht oder unter Einwirkung
einer günstigen Gottheit durch ein Surrogat gelöst werden,
wie im Falle Abrahams und Agamemnons; genug, eine
Söhnung, eine Lösung ist zum Abschluß unerläßlich, wenn
die Tragödie ein vollkommenes Dichtwerk sein soll. Diese
Lösung aber, durch einen günstigen, gewünschten Ausgang
bewirkt, nähert sich schon der Mittelgattung, wie die Rückkehr der Alceste; dagegen im Lustspiel gewöhnlich zu Ent-
wirrung aller Verlegenheiten, welche ganz eigentlich das
Geringere von Furcht und Hoffnung sind, die Heirat eintritt, die, wenn sie auch das Leben nicht abschließt, doch
darin einen bedeutenden und bedenklichen Abschnitt macht.
Niemand will sterben, jedermann heiraten, und darin liegt
der halb scherz-, halb ernsthafte Unterschied zwischen
Trauer- und Lustspiel aristotelischer Ästhetik.

Ferner bemerken wir, daß die Griechen ihre Trilogie zu
solchem Zwecke benutzt; denn es gibt wohl keine höhere
Katharsis als der „Ödipus von Kolonus", wo ein halbschul-
diger Verbrecher, ein Mann, der durch dämonische Konsti-

tution, durch eine düstere Heftigkeit seines Daseins, gerade
bei der Großheit seines Charakters, durch immerfort über-
eilte Tatausübung den ewig unerforschlichen, unbegreiflich folgerechten Gewalten in die Hände rennt, sich selbst
und die Seinigen in das tiefste, unherstellbarste Elend stürzt
und doch zuletzt noch aussöhnend ausgesöhnt und zum
Verwandten der Götter, als segnender Schutzgeist eines
Landes eines eignen Opferdienstes wert, erhoben wird.

Hierauf gründet sich nun auch die Maxime des großen
Meisters, daß man den Helden der Tragödie weder ganz
schuldig noch ganz schuldfrei darstellen müsse. Im ersten
Falle wäre die Katharsis bloß stoffartig, und der ermordete
Bösewicht z. B. schiene nur der ganz gemeinen Justiz ent-
gangen; im zweiten Falle ist sie nicht möglich; denn dem
Schicksal oder dem menschlich Einwirkenden fiele die
Schuld einer allzu schweren Ungerechtigkeit zur Last.

Übrigens mag ich bei diesem Anlaß wie bei jedem andern
mich nicht gern polemisch benehmen; anzuführen habe ich
jedoch, wie man sich mit Auslegung dieser Stelle bisher beholfen. Aristoteles nämlich hatte in der „Politik" ausgesprochen, daß die Musik zu sittlichen Zwecken bei der Erziehung
benutzt werden könnte, indem ja durch heilige Melodien
die in den Orgien erst aufgeregten Gemüter wieder besänf-
tigt würden und also auch wohl andere Leidenschaften dadurch könnten ins Gleichgewicht gebracht werden. Daß
hier von einem analogen Fall die Rede sei, leugnen wir nicht;
allein er ist nicht identisch. Die Wirkungen der Musik sind
stoffartiger, wie solches Händel in seinem „Alexandersfest"
durchgeführt hat, und wie wir auf jedem Ball sehen können,
wo ein nach sittig-galanter Polonaise aufgespielter Walzer
die sämtliche Jugend zu bacchischem Wahnsinn hinreißt.

Die Musik aber so wenig als irgend eine Kunst vermag
auf Moralität zu wirken, und immer ist es falsch, wenn man
solche Leistungen von ihnen verlangt. Philosophie und
Religion vermögen dies allein; Pietät und Pflicht müssen
aufgeregt werden, und solche Erweckungen werden die
Künste nur zufällig veranlassen. Was sie aber vermögen und
wirken, das ist eine Milderung roher Sitten, welche aber
gar bald in Weichlichkeit ausartet.

Wer nun auf dem Wege einer wahrhaft sittlichen inneren Ausbildung fortschreitet, wird empfinden und gestehen, daß Tragödien und tragische Romane den Geist keineswegs beschwichtigen, sondern das Gemüt und das, was wir das Herz nennen, in Unruhe versetzen und einem vagen, unbestimmten Zustande entgegenführen; diesen liebt die Jugend und ist daher für solche Produktionen leidenschaftlich eingenommen.

Wir kehren zu unserm Anfang zurück und wiederholen: Aristoteles spricht von der Konstruktion der Tragödie, insofern der Dichter, sie als Objekt aufstellend, etwas würdig Anziehendes, Schau- und Hörbares abgeschlossen hervorzubringen denkt.

Hat nun der Dichter an seiner Stelle seine Pflicht erfüllt, einen Knoten bedeutend geknüpft und würdig gelöst, so wird dann dasselbe in dem Geiste des Zuschauers vorgehen; die Verwicklung wird ihn verwirren, die Auflösung aufklären, er aber um nichts gebessert nach Hause gehen; er würde vielmehr, wenn er asketisch-aufmerksam genug wäre, sich über sich selbst verwundern, daß er ebenso leichtsinnig als hartnäckig, ebenso heftig als schwach, ebenso liebevoll als lieblos sich wieder in seiner Wohnung findet, wie er hinausgegangen. Und so glauben wir alles, was diesen Punkt betrifft, gesagt zu haben, wenn sich schon dieses Thema durch weitere Ausführung noch mehr ins klare setzen ließe.

LORENZ STERNE

Es begegnet uns gewöhnlich bei raschem Vorschreiten der literarischen sowohl als humanen Bildung, daß wir vergessen, wem wir die ersten Anregungen, die anfänglichen Einwirkungen schuldig geworden. Was da ist und vorgeht, glauben wir, müsse so sein und geschehen; aber gerade deshalb geraten wir auf Irrwege, weil wir diejenigen aus dem Auge verlieren, die uns auf den rechten Weg geleitet haben. In diesem Sinne mach' ich aufmerksam auf einen Mann, der die große Epoche reinerer Menschenkenntnis, edler Duldung, zarter Liebe in der zweiten Hälfte des vorigen Jahrhunderts zuerst angeregt und verbreitet hat.

An diesen Mann, dem ich so viel verdanke, werd' ich oft erinnert; auch fällt er mir ein, wenn von Irrtümern und Wahrheiten die Rede ist, die unter den Menschen hin und wider schwanken. Ein drittes Wort kann man im zarteren Sinne hinzufügen, nämlich Eigenheiten. Denn es gibt gewisse Phänomene der Menschheit, die man mit dieser Benennung am besten ausdrückt; sie sind irrtümlich nach außen, wahrhaft nach innen und, recht betrachtet, psychologisch höchst wichtig. Sie sind das, was das Individuum konstituiert; das Allgemeine wird dadurch spezifiziert, und in dem Allerwunderlichsten blickt immer noch etwas Verstand, Vernunft und Wohlwollen hindurch, das uns anzieht und fesselt.

Gar anmutig hat in diesem Sinne Yorick-Sterne, das Menschliche im Menschen auf das zarteste entdeckend, diese Eigenheiten, insofern sie sich tätig äußern, ruling passion genannt. Denn fürwahr sie sind es, die den Menschen nach einer gewissen Seite hintreiben, in einem folgerechten Gleise weiterschieben und, ohne daß es Nachdenken, Überzeugung, Vorsatz oder Willenskraft bedürfte, immerfort in Leben und Bewegung erhalten. Wie nahe die Gewohnheit hiemit verschwistert sei, fällt sogleich in die Augen: denn sie begünstigt ja die Bequemlichkeit, in welcher unsere Eigenheiten ungestört hinzuschlendern belieben.

RÖMISCHE GESCHICHTE VON NIEBUHR

Es möchte anmaßend scheinen, wenn ich auszusprechen wage, daß ich dieses wichtige Werk in wenigen Tagen, Abenden und Nächten von Anfang bis zu Ende durchlas und daraus abermals den größten Vorteil zog; doch wird sich diese meine Behauptung erklären lassen und einiges Zutrauen verdienen, wenn ich zugleich versichere, daß ich schon der ersten Ausgabe die größte Aufmerksamkeit gewidmet und sowohl dem Inhalt als dem Sinne nach an diesem Werke mich zu erbauen getrachtet hatte.

Wenn man Zeuge ist, wie in einem so hellen Jahrhunderte doch in manchen Fächern die Kritik ermangelt, so erfreut man sich an einem Musterbilde, das, uns vor das Auge gestellt, zu begreifen gibt, was Kritik denn eigentlich sei.

Und wenn der Redner dreimal beteuern muß, daß Anfang, 5 Mittel und Ende seiner Kunst durchaus Verstellung sei, so werden wir an diesem Werke gewahr, daß die Wahrheitsliebe lebendig und wirksam den Verfasser durch dieses Labyrinth begleitet habe. Er setzt seine frühern Behauptungen eigentlich nicht fort, sondern er verfährt nur auf 10 dieselbe Weise, wie gegen alte Schriftsteller, so auch gegen sich selbst, und gewinnt der Wahrheit einen doppelten Triumph. Denn dies Herrliche hat sie, wo sie auch erscheine, daß sie uns Blick und Brust öffnet und uns ermutiget, auch in dem Felde, wo wir zu wirken haben, auf gleiche Weise 15 umherzuschauen und zu erneutem Glauben frischen Atem zu schöpfen.

Daß mir nach einem eiligen Lesen manches im einzelnen nachzuholen bleibe, sei denn aufrichtig gestanden; aber ich sehe voraus, daß der hohe Sinn des Ganzen sich mir immer 20 kräftiger entwickeln wird.

Indessen ist mir zu eigner froher Aufmunterung schon genug geworden, und ich vermag aufs neue mich eines jeden redlichen Strebens aufrichtig zu erfreuen und mich gegenteils über die in den Wissenschaften obwaltenden Irrungen 25 und Irrtümer, besonders über konsequente Fortführung des Falschen so wie des durch schleichende Paralogismen entstellten Wahrhaften, zwar nicht eigentlich zu ärgern, aber doch mit einem gewissen Unwillen gegen jeden Obskurantismus zu verfahren, der leider nach Beschaffenheit der Indi- 30 viduen seine Maske wechselt und durch Schleier mancherlei Art selbst gesunden Blicken den reinen Tag und die Fruchtbarkeit des Wahren zu verkümmern beschäftigt ist.

DAS NIBELUNGENLIED

Übersetzt von Karl Simrock.

2 Teile. Berlin 1827.

Kurze Literargeschichte.

5 Zuerst durch Bodmer bekannt, späterhin durch Müller.

Neuaufgeregtes Interesse.

Mehrfaches Umschreiben und Behandlen.

Historische Bemühungen deshalb.

Untersuchungen, wer der Autor.

10 Welche Zeit.

Verschiedene Exemplare des Originals.

Schätzung, Überschätzung.

Entschuldigung letzterer, Notwendigkeit sogar, um irgend eine Angelegenheit zu fördern.

15 Unterliegt immerfort neuen Ansichten und Beurteilungen.

Individuelle Betrachtungen bei Gelegenheit gedachter neuen Behandlung.

Uralter Stoff liegt zum Grunde.

Riesenmäßig.

20 Aus dem höchsten Norden.

Behandlung, wie sie zu uns gekommen.

Verhältnismäßig sehr neu.

Daher die Disparaten, die erschienen, wovon wir uns Rechenschaft zu geben haben.

25 Die Motive durchaus sind grundheidnisch.

Keine Spur von einer waltenden Gottheit.

Alles dem Menschen und gewissen *[Einflüssen?]* imaginativer Mitbewohner der Erde angehörig und überlassen.

Der christliche Kultus ohne den mindesten Einfluß.

30 Helden und Heldinnen gehn eigentlich nur in die Kirche, um Händel anzufangen.

Alles ist derb und tüchtig von Hause aus.

Dabei von der gröbsten Roheit und Härte.

Die anmutigste Menschlichkeit wahrscheinlich dem deut-

35 schen Dichter angehörig.

In Absicht auf Lokalität große Düsternheit.

Und es läßt sich kaum die Zeit denken, wo man die fabel-

haften Begebenheiten des ersten Teiles innerhalb der Grenzen von Worms, Xanten und Ostfriesland setzen dürfte.

Die beiden Teile unterscheiden sich von einander.

Der erste hat mehr Prunk.

Der zweite mehr Kraft.

Doch sind sie beide in Gehalt und Form einander völlig
wert.

Die Kenntnis dieses Gedichts gehört zu einer Bildungsstufe der Nation.

Und zwar deswegen, weil es die Einbildungskraft erhöht,
das Gefühl anregt, die Neugierde erweckt und, um sie zu
befriedigen, uns zu einem Urteil auffordert.

Jedermann sollte es lesen, damit er nach dem Maß seines
Vermögens die Wirkung davon empfange.

Damit nun dem Deutschen ein solcher Vorteil werde, ist
die vorliegende Behandlung höchst willkommen.

Das Unbehilfliche und Unzugängliche der alten Sprache
verliert seine Unbequemlichkeit, ohne daß der Charakter
des Ganzen leidet.

Der neue Bearbeiter ist so nah als möglich Zeile vor Zeile
beim Original geblieben.

Es sind die alten Bilder, aber nur erhellt.

Eben als wenn man einen verdunkelnden Firnis von einem
Gemälde genommen hätte und die Farben in ihrer Frische
uns wieder ansprächen.

Wir wünschen diesem Werke viele Leser, und der Bearbeiter, indem er einer zweiten Auflage entgegensieht, wird
wohltun, noch manche Stellen zu überarbeiten, daß sie, ohne
dem Ganzen zu schaden, noch etwas mehr ins klare kommen.

Wir enthalten uns alles Weiteren, indem wir uns auf das
oben Gesagte beziehen. Dies Werk ist nicht da, ein für allemal beurteilt zu werden, sondern an das Urteil eines jeden
Anspruch zu machen und deshalb an Einbildungskraft, die
der Reproduktion fähig ist, ans Gefühl fürs Erhabene, Übergroße, sodann auch das Zarte, Feine, für ein weitumfassendes
Ganze und für ein ausgeführtes Einzelne. Aus welchen
Forderungen man wohl sieht, daß sich noch Jahrhunderte
damit zu beschäftigen haben.

*   *   *

Jeder rhythmische Vortrag wirkt zuerst aufs Gefühl, sodann auf die Einbildungskraft, zuletzt auf den Verstand und
auf ein sittlich vernünftiges Behagen. Der Rhythmus ist bestechend.

5   Wir haben ganz nulle Gedichte wegen lobenswürdiger
Rhythmik preisen hören.

Nach unsrer oft geäußerten Meinung deshalb behaupten
wir, daß jedes bedeutende Dichtwerk, besonders auch das
epische, auch einmal in Prosa übersetzt werden müsse.

10   Auch den Nibelungen wird ein solcher Versuch höchst
heilsam sein, wenn die vielen Flick- und Füllverse, die jetzt
wie ein Glockengeläute ganz wohltätig sind, wegfielen und
man unmittelbar kräftig zu dem wachenden Zuhörer und
dessen Einbildungskraft spräche, so daß der Gehalt in gan-
15 zer Kraft und Macht vor die Seele träte und dem Geiste von
einer neuen Seite zur Erscheinung käme.

Es müßte, nach unsrer Meinung, gerade nicht das Ganze
sein; wir würden das achtundzwanzigste Abenteuer und die
nächstfolgenden vorschlagen.

20   Hier hätten talentvolle Mitarbeiter an unsern vielen
Tagesblättern einen heitern und nützlichen Versuch zu
wagen und könnten auch hierin, wie in vielen andern Dingen
geschieht, ihren Eifer um die Wette beweisen.

THE LIFE OF FRIEDRICH SCHILLER

25   Comprehending an examination of his works. London 1825.

Von dieser Biographie Schillers wäre nur das Beste zu
sagen; sie ist merkwürdig, indem sie ein genaues Studium
der Lebensvorfälle unseres Dichters beweist, so wie denn
auch das Studium der Dichtungen unseres Freundes und
30 eine innige Teilnahme an denselben aus diesem Werke hervorgeht. Bewundernswürdig ist es, wie sich der Verfasser
eine genügende Einsicht in den Charakter und das hohe
Verdienst dieses Mannes verschafft, so klar und so gehörig,
als es kaum aus der Ferne zu erwarten gewesen.

35   Hier bewahrheitet sich jedoch ein altes Wort: der gute

Wille hilft zu vollkommener Kenntnis. Denn gerade, daß
der Schottländer den deutschen Mann mit Wohlwollen anerkennt, ihn verehrt und liebt, dadurch wird er dessen treffliche Eigenschaften am sichersten gewahr und vermag sich
zu einer Klarheit über seinen Gegenstand zu erheben, zu der   5
sogar Landsleute des Trefflichen in früheren Tagen nicht
gelangen konnten. Denn die Mitlebenden werden an vorzüglichen Menschen gar leicht irre; das Besondere der Person stört sie, das laufende bewegliche Leben verrückt ihre
Standpunkte, hindert das Kennen und Anerkennen eines   10
solchen Mannes. Dieser aber war von so außerordentlicher
Art, daß der Biograph die Idee eines vorzüglichen Mannes
vor Augen halten und sie durch individuelle Schicksale und
Leistungen durchführen konnte und sein Tagewerk dergestalt vollbracht sah.   15

GERMAN ROMANCE

Volumes IV. Edinburgh 1827.

Um den Sinn dieses Titels im Deutschen wiederzugeben
müßten wir allenfalls sagen: Musterstücke, romantischer,
auch märchenhafter Art, ausgewählt aus den Werken deut-   20
scher Autoren, welche sich in diesem Fache hervorgetan
haben; sie enthalten kleinere und größere Erzählungen von
Musäus, Tieck, Hoffmann, Jean Paul Richter und
Goethe in freier, anmutiger Sprache. Merkwürdig sind die
einem jeden Autor vorgesetzten Notizen, die man, so wie   25
die Schillerische Biographie, gar wohl rühmen, auch
unsern Tagesblättern und -heften zu Übersetzung und Mitteilung, wenn es nicht etwa schon, uns unbewußt, geschehen
ist, empfehlen darf. Die Lebenszustände und -ereignisse
sind mit Sorgfalt dargestellt und geben von dem individu-   30
ellen Charakter eines jeden, von der Einwirkung desselben
auf seine Schriften genugsame Vorkenntnis. Hier sowohl
wie in der Schillerischen Biographie beweist Herr Carlyle
eine ruhige, klare, innige Teilnahme an dem deutschen
poetisch-literarischen Beginnen; er gibt sich hin an das   35

eigentümliche Bestreben der Nation, er läßt den einzelnen
gelten, jeden an seiner Stelle, und schlichtet hiedurch gewissermaßen den Konflikt, der innerhalb der Literatur
irgend eines Volkes unvermeidlich ist. Denn leben und
5 wirken heißt eben so viel als Partei machen und ergreifen.
Niemand ist zu verdenken, wenn er um Platz und Rang
kämpft, der ihm seine Existenz sichert und einen Einfluß
verschafft, der auf eine glückliche weitere Folge hindeutet.

Trübt sich nun hiedurch der Horizont einer innern Lite-
10 ratur oft viele Jahre lang, der Fremde läßt Staub, Dunst und
Nebel sich setzen, zerstreuen und verschwinden und sieht
jene fernen Regionen vor sich aufgeklärt mit ihren lichten
und beschatteten Stellen mit einer Gemütsruhe, wie wir in
klarer Nacht den Mond zu betrachten gewohnt sind.

15 Hier nun mögen einige Betrachtungen, vor längerer Zeit
niedergeschrieben, eingeschaltet stehen, sollte man auch
finden, daß ich mich wiederhole, wenn man nur zugleich
gesteht, daß Wiederholung irgend zum Nutzen gereichen
könne.

20 Offenbar ist das Bestreben der besten Dichter und ästhetischen Schriftsteller aller Nationen schon seit geraumer
Zeit auf das allgemein Menschliche gerichtet. In jedem
Besondern, es sei nun historisch, mythologisch, fabelhaft,
mehr oder weniger willkürlich ersonnen, wird man durch
25 Nationalität und Persönlichkeit hin jenes Allgemeine immer
mehr durchleuchten und durchscheinen sehen.

Da nun auch im praktischen Lebensgange ein Gleiches
obwaltet und durch alles irdisch Rohe, Wilde, Grausame,
Falsche, Eigennützige, Lügenhafte sich durchschlingt und
30 überall einige Milde zu verbreiten trachtet, so ist zwar nicht
zu hoffen, daß ein allgemeiner Friede dadurch sich einleite,
aber doch, daß der unvermeidliche Streit nach und nach
läßlicher werde, der Krieg weniger grausam, der Sieg weniger übermütig.

35 Was nun in den Dichtungen aller Nationen hierauf hindeutet und hinwirkt, dies ist es, was die übrigen sich anzueignen haben. Die Besonderheiten einer jeden muß man
kennen lernen, um sie ihr zu lassen, um gerade dadurch mit
ihr zu verkehren; denn die Eigenheiten einer Nation sind

wie ihre Sprache und ihre Münzsorten, sie erleichtern den Verkehr, ja sie machen ihn erst vollkommen möglich.

Eine wahrhaft allgemeine Duldung wird am sichersten erreicht, wenn man das Besondere der einzelnen Menschen und Völkerschaften auf sich beruhen läßt, bei der Über- zeugung jedoch festhält, daß das wahrhaft Verdienstliche sich dadurch auszeichnet, daß es der ganzen Menschheit angehört. Zu einer solchen Vermittelung und wechselseitigen Anerkennung tragen die Deutschen seit langer Zeit schon bei. Wer die deutsche Sprache versteht und studiert, be- findet sich auf dem Markte, wo alle Nationen ihre Waren anbieten; er spielt den Dolmetscher, indem er sich selbst bereichert.

Und so ist jeder Übersetzer anzusehen, daß er sich als Vermittler dieses allgemein-geistigen Handels bemüht und den Wechseltausch zu befördern sich zum Geschäft macht. Denn was man auch von der Unzulänglichkeit des Über- setzens sagen mag, so ist und bleibt es doch eines der wichtigsten und würdigsten Geschäfte in dem allgemeinen Weltverkehr.

Der Koran sagt: „Gott hat jedem Volke einen Propheten gegeben in seiner eigenen Sprache." So ist jeder Übersetzer ein Prophet in seinem Volke. Luthers Bibelübersetzung hat die größten Wirkungen hervorgebracht, wenn schon die Kritik daran bis auf den heutigen Tag immerfort bedingt und mäkelt. Und was ist denn das ganze ungeheure Geschäft der Bibelgesellschaft anders, als das Evangelium einem jeden Volke, in seine Sprache und Art gebracht, zu überliefern?

HISTOIRE DE LA VIE ET DES OUVRAGES DE MOLIÈRE
par J. Taschereau. Paris 1828.

Genanntes Werk verdient von allen wahren Literatur- freunden aufmerksam gelesen zu werden, indem es uns näher an die Eigenschaften und Eigenheiten eines vorzüg- lichen Mannes heranführt. Seinen entschiedenen Freunden wird es auch willkommen sein, ob sie gleich desselben, um

ihn hoch zu schätzen, kaum bedürften, da er sich dem aufmerksamen Beobachter in seinen Werken genugsam offenbart.

Ernstlich beschaue man den „Misanthrop" und frage
sich, ob jemals ein Dichter sein Inneres vollkommener und
liebenswürdiger dargestellt habe. Wir möchten gern Inhalt
und Behandlung dieses Stücks tragisch nennen; einen
solchen Eindruck hat es wenigstens jederzeit bei uns zurück-
gelassen, weil dasjenige vor Blick und Geist gebracht wird,
was uns oft selbst zur Verzweiflung bringt und wie ihn aus
der Welt jagen möchte.

Hier stellt sich der reine Mensch dar, welcher bei ge-
wonnener großer Bildung doch natürlich geblieben ist und
wie mit sich, so auch mit andern nur gar zu gern wahr und
gründlich sein möchte; wir sehen ihn aber im Konflikt mit
der sozialen Welt, in der man ohne Verstellung und Flach-
heit nicht umhergehen kann.

Gegen einen solchen ist Timon ein bloß komisches Sujet,
und ich wünschte wohl, daß ein geistreicher Dichter einen
solchen Phantasten darstellte, der sich immerfort an der
Welt betrügt und es ihr höchlich übelnimmt, als ob sie ihn
betrogen hätte.

FAUST, TRAGÉDIE DE MONSIEUR DE GOETHE,

traduite en français par Monsieur Stapfer, ornée de XVII dessins
par Monsieur Delacroix.

Wenn ich die französische Übersetzung meines „Faust"
in einer Prachtausgabe vor mir liegen sehe, so werd' ich erinnert an jene Zeit, wo dieses Werk ersonnen, verfaßt und
mit ganz eignen Gefühlen niedergeschrieben worden. Den
Beifall, den es nah und fern gefunden, und der sich nunmehr
auch in typographischer Vollendung ausweist, mag es wohl
der seltenen Eigenschaft schuldig sein, daß es für immer die
Entwickelungsperiode eines Menschengeistes festhält, der
von allem, was die Menschheit peinigt, auch gequält, von
allem, was sie beunruhigt, auch ergriffen, in dem, was sie
verabscheut, gleichfalls befangen und durch das, was sie

wünscht, auch beseligt worden. Sehr entfernt sind solche
Zustände gegenwärtig von dem Dichter, auch die Welt hat
gewissermaßen ganz andere Kämpfe zu bestehen; indessen
bleibt doch meistens der Menschenzustand in Freud' und
Leid sich gleich, und der Letztgeborne wird immer noch 5
Ursache finden, sich nach demjenigen umzusehen, was vor
ihm genossen und gelitten worden, um sich einigermaßen
in das zu schicken, was auch ihm bereitet wird.

Ist nun jenes Gedicht seiner Natur nach in einem düstern
Element empfangen, spielt es auf einem zwar mannigfalti- 10
gen, jedoch bänglichen Schauplatz, so nimmt es sich in der
französischen, alles erheiternden, der Betrachtung, dem
Verstande entgegenkommenden Sprache schon um vieles
klarer und absichtlicher aus. Seh' ich nun gar ein Folio-
format, Papier, Lettern, Druck, Einband, alles ohne Aus- 15
nahme bis zum Vollkommnen gesteigert, so verschwindet
mir beinahe der Eindruck, den das Werk sonst auch alsdann
noch auf mich ausübte, wenn ich es nach geraumer Zeit
wieder einmal vor mich nahm, um mich von dessen Dasein
und Eigenschaften zu vergewissern. 20

Dabei aber ist eins besonders merkwürdig, daß ein bildender Künstler sich mit dieser Produktion in ihrem ersten
Sinne dergestalt befreundet, daß er alles ursprünglich
Düstere in ihr eben so aufgefaßt und einen unruhig strebenden Helden mit gleicher Unruhe des Griffels begleitet hat. 25

Herr Delacroix, ein Maler von unleugbarem Talent, der
jedoch, wie es uns Älteren von Jüngeren öfters zu geschehen
pflegt, den Pariser Kunstfreunden und Kennern viel zu
schaffen macht, weil sie weder seine Verdienste leugnen noch
einer gewissen wilden Behandlungsart mit Beifall begegnen 30
können, Herr Delacroix scheint hier in einem wunderlichen
Erzeugnis zwischen Himmel und Erde, Möglichem und
Unmöglichem, Rohstem und Zartestem, und zwischen welchen Gegensätzen noch weiter Phantasie ihr verwegnes
Spiel treiben mag, sich heimatlich gefühlt und wie in dem 35
Seinigen ergangen zu haben. Dadurch wird denn jener
Prachtglanz wieder gedämpft, der Geist vom klaren Buchstaben in eine düstere Welt geführt und die uralte Empfin-
dung einer märchenhaften Erzählung wieder aufgeregt. Ein

weiteres getrauen wir uns nicht zu sagen, einem jeden Beschauer dieses bedeutenden Werks mehr oder weniger den
unsrigen analoge Empfindungen zutrauend und gleiche
Befriedigung wünschend.

BLICKE INS REICH DER GNADE

Sammlung evangelischer Predigten von D. Krummacher,
Pfarrer zu Gemarke.

Elberfeld 1828.

Gemarke ist ein ansehnlicher Marktflecken von 380 Häu-
sern mit Stadtfreiheiten, im Wuppertale und Amte Barmen
des Herzogtumes Berg, wenig über Elberfeld gelegen.
Die Einwohner haben ansehnliche Leinen-, Band-, Bett-
drillich- und Zwirnmanufakturen und treiben mit diesen
Waren so wie mit gebleichtem Garne einen ausgebreiteten
Handel. Der Ort hat eine reformierte und eine kleine katholische Kirche.

In diesem Orte steht Herr Krummacher als Prediger.
Sein Publikum besteht aus Fabrikanten, Verlegern und Ar-
beitern, denen Weberei die Hauptsache ist. Sie sind in ihrem
engen Bezirke als sittliche Menschen anzusehen, denen allen
daran gelegen sein muß, daß nichts Exzentrisches vorkomme,
deshalb denn auch von auffallenden Verbrechen unter ihnen
kaum die Rede sein wird. Sie leben in mehr oder weniger
beschränkten häuslichen Zuständen, allem ausgesetzt, was
der Mensch als Mensch im Sittlichen, im Leidenschaftlichen
und im Körperlichen zu erdulden hat. Daher im Durch-
schnitte viele kranke und gedrückte Gemüter unter denselben zu finden sind. Im allgemeinen aber sind sie unbekannt
mit allem, was die Einbildungskraft und das Gefühl erregt,
und, obgleich auf den Hausverstand zurückgeführt, doch
für Geist und Herz einiger aufregender Nahrung bedürftig.
Die Weber sind von jeher als ein abstrus-religiöses Volk
bekannt, wodurch sie sich im stillen wohl unter einander
genugtun mögen. Der Prediger scheint das Seelenbedürfnis
seiner Gemeine dadurch befriedigen zu wollen, daß er ihren
Zustand behaglich, ihre Mängel erträglich darstellt, auch

die Hoffnung auf ein gegenwärtiges und künftiges Gute zu beleben gedenkt. Dies scheint der Zweck dieser Predigten zu sein, bei denen er folgendes Verfahren beliebt.

Er nimmt die deutsche Übersetzung der Bibel, wie sie daliegt, ohne weitere Kritik, buchstäblich geltend, als kano- nisch an und deutet sie wie ein ungelehrter Kirchenvater nach seinem schon fertigen Systeme willkürlich aus. Sogar die Überschriften der Kapitel dienen ihm zum Texte und die herkömmlichen Parallelstellen als Beweise; ja er zieht dasselbe Wort, wo es auch und in welchem Sinne es vor- kommt, zu seinem Gebrauche heran und findet dadurch für seine Meinungen eine Quelle von überfließenden Gründen, die er besonders zu Beruhigung und Trost anwendet.

Er setzt voraus, der Mensch tauge von Haus aus nichts, droht auch wohl einmal mit Teufeln und ewiger Hölle; doch hat er stets das Mittel der Erlösung und Rechtfertigung bei der Hand. Daß jemand dadurch rein und besser werde, ver- langt er nicht, zufrieden, daß es auch nicht schade, weil, das Vorhergesagte zugegeben, auf oder ab die Heilung immer bereit ist und schon das Vertrauen zum Arzte als Arznei betrachtet werden kann.

Auf diese Weise wird sein Vortrag tropisch und bilder- reich, die Einbildungskraft nach allen Seiten hingewiesen und zerstreut, das Gefühl aber konzentriert und beschwich- tigt. Und so kann sich ein jeder dünken, er gehe gebessert nach Hause, wenn auch mehr sein Ohr als sein Herz in An- spruch genommen wurde.

Wie sich nun diese Behandlungsart des Religiösen zu den schon bekannten ähnlichen aller separatistischen Gemeinden, Herrnhuter, Pietisten etc. verhalte, ist offenbar, und man sieht wohl ein, wie ein Geistlicher solcher Art willkommen sein mag, da die Bewohner jener Gegenden, wie anfangs bemerkt, sämtlich operose, in Handarbeit versunkene, mate- rialem Gewinne hingegebene Menschen sind, die man eigent- lich über ihre körperlichen und geistigen Unbilden nur in Schlaf zu lullen braucht. Man könnte deshalb diese Vor- träge narkotische Predigten nennen; welche sich denn freilich am klaren Tage, dessen sich das mittlere Deutsch- land erfreut, höchst wunderlich ausnehmen.

FÜR JUNGE DICHTER
WOHLGEMEINTE ERWIDERUNG

Nur allzu oft werden mir von jungen Männern deutsche Gedichte zugesendet mit dem Wunsch, ich möge sie nicht allein beurteilen, sondern auch über den eigentlichen dichterischen Beruf des Verfassers meine Gedanken eröffnen. So sehr ich aber dieses Zutrauen anzuerkennen habe, bleibt es doch im einzelnen Falle unmöglich, das Gehörige schriftlich zu erwidern, welches mündlich auszusprechen schon schwierig genug sein würde. Im allgemeinen jedoch kommen diese Sendungen bis auf einen gewissen Grad überein, so daß ich mich entschließen mag, für die Zukunft einiges hier auszusprechen.

Die deutsche Sprache ist auf einen so hohen Grad der Ausbildung gelangt, daß einem jeden in die Hand gegeben ist, sowohl in Prosa als in Rhythmen und Reimen sich dem Gegenstande wie der Empfindung gemäß nach seinem Vermögen glücklich auszudrücken. Hieraus erfolgt nun, daß ein jeder, welcher durch Hören und Lesen sich auf einen gewissen Grad gebildet hat, wo er sich selbst gewissermaßen deutlich wird, sich alsobald gedrängt fühlt, seine Gedanken und Urteile, sein Erkennen und Fühlen mit einer gewissen Leichtigkeit auszusprechen.

Schwer, vielleicht unmöglich wird es aber dem Jüngeren, einzusehen, daß hiedurch im höhern Sinne noch wenig getan ist. Betrachtet man solche Erzeugnisse genau, so wird alles, was im Innern vorgeht, alles, was sich auf die Person selbst bezieht, mehr oder weniger gelungen sein, und manches auf einen so hohen Grad, daß es so tief als klar und so sicher als anmutig ausgesprochen ist. Alles Allgemeine, das höchste Wesen wie das Vaterland, die grenzenlose Natur so wie ihre einzelnen unschätzbaren Erscheinungen überraschen uns in einzelnen Gedichten junger Männer, woran wir den sittlichen Wert nicht verkennen dürfen und die Ausführung lobenswürdig finden müssen.

Hierinne liegt aber gerade das Bedenkliche: denn viele, die auf demselben Wege gehn, werden sich zusammen gesellen und eine freudige Wanderung zusammen antreten, ohne sich zu prüfen, ob nicht ihr Ziel allzu fern im Blauen liege.

Denn leider hat ein wohlwollender Beobachter gar bald zu bemerken, daß ein inneres jugendliches Behagen auf einmal abnimmt, Trauer über verschwundene Freuden, Schmachten nach dem Verlornen, Sehnsucht nach dem Ungekannten, Unerreichbaren, Mißmut, Invektiven gegen Hindernisse jeder Art, Kampf gegen Mißgunst, Neid und Verfolgung die klare Quelle trübt, und die heitere Gesellschaft vereinzelt und zerstreut sich in misanthropische Eremiten.

Wie schwer ist es daher, dem Talente jeder Art und jeden Grades begreiflich zu machen, daß die Muse das Leben zwar gern begleitet, aber es keineswegs zu leiten versteht. Wenn wir beim Eintritt in das tätige und kräftige, mitunter unerfreuliche Leben, wo wir uns alle, wie wir sind, als abhängig von einem großen Ganzen empfinden müssen, alle früheren Träume, Wünsche, Hoffnungen und die Behaglichkeiten früherer Märchen zurückfordern, da entfernt sich die Muse und sucht die Gesellschaft des heiter Entsagenden, sich leicht Wiederherstellenden auf, der jeder Jahrszeit etwas abzugewinnen weiß, der Eisbahn wie dem Rosengarten die gehörige Zeit gönnt, seine eignen Leiden beschwichtigt und um sich her recht emsig forscht, wo er irgend ein Leiden zu lindern, Freude zu fördern Gelegenheit findet.

Keine Jahre trennen ihn sodann von den holden Göttinnen, die, wenn sie sich der befangenen Unschuld erfreuen, auch der umsichtigen Klugheit gerne zur Seite stehen, dort das hoffnungsvolle Werden im Keim begünstigen, hier eines Vollendeten in seiner ganzen Entwicklung sich freuen. Und so sei mir erlaubt, diese Herzensergießung mit einem Reimwort zu schließen:

> Jüngling, merke dir in Zeiten,
> Wo sich Geist und Sinn erhöht:
> Daß die Muse zu begleiten,
> Doch zu leiten nicht versteht.

NOCH EIN WORT FÜR JUNGE DICHTER

Unser Meister ist derjenige, unter dessen Anleitung wir uns in einer Kunst fortwährend üben und welcher uns, wie wir nach und nach zur Fertigkeit gelangen, stufenweise die
5 Grundsätze mitteilt, nach welchen handelnd wir das ersehnte Ziel am sichersten erreichen.

In solchem Sinne war ich Meister von niemand. Wenn ich aber aussprechen soll, was ich den Deutschen überhaupt, besonders den jungen Dichtern geworden bin, so darf ich
10 mich wohl ihren Befreier nennen; denn sie sind an mir gewahr worden, daß, wie der Mensch von innen heraus leben, der Künstler von innen heraus wirken müsse, indem er, gebärde er sich wie er will, immer nur sein Individuum zutage fördern wird.

15 Geht er dabei frisch und froh zu Werke, so manifestiert er gewiß den Wert seines Lebens, die Hoheit oder Anmut, vielleicht auch die anmutige Hoheit, die ihm von der Natur verliehen war.

Ich kann übrigens recht gut bemerken, auf wen ich in
20 dieser Art gewirkt; es entspringt daraus gewissermaßen eine Naturdichtung, und nur auf diese Art ist es möglich, Original zu sein.

Glücklicherweise steht unsere Poesie im Technischen so hoch, das Verdienst eines würdigen Gehalts liegt so klar am
25 Tag, daß wir wundersam erfreuliche Erscheinungen auftreten sehen. Dieses kann immer noch besser werden, und niemand weiß, wohin es führen mag; nur freilich muß jeder sich selbst kennen lernen, sich selbst zu beurteilen wissen, weil hier kein fremder, äußerer Maßstab zu Hülfe zu nehmen ist.

30 Worauf aber alles ankommt, sei in kurzem gesagt. Der junge Dichter spreche nur aus, was lebt und fortwirkt, unter welcherlei Gestalt es auch sein möge; er beseitige streng allen Widergeist, alles Mißwollen, Mißreden und was nur verneinen kann; denn dabei kommt nichts heraus.

35 Ich kann es meinen jungen Freunden nicht ernst genug empfehlen, daß sie sich selbst beobachten müssen, auf daß bei einer gewissen Fazilität des rhythmischen Ausdrucks sie doch auch immer an Gehalt mehr und mehr gewinnen.

Poetischer Gehalt aber ist Gehalt des eigenen Lebens; den kann uns niemand geben, vielleicht verdüstern, aber nicht verkümmern. Alles, was Eitelkeit, d. h. Selbstgefälliges ohne Fundament ist, wird schlimmer als jemals behandelt werden.   5

Sich frei zu erklären, ist eine große Anmaßung; denn man erklärt zugleich, daß man sich selbst beherrschen wolle, und wer vermag das? Zu meinen Freunden, den jungen Dichtern, sprech' ich hierüber folgendermaßen: Ihr habt jetzt eigentlich keine Norm, und die müßt ihr euch selbst geben;   10 fragt euch nur bei jedem Gedicht, ob es ein Erlebtes enthalte und ob dies Erlebte euch gefördert habe.

Ihr seid nicht gefördert, wenn ihr eine Geliebte, die ihr durch Entfernung, Untreue, Tod verloren habt, immerfort betrauert. Das ist gar nichts wert, und wenn ihr noch so viel 15 Geschick und Talent dabei aufopfert.

Man halte sich ans fortschreitende Leben und prüfe sich bei Gelegenheiten; denn da beweist sich's im Augenblick, ob wir lebendig sind, und bei späterer Betrachtung, ob wir lebendig waren.   20

GOETHES WICHTIGSTE ÄUSSERUNGEN ÜBER „WELTLITERATUR"

Über Kunst und Altertum. Sechsten Bandes erstes Heft. 1827.
Die Mitteilungen, die ich aus französischen Zeitblättern gebe, haben nicht etwa allein zur Absicht, an mich und meine 25 Arbeiten zu erinnern, ich bezwecke ein Höheres, worauf ich vorläufig hindeuten will. Überall hört und liest man von dem Vorschreiten des Menschengeschlechts, von den weiteren Aussichten der Welt- und Menschenverhältnisse. Wie es auch im Ganzen hiemit beschaffen sein mag, welches zu 30 untersuchen und näher zu bestimmen nicht meines Amts ist, will ich doch von meiner Seite meine Freunde aufmerksam machen, daß ich überzeugt sei, es bilde sich eine allgemeine Weltliteratur, worin uns Deutschen eine ehrenvolle Rolle vorbehalten ist. Alle Nationen schauen sich nach uns um, 35 sie loben, sie tadeln, nehmen auf und verwerfen, ahmen nach

und entstellen, verstehen oder mißverstehen uns, eröffnen oder verschließen ihre Herzen: dies alles müssen wir gleichmütig aufnehmen, indem uns das Ganze von großem Wert ist.

5 *Brief an Streckfuß. 27. Januar 1827.*
Ich bin überzeugt, daß eine Weltliteratur sich bilde, daß alle Nationen dazu geneigt sind und deshalb freundliche Schritte tun. Der Deutsche kann und soll hier am meisten wirken, er wird eine schöne Rolle bei diesem großen Zu-
10 sammentreten zu spielen haben.

Gespräch mit Eckermann. 31. Januar 1827.
Nationalliteratur will jetzt nicht viel sagen; die Epoche der Weltliteratur ist an der Zeit, und jeder muß jetzt dazu wirken, diese Epoche zu beschleunigen.

15 *German Romance. Edinburgh 1827.*
Eine wahrhaft allgemeine Duldung wird am sichersten erreicht, wenn man das Besondere der einzelnen Menschen und Völkerschaften auf sich beruhen läßt, bei der Überzeugung jedoch festhält, daß das wahrhaft Verdienstliche
20 sich dadurch auszeichnet, daß es der ganzen Menschheit angehört. Zu einer solchen Vermittelung und wechselseitigen Anerkennung tragen die Deutschen seit langer Zeit schon bei. Wer die deutsche Sprache versteht und studiert, befindet sich auf dem Markte, wo alle Nationen ihre Waren anbieten;
25 er spielt den Dolmetscher, indem er sich selbst bereichert.

Brief an Boisserée. 12. Oktober 1827.
Hiebei läßt sich ferner die Bemerkung machen, daß dasjenige was ich Weltliteratur nenne, dadurch vorzüglich entstehen wird, wenn die Differenzen, die innerhalb der
30 einen Nation obwalten, durch Ansicht und Urteil der übrigen ausgeglichen werden.

Über Kunst und Altertum. Sechsten Bandes zweites Heft. 1828.
Diese Zeitschriften, wie sie sich nach und nach ein größeres Publikum gewinnen, werden zu einer gehofften all-

gemeinen Weltliteratur auf das wirksamste beitragen; nur
wiederholen wir, daß nicht die Rede sein könne, die Nationen
sollen überein denken, sondern sie sollen nur einander gewahr werden, sich begreifen und, wenn sie sich wechselseitig nicht lieben mögen, sich einander wenigstens dulden 5
lernen.

*Die Zusammenkunft der Naturforscher in Berlin. 1828. Weim.
Ausg. II, 13, S. 449.*
    Wenn wir eine europäische, ja eine allgemeine Weltlite-
ratur zu verkündigen gewagt haben, so heißt dieses nicht, 10
daß die verschiedenen Nationen von einander und ihren
Erzeugnissen Kenntnis nehmen, denn in diesem Sinne existiert sie schon lange, setzt sich fort und erneuert sich mehr
oder weniger. Nein! hier ist vielmehr davon die Rede, daß
die lebendigen und strebenden Literatoren einander kennen 15
lernen und durch Neigung und Gemeinsinn sich veranlaßt
finden, gesellschaftlich zu wirken.

Aus Makariens Archiv, Nr. 151.
    Jetzt, da sich eine Weltliteratur einleitet, hat, genau be-
sehen, der Deutsche am meisten zu verlieren; er wird wohl 20
tun, dieser Warnung nachzudenken.

Brief an Zelter. 4. März 1829.
    Die Übertriebenheiten, wozu die Theater des großen und
weitläufigen Paris genötigt werden, kommen auch uns zu
Schaden, die wir noch lange nicht dahin sind, dies Bedürfnis 25
zu empfinden. Dies sind aber schon die Folgen der an-
marschierenden Weltliteratur, und man kann sich hier ganz
allein dadurch trösten, daß, wenn auch das Allgemeine dabei
übel fährt, gewiß Einzelne davon Heil und Segen gewinnen
werden; wovon mir sehr schöne Zeugnisse zu Handen 30
kommen.

Brief an C. F. v. Reinhard. 18. Juni 1829.
    Sehr bewegt und wundersam wirkt freilich die Weltlite-
ratur gegeneinander; wenn ich nicht sehr irre, so ziehen die
Franzosen in Um- und Übersicht die größten Vorteile davon; 35

auch haben sie schon ein gewisses selbstbewußtes Vor-
gefühl, daß ihre Literatur, und zwar noch in einem höheren
Sinne, denselben Einfluß auf Europa haben werde, den sie
in der Hälfte des 18. Jahrhunderts sich erworben.

5 *Einleitung zu Th. Carlyle, Leben Schillers. 1830.*
  Es ist schon einige Zeit von einer allgemeinen Weltliteratur die Rede, und zwar nicht mit Unrecht: denn die
sämtlichen Nationen, in den fürchterlichsten Kriegen durcheinander geschüttelt, sodann wieder auf sich selbst einzeln
10 zurückgeführt, hatten zu bemerken, daß sie manches
Fremde gewahr worden, in sich aufgenommen, bisher unbekannte geistige Bedürfnisse hie und da empfunden. Daraus entstand das Gefühl nachbarlicher Verhältnisse, und anstatt daß man sich bisher zugeschlossen hatte, kam der Geist
15 nach und nach zu dem Verlangen, auch in den mehr oder
weniger freien geistigen Handelsverkehr mit aufgenommen
zu werden.

Entwurf zur vorstehenden Einleitung. 5. April 1830.
  Aber nicht allein was solche Männer über uns äußern
20 muß uns von der größten Wichtigkeit sein, sondern auch
ihre übrigen Verhältnisse haben wir zu beachten, wie sie
gegen andere Nationen, gegen Franzosen und Italiener,
stehen. Denn daraus nur kann endlich die allgemeine Weltliteratur entspringen, daß die Nationen die Verhältnisse aller
25 gegen alle kennen lernen, und so wird es nicht fehlen, daß
jede in der andern etwas Annehmliches und etwas Wider-
wärtiges, etwas Nachahmenswertes und etwas zu Meidendes
antreffen wird.

MAXIMEN UND REFLEXIONEN

GOTT UND NATUR

„Ich glaube einen Gott!" dies ist ein schönes löbliches 1
Wort; aber Gott anerkennen, wo und wie er sich offenbare,
das ist eigentlich die Seligkeit auf Erden.

„Wer die Natur als göttliches Organ leugnen will, der 2
leugne nur gleich alle Offenbarung."

„Die Natur verbirgt Gott!" Aber nicht jedem! 3

Die Natur ist immer Jehovah. Was sie ist, was sie war, 4
und was sie sein wird.

Aus der Natur, nach welcher Seite hin man schaue, ent- 5
springt Unendliches.

Alle Verhältnisse der Dinge wahr. Irrtum allein in dem 6
Menschen. An ihm nichts wahr, als daß er irrt, sein Verhältnis zu sich, zu andern, zu den Dingen nicht finden kann.

Die Natur bekümmert sich nicht um irgend einen Irrtum; 7
sie selbst kann nicht anders als ewig recht handeln, unbekümmert, was daraus erfolgen möge.

Kepler sagte: „Mein höchster Wunsch ist, den Gott, den 8
ich im Äußern überall finde, auch innerlich, innerhalb
meiner gleichermaßen gewahr zu werden." Der edle Mann
fühlte, sich nicht bewußt, daß eben in dem Augenblicke
das Göttliche in ihm mit dem Göttlichen des Universums
in genauster Verbindung stand.

Den teleologischen Beweis vom Dasein Gottes hat die 9
kritische Vernunft beseitigt; wir lassen es uns gefallen. Was
aber nicht als Beweis gilt, soll uns als Gefühl gelten, und
wir rufen daher von der Brontotheologie bis zur Nipho-

theologie alle dergleichen fromme Bemühungen wieder heran. Sollten wir im Blitz, Donner und Sturm nicht die Nähe
einer übergewaltigen Macht, in Blütenduft und lauem Luft-
säuseln nicht ein liebevoll sich annäherndes Wesen empfinden dürfen?

----

10   Die vernünftige Welt ist als ein großes unsterbliches
Individuum zu betrachten, das unaufhaltsam das Notwendige bewirkt und dadurch sich sogar über das Zufällige
zum Herrn macht.

----

11   Das Wahre ist gottähnlich: es erscheint nicht unmittelbar,
wir müssen es aus seinen Manifestationen erraten.

----

12   Die Idee ist ewig und einzig; daß wir auch den Plural
brauchen, ist nicht wohlgetan. Alles, was wir gewahr werden
und wovon wir reden können, sind nur Manifestationen der
Idee; Begriffe sprechen wir aus, und insofern ist die Idee
selbst ein Begriff.

----

13   Was man Idee nennt: das, was immer zur Erscheinung
kommt und daher als Gesetz aller Erscheinungen uns entgegentritt.

----

14   Nur im Höchsten und im Gemeinsten trifft Idee und
Erscheinung zusammen; auf allen mittlern Stufen des Betrachtens und Erfahrens trennen sie sich. Das Höchste ist
das Anschauen des Verschiednen als identisch; das Gemeinste ist die Tat, das aktive Verbinden des Getrennten
zur Identität.

----

15   Urphänomene: ideal, real, symbolisch, identisch.
Empirie: unbegrenzte Vermehrung derselben, Hoffnung
der Hülfe daher, Verzweiflung an Vollständigkeit.
Urphänomen:
        ideal als das letzte Erkennbare,
        real als erkannt,
        symbolisch, weil es alle Fälle begreift,
        identisch mit allen Fällen.

Das unmittelbare Gewahrwerden der Urphänomene versetzt uns in eine Art von Angst: wir fühlen unsere Unzulänglichkeit; nur durch das ewige Spiel der Empirie belebt, erfreuen sie uns. 16

___

Vor den Urphänomenen, wenn sie unseren Sinnen enthüllt erscheinen, fühlen wir eine Art von Scheu, bis zur Angst. Die sinnlichen Menschen retten sich ins Erstaunen; geschwind aber kommt der tätige Kuppler Verstand und will auf seine Weise das Edelste mit dem Gemeinsten vermitteln. 17

___

Die wahre Vermittlerin ist die Kunst. Über Kunst sprechen, heißt die Vermittlerin vermitteln wollen, und doch ist uns daher viel Köstliches erfolgt. 18

___

Der Magnet ist ein Urphänomen, das man nur aussprechen darf, um es erklärt zu haben; dadurch wird es denn auch ein Symbol für alles übrige, wofür wir keine Worte noch Namen zu suchen brauchen. 19

___

Wenn ich mich beim Urphänomen zuletzt beruhige, so ist es doch auch nur Resignation; aber es bleibt ein großer Unterschied, ob ich mich an den Grenzen der Menschheit resigniere oder innerhalb einer hypothetischen Beschränktheit meines bornierten Individuums. 20

___

Grundeigenschaft der lebendigen Einheit: sich zu trennen, sich zu vereinen, sich ins Allgemeine zu ergehen, im Besondern zu verharren, sich zu verwandeln, sich zu spezifizieren und, wie das Lebendige unter tausend Bedingungen sich dartun mag, hervorzutreten und zu verschwinden, zu solideszieren und zu schmelzen, zu erstarren und zu fließen, sich auszudehnen und sich zusammenzuziehen. Weil nun alle diese Wirkungen im gleichen Zeitmoment zugleich vorgehen, so kann alles und jedes zu gleicher Zeit eintreten. Entstehen und Vergehen, Schaffen und Vernichten, Geburt und Tod, Freud und Leid, alles wirkt durcheinander, in gleichem Sinn und gleicher Maße; deswegen denn auch das Besonderste, das 21

sich ereignet, immer als Bild und Gleichnis des Allgemeinsten auftritt.

———

22   Das Große, Überkolossale der Natur eignet man so leicht
sich nicht an; denn wir haben nicht reine Verkleinerungs-
gläser, wie wir Linsen haben, um das unendlich Kleine zu
gewahren. Und da muß man doch noch Augen haben wie
Carus und Nees, wenn dem Geiste Vorteil entstehen soll.
    Da jedoch die Natur im Größten wie im Kleinsten sich
immer gleich ist und eine jede trübe Scheibe so gut die
schöne Bläue darstellt wie die ganze weltüberwölkende
Atmosphäre, so find' ich es geraten, auf Musterstücke aufmerksam zu sein und sie vor mir zusammenzulegen. Hier
nun ist das Ungeheuere nicht verkleinert, sondern im Kleinen, und eben so unbegreiflich als im Unendlichen.

———

23   Jedes Existierende ist ein Analogon alles Existierenden;
daher erscheint uns das Dasein immer zu gleicher Zeit gesondert und verknüpft. Folgt man der Analogie zu sehr,
so fällt alles identisch zusammen; meidet man sie, so zerstreut sich alles ins Unendliche. In beiden Fällen stagniert
die Betrachtung, einmal als überlebendig, das andere Mal
als getötet.

———

24   Die Analogie hat zwei Verirrungen zu fürchten: einmal,
sich dem Witz hinzugeben, wo sie in nichts zerfließt, die
andere, sich mit Tropen und Gleichnissen zu umhüllen,
welches jedoch weniger schädlich ist.

———

25   Mitteilung durch Analogien halt' ich für so nützlich als
angenehm: der analoge Fall will sich nicht aufdringen,
nichts beweisen; er stellt sich einem andern entgegen, ohne
sich mit ihm zu verbinden. Mehrere analoge Fälle vereinigen
sich nicht zu geschlossenen Reihen, sie sind wie gute Gesellschaft, die immer mehr anregt als gibt.

———

26   Nach Analogien denken ist nicht zu schelten: die Analogie
hat den Vorteil, daß sie nicht abschließt und eigentlich
nichts Letztes will; dagegen die Induktion verderblich ist,

die einen vorgesetzten Zweck im Auge trägt und, auf denselben losarbeitend, Falsches und Wahres mit sich fortreißt.

_____

Die Natur füllt mit ihrer grenzenlosen Produktivität alle 27
Räume. Betrachten wir nur bloß unsre Erde: alles, was wir
bös, unglücklich nennen, kommt daher, daß sie nicht allem
Entstehenden Raum geben, noch weniger ihm Dauer verleihen kann.

_____

Alles, was entsteht, sucht sich Raum und will Dauer; deswegen verdrängt es ein anderes vom Platz und verkürzt 28
seine Dauer.

_____

Das Lebendige hat die Gabe, sich nach den vielfältigsten 29
Bedingungen äußerer Einflüsse zu bequemen und doch eine
gewisse errungene entschiedene Selbständigkeit nicht aufzugeben.

_____

Man gedenke der leichten Erregbarkeit aller Wesen, wie 30
der mindeste Wechsel einer Bedingung, jeder Hauch gleich
in den Körpern Polarität manifestiert, die eigentlich in
ihnen allen schlummert.

_____

Spannung ist der indifferent scheinende Zustand eines 31
energischen Wesens in völliger Bereitschaft, sich zu manifestieren, zu differenzieren, zu polarisieren.

_____

Natur hat zu nichts gesetzmäßige Fähigkeit, was sie nicht 32
gelegentlich ausführte und zutage brächte.

_____

Die Vögel sind ganz späte Erzeugnisse der Natur. 33

_____

Nicht allein der freie Stoff, sondern auch das Derbe und 34
Dichte drängt sich zur Gestalt. Ganze Massen sind von
Natur und Grund aus kristallinisch, in einer gleichgültigen
formlosen Masse entsteht durch stöchiometrische Annäherung und Übereinandergreifen die porphyrartige Erscheinung, welche durch alle Formationen durchgeht.

35 Wäre die Natur in ihren leblosen Anfängen nicht so gründlich stereometrisch, wie wollte sie zuletzt zum unberechenbaren und unermeßlichen Leben gelangen?

---

36 Die schönste Metamorphose des unorganischen Reiches ist, wenn beim Entstehen das Amorphe sich ins Gestaltete verwandelt. Jede Masse hat hiezu Trieb und Recht. Der Glimmerschiefer verwandelt sich in Granaten und bildet oft Gebirgsmassen, in denen der Glimmer beinahe ganz aufgehoben ist und nur als geringes Bindungsmittel sich zwischen jenen Kristallen befindet.

---

37 Alle Kristallisationen sind ein realisiertes Kaleidoskop.

---

38 Stetigkeit
(als) mit (und doch)
Gegensatz.

---

39 Die Natur gerät auf Spezifikationen wie in eine Sackgasse: sie kann nicht durch und mag nicht wieder zurück; daher die Hartnäckigkeit der Nationalbildung.

---

40 Alle Wirksamkeit ist stärker am Mittelpunkt als gegen die Peripherie zu. Raum zwischen Mars und Jupiter.

---

41 Große, von Ewigkeit her oder in der Zeit entwickelte ursprüngliche Kräfte wirken unaufhaltsam, ob nutzend oder schadend, das ist zufällig.

---

42 „Wenn Reisende ein sehr großes Ergötzen auf ihren Bergkletterleien empfinden, so ist für mich etwas Barbarisches, ja Gottloses in dieser Leidenschaft. Berge geben uns wohl den Begriff von Naturgewalt, nicht aber von Wohltätigkeit der Vorsehung. Zu welchem Gebrauch sind sie wohl dem Menschen? Unternimmt er, dort zu wohnen, so wird im Winter eine Schneelawine, im Sommer ein Bergrutsch sein Haus begraben oder fortschieben; seine Herden schwemmt der Gießbach weg, seine Kornscheuern die Windstürme. Macht er sich auf den Weg, so ist jeder Auf-

stieg die Qual des Sisyphus, jeder Niederstieg der Sturz
Vulkans; sein Pfad ist täglich von Steinen verschüttet, der
Gießbach unwegsam für Schiffahrt. Finden auch seine
Zwergherden notdürftige Nahrung oder sammelt er sie
ihnen kärglich: entweder die Elemente entreißen sie ihm
oder wilde Bestien. Er führt ein einsam-kümmerlich Pflanzenleben wie das Moos auf einem Grabstein, ohne Bequemlichkeit und ohne Gesellschaft. Und diese Zickzackkämme,
diese widerwärtigen Felsenwände, diese ungestalteten
Granitpyramiden, welche die schönsten Weltbreiten mit den
Schrecknissen des Nordpols bedecken, wie sollte sich ein
wohlwollender Mann daran gefallen und ein Menschen-
freund sie preisen?"

———

Auf diese heitere Paradoxie eines würdigen Mannes wäre [43]
zu sagen, daß, wenn es Gott und der Natur gefallen hätte,
den Urgebirgsknoten von Nubien durchaus nach Westen
bis an das große Meer zu entwickeln und fortzusetzen, ferner
diese Gebirgsreihe einigemal von Norden nach Süden zu
durchschneiden, sodann Täler entstanden sein würden,
worin gar mancher Urvater Abraham ein Kanaan, mancher
Albert Julius eine Felsenburg würde gefunden haben, wo
denn seine Nachkommen, leicht mit den Sternen rivalisie-
rend, sich hätten vermehren können.

———

Die Griechen nannten Entelecheia ein Wesen, das immer [44]
in Funktion ist.

———

Die Funktion ist das Dasein, in Tätigkeit gedacht. [45]

———

Die Frage über die Instinkte der Tiere läßt sich nur durch [46]
den Begriff von Monaden und Entelechien auflösen.
Jede Monas ist eine Entelechie, die unter gewissen Bedingungen zur Erscheinung kommt. Ein gründliches Studium des Organismus läßt in die Geheimnisse...

———

Alles Lebendige bildet eine Atmosphäre um sich her. [47]

———

48　　Daß die Natur, die uns zu schaffen macht, gar keine
Natur mehr ist, sondern ein ganz anderes Wesen als dasjenige, womit sich die Griechen beschäftigten.

RELIGION UND CHRISTENTUM

49　　Wir sind naturforschend Pantheisten, dichtend Poly-
theisten, sittlich Monotheisten.

50　　Gott, wenn wir hoch stehen, ist alles; stehen wir niedrig,
so ist er ein Supplement unsrer Armseligkeit.

51　　Die Kreatur ist sehr schwach; denn sucht sie etwas,
findet sie's nicht. Stark aber ist Gott; denn sucht er die
Kreatur, so hat er sie gleich in seiner Hand.

52　　Es gibt nur zwei wahre Religionen, die eine, die das
Heilige, das in und um uns wohnt, ganz formlos, die andere,
die es in der schönsten Form anerkennt und anbetet. Alles,
was dazwischen liegt, ist Götzendienst.

53　　Es ist nicht immer nötig, daß das Wahre sich verkörpere;
schon genug, wenn es geistig umherschwebt und Übereinstimmung bewirkt, wenn es wie Glockenton ernst-freundlich
durch die Lüfte wogt.

54　　Frömmigkeit ist kein Zweck, sondern ein Mittel, um
durch die reinste Gemütsruhe zur höchsten Kultur zu gelangen.

55　　Deswegen läßt sich bemerken, daß diejenigen, welche
Frömmigkeit als Zweck und Ziel aufstecken, meistens
Heuchler werden.

56　　Glaube, Liebe, Hoffnung fühlten einst in ruhiger ge-
selliger Stunde einen plastischen Trieb in ihrer Natur; sie
befleißigten sich zusammen und schufen ein liebliches Ge-
bild, eine Pandora im höhern Sinne: die Geduld.

Höchst bemerkenswert bleibt es immer, daß Menschen, 57
deren Persönlichkeit fast ganz Idee ist, sich so äußerst vor
dem Phantastischen scheuen. So war Hamann, dem es unerträglich schien, wenn von Dingen einer andern Welt gesprochen wurde. Er drückte sich gelegentlich darüber in
einem gewissen Paragraphen aus, den er aber, weil er ihm
unzulänglich schien, vierzehnmal variierte und sich doch
immer wahrscheinlich nicht genug tat. Zwei von diesen
Versuchen sind uns übriggeblieben; einen dritten haben wir
selbst gewagt, welchen hier abdrucken zu lassen, wir durch
Obenstehendes veranlaßt sind:

———

Der Mensch ist als wirklich in die Mitte einer wirklichen 58
Welt gesetzt und mit solchen Organen begabt, daß er das
Wirkliche und nebenbei das Mögliche erkennen und hervorbringen kann. Alle gesunden Menschen haben die Überzeugung ihres Daseins und eines Daseienden um sie her.
Indessen gibt es auch einen hohlen Fleck im Gehirn, das
heißt eine Stelle, wo sich kein Gegenstand abspiegelt, wie
denn auch im Auge selbst ein Fleckchen ist, das nicht sieht.
Wird der Mensch auf diese Stelle besonders aufmerksam,
vertieft er sich darin, so verfällt er in eine Geisteskrankheit,
ahnet hier Dinge aus einer andern Welt, die aber eigentlich
Undinge sind und weder Gestalt noch Begrenzung haben,
sondern als leere Nacht-Räumlichkeit ängstigen und den,
der sich nicht losreißt, mehr als gespensterhaft verfolgen.

———

Es ist nicht zu leugnen, daß der Geist sich durch die 59
Reformation zu befreien suchte; die Aufklärung über grie-
chisches und römisches Altertum brachte den Wunsch, die
Sehnsucht nach einem freieren, anständigeren und ge-
schmackvolleren Leben hervor. Sie wurde aber nicht wenig
dadurch begünstigt, daß das Herz in einen gewissen einfachen Naturstand zurückzukehren und die Einbildungskraft sich zu konzentrieren trachtete.

———

Aus dem Himmel wurden auf einmal alle Heiligen ver- 60
trieben und von einer göttlichen Mutter mit einem zarten
Kinde Sinne, Gedanken, Gemüt auf den Erwachsenen, sitt-

lich Wirkenden, ungerecht Leidenden gerichtet, welcher
später als Halbgott verklärt, als wirklicher Gott anerkannt
und verehrt wurde.

_____

61   Er stand vor einem Hintergrunde, wo der Schöpfer das
Weltall ausgebreitet hatte; von ihm ging eine geistige Wirkung aus, seine Leiden eignete man sich als Beispiel zu,
und seine Verklärung war das Pfand für eine ewige Dauer.

_____

62   Genau besehen, haben wir uns noch alle Tage zu refor-
mieren und gegen andere zu protestieren, wenn auch nicht
in religiösem Sinne.

_____

63   Man streitet viel und wird viel streiten über Nutzen und
Schaden der Bibelverbreitung. Mir ist klar: schaden wird
sie wie bisher, dogmatisch und phantastisch gebraucht;
nutzen wie bisher, didaktisch und gefühlvoll aufgenommen.

_____

64   Deshalb ist die Bibel ein ewig wirksames Buch, weil,
so lange die Welt steht, niemand auftreten und sagen wird:
ich begreife es im Ganzen und verstehe es im Einzelnen.
Wir aber sagen bescheiden: im Ganzen ist es ehrwürdig und
im Einzelnen anwendbar.

_____

65   Ich bin überzeugt, daß die Bibel immer schöner wird, je
mehr man sie versteht, das heißt, je mehr man einsieht und
anschaut, daß jedes Wort, das wir allgemein auffassen und
im besondern auf uns anwenden, nach gewissen Umständen, nach Zeit- und Ortsverhältnissen einen eignen, besondern, unmittelbar individuellen Bezug gehabt hat.

_____

66   Apokrypha: wichtig wäre es, das hierüber historisch
schon Bekannte nochmals zusammenzufassen und zu zeigen,
daß gerade jene apokryphischen Schriften, mit denen die
Gemeinden schon die ersten Jahrhunderte unserer Ära über-
schwemmt wurden und woran unser Kanon jetzt noch leidet, die eigentliche Ursache sind, warum das Christentum in
keinem Momente der politischen und Kirchengeschichte in
seiner ganzen Schönheit und Reinheit hervortreten konnte.

_____

Das unheilbare Übel dieser religiosen Streitigkeiten be- 67
steht darin, daß der eine Teil auf Märchen und leere Worte
das höchste Interesse der Menschheit zurückführen will, der
andere aber es da zu begründen denkt, wo sich niemand
beruhigt.

_____

Das Erhabene, für uns Übererhabene, höchst Verehrungs- 68
werte, doch, genau besehen, mit einem absurden, ja infamen
Empirischen Verbundene macht uns stutzig, und man ent-
schließt sich schwer.

_____

Daß Christus auf eine Hamletische Weise zugrunde ging, 69
und schlimmer, weil er Menschen um sich berief, die er
fallen ließ, da Hamlet bloß als Individuum perierte.

_____

Der Mystizismus ist die Scholastik des Herzens, die 70
Dialektik des Gefühls.

_____

Ein geistreicher Mann sagte, die neuere Mystik sei die 71
Dialektik des Herzens und deswegen mitunter so erstaunens-
wert und verführerisch, weil sie Dinge zur Sprache bringe,
zu denen der Mensch auf dem gewöhnlichen Verstands-,
Vernunfts- und Religionswege nicht gelangen würde. Wer
sich Mut und Kraft glaube, sie zu studieren, ohne sich be-
täuben zu lassen, der möge sich in diese Höhle des Trophonios versenken, jedoch auf seine eigene Gefahr.

_____

Christliche Mystiker sollte es gar nicht geben, da die 72
Religion selbst Mysterien darbietet. Auch gehen sie immer
gleich ins Abstruse, in den Abgrund des Subjekts.

_____

Die orientalische mystische Poesie hat deswegen den 73
großen Vorzug, daß der Reichtum der Welt, den der Adepte
wegweist, ihm noch jederzeit zu Gebote steht. Er befindet
sich also noch immer mitten in der Fülle, die er verläßt, und
schwelgt in dem, was er gern los sein möchte.

_____

Alle Mystik ist ein Transzendieren und ein Ablösen von 74
irgendeinem Gegenstande, den man hinter sich zu lassen

glaubt. Je größer und bedeutender dasjenige war, dem man
absagt, desto reicher sind die Produktionen des Mystikers.

---

75 Sobald die guten Werke und das Verdienstliche derselben
aufhören, sogleich tritt die Sentimentalität dafür ein, bei
den Protestanten.

---

76 I convertiti stanno freschi appresso di me.

---

77 Alles kommt bei der Mission darauf an, daß der rohe
sinnliche Mensch gewahr wird, daß es eine Sitte gebe; daß
der leidenschaftliche ungebändigte merkt, daß er Fehler
begangen hat, die er sich selbst nicht verzeihen kann. Die
erste führt zur Annahme zarter Maximen, das letzte auf
Glauben einer Versöhnung. Alles Mittlere von zufällig
scheinenden Übeln wird einer weisen unerforschlichen Führung anheim gegeben.

---

78 In Neuyork, sagt man, finden sich neunzig christliche
Kirchen abweichender Konfession, und nun wird diese
Stadt besonders seit Eröffnung des Eriekanals überschwenglich reich. Wahrscheinlich ist man der Überzeugung, daß
religiose Gedanken und Gefühle, von welcher besondern
Art sie auch seien, dem beruhigenden Sonntag angehören,
angestrengte Tätigkeit, von frommen Gesinnungen begleitet, den Werkeltagen.

---

79 Die Ohrenbeichte im besten Sinne ist eine fortgesetzte
Katechisation der Erwachsnen.

---

80 „Die Kirche schwächt alles, was sie anrührt."

---

81 Es gibt Theologen, die wollten, daß es nur einen einzigen Menschen in der Welt gegeben hätte, den Gott erlöst
hätte; denn da hätte es keine Ketzer geben können.

---

82 Die christliche Religion ist eine intentionierte politische
Revolution, die, verfehlt, nachher moralisch geworden ist.

Das Christentum steht mit dem Judentum in einem weit [83]
stärkern Gegensatz als mit dem Heidentum.

———

Was ist praedestinatio? [84]
Antwort: Gott ist mächtiger und weiser als wir; drum
macht er es mit uns nach seinem Gefallen.

———

Mythologie = Luxe de croyance. [85]

———

Religion: Alte; [86]
Poesie: Religion der Jugend.

———

Antike Tempel konzentrieren den Gott im Menschen; [87]
des Mittelalters Kirchen streben nach dem Gott in der Höhe.

———

Geheimnisse sind noch keine Wunder. [88]

———

Wenn ein gutes Wort eine gute Statt findet, so findet ein [89]
frommes Wort gewiß noch eine bessere.

———

So wie der Weihrauch einer Kohle Leben erfrischet, so [90]
erfrischet das Gebet die Hoffnungen des Herzens.

———

Der Glaube ist ein häuslich heimlich Kapital, wie es [91]
öffentliche Spar- und Hülfskassen gibt, woraus man in
Tagen der Not einzelnen ihr Bedürfnis reicht; hier nimmt
der Gläubige sich seine Zinsen im stillen selbst.

———

Glaube ist Liebe zum Unsichtbaren, Vertrauen aufs Un- [92]
mögliche, Unwahrscheinliche.

GESELLSCHAFT UND GESCHICHTE

Die Zeit ist selbst ein Element. [93]

———

Wir alle leben vom Vergangnen und gehen am Vergange- [94]
nen zugrunde.

———

95 Die Menschen sind als Organe ihres Jahrhunderts anzusehen, die sich meist unbewußt bewegen.

———

96 Frage sich doch jeder, mit welchem Organ er allenfalls in seine Zeit einwirken kann und wirkt!

———

97 Die größten Menschen hängen immer mit ihrem Jahrhundert durch eine Schwachheit zusammen.

———

98 Die gegenwärtige Welt ist nicht wert, daß wir etwas für sie tun; denn die bestehende kann in dem Augenblick abscheiden. Für die vergangene und künftige müssen wir arbeiten: für jene, daß wir ihr Verdienst anerkennen, für diese, daß wir ihren Wert zu erhöhen suchen.

———

99 Welche Regierung die beste sei? Diejenige, die uns lehrt, uns selbst zu regieren.

———

100 Majestät ist das Vermögen, ohne Rücksicht auf Belohnung oder Bestrafung recht oder unrecht zu handlen.

———

101 Herrschen und Genießen geht nicht zusammen. Genießen heißt, sich und andern in Fröhlichkeit angehören; herrschen heißt, sich und andern im ernstlichsten Sinne wohltätig sein.

102 Herrschen lernt sich leicht, Regieren schwer.

———

103 Man erkennt niemand an als den, der uns nutzt. Wir erkennen den Fürsten an, weil wir unter seiner Firma den Besitz gesichert sehen. Wir gewärtigen uns von ihm Schutz gegen äußere und innere widerwärtige Verhältnisse.

———

104 Man sieht gleich, wo die zwei notwendigsten Eigenschaften fehlen: Geist und Gewalt.

———

105 „Nihil rerum mortalium tam instabile ac fluxum est quam potentia non sua vi nixa."

———

106 Der Despotismus fördert die Autokratie eines jeden, indem er von oben bis unten die Verantwortlichkeit dem

Individuum zumutet, und so den höchsten Grad von Tätigkeit hervorbringt. _____

Es gibt zwei friedliche Gewalten: das Recht und die [107] Schicklichkeit. _____

Das Recht dringt auf Schuldigkeit, die Polizei aufs Geziemende. Das Recht ist abwägend und entscheidend, die Polizei überschauend und gebietend. Das Recht bezieht sich auf den Einzelnen, die Polizei auf die Gesamtheit. [108] _____

Alle Gesetze sind Versuche, sich den Absichten der [109] moralischen Weltordnung im Welt- und Lebenslaufe zu nähern. _____

Wenn man den Tod abschaffen könnte, dagegen hätten [110] wir nichts; die Todesstrafen abzuschaffen wird schwer halten. Geschieht es, so rufen wir sie gelegentlich wieder zurück. _____

Wenn sich die Sozietät des Rechtes begibt, die Todesstrafe zu verfügen, so tritt die Selbsthilfe unmittelbar wieder hervor: die Blutrache klopft an die Türe. [111] _____

Alle Gesetze sind von Alten und Männern gemacht. Junge [112] und Weiber wollen die Ausnahme, Alte die Regel. _____

Es ist besser, es geschehe dir Unrecht, als die Welt sei [113] ohne Gesetz. Deshalb füge sich jeder dem Gesetze. _____

Es ist besser, daß Ungerechtigkeiten geschehen, als daß [114] sie auf eine ungerechte Weise gehoben werden. _____

Nero hätte in den vier Jahren, die das Interregnum [115] dauerte – so nenne ich die Regierungen des Galba, Otho, Vitellius –, nicht so viel Unheil stiften können, als nach seiner Ermordung über die Welt gekommen. _____

116 Welches Recht wir zum Regiment haben, darnach fragen wir nicht: wir regieren. Ob das Volk ein Recht habe, uns abzusetzen, darum bekümmern wir uns nicht: wir hüten uns nur, daß es nicht in Versuchung komme, es zu tun.

---

117 Sobald die Tyrannei aufgehoben ist, geht der Konflikt zwischen Aristokratie und Demokratie unmittelbar an.

---

118 Gunst, als Symbol der Souveränität, von schwachen Menschen ausgeübt.

---

119 Vor der Revolution war alles Bestreben; nachher verwandelte sich alles in Forderung.

---

120 Jede Revolution geht auf Naturzustand hinaus, Gesetz- und Schamlosigkeit. (Picarden, Wiedertäufer, Sansculotten.)

---

121 Gesetzgeber oder Revolutionärs, die Gleichsein und Freiheit zugleich versprechen, sind Phantasten oder Charlatans.

---

122 Eingebildete Gleichheit: das erste Mittel, die Ungleichheit zu zeigen.

---

123 Jeder Mensch fühlt sich privilegiert.
Diesem Gefühl widerspricht
    1. die Naturnotwendigkeit,
    2. die Gesellschaft.
  Ad 1. Der Mensch kann ihr nicht entgehen, nicht ausweichen, nichts abgewinnen. Nur kann er durch Diät sich fügen und ihr nicht vorgreifen.
  Ad 2. Der Mensch kann ihr nicht entgehen, nicht ausweichen; aber er kann ihr abgewinnen, daß sie ihn ihre Vorteile mitgenießen läßt, wenn er seinem Privilegiengefühl entsagt.

---

124 In der Gesellschaft sind alle gleich. Es kann keine Gesellschaft anders als auf den Begriff der Gleichheit gegründet sein, keineswegs aber auf den Begriff der Freiheit. Die Gleichheit will ich in der Gesellschaft finden; die Freiheit,

nämlich die sittliche, daß ich mich subordinieren mag, bringe ich mit.

_____

Die Gesellschaft, in die ich trete, muß also zu mir sagen: 125 „Du sollst allen uns andern gleich sein." Sie kann aber nur hinzufügen: „Wir wünschen, daß du auch frei sein mögest", das heißt: Wir wünschen, daß du dich mit Überzeugung, aus freiem vernünftigem Willen deiner Privilegien begibst.

_____

Unser ganzes Kunststück besteht darin, daß wir unsere 126 Existenz aufgeben, um zu existieren.

_____

Der höchste Zweck der Gesellschaft ist Konsequenz der 127 Vorteile, jedem gesichert. Jeder einzelne Vernünftige opfert schon der Konsequenz vieles auf, geschweige die Gesellschaft. Über diese Konsequenz geht fast der momentane Vorteil der Glieder zugrunde.

_____

Das große Recht, nicht etwa nur in seinen Privatange- 128 legenheiten – denn das weiß ein jeder –, sondern auch in öffentlichen verständig, ja vernünftig zu sein.

_____

So eigensinnig widersprechend ist der Mensch: zu seinem 129 Vorteil will er keine Nötigung, zu seinem Schaden leidet er jeden Zwang.

_____

Man könnte zum Scherze sagen, der Mensch sei ganz aus 130 Fehlern zusammengesetzt, wovon einige der Gesellschaft nützlich, andre schädlich, einige brauchbar, einige unbrauchbar gefunden werden. Von jenen spricht man Gutes: nennt sie Tugenden; von diesen Böses: nennt sie Fehler.

_____

Jede große Idee, die als ein Evangelium in die Welt tritt, 131 wird dem stockenden pedantischen Volke ein Ärgernis und einem Viel- aber Leichtgebildeten eine Torheit.

_____

Jede große Idee, sobald sie in die Erscheinung tritt, wirkt 132 tyrannisch; daher die Vorteile, die sie hervorbringt, sich nur allzubald in Nachteile verwandeln. Man kann deshalb eine jede Institution verteidigen und rühmen, wenn man an

ihre Anfänge erinnert und darzutun weiß, daß alles, was
von ihr im Anfange gegolten, auch jetzt noch gelte.

———

133   In der Idee leben heißt, das Unmögliche behandeln, als
wenn es möglich wäre. Mit dem Charakter hat es dieselbe
Bewandtnis: treffen beide zusammen, so entstehen Ereignisse, worüber die Welt vom Erstaunen sich Jahrtausende
nicht erholen kann.

———

134   Napoleon, der ganz in der Idee lebte, konnte sie doch
im Bewußtsein nicht erfassen; er leugnet alles Ideelle durchaus und spricht ihm jede Wirklichkeit ab, indessen er eifrig
es zu verwirklichen trachtet. Einen solchen innern perpe-
tuierlichen Widerspruch kann aber sein klarer unbestech-
licher Verstand nicht ertragen, und es ist höchst wichtig,
wenn er, gleichsam genötigt, sich darüber gar eigen und
anmutig ausdrückt.

———

135   Er betrachtet die Idee als ein geistiges Wesen, das zwar
keine Realität hat, aber, wenn es verfliegt, ein Residuum
(caput mortuum) zurückläßt, dem wir die Wirklichkeit nicht
ganz absprechen können. Wenn dieses uns auch starr und
materiell genug scheinen mag, so spricht er sich ganz anders
aus, wenn er von den unaufhaltsamen Folgen seines Lebens
und Treibens mit Glauben und Zutrauen die Seinen unterhält. Da gesteht er wohl gern, daß Leben Lebendiges hervorbringe, daß eine gründliche Befruchtung auf alle Zeiten
hinauswirke. Er gefällt sich zu bekennen, daß er dem Welt-
gange eine frische Anregung, eine neue Richtung gegeben
habe.

———

136   Nichts ist widerwärtiger als die Majorität; denn sie besteht aus wenigen kräftigen Vorgängern, aus Schelmen,
die sich akkommodieren, aus Schwachen, die sich assimilieren, und der Masse, die nachtrollt, ohne nur im mindesten zu wissen, was sie will.

———

137   „Unser Anteil an öffentlichen Angelegenheiten ist meist
nur Philisterei."

———

Der Kampf des Alten, Bestehenden, Beharrenden mit 138
Entwicklung, Aus- und Umbildung ist immer derselbe. Aus
aller Ordnung entsteht zuletzt Pedanterie; um diese los zu
werden, zerstört man jene, und es geht eine Zeit hin, bis
man gewahr wird, daß man wieder Ordnung machen müsse.
Klassizismus und Romantizismus, Innungszwang und Ge-
werbsfreiheit, Festhalten und Zersplittern des Grund-
bodens: es ist immer derselbe Konflikt, der zuletzt wieder
einen neuen erzeugt. Der größte Verstand des Regierenden
wäre daher, diesen Kampf so zu mäßigen, daß er ohne
Untergang der einen Seite sich ins Gleiche stellte; dies ist
aber den Menschen nicht gegeben, und Gott scheint es auch
nicht zu wollen.

———

Einen gerüsteten, auf die Defensive berechneten Zu- 139
stand kann kein Staat aushalten.

———

Was von seiten der Monarchen in den Zeitungen gedruckt 140
wird, nimmt sich nicht gut aus; denn die Macht soll handeln
und nicht reden. Was die Liberalen vorbringen, läßt sich
immer lesen; denn der Übermächtigte, weil er nicht handeln
kann, mag sich wenigstens redend äußern. „Laßt sie singen,
wenn sie nur bezahlen!" sagte Mazarin, als man ihm die
Spottlieder auf eine neue Steuer vorlegte.

———

In den Zeitungen ist alles Offizielle geschraubt, das üb- 141
rige platt.

———

Wenn man einige Monate die Zeitungen nicht gelesen 142
hat und man liest sie alsdann zusammen, so zeigt sich erst,
wie viel Zeit man mit diesen Papieren verdirbt. Die Welt
war immer in Parteien geteilt, besonders ist sie es jetzt, und
während jedes zweifelhaften Zustandes kirrt der Zeitungs-
schreiber eine oder die andere Partei mehr oder weniger
und nährt die innere Neigung und Abneigung von Tag zu
Tag, bis zuletzt Entscheidung eintritt und das Geschehene
wie eine Gottheit angestaunt wird.

———

143   Zensur und Preßfreiheit werden immerfort miteinander kämpfen. Zensur fordert und übt der Mächtige, Preßfreiheit verlangt der Mindere. Jener will weder in seinen Planen noch seiner Tätigkeit durch vorlautes widersprechendes Wesen gehindert, sondern gehorcht sein; diese wollen ihre Gründe aussprechen, den Ungehorsam zu legitimieren. Dieses wird man überall geltend finden.

144   Doch muß man auch hier bemerken, daß der Schwächere, der leidende Teil gleichfalls auf seine Weise die Preßfreiheit zu unterdrücken sucht, und zwar in dem Falle, wenn er konspiriert und nicht verraten sein will.

145   Nach Preßfreiheit schreit niemand, als wer sie mißbrauchen will.

146   Wenn ich von liberalen Ideen reden höre, so verwundere ich mich immer, wie die Menschen sich gern mit leeren Wortschällen hinhalten: eine Idee darf nicht liberal sein! Kräftig sei sie, tüchtig, in sich selbst abgeschlossen, damit sie den göttlichen Auftrag, produktiv zu sein, erfülle. Noch weniger darf der Begriff liberal sein; denn der hat einen ganz andern Auftrag.

147   Wo man die Liberalität aber suchen muß, das ist in den Gesinnungen, und diese sind das lebendige Gemüt.

148   Gesinnungen aber sind selten liberal, weil die Gesinnung unmittelbar aus der Person, ihren nächsten Beziehungen und Bedürfnissen hervorgeht.

149   Weiter schreiben wir nicht; an diesem Maßstab halte man, was man tagtäglich hört!

150   Die liberalen Schriftsteller spielen jetzt ein gutes Spiel, sie haben das ganze Publikum zu Suppleanten.

Toleranz sollte eigentlich nur eine vorübergehende Gesinnung sein: sie muß zur Anerkennung führen. Dulden heißt beleidigen. [151]

_____

Die wahre Liberalität ist Anerkennung. [152]

_____

Allein kann der Mensch nicht wohl bestehen, daher schlägt er sich gern zu einer Partei, weil er da, wenn auch nicht Ruhe, doch Beruhigung und Sicherheit findet. [153]

_____

Wir brauchen in unserer Sprache ein Wort, das, wie Kindheit sich zu Kind verhält, so das Verhältnis Volkheit zum Volke ausdrückt. Der Erzieher muß die Kindheit hören, nicht das Kind; der Gesetzgeber und Regent die Volkheit, nicht das Volk. Jene spricht immer dasselbe aus, ist vernünftig, beständig, rein und wahr; dieses weiß niemals für lauter Wollen, was es will. Und in diesem Sinne soll und kann das Gesetz der allgemein ausgesprochene Wille der Volkheit sein, ein Wille, den die Menge niemals ausspricht, den aber der Verständige vernimmt, und den der Vernünftige zu befriedigen weiß und der Gute gern befriedigt. [154]

_____

Ob eine Nation reif werden könne, ist eine wunderliche Frage. Ich beantworte sie mit Ja, wenn alle Männer als dreißigjährig geboren werden könnten; da aber die Jugend vorlaut, das Alter aber kleinlaut ewig sein wird, so ist der eigentlich reife Mann immer zwischen beiden geklemmt und wird sich auf eine wunderliche Weise behelfen und durchhelfen müssen. [155]

_____

Keine Nation gewinnt ein Urteil, als wenn sie über sich selbst urteilen kann. Zu diesem großen Vorteil gelangt sie aber sehr spät. [156]

_____

Der echte Deutsche bezeichnet sich durch mannigfaltige Bildung und Einheit des Charakters. [157]

_____

Der Deutsche läuft keine größere Gefahr, als sich mit und an seinen Nachbarn zu steigern. Es ist vielleicht keine [158]

Nation geeigneter, sich aus sich selbst zu entwickeln; deswegen es ihr zum größten Vorteil gereichte, daß die Außenwelt von ihr so spät Notiz nahm.

———

159   Der Deutsche hat Freiheit der Gesinnung, und daher
merkt er nicht, wenn es ihm an Geschmacks- und Geistes-
freiheit fehlt.

———

160   Den Deutschen ist nichts daran gelegen, zusammen zu
bleiben, aber doch, für sich zu bleiben. Jeder, sei er auch,
welcher er wolle, hat so ein eignes Fürsich, das er sich
nicht gern möchte nehmen lassen.

———

161   Wenn ein deutscher Literator seine Nation vormals beherrschen wollte, so mußte er ihr nur glauben machen, es
sei einer da, der sie beherrschen wolle. Da waren sie gleich
so verschüchtert, daß sie sich, von wem es auch wäre, gern
beherrschen ließen.

———

162   Die Deutschen der alten Zeit freute nichts, als daß keiner
dem andern gehorchen durfte.

———

163   Die Deutschen der neueren Zeit haben nichts anders für
Denk- und Preßfreiheit gehalten, als daß sie sich einander
öffentlich mißachten dürfen.

———

164   Es ist nun schon bald zwanzig Jahre, daß die Deutschen
sämtlich transzendieren. Wenn sie es einmal gewahr werden,
müssen sie sich wunderlich vorkommen.

———

165   Die Deutschen sollten in einem Zeitraume von dreißig
Jahren das Wort Gemüt nicht aussprechen, dann würde
nach und nach Gemüt sich wieder erzeugen; jetzt heißt
es nur Nachsicht mit Schwächen, eignen und fremden.

———

166   Zu berichtigen verstehen die Deutschen, nicht nach-
zuhelfen.

———

167   Gerechtigkeit: Eigenschaft und Phantom der Deutschen.

———

Ein Deutscher war schon absurd, solang er hoffte; da er 168
nun überwunden war, so war gar nicht mehr mit ihm zu
leben.

_____

Man kann sich nicht verleugnen, daß die deutsche Welt, 169
mit vielen, guten, trefflichen Geistern geschmückt, immer
uneiniger, unzusammenhängender in Kunst und Wissenschaft, sich auf historischem, theoretischem und prak-
tischem Wege immer mehr verirrt und verwirrt.

_____

Was die Franzosen tournure nennen, ist eine zur Anmut 170
gemilderte Anmaßung. Man sieht daraus, daß die Deutschen keine tournure haben können; ihre Anmaßung ist
hart und herb, ihre Anmut mild und demütig, das eine
schließt das andere aus und sind nicht zu verbinden.

_____

Die Engländer werden uns beschämen durch reinen 171
Menschenverstand und guten Willen, die Franzosen durch
geistreiche Umsicht und praktische Ausführung.

_____

Jüdisches Wesen: 172
Energie der Grund von allem.
Unmittelbare Zwecke.
Keiner, auch nur der kleinste geringste Jude, der nicht ent-
schiedenes Bestreben verriete, und zwar ein irdisches, zeit-
liches, augenblickliches.
Judensprache hat etwas Pathetisches.

_____

Fehler der sogenannten Aufklärung: daß sie Menschen 173
Vielseitigkeit gibt, deren einseitige Lage man nicht ändern
kann.

_____

In einigen Staaten ist infolge der erlebten heftigen Be- 174
wegungen fast in allen Richtungen eine gewisse Übertreibung im Unterrichtswesen eingetreten, dessen Schädlichkeit in der Folge allgemeiner eingesehen, aber jetzt schon
von tüchtigen redlichen Vorstehern solcher Anstalten vollkommen anerkannt ist. Treffliche Männer leben in einer Art
von Verzweiflung, daß sie dasjenige, was sie amts- und

vorschriftsgemäß lehren und überliefern müssen, für unnütz und schädlich halten.

———

175   Welche Erziehungsart ist für die beste zu halten? Antwort: die der Hydrioten. Als Insulaner und Seefahrer nehmen sie ihre Knaben gleich mit zu Schiffe und lassen sie im Dienste herankrabeln. Wie sie etwas leisten, haben sie Teil am Gewinn; und so kümmern sie sich schon um Handel, Tausch und Beute, und es bilden sich die tüchtigsten Küsten- und Seefahrer, die klügsten Handelsleute und verwegensten Piraten. Aus einer solchen Masse können denn freilich Helden hervortreten, die den verderblichen Brander mit eigener Hand an das Admiralschiff der feindlichen Flotte festklammern.

———

176   Wer sich von nun an nicht auf eine Kunst oder Handwerk legt, der wird übel dran sein. Das Wissen fördert nicht mehr bei dem schnellen Umtriebe der Welt; bis man von allem Notiz genommen hat, verliert man sich selbst.

———

177   Eine allgemeine Ausbildung dringt uns jetzt die Welt ohnehin auf, wir brauchen uns deshalb darum nicht weiter zu bemühen; das Besondere müssen wir uns zueignen.

———

178   Es begegnet mir von Zeit zu Zeit ein Jüngling, an dem ich nichts verändert noch gebessert wünschte; nur macht mir bange, daß ich manchen vollkommen geeignet sehe, im Zeitstrom mit fortzuschwimmen, und hier ist's, wo ich immerfort aufmerksam machen möchte: daß dem Menschen in seinem zerbrechlichen Kahn eben deshalb das Ruder in die Hand gegeben ist, damit er nicht der Willkür der Wellen, sondern dem Willen seiner Einsicht Folge leiste.

———

179   Wie soll nun aber ein junger Mann für sich selbst dahin gelangen, dasjenige für tadelnswert und schädlich anzusehen, was jedermann treibt, billigt und fördert? Warum soll er sich nicht und sein Naturell auch dahin gehen lassen?

———

Für das größte Unheil unserer Zeit, die nichts reif werden 180
läßt, muß ich halten, daß man im nächsten Augenblick den
vorhergehenden verspeist, den Tag im Tage vertut und so
immer aus der Hand in den Mund lebt, ohne irgend etwas
vor sich zu bringen. Haben wir doch schon Blätter für sämtliche Tageszeiten! Ein guter Kopf könnte wohl noch eins
und das andere interkalieren. Dadurch wird alles, was ein
jeder tut, treibt, dichtet, ja was er vorhat, ins Öffentliche geschleppt. Niemand darf sich freuen oder leiden als zum
Zeitvertreib der übrigen, und so springt's von Haus zu Haus,
von Stadt zu Stadt, von Reich zu Reich und zuletzt von
Weltteil zu Weltteil, alles veloziferisch.

———

So wenig nun die Dampfmaschinen zu dämpfen sind, 181
so wenig ist dies auch im Sittlichen möglich: die Lebhaftigkeit des Handels, das Durchrauschen des Papiergelds, das
Anschwellen der Schulden, um Schulden zu bezahlen, das
alles sind die ungeheuern Elemente, auf die gegenwärtig
ein junger Mann gesetzt ist. Wohl ihm, wenn er von der
Natur mit mäßigem ruhigem Sinn begabt ist, um weder
unverhältnismäßige Forderungen an die Welt zu machen,
noch auch von ihr sich bestimmen zu lassen!

———

Aber in einem jeden Kreise bedroht ihn der Tagesgeist, 182
und nichts ist nötiger, als früh genug ihm die Richtung bemerklich zu machen, wohin sein Wille zu steuern hat.

———

Was ist das für eine Zeit, wo man die Begrabenen benei- 183
den muß?

———

Man mag nicht mit jedem leben, und so kann man auch 184
nicht für jeden leben; wer das recht einsieht, wird seine
Freunde höchlich zu schätzen wissen, seine Feinde nicht
hassen noch verfolgen; vielmehr erlangt der Mensch nicht
leicht einen größeren Vorteil, als wenn er die Vorzüge seiner
Widersacher gewahr werden kann: dies gibt ihm ein entschiedenes Übergewicht über sie.

———

185   Gehen wir in die Geschichte zurück, so finden wir überall Persönlichkeiten, mit denen wir uns vertrügen, andere, mit denen wir uns gewiß in Widerstreit befänden.

----

186   Das Wichtigste bleibt jedoch das Gleichzeitige, weil es sich in uns am reinsten abspiegelt, wir uns in ihm.

----

187   Cato ward in seinem Alter gerichtlich angeklagt, da er denn in seiner Verteidigungsrede hauptsächlich hervorhob, man könne sich vor niemand verteidigen als vor denen, mit denen man gelebt habe. Und er hat vollkommen recht: wie will eine Jury aus Prämissen urteilen, die ihr ganz abgehen? Wie will sie sich über Motive beraten, die schon längst hinter ihr liegen?

----

188   „Unter allen Völkerschaften haben die Griechen den Traum des Lebens am schönsten geträumt."

----

189   Pflicht des Historikers, das Wahre vom Falschen, das Gewisse vom Ungewissen, das Zweifelhafte vom Verwerflichen zu unterscheiden.

----

190   Die Frage, wer höher steht, der Historiker oder der Dichter, darf gar nicht aufgeworfen werden; sie konkurrieren nicht miteinander, so wenig als der Wettläufer und der Faustkämpfer. Jedem gebührt seine eigene Krone.

----

191   Die Pflicht des Historikers ist zwiefach: erst gegen sich selbst, dann gegen den Leser. Bei sich selbst muß er genau prüfen, was wohl geschehen sein könnte, und um des Lesers willen muß er festsetzen, was geschehen sei. Wie er mit sich selbst handelt, mag er mit seinen Kollegen ausmachen; das Publikum muß aber nicht ins Geheimnis hineinsehen, wie wenig in der Geschichte als entschieden ausgemacht kann angesprochen werden.

----

192   Eine Chronik schreibt nur derjenige, dem die Gegenwart wichtig ist.

Geschichte schreiben ist eine Art, sich das Vergangene 193
vom Halse zu schaffen.

_____

Da wir denn doch zu dieser allgemeinen Weltberatung 194
als Assessoren, obgleich sine voto, berufen sind und wir uns
von den Zeitungsschreibern tagtäglich referieren lassen, so
ist es ein Glück, auch aus der Vorzeit tüchtig Referierende
zu finden. Für mich sind von Raumer und Wachler in
den neusten Tagen dergleichen geworden.

_____

Den einzelnen Verkehrtheiten des Tags sollte man immer 195
nur große weltgeschichtliche Massen entgegensetzen.

_____

Wer die Entdeckung der Luftballone miterlebt hat, wird 196
ein Zeugnis geben, welche Weltbewegung daraus entstand,
welcher Anteil die Luftschiffer begleitete, welche Sehnsucht
in soviel tausend Gemütern hervordrang, an solchen längst
vorausgesetzten, vorausgesagten, immer geglaubten und
immer unglaublichen, gefahrvollen Wanderungen teilzunehmen, wie frisch und umständlich jeder einzelne glückliche
Versuch die Zeitungen füllte, zu Tagesheften und Kupfern
Anlaß gab, welchen zarten Anteil man an den unglücklichen
Opfern solcher Versuche genommen. Dies ist unmöglich
selbst in der Erinnerung wiederherzustellen, so wenig, als
wie lebhaft man sich für einen vor dreißig Jahren ausgebro-
chenen, höchst bedeutenden Krieg interessierte.

_____

Der Konflikt des Individuums mit der unmittelbaren 197
Erfahrung und der mittelbaren Überlieferung ist eigentlich die Geschichte der Wissenschaften: denn was in und
von ganzen Massen geschieht, bezieht sich doch nur zuletzt
auf ein tüchtigeres Individuum, das alles sammeln, sondern,
redigieren und vereinigen soll; wobei es wirklich ganz einerlei ist, ob die Zeitgenossen ein solch Bemühen begünstigen
oder ihm widerstreben. Denn was heißt begünstigen, als
das Vorhandene vermehren und allgemein machen. Dadurch wird wohl genutzt, aber die Hauptsache nicht gefördert.

_____

198   Sowohl in Absicht auf Überlieferung als eigene Erfahrung
muß nach Natur der Individuen, Nationen und Zeiten ein
sonderbares Entgegenstreben, Schwanken und Vermischen
entstehen.

_____

199   Es gibt zweierlei Erfahrungsarten, die Erfahrung des
Abwesenden und die des Gegenwärtigen. Die Erfahrung
des Abwesenden, wozu das Vergangene gehört, machen wir
auf fremde Autorität, die des Gegenwärtigen sollten wir auf
eigene Autorität machen. Beides gehörig zu tun, ist die
Natur des Individuums durchaus unzulänglich.

_____

200   Wir stehen mit der Überlieferung beständig im Kampfe,
und jene Forderung, daß wir die Erfahrung des Gegenwärtigen auf eigene Autorität machen sollten, ruft uns gleichfalls zu einem bedenklichen Streit auf. Und doch fühlt ein
Mensch, dem eine originelle Wirksamkeit zuteil geworden,
den Beruf, diesen doppelten Kampf persönlich zu bestehen,
der durch den Fortschritt der Wissenschaften nicht erleichtert, sondern erschwert wird. Denn es ist am Ende doch nur
immer das Individuum, das einer breiteren Natur und
breiteren Überlieferung Brust und Stirn bieten soll.

_____

201   Die ineinandergreifenden Menschen- und Zeitalter nötigen uns, eine mehr oder weniger untersuchte Überlieferung gelten zu lassen, um so mehr als auf der Möglichkeit
dieser Überlieferung die Vorzüge des menschlichen Geschlechts beruhen.
   Überlieferung fremder Erfahrung, fremden Urteils sind
bei so großen Bedürfnissen der eingeschränkten Menschheit
höchst willkommen, besonders wenn von hohen Dingen,
von allgemeinen Anstalten die Rede ist.

_____

202   Das Abwesende wirkt auf uns durch Überlieferung. Die
gewöhnliche ist historisch zu nennen; eine höhere, der
Einbildungskraft verwandte, ist mythisch. Sucht man hinter
dieser noch etwas Drittes, irgendeine Bedeutung, so verwandelt sie sich in Mystik. Auch wird sie leicht sentimental,
so daß wir uns nur, was gemütlich ist, aneignen.

_____

Ein historisches Menschengefühl heißt ein dergestalt 203
gebildetes, daß es bei Schätzung gleichzeitiger Verdienste
und Verdienstlichkeiten auch die Vergangenheit mit in Anschlag bringt.

_____

Es gibt bedeutende Zeiten, von denen wir wenig wissen, 204
Zustände, deren Wichtigkeit uns nur durch ihre Folgen
deutlich wird. Diejenige Zeit, welche der Same unter der
Erde zubringt, gehört vorzüglich mit zum Pflanzenleben.

_____

Es gibt auffallende Zeiten, von denen uns weniges, aber 205
höchst Merkwürdiges bekannt ist. Hier treten außerordentliche Individuen hervor, es ereignen sich seltsame Begebenheiten. Solche Epochen geben einen entschiedenen Eindruck, sie erregen große Bilder, die uns durch ihr Einfaches
anziehen.

_____

Die historischen Zeiten erscheinen uns im vollen Tag. 206
Man sieht vor lauter Licht keinen Schatten, vor lauter
Hellung keinen Körper, den Wald nicht vor Bäumen, die
Menschheit nicht vor Menschen; aber es sieht aus, als wenn
jedermann und allem Recht geschähe, und so ist jedermann
zufrieden.

_____

Die Existenz irgendeines Wesens erscheint uns ja nur, 207
insofern wir uns desselben bewußt werden. Daher sind wir
ungerecht gegen die stillen dunklen Zeiten, in denen der
Mensch, unbekannt mit sich selbst, aus innerm starken
Antrieb tätig war, trefflich vor sich hin wirkte und kein
anderes Dokument seines Daseins zurückließ als eben die
Wirkung, welche höher zu schätzen wäre als alle Nachrichten.

_____

Höchst reizend ist für den Geschichtsforscher der Punkt, 208
wo Geschichte und Sage zusammengrenzen. Es ist meistens
der schönste der ganzen Überlieferung. Wenn wir uns aus
dem bekannten Gewordenen das unbekannte Werden aufzubauen genötigt finden, so erregt es eben die angenehme
Empfindung, als wenn wir eine uns bisher unbekannte

gebildete Person kennenlernen und die Geschichte ihrer Bildung lieber herausahnden als herausforschen.

———

209   Nur müßte man nicht so griesgrämig, wie es würdige Historiker neuerer Zeit getan haben, auf Dichter und Chronikenschreiber herabsehen.

———

210   Betrachtet man die einzelne frühere Ausbildung der Zeiten, Gegenden, Ortschaften, so kommen uns aus der dunklen Vergangenheit überall tüchtige und vortreffliche Menschen, tapfere, schöne, gute in herrlicher Gestalt entgegen. Der Lobgesang der Menschheit, dem die Gottheit so gerne zuhören mag, ist niemals verstummt, und wir selbst fühlen ein göttliches Glück, wenn wir die durch alle Zeiten und Gegenden verteilten harmonischen Ausströmungen bald in einzelnen Stimmen, in einzelnen Chören, bald fugenweise, bald in einem herrlichen Vollgesang vernehmen.

———

211   Freilich müßte man mit reinem frischen Ohre hinlauschen und jedem Vorurteil selbstsüchtiger Parteilichkeit, mehr vielleicht als dem Menschen möglich ist, entsagen.

———

212   Es gibt zwei Momente der Weltgeschichte, die bald aufeinander folgen, bald gleichzeitig, teils einzeln und abgesondert, teils höchst verschränkt, sich an Individuen und Völkern zeigen.

———

213   Der erste ist derjenige, in welchem sich die einzelnen nebeneinander frei ausbilden; dies ist die Epoche des Werdens, des Friedens, des Nährens, der Künste, der Wissenschaften, der Gemütlichkeit, der Vernunft. Hier wirkt alles nach innen und strebt in den besten Zeiten zu einem glücklichen, häuslichen Auferbauen; doch löst sich dieser Zustand zuletzt in Parteisucht und Anarchie auf.

———

214   Die zweite Epoche ist die des Benutzens, des Kriegens, des Verzehrens, der Technik, des Wissens, des Verstandes. Die Wirkungen sind nach außen gerichtet; im schönsten und höchsten Sinne gewährt dieser Zeitpunkt Dauer und

Genuß unter gewissen Bedingungen. Leicht artet jedoch ein solcher Zustand in Selbstsucht und Tyrannei aus, wo man sich aber keinesweges den Tyrannen als eine einzelne Person zu denken nötig hat; es gibt eine Tyrannei ganzer Massen, die höchst gewaltsam und unwiderstehlich ist.

————

Man mag sich die Bildung und Wirkung der Menschen 215 unter welchen Bedingungen man will denken, so schwanken beide durch Zeiten und Länder, durch Einzelnheiten und Massen, die proportionierlich und unproportionierlich aufeinander wirken; und hier liegt das Inkalkulable, das Inkommensurable der Weltgeschichte. Gesetz und Zufall greifen ineinander, der betrachtende Mensch aber kommt oft in den Fall, beide miteinander zu verwechseln, wie sich besonders an parteiischen Historikern bemerken läßt, die zwar meistens unbewußt, aber doch künstlich genug sich eben dieser Unsicherheit zu ihrem Vorteil bedienen.

————

Das Beste, was wir von der Geschichte haben, ist der 216 Enthusiasmus, den sie erregt.

————

Über Geschichte kann niemand urteilen, als wer an sich 217 selbst Geschichte erlebt hat. So geht es ganzen Nationen. Die Deutschen können erst über Literatur urteilen, seitdem sie selbst eine Literatur haben.

————

Besieht man es genauer, so findet sich, daß dem Ge- 218 schichtschreiber selbst die Geschichte nicht leicht historisch wird; denn der jedesmalige Schreiber schreibt immer nur so, als wenn er damals selbst dabei gewesen wäre, nicht aber, was vormals war und damals bewegte. Der Chronikenschreiber selbst deutet nur mehr oder weniger auf die Beschränktheit, auf die Eigenheiten seiner Stadt, seines Klosters wie seines Zeitalters.

————

Sogar ist es selten, daß jemand im höchsten Alter sich 219 selbst historisch wird, und daß ihm die Mitlebenden historisch werden, so daß er mit niemanden mehr kontrovertieren mag noch kann.

————

220 Die Geschichte wie das Universum, das sie repräsentieren soll, hat einen realen und idealen Teil.

---

221 Zum idealen Teile gehört der Kredit, zum realen Besitztum, physische Macht pp.

---

222 Der Kredit ist eine durch reale Leistungen erzeugte Idee der Zuverlässigkeit.

---

223 Jeder Besitz ist eine plumpe Sache, und es ist gut, daß darüber abgesprochen werde, ne incerta sint rerum dominia.

---

224 Der Historiker kann und braucht nicht alles aufs Gewisse zu führen; wissen doch die Mathematiker auch nicht zu erklären, warum der Komet von 1770, der in fünf oder eilf Jahren wiederkommen sollte, sich zur bestimmten Zeit noch nicht wieder hat sehen lassen.

---

225 Es ist mit der Geschichte wie mit der Natur, wie mit allem Profunden, es sei vergangen, gegenwärtig oder zukünftig: je tiefer man ernstlich eindringt, desto schwierigere Probleme tun sich hervor. Wer sie nicht fürchtet, sondern kühn darauf losgeht, fühlt sich, indem er weiter gedeiht, höher gebildet und behaglicher.

DENKEN UND TUN

226 Die Weisheit ist nur in der Wahrheit.

---

227 Das Höchste, was wir von Gott und der Natur erhalten haben, ist das Leben, die rotierende Bewegung der Monas um sich selbst, welche weder Rast noch Ruhe kennt; der Trieb, das Leben zu hegen und zu pflegen, ist einem jeden unverwüstlich eingeboren, die Eigentümlichkeit desselben jedoch bleibt uns und andern ein Geheimnis.

---

228 Die zweite Gunst der von oben wirkenden Wesen ist das Erlebte, das Gewahrwerden, das Eingreifen der lebendig-

beweglichen Monas in die Umgebungen der Außenwelt,
wodurch sie sich erst selbst als innerlich Grenzenloses, als
äußerlich Begrenztes gewahr wird. Über dieses Erlebte
können wir, obgleich Anlage, Aufmerksamkeit und Glück
dazu gehört, in uns selbst klar werden; andern bleibt aber
auch dies immer ein Geheimnis.

―――――

Als Drittes entwickelt sich nun dasjenige, was wir als [229]
Handlung und Tat, als Wort und Schrift gegen die Außenwelt richten; dieses gehört derselben mehr an als uns selbst,
so wie sie sich darüber auch eher verständigen kann, als wir
es selbst vermögen; jedoch fühlt sie, daß sie, um recht klar
darüber zu werden, auch von unserm Erlebten soviel als
möglich zu erfahren habe. Weshalb man auch auf Jugend-
anfänge, Stufen der Bildung, Lebenseinzelnheiten, Anekdoten und dergleichen höchst begierig ist.

―――――

Dieser Wirkung nach außen folgt unmittelbar eine Rück- [230]
wirkung, es sei nun, daß Liebe uns zu fördern suche oder
Haß uns zu hindern wisse. Dieser Konflikt bleibt sich im
Leben ziemlich gleich, indem ja der Mensch sich gleich
bleibt und ebenso alles dasjenige, was Zuneigung oder Abneigung an seiner Art zu sein empfinden muß.

―――――

Was Freunde mit und für uns tun, ist auch ein Erlebtes; [231]
denn es stärkt und fördert unsere Persönlichkeit. Was Feinde
gegen uns unternehmen, erleben wir nicht, wir erfahren's
nur, lehnen's ab und schützen uns dagegen wie gegen Frost,
Sturm, Regen und Schloßenwetter oder sonst äußere Übel,
die zu erwarten sind.

―――――

Mit Gedanken, die nicht aus der tätigen Natur entsprun- [232]
gen sind und nicht wieder aufs tätige Leben wohltätig hin-
wirken und so in einem mit dem jedesmaligen Lebens-
zustand übereinstimmenden mannigfaltigen Wechsel unaufhörlich entstehen und sich auflösen, ist der Welt wenig
geholfen.

―――――

233 Der lebendige begabte Geist, sich in praktischer Absicht ans Allernächste haltend, ist das Vorzüglichste auf Erden.

---

234 Alle praktische Menschen suchen sich die Welt hand-recht zu machen; alle Denker wollen sie kopfrecht haben. Wie weit es jedem gelingt, mögen sie zusehen.

---

235 Es ist nicht genug zu wissen, man muß auch anwenden; es ist nicht genug zu wollen, man muß auch tun.

---

236 Wie viele Jahre muß man nicht tun, um nur einiger-maßen zu wissen, was und wie es zu tun sei!

---

237 Mein ganzes inneres Wirken erwies sich als eine lebendige Heuristik, welche, eine unbekannte geahnete Regel an-erkennend, solche in der Außenwelt zu finden und in die Außenwelt einzuführen trachtet.

---

238 Setze den Stein nach der Richtschnur, nicht die Richt-schnur nach dem Stein.

---

239 Wenn sie wüßten, wo das liegt, was sie suchen, so suchten sie ja nicht.

---

240 Man muß eine Sache gefunden haben, wenn man wissen will, wo sie liegt.

---

241 Was man nicht versteht, besitzt man nicht.

---

242 Denken ist interessanter als Wissen, aber nicht als An-schauen.

---

243 Gewöhnliches Anschauen, richtige Ansicht der irdi-schen Dinge ist ein Erbteil des allgemeinen Menschen-verstandes; reines Anschauen des Äußern und Innern ist sehr selten.

---

244 Es äußert sich jenes im praktischen Sinn, im unmittel-baren Handeln; dieses symbolisch, vorzüglich durch Mathe-

matik, in Zahlen und Formeln, durch Rede, uranfänglich, tropisch, als Poesie des Genies, als Sprichwörtlichkeit des Menschenverstandes. _____

Die Natur hat sich so viel Freiheit vorbehalten, daß wir 245 mit Wissen und Wissenschaft ihr nicht durchgängig beikommen oder sie in die Enge treiben können. _____

Um mich zu retten, betrachte ich alle Erscheinungen als 246 unabhängig voneinander und suche sie gewaltsam zu isolieren; dann betrachte ich sie als Korrelate, und sie verbinden sich zu einem entschiedenen Leben. Dies bezieh ich vorzüglich auf Natur; aber auch in bezug auf die neueste, um uns her bewegte Weltgeschichte ist diese Betrachtungsweise fruchtbar. _____

Es sind immer nur unsere Augen, unsere Vorstellungs- 247 arten; die Natur weiß ganz allein, was sie will, was sie gewollt hat. _____

Es ist ein angenehmes Geschäft, die Natur zugleich und 248 sich selbst zu erforschen, weder ihr noch seinem Geiste Gewalt anzutun, sondern beide durch gelinden Wechseleinfluß mit einander ins Gleichgewicht zu setzen. _____

Es ist nichts furchtbarer anzuschauen als grenzenlose 249 Tätigkeit ohne Fundament. Glücklich diejenigen, die im Praktischen gegründet sind und sich zu gründen wissen! Hiezu bedarf's aber einer ganz eigenen Doppelgabe. _____

Es ist nichts schrecklicher als eine tätige Unwissenheit. 250 _____

Der Handelnde ist immer gewissenlos; es hat niemand 251 Gewissen als der Betrachtende. _____

Es ist nichts trauriger anzusehn als das unvermittelte 252 Streben ins Unbedingte in dieser durchaus bedingten Welt; es erscheint im Jahre 1830 vielleicht ungehöriger als je. _____

253   Im Betrachten wie im Handeln ist das Zugängliche von dem Unzugänglichen zu unterscheiden; ohne dies läßt sich im Leben wie im Wissen wenig leisten.

---

254   Lessing, der mancherlei Beschränkung unwillig fühlte, läßt eine seiner Personen sagen: „Niemand muß müssen." Ein geistreicher frohgesinnter Mann sagte: „Wer will, der muß." Ein Dritter, freilich ein Gebildeter, fügte hinzu: „Wer einsieht, der will auch." Und so glaubte man den ganzen Kreis des Erkennens, Wollens und Müssens abgeschlossen zu haben. Aber im Durchschnitt bestimmt die Erkenntnis des Menschen, von welcher Art sie auch sei, sein Tun und Lassen; deswegen auch nichts schrecklicher ist, als die Unwissenheit handeln zu sehen.

---

255   Die Wirksamkeiten, auf die wir achten müssen, wenn wir wahrhaft gefördert sein wollen, sind:
                    vorbereitende,
                    begleitende,
                    mitwirkende,
                    nachhelfende,
                    fördernde,
                    verstärkende,
                    hindernde,
                    nachwirkende.

---

256   Wenn mir eine Sache mißfällt, so laß ich sie liegen oder mache sie besser.

---

257   Wer hätte mit mir Geduld haben sollen, wenn ich's nicht gehabt hätte?

---

258   Ich habe mich so lange ums Allgemeine bemüht, bis ich einsehen lernte, was vorzügliche Menschen im Besondern leisten.

---

259   Geselligkeit lag in meiner Natur; deswegen ich bei vielfachem Unternehmen mir Mitarbeiter gewann und mich

ihnen zum Mitarbeiter bildete und so das Glück erreichte,
mich in ihnen und sie in mir fortleben zu sehn.

———

Leichtsinnige leidenschaftliche Begünstigung proble- 260
matischer Talente war ein Fehler meiner frühern Jahre,
den ich niemals ganz ablegen konnte.

———

Es gibt Personen, denen ich wohl will und wünschte, 261
ihnen besser wollen zu können.

———

Das, was man für sie tut, ist nicht genug, das, was man 262
für sie getan hat, ist nichts: die ganze Existenz, die man
ihnen geschaffen hat, nehmen sie von Gottes Gnaden, und
so ist man, als wenn man nicht wäre, nicht gewesen wäre.

———

Von denen selbst, die sich mit meiner Vorstellungsart 263
befreundeten, ist keiner über mich ...

———

Wer sich von jeher erlaubt hätte, die Welt so schlecht 264
anzusehen, wie uns die Widersacher darstellen, der müßte
ein miserables Subjekt geworden sein.

———

Indes wir, dem Ungeheuren unterworfen, kaum auf- und 265
umschauen, was zu tun sei und wohin wir unser Bestes von
Kräften, Tätigkeiten hinwenden sollen, und des höchsten
Enthusiasmus bedürftig sind, der nur nachhalten kann,
wenn er nicht empirisch ist, nagen zwar keine Lind-, aber
Lump-Würme an unsern Täglichkeiten.

———

Die Bedeutsamkeit der unschuldigsten Reden und Hand- 266
lungen wächst mit den Jahren, und wen ich länger um mich
sehe, den suche ich immerfort aufmerksam zu machen,
welch ein Unterschied stattfinde zwischen Aufrichtigkeit,
Vertrauen und Indiskretion, ja daß eigentlich kein Unterschied sei, vielmehr nur ein leiser Übergang vom Unver-
fänglichsten zum Schädlichsten, welcher bemerkt oder vielmehr empfunden werden müsse.

———

267   Hierauf haben wir unsern Takt zu üben, sonst laufen wir Gefahr, auf dem Wege, worauf wir uns die Gunst der Menschen erwarben, sie ganz unversehens wieder zu verscherzen. Das begreift man wohl im Laufe des Lebens von selbst, aber erst nach bezahltem teuren Lehrgelde, das man leider seinen Nachkommenden nicht ersparen kann.

———

268   Die Geognosie des Herrn d'Aubuisson de Voisins, übersetzt vom Herrn Wiemann, wie sie mir zu Handen kommt, fördert mich in diesem Augenblicke auf vielfache Weise, ob sie mich gleich im Hauptsinne betrübt; denn hier ist die Geognosie, welche doch eigentlich auf der lebendigen Ansicht der Weltoberfläche ruhen sollte, aller Anschauung beraubt und nicht einmal in Begriffe verwandelt, sondern auf Nomenklatur zurückgeführt, in welcher letzten Rücksicht sie freilich einem jeden und auch mir förderlich und nützlich ist.

———

269   Nichts Peinlichers habe gefunden, als mit jemand in widerwärtigem Verhältnis zu stehen, mit dem ich übrigens aus einem Sinne gern gehandelt hätte.

———

270   Es gibt Menschen, die auf die Mängel ihrer Freunde sinnen; dabei ist nichts zu gewinnen. Ich habe immer auf die Verdienste meiner Widersacher acht gehabt und davon Vorteil gezogen.

———

271   Ich höre das ganze Jahr jedermann anders reden, als ich's meine; warum sollt' ich denn auch nicht einmal sagen, wie ich gesinnt bin?

———

272   Anstatt meinen Worten zu widersprechen, sollten sie nach meinem Sinne handeln.

———

273   Die Menschen wundern sich, daß ich es besser weiß wie sie, und es ist kein Wunder, sie halten sehr oft für falsch, was ich denke.

———

Ich bin mit allen Menschen einig, die mich zunächst ²⁷⁴
angehen, und von den übrigen laß ich mir nichts mehr
gefallen, und da ist die Sache aus.

———

Es geht uns mit Büchern wie mit neuen Bekanntschaften. ²⁷⁵
Die erste Zeit sind wir hoch vergnügt, wenn wir im Allgemeinen Übereinstimmung finden, wenn wir uns an irgendeiner Hauptseite unserer Existenz freundlich berührt fühlen;
bei näherer Bekanntschaft treten alsdann erst die Differenzen
hervor, und da ist denn die Hauptsache eines vernünftigen
Betragens, daß man nicht, wie etwa in der Jugend geschieht,
sogleich zurückschaudere, sondern daß man gerade das
Übereinstimmende recht festhalte und sich über die Differenzen vollkommen aufkläre, ohne sich deshalb vereinigen
zu wollen.

———

Eine solche freundlich-belehrende Unterhaltung ist mir ²⁷⁶
durch Stiedenroths Psychologie geworden. Alle Wirkung des Äußern aufs Innere trägt er unvergleichlich vor,
und wir sehen die Welt nochmals nach und nach in uns entstehen. Aber mit der Gegenwirkung des Innern nach außen
gelingt es ihm nicht ebenso. Der Entelechie, die nichts
aufnimmt, ohne sich's durch eigene Zutat anzueignen, läßt
er nicht Gerechtigkeit widerfahren, und mit dem Genie will
es auf diesem Weg gar nicht fort; und wenn er das Ideal aus
der Erfahrung abzuleiten denkt und sagt: das Kind ideali-
siert nicht, so mag man antworten: das Kind zeugt
nicht; denn zum Gewahrwerden des Ideellen gehört auch
eine Pubertät. Doch genug, er bleibt uns ein werter Gesell
und Gefährte und soll nicht von unserer Seite kommen.

———

Das Erlebte weiß jeder zu schätzen, am meisten der ²⁷⁷
Denkende und Nachsinnende im Alter; er fühlt mit Zuversicht und Behaglichkeit, daß ihm das niemand rauben
kann.

———

So ruhen meine Naturstudien auf der reinen Basis des ²⁷⁸
Erlebten; wer kann mir nehmen, daß ich 1749 geboren bin,
daß ich (um vieles zu überspringen) mich aus Erxlebens

Naturlehre erster Ausgabe treulich unterrichtet, daß ich den
Zuwachs der übrigen Editionen, die sich durch Lichtenbergs Aufmerksamkeit grenzenlos anhäuften, nicht etwa
im Druck zuerst gesehen, sondern jede neue Entdeckung
im Fortschreiten sogleich vernommen und erfahren; daß
ich, Schritt für Schritt folgend, die großen Entdeckungen
der zweiten Hälfte des achtzehnten Jahrhunderts bis auf den
heutigen Tag wie einen Wunderstern nach dem andern vor
mir aufgehen sehe? Wer kann mir die heimliche Freude
nehmen, wenn ich mir bewußt bin, durch fortwährendes
aufmerksames Bestreben mancher großen weltüberraschen-
den Entdeckung selbst so nahe gekommen zu sein, daß
ihre Erscheinung gleichsam aus meinem eignen Innern
hervorbrach und ich nun die wenigen Schritte klar vor mir
liegen sah, welche zu wagen ich in düsterer Forschung
versäumt hatte?

––––––

279   Wie haben sich die Deutschen nicht gebärdet, um dasjenige abzuwehren, was ich allenfalls getan und geleistet
habe, und tun sie's nicht noch? Hätten sie alles gelten
lassen und wären weiter gegangen, hätten sie mit meinem
Erwerb gewuchert, so wären sie weiter, wie sie sind.

––––––

280   Daß die Naturforscher nicht durchaus mit mir einig
werden, ist bei der Stellung so verschiedener Denkweisen
ganz natürlich; die meinige werde ich gleichfalls künftig
zu behaupten suchen. Aber auch im ästhetischen und moralischen Felde wird es Mode, gegen mich zu streiten und zu
wirken. Ich weiß recht gut woher und wohin, warum und
wozu, erkläre mich aber weiter nicht darüber. Die Freunde,
mit denen ich gelebt, für die ich gelebt, werden sich und
mein Andenken aufrecht zu erhalten wissen.

––––––

281   Das Urteil können sie verwehren, aber die Wirkung nicht
hindern.

––––––

282   Wenn ich die Meinung eines andern anhören soll, so
muß sie positiv ausgesprochen werden; Problematisches
hab' ich in mir selbst genug.

––––––

Ich schweige zu vielem still; denn ich mag die Menschen 283
nicht irre machen und bin wohl zufrieden, wenn sie sich
freuen da, wo ich mich ärgere.

_____

Wir sehen in unser Leben doch nur als in ein Zerstückeltes 284
zurück, weil das Versäumte, Mißlungene uns immer zuerst
entgegentritt und das Geleistete, Erreichte in der Einbildungskraft überwiegt.

_____

Davon kommt dem teilnehmenden Jüngling nichts zur 285
Erscheinung; er sieht, genießt, benutzt die Jugend eines
Vorfahren und erbaut sich selbst daran aus dem Innersten
heraus, als wenn er schon einmal gewesen wäre, was er ist.

_____

Auf ähnliche, ja gleiche Weise erfreuen mich die mannig- 286
faltigen Anklänge, die aus fremden Ländern zu mir gelangen.
Fremde Nationen lernen erst später unsere Jugendarbeiten
kennen; ihre Jünglinge, ihre Männer, strebend und tätig,
sehen ihr Bild in unserm Spiegel, sie erfahren, daß wir das,
was sie wollen, auch wollten, ziehen uns in ihre Gemeinschaft und täuschen mit dem Schein einer rückkehrenden
Jugend.

_____

Professor Zaupers Deutsche Poetik aus Goethe, sowie 287
der Nachtrag zu derselben, Wien 1822, darf dem Dichter
wohl einen angenehmen Eindruck machen; es ist ihm, als
wenn er an Spiegeln vorbeiginge und sich im günstigen
Lichte dargestellt erblickte.

_____

Und wäre es denn anders? Was der junge Freund an uns 288
erlebt, ist ja gerade Handlung und Tat, Wort und Schrift,
die von uns in glücklichen Momenten ausgegangen sind,
zu denen wir uns immer gern bekennen.

_____

Panoramic ability schreibt mir ein englischer Kritiker 289
zu, wofür ich allerschönstens zu danken habe.

_____

Es ist mir in den Wissenschaften gegangen wie einem, 290
der früh aufsteht, in der Dämmrung die Morgenröte,

sodann aber die Sonne ungeduldig erwartet und doch, wie sie hervortritt, geblendet wird.

———

291 Das Wahre ist eine Fackel, aber eine ungeheure; deswegen suchen wir alle nur blinzend so daran vorbei zu kommen, in Furcht sogar, uns zu verbrennen.

———

292 Wahrheitsliebe zeigt sich darin, daß man überall das Gute zu finden und zu schätzen weiß.

———

293 Zum Ergreifen der Wahrheit braucht es ein viel höheres Organ als zur Verteidigung des Irrtums.

———

294 Die Menschen verdrießt's, daß das Wahre so einfach ist; sie sollten bedenken, daß sie noch Mühe genug haben, es praktisch zu ihrem Nutzen anzuwenden.

———

295 Die Sinne trügen nicht, das Urteil trügt.

———

296 Wer sich mit reiner Erfahrung begnügt und darnach handelt, der hat Wahres genug. Das heranwachsende Kind ist weise in diesem Sinne.

———

297 Je weiter man in der Erfahrung fortrückt, desto näher kommt man dem Unerforschlichen; je mehr man die Erfahrung zu nutzen weiß, desto mehr sieht man, daß das Unerforschliche keinen praktischen Nutzen hat.

———

298 Der Mensch muß bei dem Glauben verharren, daß das Unbegreifliche begreiflich sei; er würde sonst nicht forschen.

———

299 Eine tätige Skepsis: welche unablässig bemüht ist, sich selbst zu überwinden, um durch geregelte Erfahrung zu einer Art von bedingter Zuverlässigkeit zu gelangen.

———

300 Das Allgemeine eines solchen Geistes ist die Tendenz: zu erforschen, ob irgendeinem Objekt irgendein Prädikat wirklich zukomme, und geschieht diese Untersuchung in

der Absicht, das als geprüft Gefundene in praxi mit Sicherheit anwenden zu können.

———

Kant beschränkt sich mit Vorsatz in einen gewissen Kreis und deutet ironisch immer darüber hinaus. 301

———

Nicht alles Wünschenswerte ist erreichbar, nicht alles Erkennenswerte erkennbar. 302

———

Die Wissenschaft hilft uns vor allem, daß sie das Staunen, wozu wir von Natur berufen sind, einigermaßen erleichtere; sodann aber, daß sie dem immer gesteigerten Leben neue Fertigkeiten erwecke zu Abwendung des Schädlichen und Einleitung des Nutzbaren. 303

———

Auch in Wissenschaften kann man eigentlich nichts wissen, es will immer getan sein. 304

———

Das Wissen beruht auf der Kenntnis des zu Unterscheidenden, die Wissenschaft auf der Anerkennung des nicht zu Unterscheidenden. 305

———

Wissen: das Bedeutende der Erfahrung, das immer ins Allgemeine hinweist. 306

———

Wir würden unser Wissen nicht für Stückwerk erklären, wenn wir nicht einen Begriff von einem Ganzen hätten. 307

———

Das Wissen wird durch das Gewahrwerden seiner Lücken, durch das Gefühl seiner Mängel zur Wissenschaft geführt, welche vor, mit und nach allem Wissen besteht. 308

———

Im Wissen und Nachsinnen ist Falsches und Wahres. Wie das sich nun das Ansehn der Wissenschaft gibt, so wird's ein wahr-lügenhaftes Wesen. 309

———

Es ist so gewiß als wunderbar, daß Wahrheit und Irrtum aus einer Quelle entstehen; deswegen man oft dem Irrtum nicht schaden darf, weil man zugleich der Wahrheit schadet. 310

———

311   Da ich mit der Naturwissenschaft, wie sie sich von Tag
zu Tage vorwärtsbewegt, immer mehr bekannt und verwandt werde, so dringt sich mir gar manche Betrachtung
auf über die Vor- und Rückschritte, die zu gleicher Zeit
geschehen. Eines nur sei hier ausgesprochen: daß wir sogar
anerkannte Irrtümer aus der Wissenschaft nicht los
werden. Die Ursache hievon ist ein offenbares Geheimnis.

312   Einen Irrtum nenn' ich, wenn irgendein Ereignis falsch
ausgelegt, falsch angeknüpft, falsch abgeleitet wird. Nun
ereignet sich aber im Gange des Erfahrens und Denkens,
daß eine Erscheinung folgerecht angeknüpft, richtig abgeleitet wird. Das läßt man sich wohl gefallen, legt aber
keinen besondern Wert darauf und läßt den Irrtum ganz
ruhig daneben liegen, und ich kenne ein kleines Magazin
von Irrtümern, die man sorgfältig aufbewahrt.

313   Da nun den Menschen eigentlich nichts interessiert als
seine Meinung, so sieht jedermann, der eine Meinung vorträgt, sich rechts und links nach Hülfsmitteln um, damit
er sich und andere bestärken möge. Des Wahren bedient
man sich, solange es brauchbar ist; aber leidenschaftlich-
rhetorisch ergreift man das Falsche, sobald man es für den
Augenblick nutzen, damit als einem Halbargumente blenden,
als mit einem Lückenbüßer das Zerstückelte scheinbar vereinigen kann. Dieses zu erfahren war mir erst ein Ärgernis,
dann betrübte ich mich darüber, und nun macht es mir
Schadenfreude: ich habe mir das Wort gegeben, ein solches
Verfahren niemals wieder aufzudecken.

314   Einer neuen Wahrheit ist nichts schädlicher als ein alter
Irrtum.

315   Das Wahre, Anerkannte sowie das Falsche, Angenom-
mene werden nebeneinander aufgef...

316   Ich verwünsche die, die aus dem Irrtum eine eigene Welt
machen und doch unablässig fordern, daß der Mensch
nützlich sein müsse.

Wer sich an eine falsche Vorstellung gewöhnt, dem wird 317
jeder Irrtum willkommen sein.

———

Deswegen sagte man ganz richtig: „Wer die Menschen 318
betrügen will, muß vor allen Dingen das Absurde plausibel
machen."

———

Der Irrtum wiederholt sich immerfort in der Tat, des- 319
wegen muß man das Wahre unermüdlich in Worten wiederholen.

———

Eine falsche Lehre läßt sich nicht widerlegen, denn sie 320
ruht ja auf der Überzeugung, daß das Falsche wahr sei.
Aber das Gegenteil kann, darf und muß man wiederholt
aussprechen.

———

Die Wahrheit widerspricht unserer Natur, der Irrtum 321
nicht, und zwar aus einem sehr einfachen Grunde: die
Wahrheit fordert, daß wir uns für beschränkt erkennen
sollen, der Irrtum schmeichelt uns, wir seien auf ein- oder
die andere Weise unbegrenzt.

———

Das Absurde, Falsche läßt sich jedermann gefallen: denn 322
es schleicht sich ein; das Wahre, Derbe nicht: denn es
schließt aus.

———

Das Falsche (der Irrtum) ist meistens der Schwäche 323
bequemer.

———

Das Wahre fördert; aus dem Irrtum entwickelt sich nichts, 324
er verwickelt uns nur.

———

Der Irrtum ist viel leichter zu erkennen, als die Wahrheit 325
zu finden; jener liegt auf der Oberfläche, damit läßt sich
wohl fertig werden; diese ruht in der Tiefe, danach zu forschen ist nicht jedermanns Sache.

———

Eine nachgesprochne Wahrheit verliert schon ihre Grazie, 326
aber ein nachgesprochner Irrtum ist ganz ekelhaft.

———

327   Irren heißt, sich in einem Zustande befinden, als wenn
das Wahre gar nicht wäre; den Irrtum sich und andern entdecken, heißt rückwärts erfinden.

———

328   Die Kreise des Wahren berühren sich unmittelbar; aber
in den Intermundien hat der Irrtum Raum genug, sich zu
ergehen und zu walten.

———

329   Wer das Falsche verteidigen will, hat alle Ursache, leise
aufzutreten und sich zu einer feinen Lebensart zu bekennen.
Wer das Recht auf seiner Seite fühlt, muß derb auftreten:
ein höfliches Recht will gar nichts heißen.

———

330   Der eigentliche Obskurantismus ist nicht, daß man die
Ausbreitung des Wahren, Klaren, Nützlichen hindert, sondern daß man das Falsche in Kurs bringt.

———

331   Beim Zerstören gelten alle falschen Argumente, beim Aufbauen keineswegs. Was nicht wahr ist, baut nicht.

———

332   Das Falsche hat den Vorteil, daß man immer darüber
schwätzen kann; das Wahre muß gleich genutzt werden,
sonst ist es nicht da.

———

333   Wer nicht einsieht, wie das Wahre praktisch erleichtert,
mag gern daran mäkeln und häkeln, damit er nur sein
irriges mühseliges Treiben einigermaßen beschönigen
könne.

———

334   Der Irrtum verhält sich gegen das Wahre wie der Schlaf
gegen das Wachen. Ich habe bemerkt, daß man aus dem
Irren sich wie erquickt wieder zu dem Wahren hinwende.

———

335   Mit den Irrtümern der Zeit ist schwer sich abzufinden:
widerstrebt man ihnen, so steht man allein; läßt man sich
davon befangen, so hat man auch weder Ehre noch Freude
davon.

———

Wenn mancher sich nicht verpflichtet fühlte, das Unwahre 336
zu wiederholen, weil er's einmal gesagt hat, so wären es ganz
andere Leute geworden.

———

Ganze, Halb- und Viertelsirrtümer sind gar schwer und 337
mühsam zurechtzulegen, zu sichten und das Wahre daran
dahin zu stellen, wohin es gehört.

———

Der Scharfsinn verläßt geistreiche Männer am wenigsten, 338
wenn sie unrecht haben.

———

Wer streiten will, muß sich hüten, bei dieser Gelegenheit 339
Sachen zu sagen, die ihm niemand streitig macht.

———

Bei den Kontroversen darauf zu sehen, wer das Punctum 340
saliens getroffen.

———

Nicht bloß Barbaren mit Feuer und Schwert, nicht bloß 341
Pfaffen-Obskurantismus: die Gelehrten selbst sind solche
barbarische Obskuranten, die etwas, das pp.

———

Es gibt Menschen, die gar nicht irren, weil sie sich nichts 342
Vernünftiges vorsetzen.

———

Wenn ich irre, kann es jeder bemerken, wenn ich lüge, 343
nicht.

———

Was ich in meinem Leben durch falsche Tendenzen ver- 344
sucht habe zu tun, hab' ich denn doch zuletzt gelernt begreifen.

———

Ich erwarte wohl, daß mir mancher Leser widerspricht; 345
aber er muß doch stehen lassen, was er schwarz auf weiß
vor sich hat. Ein anderer stimmt vielleicht mir bei, eben
dasselbe Exemplar in der Hand.

———

„Gib mir, wo ich stehe!" 346
Archimedes.

„Nimm dir, wo du stehest!"
Nose.
Behaupte, wo du stehst!
G.

---

347 Man muß nicht fürchten, überstimmt zu werden, wenn
uns widersprochen wird.

---

348 Wer Maximen bestreiten will, sollte fähig sein, sie recht
klar aufzustellen und innerhalb dieser Klarheit zu kämpfen,
damit er nicht in den Fall gerate, mit selbstgeschaffenen
Luftbildern zu fechten.

---

349 Die Dunkelheit gewisser Maximen ist nur relativ: nicht
alles ist dem Hörenden deutlich zu machen, was dem Ausübenden einleuchtet.

---

350 Wer einem Autor Dunkelheit vorwerfen will, sollte erst
sein eigen Inneres beschauen, ob es denn da auch recht
hell ist: in der Dämmerung wird eine sehr deutliche Schrift
unlesbar.

---

351 „Deutlichkeit ist eine gehörige Verteilung von Licht und
Schatten." Hamann. Hört!

---

352 Verschiedene Sprüche der Alten, die man sich öfters zu
wiederholen pflegt, hatten eine ganz andere Bedeutung, als
man ihnen in späteren Zeiten geben möchte.

---

353 Das Wort, es solle kein mit der Geometrie Unbekannter,
der Geometrie Fremder in die Schule des Philosophen
treten, heißt nicht etwa, man solle ein Mathematiker sein,
um ein Weltweiser zu werden.

---

354 Geometrie ist hier in ihren ersten Elementen gedacht,
wie sie uns im Euklid vorliegt und wie wir sie einen jeden
Anfänger beginnen lassen. Alsdann aber ist sie die vollkommenste Vorbereitung, ja Einleitung in die Philosophie.

Wenn der Knabe zu begreifen anfängt, daß einem sicht- 355
baren Punkte ein unsichtbarer vorhergehen müsse, daß der
nächste Weg zwischen zwei Punkten schon als Linie gedacht
werde, ehe sie mit dem Bleistift aufs Papier gezogen wird,
so fühlt er einen gewissen Stolz, ein Behagen. Und nicht
mit Unrecht; denn ihm ist die Quelle alles Denkens aufgeschlossen, Idee und Verwirklichtes, „potentia et actu"
ist ihm klar geworden; der Philosoph entdeckt ihm nichts
Neues, dem Geometer war von seiner Seite der Grund alles
Denkens aufgegangen.

——————

Nehmen wir sodann das bedeutende Wort vor: Erkenne 356
dich selbst, so müssen wir es nicht im aszetischen Sinne
auslegen. Es ist keineswegs die Heautognosie unserer modernen Hypochondristen, Humoristen und Heautontimoru-
menen damit gemeint; sondern es heißt ganz einfach: Gib
einigermaßen acht auf dich selbst, nimm Notiz von dir selbst,
damit du gewahr werdest, wie du zu deinesgleichen und der
Welt zu stehen kommst. Hiezu bedarf es keiner psychologischen Quälereien; jeder tüchtige Mensch weiß und erfährt,
was es heißen soll; es ist ein guter Rat, der einem jeden
praktisch zum größten Vorteil gedeiht.

——————

Man denke sich das Große der Alten, vorzüglich der 357
Sokratischen Schule, daß sie Quelle und Richtschnur alles
Lebens und Tuns vor Augen stellt, nicht zu leerer Speku-
lation, sondern zu Leben und Tat auffordert.

——————

Wenn nun unser Schulunterricht immer auf das Altertum 358
hinweist, das Studium der griechischen und lateinischen
Sprache fördert, so können wir uns Glück wünschen, daß
diese zu einer höheren Kultur so nötigen Studien niemals
rückgängig werden.

——————

Denn wenn wir uns dem Altertum gegenüber stellen und 359
es ernstlich in der Absicht anschauen, uns daran zu bilden,
so gewinnen wir die Empfindung, als ob wir erst eigentlich
zu Menschen würden.

——————

360   Wie Sokrates den sittlichen Menschen zu sich berief,
damit dieser ganz einfach einigermaßen über sich selbst
aufgeklärt würde, so traten Plato und Aristoteles gleichfalls
als befugte Individuen vor die Natur; der eine, mit Geist
und Gemüt sich ihr anzueignen, der andere, mit Forscher-
blick und Methode sie für sich zu gewinnen. Und so ist denn
auch jede Annäherung, die sich uns im Ganzen und Einzelnen an diese dreie möglich macht, das Ereignis, was wir am
freudigsten empfinden und was unsere Bildung zu befördern sich jederzeit kräftig erweist.

---

361   Sich den Objekten in der Breite gleichstellen, heißt
lernen; die Objekte in ihrer Tiefe auffassen, heißt erfinden.

---

362   Was man erfindet, tut man mit Liebe, was man gelernt
hat, mit Sicherheit.

---

363   Was ist denn das Erfinden? Es ist der Abschluß des
Gesuchten.

---

364   Alles, was wir Erfinden, Entdecken im höheren Sinne
nennen, ist die bedeutende Ausübung, Betätigung eines
originalen Wahrheitsgefühles, das, im stillen längst ausgebildet, unversehens, mit Blitzesschnelle zu einer fruchtbaren Erkenntnis führt. Es ist eine aus dem Innern am
Äußern sich entwickelnde Offenbarung, die den Menschen
seine Gottähnlichkeit vorahnen läßt. Es ist eine Synthese
von Welt und Geist, welche von der ewigen Harmonie des
Daseins die seligste Versicherung gibt.

---

365   Alles wahre Aperçu kömmt aus einer Folge und bringt
Folge. Es ist ein Mittelglied einer großen, produktiv aufsteigenden Kette.

---

366   Redensarten, wodurch das, was das Genie in einer Folge
und aus einer Folge entdeckt, als etwas Einzelnes und wo
nicht Zufälliges, doch Unzusammenhangendes angesprochen wird.

Die Freude des ersten Gewahrwerdens, des sogenannten 367
Entdeckens, kann uns niemand nehmen. Verlangen wir
aber auch Ehre davon, die kann uns sehr verkümmert werden; denn wir sind meistens nicht die ersten.

———

Was heißt auch erfinden, und wer kann sagen, daß er dies 368
oder jenes erfunden habe? Wie es denn überhaupt, auf
Priorität zu pochen, wahre Narrheit ist; denn es ist nur
bewußtloser Dünkel, wenn man sich nicht redlich als Plagi-
arier bekennen will.

———

Es sind zwei Gefühle die schwersten zu überwinden: 369
gefunden zu haben, was schon gefunden ist, und nicht gefunden zu sehen, was man hätte finden sollen.

———

Madame Roland, auf dem Blutgerüste, verlangte Schreib- 370
zeug, um die ganz besondern Gedanken aufzuschreiben,
die ihr auf dem letzten Wege vorgeschwebt. Schade, daß
man ihr's versagte; denn am Ende des Lebens gehen dem
gefaßten Geiste Gedanken auf, bisher undenkbare; sie sind
wie selige Dämonen, die sich auf den Gipfeln der Vergangenheit glänzend niederlassen.

———

Der törigste von allen Irrtümern ist, wenn junge gute 371
Köpfe glauben, ihre Originalität zu verlieren, indem sie das
Wahre anerkennen, was von andern schon anerkannt worden.

———

Unwissende werfen Fragen auf, welche von Wissenden 372
vor tausend Jahren schon beantwortet sind.

———

Alles Gescheite ist schon gedacht worden, man muß nur 373
versuchen, es noch einmal zu denken.

———

Autorität, daß nämlich etwas schon einmal geschehen, 374
gesagt oder entschieden worden sei, hat großen Wert; aber
nur der Pedant fordert überall Autorität.

———

Altes Fundament ehrt man, darf aber das Recht nicht 375
aufgeben, irgendwo wieder einmal von vorn zu gründen.

———

376 Mit dem Vertrauen ist es eine wunderliche Sache. Hört man nur ein en: der kann sich irren oder sich betrügen; hört man viele: die sind in demselbigen Falle, und gewöhnlich findet man da die Wahrheit gar nicht heraus.

377 Man braucht nicht alles selbst gesehen noch erlebt zu haben; willst du aber dem andern und seinen Darstellungen vertrauen, so denke, daß du es nun mit dreien zu tun hast: mit dem Gegenstand und zwei Subjekten.

378 Wenn in Wissenschaften alte Leute retardieren, so retrogradieren junge. Alte leugnen die Vorschritte, wenn sie nicht mit ihren früheren Ideen zusammenhängen; junge, wenn sie der Idee nicht gewachsen sind und doch auch etwas Außerordentliches leisten möchten.

379 Was man Mode heißt, ist augenblickliche Überlieferung. Alle Überlieferung führt eine gewisse Notwendigkeit mit sich, sich ihr gleichzustellen.

380 Es ziemt sich dem Bejahrten, weder in der Denkweise noch in der Art sich zu kleiden der Mode nachzugehen.

381 Aber man muß wissen, wo man steht und wohin die andern wollen.

382 Autorität: ohne sie kann der Mensch nicht existieren, und doch bringt sie ebensoviel Irrtum als Wahrheit mit sich. Sie verewigt im einzelnen, was einzeln vorübergehen sollte, lehnt ab und läßt vorübergehen, was festgehalten werden sollte, und ist hauptsächlich Ursache, daß die Menschheit nicht vom Flecke kommt.

383 Nach unserm Rat bleibe jeder auf dem eingeschlagenen Wege und lasse sich ja nicht durch Autorität imponieren, durch allgemeine Übereinstimmung bedrängen und durch Mode hinreißen.

Gar vieles kann lange erfunden, entdeckt sein, und es [384] wirkt nicht auf die Welt; es kann wirken und doch nicht bemerkt werden, wirken und nicht ins Allgemeine greifen. Deswegen jede Geschichte der Erfindung sich mit den wunderbarsten Rätseln herumschlägt.

———

Niederträchtigkeit der mittlern Zeit bis ins sechzehnte [385] Jahrhundert, treffliche Menschen wie Aristoteles, Hippokrates durch dumme Märchen lächerlich und verhaßt zu machen.

———

Allgemeine Begriffe und großer Dünkel sind immer auf [386] dem Wege, entsetzliches Unglück anzurichten.

———

Wo Lampen brennen, gibt's Ölflecken, wo Kerzen brennen, gibt's Schnuppen; die Himmelslichter allein erleuchten [387] rein und ohne Makel.

———

Wir haben das unabweichliche, täglich zu erneuernde, [388] grundernstliche Bestreben, das Wort mit dem Empfundenen, Geschauten, Gedachten, Erfahrenen, Imaginierten, Vernünftigen möglichst unmittelbar zusammentreffend zu erfassen.

———

Jeder prüfe sich, und er wird finden, daß dies viel schwerer [389] sei, als man denken möchte; denn leider sind dem Menschen die Worte gewöhnlich Surrogate: er denkt und weiß es meistenteils besser, als er sich ausspricht.

———

Verharren wir aber in dem Bestreben, das Falsche, Ungehörige, Unzulängliche, was sich in uns und andern ent- [390] wickeln oder einschleichen könnte, durch Klarheit und Redlichkeit auf das möglichste zu beseitigen!

ERKENNTNIS UND WISSENSCHAFT

391   Die Geschichte der Wissenschaften ist eine große Fuge, in der die Stimmen der Völker nach und nach zum Vorschein kommen.

———

392   Geschichte der Wissenschaft:
Was muß zu allen Zeiten den Menschen von Haus aus interessieren?
Wie hat man nach und nach gesucht, sich davon Rechenschaft zu geben oder sich zu beruhigen?

Geschichte des Wissens:
Was ist dem Menschen nach und nach bekannt geworden?
Wie hat er sich dabei und damit benommen?

———

393   In der Geschichte der Wissenschaften hat der ideale Teil ein ander Verhältnis zum realen als in der übrigen Weltgeschichte.

———

394   Geschichte der Wissenschaften: der reale Teil sind die Phänomene, der ideale die Ansichten der Phänomene.

———

395   Die Wissenschaften so gut als die Künste bestehen in einem überlieferbaren (realen), erlernbaren Teil und in einem unüberlieferbaren (idealen), unlernbaren Teil.

———

396   Die Gedanken kommen wieder, die Überzeugungen pflanzen sich fort, die Zustände gehen unwiederbringlich vorüber.

———

397   Der gemeine Wissenschäftler hält alles für überlieferbar und fühlt nicht, daß die Niedrigkeit seiner Ansichten ihm sogar das eigentlich Überlieferbare nicht fassen läßt.

———

398   In den Wissenschaften ist es höchst verdienstlich, das unzulängliche Wahre, was die Alten schon besessen, aufzusuchen und weiterzuführen.

———

Vier Epochen der Wissenschaften: 399
  kindliche,
  poetische, abergläubische;
  empirische,
  forschende, neugierige;
  dogmatische,
  didaktische, pedantische;
  ideelle,
  methodische, mystische.

————

„Nur die gegenwärtige Wissenschaft gehört uns an, nicht 400
die vergangne noch die zukünftige."

————

Im sechzehnten Jahrhundert gehören die Wissenschaften 401
nicht diesem oder jenem Menschen, sondern der Welt.
Diese hat sie, besitzt sie pp., der Mensch ergreift nur den
Reichtum.

————

Die Wissenschaften zerstören sich auf doppelte Weise 402
selbst: durch die Breite, in die sie gehen, und durch die
Tiefe, in die sie sich versenken.

————

Da diejenigen, welche wissenschaftliche Versuche an- 403
stellen, selten wissen, was sie eigentlich wollen und was
dabei herauskommen soll, so verfolgen sie ihren Weg meistenteils mit großem Eifer; bald aber, da eigentlich nichts
Entschiedenes entstehen will, so lassen sie die Unternehmung fahren und suchen sie sogar andern verdächtig zu
machen.

————

Alles, was man (in Wissenschaften) fordert, ist so un- 404
geheuer, daß man recht gut begreift, daß gar nichts geleistet
wird.

————

Was die Wissenschaften am meisten retardiert, ist, daß 405
diejenigen, die sich damit beschäftigen, ungleiche Geister
sind.

————

406   Wenn verständige sinnige Personen im Alter die Wissenschaft gering schätzen, so kommt es nur daher, daß sie von
ihr und von sich zuviel gefordert haben.

———

407   Wenn ein Wissen reif ist, Wissenschaft zu werden, so
muß notwendig eine Krise entstehen; denn es wird die
Differenz offenbar zwischen denen, die das Einzelne trennen
und getrennt darstellen, und solchen, die das Allgemeine im
Auge haben und gern das Besondere an- und einfügen
möchten. Wie nun aber die wissenschaftliche, ideelle, um-
greifendere Behandlung sich mehr und mehr Freunde,
Gönner und Mitarbeiter wirbt, so bleibt auf der höheren
Stufe jene Trennung zwar nicht so entschieden, aber doch
genugsam merklich.

Diejenigen, welche ich die Universalisten nennen
möchte, sind überzeugt und stellen sich vor: daß alles überall, obgleich mit unendlichen Abweichungen und Mannig-
faltigkeiten, vorhanden und vielleicht auch zu finden sei;
die andern, die ich Singularisten benennen will, gestehen
den Hauptpunkt im allgemeinen zu, ja sie beobachten,
bestimmen und lehren hiernach; aber immer wollen sie
Ausnahmen finden da, wo der ganze Typus nicht ausgesprochen ist, und darin haben sie recht. Ihr Fehler aber
ist nur, daß sie die Grundgestalt verkennen, wo sie sich
verhüllt, und leugnen, wenn sie sich verbirgt. Da nun beide
Vorstellungsweisen ursprünglich sind und sich einander
ewig gegenüberstehen werden, ohne sich zu vereinigen oder
aufzuheben, so hüte man sich ja vor aller Kontrovers und
stelle seine Überzeugung klar und nackt hin.

———

408   So wiederhole ich die meinige: daß man auf diesen
höheren Stufen nicht wissen kann, sondern tun muß; so
wie an einem Spiele wenig zu wissen und alles zu leisten ist.
Die Natur hat uns das Schachbrett gegeben, aus dem wir
nicht hinauswirken können noch wollen, sie hat uns die
Steine geschnitzt, deren Wert, Bewegung und Vermögen
nach und nach bekannt werden: nun ist es an uns, Züge zu
tun, von denen wir uns Gewinn versprechen; dies versucht
nun ein jeder auf seine Weise und läßt sich nicht gern ein-

reden. Mag das also geschehen, und beobachten wir nur
vor allem genau, wie nah oder fern ein jeder von uns stehe,
und vertragen uns sodann vorzüglich mit denjenigen, die
sich zu der Seite bekennen, zu der wir uns halten. Ferner
bedenke man, daß man immer mit einem unauflöslichen
Problem zu tun habe, und erweise sich frisch und treu, alles
zu beachten, was irgend auf eine Art zur Sprache kommt,
am meisten dasjenige, was uns widerstrebt; denn dadurch
wird man am ersten das Problematische gewahr, welches
zwar in den Gegenständen selbst, mehr aber noch in den
Menschen liegt. Ich bin nicht gewiß, ob ich in diesem so
wohl bearbeiteten Felde persönlich weiterwirke, doch behalte ich mir vor, auf diese oder jene Wendung des Studiums, auf diese oder jene Schritte der einzelnen aufmerksam
zu sein und aufmerksam zu machen.

———

Alle Empiriker streben nach der Idee und können sie in 409
der Mannigfaltigkeit nicht entdecken; alle Theoretiker
suchen sie im Mannigfaltigen und können sie darinne nicht
auffinden.

———

Beide jedoch finden sich im Leben, in der Tat, in der 410
Kunst zusammen, und das ist so oft gesagt; wenige aber
verstehen, es zu nutzen.

———

Ist das ganze Dasein ein ewiges Trennen und Verbinden 411
so folgt auch, daß die Menschen im Betrachten des ungeheuren Zustandes auch bald trennen, bald verbinden werden.

———

In den Wissenschaften ist viel Gewisses, sobald man sich 412
von den Ausnahmen nicht irremachen läßt und die Probleme
zu ehren weiß.

———

Es ist mit Meinungen, die man wagt, wie mit Steinen, 413
die man voran im Brette bewegt: sie können geschlagen
werden, aber sie haben ein Spiel eingeleitet, das gewonnen
wird.

———

414   Alle Individuen und, wenn sie tüchtig sind und auf andre
wirken, ihre Schulen sehen das Problematische in den
Wissenschaften als etwas an, wofür oder wogegen man
streiten soll, eben als wenn es eine andre Lebenspartei wäre,
anstatt daß das Wissenschaftliche eine Auflösung, Ausgleichung oder eine Aufstellung unausgleichbarer Anti-
nomien fordert. In diesem Falle ist auch Aguilonius.

———

415   Man erkundige sich ums Phänomen, nehme es so genau
damit als möglich und sehe, wie weit man in der Einsicht
und in praktischer Anwendung damit kommen kann, und
lasse das Problem ruhig liegen. Umgekehrt handeln die
Physiker: sie gehen gerade aufs Problem los und verwickeln
sich unterwegs in so viel Schwierigkeiten, daß ihnen zuletzt
jede Aussicht verschwindet.

———

416   Deshalb hat die Petersburger Akademie auf ihre Preis-
frage keine Antwort erhalten; auch der verlängerte Termin
wird nichts helfen. Sie sollte jetzt den Preis verdoppeln und
ihn demjenigen versprechen, der sehr klar und deutlich vor
Augen legte, warum keine Antwort eingegangen ist und
warum sie nicht erfolgen konnte. Wer dies vermöchte, hätte
jeden Preis wohl verdient.

———

417   Man sagt, zwischen zwei entgegengesetzten Meinungen
liege die Wahrheit mitten inne. Keineswegs! Das Problem
liegt dazwischen, das Unschaubare, das ewig tätige Leben,
in Ruhe gedacht.

———

418   Wenn zwei Meister derselben Kunst in ihrem Vortrag
voneinander differieren, so liegt wahrscheinlicherweise das
unauflösliche Problem in der Mitte zwischen beiden.

———

419   Lichtenbergs Schriften können wir uns als der wunderbarsten Wünschelrute bedienen: wo er einen Spaß macht,
liegt ein Problem verborgen.

———

420   In den großen leeren Weltraum zwischen Mars und
Jupiter legte er auch einen heitren Einfall. Als Kant sorg-

fältig bewiesen hatte, daß die beiden genannten Planeten
alles aufgezehrt und sich zugeeignet hätten, was nur in diesen Räumen zu finden gewesen von Materie, sagte jener
scherzhaft nach seiner Art: „Warum sollte es nicht auch un-
sichtbare Welten geben?" Und hat er nicht vollkommen
wahr gesprochen? Sind die neu entdeckten Planeten nicht
der ganzen Welt unsichtbar, außer den wenigen Astrono-
men, denen wir auf Wort und Rechnung glauben müssen?

————

Die Kultur des Wissens durch inneren Trieb um der 421
Sache selbst willen, das reine Interesse am Gegenstand
sind freilich immer das Vorzüglichste und Nutzbarste; und
doch sind von den frühsten Zeiten an die Einsichten der
Menschen in natürliche Dinge durch jenes weniger gefördert worden als durch ein naheliegendes Bedürfnis, durch
einen Zufall, den die Aufmerksamkeit nutzte, und durch
mancherlei Art von Ausbildung zu entschiedenen Zwecken.

————

Männer vom Fach bleiben im Zusammenhange; dem 422
Liebhaber dagegen wird es schwerer, wenn er die Notwendigkeit fühlt nachzufolgen.

————

„Genau besehen, ist alle Philosophie nur der Menschen- 423
verstand in amphigurischer Sprache."

————

Ein ausgesprochenes Wort tritt in den Kreis der übrigen, 424
notwendig wirkenden Naturkräfte mit ein. Es wirkt um so
lebhafter, als in dem engen Raume, in welchem die Menschheit sich ergeht, die nämlichen Bedürfnisse, die nämlichen
Forderungen immer wiederkehren.
Und doch ist jede Wortüberlieferung so bedenklich. Man
soll sich, heißt es, nicht an das Wort, sondern an den Geist
halten. Gewöhnlich aber vernichtet der Geist das Wort oder
verwandelt es doch dergestalt, daß ihm von seiner frühern
Art und Bedeutung wenig übrigbleibt.

————

Man kann die Nützlichkeit einer Idee anerkennen und 425
doch nicht recht verstehen, sie vollkommen zu nutzen.

————

426   Bei Erweitung des Wissens macht sich von Zeit zu Zeit eine Umordnung nötig; sie geschieht meistens nach neueren Maximen, bleibt aber immer provisorisch.

———

427   Deswegen sind Bücher willkommen, die uns sowohl das neu empirisch Aufgefundene als die neu beliebten Methoden darlegen.

———

428   In der Mineralogie ist dies höchst nötig, wo die Kristallographie so große Forderungen macht, und wo die Chemie das einzelne näher zu bestimmen und das Ganze zu ordnen unternimmt. Zwei willkommene: Leonhard und Cleaveland.

———

429   Wenn wir das, was wir wissen, nach anderer Methode oder wohl gar in fremder Sprache dargelegt finden, so erhält es einen sonderbaren Reiz der Neuheit und frischen Ansehens.

———

430   Es gibt wohl zu diesem oder jenem Geschäft von Natur unzulängliche Menschen; Übereilung und Dünkel jedoch sind gefährliche Dämonen, die den Fähigsten unzulänglich machen, alle Wirkung zum Stocken bringen, freie Fortschritte lähmen. Dies gilt von weltlichen Dingen, besonders auch von Wissenschaften.

———

431   Man klagt über wissenschaftliche Akademien, daß sie nicht frisch genug ins Leben eingreifen; das liegt aber nicht an ihnen, sondern an der Art, die Wissenschaften zu behandeln, überhaupt.

———

432   Die außerordentlichen Männer des sechzehnten und siebzehnten Jahrhunderts waren selbst Akademien, wie Humboldt zu unserer Zeit. Als nun das Wissen so ungeheuer überhandnahm, taten sich Privatleute zusammen, um, was den einzelnen unmöglich wird, vereinigt zu leisten. Von Ministern, Fürsten und Königen hielten sie sich fern. Wie suchte nicht das französische stille Konventikel die

Herrschaft Richelieus abzulehnen! Wie verhinderte der englische Oxforder und Londoner Verein den Einfluß der Lieblinge Karls des Zweiten!

Da es aber einmal geschehen war und die Wissenschaften sich als ein Staatsglied im Staatskörper fühlten, einen Rang bei Prozessionen und andern Feierlichkeiten erhielten, war bald der höhere Zweck aus den Augen verloren; man stellte seine Person vor, und die Wissenschaften hatten auch Mäntelchen um und Käppchen auf. In meiner Geschichte der Farbenlehre habe ich dergleichen weitläuftig angeführt. Was aber geschrieben steht, es steht deswegen da, damit es immerfort erfüllt werde.

———

Unglücklich ist immer derjenige, der sich in Korporationen einläßt. v. Humboldt darf von allem nichts melden, als was in Paris gilt. Was soll denn da aus dem werden, was wir Wissen und Wissenschaft nennen? In hundert Jahren wird es ganz anders aussehen. 433

———

Die Wissenschaft wird dadurch sehr zurückgehalten, daß man sich abgibt mit dem, was nicht wissenswert, und mit dem, was nicht wißbar ist. 434

———

Gehalt ohne Methode führt zur Schwärmerei; Methode ohne Gehalt zum leeren Klügeln; Stoff ohne Form zum beschwerlichen Wissen, Form ohne Stoff zu einem hohlen Wähnen. 435

———

Leider besteht der ganze Hintergrund der Geschichte der Wissenschaften bis auf den heutigen Tag aus lauter solchen beweglichen ineinanderfließenden und sich doch nicht vereinigenden Gespenstern, die den Blick dergestalt verwirren, daß man die hervortretenden, wahrhaft würdigen Gestalten kaum recht scharf ins Auge fassen kann. 436

———

Die neuere Zeit schätzt sich selbst zu hoch, wegen der großen Masse Stoffes, den sie umfaßt. Der Hauptvorzug des Menschen beruht aber nur darauf, inwiefern er den Stoff zu behandeln und zu beherrschen weiß. 437

———

438   Wer zuviel verlangt, wer sich am Verwickelten erfreut, der ist den Verirrungen ausgesetzt.

———

439   Bei wissenschaftlichen Streitigkeiten nehme man sich in acht, die Probleme nicht zu vermehren.

———

440   Ist denn die Welt nicht schon voller Rätsel genug, daß man die einfachsten Erscheinungen auch noch zu Rätseln machen soll?

———

441   Echt ästhetisch-didaktisch könnte man sein, wenn man mit seinen Schülern an allem Empfindungswerten vorüberginge oder es ihnen zubrächte im Moment, wo es kulminiert und sie höchst empfänglich sind. Da aber diese Forderung nicht zu erfüllen ist, so müßte der höchste Stolz des Katheders lehrers sein, die Begriffe so vieler Manifestationen in seinen Schülern dergestalt zum Leben zu bringen, daß sie für alles Gute, Schöne, Große, Wahre empfänglich würden, um es mit Freuden aufzufassen, wo es ihnen zur rechten Stunde begegnete. Ohne daß sie es merkten und wüßten, wäre somit die Grundidee, woraus alles hervorgeht, in ihnen lebendig geworden.

———

442   Dozieren kannst du Tüchtiger freilich nicht; es ist wie das Predigen, durch unsern Zustand geboten, wahrhaft nützlich, wenn Konversation und Katechisation sich anschließen, wie es auch ursprünglich gehalten wurde. Lehren aber kannst du und wirst du, das ist: wenn Tat dem Urteil, Urteil der Tat zum Leben hilft.

———

443   Weil zum didaktischen Vortrag Gewißheit verlangt wird, indem der Schüler nichts Unsicheres überliefert haben will, so darf der Lehrer kein Problem stehenlassen und sich etwa in einiger Entfernung da herumbewegen. Gleich muß etwas bestimmt sein („bepaalt" sagt der Holländer), und nun glaubt man eine Weile, den unbekannten Raum zu besitzen, bis ein anderer die Pfähle wieder ausreißt und sogleich enger oder weiter abermals wieder bepfählt.

———

Das wäre wohl der werteste Professor der Physik, der die 444
Nichtigkeit seines Kompendiums und seiner Figuren, gegen
die Natur und gegen die höhren Forderungen des Geists
gehalten, durchaus zur Anschauung bringen könnte.

_____

Wie wollte einer als Meister in seinem Fach erscheinen, 445
wenn er nichts Unnützes lehrte!

_____

Alle Männer vom Fach sind darin sehr übel dran, daß 446
ihnen nicht erlaubt ist, das Unnütze zu ignorieren.

_____

Abstumpfen des Geistes durchs Geistreiche. 447

_____

Die Deutschen, und sie nicht allein, besitzen die Gabe, 448
die Wissenschaften unzugänglich zu machen.

_____

Der Engländer ist Meister, das Entdeckte gleich zu 449
nutzen, bis es wieder zu neuer Entdeckung und frischer
Tat führt. Man frage nun, warum sie uns überall voraus
sind.

_____

Die Gelehrten sind meist gehässig, wenn sie widerlegen; 450
einen Irrenden sehen sie gleich als ihren Todfeind an.

_____

Die Geschichte der Wissenschaften zeigt uns bei allem, 451
was für dieselben geschieht, gewisse Epochen, die bald
schneller, bald langsamer aufeinanderfolgen. Eine bedeutende Ansicht, neu oder erneut, wird ausgesprochen; sie wird
anerkannt, früher oder später; es finden sich Mitarbeiter;
das Resultat geht in die Schüler über; es wird gelehrt und
fortgepflanzt, und wir bemerken leider, daß es gar nicht
darauf ankommt, ob die Ansicht wahr oder falsch sei: beides
macht denselben Gang, beides wird zuletzt eine Phrase,
beides prägt sich als totes Wort dem Gedächtnis ein.

_____

Ein unzulängliches Wahre wirkt eine Zeitlang fort, statt 452
völliger Aufklärung aber tritt auf einmal ein blendendes
Falsche herein; das genügt der Welt, und so sind Jahrhunderte betört.

_____

453　Das längst Gefundene wird wieder verscharrt; wie bemühte sich Tycho, die Kometen zu regelmäßigen Körpern zu machen, wofür sie Seneca längst anerkannt!

454　Wie lange hat man über die Antipoden hin und her gestritten!

455　Der schwache Faden, der sich aus dem manchmal so breiten Gewebe des Wissens und der Wissenschaften durch alle Zeiten, selbst die dunkelsten und verworrensten, ununterbrochen fortzieht, wird durch Individuen durchgeführt. Diese werden in einem Jahrhundert wie in dem andern von der besten Art geboren und verhalten sich immer auf dieselbe Weise gegen jedes Jahrhundert, in welchem sie vorkommen. Sie stehen nämlich mit der Menge im Gegensatz, ja im Widerstreit. Ausgebildete Zeiten haben hierin nichts voraus vor den barbarischen: denn Tugenden sind zu jeder Zeit selten, Mängel gemein. Und stellt sich denn nicht sogar im Individuum eine Menge von Fehlern der einzelnen Tüchtigkeit entgegen?

456　Gewisse Tugenden gehören der Zeit an, und so auch gewisse Mängel, die einen Bezug auf sie haben.

457　Zu allen Zeiten sind es nur die Individuen, welche für die Wissenschaft gewirkt, nicht das Zeitalter. Das Zeitalter war's, das den Sokrates durch Gift hinrichtete, das Zeitalter, das Hussen verbrannte: die Zeitalter sind sich immer gleich geblieben.

458　Zur Verewigung des Irrtums tragen die Werke besonders bei, die enzyklopädisch das Wahre und Falsche des Tages überliefern. Hier kann die Wissenschaft nicht bearbeitet werden, sondern was man weiß, glaubt, wähnt, wird aufgenommen; deswegen sehen solche Werke nach funfzig Jahren gar wunderlich aus.

459　Lehrbücher sollen anlockend sein; das werden sie nur, wenn sie die heiterste, zugänglichste Seite des Wissens und der Wissenschaft hinbieten.

Gewisse Bücher scheinen geschrieben zu sein, nicht damit man daraus lerne, sondern damit man wisse, daß der Verfasser etwas gewußt hat. 460

___

Vor zwei Dingen kann man sich nicht genug in acht nehmen: beschränkt man sich in seinem Fache, vor Starrsinn, tritt man heraus, vor Unzulänglichkeit. 461

___

In Wissenschaften, sowie auch sonst, wenn man sich über das Ganze verbreiten will, bleibt zur Vollständigkeit am Ende nichts übrig, als Wahrheit für Irrtum, Irrtum für Wahrheit gelten zu machen. Er kann nicht alles selbst untersuchen, muß sich an Überlieferung halten und, wenn er ein Amt haben will, den Meinungen seiner Gönner frönen. Mögen sich die sämtlichen akademischen Lehrer hiernach prüfen! 462

___

Das Närrischste ist, daß jeder glaubt, überliefern zu müssen, was man gewußt zu haben glaubt. 463

___

Wer sich in ein Wissen einlassen soll, muß betrogen werden oder sich selbst betrügen, wenn äußere Nötigungen ihn nicht unwiderstehlich bestimmen. Wer würde ein Arzt werden, wenn er alle Unbilden auf einmal vor sich sähe, die seiner warten? 464

___

„Wir gestehen lieber unsre moralischen Irrtümer, Fehler und Gebrechen als unsre wissenschaftlichen." 465

___

Das kommt daher, weil das Gewissen demütig ist und sich sogar in der Beschämung gefällt; der Verstand aber ist hochmütig, und ein abgenötigter Widerruf bringt ihn in Verzweiflung. 466

___

Daher kommt, daß offenbarte Wahrheiten erst im stillen zugestanden werden, sich nach und nach verbreiten, bis dasjenige, was man hartnäckig geleugnet hat, endlich als etwas ganz Natürliches erscheinen mag. 467

468   Wir würden gar vieles besser kennen, wenn wir es nicht zu genau erkennen wollten. Wird uns doch ein Gegenstand unter einem Winkel von fünfundvierzig Graden erst faßlich.

---

469   Mikroskope und Fernröhre verwirren eigentlich den reinen Menschensinn.

---

470   Man rühmt das achtzehnte Jahrhundert, daß es sich hauptsächlich mit Analyse abgegeben; dem neunzehnten bleibt nun die Aufgabe, die falschen obwaltenden Synthesen zu entdecken und deren Inhalt aufs neue zu analysieren.

---

471   Wissenschaften entfernen sich im ganzen immer vom Leben und kehren nur durch einen Umweg wieder dahin zurück.

---

472   Denn sie sind eigentlich Kompendien des Lebens: sie bringen die äußern und innern Erfahrungen ins Allgemeine, in einen Zusammenhang.

---

473   Das Interesse an ihnen wird im Grunde nur in einer besonderen Welt, in der wissenschaftlichen erregt; denn daß man auch die übrige Welt dazu beruft und ihr davon Notiz gibt, wie es in der neuern Zeit geschieht, ist ein Mißbrauch und bringt mehr Schaden als Nutzen.

---

474   Nur durch eine erhöhte Praxis sollten die Wissenschaften auf die äußere Welt wirken; denn eigentlich sind sie alle esoterisch und können nur durch Verbessern irgendeines Tuns exoterisch werden. Alle übrige Teilnahme führt zu nichts.

---

475   Etwas Theoretisches populär zu machen, muß man es absurd darstellen. Man muß es erst selbst ins Praktische einführen; dann gilt's für alle Welt.

---

476   Die Wissenschaften, auch in ihrem innern Kreise betrachtet, werden mit augenblicklichem jedesmaligem Interesse behandelt. Ein starker Anstoß, besonders von etwas

Neuem und Unerhörtem oder wenigstens mächtig Ge-
fördertem, erregt eine allgemeine Teilnahme, die jahrelang
dauern kann und die besonders in den letzten Zeiten sehr
fruchtbar geworden ist.

_____

Ein bedeutendes Faktum, ein geniales Aperçu beschäftigt 477
eine sehr große Anzahl Menschen, erst nur um es zu kennen,
dann um es zu erkennen, dann es zu bearbeiten und weiterzuführen.

_____

Die Menge fragt bei einer jeden neuen bedeutenden Er- 478
scheinung, was sie nutze, und sie hat nicht unrecht; denn
sie kann bloß durch den Nutzen den Wert einer Sache
gewahr werden.

_____

Die wahren Weisen fragen, wie sich die Sache verhalte 479
in sich selbst und zu andern Dingen, unbekümmert um den
Nutzen, das heißt, um die Anwendung auf das Bekannte
und zum Leben Notwendige, welche ganz andere Geister,
scharfsinnige, lebenslustige, technisch geübte und gewandte, schon finden werden.

_____

Die Afterweisen suchen von jeder neuen Entdeckung nur 480
so geschwind als möglich für sich einigen Vorteil zu ziehen,
indem sie einen eitlen Ruhm bald in Fortpflanzung, bald
in Vermehrung, bald in Verbesserung, geschwinder Besitz-
nahme, vielleicht gar durch Präokkupation, zu erwerben
suchen und durch solche Unreifheiten die wahre Wissenschaft unsicher machen und verwirren, ja ihre schönste Folge,
die praktische Blüte derselben, offenbar verkümmern.

_____

Das schädlichste Vorurteil ist, daß irgendeine Art Natur- 481
untersuchung mit dem Bann belegt werden könne.

_____

„Wer sich mit Wissenschaften abgibt, leidet erst durch 482
Retardationen und dann durch Präokkupationen. Die erste
Zeit wollen die Menschen dem keinen Wert zugestehen,
was wir ihnen überliefern, und dann gebärden sie sich, als

wenn ihnen alles schon bekannt wäre, was wir ihnen überliefern könnten."

———

483   Jeder Forscher muß sich durchaus ansehen als einer, der
zu einer Jury berufen ist. Er hat nur darauf zu achten, inwiefern der Vortrag vollständig sei und durch klare Belege
auseinandergesetzt. Er faßt hiernach seine Überzeugung
zusammen und gibt seine Stimme, es sei nun, daß seine
Meinung mit der des Referenten übereintreffe oder nicht.

———

484   Dabei bleibt er eben so beruhigt, wenn ihm die Majorität
beistimmt, als wenn er sich in der Minorität befindet; denn
er hat das Seinige getan, er hat seine Überzeugung ausgesprochen, er ist nicht Herr über die Geister noch über die
Gemüter.

———

485   In der wissenschaftlichen Welt haben aber diese Gesinnungen niemals gelten wollen; durchaus ist es auf Herrschen und Beherrschen angesehen, und weil sehr wenige
Menschen eigentlich selbständig sind, so zieht die Menge
den einzelnen nach sich.

———

486   Die Geschichte der Philosophie, der Wissenschaften, der
Religion, alles zeigt, daß die Meinungen massenweis sich
verbreiten, immer aber diejenige den Vorrang gewinnt,
welche faßlicher, das heißt, dem menschlichen Geiste in
seinem gemeinen Zustande gemäß und bequem ist. Ja derjenige, der sich in höherem Sinne ausgebildet, kann immer
voraussetzen, daß er die Majorität gegen sich habe.

———

487   Man tut nicht wohl, sich allzulange im Abstrakten auf-
zuhalten. Das Esoterische schadet nur, indem es exoterisch
zu werden trachtet. Leben wird am besten durchs Lebendige
belehrt.

———

488   Das Höchste wäre: zu begreifen, daß alles Faktische schon
Theorie ist. Die Bläue des Himmels offenbart uns das
Grundgesetz der Chromatik. Man suche nur nichts hinter
den Phänomenen: sie selbst sind die Lehre.

———

Was ist das Allgemeine? 489
Der einzelne Fall.
Was ist das Besondere?
Millionen Fälle.

―――

Der Fehler schwacher Geister ist, daß sie im Reflektieren 490
sogleich vom Einzelnen ins Allgemeine gehen, anstatt daß
man nur in der Gesamtheit das Allgemeine suchen kann.

―――

Das Allgemeine und Besondere fallen zusammen: das 491
Besondere ist das Allgemeine, unter verschiedenen Bedingungen erscheinend. ―――

Das Besondere unterliegt ewig dem Allgemeinen; das 492
Allgemeine hat ewig sich dem Besonderen zu fügen.

―――

Wie das Unbedingte sich selbst bedingen und so das 493
Bedingte zu seinesgleichen machen kann.

―――

Daß das Bedingte zugleich unbedingt sei. Welches un- 494
begreiflich ist, ob wir es gleich alle Tage erfahren.

―――

Begreiflich ist jedes Besondere, das sich auf irgendeine 495
Weise anwenden läßt. Auf diese Weise kann das Unbegreifliche nützlich werden. ―――

Das Wahre (Allgemeine), das wir erkennen und festhalten; 496
das Leidenschaftliche (Besondere), das uns hindert und
festhält;
das Dritte, Rednerische, schwankend zwischen Wahrheit
und Leidenschaft. ―――

Theorie und $\left\{ \begin{array}{l} \text{Erfahrung} \\ \text{Phänomen} \end{array} \right\}$ stehen gegeneinander in be- 497
ständigem Konflikt. Alle Vereinigung in der Reflexion ist
eine Täuschung; nur durch Handeln können sie vereinigt
werden.

―――

498   Die Natur verstummt auf der Folter; ihre treue Antwort auf redliche Frage ist: Ja! ja! Nein! nein! Alles übrige ist vom Übel.

———

499   Die Konstanz der Phänomene ist allein bedeutend; was wir dabei denken, ist ganz einerlei.

———

500   Kein Phänomen erklärt sich an und aus sich selbst; nur viele, zusammen überschaut, methodisch geordnet, geben zuletzt etwas, das für Theorie gelten könnte.

———

501   Ein Phänomen, ein Versuch kann nichts beweisen, es ist das Glied einer großen Kette, das erst im Zusammenhange gilt. Wer eine Perlenschnur verdecken und nur die schönste einzelne vorzeigen wollte, verlangend, wir sollten ihm glauben, die übrigen seien alle so: schwerlich würde sich jemand auf den Handel einlassen.

———

502   Abbildungen, Wortbeschreibung, Maß, Zahl und Zeichen stellen noch immer kein Phänomen dar. Darum bloß konnte sich die Newtonische Lehre so lange halten, daß der Irrtum in dem Quartbande der lateinischen Übersetzung für ein paar Jahrhunderte einbalsamiert war.

———

503   Die Phänomene sind nichts wert, als wenn sie uns eine tiefere reichere Einsicht in die Natur gewähren oder wenn sie uns zum Nutzen anzuwenden sind.

———

504   Wer ein Phänomen vor Augen hat, denkt schon oft drüber hinaus; wer nur davon erzählen hört, denkt gar nichts.

———

505   Wer kann sagen, daß er eine Neigung zur reinen Erfahrung habe? Was Baco dringend empfohlen hatte, glaubte jeder zu tun, und wem gelang es?

———

506   Man datiert von Baco von Verulam eine Epoche der Erfahrungs-Naturwissenschaften. Ihr Weg ist jedoch durch theoretische Tendenzen oft durchschnitten und ungangbar

gemacht worden. Genau besehen, kann und soll man von jedem Tag eine neue Epoche datieren.

———

Aus dem Größten wie aus dem Kleinsten – nur durch 507 künstlichste Mittel dem Menschen zu vergegenwärtigen – geht die Metaphysik der Erscheinungen hervor; in der Mitte liegt das Besondere, unsern Sinnen Angemessene, worauf ich angewiesen bin, deshalb aber die Begabten von Herzen segne, die jene Regionen zu mir heranbringen.

———

Nachdem man in der zweiten Hälfte des siebzehnten 508 Jahrhunderts dem Mikroskop so unendlich viel schuldig geworden war, so suchte man zu Anfang des achtzehnten Jahrhunderts dasselbe geringschätzig zu behandeln.

———

Es gibt eine zarte Empirie, die sich mit dem Gegenstand 509 innigst identisch macht und dadurch zur eigentlichen Theorie wird. Diese Steigerung des geistigen Vermögens aber gehört einer hochgebildeten Zeit an.

———

Ein Unterschied, der dem Verstand nichts gibt, ist kein 510 Unterschied.

———

Suchet in euch, so werdet ihr alles finden, und erfreuet 511 euch, wenn da draußen, wie ihr es immer heißen möget, eine Natur liegt, die ja und amen zu allem sagt, was ihr in euch gefunden habt!

———

Die Erscheinung ist vom Beobachter nicht losgelöst, viel- 512 mehr in die Individualität desselben verschlungen und verwickelt.

———

Bei Betrachtung der Natur im Großen wie im Kleinen 513 hab' ich unausgesetzt die Frage gestellt: Ist es der Gegenstand oder bist du es, der sich hier ausspricht? Und in diesem Sinne betrachtete ich auch Vorgänger und Mitarbeiter.

———

514   Es ist etwas unbekanntes Gesetzliches im Objekt, welches
dem unbekannten Gesetzlichen im Subjekt entspricht.

———

515   Alles, was im Subjekt ist, ist im Objekt und noch etwas
mehr. Alles, was im Objekt ist, ist im Subjekt und noch
etwas mehr.
Wir sind auf doppelte Weise verloren oder geborgen:
Gestehn wir dem Objekt sein Mehr zu,
pochen wir auf unser Subjekt.

———

516   ... Es ist daher das beste, wenn wir bei Beobachtungen
so viel als möglich uns der Gegenstände und beim Denken
darüber so viel als möglich uns unsrer selbst bewußt sind.

———

517   Mit den Ansichten, wenn sie aus der Welt verschwinden,
gehen oft die Gegenstände selbst verloren. Kann man doch
im höheren Sinne sagen, daß die Ansicht der Gegenstand
sei.

———

518   Es ist viel mehr schon entdeckt, als man glaubt.

———

519   Da die Gegenstände durch die Ansichten der Menschen
erst aus dem Nichts hervorgehoben werden, so kehren sie,
wenn sich die Ansichten verlieren, auch wieder ins Nichts
zurück: Rundung der Erde, Platos Bläue.

———

520   Die große Schwierigkeit bei psychologischen Reflexionen
ist, daß man immer das Innere und Äußere parallel oder
vielmehr verflochten betrachten muß. Es ist immerfort
Systole und Diastole, Einatmen und Ausatmen des lebendigen Wesens; kann man es auch nicht aussprechen, so
beobachte man es genau und merke darauf.

———

521   Es gibt eine enthusiastische Reflexion, die von dem größten
Wert ist, wenn man sich von ihr nur nicht hinreißen läßt.

———

522   Alles Spinozistische in der poetischen Produktion wird in
der Reflexion Machiavellismus.

———

Die höhere Empirie verhält sich zur Natur wie der 523
Menschenverstand zum praktischen Leben.

———

Von dem, was sie verstehen, wollen sie nichts wissen. 524

———

Alles ist einfacher, als man denken kann, zugleich ver- 525
schränkter, als zu begreifen ist.

———

Man leugnet dem Gesicht nicht ab, daß es die Entfernung 526
der Gegenstände, die sich neben- und übereinander befinden, zu schätzen wisse; das Hintereinander will. man
nicht gleichmäßig zugestehen.

———

Und doch ist dem Menschen, der nicht stationär, sondern 527
beweglich gedacht wird, hierin die sicherste Lehre durch
Parallaxe verliehen.

———

Die Lehre von dem Gebrauch der korrespondierenden 528
Winkel ist, genau besehen, darin eingeschlossen.

———

Menschen, die ihre Kenntnisse an die Stelle der Einsicht 529
setzen. (Junge Leute.)

———

Jede Erscheinung ist zugänglich wie ein planum in- 530
clinatum, das bequem zu ersteigen ist, wenn der hintere
Teil des Keiles schroff und unerreichbar dasteht.

———

Auch einsichtige Menschen bemerken nicht, daß sie 531
dasjenige erklären wollen, was Grunderfahrungen sind, bei
denen man sich beruhigen müßte.

———

Doch mag dies auch vorteilhaft sein, sonst unterließe 532
man das Forschen allzufrüh.

———

Es ist eine Eigenheit dem Menschen angeboren und mit 533
seiner Natur innigst verwebt; daß ihm zur Erkenntnis das
Nächste nicht genügt; da doch jede Erscheinung, die wir
selbst gewahr werden, im Augenblick das Nächste ist und

wir von ihr fordern können, daß sie sich selbst erkläre, wenn
wir kräftig in sie dringen.

———

534 Das werden aber die Menschen nicht lernen, weil es gegen
ihre Natur ist; daher die Gebildeten es selbst nicht lassen
können, wenn sie an Ort und Stelle irgendein Wahres erkannt haben, es nicht nur mit dem Nächsten, sondern auch
mit dem Weitesten und Fernsten zusammenzuhängen,
woraus denn Irrtum über Irrtum entspringt. Das nahe
Phänomen hängt aber mit dem fernen nur in dem Sinne
zusammen, daß sich alles auf wenige große Gesetze bezieht,
die sich überall manifestieren.

———

535 Es ist das Eigne zu bemerken, daß der Mensch sich mit
dem einfachen Erkennbaren nicht begnügt, sondern auf die
verwickelteren Probleme losgeht, die er vielleicht nie erfassen wird. Jenes einfache Faßliche ist durchaus anwendbar
und nützlich und kann uns ein ganzes Leben durch beschäftigen, wenn es uns genügt und belebt.

———

536 Was uns so sehr irremacht, wenn wir die Idee in der
Erscheinung anerkennen sollen, ist, daß sie oft und gewöhnlich den Sinnen widerspricht.

Das Kopernikanische System beruht auf einer Idee, die
schwer zu fassen war und noch täglich unseren Sinnen
widerspricht. Wir sagen nur nach, was wir nicht erkennen
noch begreifen.

Die Metamorphose der Pflanzen widerspricht gleichfalls
unsren Sinnen.

———

537 Begriff ist Summe, Idee Resultat der Erfahrung; jene
zu ziehen, wird Verstand, dieses zu erfassen, Vernunft erfordert.

———

538 Die Vernunft ist auf das Werdende, der Verstand auf das
Gewordene angewiesen; jene bekümmert sich nicht: wozu?
dieser fragt nicht: woher? – Sie erfreut sich am Entwickeln;
er wünscht alles festzuhalten, damit er es nutzen könne.

———

Wer sich vor der Idee scheut, hat auch zuletzt den Be- 539
griff nicht mehr.

_____

Das Erhabene, durch Kenntnis nach und nach vereinzelt, 540
tritt vor unserm Geist nicht leicht wieder zusammen, und
so werden wir stufenweise um das Höchste gebracht, was
uns gegönnt war, um die Einheit, die uns in vollem Maß zur
Mitempfindung des Unendlichen erhebt, dagegen wir bei
vermehrter Kenntnis immer kleiner werden. Da wir vorher
mit dem Ganzen als Riesen standen, sehen wir uns als
Zwerge gegen die Teile.

_____

Eine jede Idee tritt als ein fremder Gast in die Erschei- 541
nung, und wie sie sich zu realisieren beginnt, ist sie kaum
von Phantasie und Phantasterei zu unterscheiden.

_____

Dies ist es, was man Ideologie im guten und bösen Sinne 542
genannt hat, und warum der Ideolog den lebhaft wirkenden
praktischen Tagesmenschen so sehr zuwider war.

_____

Was ist der Unterschied zwischen Axiom und Enthymem? 543
Axiom: was wir von Haus aus, ohne Beweis anerkennen;
Enthymem: was uns an viele Fälle erinnert und das zu-
sammenknüpft, was wir schon einmal erkannten.

_____

Falsche Tendenzen sind eine Art realer Sehnsucht, 544
immer noch vorteilhafter als die falsche Tendenz, die sich
als ideelle Sehnsucht ausdrückt.

_____

Der denkende Mensch hat die wunderliche Eigenschaft, 545
daß er an die Stelle, wo das unaufgelöste Problem liegt,
gerne ein Phantasiebild hinfabelt, das er nicht loswerden
kann, wenn das Problem auch aufgelöst und die Wahrheit
am Tage ist.

_____

Weder Mythologie noch Legenden sind in der Wissen- 546
schaft zu dulden. Lasse man diese den Poeten, die berufen
sind, sie zu Nutz und Freude der Welt zu behandeln. Der
wissenschaftliche Mann beschränke sich auf die nächste

klarste Gegenwart. Wollte derselbe jedoch gelegentlich als Rhetor auftreten, so sei ihm jenes auch nicht verwehrt.

———

547   In der Geschichte der Naturforschung bemerkt man durchaus, daß die Beobachter von der Erscheinung zu schnell zur Theorie hineilen und dadurch unzulänglich, hypothetisch werden.

———

548   Theorien sind gewöhnlich Übereilungen eines ungeduldigen Verstandes, der die Phänomene gern los sein möchte und an ihrer Stelle deswegen Bilder, Begriffe, ja oft nur Worte einschiebt. Man ahnet, man sieht auch wohl, daß es nur ein Behelf ist; liebt sich nicht aber Leidenschaft und Parteigeist jederzeit Behelfe? Und mit Recht, da sie ihrer so sehr bedürfen.

———

549   Rasches Vorschreiten zum Zweck, ohne die Mittel zu bedenken.

Als wenn man, um dem Sohn, der in der Wiege liegt, beizeiten Vorteil zu bringen, den Vater totschlagen wollte.

———

550   Wenn man die Probleme des Aristoteles ansieht, so erstaunt man über die Gabe des Bemerkens und für was alles die Griechen Augen gehabt haben. Nur begehen sie den Fehler der Übereilung, da sie von dem Phänomen unmittelbar zur Erklärung schreiten, wodurch denn ganz unzulängliche theoretische Aussprüche zum Vorschein kommen. Dieses ist jedoch der allgemeine Fehler, der noch heutzutage begangen wird.

———

551   Cartesius schrieb sein Buch De Methodo einige Male um, und wie es jetzt liegt, kann es uns doch nichts helfen. Jeder, der eine Zeitlang auf dem redlichen Forschen verharrt, muß seine Methode irgendeinmal umändern.

———

552   Das neunzehnte Jahrhundert hat alle Ursache, hierauf zu achten.

———

Zur Methode wird nur der getrieben, dem die Empirie 553
lästig wird.

———

Hypothesen sind Gerüste, die man vor dem Gebäude 554
aufführt, und die man abträgt, wenn das Gebäude fertig ist.
Sie sind dem Arbeiter unentbehrlich; nur muß er das
Gerüste nicht für das Gebäude ansehn.

———

Wenn man den menschlichen Geist von einer Hypothese 555
befreit, die ihn unnötig einschränkte, die ihn zwang, falsch
oder halb zu sehen, falsch zu kombinieren, anstatt zu
schauen zu grübeln, anstatt zu urteilen zu sophistisieren,
so hat man ihm schon einen großen Dienst erzeigt. Er sieht
die Phänomene freier, in anderen Verhältnissen und Verbindungen an, er ordnet sie nach seiner Weise, und er erhält
wieder die Gelegenheit, selbst und auf seine Weise zu irren,
eine Gelegenheit, die unschätzbar ist, wenn er in der Folge
bald dazu gelangt, seinen Irrtum selbst wieder einzusehen.

———

Alle Hypothesen hindern den ἀναγνωρισμός, das Wieder- 556
beschauen, das Betrachten der Gegenstände, der fraglichen Erscheinungen von allen Seiten.

———

Hypothesen sind Wiegenlieder, womit der Lehrer seine 557
Schüler einlullt; der denkende treue Beobachter lernt
immer mehr seine Beschränkung kennen, er sieht: je weiter
sich das Wissen ausbreitet, desto mehr Probleme kommen
zum Vorschein.

———

Wer den Unterschied des Phantastischen und Ideellen, 558
des Gesetzlichen und Hypothetischen nicht zu fassen weiß,
der ist als Naturforscher in einer üblen Lage.

———

Es gibt Hypothesen, wo Verstand und Einbildungskraft 559
sich an die Stelle der Idee setzen.

———

Unser Fehler besteht darin, daß wir am Gewissen zwei- 560
feln und das Ungewisse fixieren möchten. Meine Maxime

bei der Naturforschung ist, das Gewisse festzuhalten und dem Ungewissen aufzupassen.

———

561 Läßliche Hypothese nenn' ich eine solche, die man gleichsam schalkhaft aufstellt, um sich von der ernsthaften Natur widerlegen zu lassen.

———

562 Es gehört eine eigene Geisteswendung dazu, um das gestaltlose Wirkliche in seiner eigensten Art zu fassen und es von Hirngespinsten zu unterscheiden, die sich denn doch auch mit einer gewissen Wirklichkeit lebhaft aufdringen.

———

563 Erfahrung kann sich ins Unendliche erweitern, Theorie nicht in eben dem Sinne reinigen und vollkommener werden. Jener steht das Universum nach allen Richtungen offen, diese bleibt innerhalb der Grenze der menschlichen Fähigkeiten eingeschlossen. Deshalb müssen alle Vorstellungsarten wiederkehren, und der wunderliche Fall tritt ein, daß bei erweiterter Erfahrung eine bornierte Theorie wieder Gunst erwerben kann.

———

564 Die Erfahrung nutzt erst der Wissenschaft, sodann schadet sie, weil die Erfahrung Gesetz und Ausnahme gewahr werden läßt. Der Durchschnitt von beiden gibt keineswegs das Wahre.

———

565 Der Empirismus zur Unbedingtheit $\left\{ \begin{array}{l} \text{erhöht} \\ \text{erweitert} \end{array} \right\}$ ist ja Naturphilosophie. Schelling.

———

566 Daß es dem Menschen selten gegeben ist, in dem einzelnen Falle das Gesetz zu erkennen. Und doch, wenn er es immer in tausenden erkennt, muß er es ja wieder in jedem einzelnen finden. Die großen Umwege erspart sich der Geist.

———

567 Ersparnis der Erfahrung,
      Sündflut der Erfahrung,

Dinge, wovon man nicht reden würde, wenn man wüßte, wovon die Rede ist. _____

Bei Naturforschung auf Anordnung, auf System aus- 568 zugehen, hinderlich und förderlich. _____

Die Griechen, wenn sie beschrieben oder erzählten, 569 sprachen weder von Ursache noch von Resultat, sondern trugen die äußere Erscheinung vor.

Auch in der Naturwissenschaft machten sie keine Versuche wie wir, sondern hielten sich an den einzelnen Erfahrungsfällen. _____

Die Theorie an und für sich ist nichts nütze, als insofern 570 sie uns an den Zusammenhang der Erscheinungen glauben macht. _____

Vom Absoluten in theoretischem Sinne wag' ich nicht 571 zu reden; behaupten aber darf ich, daß, wer es in der Erscheinung anerkannt und immer im Auge behalten hat, sehr großen Gewinn davon erfahren wird. _____

Anaxagoras lehrt, daß alle Tiere die tätige Vernunft 572 haben, aber nicht die leidende, die gleichsam der Dolmetscher des Verstandes ist. _____

Das Tier wird durch seine Organe belehrt; der Mensch 573 belehrt die seinigen und beherrscht sie. _____

Ein großes Übel in den Wissenschaften, ja überall ent- 574 steht daher, daß Menschen, die kein Ideenvermögen haben, zu theoretisieren sich vermessen, weil sie nicht begreifen, daß noch so vieles Wissen hiezu nicht berechtigt. Sie gehen im Anfange wohl mit einem löblichen Menschenverstand zu Werke, dieser aber hat seine Grenzen, und wenn er sie überschreitet, kommt er in Gefahr, absurd zu werden. Des Menschenverstandes angewiesenes Gebiet und Erbteil ist der Bezirk des Tuns und Handelns. Tätig wird er sich selten verirren; das höhere Denken, Schließen und Urteilen jedoch ist nicht seine Sache. _____

575 Es gibt jetzt eine böse Art, in den Wissenschaften abstrus zu sein: man entfernt sich vom gemeinen Sinne, ohne einen höhern aufzuschließen, transzendiert, phantasiert, fürchtet lebendiges Anschauen, und wenn man zuletzt ins Praktische will und muß, wird man auf einmal atomistisch und mechanisch.

_____

576 Alles Ideelle, sobald es vom Realen gefordert wird, zehrt endlich dieses und sich selbst auf. So der Kredit (Papiergeld) das Silber und sich selbst.

_____

577 Das Faßliche gehört der Sinnlichkeit und dem Verstande. Hieran schließt sich das Gehörige, welches verwandt ist mit dem Schicklichen. Das Gehörige jedoch ist ein Verhältnis zu einer besondern Zeit und entschiedenen Umständen.

_____

578 Der Menschenverstand wird mit dem gesunden Menschen rein geboren, entwickelt sich aus sich selbst und offenbart sich durch ein entschiedenes Gewahrwerden und Anerkennen des Notwendigen und Nützlichen. Praktische Männer und Frauen bedienen sich dessen mit Sicherheit. Wo er mangelt, halten beide Geschlechter, was sie begehren, für notwendig und für nützlich, was ihnen gefällt.

_____

579 „Le sens commun est le Génie de l'humanité."

_____

580 Der Gemeinverstand, der als Genie der Menschheit gelten soll, muß vorerst in seinen Äußerungen betrachtet werden. Forschen wir, wozu ihn die Menschheit benutzt, so finden wir folgendes:

Die Menschheit ist bedingt durch Bedürfnisse. Sind diese nicht befriedigt, so erweist sie sich ungeduldig; sind sie befriedigt, so erscheint sie gleichgültig. Der eigentliche Mensch bewegt sich also zwischen beiden Zuständen, und seinen Verstand, den sogenannten Menschenverstand, wird er anwenden, seine Bedürfnisse zu befriedigen; ist es geschehen, so hat er die Aufgabe, die Räume der Gleichgültigkeit auszufüllen. Beschränkt sich dieses in die nächsten und notwendigsten Grenzen, so gelingt es ihm auch. Erheben sich aber die Bedürfnisse, treten sie aus dem Kreise des Gemeinen heraus, so ist der Gemeinverstand nicht mehr hinreichend, er ist kein Genius mehr, die Region des Irrtums ist der Menschheit aufgetan.

———

In Rücksicht aufs Praktische ist der unerbittliche Ver- 581 stand Vernunft, weil der Vernunft Höchstes ist, vis-à-vis des Verstands nämlich, den Verstand unerbittlich zu machen.

———

Alles Abstrakte wird durch Anwendung dem Menschen- 582 verstand genähert, und so gelangt der Menschenverstand durch Handeln und Beobachten zur Abstraktion.

———

Der Menschenverstand, der eigentlichst aufs Praktische 583 angewiesen ist, irrt nur alsdann, wenn er sich an die Auf- lösung höherer Probleme wagt; dagegen weiß aber auch eine höhere Theorie sich selten in den Kreis zu finden, wo jener wirkt und west.

———

Die Dialektik ist die Ausbildung des Widersprechungs- 584 geistes, welcher dem Menschen gegeben, damit er den Unterschied der Dinge erkennen lerne.

———

Man hat sich lange mit der Kritik der Vernunft beschäf- 585 tigt; ich wünschte eine Kritik des Menschenverstandes. Es wäre eine wahre Wohltat fürs Menschengeschlecht, wenn man dem Gemeinverstand bis zur Überzeugung nach- weisen könnte, wie weit er reichen kann, und das ist gerade soviel, als er zum Erdenleben vollkommen bedarf.

———

Der grenzenlose Verstand, dem jeder Verstand zusagt, 586 dem die Vernunft nichts anhaben kann, wenn auch das Gefühl nicht immer beistimmt.

———

Allgemeines Kausalverhältnis, das der Beobachter auf- 587 sucht und ähnliche Erscheinungen einer allgemeinen Ur- sache zuschreibt; an die nächste wird selten gedacht.

———

588 Die Menschen sind durch die unendlichen Bedingungen des Erscheinens dergestalt obruiert, daß sie das eine Ur-bedingende nicht gewahren können.

———

589 Wir leben innerhalb der abgeleiteten Erscheinungen und wissen keineswegs, wie wir zur Urfrage gelangen sollen.

———

590 Man sagt gar gehörig: das Phänomen ist eine Folge ohne Grund, eine Wirkung ohne Ursache. Es fällt dem Menschen so schwer, Grund und Ursache zu finden, weil sie so einfach sind, daß sie sich dem Blick verbergen.

———

591 Der denkende Mensch irrt besonders, wenn er sich nach Ursach' und Wirkung erkundigt: sie beide zusammen machen das unteilbare Phänomen. Wer das zu erkennen weiß, ist auf dem rechten Wege zum Tun, zur Tat.

———

592 Das genetische Verfahren leitet uns schon auf bessere Wege, ob man gleich damit auch nicht ausreicht.

———

593 Der eingeborenste Begriff, der notwendigste, von Ursach' und Wirkung, wird in der Anwendung die Veranlassung zu unzähligen, sich immer wiederholenden Irrtümern.

———

594 Ein großer Fehler, den wir begehen, ist, die Ursache der Wirkung immer nahe zu denken wie die Sehne dem Pfeil, den sie fortschnellt, und doch können wir ihn nicht ver-meiden, weil Ursache und Wirkung immer zusammen-gedacht und also im Geiste angenähert werden.

———

595 Die nächsten faßlichen Ursachen sind greiflich und eben deshalb am begreiflichsten; weswegen wir uns gern als mechanisch denken, was höherer Art ist.

———

596 ... Denn eben, wenn man Probleme, die nur dynamisch erklärt werden können, beiseiteschiebt, dann kommen mechanische Erklärungsarten wieder zur Tagesordnung.

———

Das Zurückführen der Wirkung auf die Ursache ist bloß 597
ein historisches Verfahren, zum Beispiel die Wirkung, daß
ein Mensch getötet, auf die Ursache der losgefeuerten
Büchse.

_____

In der Phanerogamie ist noch so viel Kryptogamisches, 598
daß Jahrhunderte es nicht entziffern werden.

_____

Der Begriff vom Entstehen ist uns ganz und gar versagt; 599
daher wir, wenn wir etwas werden sehen, denken, daß es
schon dagewesen sei. Deshalb das System der Einschachte-
lung uns begreiflich vorkommt.

_____

Was nicht mehr entsteht, können wir uns als entstehend 600
nicht denken; das Entstandene begreifen wir nicht.

_____

Der allgemeine neuere Vulkanismus ist eigentlich ein 601
kühner Versuch, die gegenwärtige unbegreifliche Welt an
eine vergangene unbekannte zu knüpfen.

_____

Wie manches Bedeutende sieht man aus Teilen zu- 602
sammensetzen: man betrachte die Werke der Baukunst;
man sieht manches sich regel- und unregelmäßig anhäufen.
Daher ist uns der atomistische Begriff nah und bequem zur
Hand; deshalb wir uns nicht scheuen, ihn auch in organischen Fällen anzuwenden.

_____

Indem wir der Einbildungskraft zumuten, das Entstehen 603
statt des Entstandenen, der Vernunft, die Ursache statt der
Wirkung zu reproduzieren und auszusprechen, so haben
wir zwar beinahe nichts getan, weil es nur ein Umsetzen
der $\left\{ \begin{array}{l} \text{Anschauung} \\ \text{Vorstellung} \end{array} \right\}$ ist, aber genug für den Menschen, der
vielleicht im Verhältnis $\left\{ \begin{array}{l} \text{zur} \\ \text{gegen die} \end{array} \right\}$ Außenwelt nicht mehr
leisten kann.

_____

Die Vernunft hat nur über das Lebendige Herrschaft; 604
die entstandene Welt, mit der sich die Geognosie abgibt,

ist tot. Daher kann es keine Geologie geben; denn die Vernunft hat hier nichts zu tun.

———

605 Wenn ich ein zerstreutes Gerippe finde, so kann ich es zusammenlesen und aufstellen; denn hier spricht die ewige Vernunft durch ein Analogon zu mir, und wenn es das Riesenfaultier wäre.

———

606 Der Mensch findet sich mitten unter Wirkungen und kann sich nicht enthalten, nach den Ursachen zu fragen; als ein bequemes Wesen greift er nach der nächsten als der besten und beruhigt sich dabei; besonders ist dies die Art des allgemeinen Menschenverstandes.

———

607 Sieht man ein Übel, so wirkt man unmittelbar darauf, das heißt, man kuriert unmittelbar aufs Symptom los.

———

608 Lebhafte Frage nach der Ursache, Verwechslung von Ursache und Wirkung, Beruhigung in einer falschen Theorie sind von großer, nicht zu entwickelnder Schädlichkeit.

———

609 Gleiche oder wenigstens ähnliche Wirkungen werden auf verschiedene Weise durch Naturkräfte hervorgebracht.

———

610 Es ist mit den Ableitungsgründen wie mit den Einteilungsgründen: sie müssen durchgehen, oder es ist gar nichts dran.

———

611 Das Einfache durch das Zusammengesetzte, das Leichte durch das Schwierige erklären zu wollen, ist ein Unheil, das in dem ganzen Körper der Wissenschaft verteilt ist, von den Einsichtigen wohl anerkannt, aber nicht überall eingestanden.

———

612 Man sehe die Physik genau durch, und man wird finden, daß die Phänomene sowie die Versuche, worauf sie gebaut ist, verschiedenen Wert haben.

———

Auf die primären, die Urversuche kommt alles an, und 613 das Kapitel, das hierauf gebaut ist, steht sicher und fest. Aber es gibt auch sekundäre, tertiäre und so weiter; gesteht man diesen das gleiche Recht zu, so verwirren sie nur das, was von den ersten aufgeklärt war.

———

Induktion habe ich zu stillen Forschungen bei mir selbst 614 nie gebraucht, weil ich zeitig genug deren Gefahr empfand.

———

Dagegen aber ist mir's unerträglich, wenn ein anderer 615 sie gegen mich brauchen, mich durch eine Art Treibejagen mürbe machen und in die Enge schließen will.

———

Es ist eine schlimme Sache, die doch manchem Beob- 616 achter begegnet, mit einer Anschauung sogleich eine Folgerung zu verknüpfen und beide für gleichgeltend zu achten.

———

Es wird eine Zeit kommen, wo man eine pathologische 617 Experimentalphysik vorträgt und alle jene Spiegelfechtereien ans Tageslicht bringt, welche den Verstand hintergehen, sich eine Überzeugung erschleichen und, was das Schlimmste daran ist, durchaus jeden praktischen Fortschritt verhindern. Die Phänomene müssen ein für allemal aus der düstern empirisch-mechanisch-dogmatischen Marterkammer vor die Jury des gemeinen Menschenverstandes gebracht werden.

———

Am widerwärtigsten sind die kricklichen Beobachter und 618 grilligen Theoristen; ihre Versuche sind kleinlich und kompliziert, ihre Hypothesen abstrus und wunderlich.

———

Es gibt Pedanten, die zugleich Schelme sind, und das 619 sind die allerschlimmsten.

———

Die Natur auffassen und sie unmittelbar benutzen ist 620 wenig Menschen gegeben; zwischen Erkenntnis und Gebrauch erfinden sie sich gern ein Luftgespinst, das sie sorgfältig ausbilden und darüber den Gegenstand zugleich mit der Benutzung vergessen.

———

621 Ebenso begreift man nicht leicht, daß in der großen Natur das geschieht, was auch im kleinsten Zirkel vorgeht. Dringt es ihnen die Erfahrung auf, so lassen sie sich's zuletzt gefallen. Spreu, von geriebenem Bernstein angezogen, steht mit dem ungeheuersten Donnerwetter in Verwandtschaft, ja ist eine und eben dieselbe Erscheinung. Dieses Mikromegische gestehen wir auch in einigen andern Fällen zu, bald aber verläßt uns der reine Naturgeist, und der Dämon der Künstelei bemächtigt sich unser und weiß sich überall geltend zu machen.

———

622 Mir wird, je länger ich lebe, immer verdrießlicher, wenn ich den Menschen sehe, der eigentlich auf seiner höchsten Stelle da ist, um der Natur zu gebieten, um sich und die Seinigen von der gewalttätigen Notwendigkeit zu befreien, wenn ich sehe, wie er aus irgendeinem vorgefaßten falschen Begriff gerade das Gegenteil tut von dem, was er will, und sich alsdann, weil die Anlage im Ganzen verdorben ist, im Einzelnen kümmerlich herumpfuschet.

———

623 Es ist immer dieselbe Welt, die der Betrachtung offensteht, die immerfort angeschaut oder geahnet wird, und es sind immer dieselben Menschen, die im Wahren oder Falschen leben, im letzten bequemer als im ersten.

———

624 Die neueste Philosophie unserer westlichen Nachbarn gibt ein Zeugnis, daß der Mensch, er gebärde sich, wie er wolle, und so auch ganze Nationen immer wieder zum Angeborenen zurückkehren. Und wie wollte das anders sein, da ja dieses seine Natur und Lebensweise bestimmt?

———

625 Die Franzosen haben dem Materialismus entsagt und den Uranfängen etwas mehr Geist und Leben zuerkannt, sie haben sich vom Sensualismus losgemacht und den Tiefen der menschlichen Natur eine Entwickelung aus sich selbst eingestanden, sie lassen in ihr eine produktive Kraft gelten und suchen nicht alle Kunst aus Nachahmung eines gewahrgewordenen Äußern zu erklären. In solchen Richtungen mögen sie beharren.

———

Eine eklektische Philosophie kann es nicht geben, wohl 626
aber eklektische Philosophen.

————

Ein Eklektiker aber ist ein jeder, der aus dem, was ihn 627
umgibt, aus dem, was sich um ihn ereignet, sich dasjenige
aneignet, was seiner Natur gemäß ist; und in diesem Sinne
gilt alles, was Bildung und Fortschreitung heißt, theoretisch
oder praktisch genommen.

————

Zwei eklektische Philosophen könnten demnach die 628
größten Widersacher werden, wenn sie, antagonistisch
geboren, jeder von seiner Seite sich aus allen überlieferten
Philosophien dasjenige aneigneten, was ihm gemäß wäre.
Sehe man doch nur um sich her, so wird man immer finden,
daß jeder Mensch auf diese Weise verfährt und deshalb
nicht begreift, warum er andere nicht zu seiner Meinung
bekehren kann.

————

Darzutun wäre, welches der wahre Weg der Natur- 629
forschung sei: wie derselbe auf dem einfachsten Fortgange
der Beobachtung beruhe, die Beobachtung zum Versuch
zu steigern sei und wie dieser endlich zum Resultat führe.

In der Naturforschung bedarf es eines kategorischen 630
Imperativs so gut als im Sittlichen; nur bedenke man, daß
man dadurch nicht am Ende, sondern erst am Anfang ist.

Schon jetzt erklären die Meister der Naturwissenschaften 631
die Notwendigkeit monographischer Behandlung und also
des Interesse an Einzelheiten. Dies aber ist nicht denkbar
ohne eine Methode, die das Interesse an der Gesamtheit
offenbart; hat man das erlangt, so braucht man freilich nicht
in Millionen Einzelheiten umherzutasten.

Eine Stelle in d'Alemberts Einleitung in das große fran- 632
zösische enzyklopädische Werk, deren Übersetzung hier
einzurücken der Platz verbietet, war uns von großer Wichtigkeit; sie beginnt Seite X der Quartausgabe mit den Worten:
A l'égard des sciences mathématiques, und endigt Seite XI:
étendu son domaine. Ihr Ende, sich an den Anfang an-

schließend, umfaßt die große Wahrheit, daß auf Inhalt, Gehalt und Tüchtigkeit eines zuerst aufgestellten Grundsatzes und auf der Reinheit des Vorsatzes alles in den Wissenschaften beruhe. Auch wir sind überzeugt, daß dieses große Erfordernis nicht bloß in mathematischen Fällen, sondern überall in Wissenschaften, Künsten wie im Leben stattfinden müsse.

———

633   Also kommt wie bei der künstlerischen, so bei der naturwissenschaftlichen, auch bei der mathematischen Behandlung alles an auf das Grundwahre, dessen Entwickelung sich nicht so leicht in der Spekulation als in der Praxis zeigt; denn diese ist der Prüfstein des vom Geist Empfangenen, des von dem innern Sinn für wahr Gehaltenen. Wenn der Mann, überzeugt von dem Gehalt seiner Vorsätze, sich nach außen wendet und von der Welt verlangt nicht etwa nur, daß sie mit seinen Vorstellungen übereinkommen solle, sondern daß sie sich nach ihm bequemen, ihnen gehorchen, sie realisieren müsse, dann ergibt sich erst für ihn die wichtige Erfahrung, ob er sich in seinem Unternehmen geirrt oder ob seine Zeit das Wahre nicht erkennen mag.

———

634   Durchaus aber bleibt ein Hauptkennzeichen, woran das Wahre vom Blendwerk am sichersten zu unterscheiden ist: jenes wirkt immer fruchtbar und begünstigt den, der es besitzt und hegt, da hingegen das Falsche an und für sich tot und fruchtlos daliegt, ja sogar wie eine Nekrose anzusehen ist, wo der absterbende Teil den lebendigen hindert, die Heilung zu vollbringen.

———

635   Das ist eben das Hohe der Mathematik, daß ihre Methode gleich zeigt, wo ein Anstoß ist. Fanden sie doch dem Gang der himmlischen Körper nicht ihre Rechnungen gemäß und wendeten sich daher auf die Annahme *(?)* der Störungen und diese Störungen noch immer zu viel oder zu wenig.

———

636   In diesem Sinne kann man die Mathematik als die höchste und sicherste Wissenschaft ansprechen.
Aber wahr kann sie nichts machen, als was wahr ist.

Was hat denn der Mathematiker für ein Verhältnis zum 637
Gewissen, was doch das höchste, das würdigste Erbteil der
Menschen ist, eine inkommensurable, bis ins feinste wirkende,
sich selber spaltende und wieder verbindende Tätigkeit?
Und Gewissen ist's vom Höchsten bis ins Geringste. Gewissen ist's, wer das kleinste Gedicht gut und vortrefflich
macht.

————

Man hört, nur die Mathematik sei gewiß; sie ist es nicht 638
mehr als jedes andere Wissen und Tun. Sie ist gewiß, wenn
sie sich klüglich nur mit Dingen abgibt, über die man gewiß werden und insofern man darüber gewiß werden kann.

————

Wenn diese Hoffnungen sich verwirklichen, daß die 639
Menschen sich mit allen ihren Kräften, mit Herz und Geist,
mit Verstand und Liebe vereinigen und voneinander Kenntnis nehmen, so wird sich ereignen, woran jetzt noch kein
Mensch denken kann. Die Mathematiker werden sich gefallen lassen, in diesen allgemeinen sittlichen Weltbund als
Bürger eines bedeutenden Staates aufgenommen zu werden,
und nach und nach sich des Dünkels entäußern, als Uni-
versalmonarchen über alles zu herrschen; sie werden sich
nicht mehr beigehen lassen, alles für nichtig, für inexakt,
für unzulänglich zu erklären, was sich nicht dem Kalkül
unterwerfen läßt.

————

Mathematik sich immer mit dem ... und Würdigen 640
beschäftigend. Verglichen mit dem Wollen und Dichten.

————

Der Mathematiker ist angewiesen aufs Quantitative, auf 641
alles, was sich durch Zahl und Maß bestimmen läßt, und
also gewissermaßen auf das äußerlich erkennbare Universum. Betrachten wir aber dieses, insofern uns Fähigkeit
gegeben ist, mit vollem Geiste und aus allen Kräften, so
erkennen wir, daß Quantität und Qualität als die zwei Pole
des erscheinenden Daseins gelten müssen; daher denn auch
der Mathematiker seine Formelsprache so hoch steigert,
um, insofern es möglich, in der meßbaren und zählbaren
Welt die unmeßbare mitzubegreifen. Nun erscheint ihm

alles greifbar, faßlich und mechanisch, und er kommt in den Verdacht eines heimlichen Atheismus, indem er ja das Unmeßbarste, welches wir Gott nennen, zugleich mitzuerfassen glaubt und daher dessen besonderes oder vorzügliches Dasein aufzugeben scheint.

642 Wir müssen erkennen und bekennen, was Mathematik sei, wozu sie der Naturforschung wesentlich dienen könne, wo hingegen sie nicht hingehöre, und in welche klägliche Abirrung Wissenschaft und Kunst durch falsche Anwendung seit ihrer Regeneration geraten sei.

643 Die große Aufgabe wäre, die mathematisch-philosophischen Theorien aus den Teilen der Physik zu verbannen, in welchen sie Erkenntnis, anstatt sie zu fördern, nur verhindern, und in welchen die mathematische Behandlung durch Einseitigkeit der Entwicklung der neuern wissenschaftlichen Bildung eine so verkehrte Anwendung gefunden hat.

644 Als getrennt muß sich darstellen: Physik von Mathematik. Jene muß in einer entschiedenen Unabhängigkeit bestehen und mit allen liebenden, verehrenden, frommen Kräften in die Natur und das heilige Leben derselben einzudringen suchen, ganz unbekümmert, was die Mathematik von ihrer Seite leistet und tut. Diese muß sich dagegen unabhängig von allem Äußern erklären, ihren eigenen großen Geistesgang gehen und sich selber reiner ausbilden, als es geschehen kann, wenn sie wie bisher sich mit dem Vorhandenen abgibt und diesem etwas abzugewinnen oder anzupassen trachtet.

645 Man kann in den Naturwissenschaften über manche Probleme nicht gehörig sprechen, wenn man die Metaphysik nicht zu Hülfe ruft; aber nicht jene Schul- und Wortweisheit: es ist dasjenige, was vor, mit und nach der Physik war, ist und sein wird.

646 Die Mathematik ist wie die Dialektik ein Organ des inneren höheren Sinnes; in der Ausübung ist sie eine Kunst

wie die Beredsamkeit. Für beide hat nichts Wert als die
Form; der Gehalt ist ihnen gleichgültig. Ob die Mathematik Pfennige oder Guineen berechne, die Rhetorik Wahres oder Falsches verteidige, ist beiden vollkommen gleich.

————

Hier aber kommt es nun auf die Natur des Menschen an, 647
der ein solches Geschäft betreibt, eine solche Kunst ausübt.
Ein durchgreifender Advokat in einer gerechten Sache, ein
durchdringender Mathematiker vor dem Sternenhimmel
erscheinen beide gleich gottähnlich.

————

Was ist an der Mathematik exakt als die Exaktheit? Und 648
diese, ist sie nicht eine Folge des innern Wahrheitsgefühls?

————

Die Mathematik vermag kein Vorurteil wegzuheben, sie 649
kann den Eigensinn nicht lindern, den Parteigeist nicht
beschwichtigen, nichts von allem Sittlichen vermag sie.

————

Der Mathematiker ist nur insofern vollkommen, als er 650
ein vollkommener Mensch ist, als er das Schöne des Wahren
in sich empfindet; dann erst wird er gründlich, durchsichtig,
umsichtig, rein, klar, anmutig, ja elegant wirken. Das alles
gehört dazu, La Grange ähnlich zu werden.

————

Mathematik, die auf Konviktion, Überführung ausgeht, 651
weshalb gute Köpfe sich an ihr ärgern.

————

Die Mathematiker sind eine Art Franzosen; redet man 652
zu ihnen, so übersetzen sie es in ihre Sprache, und dann ist
es alsobald ganz etwas anders.

————

Wie man der französischen Sprache niemals den Vorzug 653
streitig machen wird, als ausgebildete Hof- und Weltsprache,
sich immer mehr aus- und fortbildend, zu wirken, so wird
es niemand einfallen, das Verdienst der Mathematiker gering zu schätzen, welches sie, in ihrer Sprache die wichtigsten Angelegenheiten verhandelnd, sich um die Welt erwerben, indem sie alles, was der Zahl und dem Maß im

höchsten Sinne unterworfen ist, zu regeln, zu bestimmen und zu entscheiden wissen.

___

654   Jeder Denkende, der seinen Kalender ansieht, nach seiner Uhr blickt, wird sich erinnern, wem er diese Wohltaten schuldig ist. Wenn man sie *(die Mathematiker)* aber auch auf ehrfurchtsvolle Weise in Zeit und Raum gewähren läßt, so werden sie erkennen, daß wir etwas gewahr werden, was weit darüber hinausgeht, welches allen angehört, und ohne welches sie selbst weder tun noch wirken könnten: Idee und Liebe.   ___

655   Es folgt eben gar nicht, daß der Jäger, der das Wild erlegt, auch zugleich der Koch sein müsse, der es zubereitet. Zufälligerweise kann ein Koch mit auf die Jagd gehen und gut schießen; er würde aber einen bösen Fehlschluß tun, wenn er behauptete, um gut zu schießen, müsse man Koch sein. So kommen mir die Mathematiker vor, die behaupten, daß man in physischen Dingen nichts sehen, nichts finden könne, ohne Mathematiker zu sein, da sie doch immer zufrieden sein könnten, wenn man ihnen in die Küche bringt, das sie mit Formeln spicken und nach Belieben zurichten können.

___

656   Der Sprache liegt zwar die Verstandes- und Vernunftsfähigkeit des Menschen zugrunde, aber sie setzt bei dem, der sich ihrer bedient, nicht eben reinen Verstand, ausgebildete Vernunft, redlichen Willen voraus. Sie ist ein Werkzeug, zweckmäßig und willkürlich zu gebrauchen, man kann sie ebensogut zu einer spitzfindig-verwirrenden Dialektik wie zu einer verworren-verdüsternden Mystik verwenden, man mißbraucht sie bequem zu hohlen und nichtigen prosaischen und poetischen Phrasen, ja man versucht, prosodisch untadelhafte und doch nonsensikalische Verse zu machen.

Unser Freund, der Ritter Ciccolini, sagt: „Ich wünschte wohl, daß alle Mathematiker in ihren Schriften des Genies und der Klarheit eines La Grange sich bedienten", das heißt: möchten doch alle den gründlich-klaren Sinn eines La Grange besitzen und mit solchem Wissen und Wissenschaft behandeln!

___

Falsche Vorstellung, daß man ein Phänomen durch Kalkül 657
oder durch Worte abtun und beseitigen könne.

———

Die Mathematiker sind wunderliche Leute; durch das 658
Große, was sie leisteten, haben sie sich zur Universal-Gilde
aufgeworfen und wollen nichts anerkennen, als was in ihren
Kreis paßt, was ihr Organ behandlen kann. Einer der ersten
Mathematiker sagte bei Gelegenheit, da man ihm ein physisches Kapitel andringlich empfehlen wollte: „Aber läßt
sich denn gar nichts auf den Kalkül reduzieren?"

———

Wenn in der Mathematik der menschliche Geist seine 659
Selbständigkeit und unabhängige Tätigkeit gewahr wird
und dieser ohne weitere Rücksicht ins Unendliche zu folgen
sich geneigt fühlt, so flößt er zugleich der Erfahrungswelt
ein solches Zutrauen ein, daß sie es an gelegentlichen Auf-
forderungen nicht fehlen läßt. Astronomie, Mechanik,
Schiffsbau, Festungsbau, Artillerie, Spiel, Wasserleitung,
Schnitt der Bausteine, Verbesserung der Fernröhre riefen
in der zweiten Hälfte des siebzehnten Jahrhunderts die
Mathematik wechselsweise zu Hülfe.

———

Newton als Mathematiker steht in so hohem Ruf, daß der 660
ungeschickteste Irrtum, nämlich das klare, reine, ewig un-
getrübte Licht sei aus dunklen Lichtern zusammengesetzt,
bis auf den heutigen Tag sich erhalten hat, und sind es nicht
Mathematiker, die dieses Absurde noch immer verteidigen
und gleich dem gemeinsten Hörer in Worten wiederholen,
bei denen man nichts denken kann?

———

Tycho de Brahe, ein großer Mathematiker, vermochte 661
sich nur halb von dem alten System loszulösen, das wenigstens den Sinnen gemäß war, das er aber aus Rechthaberei
durch ein kompliziertes Uhrwerk ersetzen wollte, das weder
den Sinnen zu schauen noch den Gedanken zu erreichen war.

———

Um sich aus der grenzenlosen Vielfachheit, Zerstückelung 662
und Verwickelung der modernen Naturlehre wieder ins
Einfache zu retten, muß man sich immer die Frage vorlegen:

Wie würde sich Plato gegen die Natur, wie sie uns jetzt in ihrer größeren Mannigfaltigkeit, bei aller gründlichen Einheit, erscheinen mag, benommen haben?

663   Denn wir glauben überzeugt zu sein, daß wir auf demselben Wege bis zu den letzten Verzweigungen der Erkenntnis organisch gelangen und von diesem Grund aus die Gipfel eines jeden Wissens uns nach und nach aufbauen und befestigen können. Wie uns hiebei die Tätigkeit des Zeitalters fördert und hindert, ist freilich eine Untersuchung, die wir jeden Tag anstellen müssen, wenn wir nicht das Nützliche abweisen und das Schädliche aufnehmen wollen.

664   Der Mensch an sich selbst, insofern er sich seiner gesunden Sinne bedient, ist der größte und genaueste physikalische Apparat, den es geben kann, und das ist eben das größte Unheil der neuern Physik, daß man die Experimente gleichsam vom Menschen abgesondert hat und bloß in dem, was künstliche Instrumente zeigen, die Natur erkennen, ja, was sie leisten kann, dadurch beschränken und beweisen will.

665   Ebenso ist es mit dem Berechnen. Es ist vieles wahr, was sich nicht berechnen läßt, so wie sehr vieles, was sich nicht bis zum entschiedenen Experiment bringen läßt.

666   Dafür steht ja aber der Mensch so hoch, daß sich das sonst Undarstellbare in ihm darstellt. Was ist denn eine Saite und alle mechanische Teilung derselben gegen das Ohr des Musikers? Ja man kann sagen: Was sind die elementaren Erscheinungen der Natur selbst gegen den Menschen, der sie alle erst bändigen und modifizieren muß, um sie sich einigermaßen assimilieren zu können?

667   So ganz leere Worte wie die von der Dekomposition und Polarisation des Lichts müssen aus der Physik hinaus, wenn etwas aus ihr werden soll. Doch wäre es möglich, ja es ist wahrscheinlich, daß diese Gespenster noch bis in die zweite Hälfte des Jahrhunderts hinüberspuken.

Man nehme das nicht übel. Eben dasjenige, was niemand 668
zugibt, niemand hören will, muß desto öfter wiederholt
werden. ———

Es ist von einem Experiment zuviel gefordert, wenn es 669
alles leisten soll. Konnte man doch die Elektrizität erst nur
durch Reiben darstellen, deren höchste Erscheinung jetzt
durch bloße Berührung hervorgebracht wird. ———

„Wer weiß etwas von Elektrizität", sagte ein heiterer 670
Naturforscher, „als wenn er im Finstern eine Katze streichelt
oder Blitz und Donner neben ihm niederleuchten und ras-
seln? Wie viel und wie wenig weiß er alsdann davon?" ———

Die Kristallographie, als Wissenschaft betrachtet, gibt.zu 671
ganz eigenen Ansichten Anlaß. Sie ist nicht produktiv, sie
ist nur sie selbst und hat keine Folgen, besonders nunmehr,
da man so manche isomorphische Körper angetroffen hat,
die sich ihrem Gehalte nach ganz verschieden erweisen. Da
sie eigentlich nirgends anwendbar ist, so hat sie sich in dem
hohen Grade in sich selbst ausgebildet. Sie gibt dem Geist
eine gewisse beschränkte Befriedigung und ist in ihren
Einzelnheiten so mannigfaltig, daß man sie unerschöpflich
nennen kann; deswegen sie auch vorzügliche Menschen so
entschieden und lange an sich festhält. ———

Etwas Mönchisch-Hagestolzenartiges hat die Kristallo- 672
graphie und ist daher sich selbst genug. Von praktischer
Lebenseinwirkung ist sie nicht; denn die köstlichsten Erzeugnisse ihres Gebiets, die kristallinischen Edelsteine,
müssen erst zugeschliffen werden, ehe wir unsere Frauen
damit schmücken können. ———

Kristallographie so wie Stöchiometrie vollendet auch den 673
Oryktognosten; ich aber finde, daß man seit einiger Zeit in
der Lehrmethode geirrt hat. Lehrbücher zu Vorlesungen
und zugleich zum Selbstgebrauch, vielleicht gar als Teile zu
einer wissenschaftlichen Enzyklopädie, sind nicht zu billigen;
der Verleger kann sie bestellen, der Schüler nicht wünschen. ———

674   Die Mineralienhändler beklagen sich, daß sich Liebhaberei zu ihrer Ware in Deutschland vermindere, und geben der eindringlichen Kristallographie die Schuld. Es mag sein; jedoch in einiger Zeit wird gerade das Bestreben, die Gestalt genauer zu erkennen, auch den Handel wieder beleben, ja gewisse Exemplare kostbarer machen.

675   Ganz das Entgegengesetzte ist von der Chemie zu sagen, welche von der ausgebreitetsten Anwendung und von dem grenzenlosesten Einfluß aufs Leben sich erweist.

676   Der Granit verwittert auch sehr gern in Kugel- und Eiform; man hat daher keineswegs nötig, die in Norddeutschland häufig gefundenen Blöcke solcher Gestalten wegen als im Wasser hin- und hergeschoben und durch Stoßen und Wälzen enteckt und entkantet zu denken.

677   ... Was hat man sich nicht mit dem Granit beschäftigt! Man hat ihn mit in die neuern Epochen herangezogen, und doch entsteht keiner mehr vor unsern Augen. Geschäh' es im tiefsten Meeresgrunde, so hätten wir keine Kenntnis davon.

678   Steine sind stumme Lehrer, sie machen den Beobachter stumm, und das Beste, was man von ihnen lernt, ist nicht mitzuteilen.

679   Fall und Stoß: dadurch die Bewegung der Weltkörper erklären zu wollen, ist eigentlich ein versteckter Anthropomorphismus; es ist des Wanderers Gang über Feld. Der aufgehobene Fuß sinkt nieder, der zurückgebliebene strebt vorwärts und fällt, und immer so fort vom Ausgehen bis zum Ankommen.

680   Wie wäre es, wenn man auf demselben Wege den Vergleich von dem Schrittschuhfahren hernähme, wo das Vorwärtsdringen dem zurückbleibenden Fuße obliegt, indem er zugleich die Obliegenheit übernimmt, noch eine solche Anregung zu geben, daß sein nunmehriger Hintermann

auch wieder eine Zeitlang sich vorwärtszubewegen die Bestimmung erhält?

_____

Nachdem man in der neuern Zeit die meteorologischen 681 Beobachtungen auf den höchsten Grad der Genauigkeit getrieben hatte, so will man sie nunmehr aus den nördlichen Gegenden verbannen und will sie nur dem Beobachter unter den Tropen zugestehen.

_____

Ward man doch auch des Sexualsystems, das, im höhern 682 Sinne genommen, so großen Wert hat, überdrüssig und wollt' es verbannt wissen! Geht es doch mit der alten Kunst- geschichte eben so, in der man seit funfzig Jahren sich ge- wissenhaft zu üben und die Unterschiede der aufeinander- folgenden Zeiten einzusehen sich auf das genauste bestrebt hat! Das soll nun alles vergebens gewesen und alles auf- einander Folgende als identisch und ununterscheidbar an- zusehen sein.

_____

Der Newtonische Versuch, auf dem die herkömmliche 683 Farbenlehre beruht, ist von der vielfachsten Komplikation; er verknüpft folgende Bedingungen.
Damit das Gespenst erscheine, ist nötig:·
   1. ein gläsern Prisma;
   2. dieses dreiseitig,
   3. klein;
   4. ein Fensterladen;
   5. eine Öffnung darin;
   6. diese sehr klein;
   7. Sonnenbild, das hereinfällt;
   8. in einer gewissen Entfernung, in einer
   9. gewissen Richtung aufs Prisma fällt;
   10. sich auf einer Tafel abbildet,
   11. die in einer gewissen Entfernung hinter das Prisma gestellt ist.
Nehme man von diesen Bedingungen 3., 6. und 11. weg: man mache die Öffnung groß, man nehme ein großes Pris- ma, man stelle die Tafel nah heran, und das beliebte Spektrum kann und wird nicht zum Vorschein kommen.

_____

684   Man spricht geheimnisvoll von einem wichtigen Experimente, womit man die Lehre erst recht befestigen will; ich kenn' es recht gut und kann es auch darstellen: das ganze Kunststück ist, daß zu obigen Bedingungen noch ein paar hinzugefügt werden, wodurch das Hokuspokus sich noch mehr verwickelt.

———

685   Der Fraunhoferische Versuch, wo Querlinien im Spektrum erscheinen, ist von derselben Art, so wie auch die Versuche, wodurch eine neue Eigenschaft des Lichts entdeckt werden soll. Sie sind doppelt und dreifach kompliziert; wenn sie was nützen sollten, müßten sie in ihre Elemente zerlegt werden, welches dem Wissenden nicht schwerfällt, welches aber zu fassen und zu begreifen kein Laie weder Vorkenntnis noch Geduld, kein Gegner weder Intention noch Redlichkeit genug mitbringt: man nimmt lieber überhaupt an, was man sieht, und zieht die alte Schlußfolge daraus.

———

686   Ich weiß wohl, daß diese Worte vergebens dastehen; aber sie mögen als offenbares Geheimnis der Zukunft bewahrt bleiben. Vielleicht interessiert sich auch noch einmal ein La Grange für diese Angelegenheit.

———

687   Daß Newton bei seinen prismatischen Versuchen die Öffnung so klein als möglich nahm, um eine Linie zum Lichtstrahl bequem zu symbolisieren, hat eine unheilbare Verirrung über die Welt gebracht, an der vielleicht noch Jahrhunderte leiden.

Durch dieses kleine Löchlein ward Malus zu einer abenteuerlichen Theorie getrieben, und wäre Seebeck nicht so umsichtig, so mußte er verhindert werden, den Urgrund dieser Erscheinungen, die entoptischen Figuren und Farben zu entdecken.

———

688   Was aber das Allersonderbarste ist: der Mensch, wenn er auch den Grund des Irrtums aufdeckt, wird den Irrtum selbst deshalb doch nicht los. Mehrere Engländer, besonders Dr. Reade, sprechen gegen Newton leidenschaftlich aus:

das prismatische Bild sei keineswegs das Sonnenbild, sondern das Bild der Öffnung unseres Fensterladens, mit Farbensäumen geschmückt; im prismatischen Bilde gebe es kein ursprünglich Grün, dieses entstehe durch das Übereinandergreifen des Blauen und Gelben, so daß ein schwarzer Streif ebensogut als ein weißer in Farben aufgelöst scheinen könne, wenn man hier von Auflösen reden wolle. Genug, alles, was wir seit vielen Jahren dargetan haben, legt dieser gute Beobachter gleichfalls vor. Nun aber läßt ihn die fixe Idee einer diversen Refrangibilität nicht los, doch kehrt er sie um und ist womöglich noch befangener als sein großer Meister. Anstatt, durch diese neue Ansicht begeistert, aus jenem Chrysalidenzustande sich herauszureißen, sucht er die schon erwachsenen und entfalteten Glieder aufs neue in die alten Puppenschalen unterzubringen.

———

Der Newtonische Irrtum steht so nett im Konversations- 689
lexikon, daß man die Oktavseite nur auswendig lernen darf, um die Farbe fürs ganze Leben los zu sein.

———

Der Kampf mit Newton geht eigentlich in einer sehr 690
niedern Region vor. Man bestreitet ein schlecht gesehnes, schlecht entwickeltes, schlecht angewendetes, schlecht theoretisiertes Phänomen. Man beschuldigt ihn in den früheren Versuchen einer Unvorsichtigkeit, in den folgenden einer Absichtlichkeit, beim Theoretisieren der Übereilung, beim Verteidigen der Hartnäckigkeit und im ganzen einer halb bewußtlosen, halb bewußten Unredlichkeit.

———

Diejenigen, die das einzige grundklare Licht aus farbigen 691
Lichtern zusammensetzen, sind die eigentlichen Obskuranten.

———

Alle Gegner einer geistreichen Sache schlagen nur in die 692
Kohlen, diese springen umher und zünden da, wo sie sonst nicht gewirkt hätten.

———

Ich habe nichts dagegen, wenn man die Farbe sogar zu 693
fühlen glaubt; ihr eigenes Eigenschaftliche würde nur dadurch noch mehr betätigt.

———

694 Auch zu schmecken ist sie. Blau wird alkalisch, Gelbrot sauer schmecken. Alle Manifestationen der Wesenheiten sind verwandt.

―――――

695 Und gehört die Farbe nicht ganz eigentlich dem Gesicht an?

―――――

696 Man streiche zwei Stäbchen, einen rot an, den andern blau, man bringe sie nebeneinander ins Wasser, und einer wird gebrochen erscheinen wie der andere. Jeder kann dieses einfache Experiment mit den Augen des Leibes erblicken; wer es mit Geistesaugen beschaut, wird von tausend und aber tausend irrtümlichen Paragraphen befreit sein.

―――――

697 Da seit einiger Zeit meiner Farbenlehre mehr nachgefragt wird, machen sich frisch illuminierte Tafeln nötig. Indem ich nun dieses kleine Geschäft besorge, muß ich lächeln, welche unsägliche Mühe ich mir gegeben, das Vernünftige sowohl als das Absurde palpabel zu machen. Nach und nach wird man beides erfassen und anerkennen.

―――――

698 Eine Schule ist als ein einziger Mensch anzusehen, der hundert Jahre mit sich selbst spricht und sich in seinem eignen Wesen, und wenn es auch noch so albern wäre, ganz außerordentlich gefällt.

―――――

699 Gegen die Kritik kann man sich weder schützen noch wehren; man muß ihr zum Trutz handeln, und das läßt sie sich nach und nach gefallen.

―――――

700 Man tut immer besser, daß man sich grad ausspricht, wie man denkt, ohne viel beweisen zu wollen; denn alle Beweise, die wir vorbringen, sind doch nur Variationen unserer Meinungen, und die Widriggesinnten hören weder auf das eine noch auf das andere.

―――――

701 In der jetzigen Zeit soll niemand schweigen oder nachgeben; man muß reden und sich rühren, nicht um zu über-

winden, sondern sich auf seinem Posten zu erhalten; ob bei
der Majorität oder Minorität, ist ganz gleichgültig.

_____

Beharre, wo du stehst! – Maxime, notwendiger als je, 702
indem einerseits die Menschen in große Parteien gerissen
werden, sodann aber auch jeder einzelne nach individueller
Einsicht und Vermögen sich geltend machen will.

_____

Jeder Mensch muß nach seiner Weise denken; denn er 703
findet auf seinem Wege immer ein Wahres oder eine Art
von Wahrem, die ihm durchs Leben hilft. Nur darf er sich
nicht gehen lassen, er muß sich kontrollieren; der bloße
nackte Instinkt geziemt nicht dem Menschen.

_____

Bescheidenheit gehört in gute geschlossene Gesellschaft. 704
Schon in größerer Sozietät steht das Unbescheidene immer
im Vorteil, aber Derbheit, ja Grobheit gehört in eine Volks-
versammlung, wo der Pöbel mitreden will und den man
überschreien oder selbst schweigen und sich nach Hause
drücken muß. Übrigens kann ich die Newtonische Turba,
sie bestehe aus Volk, Pharisäern oder Schriftgelehrten,
welche das...

_____

Man muß sein Glaubensbekenntnis von Zeit zu Zeit 705
wiederholen, aussprechen, was man billigt, was man ver-
dammt; der Gegenteil läßt's ja auch nicht daran fehlen.

_____

Gegner glauben, uns zu widerlegen, wenn sie ihre Mei- 706
nung wiederholen und auf die unsrige nicht achten.

_____

Diejenigen, welche widersprechen und streiten, sollten 707
mitunter bedenken, daß nicht jede Sprache jedem verständlich sei.

_____

Wenn jemand spricht, er habe mich widerlegt, so bedenkt 708
er nicht, daß er nur eine Ansicht der meinigen entgegen
aufstellt; dadurch ist ja noch nichts ausgemacht. Ein Dritter
hat eben das Recht und so ins Unendliche fort.

_____

709   In Neuyork sind neunzig verschiedene christliche Konfessionen, von welchen jede auf ihre Art Gott und den Herrn bekennt, ohne weiter aneinander irrezuwerden. In der Naturforschung, ja in jeder Forschung müssen wir es so weit bringen; denn was will das heißen, daß jedermann von Liberalität spricht und den andern hindern will, nach seiner Weise zu denken und sich auszusprechen?

710   Es ist weit eher möglich, sich in den Zustand eines Gehirns zu versetzen, das im entschiedensten Irrtum befangen ist, als eines, das Halbwahrheiten sich vorspiegelt.

711   Das eigentlich Unverständige sonst verständiger Menschen ist, daß sie nicht zurechtzulegen wissen, was ein anderer sagt, aber nicht gerade trifft, wie er's hätte sagen sollen.

712   Man weiß eigentlich das, was man weiß, nur für sich selbst. Spreche ich mit einem andern von dem, was ich zu wissen glaube, unmittelbar glaubt er's besser zu wissen, und ich muß mit meinem Wissen immer wieder in mich selbst zurückkehren.

713   Was ich recht weiß, weiß ich nur mir selbst; ein ausgesprochenes Wort fördert selten, es erregt meistens Widerspruch, Stocken und Stillstehen.

714   Zuerst belehre man sich selbst, dann wird man Belehrung von andern empfangen.

715   Eigentlich lernen wir nur von Büchern, die wir nicht beurteilen können. Der Autor eines Buchs, das wir beurteilen könnten, müßte von uns lernen.

716 . Manche sind auf das, was sie wissen, stolz, gegen das, was sie nicht wissen, hoffärtig.

717   Eigentlich weiß man nur, wenn man wenig weiß; mit dem Wissen wächst der Zweifel.

Das schönste Glück des denkenden Menschen ist, das [718] Erforschliche erforscht zu haben und das Unerforschliche ruhig zu verehren.

KUNST UND KÜNSTLER

Das Schöne ist eine Manifestation geheimer Naturgesetze, [719] die uns ohne dessen Erscheinung ewig wären verborgen geblieben.

———

Wem die Natur ihr offenbares Geheimnis zu enthüllen [720] anfängt, der empfindet eine unwiderstehliche Sehnsucht nach ihrer würdigsten Auslegerin, der Kunst.

———

Die Schönheit: jede milde hohe Übereinstimmung alles [721] dessen, was unmittelbar, ohne Überlegen und Nachdenken zu erfordern, gefällt.

———

Kunst: eine andere Natur, auch geheimnisvoll, aber [722] verständlicher; denn sie entspringt aus dem Verstande.

———

Die Natur wirkt nach Gesetzen, die sie sich in Eintracht [723] mit dem Schöpfer vorschrieb, die Kunst nach Regeln, über die sie sich mit dem Genie einverstanden hat.

———

Die Unmöglichkeit, Rechenschaft zu geben von dem [724] Natur- und Kunstschönen; denn
ad 1. müßten wir die Gesetze kennen, nach welchen die allgemeine Natur handeln will und handelt, wenn sie kann, und
ad 2. die Gesetze kennen, nach denen die allgemeine Natur unter der besonderen Form der menschlichen Natur produktiv handeln will und handelt, wenn sie kann.

———

Wir wissen von keiner Welt als im Bezug auf den Men- [725] schen; wir wollen keine Kunst, als die ein Abdruck dieses Bezugs ist.

———

726   Die Schönheit kann nie über sich selbst deutlich werden.

727   Schönheit und Geist muß man entfernen, wenn man nicht ihr Knecht werden will.

728   Die Kunst ruht auf einer Art religiosem Sinn, auf einem tiefen, unerschütterlichen Ernst; deswegen sie sich auch so gern mit der Religion vereinigt. Die Religion bedarf keines Kunstsinnes, sie ruht auf ihrem eignen Ernst; sie verleiht aber auch keinen, so wenig sie Geschmack gibt.

729   Die Kunst ist eine Vermittlerin des Unaussprechlichen; darum scheint es eine Torheit, sie wieder durch Worte vermitteln zu wollen. Doch indem wir uns darin bemühen, findet sich für den Verstand so mancher Gewinn, der dem ausübenden Vermögen auch wieder zugute kommt.

730   Im Ästhetischen tut man nicht wohl zu sagen: die Idee des Schönen; dadurch vereinzelt man das Schöne, das doch einzeln nicht gedacht werden kann. Vom Schönen kann man einen Begriff haben, und dieser Begriff kann überliefert werden.

731   Kant hat uns aufmerksam gemacht, daß es eine Kritik der Vernunft gebe, daß dieses höchste Vermögen, was der Mensch besitzt, Ursache habe, über sich selbst zu wachen. Wie großen Vorteil uns diese Stimme gebracht, möge jeder an sich selbst geprüft haben. Ich aber möchte in eben dem Sinne die Aufgabe stellen, daß eine Kritik der Sinne nötig sei, wenn die Kunst überhaupt, besonders die deutsche, irgend wieder sich erholen und in einem erfreulichen Lebensschritt vorwärtsgehen solle.

732   Organische Natur: ins Kleinste lebendig; Kunst: ins Kleinste empfunden.

Konflikte.
733   Sprünge der Natur und Kunst.
Eintretender Genius zur rechten Zeit.

Element genugsam vorbereitet.

Nicht roh und starr.

Auch nicht schon verbraucht.

Ebenso mit der Organisation.

Hier springt die Natur auch nur, insofern alles vorbereitet ist, als ein Höheres, in die Wirklichkeit Tretendes zur eminenten Erscheinung gelangen kann.

Jedes gute und schlechte Kunstwerk, sobald es entstanden ist, gehört zur Natur. Die Antike gehört zur Natur, und zwar, wenn sie anspricht, zur natürlichsten Natur, und diese edle Natur sollen wir nicht studieren, aber die gemeine! 734

Denn das Gemeine ist's eigentlich, was den Herren Natur heißt! Aus sich schöpfen, mag wohl heißen, mit dem eben fertig werden, was uns bequem wird! 735

Die höchste Absicht der Kunst ist, menschliche Formen zu zeigen, so sinnlich bedeutend und so schön, als es möglich ist. 736

Man weicht der Welt nicht sicherer aus als durch die Kunst, und man verknüpft sich nicht sicherer mit ihr als durch die Kunst. 737

Selbst im Augenblick des höchsten Glücks und der höchsten Not bedürfen wir des Künstlers. 738

Die Kunst beschäftigt sich mit dem Schweren und Guten. 739

Das Schwierige leicht behandelt zu sehen, gibt uns das Anschauen des Unmöglichen. 740

Die Alten vergleichen die Hand der Vernunft. Die Vernunft ist die Kunst der Künste. Die Hand die Technik alles Handwerks. 741

---

742   Vollkommenheit ist schon da, wenn das Notwendige geleistet wird, Schönheit, wenn das Notwendige geleistet, doch
verborgen ist.

743   Vollkommenheit kann mit Disproportion bestehen, Schönheit allein mit Proportion.

744   Realität in der höchsten Nützlichkeit (Zweckmäßigkeit)
wird auch schön sein.

745   Die Manifestation der Idee als des Schönen ist ebenso
flüchtig als die Manifestation des Erhabenen, des Geistreichen, des Lustigen, des Lächerlichen. Dies ist die Ursache, warum so schwer darüber zu reden ist.

746   Zum Schönen wird erfordert ein Gesetz, das in die
Erscheinung tritt.
Beispiel von der Rose.
In den Blüten tritt das vegetabilische Gesetz in seine
höchste Erscheinung, und die Rose wäre nun wieder der
Gipfel dieser Erscheinung.
Perikarpien können noch schön sein.
Die Frucht kann nie schön sein; denn da tritt das vegeta-
bilische Gesetz in sich (ins bloße Gesetz) zurück.

747   Das Gesetz, das in die Erscheinung tritt, in der größten
Freiheit, nach seinen eigensten Bedingungen, bringt das
objektiv Schöne hervor, welches freilich würdige Subjekte
finden muß, von denen es aufgefaßt wird.

748   Schönheit der Jugend aus obigem abzuleiten.
Alter: stufenweises Zurücktreten aus der Erscheinung.
Inwiefern das Alternde schön genannt werden kann.
Ewige Jugend der griechischen Götter.

749   Die Symbolik verwandelt die Erscheinung in Idee, die
Idee in ein Bild, und so, daß die Idee im Bild immer unend-
lich wirksam und unerreichbar bleibt und, selbst in allen
Sprachen ausgesprochen, doch unaussprechlich bliebe.

Die Allegorie verwandelt die Erscheinung in einen Begriff, 750
den Begriff in ein Bild, doch so, daß der Begriff im Bilde
immer noch begrenzt und vollständig zu halten und zu
haben und an demselben auszusprechen sei.

Mein Verhältnis zu Schiller gründete sich auf die ent- 751
schiedene Richtung beider auf einen Zweck, unsere gemeinsame Tätigkeit auf die Verschiedenheit der Mittel,
wodurch wir jenen zu erreichen strebten.

Bei einer zarten Differenz, die einst zwischen uns zur
Sprache kam, und woran ich durch eine Stelle seines Briefs
wieder erinnert werde, macht' ich folgende Betrachtungen.

Es ist ein großer Unterschied, ob der Dichter zum Allgemeinen das Besondere sucht oder im Besondern das Allgemeine schaut. Aus jener Art entsteht Allegorie, wo das
Besondere nur als Beispiel, als Exempel des Allgemeinen
gilt; die letztere aber ist eigentlich die Natur der Poesie, sie
spricht ein Besonderes aus, ohne ans Allgemeine zu denken
oder darauf hinzuweisen. Wer nun dieses Besondere lebendig
faßt, erhält zugleich das Allgemeine mit, ohne es gewahr
zu werden, oder erst spät.

Das ist die wahre Symbolik, wo das Besondere das 752
Allgemeinere repräsentiert, nicht als Traum und Schatten,
sondern als lebendig-augenblickliche Offenbarung des Unerforschlichen.

Die Form will so gut verdauet sein als der Stoff; ja sie ver- 753
daut sich viel schwerer.

Den Stoff sieht jedermann vor sich, den Gehalt findet 754
nur der, der etwas dazu zu tun hat, und die Form ist ein
Geheimnis den meisten.

„Vis superba formae." Ein schönes Wort von Johannes 755
Secundus.

Das Was des Kunstwerks interessiert die Menschen mehr 756
als das Wie; jenes können sie einzeln ergreifen, dieses im
Ganzen nicht fassen. Daher kommt das Herausheben von

Stellen, wobei zuletzt, wenn man wohl aufmerkt, die Wirkung der Totalität auch nicht ausbleibt, aber jedem unbewußt.

757   Die Frage: „Woher hat's der Dichter?" geht auch nur aufs Was; vom Wie erfährt dabei niemand etwas.

758   Vom eigentlich Produktiven ist niemand Herr, und sie müssen es alle nur so gewähren lassen.

759   Das Erste und Letzte, was vom Genie gefordert wird, ist Wahrheitsliebe.

760   Das Genie übt eine Art Ubiquität aus, ins Allgemeine vor, ins Besondere nach der Erfahrung.

761   Das Glück des Genies: wenn es zu Zeiten des Ernstes geboren wird.
  Das Genie mit Großsinn sucht seinem Jahrhundert vorzueilen; das Talent aus Eigensinn möchte es oft zurückhalten.

762   Der herrliche Kirchengesang: Veni creator Spiritus ist ganz eigentlich ein Appell ans Genie; deswegen er auch geist- und kraftreiche Menschen gewaltig anspricht.

763   Der Humor ist eins der Elemente des Genies, aber sobald er vorwaltet, nur ein Surrogat desselben; er begleitet die abnehmende Kunst, zerstört, vernichtet sie zuletzt.

764   Es gibt nichts Gemeines, was, fratzenhaft ausgedrückt, nicht humoristisch aussähe.

765   Hierüber kann eine Arbeit anmutig aufklären, die wir vorbereiten: sämtliche Künstler nämlich, die uns schon von so manchen Seiten bekannt sind, ausschließlich von der ethischen zu betrachten, aus den Gegenständen und der Behandlung ihrer Werke zu entwickeln, was Zeit und Ort, Nation und Lehrmeister, was eigne unzerstörliche Individualität beigetragen, sie zu dem zu bilden, was sie wurden, sie bei dem zu erhalten, was sie waren.

Einem jeden wohlgesinnten Deutschen ist eine gewisse 766
Portion poetischer Gabe zu wünschen als das wahre Mittel,
seinen Zustand, von welcher Art er auch sei, mit Wert und
Anmut einigermaßen zu umkleiden.

_____

Poesie wirkt am meisten im Anfang der Zustände, sie 767
seien nun ganz roh, halbkultiviert oder bei Abänderung einer
Kultur, beim Gewahrwerden einer fremden Kultur, daß
man also sagen kann, die Wirkung der Neuheit findet durchaus statt.

_____

Musik im besten Sinne bedarf weniger der Neuheit, ja 768
vielmehr je älter sie ist, je gewohnter man sie ist, desto mehr
wirkt sie.

_____

Die Würde der Kunst erscheint bei der Musik vielleicht 769
am eminentesten, weil sie keinen Stoff hat, der abgerechnet
werden müßte. Sie ist ganz Form und Gehalt und erhöht
und veredelt alles, was sie ausdrückt.

_____

Die Musik ist heilig oder profan. Das Heilige ist ihrer 770
Würde ganz gemäß, und hier hat sie die größte Wirkung
aufs Leben, welche sich durch alle Zeiten und Epochen
gleich bleibt. Die profane sollte durchaus heiter sein.

_____

Eine Musik, die den heiligen und profanen Charakter 771
vermischt, ist gottlos, und eine halbschürige, welche schwache, jammervolle, erbärmliche Empfindungen auszudrücken
Belieben findet, ist abgeschmackt. Denn sie ist nicht ernst
genug, um heilig zu sein, und es fehlt ihr der Hauptcharakter
des Entgegengesetzten: die Heiterkeit.

_____

Die Heiligkeit der Kirchenmusiken, das Heitere und 772
Neckische der Volksmelodien sind die beiden Angeln, um
die sich die wahre Musik herumdreht. Auf diesen beiden
Punkten beweist sie jederzeit eine unausbleibliche Wirkung:
Andacht oder Tanz. Die Vermischung macht irre, die Ver-
schwächung wird fade, und will die Musik sich an Lehr-

gedichte oder beschreibende und dergleichen wenden, so wird sie kalt.

———

773 Kantilene: die Fülle der Liebe und jedes leidenschaftlichen Glücks verewigend.

———

774 Die Sehnsucht, die nach außen, in die Ferne strebt, sich aber melodisch in sich selbst beschränkt, erzeugt den Minor.

———

775 Der Rhythmus hat etwas Zauberisches, sogar macht er uns glauben, das Erhabene gehöre uns an.

———

776 Ein edler Philosoph sprach von der Baukunst als einer erstarrten Musik und mußte dagegen manches Kopfschütteln gewahr werden. Wir glauben diesen schönen Gedanken nicht besser nochmals einzuführen, als wenn wir die Architektur eine verstummte Tonkunst nennen.

Man denke sich den Orpheus, der, als ihm ein großer wüster Bauplatz angewiesen war, sich weislich an dem schicklichsten Ort niedersetzte und durch die belebenden Töne seiner Leier den geräumigen Marktplatz um sich her bildete. Die von kräftig gebietenden, freundlich lockenden Tönen schnell ergriffenen, aus ihrer massenhaften Ganzheit gerissenen Felssteine mußten, indem sie sich enthusiastisch herbei bewegten, sich kunst- und handwerksgemäß gestalten, um sich sodann in rhythmischen Schichten und Wänden gebührend hinzuordnen. Und so mag sich Straße zu Straßen anfügen! An wohlschützenden Mauern wird's auch nicht fehlen.

Die Töne verhallen, aber die Harmonie bleibt. Die Bürger einer solchen Stadt wandeln und weben zwischen ewigen Melodien; der Geist kann nicht sinken, die Tätigkeit nicht einschlafen, das Auge übernimmt Funktion, Gebühr und Pflicht des Ohres, und die Bürger am gemeinsten Tage fühlen sich in einem ideellen Zustand: ohne Reflexion, ohne nach dem Ursprung zu fragen, werden sie des höchsten sittlichen und religiosen Genusses teilhaftig. Man gewöhne sich, in Sankt Peter auf und ab zu gehen, und man wird ein Analogon desjenigen empfinden, was wir auszusprechen gewagt.

Der Bürger dagegen in einer schlecht gebauten Stadt, wo der Zufall mit leidigem Besen die Häuser zusammenkehrte, lebt unbewußt in der Wüste eines düstern Zustandes; dem fremden Eintretenden jedoch ist es zumute, als wenn er Dudelsack, Pfeifen und Schellentrommeln hörte und sich bereiten müßte, Bärentänzen und Affensprüngen beiwohnen zu müssen.

———

Die mimische Tanzkunst würde eigentlich alle bildenden 777 Künste zugrunde richten, und mit Recht. Glücklicherweise ist der Sinnenreiz, den sie bewirkt, so flüchtig, und sie muß, um zu reizen, ins Übertriebene gehen. Dieses schreckt die übrigen Künstler glücklicherweise sogleich ab; doch können sie, wenn sie klug und vorsichtig sind, viel dabei lernen.

Man soll sich alles praktisch denken und deshalb auch 778 dahin trachten, daß verwandte Manifestationen der großen Idee, insofern sie durch Menschen zur Erscheinung kommen sollen, auf eine gehörige Weise ineinander wirken. Malerei, Plastik und Mimik stehen in einem unzertrennlichen Bezug; doch muß der Künstler, zu dem einen berufen, sich hüten, von dem andern beschädigt zu werden: der Bildhauer kann sich vom Maler, der Maler vom Mimiker verführen lassen, und alle drei können einander so verwirren, daß keiner derselben auf den Füßen stehen bleibt.

Wie man gebildete Menschen sieht, so findet man, daß 779 sie nur für eine Manifestation des Urwesens oder doch nur für wenige empfänglich sind, und das ist schon genug. Das Talent entwickelt im Praktischen alles und braucht von den theoretischen Einzelnheiten nicht Notiz zu nehmen: der Musikus kann ohne seinen Schaden den Bildhauer ignorieren und umgekehrt.

———

Plastik wirkt eigentlich nur auf ihrer höchsten Stufe; 780 alles Mittlere kann wohl aus mehr denn einer Ursache imponieren, aber alle mittleren Kunstwerke dieser Art machen mehr irre, als daß sie erfreuen. Die Bildhauerkunst muß sich daher noch ein stoffartiges Interesse suchen, und das findet sie in den Bildnissen bedeutender Menschen. Aber auch hier muß sie schon einen hohen Grad erreichen, wenn sie zugleich wahr und würdig sein will.

––––––

781   Die bildende Kunst ist auf das Sichtbare angewiesen, auf die äußere Erscheinung des Natürlichen. Das rein Natürliche, insofern es sittlich gefällig ist, nennen wir naiv. Naive Gegenstände sind also das Gebiet der Kunst, die ein sittlicher Ausdruck des Natürlichen sein soll. Gegenstände, die nach beiden Seiten hinweisen, sind die günstigsten.

––––––

782   Die Malerei ist die läßlichste und bequemste von allen Künsten. Die läßlichste, weil man ihr um des Stoffes und des Gegenstandes willen auch da, wo sie nur Handwerk oder kaum eine Kunst ist, vieles zugute hält und sich an ihr erfreut; teils, weil eine technische, obgleich geistlose Ausführung den Ungebildeten wie den Gebildeten in Verwunderung setzt, so daß sie sich also nur einigermaßen zur Kunst zu steigern braucht, um in einem höheren Grade willkommen zu sein. Wahrheit in Farben, Oberflächen, in Beziehungen der sichtbaren Gegenstände aufeinander ist schon angenehm, und da das Auge ohnehin gewohnt ist, alles zu sehen, so ist ihm eine Mißgestalt und also auch ein Mißbild nicht so zuwider als dem Ohr ein Mißton. Man läßt die schlechteste Abbildung gelten, weil man noch schlechtere Gegenstände zu sehen gewohnt ist. Der Maler darf also nur einigermaßen Künstler sein, so findet er schon ein größeres Publikum als der Musiker, der auf dem gleichen Grade stünde; wenigstens kann der geringere Maler immer für sich operieren, anstatt daß der mindere Musiker sich mit anderen soziieren muß, um durch gesellige Leistung einigen Effekt zu tun.

––––––

783   Die Frage, ob man bei Betrachtung von Kunstleistungen vergleichen solle oder nicht, möchten wir folgendermaßen beantworten: Der ausgebildete Kenner soll vergleichen; denn ihm schwebt die Idee vor, er hat den Begriff gefaßt, was geleistet werden könne und solle; der Liebhaber, auf dem Wege zur Bildung begriffen, fördert sich am besten,

wenn er nicht vergleicht, sondern jedes Verdienst einzeln betrachtet: dadurch bildet sich Gefühl und Sinn für das Allgemeinere nach und nach aus. Das Vergleichen der Unkenner ist eigentlich nur eine Bequemlichkeit, die sich gern des Urteils überheben möchte.

Perspektivische Gesetze: die mit so großem Sinn als 784 Richtigkeit die Welt auf das Auge des Menschen und seinen Standpunkt beziehen und dadurch möglich machen, daß jedes sonderbare verworrene Gedräng von Gegenständen in ein reines ruhiges Bild verwandelt werden kann.

Wer zuerst aus der Systole und Diastole, zu der die Retina 785 gebildet ist, aus dieser Synkrisis und Diakrisis, mit Plato zu sprechen, die Farbenharmonie entwickelte, der hat die Prinzipien des Kolorits entdeckt.

Wer zuerst im Bilde auf seinen Horizont die Zielpunkte 786 des mannigfaltigen Spiels waagerechter Linien bannte, erfand das Prinzip der Perspektive.

Es ist schon genug, daß Kunstliebhaber das Vollkommene 787 übereinstimmend anerkennen und schätzen; über das Mittlere läßt sich der Streit nicht endigen.

Alles Prägnante, was allein an einem Kunstwerke vortreff- 788 lich ist, wird nicht anerkannt, alles Fruchtbare und Fördernde wird beseitigt, eine tief umfassende Synthesis begreift nicht leicht jemand.

Werke der Kunst werden zerstört, sobald der Kunstsinn 789 verschwindet.

In allen Künsten gibt es einen gewissen Grad, den man 790 mit den natürlichen Anlagen, sozusagen allein erreichen kann. Zugleich aber ist es unmöglich, denselben zu überschreiten, wenn nicht die Kunst zu Hülfe kommt.

791 Gemüt hat jedermann, Naturell manche, Kunstbegriffe sind selten.

———

792 „Blasen ist nicht flöten, ihr müßt die Finger bewegen."

———

793 Was die letzte Hand tun kann, muß die erste schon entschieden aussprechen. Hier muß schon bestimmt sein, was getan werden soll.

———

794 Es ist so schwer, etwas von Mustern zu lernen, als von der Natur.

———

795 Ihr wählt euch ein Muster, und damit vermischt ihr eure Individualität: das ist alle eure Kunst. Da ist an keine Grundsätze, an keine Schule, an keine Folge zu denken, alles willkürlich und wie es einem jeden einfällt. Daß man sich von Gesetzen losmacht, die bloß durch Tradition geheiligt sind, dagegen ist nichts zu sagen; aber daß man nicht denkt, es müssen doch Gesetze sein, die aus der Natur jeder Kunst entspringen, daran denkt niemand.

———

796 Vollkommne Künstler haben mehr dem Unterricht als der Natur zu danken.

———

797 Gerade das, was ungebildeten Menschen am Kunstwerk als Natur auffällt, das ist nicht Natur (von außen), sondern der Mensch (Natur von innen).

———

798 Das Schrecklichste für den Schüler ist, daß er sich am Ende doch gegen den Meister wiederherstellen muß. Je kräftiger das ist, was dieser gibt, in desto größerem Unmut, ja Verzweiflung ist der Empfangende.

———

799 In der wahren Kunst gibt es keine Vorschule, wohl aber Vorbereitungen; die beste jedoch ist die Teilnahme des geringsten Schülers am Geschäft des Meisters. Aus Farbenreibern sind treffliche Maler hervorgegangen.

———

Ein anderes ist die Nachäffung, zu welcher die natürliche 800
allgemeine Tätigkeit des Menschen durch einen bedeutenden Künstler, der das Schwere mit Leichtigkeit vollbringt,
zufällig angeregt wird.

Nur in der Schule selbst ist die eigentliche Vorschule. 801

Die Meisterschaft gilt oft für Egoismus. 802

Die Kunst kann niemand fördern als der Meister. Gönner 803
fördern den Künstler, das ist recht und gut; aber dadurch
wird nicht immer die Kunst gefördert.

Jeder große Künstler reißt uns weg, steckt uns an. Alles, 804
was in uns von eben der Fähigkeit ist, wird rege, und da
wir eine Vorstellung vom Großen und einige Anlage dazu
haben, so bilden wir uns gar leicht ein, der Keim davon
stecke in uns.

Der zur Vernunft geborene Mensch bedarf noch großer 805
Bildung, sie mag sich ihm nun durch Sorgfalt der Eltern
und Erzieher, durch friedliches Beispiel oder durch strenge
Erfahrung nach und nach offenbaren. Ebenso wird zwar der
angehende Künstler, aber nicht der vollendete geboren;
sein Auge komme frisch auf die Welt, er habe glücklichen
Blick für Gestalt, Proportion, Bewegung: aber für höhere
Komposition, für Haltung, Licht, Schatten, Farben kann
ihm die natürliche Anlage fehlen, ohne daß er es gewahr
wird.

Ist er nun nicht geneigt, von höher ausgebildeten Künst- 806
lern der Vor- und Mitzeit das zu lernen, was ihm fehlt, um
eigentlicher Künstler zu sein, so wird er im falschen Begriff
von bewahrter Originalität hinter sich selbst zurückbleiben,
denn nicht allein das, was mit uns geboren ist, sondern auch
das, was wir erwerben können, gehört uns an, und wir sind es.

Man sagt wohl zum Lobe des Künstlers: Er hat alles aus 807
sich selbst. Wenn ich das nur nicht wieder hören müßte!

Genau besehen, sind die Produktionen eines solchen Original-
genies meistens Reminiszenzen; wer Erfahrung hat, wird
sie meist einzeln nachweisen können.

---

808 „Pereant, qui ante nos nostra dixerunt!"
So wunderlich könnte nur derjenige sprechen, der sich
einbildete, ein Autochthon zu sein. Wer sich's zur Ehre hält,
von vernünftigen Vorfahren abzustammen, wird ihnen doch
wenigstens ebensoviel Menschensinn zugestehen als sich
selbst.

---

809 Daher ist das schönste Zeichen der Originalität, wenn
man einen empfangenen Gedanken dergestalt fruchtbar zu
entwickeln weiß, daß niemand leicht, wieviel in ihm verborgen liege, gefunden hätte.

---

810 Viele Gedanken heben sich erst aus der allgemeinen
Kultur hervor wie die Blüten aus den grünen Zweigen. Zur
Rosenzeit sieht man Rosen überall blühen.

---

811 Eigentlich kommt alles auf die Gesinnungen an; wo diese
sind, treten auch die Gedanken hervor, und nachdem sie
sind, sind auch die Gedanken.

---

812 Was nicht originell ist, daran ist nichts gelegen, und was
originell ist, trägt immer die Gebrechen des Individuums
an sich.

---

813 Das sogenannte Aus-sich-Schöpfen macht gewöhnlich
falsche Originale und Manieristen.

---

814 Warum schelten wir das Manierierte so sehr, als weil wir
glauben, das Umkehren daher auf den rechten Weg sei
unmöglich?

---

815 Das Manierierte ist ein verfehltes Ideelle, ein subjek-
tiviertes Ideelle; daher fehlt ihm das Geistreiche nicht leicht.

Daß Menschen dasjenige noch zu können glauben, was [816]
sie gekonnt haben, ist natürlich genug; daß andere zu vermögen glauben, was sie nie vermochten, ist wohl seltsam,
aber nicht selten.

_____

Die Kunst soll das Penible nicht vorstellen. [817]

_____

„An meinen Bildern müßt ihr nicht schnuffeln, die Farben [818]
sind ungesund." Rembrandt.

_____

Aus vielen Skizzen endlich ein Ganzes hervorzubringen, [819]
gelingt selbst den Besten nicht immer.

_____

Selbst das mäßige Talent hat immer Geist in Gegenwart [820]
der Natur; deswegen einigermaßen sorgfältige Zeichnungen
der Art immer Freude machen.

_____

Ursache des Dilettantismus: Flucht vor der Manier, Un- [821]
kenntnis der Methode, törichtes Unternehmen, gerade
immer das Unmögliche leisten zu wollen, welches die höchste
Kunst erforderte, wenn man sich ihm je nähern könnte.

_____

Die Dilettanten, wenn sie das Möglichste getan haben, [822]
pflegen zu ihrer Entschuldigung zu sagen, die Arbeit sei
noch nicht fertig. Freilich kann sie nie fertig werden, weil
sie nie recht angefangen ward. Der Meister stellt sein Werk
mit wenigen Strichen als fertig dar; ausgeführt oder nicht,
schon ist es vollendet. Der geschickteste Dilettant tastet im
Ungewissen, und wie die Ausführung wächst, kommt die
Unsicherheit der ersten Anlage immer mehr zum Vorschein.
Ganz zuletzt entdeckt sich erst das Verfehlte, das nicht auszugleichen ist, und so kann das Werk freilich nicht fertig
werden.

_____

Fehler der Dilettanten: Phantasie und Technik unmittel- [823]
bar verbinden zu wollen.

_____

Die Zudringlichkeiten junger Dilettanten muß man mit [824]
Wohlwollen ertragen: sie werden im Alter die wahrsten
Verehrer der Kunst und des Meisters.

_____

825   Dilettantismus, ernstlich behandelt, und Wissenschaft, mechanisch betrieben, werden Pedanterei.

———

826   „Es gibt auch Afterkünstler: Dilettanten und Spekulanten; jene treiben die Kunst um des Vergnügens, diese um des Nutzens willen."

———

827   Die Lust der Deutschen am Unsichern in den Künsten kommt aus der Pfuscherei her; denn wer pfuscht, darf das Rechte nicht gelten lassen, sonst wäre er gar nichts.

———

828   Es ist eine Tradition, Daedalus, der erste Plastiker, habe die Erfindung der Drehscheibe des Töpfers beneidet. Von Neid möchte wohl nichts vorgekommen sein; aber der große Mann hat wahrscheinlich vorempfunden, daß die Technik zuletzt in der Kunst verderblich werden müsse.

———

829   Die Technik im Bündnis mit dem Abgeschmackten ist die fürchterlichste Feindin der Kunst.

———

830   Bei jedem Kunstwerk, groß oder klein, bis ins Kleinste kommt alles auf die Konzeption an.

———

831   Man kann nicht genug wiederholen, der Dichter sowie der bildende Künstler solle zuerst aufmerken, ob der Gegenstand, den er zu behandeln unternimmt, von der Art sei, daß sich ein mannigfaltiges, vollständiges, hinreichendes Werk daraus entwickeln könne. Wird dieses versäumt, so ist alles übrige Bestreben völlig vergebens: Silbenfuß und Reimwort, Pinselstrich und Meißelhieb sind umsonst verschwendet; und wenn sogar eine meisterhafte Ausführung den geistreichen Beschauer auch einige Augenblicke bestechen könnte, so wird er doch das Geistlose, woran alles Falsche krankt, gar bald empfinden.

———

832   Allen andern Künsten muß man etwas vorgeben, der griechischen allein bleibt man ewig Schuldner.

———

Wer Proportion (das Meßbare) von der Antike nehmen [833] muß, sollte uns nicht gehässig sein, weil wir das Unmeßbare von der Antike nehmen wollen.

———

Was hat ein Maler zu studieren, bis er eine Pfirsche sehen [834] kann wie Huysum, und sollen wir nicht versuchen, ob es möglich sei, den Menschen zu sehen, wie ihn ein Grieche gesehen hat?

———

Laßt doch den deutschen Dichtern den frommen Wunsch, [835] auch als Homeriden zu gelten! Deutsche Bildhauer, es wird euch nicht schaden, zum Ruhm der letzten Praxiteliden zu streben!

———

Jemand sagte: „Was bemüht ihr euch um den Homer? [836] Ihr versteht ihn doch nicht." Darauf antwortet' ich: Versteh ich doch auch Sonne, Mond und Sterne nicht; aber sie gehen über meinem Haupt hin, und ich erkenne mich in ihnen, indem ich sie sehe und ihren regelmäßigen wunderbaren Gang betrachte, und denke dabei, ob auch wohl etwas aus mir werden könnte.

———

Daß die bildende Kunst in der Ilias auf einer so hohen [837] Stufe erscheint, möchte wohl ein Argument für die Modernität des Gedichtes abgeben.

———

Der für dichterische und bildnerische Schöpfungen emp- [838] fängliche Geist fühlt sich dem Altertum gegenüber in den anmutigst-ideellen Naturzustand versetzt, und noch auf den heutigen Tag haben die Homerischen Gesänge die Kraft, uns wenigstens für Augenblicke von der furchtbaren Last zu befreien, welche die Überlieferung von mehrern tausend Jahren auf uns gewälzt hat.

———

Bei Betrachtung von Kunstwerken, sowohl dichterischen [839] als bildnerischen, des dritten und vierten Jahrhunderts läßt sich bemerken, wie lange die Künstler noch am alten guten Sinne festgehalten haben, da schon alles um sie her dafür erstorben war. Erklärungsart der Kunstwerke auf diesem

Wege. Sie sind keineswegs abstrus, sondern plastisch zu
nennen. Siehe das Kapitolinische Basrelief mit dem Prometheus pp.

_____

840   Auf den heiligen Joseph überhaupt haben es die Künstler
abgesehen. Die Byzantiner, denen man nicht nachsagen
kann, daß sie überflüssigen Humor anbrächten, stellen doch
bei der Geburt den Heiligen immer verdrießlich vor. Das
Kind liegt in der Krippe, die Tiere schauen hinein, verwundert, statt ihres trockenen Futters ein lebendiges,
himmlisch-anmutiges Geschöpf zu finden. Engel verehren
den Ankömmling, die Mutter sitzt still dabei; St. Joseph aber
sitzt abgewendet und kehrt unmutig den Kopf nach der
sonderbaren Szene.

_____

841   Mit dem größten Entzücken sieht man im Apollosaal der
Villa Aldobrandini zu Frascati, auf welche glückliche Weise
Domenichin die Ovidischen Metamorphosen mit der schicklichsten Örtlichkeit umgibt; dabei nun erinnert man sich
gern, daß die glücklichsten Ereignisse doppelt selig empfunden werden, wenn sie uns in herrlicher Gegend gegönnt
waren, ja daß gleichgültige Momente durch würdige Lokalität zu hoher Bedeutung gesteigert wurden.

_____

842   In jedem Künstler liegt ein Keim von Verwegenheit,
ohne den kein Talent denkbar ist, und dieser wird besonders
rege, wenn man den Fähigen einschränken und zu einseitigen Zwecken dingen und brauchen will.

_____

843   Raffael ist unter den neuern Künstlern auch hier wohl der
reinste. Er ist durchaus naiv, das Wirkliche kommt bei ihm
nicht zum Streit mit dem Sittlichen oder gar Heiligen. Der
Teppich, worauf die Anbetung der Könige abgebildet ist,
eine überschwenglich herrliche Komposition, zeigt von dem
ältesten anbetenden Fürsten bis zu den Mohren und Affen,
die sich auf den Kamelen mit Äpfeln ergötzen, eine ganze
Welt. Hier durfte der heilige Joseph auch ganz naiv charakterisiert werden als Pflegevater, der sich über die eingekom-
menen Geschenke freut.

_____

Das Trocken-Naive, das Steif-Wackere, das Ängstlich- 844
Rechtliche, und womit man ältere deutsche Kunst charakterisieren mag, gehört zu jeder früheren einfacheren Kunstweise. Die alten Venezianer, Florentiner und so weiter haben
das alles auch.

———

Und wir Deutsche sollen uns dann nur für original halten, 845
wenn wir uns nicht über die Anfänge erheben?

———

Weil Albrecht Dürer bei dem unvergleichlichen Talent 846
sich nie zur Idee des Ebenmaßes der Schönheit, ja sogar nie
zum Gedanken einer schicklichen Zweckmäßigkeit erheben
konnte, sollen wir auch immer an der Erde kleben?

———

Albrecht Dürern förderte ein höchst innigstes realistisches 847
Anschauen, ein liebenswürdiges menschliches Mitgefühl
aller gegenwärtigen Zustände; ihm schadete eine trübe,
form- und bodenlose Phantasie.

———

Wie Martin Schön neben ihm steht und wie das deutsche 848
Verdienst sich dort beschränkt, wäre interessant zu zeigen,
und nützlich zu zeigen, daß dort nicht aller Tage Abend war.

———

Löste sich doch in jeder italienischen Schule der Schmet- 849
terling aus der Puppe los!

———

Sollen wir ewig als Raupen herumkriechen, weil einige 850
nordische Künstler ihre Rechnung dabei finden?

———

Charaktere machen oft die Schwäche zum Gesetz. Welt- 851
kenner haben gesagt: „Die Klugheit ist unüberwindlich,
hinter welcher sich die Furcht versteckt." Schwache Menschen haben oft revolutionäre Gesinnungen; sie meinen, es
wäre ihnen wohl, wenn sie nicht regiert würden, und
fühlen nicht, daß sie weder sich noch andere regieren können.

———

In eben dem Falle sind die neuern deutschen Künstler: 852
den Zweig der Kunst, den sie nicht besitzen, erklären sie
für schädlich und daher wegzuhauen.

———

853   In Rembrandts trefflicher Radierung, der Austreibung
der Käufer und Verkäufer aus den Tempelhallen, ist die
Glorie, welche gewöhnlich des Herrn Haupt umgibt, in die
vorwärtswirkende Hand gleichsam gefahren, welche nun
in göttlicher Tat, glanzumgeben, derb zuschlägt. Um das
Haupt ist's, wie auch das Gesicht, dunkel.

854   Bei Gelegenheit der Berlinischen Vorbilder für Fabrikanten kam zur Sprache, ob so großer Aufwand auf die
höchste Ausführung der Blätter wäre nötig gewesen; wobei
sich ergab, daß gerade den talentvollen jungen Künstler
und Handwerker die Ausführung am meisten reizt, und
daß er durch Beachtung und Nachbildung derselben erst
befähigt wird, das Ganze und den Wert der Formen zu
begreifen.

855   Friedrich der Zweite zu Pferd nach Chodowiecky ist, in
Zinn gemalt, in Nürnberg zu haben; gewöhnlich führt er
die Soldaten der Kinder an und ist auch da noch ehrwürdig.
Ich möchte ihn aber doch auf ähnliche Weise weder in
Lebensgröße, noch weniger kolossal mit Augen sehen.

856   Chodowiecky ist ein sehr respektabler und wir sagen
idealer Künstler. Seine guten Werke zeugen durchaus
von Geist und Geschmack. Mehr Ideales war in dem
Kreise, in dem er arbeitete, nicht zu fordern.

857   Zeichnet doch euere patriotischen Gegenstände! Einen
König, der auf einer Brunnenröhre sitzt und denkt! Ja, wenn
ihr seine Gedanken zeichnen könntet!
Ein solcher König hat mit eurer bildenden Kunst nichts
zu tun; er soll nur im Geist und der Wahrheit verehrt werden.

858   Zeichnet, stecht in Kupfer, bezahlt, verkauft, belohnt
immer in offenbarer Stille, und wenn euch ein tadelnd Wort
trifft, so laßt's ja hingehn; aber reizt nur niemanden, diese
Armseligkeiten immer lauter und lauter vor den Ohren der
Welt auszulachen!

Es gibt keine patriotische Kunst und keine patriotische 859
Wissenschaft. Beide gehören wie alles hohe Gute der ganzen
Welt an und können nur durch allgemeine freie Wechselwirkung aller zugleich Lebenden in steter Rücksicht auf das,
was uns vom Vergangenen übrig und bekannt ist, gefördert
werden.

––––––

Wenn ihr sagt: „Wir machen's so", da hat kein Mensch 860
was dagegen; sagt ihr aber: „Ihr sollt's auch so machen,
euch nach unserer Beschränkung beschränken", da kommt
ihr um vieles zu spät.

––––––

Paris ist offen, Italien wird's auch werden; solange uns 861
der Atem bleibt, werden wir den Künstler in das Weite der
Welt und Kunst und in die Beschränktheit seiner selbst
weisen.

––––––

Beschränkt doch den Künstler nicht durch solche...; 862
fühlt sich doch ohnehin jeder in dem weitesten Welt- und
Kunstgenuß beschränkt genug!

––––––

Klassisch ist das Gesunde, romantisch das Kranke. 863

––––––

Ovid blieb klassisch auch im Exil: er sucht sein Unglück 864
nicht in sich, sondern in seiner Entfernung von der Hauptstadt der Welt.

––––––

Das Romantische ist schon in seinen Abgrund verlaufen; 865
das Gräßlichste der neuern Produktionen ist kaum noch
gesunkener zu denken.

––––––

Engländer und Franzosen haben uns darin überboten. 866
Körper, die bei Leibesleben verfaulen und sich in detail-
lierter Betrachtung ihres Verwesens erbauen, Tote, die zum
Verderben anderer am Leben bleiben und ihren Tod am
Lebendigen ernähren: dahin sind unsre Produzenten ge-
langt!

––––––

867   Im Altertum spuken dergleichen Erscheinungen nur vor
wie seltene Krankheitsfälle; bei den Neuern sind sie ende-
misch und epidemisch geworden.

———

868   Das sogenannte Romantische einer Gegend ist ein stilles
Gefühl des Erhabenen unter der Form der Vergangenheit
oder, was gleich lautet, der Einsamkeit, Abwesenheit, Abgeschiedenheit.

———

869   Das Absurde, mit Geschmack dargestellt, erregt Widerwillen und Bewunderung.

———

870   Von der Notwendigkeit, daß der bildende Künstler
Studien nach der Natur mache, und von dem Werte derselben überhaupt sind wir genugsam überzeugt; allein wir
leugnen nicht, daß es uns öfters betrübt, wenn wir den Mißbrauch eines so löblichen Strebens gewahr werden.

———

871   Nach unserer Überzeugung sollte der junge Künstler
wenig oder gar keine Studien nach der Natur beginnen,
wobei er nicht zugleich dächte, wie er jedes Blatt zu einem
Ganzen abrunden, wie er diese Einzelnheit, in ein angenehmes Bild verwandelt, in einen Rahmen eingeschlossen,
dem Liebhaber und Kenner gefällig anbieten möge.

———

872   Es steht manches Schöne isoliert in der Welt, doch der
Geist ist es, der Verknüpfungen zu entdecken und dadurch
Kunstwerke hervorzubringen hat. – Die Blume gewinnt erst
ihren Reiz durch das Insekt, das ihr anhängt, durch den
Tautropfen, der sie befeuchtet, durch das Gefäß, woraus
sie allenfalls ihre letzte Nahrung zieht. Kein Busch, kein
Baum, dem man nicht durch die Nachbarschaft eines Felsens, einer Quelle Bedeutung geben, durch eine mäßige
einfache Ferne größern Reiz verleihen könnte. So ist es mit
menschlichen Figuren und so mit Tieren aller Art beschaffen.

———

873   Der Vorteil, den sich der junge Künstler hiedurch verschafft, ist gar mannigfaltig. Er lernt denken, das Passende
gehörig zusammenbinden, und wenn er auf diese Weise

geistreich komponiert, wird es ihm zuletzt auch an dem, was man Erfindung nennt, an dem Entwickeln des Mannigfaltigen aus dem Einzelnen keineswegs fehlen können.

———

Tut er nun hierin der eigentlichen Kunstpädagogik wahrhaft Genüge, so hat er noch nebenher den großen, nicht zu verachtenden Gewinn, daß er lernt, verkäufliche, dem Liebhaber anmutige und liebliche Blätter hervorzubringen. 874

———

Eine solche Arbeit braucht nicht im höchsten Grade ausgeführt und vollendet zu sein; wenn sie gut gesehen, gedacht und fertig ist, so ist sie für den Liebhaber oft reizender als ein größeres ausgeführtes Werk. 875

———

Beschaue doch jeder junge Künstler seine Studien im Büchelchen und im Portefeuille und überlege, wie viele Blätter er davon auf jene Weise genießbar und wünschenswert hätte machen können. 876

———

Es ist nicht die Rede vom Höheren, wovon man wohl auch sprechen könnte, sondern es soll nur als Warnung gesagt sein, die von einem Abwege zurückruft und aufs Höhere hindeutet. 877

———

Versuche es doch der Künstler nur ein halb Jahr praktisch und setze weder Kohle noch Pinsel an ohne Intention, einen vorliegenden Naturgegenstand als Bild abzuschließen. Hat er angebornes Talent, so wird sich's bald offenbaren, welche Absicht wir bei diesen Andeutungen im Sinne hegten. 878

———

Wenn ich jüngere deutsche Maler, sogar solche, die sich eine Zeitlang in Italien aufgehalten, befrage, warum sie doch, besonders in ihren Landschaften, so widerwärtige grelle Töne dem Auge darstellen und vor aller Harmonie zu fliehen scheinen, so geben sie wohl ganz dreist und getrost zur Antwort, sie sähen die Natur genau auf solche Weise. 879

———

880 Mancher hat nach der Antike studiert und sich ihr Wesen nicht ganz zugeeignet: ist er darum scheltenswert?

---

881 Die höheren Forderungen sind an sich schon schätzbarer, auch unerfüllt, als niedrige, ganz erfüllte.

---

882 Wer gegenwärtig über Kunst schreiben oder gar streiten will, der sollte einige Ahndung haben von dem, was die Philosophie in unsern Tagen geleistet hat und zu leisten fortfährt.

---

883 Ein Künstler, der schätzbare Arbeiten verfertiget, ist nicht immer imstande, von eignen oder fremden Werken Rechenschaft zu geben.

---

884 Wenn Künstler von Natur sprechen, subintelligieren sie immer die Idee, ohne sich's deutlich bewußt zu sein.

---

885 Ebenso geht's allen, die ausschließlich die Erfahrung anpreisen; sie bedenken nicht, daß die Erfahrung nur die Hälfte der Erfahrung ist.

---

886 Man sagt: „Studiere, Künstler, die Natur!" Es ist aber keine Kleinigkeit, aus dem Gemeinen das Edle, aus der Unform das Schöne zu entwickeln.

---

887 Erst hört man von Natur und Nachahmung derselben; dann soll es eine schöne Natur geben. Man soll wählen. Doch wohl das Beste! Und woran soll man's erkennen? Nach welcher Norm soll man wählen? Und wo ist denn die Norm? Doch wohl nicht auch in der Natur?

---

888 Und gesetzt, der Gegenstand wäre gegeben, der schönste Baum im Walde, der in seiner Art als vollkommen auch vom Förster anerkannt würde. Nun, um den Baum in ein Bild zu verwandeln, gehe ich um ihn herum und suche mir die schönste Seite. Ich trete weit genug weg, um ihn völlig zu übersehen, ich warte ein günstiges Licht ab, und nun

soll von dem Naturbaum noch viel auf das Papier übergegangen sein!

_____

Der Laie mag das glauben; der Künstler, hinter den 889
Kulissen seines Handwerks, sollte aufgeklärter sein.

_____

Natur und Idee läßt sich nicht trennen, ohne daß die 890
Kunst sowie das Leben zerstört werde.

_____

Vgl. Aus Makariens Archiv *17–25 (Bd. 8, S. 462f.)*.

_____

Man kann den Idealisten alter und neuer Zeit nicht ver- 891
argen, wenn sie so lebhaft auf Beherzigung des Einen
dringen, woher alles entspringt und worauf alles wieder
zurückzuführen wäre. Denn freilich ist das belebende und
ordnende Prinzip in der Erscheinung dergestalt bedrängt,
daß es sich kaum zu retten weiß. Allein wir verkürzen uns
an der andern Seite wieder, wenn wir das Formende und
die höhere Form selbst in eine vor unserm äußern und
innern Sinn verschwindende Einheit zurückdrängen.

_____

Wir Menschen sind auf Ausdehnung und Bewegung an- 892
gewiesen; diese beiden allgemeinen Formen sind es, in
welchen sich alle übrigen Formen, besonders die sinnlichen
offenbaren. Eine geistige Form wird aber keineswegs verkürzt, wenn sie in der Erscheinung hervortritt, vorausgesetzt,
daß ihr Hervortreten eine wahre Zeugung, eine wahre Fortpflanzung sei. Das Gezeugte ist nicht geringer als das
Zeugende, ja es ist der Vorteil lebendiger Zeugung, daß das
Gezeugte vortrefflicher sein kann als das Zeugende.

_____

Dieses weiter auszuführen und vollkommen anschaulich, 893
ja, was mehr ist, durchaus praktisch zu machen, würde von
wichtigem Belang sein. Eine umständliche folgerechte Ausführung aber möchte den Hörern übergroße Aufmerksamkeit zumuten.

_____

Das Altertum setzen wir gern über uns, aber die Nach- 894
welt nicht. Nur ein Vater neidet seinem Sohn nicht das
Talent.

_____

895 Sich subordinieren ist überhaupt keine Kunst; aber in absteigender Linie, in der Deszendenz etwas über sich erkennen, was unter einem steht!

---

896 Es begegnete und geschieht mir noch, daß ein Werk bildender Kunst mir beim ersten Anblick mißfällt, weil ich ihm nicht gewachsen bin; ahnd' ich aber ein Verdienst daran, so such' ich ihm beizukommen, und dann fehlt es nicht an den erfreulichsten Entdeckungen: an den Dingen werd' ich neue Eigenschaften und an mir neue Fähigkeiten gewahr.

---

897 Die Kunst an und für sich selbst ist edel; deshalb fürchtet sich der Künstler nicht vor dem Gemeinen. Ja indem er es aufnimmt, ist es schon geadelt, und so sehen wir die größten Künstler mit Kühnheit ihr Majestätsrecht ausüben.

---

898 Es ist keine Kunst, eine Göttin zur Hexe, eine Jungfrau zur Hure zu machen; aber zur umgekehrten Operation, Würde zu geben dem Verschmähten, wünschenswert zu machen das Verworfene, dazu gehört entweder Kunst oder Charakter.

---

899 Die Kunst ist ein ernsthaftes Geschäft, am ernsthaftesten, wenn sie sich mit edlen heiligen Gegenständen beschäftigt; der Künstler aber steht über der Kunst und dem Gegenstande: über jener, da er sie zu seinen Zwecken braucht, über diesem, weil er ihn nach eigner Weise behandelt.

---

900 In Kunst und Wissenschaft sowie im Tun und Handeln kommt alles darauf an, daß die Objekte rein aufgefaßt und ihrer Natur gemäß behandelt werden.

---

901 Das Verhältnis der Künste und Wissenschaften zum Leben ist nach Verhältnis der Stufen, worauf sie stehen, nach Beschaffenheit der Zeiten und tausend andern Zufälligkeiten sehr verschieden; deswegen auch niemand darüber im Ganzen leicht klug werden kann.

Sähe man Kunst und Wissenschaft nicht als ein Ewiges, 902
in sich selbst Lebendig-Fertiges verehrend an, das im Zeit-
verlaufe nur Vorzüge und Mängel durcheinander mischt,
so würde man selbst irre werden und sich betrüben, daß
Reichtum in eine solche Verlegenheit setzen kann.

Das Fürtreffliche ist unergründlich, man mag damit an- 903
fangen, was man will.

LITERATUR UND SPRACHE

Poesie deutet auf die Geheimnisse der Natur und sucht 904
sie durchs Bild zu lösen;
Philosophie deutet auf die Geheimnisse der Vernunft und
sucht sie durchs Wort zu lösen (Naturphilosophie, Experi-
mentalphilosophie);
Mystik deutet auf die Geheimnisse der Natur und Vernunft und sucht sie durch Wort und Bild zu lösen.

Mystik: eine unreife Poesie, eine unreife Philosophie; 905
Poesie: eine reife Natur;
Philosophie: eine reife Vernunft.

Bildliche Vorstellung: Reich der Poesie; hypothetische 906
Erklärung: Reich der Philosophie.

Wort und Bild sind Korrelate, die sich immerfort suchen, 907
wie wir an Tropen und Gleichnissen genugsam gewahr
werden. So von jeher, was dem Ohr nach innen gesagt oder
gesungen war, sollte dem Auge gleichfalls entgegenkommen.
Und so sehen wir in kindlicher Zeit in Gesetzbuch und
Heilsordnung, in Bibel und Fibel sich Wort und Bild
immerfort balancieren. Wenn man aussprach, was sich nicht
bilden, bildete, was sich nicht aussprechen ließ, so war das
ganz recht; aber man vergriff sich gar oft und sprach, statt
zu bilden, und daraus entstanden die doppelt bösen sym-
bolisch-mystischen Ungeheuer.

---

908   Der Aberglaube ist die Poesie des Lebens; deswegen
schadet's dem Dichter nicht, abergläubisch zu sein.

———

909   Der Aberglaube gehört zum Wesen des Menschen und
flüchtet sich, wenn man ihn ganz und gar zu verdrängen
denkt, in die wunderlichsten Ecken und Winkel, von wo er
auf einmal, wenn er einigermaßen sicher zu sein glaubt,
wieder hervortritt.

———

910   Literatur ist das Fragment der Fragmente; das wenigste
dessen, was geschah und gesprochen worden, ward geschrieben, vom Geschriebenen ist das wenigste übrig geblieben.

———

911   Wie wenig von dem Geschehenen ist geschrieben worden,
wie wenig von dem Geschriebenen gerettet! Die Literatur
ist von Haus aus fragmentarisch, sie enthält nur Denkmale
des menschlichen Geistes, insofern sie in Schriften verfaßt
und zuletzt übriggeblieben sind.

———

912   Und doch bei aller Unvollständigkeit des Literarwesens
finden wir tausendfältige Wiederholung, woraus hervorgeht,
wie beschränkt des Menschen Geist und Schicksal sei.

———

913   Es ist ein großer Unterschied, ob ich lese zu Genuß und
Belebung oder zu Erkenntnis und Belehrung.

———

914   Auch Bücher haben ihr Erlebtes, das ihnen nicht entzogen werden kann.
          Wer nie sein Brot mit Tränen aß,
          Wer nicht die kummervollen Nächte
          Auf seinem Bette weinend saß,
          Der kennt euch nicht, ihr himmlischen Mächte.
Diese tiefschmerzlichen Zeilen wiederholte sich eine höchst
vollkommene, angebetete Königin in der grausamsten Ver-
bannung, zu grenzenlosem Elend verwiesen. Sie befreundete
sich mit dem Buche, das diese Worte und noch manche
schmerzliche Erfahrung überliefert, und zog daraus einen

peinlichen Trost; wer dürfte diese schon in die Ewigkeit sich erstreckende Wirkung wohl jemals verkümmern?

Die Literatur verdirbt sich nur in dem Maße, als die Menschen verdorbener werden. 915

Wenn einem Autor ein Lexikon nachkommen kann, so taugt er nichts. 916

Es gibt Bücher, durch welche man alles erfährt und doch zuletzt von der Sache nichts begreift. 917

Das poetische Talent ist dem Bauer so gut gegeben wie dem Ritter; es kommt nur darauf an, daß jeder seinen Zustand ergreife und ihn nach Würden behandle. 918

Ein dramatisches Werk zu verfassen, dazu gehört Genie. Am Ende soll die Empfindung, in der Mitte die Vernunft, am Anfang der Verstand vorwalten und alles gleichmäßig durch eine lebhaft-klare Einbildungskraft vorgetragen werden. 919

Des tragischen Dichters Aufgabe und Tun ist nichts anders, als ein psychisch-sittliches Phänomen, in einem faßlichen Experiment dargestellt, in der Vergangenheit nachzuweisen. 920

Was man Motive nennt, sind also eigentlich Phänomene des Menschengeistes, die sich wiederholt haben und wiederholen werden, und die der Dichter nur als historische nachweist. 921

Einen wundersamen Anblick geben des Aristoteles Fragmente des Traktats über Dichtkunst. Wenn man das Theater in- und auswendig kennt wie unsereiner, der einen bedeutenden Teil des Lebens auf diese Kunst verwendet und selbst viel darin gearbeitet hat, so sieht man erst, daß man sich vor allen Dingen mit der philosophischen Denkart des Mannes bekannt machen müßte, um zu begreifen, wie 922

er diese Kunsterscheinung angesehen habe; außerdem verwirrt unser Studium nur, wie denn die moderne Poetik das
Alleräußerlichste seiner Lehre nur zu ihrem Verderben anwendet und angewendet hat.

———

923   Gegen die drei Einheiten ist nichts zu sagen, wenn das
Sujet sehr einfach ist; gelegentlich aber werden dreimal drei
Einheiten, glücklich verschlungen, eine sehr angenehme
Wirkung tun.

———

924   Das Wort Schule, wie man es in der Geschichte der
bildenden Kunst nimmt, wo man von einer florentinischen,
römischen und venezianischen Schule spricht, wird sich
künftighin nicht mehr auf das deutsche Theater anwenden
lassen. Es ist ein Ausdruck, dessen man sich vor dreißig,
vierzig Jahren vielleicht noch bedienen konnte, wo unter
beschränkteren Umständen sich eine natur- und kunstgemäße Ausbildung noch denken ließ; denn genau besehen,
gilt auch in der bildenden Kunst das Wort Schule nur von
den Anfängen: denn sobald sie treffliche Männer hervorgebracht hat, wirkt sie alsobald in die Weite. Florenz beweist seinen Einfluß über Frankreich und Spanien; Niederländer und Deutsche lernen von den Italienern und erwerben
sich mehr Freiheit in Geist und Sinn, anstatt daß die Südländer von ihnen eine glücklichere Technik und die genauste Ausführung von Norden her gewinnen.

———

925   Das deutsche Theater befindet sich in der Schlußepoche,
wo eine allgemeine Bildung dergestalt verbreitet ist, daß sie
keinem einzelnen Orte mehr angehören, von keinem besondern Punkte mehr ausgehen kann.

———

926   Der Grund aller theatralischen Kunst wie einer jeden andern ist das Wahre, das Naturgemäße. Je bedeutender dieses
ist, auf je höherem Punkte Dichter und Schauspieler es zu
fassen verstehen, eines desto höheren Ranges wird sich die
Bühne zu rühmen haben. Hiebei gereicht es Deutschland
zu einem großen Gewinn, daß der Vortrag trefflicher Dich-

tung allgemeiner geworden ist und auch außerhalb des
Theaters sich verbreitet hat.

———

Auf der Rezitation ruht alle Deklamation und Mimik. [927]
Da nun beim Vorlesen jene ganz allein zu beachten und zu
üben ist, so bleibt offenbar, daß Vorlesungen die Schule des
Wahren und Natürlichen bleiben müssen, wenn Männer, die
ein solches Geschäft übernehmen, von dem Wert, von der
Würde ihres Berufs durchdrungen sind.

———

Shakespeare und Calderon haben solchen Vorlesungen [928]
einen glänzenden Eingang gewährt; jedoch bedenke man
immer dabei, ob nicht hier grade das imposante Fremde,
das bis zum Unwahren gesteigerte Talent der deutschen
Ausbildung schädlich werden müsse!

———

Eine völlige Gleichstellung mit dem spanischen Theater [929]
kann ich nirgends billigen. Der herrliche Calderon hat so
viel Konventionelles, daß einem redlichen Beobachter
schwer wird, das große Talent des Dichters durch die
Theateretikette durchzuerkennen. Und bringt man so etwas
irgendeinem Publikum, so setzt man bei demselben immer
guten Willen voraus, daß es geneigt sei, auch das Weltfremde
zuzugeben, sich an ausländischem Sinn, Ton und Rhythmus zu ergötzen und aus dem, was ihm eigentlich gemäß ist,
eine Zeitlang herauszugehen.

———

„Was sind Tragödien anders als versifizierte Passionen [930]
solcher Leute, die sich aus den äußern Dingen ich weiß nicht
was machen?"   ———

Es ist nichts theatralisch, was nicht für die Augen sym- [931]
bolisch wäre.

———

„Im Theater wird durch die Belustigung des Gesichts und [932]
Gehörs die Reflexion sehr eingeschränkt."

———

Schauspieler gewinnen die Herzen und geben die ihrigen [933]
nicht hin; sie hintergehen aber mit Anmut.

———

934   Es kommt mir wunderbar vor, eine so tragische Schuld
zu sehen, daß eine Tragödie gar nicht darauf zu folgen
brauchte.

———

935   Märchen: das uns unmögliche Begebenheiten unter möglichen oder unmöglichen Bedingungen als möglich darstellt.

———

936   Roman: der uns mögliche Begebenheiten unter unmöglichen oder beinahe unmöglichen Bedingungen als wirklich
darstellt.   · ———

937   Der Romanenheld assimiliert sich alles; der Theaterheld
muß nichts Ähnliches in allem dem finden, was ihn umgibt.

———

938   Der Roman ist eine subjektive Epopöe, in welcher der
Verfasser sich die Erlaubnis ausbittet, die Welt nach seiner
Weise zu behandeln. Es fragt sich also nur, ob er eine Weise
habe; das andere wird sich schon finden.

———

939   Der mittelmäßigste Roman ist immer noch besser als die
mittelmäßigen Leser, ja der schlechteste partizipiert etwas
von der Vortrefflichkeit des ganzen Genres.

———

940   Alles Lyrische muß im Ganzen sehr vernünftig, im Einzelnen ein bißchen unvernünftig sein.

———

941   Eine Romanze ist kein Prozeß, wo ein Definitivurteil sein
muß.

———

942   Eigentlichster Wert der sogenannten Volkslieder ist der,
daß ihre Motive unmittelbar von der Natur genommen sind.
Dieses Vorteils aber könnte der gebildete Dichter sich auch
bedienen, wenn er es verstünde.

———

943   Hiebei aber haben jene immer das voraus, daß natürliche
Menschen sich besser auf den Lakonismus verstehen als
eigentlich Gebildete.

———

Die sogenannten Naturdichter sind frisch und neu auf- 944
geforderte, aus einer überbildeten, stockenden, manierierten
Kunstepoche zurückgewiesene Talente. Dem Platten können
sie nicht ausweichen, man kann sie daher als rückschreitend
ansehen; sie sind aber regenerierend und veranlassen neue
Vorschritte.

————

Eigentümlichkeit des Ausdrucks ist Anfang und Ende 945
aller Kunst. Nun hat aber eine jede Nation eine von dem
allgemeinen Eigentümlichen der Menschheit abweichende
besondere Eigenheit, die uns zwar anfänglich widerstreben
mag, aber zuletzt, wenn wir's uns gefallen ließen, wenn wir
uns derselben hingäben, unsere eigene charakteristische
Natur zu überwältigen und zu erdrücken vermöchte.

————

Beim Übersetzen muß man bis ans Unübersetzliche 946
herangehen; alsdann wird man aber erst die fremde Nation
und die fremde Sprache gewahr.

————

Übersetzer sind als geschäftige Kuppler anzusehen, die 947
uns eine halbverschleierte Schöne als höchst liebenswürdig
anpreisen: sie erregen eine unwiderstehliche Neigung nach
dem Original.

————

Shakespeare ist reich an wundersamen Tropen, die aus 948
personifizierten Begriffen entstehen und uns gar nicht kleiden würden, bei ihm aber völlig am Platze sind, weil zu seiner Zeit alle Kunst von der Allegorie beherrscht wurde.

Auch findet derselbe Gleichnisse, wo wir sie nicht hernehmen würden; zum Beispiel vom Buche. Die Drucker-
kunst war schon über hundert Jahre erfunden, demohngeachtet erschien ein Buch noch als ein Heiliges, wie wir
aus dem damaligen Einbande sehen, und so war es dem
edlen Dichter lieb und ehrenwert; wir aber broschieren
jetzt alles und haben nicht leicht vor dem Einbande noch
seinem Inhalte Respekt. ————

Heinrich der Vierte von Shakespeare: wenn alles verloren 949
wäre, was je, dieserart geschrieben, zu uns gekommen, so

könnte man Poesie und Rhetorik daraus vollkommen wiederherstellen.

———

950   Arden von Feversham, Shakespeares Jugendarbeit. Es
ist der ganze rein-treue Ernst des Auffassens und Wieder-
gebens, ohne Spur von Rücksicht auf den Effekt, vollkommen dramatisch, ganz untheatralisch.

———

951   Shakespeares trefflichsten Theaterstücken mangelt es hie
und da an Fazilität: sie sind etwas mehr, als sie sein sollten,
und eben deshalb deuten sie auf den großen Dichter.

———

952   Shakespeare ist für aufkeimende Talente gefährlich zu
lesen; er nötigt sie, ihn zu reproduzieren, und sie bilden sich
ein, sich selbst zu produzieren.

———

953   Wieviel Falsches Shakespeare und besonders Calderon
über uns gebracht, wie diese zwei großen Lichter des
poetischen Himmels für uns zu Irrlichtern geworden, mögen die Literatoren der Folgezeit historisch bemerken.

———

954   Zu den glücklichen Umständen, welche Shakespeares
gebornes großes Talent frei und rein entwickelten, gehört
auch, daß er Protestant war; er hätte sonst wie Kalidasa und
Calderon Absurditäten verherrlichen müssen.

———

955   Yorick-Sterne war der schönste Geist, der je gewirkt hat;
wer ihn liest, fühlt sich sogleich frei und schön; sein Humor
ist unnachahmlich, und nicht jeder Humor befreit die Seele.

———

956   Auch jetzt im Augenblick sollte jeder Gebildete Sternes
Werke wieder zur Hand nehmen, damit auch das neunzehnte Jahrhundert erführe, was wir ihm schuldig sind,
und einsähe, was wir ihm schuldig werden können.

———

Vgl. Aus Makariens Archiv *157–171 (Bd. 8, S. 484f.),*
ferner Aus Makariens Archiv *127–143, 175, 179–181 (Bd. 8,*
S. 480–482, 486).

———

In natürlicher Wahrheit und Großheit, obgleich wild 957
und unbehaglich ausgebildetes Talent, ist Lord Byron, und
deswegen kaum ein anderes ihm vergleichbar.

_____

Englische Stücke 958
Das Verruchte des Stoffs,
das Absurde der Form,
verwerfliche Handlungen.
Vermaledeites englisches Theater!

_____

Die Sentimentalität der Engländer ist humoristisch und 959
zart, der Franzosen populär und weinerlich, der Deutschen
naiv und realistisch.

_____

Sakuntala: hier erscheint der Dichter in seiner höchsten 960
Funktion. Als Repräsentant des natürlichsten Zustandes,
der feinsten Lebensweise, des reinsten sittlichen Bestrebens,
der würdigsten Majestät und der ernstesten Gottesverehrung
wagt er sich in gemeine und lächerliche Gegensätze.

_____

Durch die despotische Unvernunft des Kardinal Richelieu 961
war Corneille an sich selbst irre geworden.

_____

Metamorphose im höhern Sinn durch Nehmen und Ge- 962
ben, Gewinnen und Verlieren hat schon Dante trefflich
geschildert.

_____

Um die alten abgeschmacktesten locos communes der 963
Menschheit durchzupeitschen, hat Klopstock Himmel und
Hölle, Sonne, Mond und Sterne, Zeit und Ewigkeit, Gott
und Teufel aufgeboten.

_____

Wo die Franzosen des achtzehnten Jahrhunderts zer- 964
störend sind, ist Wieland neckend.

_____

Nachdem uns Klopstock vom Reim erlöste und Voß uns 965
prosodische Muster gab, so sollen wir wohl wieder Knittelverse machen wie Hans Sachs?

_____

966   Laßt uns doch vielseitig sein! Märkische Rübchen
schmecken gut, am besten gemischt mit Kastanien, und
diese beiden edlen Früchte wachsen weit auseinander.

---

967   Erlaubt uns in unsern vermischten Schriften doch neben
den abend- und nordländischen Formen auch die morgen-
und südländischen!

---

968   Man ist nur vielseitig, wenn man zum Höchsten strebt,
weil man muß (im Ernst), und zum Geringern herabsteigt,
wenn man will (zum Spaß).

---

969   Stoffartige Hülfe, die sich die Poesie der letzten Zeit gibt
durch bedeutende Motive, Religion und Ritterwesen.

---

970   Beispiele, wie sich die Menschen über das Unerwartete,
ja Unerträgliche durch poetische Formen begütigen:
   empirisch erscheinende absolute Gewalt
      Oberon, Blaubart.

---

971   Das Menschliche, Liebenswürdige, Zarte unter der Form
einer imaginierten bildenden Kunst. Klosterbruder, Sternbald.

---

972   Schmidt von Werneuchen ist der wahre Charakter der
Natürlichkeit. Jedermann hat sich über ihn lustig gemacht,
und das mit Recht; und doch hätte man sich über ihn nicht
lustig machen können, wenn er nicht als Poet wirkliches
Verdienst hätte, das wir an ihm zu ehren haben.

---

973   Herr v. Schweinichen ist ein merkwürdiges Geschichts-
und Sittenbuch; für die Mühe, die es kostet, es zu lesen,
finden wir uns reichlich belohnt; es wird für gewisse Zustände eine Symbolik der vollkommensten Art. Es ist kein
Lesebuch, aber man muß es gelesen haben.

---

974   Eulenspiegel: alle Hauptspäße des Buchs beruhen darauf,
daß alle Menschen figürlich sprechen und Eulenspiegel
es eigentlich nimmt.

Von einem bedeutenden frauenzimmerlichen Gedichte 975
sagte jemand, es habe mehr Energie als Enthusiasmus, mehr
Charakter als Gehalt, mehr Rhetorik als Poesie und im
Ganzen etwas Männliches.

———

Ein großes Unheil entspringt aus den falschen Begriffen 976
der Menge, weil der Wert vorhandener Werke gleich verkannt wird, wenn sie nicht im kurrenten Vorurteil mit ein-
begriffen sind.

———

Innerhalb einer Epoche gibt es keinen Standpunkt, eine 977
Epoche zu betrachten.

———

Keine Nation hat ein Urteil als über das, was bei ihr getan 978
und geschrieben ist. Man könnte dies auch von jeder Zeit
sagen.

———

Wahre, in alle Zeiten und Nationen eingreifende Urteile 979
sind sehr selten.

———

Keine Nation hat eine Kritik als in dem Maße, wie sie 980
vorzügliche, tüchtige und vortreffliche Werke besitzt.

———

Trübe Stellen, wo die Intention des Dichters uns nicht 981
klar entgegentritt, die man sich, weil man ihn liebt, erst aus-
legt und auf die man zurückkehrend immer eine gewisse
Unbehaglichkeit empfindet.

———

Man spricht soviel von Geschmack: der Geschmack be- 982
steht in Euphemismen. Diese sind Schonungen des Ohrs
mit Aufregung des Sinnes.

———

Das Publikum will wie Frauenzimmer behandelt sein: 983
man soll ihnen durchaus nichts sagen, als was sie hören
möchten.

———

Die größte Achtung, die ein Autor für sein Publikum 984
haben kann, ist, daß er niemals bringt, was man erwartet,

sondern was er selbst auf der jedesmaligen Stufe eigener und fremder Bildung für recht und nützlich hält.

985 Der Appell an die Nachwelt entspringt aus dem reinen lebendigen Gefühl, daß es ein Unvergängliches gebe und, wenn auch nicht gleich anerkannt, doch zuletzt aus der Minorität sich der Majorität werde zu erfreuen haben.

986 Das Publikum beklagt sich lieber unaufhörlich, übel bedient worden zu sein, als daß es sich bemühte, besser bedient zu werden.

987 Die gewöhnlichen Theaterkritiken sind unbarmherzige Sündenregister, die ein böser Geist vorwurfsweise den armen Schächern vorhält ohne hilfreiche Hand zu einem bessern Wege.

988 Die Kritik erscheint wie Ate: sie verfolgt die Autoren, aber hinkend.

989 Tief und ernstlich denkende Menschen haben gegen das Publikum einen bösen Stand.

990 Es gibt empirische Enthusiasten, die, obgleich mit Recht, an neuen guten Produkten, aber mit einer Ekstase sich erweisen, als wenn sonst in der Welt nichts Vorzügliches zu sehen gewesen wäre.

991 Wer's nicht besser machen kann, macht's wenigstens anders; Zuhörer und Leser, in herkömmlicher Gleichgültigkeit, lassen dergleichen am liebsten gelten.

992 Wirkung namhafter, gründlich arbeitender Autoren. Gegenwirkung journalistisch anonymer.

993 Ein geistreicher Humorist als quasi Poet, der, der Fülle seines Wissens und Empfindens gedenkend, sich in Tropen auszusprechen genötigt fühlt.

Verleger haben die Autoren und sich selbst für vogelfrei 994
erklärt; wie wollen sie untereinander, wer will mit ihnen
rechten?

———

Jetzt, da sich eine Weltliteratur einleitet, hat, genau be- 995
sehen, der Deutsche am meisten zu verlieren; er wird wohl
tun, dieser Warnung nachzudenken.

———

Sehen wir unsre Literatur über ein halbes Jahrhundert 996
zurück, so finden wir, daß nichts um der Fremden willen
geschehen ist.

———

Daß Friedrich der Große aber gar nichts von ihnen 997
wissen wollte, das verdroß die Deutschen doch, und sie taten
das möglichste, als Etwas vor ihm zu erscheinen.

———

Möge das Studium der griechischen und römischen Lite- 998
ratur immerfort die Basis der höhern Bildung bleiben!

———

Chinesische, indische, ägyptische Altertümer sind immer 999
nur Kuriositäten; es ist sehr wohlgetan, sich und die Welt
damit bekannt zu machen; zu sittlicher und ästhetischer
Bildung aber werden sie uns wenig fruchten.

———

In dem Erfolg der Literaturen wird das frühere Wirksame 1000
verdunkelt und das daraus entsprungene Gewirkte nimmt
überhand; deswegen man wohltut, von Zeit zu Zeit wieder
zurückzublicken. Was an uns Original ist, wird am besten
erhalten und belobt, wenn wir unsre Altvordern nicht aus
den Augen verlieren.

———

Der unschätzbare Vorteil, welchen die Ausländer ge- 1001
winnen, indem sie unsere Literatur erst jetzt gründlich
studieren, ist der, daß sie über die Entwickelungskrank-
heiten, durch die wir nun schon beinahe während dem
Laufe des Jahrhunderts durchgehen mußten, auf einmal
weggehoben werden und, wenn das Glück gut ist, ganz
eigentlich daran sich auf das wünschenswerteste ausbilden.

———

1002   Einbildungskraft wird nur durch Kunst, besonders durch
Poesie geregelt. Es ist nichts fürchterlicher als Einbildungskraft ohne Geschmack.

————

1003   Die Modernen sollen nur Lateinisch schreiben, wenn sie
aus nichts etwas zu machen haben. Umgekehrt machen sie
ihr weniges Etwas immer zu nichts.

————

1004   Einer freieren Weltansicht, die der Deutsche sich zu
verkümmern auf dem Weg ist, würde ferner sehr zustatten
kommen, wenn ein junger geistreicher Gelehrter das wahrhaft poetische Verdienst zu würdigen unternähme, welches
deutsche Dichter in der lateinischen Sprache seit drei Jahrhunderten an den Tag gegeben. Es würde daraus hervorgehen, daß der Deutsche sich treu bleibt, und wenn er auch
mit fremden Zungen spricht. Wir dürfen nur des Johannes
Secundus und Balde's gedenken. Vielleicht übernähme der
Übersetzer des ersten, Herr Passow, diese verdienstliche
Arbeit. Zugleich würde er beachten, wie auch andere gebildete Nationen zu der Zeit, als Lateinisch die Weltsprache
war, in ihr gedichtet und sich auf eine Weise unter einander
verständigt, die uns jetzo verloren geht.

————

1005   Leider bedenkt man nicht, daß man in seiner Muttersprache oft ebenso dichtet, als wenn es eine fremde wäre.
Dieses ist aber also zu verstehen: Wenn eine gewisse Epoche
hindurch in einer Sprache viel geschrieben und in derselben
von vorzüglichen Talenten der lebendig vorhandene Kreis
menschlicher Gefühle und Schicksale durchgearbeitet worden, so ist der Zeitgehalt erschöpft und die Sprache zugleich,
so daß nun jedes mäßige Talent sich der vorliegenden Ausdrücke als gegebener Phrasen mit Bequemlichkeit bedienen
kann.

————

1006   Es werden jetzt Produktionen möglich, die Null sind,
ohne schlecht zu sein, Null, weil sie keinen Gehalt haben,
nicht schlecht, weil eine allgemeine Form guter Muster
den Verfassern vorschwebt.

————

Sobald man der subjektiven oder sogenannten senti- 1007
mentalen Poesie mit der objektiven, darstellenden gleiche
Rechte verlieh, wie es denn auch wohl nicht anders sein
konnte, weil man sonst die moderne Poesie ganz hätte ablehnen müssen, so war vorauszusehen, daß, wenn auch
wahrhafte poetische Genies geboren werden sollten, sie doch
immer mehr das Gemütliche des inneren Lebens als das Allgemeine des großen Weltlebens darstellen würden. Dieses ist
nun in dem Grade eingetroffen, daß es eine Poesie ohne Tropen gibt, der man doch keineswegs allen Beifall versagen
kann.

_____

Es gibt eine Poesie ohne Tropen, die ein einziger Tropus 1008
ist.

_____

Bei den Griechen, deren Poesie und Rhetorik einfach 1009
und positiv war, erscheint die Billigung öfter als die Mißbilligung; bei den Lateinern hingegen ist es umgekehrt,
und je mehr sich Poesie und Redekunst verdirbt, desto mehr
wird der Tadel wachsen und das Lob sich zusammenziehen.

_____

Die lateinische Sprache hat eine Art von Imperativus der 1010
Autorschaft.

_____

Das Wahre, Gute und Vortreffliche ist einfach und sich 1011
immer gleich, wie es auch erscheine. Das Irren aber, das
den Tadel hervorruft, ist höchst mannigfaltig, in sich selbst
verschieden und nicht allein gegen das Gute und Wahre,
sondern auch gegen sich selbst kämpfend, mit sich selbst
in Widerspruch. Daher müssen in jeder Literatur die Ausdrücke des Tadels die Worte des Lobes überwiegen.

_____

Wir geben gerne zu, daß jeder Deutsche seine vollkom- 1012
mene Ausbildung innerhalb unserer Sprache ohne irgendeine fremde Beihilfe hinreichend gewinnen könne. Dies
verdanken wir einzelnen vielseitigen Bemühungen des vergangenen Jahrhunderts, welche nunmehr der ganzen Nation,
besonders aber einem gewissen Mittelstand zugute gehn,

wie ich ihn im besten Sinne des Worts nennen möchte.
Hiezu gehören die Bewohner kleiner Städte, deren Deutschland so viele wohlgelegene, wohlbestellte zählt, alle Beamte
und Unterbeamte daselbst, Handelsleute, Fabrikanten, vorzüglich Frauen und Töchter solcher Familien, auch Land-
geistliche, insofern sie Erzieher sind. Diese Personen sämtlich, die sich zwar in beschränkten, aber doch wohlhäbigen,
auch ein sittliches Behagen fördernden Verhältnissen befinden, alle können ihr Lebens- und Lehrbedürfnis innerhalb der Muttersprache befriedigen.

―――――

1013   Die Forderung dagegen, die in weiteren und höhern
Regionen an uns auch in Absicht einer ausgebreiteten
Sprachfertigkeit gemacht wird, kann niemand verborgen
bleiben, der sich nur einigermaßen in der Welt bewegt.

―――――

1014   Der Deutsche soll alle Sprachen lernen, damit ihm zu
Hause kein Fremder unbequem, er aber in der Fremde
überall zu Hause sei.

―――――

1015   Wer fremde Sprachen nicht kennt, weiß nichts von seiner
eigenen.

―――――

1016   Die Gewalt einer Sprache ist nicht, daß sie das Fremde
abweist, sondern daß sie es verschlingt.

―――――

1017   Ich verfluche allen negativen Purismus, daß man ein
Wort nicht brauchen soll, in welchem eine andre Sprache
Vieles oder Zarteres gefaßt hat.

―――――

1018   Meine Sache ist der affirmative Purismus, der produktiv
ist und nur davon ausgeht: Wo müssen wir umschreiben und der Nachbar hat ein entscheidendes Wort?

―――――

1019   Der pedantische Purismus ist ein absurdes Ablehnen
weiterer Ausbreitung des Sinnes und Geistes (z. B. das englische Wort grief).

―――――

Die Muttersprache zugleich reinigen und bereichern, ist 1020
das Geschäft der besten Köpfe. Reinigung ohne Bereicherung erweist sich öfters geistlos; denn es ist nichts bequemer,
als von dem Inhalt absehen und auf den Ausdruck passen.
Der geistreiche Mensch knetet seinen Wortstoff, ohne sich
zu bekümmern, aus was für Elementen er bestehe; der
geistlose hat gut rein sprechen, da er nichts zu sagen hat.
Wie sollte er fühlen, welches kümmerliche Surrogat er an
der Stelle eines bedeutenden Wortes gelten läßt, da ihm
jenes Wort nie lebendig war, weil er nichts dabei dachte?
Es gibt gar viele Arten von Reinigung und Bereicherung,
die eigentlich alle zusammengreifen müssen, wenn die
Sprache lebendig wachsen soll. Poesie und leidenschaftliche
Rede sind die einzigen Quellen, aus denen dieses Leben
hervordringt, und sollten sie in ihrer Heftigkeit auch etwas
Bergschutt mitführen, er setzt sich zu Boden, und die reine
Welle fließt darüber her. _____

Nicht die Sprache an und für sich ist richtig, tüchtig, 1021
zierlich, sondern der Geist ist es, der sich darin verkörpert,
und so kommt es nicht auf einen jeden an, ob er seinen
Rechnungen, Reden oder Gedichten die wünschenswerten
Eigenschaften verleihen will: es ist die Frage, ob ihm die
Natur hiezu die geistigen und sittlichen Eigenschaften
verliehen hat. Die geistigen: das Vermögen der An- und
Durchschauung, die sittlichen: daß er die bösen Dämonen
ablehne, die ihn hindern könnten, dem Wahren die Ehre
zu geben. _____

Vorschlag zu einem polemischen Purism in Schulen. 1022

_____

Es war schon bei den Römern, wenn sie was Tüchtiges 1023
sagen wollten, sagten sie's griechisch. Warum wir nicht
französisch?
Wie kommt's, daß eine fremde Sprache uns zum Ausdruck einer seltenen Empfindung mehr . . .

_____

Kein Wort steht still, sondern es rückt immer durch den 1024
Gebrauch von seinem anfänglichen Platz, eher hinab als

hinauf, eher ins Schlechtere als ins Bessere, ins Engere als *(ins)* Weitere, und an der Wandelbarkeit des Worts läßt sich die Wandelbarkeit der Begriffe erkennen.

———

1025   Philologen: Apollo Sauroktonos, immer mit dem spitzen Griffelchen in der Hand aufpassend, eine Eidechse zu spießen.

———

1026   Es ist kein großer Unterschied, ob ich eine korrekte Stelle falsch verstehe, oder ob ich einer korrupten irgend einen Sinn unterlege. Das letzte ist für den einzelnen vorteilhafter als das erste. Es wird eine Privat-Emendation, wodurch er für seinen Geist gewinnt, was jene für den Buchstaben gewonnen.

———

1027   Der Philolog ist angewiesen auf die Kongruenz des geschrieben Überlieferten. Ein Manuskript liegt zum Grunde, es finden sich in demselben wirkliche Lücken, Schreibfehler, die eine Lücke im Sinne machen, und was sonst alles an einem Manuskript zu tadeln sein mag. Nun findet sich eine zweite Abschrift, eine dritte; die Vergleichung derselben bewirkt immer mehr, das Verständige und Vernünftige der Überlieferung gewahr zu werden. Ja, er geht weiter und verlangt von seinem innern Sinn, daß derselbe ohne äußere Hülfsmittel die Kongruenz des Abgehandelten immer mehr zu begreifen und darzustellen wisse. Weil nun hiezu ein besonderer Takt, eine besondere Vertiefung in seinen abgeschiedenen Autor nötig und ein gewisser Grad von Erfindungskraft gefordert wird, so kann man dem Philologen nicht verdenken, wenn er sich auch ein Urteil bei Geschmackssachen zutraut; welches ihm jedoch nicht immer gelingen wird.

———

1028   Der Dichter ist angewiesen auf Darstellung. Das Höchste derselben ist, wenn sie mit der Wirklichkeit wetteifert, das heißt, wenn ihre Schilderungen durch den Geist dergestalt lebendig sind, daß sie als gegenwärtig für jedermann gelten können. Auf ihrem höchsten Gipfel scheint die Poesie ganz äußerlich; je mehr sie sich ins Innere zurückzieht, ist sie auf dem Wege zu sinken. – Diejenige, die nur das Innere darstellt, ohne es durch ein Äußeres zu verkörpern, oder ohne das Äußere durch das Innere durchfühlen zu lassen, sind beides die letzten Stufen, von welchen aus sie ins gemeine Leben hineintritt. ———

Die Redekunst ist angewiesen auf alle Vorteile der Poesie, 1029 auf alle ihre Rechte; sie bemächtigt sich derselben und mißbraucht sie, um gewisse äußere, sittliche oder unsittliche, augenblickliche Vorteile im bürgerlichen Leben zu erreichen. ———

Der Schulmann, indem er Lateinisch zu schreiben und 1030 zu sprechen versucht, kommt sich höher und vornehmer vor, als er sich in seinem Alltagsleben dünken darf. ———

Die französischen Worte sind nicht aus geschriebenen 1031 lateinischen Worten entstanden, sondern aus gesprochenen. ———

Ich denke immer, wenn ich einen Druckfehler sehe, es 1032 sei etwas Neues erfunden. ———

Ein jeder, weil er spricht, glaubt, auch über die Sprache 1033 sprechen zu können. ———

Über die wichtigsten Angelegenheiten des Gefühls wie der 1034 Vernunft, der Erfahrung wie des Nachdenkens soll man nur mündlich verhandeln. Das ausgesprochene Wort ist sogleich tot, wenn es nicht durch ein folgendes, dem Hörer gemäßes am Leben erhalten wird. Man merke nur auf ein geselliges Gespräch! Gelangt das Wort nicht schon tot zu dem Hörer, so ermordet er es alsogleich durch Widerspruch, Bestimmen, Bedingen, Ablenken, Abspringen, und wie die tausendfältigen Unarten des Unterhaltens auch heißen mögen. Mit dem Geschriebenen ist es noch schlimmer. Niemand mag lesen als das, woran er schon einigermaßen gewöhnt ist; das Bekannte, das Gewohnte verlangt er unter veränderter Form. Doch hat das Geschriebene den Vorteil,

daß es dauert und die Zeit abwarten kann, wo ihm zu wirken
gegönnt ist.

————

1035   Was man mündlich ausspricht, muß der Gegenwart, dem
Augenblick gewidmet sein; was man schreibt, widme man
der Ferne, der Folge.

————

1036   Ein ausgesprochnes Wort fordert sich selbst wieder.

ERFAHRUNG UND LEBEN

1037   Es ist ganz einerlei, vornehm oder gering sein: das
Menschliche muß man immer ausbaden.

————

1038   Ich bedaure die Menschen, welche von der Vergänglichkeit der Dinge viel Wesens machen und sich in Betrachtung
irdischer Nichtigkeiten verlieren. Sind wir ja eben deshalb
da, um das Vergängliche unvergänglich zu machen; das
kann ja nur dadurch geschehen, wenn man beides zu
schätzen weiß.

————

1039   Der Mensch wäre nicht der Vornehmste auf der Erde,
wenn er nicht zu vornehm für sie wäre.

————

1040   Das Leben, so gemein es aussieht, so leicht es sich mit
dem Gewöhnlichen, Alltäglichen zu befriedigen scheint,
hegt und pflegt doch immer gewisse höhere Forderungen
im stillen fort und sieht sich nach Mitteln um, sie zu befriedigen.

————

1041   Das Zufällig-Wirkliche, an dem wir weder ein Gesetz der
Natur noch der Freiheit für den Augenblick entdecken,
nennen wir das Gemeine.

————

1042   Das Naive als natürlich ist mit dem Wirklichen verschwistert. Das Wirkliche ohne sittlichen Bezug nennen
wir gemein.

————

Das Gemeine muß man nicht rügen; denn das bleibt sich 1043
ewig gleich.

———

Kein Wunder, daß wir uns alle mehr oder weniger im 1044
Mittelmäßigen gefallen, weil es uns in Ruhe läßt; es gibt
das behagliche Gefühl, als wenn man mit seinesgleichen
umginge.

———

Das Wunderlichste im Leben ist das Vertrauen, daß 1045
andre uns führen werden. Haben wir's nicht, so tappen und
tolpen wir unsern eignen Weg hin; haben wir's, so sind
wir auch, eh wir's uns versehen, auf das schlechteste geführt.

———

Die Irrtümer des Menschen machen ihn eigentlich liebens- 1046
würdig.

———

Dem Klugen kommt das Leben leicht vor, wenn dem 1047
Toren schwer, und oft dem Klugen schwer, *(wenn)* dem
Toren leicht.

———

Wir mögen die Welt kennen lernen, wie wir wollen, sie 1048
wird immer eine Tag- und eine Nachtseite behalten.

———

Unsere Zustände schreiben wir bald Gott, bald dem 1049
Teufel zu und fehlen ein- wie das anderemal: in uns selbst
liegt das Rätsel, die wir Ausgeburt zweier Welten sind. Mit
der Farbe geht's ebenso: bald sucht man sie im Lichte, bald
draußen im Weltall und kann sie gerade da nicht finden, wo
sie zu Hause ist.

———

Es ist nichts inkonsequenter als die höchste Konsequenz, 1050
weil sie unnatürliche Phänomene hervorbringt, die zuletzt
umschlagen.

———

Unreine Lebensverhältnisse soll man niemand wünschen; 1051
sie sind aber für den, der zufällig hineingerät, Prüfsteine des
Charakters und des Entschiedensten, was der Mensch vermag.

———

1052 Es gibt keine Lage, die man nicht veredlen könnte durch Leisten oder Dulden.

————

1053 Es bleibt einem jeden immer noch soviel Kraft, das auszuführen, wovon er überzeugt ist.

————

1054 Es geschieht nichts Unvernünftiges, das nicht Verstand oder Zufall wieder in die Richte brächten; nichts Vernünftiges, das Unverstand und Zufall nicht mißleiten könnten.

————

1055 Der Verständige regiert nicht, aber der Verstand; nicht der Vernünftige, sondern die Vernunft.

————

1056 Höchst merkwürdig ist, daß von dem menschlichen Wesen das Entgegengesetzte übrigbleibt: Gehäus und Gerüst, worin und womit sich der Geist hienieden genügte, sodann aber die idealen Wirkungen, die in Wort und Tat von ihm ausgingen. ————

1057 Wenn ich an meinen Tod denke, darf ich, kann ich nicht denken, welche Organisation zerstört wird.

————

1058 Die Geheimnisse der Lebenspfade darf und kann man nicht offenbaren; es gibt Steine des Anstoßes, über die ein jeder Wanderer stolpern muß. Der Poet aber deutet auf die Stelle hin. ————

1059 Wäre es Gott darum zu tun gewesen, daß die Menschen in der Wahrheit leben und handeln sollten, so hätte er seine Einrichtung anders machen müssen.

————

1060 Kenne ich mein Verhältnis zu mir selbst und zur Außenwelt, so heiß ich's Wahrheit. Und so kann jeder seine eigene Wahrheit haben, und es ist doch immer dieselbige.

————

1061 Der Mensch ist genugsam ausgestattet zu allen wahren irdischen Bedürfnissen, wenn er seinen Sinnen traut und sie dergestalt ausbildet, daß sie des Vertrauens wert bleiben.

————

Das Unzulängliche widerstrebt mehr, als man denken 1062
sollte, dem Auslangenden.

————

Wenn der Mensch über sein Physisches oder Moralisches 1063
nachdenkt, findet er sich gewöhnlich krank.

————

Der ist der glücklichste Mensch, der das Ende seines 1064
Lebens mit dem Anfang in Verbindung setzen kann.

————

Es wäre nicht der Mühe wert, siebzig Jahr alt zu werden, 1065
wenn alle Weisheit der Welt Torheit wäre vor Gott.

————

Historisch betrachtet, erscheint unser Gutes in mäßigem 1066
Lichte und unsere Mängel entschuldigen sich.

————

Das eigentlich wahrhaft Gute, was wir tun, geschieht 1067
größtenteils clam, vi et precario.

————

Wenn der Mensch alles leisten soll, was man von ihm 1068
fordert, so muß er sich für mehr halten als er ist.

————

So lange das nicht ins Absurde geht, erträgt man's auch 1069
gern.

————

Gar oft im Laufe des Lebens, mitten in der größten 1070
Sicherheit des Wandels bemerken wir auf einmal, daß wir
in einem Irrtum befangen sind, daß wir uns für Personen,
für Gegenstände einnehmen ließen, ein Verhältnis zu ihnen
erträumten, das dem erwachten Auge sogleich verschwindet;
und doch können wir uns nicht losreißen, eine Macht hält
uns fest, die uns unbegreiflich scheint. Manchmal jedoch
kommen wir zum völligen Bewußtsein und begreifen, daß
ein Irrtum so gut als ein Wahres zur Tätigkeit bewegen und
antreiben kann. Weil nun die Tat überall entscheidend ist,
so kann aus einem tätigen Irrtum etwas Treffliches entstehen, weil die Wirkung jedes Getanen ins Unendliche
reicht. So ist das Hervorbringen freilich immer das Beste,
aber auch das Zerstören ist nicht ohne glückliche Folge.

————

1071 Der wunderbarste Irrtum aber ist derjenige, der sich auf uns selbst und unsere Kräfte bezieht, daß wir uns einem würdigen Geschäft, einem ehrsamen Unternehmen widmen, dem wir nicht gewachsen sind, daß wir nach einem Ziel streben, das wir nie erreichen können. Die daraus entspringende Tantalisch-Sisyphische Qual empfindet jeder nur um desto bitterer, je redlicher er es meinte. Und doch sehr oft, wenn wir uns von dem Beabsichtigten für ewig getrennt sehen, haben wir schon auf unserm Wege irgend ein anderes Wünschenswerte gefunden, etwas uns Gemäßes, mit dem uns zu begnügen wir eigentlich geboren sind.

———

1072 Große Talente sind selten, und selten ist es, daß sie sich selbst erkennen; nun aber hat kräftiges unbewußtes Handeln und Sinnen so höchst erfreuliche als unerfreuliche Folgen, und in solchem Konflikt schwindet ein bedeutendes Leben vorüber. Hievon ergeben sich in Medwins Unterhaltungen so merkwürdige als traurige Beispiele.

———

1073 Tüchtiger, tätiger Mann, verdiene dir und erwarte
    von den Großen – Gnade,
    von den Mächtigen – Gunst,
    von den Tätigen und Guten – Förderung,
    von der Menge – Neigung,
    von dem Einzelnen – Liebe!

———

1074 Wer tätig sein will und muß, hat nur das Gehörige des Augenblicks zu bedenken, und so kommt er ohne Weitläufigkeit durch. Das ist der Vorteil der Frauen, wenn sie ihn verstehen.

———

1075 Ein Zustand, der alle Tage neuen Verdruß zuzieht, ist nicht der rechte.

———

1076 Wer sein Leben mit einem Geschäft zubringt, dessen Undankbarkeit er zuletzt einsieht, der haßt es und kann es doch nicht loswerden.

———

Sage mir, mit wem du umgehst, so sage ich dir, wer du 1077
bist; weiß ich, womit du dich beschäftigst, so weiß ich, was
aus dir werden kann.

———

In den Werken des Menschen wie in denen der Natur 1078
sind eigentlich die Absichten vorzüglich der Aufmerksamkeit wert.

———

Was wir ausdenken, was wir vornehmen, sollte schon 1079
vollkommen so rein und schön sein, daß die Welt nur daran
zu verderben hätte; wir blieben dadurch in dem Vorteil,
das Verschobene zurechtzurücken, das Zerstörte wieder
herzustellen.

———

Die Menschen werden an sich und andern irre, weil sie 1080
die Mittel als Zweck behandeln, da dann vor lauter Tätigkeit gar nichts geschieht oder vielleicht gar das Widerwärtige.

———

Unbedingte Tätigkeit, von welcher Art sie sei, macht 1081
zuletzt bankerott.

———

Dem tätigen Menschen kommt es darauf an, daß er das 1082
Rechte tue; ob das Rechte geschehe, soll ihn nicht kümmern.

———

Die Arbeit macht den Gesellen. 1083

———

Es ist soviel gleichzeitig Tüchtiges und Treffliches auf 1084
der Welt, aber es berührt sich nicht.

———

Ein jeder leidet, der nicht für sich selbst handelt. Man 1085
handele für andere, um mit ihnen zu genießen.

———

Versuche, die eigne Autorität zu fundieren: sie ist überall 1086
begründet, wo Meisterschaft ist.

———

Wie kann man sich selbst kennen lernen? Durch Be- 1087
trachten niemals, wohl aber durch Handeln. Versuche,
deine Pflicht zu tun, und du weißt gleich, was an dir ist.

———

1088   Was aber ist deine Pflicht? Die Forderung des Tages.

1089   Pflicht: wo man liebt, was man sich selbst befiehlt.

1090   Erfüllte Pflicht empfindet sich immer noch als Schuld, weil man sich nie ganz genug getan.

1091   Wo ich aufhören muß, sittlich zu sein, habe ich keine Gewalt mehr.

1092   Wer freudig tut und sich des Getanen freut, ist glücklich.

1093   Zum Tun gehört Talent, zum Wohltun Vermögen.

1094   Wer vorsieht, ist Herr des Tags.

1095   „Nichts ist höher zu schätzen als der Wert des Tages.“

1096   Gedankenlosigkeit, die uns den Wert des Augenblicks verkennen läßt.

1097   Es ist schwer, gegen den Augenblick gerecht sein: der gleichgültige macht uns Langeweile, am guten hat man zu tragen und am bösen zu schleppen.

1098   Der Augenblick ist eine Art von Publikum: man muß ihn betrügen, daß er glaube, man tue was; dann läßt er uns gewähren und im Geheimen fortführen, worüber seine Enkel erstaunen müssen.

1099   Ich verwünsche das Tägliche, weil es immer absurd ist. Nur was wir durch mögliche Anstrengung ihm über-gewinnen, läßt sich wohl einmal summieren.

1100   Der Tag an und für sich ist gar zu miserabel; wenn man nicht ein Lustrum anpackt, so gibt's keine Garbe.

Der Tag gehört dem Irrtum und dem Fehler, die Zeit- 1101
reihe dem Erfolg und dem Gelingen.

———

Wir blicken so gern in die Zukunft, weil wir das Un- 1102
gefähre, was sich in ihr hin und her bewegt, durch stille
Wünsche so gern zu unsern Gunsten heranleiten möchten.

———

Indem ich mich zeither mit der Lebensgeschichte wenig 1103
und viel bedeutender Menschen anhaltender beschäftigte,
kam ich auf den Gedanken: es möchten sich wohl die einen
in dem Weltgewebe als Zettel, die andern als Einschlag
betrachten lassen; jene gäben eigentlich die Breite des Ge-
webes an, diese dessen Halt, Festigkeit, vielleicht auch mit
Zutat irgendeines Gebildes. Die Schere der Parze hingegen
bestimmt die Länge, dem sich denn das übrige alles zusammen unterwerfen muß. Weiter wollen wir das Gleichnis
nicht verfolgen.

———

In weltlichen Dingen sind nur zu betrachten die Mittel 1104
und der Gebrauch.

———

Nur klugtätige Menschen, die ihre Kräfte kennen und 1105
sie mit Maß und Gescheitigkeit benutzen, werden es im
Weltwesen weit bringen.

———

Es ist nicht wahr, daß das Leben ein Traum sei; nur dem 1106
scheint es so, der
    auf eine alberne Weise ruhet,
    auf die ungeschickteste Weise verletzt.

———

Das ganze Leben besteht aus 1107
    Wollen und Nicht-Vollbringen,
    Vollbringen und Nicht-Wollen.

———

Wollen und Vollbringen ist nicht der Mühe wert oder 1108
verdrießlich, davon zu sprechen.

———

Alles, was wir treiben und tun, ist ein Abmüden; wohl 1109
dem, der nicht müde wird!

———

1110   Wenn man von den Leuten Pflichten fordert und ihnen keine Rechte zugestehen will, muß man sie gut bezahlen.

1111   Reine mittlere Wirkung zur Vollendung des Guten und Rechten ist sehr selten; gewöhnlich sehen wir Pedanterie, welche zu retardieren, Frechheit, die zu übereilen strebt.

1112   Die empirisch-sittliche Welt besteht größtenteils nur aus bösem Willen und Neid.

1113   Dummheit, seinen Feind vor dem Tode, und Niederträchtigkeit, nach dem Siege zu verkleinern.

1114   Wie in Rom außer den Römern noch ein Volk von Statuen war, so ist außer dieser realen Welt noch eine Welt des Wahns, viel mächtiger beinahe, in der die meisten leben.

1115   Alle Menschen, wie sie zur Freiheit gelangen, machen ihre Fehler gelten: die Starken das Übertreiben, die Schwachen das Vernachlässigen.

1116   Niemand ist mehr Sklave, als der sich für frei hält, ohne es zu sein.

1117   Es darf sich einer nur für frei erklären, so fühlt er sich den Augenblick als bedingt. Wagt er es, sich für bedingt zu erklären, so fühlt er sich frei.

1118   Wir sind nie entfernter von unsern Wünschen, als wenn wir uns einbilden, das Gewünschte zu besitzen.

1119   Alles, was unsern Geist befreit, ohne uns die Herrschaft über uns selbst zu geben, ist verderblich.

1120   Freiwillige Abhängigkeit ist der schönste Zustand, und wie wäre der möglich ohne Liebe.

1121   Die Güte des Herzens nimmt einen weiteren Raum ein als der Gerechtigkeit geräumiges Feld.

Je uneigennütziger der Mensch ist, desto mehr ist der ... 1122
unterworfen den Eigennützigen.

———

Man ist nur eigentlich lebendig, wenn man sich des Wohl- 1123
wollens andrer freut.

———

Die Menschen halten sich mit ihren Neigungen ans Leben- 1124
dige. Die Jugend bildet sich wieder an der Jugend.

———

Die Menschen glauben, daß man sich mit ihnen abgeben 1125
müsse, da man sich mit sich selbst nicht abgibt.

———

Ein gebranntes Kind scheut das Feuer, ein oft versengter 1126
Greis scheut, sich zu wärmen.

———

Wieviel vermag nicht die Übung! Die Zuschauer schreien 1127
und der Geschlagene schweigt.

———

Ob denn die Glücklichen glauben, daß der Unglückliche 1128
wie ein Gladiator mit Anstand vor ihnen umkommen solle,
wie der römische Pöbel zu fordern pflegte?

———

Dem Verzweifelnden verzeiht man alles, dem Verarmten 1129
gibt man jeden Erwerb zu.

———

Man würde viel Almosen geben, wenn man Augen hätte 1130
zu sehen, was eine empfangende Hand für ein schönes Bild
macht.

———

Sage nicht, daß du geben willst, sondern gib! Die Hoff- 1131
nung befriedigst du nie.

———

„Hoffnung ist die zweite Seele der Unglücklichen." 1132

———

Die größte Wahrscheinlichkeit der Erfüllung läßt noch 1133
einen Zweifel zu; daher ist das Gehoffte, wenn es in die
Wirklichkeit eintritt, jederzeit überraschend.

———

1134   Die Freigebigkeit erwirbt einem jeden Gunst, vorzüglich
wenn sie von Demut begleitet wird.

———

1135   Es gibt Menschen, die ihr Gleiches lieben und aufsuchen,
und wieder solche, die ihr Gegenteil lieben und diesem
nachgehen.

———

1136   Der Mensch kann nur mit seinesgleichen leben und auch
mit denen nicht; denn er kann auf die Länge nicht leiden,
daß ihm jemand gleich sei.

———

1137   Man kann nicht für jedermann leben, besonders für die
nicht, mit denen man nicht leben möchte.

———

1138   Mit jemand leben oder in jemand leben ist ein großer
Unterschied. Es gibt Menschen, in denen man leben kann,
ohne mit ihnen zu leben, und umgekehrt. Beides zu verbinden ist nur der reinsten Liebe und Freundschaft möglich.

———

1139   Wenn ein paar Menschen recht miteinander zufrieden
sind, kann man meistens versichert sein, daß sie sich irren.

———

1140   Es ist besser, man betrügt sich an seinen Freunden, als
daß man seine Freunde betrüge.

———

1141   Man wird nie betrogen, man betrügt sich selbst.

———

1142   Mit wahrhaft Gleichgesinnten kann man sich auf die
Länge nicht entzweien, man findet sich immer wieder einmal zusammen; mit eigentlich Widergesinnten versucht
man umsonst, Einigkeit zu halten, es bricht immer wieder
einmal auseinander.

———

1143   Ich möchte gern ehrlich mit dir sein, ohne daß wir uns
entzweiten; das geht aber nicht. Du benimmst dich falsch
und setzest dich zwischen zwei Stühle, Anhänger gewinnst
du nicht und verlierst deine Freunde. Was soll daraus
werden!

———

Das Leben vieler Menschen besteht aus Klatschigkeiten, [1144] Tätigkeiten, Intrige zu momentaner Wirkung.

———

Die Menschen sind wie das Rote Meer: der Stab hat sie [1145] kaum auseinandergehalten, gleich hinterdrein fließen sie wieder zusammen.

———

Es gibt, sagt man, für den Kammerdiener keinen Helden. [1146] Das kommt aber bloß daher, weil der Held nur vom Helden anerkannt werden kann. Der Kammerdiener wird aber wahrscheinlich seinesgleichen zu schätzen wissen.

———

Egoistische Kleinstädterei, die sich Zentrum deucht. [1147]

———

Der Wolf im Schafpelze ist weniger gefährlich als das [1148] Schaf in irgendeinem Pelze, wo man es für mehr als einen Schöps nimmt.

———

Toren und gescheite Leute sind gleich unschädlich. Nur [1149] die Halbnarren und Halbweisen, das sind die gefährlichsten.

———

Vom Verdienste fordert man Bescheidenheit; aber die- [1150] jenigen, die unbescheiden das Verdienst schmälern, werden mit Behagen angehört.

———

Warum man doch ewige Mißreden hört? Sie glauben sich [1151] alle etwas zu vergeben, wenn sie das kleinste Verdienst anerkennen.

———

Die schwer zu lösende Aufgabe strebender Menschen ist, [1152] die Verdienste älterer Mitlebenden anzuerkennen und sich von ihren Mängeln nicht hindern zu lassen.

———

Man sagt: „Eitles Eigenlob stinket." Das mag sein; was [1153] aber fremder und ungerechter Tadel für einen Geruch habe, dafür hat das Publikum keine Nase.

———

Die Menge kann tüchtige Menschen nicht entbehren, [1154] und die Tüchtigen sind ihnen jederzeit zur Last.

———

1155 Dem Menschen ist verhaßt, was er nicht glaubt selbst getan zu haben; deswegen der Parteigeist so eifrig ist. Jeder Alberne glaubt, ins Beste einzugreifen, und alle Welt, die nichts ist, wird zu was.

———

1156 Es ist niemand fähig zu denken, daß jemand etwas konstruieren und protegieren möchte, als um Partei zu machen.

———

1157 Nur solchen Menschen, die nichts hervorzubringen wissen, denen ist nichts da.

———

1158 Nicht jeder, dem man Prägnantes überliefert, wird produktiv; es fällt ihm wohl etwas ganz Bekanntes dabei ein.

———

1159 Man muß bedenken, daß unter den Menschen gar viele sind, die doch auch etwas Bedeutendes sagen wollen, ohne produktiv zu sein, und da kommen die wunderlichsten Dinge an den Tag.

———

1160 Es gibt keinen größeren Trost für die Mittelmäßigkeit, als daß das Genie nicht unsterblich sei.

———

1161 Es ist was Schreckliches um einen vorzüglichen Mann, auf den sich die Dummen was zugute tun.

———

1162 Das Fürchterlichste ist, wenn platte unfähige Menschen zu Phantasten sich gesellen.

———

1163 Das radikale Übel: daß jeder gern sein möchte, was er sein könnte, und die übrigen nichts, ja nicht wären.

———

1164 Die Menschen kennen einander nicht leicht, selbst mit dem besten Willen und Vorsatz; nun tritt noch der böse Wille hinzu, der alles entstellt.

———

1165 Man würde einander besser kennen, wenn sich nicht immer einer dem andern gleichstellen wollte.

———

Ausgezeichnete Personen sind daher übler dran als andere: 1166
da man sich mit ihnen nicht vergleicht, paßt man ihnen auf.

In der Welt kommt's nicht drauf an, daß man die Men- 1167
schen kenne, sondern daß man im Augenblick klüger sei als
der vor uns Stehende. Alle Jahrmärkte und Marktschreier
geben Zeugnis.

Man beobachtet niemand als die Personen, von denen 1168
man leidet. Um unerkannt in der Welt umherzugehen,
müßte man nur niemand wehe tun.

Man kennt nur diejenigen, von denen man leidet. 1169

Man nimmt in der Welt jeden, wofür er sich gibt; aber 1170
er muß sich auch für etwas geben. Man erträgt die Un-
bequemen lieber, als man die Unbedeutenden duldet.

Man kann der Gesellschaft alles aufdringen, nur nicht, 1171
was eine Folge hat.

Wir lernen die Menschen nicht kennen, wenn sie zu uns 1172
kommen; wir müssen zu ihnen gehen, um zu erfahren, wie
es mit ihnen steht.

Ich finde es beinahe natürlich, daß wir an Besuchenden 1173
mancherlei auszusetzen haben, daß wir sogleich, wenn sie
weg sind, über sie nicht zum liebevollsten urteilen; denn wir
haben sozusagen ein Recht, sie nach unserm Maßstabe zu
messen. Selbst verständige und billige Menschen enthalten
sich in solchen Fällen kaum einer scharfen Zensur.

Wenn man dagegen bei andern gewesen ist und hat sie 1174
mit ihren Umgebungen, Gewohnheiten, in ihren notwendigen unausweichlichen Zuständen gesehen, wie sie um sich
wirken oder wie sie sich fügen, so gehört schon Unverstand
und böser Wille dazu, um das lächerlich zu finden, was uns
in mehr als einem Sinne ehrwürdig scheinen müßte.

1175   Durch das, was wir Betragen und gute Sitten nennen, soll das erreicht werden, was außerdem nur durch Gewalt, oder auch nicht einmal durch Gewalt zu erreichen ist.

––––––

1176   Der Umgang mit Frauen ist das Element guter Sitten.

––––––

1177   Wie kann der Charakter, die Eigentümlichkeit des Menschen mit der Lebensart bestehen?

––––––

1178   Das Eigentümliche müßte durch die Lebensart erst recht hervorgehoben werden. Das Bedeutende will jedermann, nur soll es nicht unbequem sein.

––––––

1179   Die größten Vorteile im Leben überhaupt wie in der Gesellschaft hat ein gebildeter Soldat.

––––––

1180   Rohe Kriegsleute gehen wenigstens nicht aus ihrem Charakter, und weil doch meist hinter der Stärke eine Gutmütigkeit verborgen liegt, so ist im Notfall auch mit ihnen auszukommen.

––––––

1181   Niemand ist lästiger als ein täppischer Mensch vom Zivilstande. Von ihm könnte man die Feinheit fordern, da er sich mit nichts Rohem zu beschäftigen hat.

––––––

1182   Zutraulichkeit an der Stelle der Ehrfurcht ist immer lächerlich. Es würde niemand den Hut ablegen, nachdem er kaum das Kompliment gemacht hat, wenn er wüßte, wie komisch das aussieht.

––––––

1183   Es gibt kein äußeres Zeichen der Höflichkeit, das nicht einen tiefen sittlichen Grund hätte. Die rechte Erziehung wäre, welche dieses Zeichen und den Grund zugleich überlieferte.

––––––

1184   Das Betragen ist ein Spiegel, in welchem jeder sein Bild zeigt.

––––––

Es gibt eine Höflichkeit des Herzens; sie ist der Liebe 1185
verwandt. Aus ihr entspringt die bequemste Höflichkeit des
äußern Betragens.

_____

Alle travers, die veralten, sind unnützes ranziges Zeug. 1186

_____

Von der besten Gesellschaft sagte man: ihr Gespräch ist 1187
unterrichtend, ihr Schweigen bildend.

_____

Besonderes Vergnügen, sich mit Personen, die man liebt, 1188
über Dinge zu erklären und weitläufig zu sein, Empfinden
rege zu machen, wenn man gleich weiß, daß, was man sagt,
nicht wahr ist.

_____

Eine richtige Antwort ist wie ein lieblicher Kuß. 1189

_____

Widerspruch und Schmeichelei machen beide ein schlech- 1190
tes Gespräch.

_____

Die angenehmsten Gesellschaften sind die, in welchen 1191
eine heitere Ehrerbietung der Glieder gegen einander obwaltet.

_____

Wer vor andern lange allein spricht, ohne den Zuhörern 1192
zu schmeicheln, erregt Widerwillen.

_____

Niemand würde viel in Gesellschaften sprechen, wenn 1193
er sich bewußt wäre, wie oft er die andern mißversteht.

_____

Man mag noch so eingezogen leben, so wird man, ehe 1194
man sich's versieht, ein Schuldner oder ein Gläubiger.

_____

Wir befinden uns nicht leicht in großer Gesellschaft, ohne 1195
zu denken, der Zufall, der so viele zusammenbringt, solle
uns auch unsre Freunde herbeiführen.

_____

Man verändert fremde Reden beim Wiederholen wohl 1196
nur darum so sehr, weil man sie nicht verstanden hat.

_____

1197   Es hört doch jeder nur, was er versteht.

―――――

1198   Jedes ausgesprochene Wort erregt den Gegensinn.

1199   Vernünftiges und Unvernünftiges haben gleichen Widerspruch zu erleiden.

―――――

1200   Es ist ganz einerlei, ob man das Wahre oder das Falsche
sagt; beidem wird widersprochen.

1201   Man frage nicht, ob man durchaus übereinstimmt, sondern ob man in einem Sinne verfährt.

―――――

1202   Licht und Geist, jenes im Physischen, dieser im Sittlichen
herrschend, sind die höchsten denkbaren unteilbaren Ener-
gien.

―――――

1203   Im Reich der Natur waltet Bewegung und Tat, im
Reiche der Freiheit Anlage und Willen. Bewegung ist
ewig und tritt bei jeder günstigen Bedingung unwiderstehlich in die Erscheinung. Anlagen entwickeln sich zwar auch
naturgemäß, müssen aber erst durch den Willen geübt und
nach und nach gesteigert werden. Deswegen ist man des
freiwilligen Willens so gewiß nicht als der selbständigen
Tat; diese tut sich selbst, er aber wird getan; denn er muß,
um vollkommen zu werden und zu wirken, sich im Sittlichen dem Gewissen, das nicht irrt, im Kunstreiche aber der
Regel fügen, die nirgends ausgesprochen ist. Das Gewissen
bedarf keines Ahnherrn, mit ihm ist alles gegeben; es hat
nur mit der innern eigenen Welt zu tun. Das Genie bedürfte
auch keine Regel, wäre sich selbst genug, gäbe sich selbst die
Regel; da es aber nach außen wirkt, so ist es vielfach bedingt durch Stoff und Zeit, und an beiden muß es notwendig irre werden; deswegen es mit allem, was eine
Kunst ist, mit dem Regiment wie mit Gedicht, Statue und
Gemälde, durchaus so wunderlich und unsicher aussieht.

―――――

1204   Charakter im großen und kleinen ist, daß der Mensch
demjenigen eine stete Folge gibt, dessen er sich fähig fühlt.

―――――

Beharren eines jeden im Charakter, bis zum Gipfel 1205
des menschlichen Daseins, ohne an die Rückkehr zu denken.

———

Charakter, der, dargestellt, kein Bild, pragmatisiert, kein 1206
Resultat gibt.

———

Ein Mensch zeigt nicht eher seinen Charakter, als wenn 1207
er von einem großen Menschen oder irgend von etwas
Außerordentlichem spricht. Es ist der rechte Probierstein
aufs Kupfer.

———

Die Vorurteile der Menschen beruhen auf dem jedes- 1208
maligen Charakter der Menschen, daher sind sie, mit dem
Zustand innig vereinigt, ganz unüberwindlich; weder Evidenz noch Verstand noch Vernunft haben den mindesten
Einfluß darauf.

———

Durch nichts bezeichnen die Menschen mehr ihren 1209
Charakter als durch das, was sie lächerlich finden.

———

Das Lächerliche entspringt aus einem sittlichen Kontrast, 1210
der auf eine unschädliche Weise für die Sinne in Verbindung
gebracht wird.

———

Der sinnliche Mensch lacht oft, wo nichts zu lachen ist. 1211
Was ihn auch anregt, sein inneres Behagen kommt zum
Vorschein.

———

Der Verständige findet fast alles lächerlich, der Vernünf- 1212
tige fast nichts.

———

Gewissen Geistern muß man ihre Idiotismen lassen. 1213

———

Jedermann hat seine Eigenheiten und kann sie nicht los 1214
werden; und doch geht mancher an seinen Eigenheiten, oft
an den unschuldigsten, zugrunde.

———

Eigentümlichkeit ruft Eigentümlichkeit hervor. 1215

———

1216 Was einem angehört, wird man nicht los, und wenn man
es wegwürfe.

————

1217 Jeder hat etwas in seiner Natur, das, wenn er es öffentlich
ausspräche, Mißfallen erregen müßte.

————

1218 Unsre Eigenschaften müssen wir kultivieren, nicht unsre
Eigenheiten.

————

1219 Nicht allein das Angeborene, sondern auch das Erworbene
ist der Mensch.

————

1220 Der Mensch begreift niemals, wie anthropomorphisch er
ist.

————

1221   Anthropomorphism,
                          Erotomorphism.
Daß er alles, was auch vorgeht, in sittlich-sinnlich Gefühl auflöst und verwandelt.

————

1222 Sich in seiner Beschränktheit gefallen, ist ein elender Zustand; in Gegenwart des Besten seine Beschränktheit fühlen, ist freilich ängstlich, aber diese Angst erhebt.

————

1223 Derjenige, der sich mit Einsicht für beschränkt erklärt,
ist der Vollkommenheit am nächsten.

————

1224 Wer sich nicht zu viel dünkt, ist viel mehr, als er glaubt.

————

1225 Ein großer Fehler: daß man sich mehr dünkt, als man ist,
und sich weniger schätzt, als man wert ist.

————

1226 Alles Vortreffliche beschränkt uns für einen Augenblick,
indem wir uns demselben nicht gewachsen fühlen; nur
insofern wir es nachher in unsere Kultur aufnehmen, es
unsern Geist- und Gemütskräften aneignen, wird es uns
lieb und wert.

————

Wie wir was Großes lernen sollen, flüchten wir uns gleich 1227
in unsre angeborne Armseligkeit und haben doch immer
etwas gelernt.

———

Wir alle sind so borniert, daß wir immer glauben, recht 1228
zu haben; und so läßt sich ein außerordentlicher Geist denken, der nicht allein irrt, sondern sogar Lust am Irrtum hat.

———

Die Wahrheit gehört dem Menschen, der Irrtum der Zeit 1229
an. Deswegen sagte man von einem außerordentlichen
Manne: „Le malheur des temps a causé son erreur, mais la
force de son âme l'en a fait sortir avec gloire."

———

Es ist traurig anzusehen, wie ein außerordentlicher 1230
Mensch sich gar oft mit sich selbst, seinen Umständen,
seiner Zeit herumwürgt, ohne auf einen grünen Zweig zu
kommen. Trauriges Beispiel: Bürger.

———

Unsere Meister nennen wir billig die, von denen wir 1231
immer lernen. Nicht ein jeder, von dem wir lernen, verdient
diesen Titel.

———

Den Timon fragte jemand wegen des Unterrichts seiner 1232
Kinder. „Laßt sie", sagte der, „unterrichten in dem, was
sie niemals begreifen werden."

———

Der echte Schüler lernt aus dem Bekannten das Un- 1233
bekannte entwickeln und nähert sich dem Meister.

Vgl. Aus Makariens Archiv *5–16 (Bd. 8, S. 460–462).*

Vollkommenheit ist die Norm des Himmels, Vollkom- 1234
menes wollen die Norm des Menschen.

Reine Naturgesinnung in fremdem Zustande. 1235
Je reiner die Gesinnung, desto weniger Bedürfnis des
Zustandes.
Je komplizierter, interessanter für sich selbst der Zustand
ist, so gibt er unsern Gesinnungen das Gesetz.

———

1236   Unsre Meinungen sind nur Supplemente unsrer Existenz. Wie einer denkt, daran kann man sehn, was ihm fehlt. Die leersten Menschen halten sehr viel auf sich, treffliche sind mißtrauisch, der Lasterhafte ist frech, und der Gute ist ängstlich. So setzt sich alles ins Gleichgewicht; jeder will ganz sein oder es vor sich scheinen.

1237   Die Wahlsprüche deuten auf das, was man nicht hat, wornach man strebt. Man stellt sich solches wie billig immer vor Augen.

1238   Die Botaniker haben eine Pflanzenabteilung, die sie Incompletae nennen; man kann eben auch sagen, daß es inkomplette unvollständige Menschen gibt. Es sind diejenigen, deren Sehnsucht und Streben mit ihrem Tun und Leisten nicht proportioniert ist.

1239   Der geringste Mensch kann komplett sein, wenn er sich innerhalb der Grenzen seiner Fähigkeiten und Fertigkeiten bewegt; aber selbst schöne Vorzüge werden verdunkelt, aufgehoben und vernichtet, wenn jenes unerläßlich geforderte Ebenmaß abgeht. Dieses Unheil wird sich in der neuern Zeit noch öfter hervortun; denn wer wird wohl den Forderungen einer durchaus gesteigerten Gegenwart und zwar in schnellster Bewegung genugtun können?

1240   Wer in sich recht ernstlich hinabsteigt, wird sich immer nur als Hälfte finden; er fasse nachher ein Mädchen oder eine Welt, um sich zum Ganzen zu konstituieren, das ist einerlei.

1241   Gesunde Menschen sind die, in deren Leibes- und Geistesorganisation jeder Teil eine vita propria hat.

1242   Es ist eine Forderung der Natur, daß der Mensch mitunter betäubt werde, ohne zu schlafen; daher der Genuß im Tabakrauchen, Branntweintrinken, Opiaten.

Bemalung und Punktierung der Körper ist eine Rückkehr 1243
zur Tierheit.

_____

Wir können einem Widerspruch in uns selbst nicht ent- 1244
gehen; wir müssen ihn auszugleichen suchen. Wenn uns
andere widersprechen, das geht uns nichts an, das ist ihre
Sache.

_____

Das höchste Glück ist das, welches unsere Mängel ver- 1245
bessert und unsere Fehler ausgleicht.

_____

Die Mängel erkennt nur der Lieblose; deshalb, um sie 1246
einzusehen, muß man auch lieblos werden, aber nicht mehr,
als hiezu nötig ist.

_____

Man läßt sich seine Mängel vorhalten, man läßt sich 1247
strafen, man leidet manches um ihrer willen mit Geduld;
aber ungeduldig wird man, wenn man sie ablegen soll.

_____

Gewisse Mängel sind notwendig zum Dasein des einzel- 1248
nen. Es würde uns unangenehm sein, wenn alte Freunde
gewisse Eigenheiten ablegten.

_____

Man sagt: „Er stirbt bald", wenn einer etwas gegen seine 1249
Art und Weise tut.

_____

Was für Mängel dürfen wir behalten, ja an uns kultivieren? 1250
Solche, die den andern eher schmeicheln als sie verletzen.

_____

Die Leidenschaften sind Mängel oder Tugenden, nur 1251
gesteigerte.

_____

Unsre Leidenschaften sind wahre Phönixe. Wie der alte 1252
verbrennt, steigt der neue sogleich wieder aus der Asche
hervor.

_____

Große Leidenschaften sind Krankheiten ohne Hoffnung. 1253
Was sie heilen könnte, macht sie erst recht gefährlich.

_____

1254   Die Leidenschaft erhöht und mildert sich durchs Bekennen. In nichts wäre die Mittelstraße vielleicht wünschenswerter als im Vertrauen und Verschweigen gegen die, die wir lieben.

———

1255   Man kann niemand lieben, als dessen Gegenwart man sicher ist, wenn man sein bedarf.

———

1256   „L'amour est un vrai recommenceur."

———

1257   In jeder großen Trennung liegt ein Keim von Wahnsinn; man muß sich hüten, ihn nachdenklich auszubrüten und zu pflegen.

———

1258   Wie man aus Gewohnheit nach einer abgelaufenen Uhr hinsieht, als wenn sie noch ginge, so blickt man auch wohl einer Schönen ins Gesicht, als wenn sie noch liebte.

———

1259   Welcher Gewinn wäre es fürs Leben, wenn man dies früher gewahr würde, zeitig erführe, daß man mit seiner Schönen nie besser steht, als wenn man seinen Rivalen lobt. Alsdann geht ihr das Herz auf, jede Sorge, euch zu verletzen, die Furcht, euch zu verlieren, ist verschwunden; sie macht euch zum Vertrauten, und ihr überzeugt euch mit Freuden, daß ihr es seid, dem die Frucht des Baumes gehört, wenn ihr guten Humor genug habt, anderen die abfallenden Blätter zu überlassen.

———

1260   Der liebt nicht, der die Fehler des Geliebten nicht für Tugenden hält.

———

1261   Mannräuschlein nannte man im siebzehnten Jahrhundert gar ausdrucksvoll die Geliebte.

———

1262   Liebes gewaschenes Seelchen ist der verliebteste Ausdruck auf Hiddensee.

———

1263   Einem bejahrten Manne verdachte man, daß er sich noch um junge Frauenzimmer bemühte. „Es ist das einzige

Mittel", versetzte er, „sich zu verjüngen, und das will doch
jedermann."

_____

Die Liebe, deren Gewalt die Jugend empfindet, ziemt 1264
nicht dem Alten, so wie alles, was Produktivität voraussetzt.
Daß diese sich mit den Jahren erhält, ist ein seltner Fall.

_____

Alle Ganz- und Halbpoeten machen uns mit der Liebe 1265
dergestalt bekannt, daß sie müßte trivial geworden sein,
wenn sie sich nicht naturgemäß in voller Kraft und Glanz
immer wieder erneute.

_____

Der Mensch, abgesehen von der Herrschaft, in welcher 1266
die Passion ihn fesselt, ist noch von manchen notwendigen
Verhältnissen gebunden. Wer diese nicht kennt oder in
Liebe umwandeln will, der muß unglücklich werden.

_____

Alle Liebe bezieht sich auf Gegenwart; was mir in der 1267
Gegenwart angenehm ist, sich abwesend mir immer darstellt, den Wunsch des erneuerten Gegenwärtigseins immerfort erregt, bei Erfüllung dieses Wunsches von einem lebhaften Entzücken, bei Fortsetzung dieses Glücks von einer
immer gleichen Anmut begleitet wird, das eigentlich lieben
wir, und hieraus folgt, daß wir alles lieben können, was zu
unserer Gegenwart gelangen kann; ja um das Letzte auszusprechen: die Liebe des Göttlichen strebt immer darnach,
sich das Höchste zu vergegenwärtigen.

_____

Ganz nahe daran steht die Neigung, aus der nicht sel- 1268
ten Liebe sich entwickelt. Sie bezieht sich auf ein reines
Verhältnis, das in allem der Liebe gleicht, nur nicht in der
notwendigen Forderung einer fortgesetzten Gegenwart.

_____

Diese Neigung kann nach vielen Seiten gerichtet sein, 1269
sich auf manche Personen und Gegenstände beziehen, und
sie ist es eigentlich, die den Menschen, wenn er sie sich zu erhalten weiß, in einer schönen Folge glücklich macht. Es ist
einer eignen Betrachtung wert, daß die Gewohnheit sich
vollkommen an die Stelle der Liebesleidenschaft setzen

kann: sie fordert nicht sowohl eine anmutige als bequeme
Gegenwart; alsdann aber ist sie unüberwindlich. Es gehört
viel dazu, ein gewohntes Verhältnis aufzuheben; es besteht
gegen alles Widerwärtige; Mißvergnügen, Unwillen, Zorn
vermögen nichts gegen dasselbe; ja es überdauert die Verachtung, den Haß. Ich weiß nicht, ob es einem Roman-
schreiber geglückt ist, dergleichen vollkommen darzustellen,
auch müßte er es nur beiläufig, episodisch unternehmen;
denn er würde immer bei einer genauen Entwickelung mit
manchen Unwahrscheinlichkeiten zu kämpfen haben.

1270   Wer keine Liebe fühlt, muß schmeicheln lernen, sonst
kommt er nicht aus.

1271   Gegen große Vorzüge eines andern gibt es kein Rettungs-
mittel als die Liebe.

1272   Große Talente sind das schönste Versöhnungsmittel.

1273   Der Haß ist ein aktives Mißvergnügen, der Neid ein
passives; deshalb darf man sich nicht wundern, wenn der
Neid so schnell in Haß übergeht.

1274   Mißgunst und Haß beschränken den Beobachter auf die
Oberfläche, selbst wenn Scharfsinn sich zu ihnen gesellt;
verschwistert sich dieser hingegen mit Wohlwollen und
Liebe, so durchdringt er die Welt und den Menschen, ja er
kann hoffen, zum Allerhöchsten zu gelangen.

1275   Die Laune ist ein Bewußtloses und beruht auf der Sinnlichkeit. Es ist der Widerspruch der Sinnlichkeit mit sich
selbst.

1276   Lüsternheit: Spiel mit dem zu Genießenden, Spiel mit
dem Genossenen.

1277   Hersilie sagte von der Pilgernden Törin: „Wenn ich
närrisch werden möchte, wie mir manchmal die Lust ankommt, so wäre es auf diese Weise."

Ein lustiger Gefährte ist ein Rollwagen auf der Wander- 1278
schaft.

———

Der Humor entsteht, wenn die Vernunft nicht im Gleich- 1279
gewicht mit den Dingen ist, sondern entweder sie zu beherrschen strebt und nicht damit zustande kommen kann:
welches der ärgerliche oder üble Humor ist; oder sich
ihnen gewissermaßen unterwirft und mit sich spielen läßt,
salvo honore: welches der heitre Humor oder der gute ist.
Sie läßt sich gut symbolisieren durch einen Vater, der sich
herabläßt, mit seinen Kindern zu spielen, und mehr Spaß
einnimmt als ausgibt. In diesem Falle spielt die Vernunft
den Goffo, im ersten Falle den Moroso.

———

Identität rasenden Enthusiasmus und unbarmherziger 1280
Kritik schwer in sich zu erzielen.

———

Mit Ungeduld bestraft sich zehnfach Ungeduld; man 1281
will das Ziel heranziehn und entfernt es nur.

———

Eitelkeit ist eine persönliche Ruhmsucht: man will nicht 1282
wegen seiner Eigenschaften, seiner Verdienste, Taten geschätzt, geehrt, gesucht werden, sondern um seines individuellen Daseins willen. Am besten kleidet die Eitelkeit
deshalb eine frivole Schöne.

———

Wenn die Menschen recht schlecht werden, haben sie 1283
keinen Anteil mehr als die Schadenfreude.

———

Die Verwechslung eines Konsonanten mit dem andern 1284
möchte wohl aus Unfähigkeit des Organs, die Verwandlung
der Vokale in Diphthongen aus einem eingebildeten Pathos
entstehen.

———

Im Laufe des frischen Lebens erduldet man viel, es sei 1285
nun vom Veralteten oder Überneuen.

———

Wer lange in bedeutenden Verhältnissen lebt, dem be- 1286
gegnet freilich nicht alles, was dem Menschen begegnen

kann, aber doch das Analoge, und vielleicht einiges, was ohne Beispiel war.

———

1287   Memoiren von oben herunter oder von unten hinauf: sie müssen sich immer begegnen.

———

1288   Es ist besser, eine Torheit pure geschehen zu lassen, als ihr mit einiger Vernunft nachhelfen zu wollen. Die Vernunft verliert ihre Kraft, indem sie sich mit der Torheit vermischt, und die Torheit ihr Naturell, das ihr oft forthilft.

———

1289   Bei Unvorsichtigkeiten ist nichts gewöhnlicher, als Aussichten auf die Möglichkeit eines Auswegs zu suchen.

———

1290   Einem Klugen widerfährt keine geringe Torheit.

———

1291   „Die Klugen haben miteinander viel gemein." Äschylus.

———

1292   Wenn weise Männer nicht irrten, müßten die Narren verzweifeln.

———

1293   Daß man gerade nur denkt, wenn man das, worüber man denkt, nicht ausdenken kann!

———

1294   Weiß denn der Sperling, wie dem Storch zumute sei?

———

1295   Ein schäbiges Kamel trägt immer noch die Lasten vieler Esel.

———

1296   Wenn die Affen es dahin bringen könnten, Langeweile zu haben, so könnten sie Menschen werden.

———

1297
Die Realen.
Was nicht geleistet wird, wird nicht verlangt.

Die Idealen.
Was verlangt wird, ist nicht gleich zu leisten.

———

Im Idealen kommt alles auf die élans, im Realen auf die 1298
Beharrlichkeit an.

———

Alle unmittelbare Aufforderung zum Ideellen ist be- 1299
denklich, besonders an die Weiblein. Wie es auch sei, umgibt sich der einzelne bedeutende Mann mit einem mehr
oder weniger religios-moralisch-ästhetischen Serail.

———

Die ungeheuerste Kultur, die der Mensch sich geben 1300
kann, ist die Überzeugung, daß die andern nicht nach ihm
fragen.

———

Denke nur niemand, daß man auf ihn als den Heiland 1301
gewartet habe!

———

Die Menschen, da sie zum Notwendigen nicht hinreichen, 1302
bemühen sich ums Unnütze.

———

Wo der Anteil sich verliert, verliert sich auch das Ge- 1303
dächtnis.

———

Das Gedächtnis mag immer schwinden, wenn das Urteil 1304
im Augenblick nicht fehlt.

———

Wer meine Fehler überträgt, ist mein Herr, und wenn's 1305
mein Diener wäre.

———

Es hat mit euch eine Beschaffenheit wie mit dem Meer, 1306
dem man unterschiedentliche Namen gibt, und ist es doch
endlich alles gesalzen Wasser.

———

Wenn die Männer sich mit den Weibern schleppen, so 1307
werden sie so gleichsam abgesponnen wie ein Wocken.

———

Für die vorzüglichste Frau wird diejenige gehalten, wel- 1308
che ihren Kindern den Vater, wenn er abgeht, zu ersetzen
imstande wäre.

———

1309 Ein alter gutmütiger Examinator sagt einem Schüler ins Ohr: „Etiam nihil didicisti" und läßt ihn für gut hingehen.

―――

1310 Kannst du lesen, so sollst du verstehen; kannst du schreiben, so mußt du etwas wissen; kannst du glauben, so sollst du begreifen; wenn du begehrst, wirst du sollen; wenn du forderst, wirst du nicht erlangen, und wenn du erfahren bist, sollst du nutzen.

―――

1311 Der rechtliche Mensch denkt immer, er sei vornehmer und mächtiger, als er ist.

―――

1312 Es gibt problematische Naturen, die keiner Lage gewachsen sind, in der sie sich befinden, und denen keine genugtut. Daraus entsteht der ungeheure Widerstreit, der das Leben ohne Genuß verzehrt.

―――

1313 Es kann wohl sein, daß der Mensch durch öffentliches und häusliches Geschick zu Zeiten gräßlich gedroschen wird; allein das rücksichtlose Schicksal, wenn es die reichen Garben trifft, zerknittert nur das Stroh, die Körner aber spüren nichts davon und springen lustig auf der Tenne hin und wider, unbekümmert, ob sie zur Mühle, ob sie zum Saatfeld wandern.

―――

1314 Es ist mit den Jahren wie mit den Sibyllinischen Büchern: je mehr man ihrer verbrennt, desto teurer werden sie.

―――

1315 Jedem Alter des Menschen antwortet eine gewisse Philosophie. Das Kind erscheint als Realist; denn es findet sich so überzeugt von dem Dasein der Birnen und Äpfel als von dem seinigen. Der Jüngling, von innern Leidenschaften bestürmt, muß auf sich selbst merken, sich vorfühlen: er wird zum Idealisten umgewandelt. Dagegen ein Skeptiker zu werden hat der Mann alle Ursache; er tut wohl zu zweifeln, ob das Mittel, das er zum Zwecke gewählt hat, auch das rechte sei. Vor dem Handeln, im Handeln hat er alle Ursache, den Verstand beweglich zu erhalten, damit er nicht nachher sich über eine falsche Wahl zu betrüben habe.

Der Greis jedoch wird sich immer zum Mystizismus bekennen. Er sieht, daß so vieles vom Zufall abzuhängen scheint: das Unvernünftige gelingt, das Vernünftige schlägt fehl, Glück und Unglück stellen sich unerwartet ins gleiche; so ist es, so war es, und das hohe Alter beruhigt sich in dem, der da ist, der da war, und der da sein wird.

Wer viel mit Kindern lebt, wird finden, daß keine äußere 1316 Einwirkung auf sie ohne Gegenwirkung bleibt.

Die Gegenwirkung eines vorzüglich kindlichen Wesens 1317 ist sogar leidenschaftlich, das Eingreifen tüchtig.

Deshalb leben Kinder in Schnellurteilen, um nicht zu 1318 sagen in Vorurteilen; denn bis das schnell, aber einseitig Gefaßte sich auslöscht, um einem Allgemeinern Platz zu machen, erfordert es Zeit. Hierauf zu achten, ist eine der größten Pflichten des Erziehers.

Ein zweijähriger Knabe hatte die Geburtstagsfeier be- 1319 griffen, an der seinigen die bescherten Gaben mit Dank und Freude sich zugeeignet, nicht weniger dem Bruder die seinigen bei gleichem Feste gegönnt.

Hiedurch veranlaßt, fragte er am Weihnachtsabend, wo 1320 so viele Geschenke vorlagen, wann denn sein Weihnachten komme. Dies allgemeine Fest zu begreifen, war noch ein ganzes Jahr nötig.

Wenn die Jugend ein Fehler ist, so legt man ihn sehr bald 1321 ab.

Der Irrtum ist recht gut, solange wir jung sind; man 1322 muß ihn nur nicht mit ins Alter schleppen.

Man muß seine Irrtümer teuer bezahlen, wenn man sie 1323 loswerden will, und dann hat man noch von Glück zu sagen.

1324   Die jungen Leute sind neue Aperçus der Natur.

_____

1325   In der Jugend bald die Vorzüge des Alters gewahr zu
werden, im Alter die Vorzüge der Jugend zu erhalten, beides
ist nur ein Glück.

_____

1326   Es betrügt sich kein Mensch, der in seiner Jugend noch
so viel erwartet. Aber wie er damals die Ahndung in seinem
Herzen empfand, so muß er auch die Erfüllung in seinem
Herzen suchen, nicht außer sich.

_____

1327   Wenn man älter wird, muß man mit Bewußtsein auf
einer gewissen Stufe stehen bleiben.

_____

1328   Man sagt sich oft im Leben, daß man die Vielgeschäftig-
keit, Polypragmosyne, vermeiden, besonders, je älter man
wird, sich desto weniger in ein neues Geschäft einlassen
solle. Aber man hat gut reden, gut sich und anderen raten.
Älter werden heißt selbst ein neues Geschäft antreten; alle
Verhältnisse verändern sich, und man muß entweder zu
handeln ganz aufhören oder mit Willen und Bewußtsein
das neue Rollenfach übernehmen.

_____

1329   „Wenn man alt ist, muß man mehr tun, als da man jung
war."

_____

1330   Mit den Jahren steigern sich die Prüfungen.

_____

1331   Daß der Mensch zuletzt Epitomator von sich selbst wird!
Und dahin zu gelangen ist schon Glück genug.

_____

1332   Man darf nur alt werden, um milder zu sein; ich sehe
keinen Fehler begehen, den ich nicht auch begangen hätte.

_____

1333   Man schont die Alten, wie man die Kinder schont.

_____

1334   Der Alte verliert eins der größten Menschenrechte: er
wird nicht mehr von seinesgleichen beurteilt.

_____

Eltern und Kindern bleibt nichts übrig, als entweder 1335
vor- oder hintereinander zu sterben, und man weiß am
Ende nicht, was man vorziehen sollte.

———

Die schönste Metempsychose ist die, wenn wir uns im 1336
andern wieder auftreten sehn.

———

Gar selten tun wir uns selbst genug; desto tröstender ist 1337
es, andern genug getan zu haben.

———

Derjenige, der's allen andern zuvortun will, betrügt sich 1338
meist selbst; er tut nur alles, was er kann, und bildet sich
dann gefällig vor, das sei so viel und mehr als das, was alle
können.

———

Es ist eben, als ob man es selbst vermöchte, wenn man 1339
sich guten Rats erholen kann.

———

Es gibt viele Menschen, die sich einbilden, was sie er- 1340
fahren, das verstünden sie auch.

———

Wer kann sagen, er erfahre was, wenn er nicht ein E r - 1341
f a h r e n d e r ist?

———

Jeden Tag hat man Ursache, die Erfahrung aufzuklären 1342
und den Geist zu reinigen.

———

Bonus vir semper tiro. 1343

———

Wer gegen sich selbst und andere wahr ist und bleibt, 1344
besitzt die schönste Eigenschaft der größten Talente.

———

Sich mitzuteilen ist Natur; Mitgeteiltes aufzunehmen, 1345
wie es gegeben wird, ist Bildung.

———

Der Undank ist immer eine Art Schwäche. Ich habe nie 1346
gesehen, daß tüchtige Menschen wären undankbar gewesen.

———

1347 Begegnet uns jemand, der uns Dank schuldig ist, gleich fällt es uns ein. Wie oft können wir jemand begegnen, dem wir Dank schuldig sind, ohne daran zu denken.

———

1348 Das Jahrhundert ist vorgerückt; jeder einzelne aber fängt doch von vorne an.

———

1349 Ein jeder Mensch sieht die fertige und geregelte, ge-bildete, vollkommene Welt doch nur als ein Element an, woraus er sich eine besondere, ihm angemessene Welt zu erschaffen bemüht ist. Tüchtige Menschen ergreifen sie ohne Bedenken und suchen damit, wie es gehen will, zu gebaren, andere zaudern an ihr herum, einige zweifeln sogar an ihrem Dasein.

Wer sich von dieser Grundwahrheit recht durchdrungen fühlte, würde mit niemandem streiten, sondern nur die Vorstellungsart eines andern wie seine eigene als ein Phäno-men betrachten. Denn wir erfahren fast täglich, daß der eine mit Bequemlichkeit denken mag, was dem andern zu denken unmöglich ist, und zwar nicht etwa in Dingen, die auf Wohl und Wehe nur irgendeinen Einfluß hätten, sondern in Dingen, die für uns völlig gleichgültig sind.

———

1350 „Ich bin über die Wurzeln des Baums gestolpert, den ich gepflanzt hatte." Das muß ein alter Forstmann gewesen sein, der dies gesagt hat.

———

1351 Säen ist nicht so beschwerlich als ernten.

———

1352 Die Schwierigkeiten wachsen, je näher man dem Ziele kommt.

———

1353 Die größten Schwierigkeiten liegen da, wo wir sie nicht suchen.

———

1354 Wenn man alle Gesetze studieren sollte, so hätte man gar keine Zeit, sie zu übertreten.

———

Die Welt ist eine Glocke, die einen Riß hat: sie klappert, 1355
aber klingt nicht.

_____

Der eine Bruder brach Töpfe, der andere Krüge. Verderb- 1356
liche Wirtschaft!

_____

Man hält die Menschen gewöhnlich für gefährlicher, als 1357
sie sind.

_____

Die Hindus der Wüste geloben, keine Fische zu essen. 1358

_____

Die Vorsicht ist einfach, die Hinterdreinsicht vielfach. 1359

_____

Der Müller denkt, es wachse kein Weizen, als damit seine 1360
Mühle gehe.

_____

Der Bach ist dem Müller befreundet, dem er nutzt, und 1361
er stürzt gern über die Räder; was hilft es ihm, gleichgültig
durchs Tal hinzuschleichen?

_____

Aufrichtig zu sein, kann ich versprechen, unparteiisch zu 1362
sein, aber nicht.

_____

Ein beschränkter, ehrlicher Mensch sieht oft die Schel- 1363
merei der feinsten Mächler (faiseurs) durch und durch.

_____

Gescheute Leute sind immer das beste Konversations- 1364
lexikon.

_____

Eine Sammlung von Anekdoten und Maximen ist für den 1365
Weltmann der größte Schatz, wenn er die ersten an schicklichen Orten ins Gespräch einzustreuen, der letzten im
treffenden Falle sich zu erinnern weiß.

_____

Drei Dinge werden nicht eher erkannt als zu gewisser 1366
Zeit:
        ein Held im Kriege,
        ein weiser Mann im Zorn,
        ein Freund in der Not.

_____

1367　Drei Klassen von Narren:
　　　　　　　　die Männer aus Hochmut,
　　　　　　　　die Mädchen aus Liebe,
　　　　　　　　die Frauen aus Eifersucht.

————

1368　Toll ist:
　　　　　wer Toren belehrt,
　　　　　Weisen widerredet,
　　　　　von hohlen Reden bewegt wird,
　　　　　Huren glaubt,
　　　　　Geheimnisse Unsichern anvertraut.

————

1369　Wer muß Langmut üben?
　　　　　　　　Der große Tat vorhat,
　　　　　　　　bergan steigt,
　　　　　　　　Fische speist.

————

1370　Wer klare Begriffe hat, kann befehlen.

————

1371　Es gibt im Menschen auch ein Dienenwollendes; daher
die chevalerie der Franzosen eine servage.

————

1372　Mancher klopft mit dem Hammer an der Wand herum
und glaubt, er treffe jedesmal den Nagel auf den Kopf.

————

1373　Man hat den Epikur, der ein armer Hund war wie ich,
sehr mißverstanden, wenn er das Höchste in die Schmerz-
losigkeit legte.

————

1374　Der Tiger, der dem Hirsch begreiflich machen will, wie
köstlich es ist, Blut zu schlürfen.

————

1375　Es ist ihnen wohl Ernst, aber sie wissen nicht, was sie mit
dem Ernst machen sollen.

————

1376　Wer das erste Knopfloch verfehlt, kommt mit dem Zu-
knöpfen nicht zu Rande.

————

Eine gefallene Schreibfeder muß man gleich aufheben, 1377
sonst wird sie zertreten.

———

Hundert graue Pferde machen nicht einen einzigen 1378
Schimmel.

———

Um zu begreifen, daß der Himmel überall blau ist, 1379
braucht man nicht um die Welt zu reisen.

———

Wen jemand lobt, dem stellt er sich gleich.   1380

———

„Wer einen Stein nicht allein erheben mag, der soll ihn 1381
auch selbander liegen lassen."

———

Aemilium Paulum – virum in tantum laudandum, in 1382
quantum intelligi virtus potest.

———

Sie peitschen den Quark, ob nicht etwa Crême daraus 1383
werden wolle.

———

Vor dem Gewitter erhebt sich zum letzten Male der 1384
Staub gewaltsam, der nun bald für lange getilgt sein soll.

———

Nicht überall, wo Wasser ist, sind Frösche; aber wo man 1385
Frösche hört, ist Wasser.

———

Der Schnee ist eine erlogene Reinlichkeit.   1386

———

Der Schmutz ist glänzend, wenn die Sonne scheinen mag. 1387

———

Einen Regenbogen, der eine Viertelstunde steht, sieht 1388
man nicht mehr an.

———

Man geht nie weiter, als wenn man nicht mehr weiß, 1389
wohin man geht.

———

Das kleinste Haar wirft seinen Schatten.   1390

KOMMENTARTEIL

NACHWORT ZU DEN
SCHRIFTEN ZUR KUNST

I

„Goethes Dichtungstrieb, verschlungen in seinen Hang und seine Anlage zur bildenden Kunst, und sein Drang, von der Gestalt und dem äußeren Objekt aus dem inneren Wesen der Naturgegenstände und den Gesetzen ihrer Bildung nachzuforschen, sind in ihrem Prinzip eins und eben dasselbe und nur verschieden in ihrem Wirken.“[1] In diesen Worten Wilhelm v. Humboldts ist aus der unmittelbaren Nähe persönlichen Miterlebens zum erstenmal die tiefe innere Einheit in der reichen Mannigfaltigkeit Goethescher Geistesäußerungen ausgesprochen worden. Diese Einheit leuchtet uns auch aus seinen Kunstschriften entgegen – das ist der Grund, warum es so lohnend ist, sich mit ihnen zu beschäftigen. Hinzu kommt, daß in ihnen die geschichtliche Stunde, der sein gesamtes Schaffen zugehört, mit besonderer Deutlichkeit spürbar wird.

Mit dem Zusammenbruch der religiösen Vorstellungswelt um die Mitte des 18. Jahrhunderts war der Grund zerfallen, der das gesamte geistige Land vom Mittelalter bis in den Barock getragen hatte. Ein völliger Wandel aller geistigen Formen trat ein. Die zuversichtliche Stimmung, mit der diese Wende zunächst begrüßt wurde, und der gewaltige Impuls, den sie bei den produktiven Köpfen des Jahrhunderts auslöste, kommt in den Sätzen zum Ausdruck, mit denen Jean d’Alembert seinen Versuch über die Elemente der Philosophie einleitet. Hier heißt es: „Die lebhafte Gärung der Geister, die nach allen Seiten hinwirkt, hat alles, was sich ihr darbot, mit Heftigkeit ergriffen, gleich einem Strom, der seine Dämme durchbricht. Von den Prinzipien der Wissenschaften an bis zu den Grundlagen der geoffenbarten Religion, von den Problemen der Metaphysik bis zu denen des Geschmacks, von der Musik bis zur Moral, von den theologischen Streitfragen bis zu den Fragen der Wirtschaft und des Handels, von der Politik bis zum Völkerrecht und Zivilrecht ist alles diskutiert, analysiert, aufgerührt worden.“[2] Der Problematik dieser Wende, der Erkenntnis, daß die *größere Verständigkeit und Aufklärung* eines Zeitalters nicht nur Gewinn, sondern, indem sie die *Zerstörungskraft* fördert[3], auch Verlust bedeutet, hat Goethe in den berühmten Worten an Eckermann Ausdruck gegeben: *Alle im Rückschreiten und in der Auflösung begriffenen Epochen sind subjektiv, dagegen aber haben alle vorschreitenden Epochen eine objektive Richtung. Unsere ganze jetzige Zeit ist eine rückschreitende, denn sie ist eine subjektive.*[4]

In der theoretischen Kunstliteratur sind schon früh Symptome fühlbar, die auf das Spätere vorausdeuten. Das Mittelalter hatte sich in der Sphäre der reinen handwerklichen Unterweisung gehalten. Die Kunsttheoretiker der Renaissance dagegen erhoben die Kunst zum Range einer freien Wissenschaft und leiteten die Verselbständigung der ästhetischen Sphäre ein. Diese Bestrebungen fanden in den folgenden Jahrhunderten in Italien und vor allem in Frankreich ihre konsequente Fortsetzung. Aber es ist charakteristisch, daß sie für lange Zeit noch nicht vermochten, den funktionellen Charakter der Kunst aufzuheben. Selbst als mit der Übertragung der Kunstkritik von den Künstlern auf die Laien das Verhältnis von Kunst und Gesellschaft schon sehr empfindlich gelockert war, kam die theoretische Betrachtung von einer Verquickung beider Sphären nicht los und behandelte immer noch das Problem des Ästhetischen von der Seite des Stofflichen, objektiv Gegebenen, nicht von der Seite des Formalen, also des subjektiv Schöpferischen, wofür Diderot und in einigem Abstand Gottsched und die Schweizer als Beispiele dienen mögen.

Nachdem der Kunst der natürliche Boden ihres Wachstums und Gedeihens entzogen war, konnte sie nur dadurch in ihrer Würde und Bedeutung erhalten bleiben bzw. wiedergewonnen werden, daß man sie ganz auf sich stellte, daß man die Bindungen äußerer Art durch innere Bindungen ersetzte, daß man von dem nicht mehr lebendigen Objektiven entschlossen zum Subjektiven fortschritt. In dem Gedanken der Eigengesetzlichkeit der Kunst fand die Problematik der Zeitlage auf dem Gebiete des Künstlerischen ihre positivste Lösung.

Man kann diesen Gedanken nicht voll verstehen, ohne sich klarzumachen, daß die Erfahrung der Anomalität des künstlerischen Zustandes, seiner Verwirrtheit und Haltlosigkeit, die notwendige Voraussetzung ist. So heißt es in einem Brief Goethes: *Der lebende Künstler neuerer Zeit steht mit allem Talent in einer mißlichen Lage, er ist nicht im Fall, sich an ein entschieden Sicheres anzulehnen, und seine besten Bestrebungen stocken . . .*[5] Diese dem neueren Künstler fehlende Grundlage sollte durch die Erkenntnis der Eigengesetzlichkeit der Kunst geschaffen werden.

Auch zu diesem problematischen Zeitpunkt orientierte sich das Denken und Gestalten an der großen Hinterlassenschaft der Antike. In der griechischen Kunst sah die Zeit Goethes die erste und einzige große autonome Kunst. *Hier erscheint die Kunst vollkommen selbständig, indem sie sich sogar unabhängig erweist von dem, was den edlen Menschen das Höchste und Verehrungswürdigste bleibt, von der Sittlichkeit. Will sie sich aber völlig frei erklären, so muß sie ihre eigenen Gesetze entschieden aussprechen und bewahren, wie es auch hier geleistet ist.*[6]

Die griechische Philosophie erfüllte in diesem Zeitraum ihre posthume geschichtliche Mission, indem sie der Ästhetik den Begriff übermittelte, der allein zu einer Erfassung des eigentlichen Künstlerischen führen konnte: den Begriff der „inneren Form". In ihm ist der Gedanke ausgedrückt, daß die äußere Form eines organischen Wesens das Produkt in ihm selbst von innen her wirkender Kräfte ist. Diese Vorstellung mußte sich für die Ästhetik äußerst fruchtbar zeigen. Denn mit ihr war nun endlich die Möglichkeit gewonnen worden, den Maßstab zur Beurteilung eines Kunstwerkes nicht mehr einer außerhalb des Kunstwerkes aufgestellten Norm, sondern ihm selbst zu entnehmen. Damit konnte das Abhängigkeitsverhältnis der Kunst von den außerkünstlerischen Mächten gedanklich gelöst, die seit Jahrhunderten vorgetragene und gerade in der französischen Theorie des 18. Jahrhunderts noch einmal neu formulierte *ewige Lüge von Verbindung der Natur und Kunst*[7] (um Goethes Ausdruck zu gebrauchen) endgültig überwunden und die Kunst als eine selbständige schöpferische Kraft der Natur gleichgestellt werden.

Dieser Gedanke hat zu der entscheidendsten Entdeckung geführt, die nach dem Verlust der alten Bindungen zunächst gemacht werden konnte: zu der Entdeckung des Ich (die man mit besserem Recht dem 18. als dem 15. Jahrhundert zuschreibt). Denn wenn man, um eine Gestalt der Wirklichkeit zu verstehen, von der äußeren Form auf die in ihr wirkende Kraft zurückgriff, so verlegte man das Gewicht der Anteilnahme von der Mannigfaltigkeit des Gewordenen auf die Einheit des Werdens. Die Erscheinungen der Wirklichkeit sind für diese Anschauung nicht mehr ein beziehungsloses Nebeneinander, das sich einer von außen gesetzten Rangordnung einfügen ließe, sondern nur verschiedene Auswirkungen einer Grundkraft. Diese Grundkraft kann nur im Erlebnis des Ich offenbar werden. Nur weil wir selbst diese Kraft in unserm Innern fühlen, vermögen wir sie auch außerhalb unser zu verspüren, und nur weil in uns die ganze Fülle der verschiedenen Vorstellungsinhalte nicht zerfließt, sondern von einem Mittelpunkt aus übersehen und gelenkt wird, dürfen wir auch in der Mannigfaltigkeit der Außenwelt der Einheit gewiß sein. Die Einheit des Ich verbürgt die Einheit des Universums.[7a]

Dieses Erlebnis des Ich blieb auch da noch als Grundlage erhalten, wo hinter der hier gewonnenen Subjektivität schon wieder eine neue Objektivität gesucht wurde. Durch ihr Ichgefühl unterscheidet sich die Anschauung der hohen Klassik – ganz gleich, ob wir an den reifen Goethe, an Kant oder an Schiller denken – grundsätzlich von früheren ähnlich gerichteten Bestrebungen. Zunächst freilich kostete man die ganze Fülle der Subjektivität aus und verjüngte sich an der Kraft des neuen Lebensgefühles. Die Rangordnungen früherer Zeit, die nicht in der Form, sondern im Gegenstand begründet waren, schob man unwillig beiseite.

In Lessing und in den Vertretern des deutschen „Sturm und Drang" tritt dieses neue Lebensgefühl zuerst in Erscheinung. Lessing gehört durch seinen Geniebegriff in diese Richtung. Er postuliert das leidenschaftlich Bewegte als Gegenstand der Dichtkunst, nicht mehr das moralisch Vollkommene, und wenn er auch an den strengen Regeln der Kunst festhält, so erklärt er doch die Freiheit des Genies als ihren Quell. Von den Vertretern des „Sturm und Drang" sind Johann Georg Hamann und Herder die wichtigsten. Von Hamann stammt der Satz: „Alle ästhetische Thaumaturgie reicht nicht zu, ein unmittelbares Gefühl zu ersetzen, und nichts als die Höllenfahrt der Selbsterkenntnis bahnt uns den Weg zur Vergötterung."[8] Herder ging von hier aus weiter und erschloß die Mannigfaltigkeit der geschichtlichen Welt. Von der abstrakten Einzigkeit eines Zieles (in der man bisher den Sinn der Geschichte gesucht hatte) richtete er den Blick auf den Reichtum individuellen Geschehens. „Kein Ding im ganzen Reiche Gottes ist allein Mittel, alles Mittel und Zweck zugleich."[9]

Der Funke, der hier lebendig war, sprang auf den jungen Goethe über.

II

Von früh auf mit bildender Kunst und bildenden Künstlern in Berührung, hat Goethe lange geschwankt, ob er nicht zum bildenden Künstler bestimmt sei. In *Dichtung und Wahrheit*[10] berichtet er, wie ihn, nachdem er Wetzlar verlassen, auf seiner Wanderung am Ufer der Lahn der *alte Wunsch* wieder gepackt habe, die Natur *würdig nachahmen zu können.* Er schreibt: *Zufällig hatte ich ein schönes Taschenmesser in der linken Hand, und in dem Augenblicke trat aus dem tiefen Grunde der Seele gleichsam befehlshaberisch hervor: ich sollte dies Messer ungesäumt in den Fluß schleudern. Sähe ich es hineinfallen, so würde mein künstlerischer Wunsch erfüllt werden; würde aber das Eintauchen des Messers durch die überhängenden Weidenbüsche verdeckt, so sollte ich Wunsch und Bemühung fahren lassen.* Die trügliche Zweideutigkeit des befragten Orakels war schuld, daß Goethe damals weder entsagte noch sich ganz zur bildenden Kunst entschied.

Dem Zustand des Schwankens hat erst der zweite römische Aufenthalt 1787/88 ein Ende bereitet. Nachdem der *alte Wunsch* in Italien noch einmal mit wahrer Leidenschaft in ihm zum Durchbruch gekommen war – noch im August 1787 schrieb er: *Herr, ich lasse dich nicht, du segnest mich denn, und sollt' ich mich lahm ringen*[11] –, brachte die vertiefte Einsicht in das Wesen der bildenden Kunst, die er dem unermüdeten Studium jenes zweiten Aufenthaltes in der ewigen Stadt verdankte, die endgültige Resignation. *Täglich wird mir's deutlicher, daß ich eigentlich zur Dichtkunst geboren bin ... Von meinem längern Aufenthalt in Rom werde ich den Vorteil haben, daß ich auf das Ausüben der bildenden Kunst Verzicht tue.*[12]

In der *Geschichte der Farbenlehre* hat er, dem Zustande des Schwankens längst entwachsen, aus dem historischen Abstand des Alters auf ihn zurückgesehen. *So gewiß ist es, daß die falschen Tendenzen den Menschen öfters mit größerer Leidenschaft entzünden als die wahrhaften, und daß er demjenigen weit eifriger nachstrebt, was ihm mißlingen muß, als was ihm gelingen könnte.*[13]

Unter Goethes Zeichnungen finden sich einige höchst kühne und überraschende Landschaftsdarstellungen, die in einer Geschichte der Landschaftsmalerei des 18. Jahrhunderts nicht übergangen werden können. Dennoch hat Goethes praktische Künstlertätigkeit im ganzen keine Früchte getragen, die über ihre biographische Bedeutung hinaus für die Kunstgeschichte selbständigen, bleibenden Wert haben.

Um so größer aber ist ihre Bedeutung für seine dichterische Tätigkeit. *Daß ich zeichne und die Kunst studiere, hilft dem Dichtungsvermögen auf, statt es zu hindern*[14] – so schrieb er 1787 aus Rom noch mitten im Kampf um die Ausübung der bildenden Kunst, und im Alter hat er ausdrücklich zu Eckermann bemerkt: *Die Gegenständlichkeit meiner Poesie bin ich denn doch jener großen Aufmerksamkeit und Übung des Auges schuldig geworden.*[15]

Von Anfang an ging der praktischen Kunstübung die Beschäftigung mit Wesen und Geschichte der bildenden Kunst und eine eifrige Sammlertätigkeit zur Seite. Auch sie ist dem Wirken des Dichters zugute gekommen. Bildnerische Eindrücke haben oft unbewußt seine Phantasie bestimmt. Oft hat er aber auch durch bewußte Nachbildung von Werken bildender Kunst seinen *poetischen Intentionen ... eine wohltätig beschränkende Form und Festigkeit gegeben.*[16]

Fast noch wichtiger ist die theoretische Förderung gewesen. Goethe, der Dichter, suchte in der bildenden Kunst, was er in der Dichtkunst – *sowohl in Absicht auf die Konzeption eines würdigen Gegenstandes als auf die Komposition und Ausbildung der einzelnen Teile, sowie was die Technik des rhythmischen und prosaischen Stils betraf* – schmerzlich entbehrte: Gesetze und Regeln. Er suchte *außerhalb der Dichtkunst eine Stelle, auf welcher er zu irgendeiner Vergleichung gelangen* und, was ihn *in der Nähe verwirrte, aus einer gewissen Entfernung übersehen und beurteilen könnte.*[17]

Hier wird die Zeitsituation deutlich, deren Vergegenwärtigung für die geschichtliche Erkenntnis Goethes so notwendig ist: das Bedürfnis, nach dem Verlust der alten, für den Barock noch gültigen Bindungen aufs neue Grund unter die Füße zu bekommen, ein Bedürfnis, das im

19. und 20. Jahrhundert das Verhältnis von bildender Kunst und Dichtkunst ganz allgemein gegenüber den früheren Jahrhunderten verändert
hat. Was hat – um ein Beispiel späterer Zeit zu nennen – der Bildhauer
Rodin als Erzieher für den Dichter Rilke bedeutet! Goethe suchte freilich nicht allein Erziehung, sondern Erkenntnis. Worum er rang und
was zu erreichen ihm auch gelungen ist, war, sich *die Kunst überhaupt
einzuteilen, ohne sie zu zerstückeln, und ihre verschiedenen lebendig
ineinandergreifenden Elemente gewahr zu werden.*[18]

III

Es ist klar, daß Goethes ,,Hang zur bildenden Kunst" ihn auch zu
lebhafter Anteilnahme an dem Kunstgeschehen seiner Zeit führen mußte. Immer ist in seinen Kunstschriften – lauter oder leiser – ein aktueller
Bezug hörbar. Nicht als ob ein beschränkter Gegenwartsstandpunkt
ihm die Sicht auf das weite Meer des Geschichtlichen versperrte, wohl
aber indem er, von der zeitlosen Würde der Kunst durchdrungen, ihren
Segen auch der Gegenwart fruchtbar machen wollte.

Goethes Verhältnis zur bildenden Kunst seiner Zeit ist in den verschiedenen Phasen seines Lebens sehr verschieden gewesen. Er war
Mitstrebender und Erzieher, Bundesgenosse und Gegner. In Frankfurt
wuchs er im bürgerlichen Realismus heran. In *Dichtung und Wahrheit*
berichtet er: *Mein Vater hatte den Grundsatz, den er öfters und sogar
leidenschaftlich aussprach, daß man die lebenden Meister beschäftigen
... solle.*[19] Hirt, Trautmann, Schütz, Juncker, Seekatz, Nothnagel sind
die vertrauten Namen aus Goethes Jugendtagen. Ihre Werke können
wir heute noch im Frankfurter Goethehaus sehen. *Ich hatte* – so lesen
wir weiter – *von Kindheit auf zwischen Malern gelebt, und mich gewöhnt, die Gegenstände wie sie in Bezug auf die Kunst anzusehen ...
Das Auge war vor allem anderen das Organ, womit ich die Welt faßte.*[20]

Dieses persönliche Verhältnis änderte sich zunächst auch später
nicht. In Leipzig ging er in die Schule des akademischen Klassizismus.
Von Adam Friedrich Oesers Unterricht bekannte er, daß er auf sein
ganzes Leben Folgen haben werde. *Er lehrte mich, das Ideal der Schönheit sei Einfalt und Stille*[21]. Hier wurde ein Keim gelegt, der freilich erst
später aus einem durch die Erschütterungen und Einsichten der Sturm-
und-Drang-Jahre vertieften Lebensgefühl seine reife Frucht tragen
sollte.

Die größte innere Nähe zur bildenden Kunst erreichte der Stürmer
und Dränger. *Die bildende Kunst* – so hieß es nun – *hat mich fast ganz.
Was ich lese und schreibe, tue ich um ihretwillen und lerne täglich mehr,
wie viel mehr wert es in allem ist, am Kleinsten die Hand anlegen ... als
von der vollkommensten Meisterschaft eines anderen kritisch Rechen-*

schaft zu geben.[22] Es war das Erlebnis göttlich-dämonischer Schöpferkraft, das ihm, wie in der Dichtung so auch in der bildenden Kunst, ganz neue Tiefen erschloß, im Verständnis bildender Kunst ihn über die Lehre der Nachahmung und über die Beurteilung nach Regeln, Fächern, Rangordnungen hinaushob und ihn die Kunst als ein Stück schöpferischer Natur erkennen ließ.

Die Nähe zur bildenden Kunst, die hier in Goethes Gedanken deutlich wird, zeigt auch sein Verhältnis zu anderen Künstlern. Es ist nun nicht mehr der Kreis seines Vaterhauses, sondern es sind die Generationsgenossen, an deren Schaffen er als einer der Ihren freundschaftlich lebendigen Anteil nimmt. Das gilt für den ihm genau gleichaltrigen Maler Müller, für Wilhelm Tischbein und vor allem für den bedeutendsten Maler des ,,Sturm und Drang", für Johann Heinrich Füßli, dessen *Glut und Ingrimm* ihn begeistert. *Ich habe per fas et nefas einige Füßlische Gemälde und Skizzen erwischt, über die Ihr erschrecken werdet,* so heißt es in einem Brief aus Zürich 1779 an Knebel.[23]

Diese beglückende Nähe zu den schöpferischen Impulsen der zeitgenössischen bildenden Kunst dauerte freilich nicht an. Es trat eine Wendung ein, die Goethe in einen Gegensatz zu den Zeitgenossen brachte und die sein ganzes späteres Verhältnis tragisch überschatten sollte. Der reife Goethe blieb auf der Stufe des ,,Sturm und Drang" nicht stehen. *Große Gedanken, die dem Jüngling ganz fremd sind, füllen jetzt meine Seele, beschäftigen sie in einem neuen Reiche.*[24]

An Maler Müller schrieb er nunmehr die harten Worte: *Der feurigste Maler darf nicht sudeln, so wenig als der feurigste Musikus falsch greifen darf; das Organ, in dem die größte Gewalt und Geschwindigkeit sich äußern will, muß erst richtig sein ... Ich finde Ihre Gemälde und Zeichnungen doch eigentlich nur noch nicht gestammelt, und es macht dies einen um so übleren Eindruck, da man sieht, es ist ein erwachsener Mensch, der vielerlei zu sagen hat, und zu dessen Jahrszeit ein so unvollkommener Ausdruck nicht recht kleidet.*[25] Füßlis Kunst, die noch eben hoch bewunderte, nennt er nunmehr fratzenhaft und wahnsinnig. Füßli sei *ein genialer Manierist, der sich selbst parodiert.*[26]

Diese Sätze und Urteile spiegeln Goethes Selbsterziehung wider. Aus bewegenden Worten der *Italienischen Reise* wissen wir, mit welchem tiefen Ernst Goethe an seiner Selbstvollendung arbeitete. *Ich bin wie ein Baumeister, der einen Turm aufführen wollte und ein schlechtes Fundament gelegt hatte; er wird es noch beizeiten gewahr und bricht gern wieder ab, was er schon aus der Erde gebracht hat, seinen Grundriß sucht er zu erweitern, zu veredeln, sich seines Grundes mehr zu versichern.*[27]

Die Frucht dieser Selbsterziehung war das Wiedergewahrwerden eines Objektiven. Es vertiefte auch seine Erkenntnis der Kunst. Ihre Wer-

ke sah er nun nicht mehr allein als subjektive Selbstoffenbarungen genialer Einzelner, sondern als objektiv gesetzmäßige Offenbarungen der
Natur. Nicht mehr das subjektiv Charakteristische, sondern das objektiv Schöne wurde für ihn zum Grundbegriff und Ideal, dem es nachzu-
eifern galt. Aus dem Mitstrebenden, der sich der Fülle gefreut hatte,
wurde der Erzieher, der das Vollkommene suchte.

Hier nun werden wir Zeugen von Goethes Vereinsamung, von dem
Hinauswachsen der Klassik des Dichters und Denkers über den Klassizismus der bildenden Kunst. Seine Lehre, für ihn lebendigste Wirklichkeit, fand keinen fruchtbaren Widerhall oder wurde nur von kleinen
Talenten aufgenommen, die nicht die Kraft hatten, seinen hohen Intentionen zu folgen. Die Weggenossen des „Sturm und Drang" blieben
zurück. Die Maler, mit denen Goethe in Italien verkehrte (auch Wilhelm Tischbein, auch Philipp Hackert), vermochten jene römische *Wie-
dergeburt* nicht mit zu vollziehen. Der einzige Asmus Jakob Carstens,
der verwandten Zielen nachstrebte, ohne freilich die Fülle des Dichters
zu haben, war damals noch nicht in Rom. Sein Werk hat Goethe erst
kennen gelernt, als es bereits abgeschlossen vorlag. Dann hat er es freilich in seinem Rang voll anerkannt. Die Romantiker endlich versagten
Goethe offen die Gefolgschaft.

Es wäre falsch, in dieser Wendung nach einer Schuld fragen zu wollen. Wir können höchstens von einem tragischen Irrtum sprechen, insofern es Goethe verborgen blieb, daß sein Begriff der Kunst, aus der
Natur und den höchsten Gipfeln der abendländischen Kunst gewonnen,
die Gestaltungsmöglichkeiten der eigenen Zeit, auch und gerade die des
den gleichen Zielen nachstrebenden Klassizismus, weit überflog, und er
sich zunächst dem *Wahn* (so schrieb er später resigniert an Zelter)
hingab, auf seine Zeit *genetisch wirken zu wollen.*[28]

Es gehört aber zu Goethes Bild, daß er dennoch mit dem ganzen
Ernst seines Wesens an seinem Begriff der Kunst festhielt. *Die höheren
Forderungen sind an sich schon schätzbarer, auch unerfüllt, als niedrige,
ganz erfüllte.*[29] Die Romantiker hatten freilich ein gutes Recht, Goethes
Bahn zu verlassen und die Erneuerung der Kunst, die weder Goethes
Erziehertum noch dem reifen Klassizismus gelungen war, auf anderem
Wege zu suchen.

Goethes Verhältnis zur bildenden Kunst der Romantik ist immer
noch Mißdeutungen ausgesetzt. Es wäre leichtfertig, den alten Vorwurf
zu wiederholen, daß er die wirklich bedeutenden Künstler verkannt und
nur den belanglosen seinen Beifall gezollt habe. Es wäre freilich ebensowenig richtig, den vorhandenen Gegensatz verkleinern und Goethe
der Romantik zurechnen zu wollen. Wir müssen versuchen, einen höheren Standpunkt zu gewinnen, von dem aus das Verhältnis geschichtlich durchsichtig wird und gerecht beurteilt werden kann.

Goethe war Gegner der Romantik, so dankbar er ihre geschichtlichen Bestrebungen seinen Einsichten fruchtbar gemacht hat. Er hat die Bewegung zeitweilig leidenschaftlich bekämpft. *Wenn ich einen verlorenen Sohn hätte, so wollte ich lieber, er hätte sich von den Bordellen bis zum Schweinekoben verirrt, als daß er in dem Narrenwust dieser letzten Tage sich verfinge; denn ich fürchte sehr, aus dieser Hölle ist keine Erlösung.*[30]

Hier spricht einmal der Gegensatz der Generationen. Während Subjektivismus des ,,Sturm und Drang" und Objektivitätsstreben von Klassik und Klassizismus sich wie Jugend und Reife der gleichen Generation verhalten (das geht aus den Worten an Maler Müller klar hervor), ist die Romantik der Neueinsatz einer jüngeren Generation, die nicht nur das Begonnene fortführen, sondern etwas anderes an seine Stelle setzen wollte. Dürfen wir Goethe verargen, daß er seine Einsichten, die in dem Ganzen seines Lebensverständnisses begründet waren, nicht preisgab? Daß er, der sich als Erzieher fühlte, *nichts angelegentlicher zu tun hatte*[31], als seinen Weg auch gegen den Widerstand der Jüngeren fortzusetzen?

Aber der Unterschied der Generationen erklärte den Gegensatz nicht ganz. Wir müssen versuchen, ihn von der Sache her aufzufassen.

Runges ,,Tageszeiten", die erste große Manifestation romantischen Geistes in der bildenden Kunst, nannte Goethe *zum Rasendwerden, schön und toll zugleich.*[32] Das Schöpferische hat er durchaus gefühlt, die künstlerische Leistung voll anerkannt. Aber er begnügte sich nicht mit ästhetischer Würdigung, sondern suchte bis zu dem Lebensgrunde dieser neuen Kunst vorzudringen. *Das will alles umfassen und verliert sich darüber immer ins Elementarische ... Wer so auf der Kippe steht, muß sterben oder verrückt werden, da ist keine Gnade.* Dem gefährlichen Allzuviel dieser Kunst stellte er seine gereifte Einsicht entgegen:

*Vergebens werden ungebundne Geister
Nach der Vollendung reiner Höhe streben.
Wer Großes will, muß sich zusammenraffen;
In der Beschränkung zeigt sich erst der Meister,
Und das Gesetz nur kann uns Freiheit geben.*[33]

Fürchtete Goethe bei der Hieroglyphik Runges das Zurücksinken ins Elementarische – er hat später in seinem Aufsatz *Geistesepochen*[34] eine erschreckende Zukunftsvision dieses Zurücksinkens als Epoche gegeben –, so lehnte er in der romantischen Landschaftsmalerei, wie sie am kühnsten durch Caspar David Friedrich vertreten wurde, die Übersteigerung des Todesgedankens als krankhaft ab. Schon von der englischen Dichtung, mit der jene Landschaftsmalerei motivisch eng zusammenge-

hört, sagte er, daß sie *die menschliche Natur untergrabe.*[35] Von Carl
Friedrich Lessings „Klosterhof im Schnee" heißt es höchst bezeichnend: *Das sind lauter Negationen.*[36] Wieder richtet sich seine Kritik
nicht gegen die Werke, sondern gegen den Lebensgrund, in dem sie
wurzeln.

Auch dem zweiten Wege der Romantik, dem Versuche, die Kunst
dem religiösen und vaterländischen Leben wieder einzubeziehen und
durch Wiederanknüpfung an die Formensprache der Primitiven des
15. Jahrhunderts gleichsam einen Neuanfang zu gewinnen, konnte Goethe nicht folgen. Ja, hier war seine Ablehnung noch schroffer. *Von
Cornelius und Overbeck* – schrieb er an Sulpiz Boisserée[37] – *haben mir
Schlossers stupende Dinge geschickt. Der Fall tritt in der Kunstgeschichte
zum erstenmal ein, daß bedeutende Talente Lust haben, sich rückwärts
zu bilden, in den Schoß der Mutter zurückzukehren und so eine neue
Kunstepoche zu begründen.*

Die Romantiker, in dem Wunsche, die Isolierung der Kunst, wie sie
durch die Betonung ihrer Eigengesetzlichkeit entstanden war, zu überwinden, empfanden ganz richtig, daß ihr Versuch, Kunst und Religion
wieder zu verknüpfen und eine Erneuerung der Kunst nicht aus der
Kunst, sondern aus den Kräften, denen auch sie ihr Dasein verdankt, zu
erreichen, nicht dort ansetzen konnte, wo die Kunst sich bereits an-
schickte, die Fesseln der religiösen Bindung abzustreifen. Raffaels reife
Kunst, den Abschluß jahrhundertelanger Entwicklung, für die klassische Kunstlehre das hohe Ideal künstlerischer Vollendung, konnten sie
daher ihrer Bemühung um einen Neuanfang nicht fruchtbar machen.
Die romantische Hinwendung zu der gebundenen Formensprache der
Frühzeit war also durchaus sinnvoll. Sie war letztlich nicht künstlerisch,
sondern religiös bestimmt. Der junge Cornelius sprach von der Verfüh-
rung der späteren Kunst, „der feinsten in Raffael selbst ... Man möchte
blutige Tränen weinen, wenn man sieht, daß ein Geist, der das Aller-
höchste gleich jenem mächtigen Engel am Throne Gottes geschaut, daß
ein solcher Geist abtrünnig wurde."[38]

Auch Goethe hatte stärkstes Verständnis für die frühe Kunst, und er
ist gerade in den Tagen der Romantik der altdeutschen und altniederländischen Kunst in tiefdringenden Betrachtungen (S. 142 ff.) gerecht geworden. Aber so hoch Goethe die *wahre heilige Kunst* als Dokument
menschlicher Bildung auf einer bestimmten Stufe der Entwicklung
schätzte, so widerwärtig war ihm die *angemaßte heilige Kunst.*[39]

Hier geht es Goethe weder um eine Geschmacks- noch um eine
Glaubensfrage, sondern zunächst um eine Frage der geschichtlichen
Einsicht. Goethe hielt die bewußte Erneuerung des Alten auf einer
Stufe, die den Bedingungen jener Frühzeit nicht mehr entsprach, für
unmöglich. Er sah deutlich, daß es gerade hier mit dem Wollen nicht

getan war und daß die Erneuerung des subjektiven religiösen Gefühles keineswegs auch die Voraussetzung einer das Subjektive übergreifenden künstlerischen Erneuerung schaffe.

Zu der Frage der geschichtlichen Einsicht in Möglichkeit und Unmöglichkeit einer neuen gebundenen Kunst kommt aber die Wertfrage hinzu. So hoch Goethe die *wahre heilige Kunst*, d. h. also die alte gebundene Kunst der Frühzeit stellte, über ihr stand für ihn die *unbedingte*[40] Kunst, die sich über diese Bindungen und Bedingtheiten erhebt und gleichsam absolut wird. Diese *unbedingte* Kunst, deren Form *ein Geheimnis den meisten*[41] ist, rechnete zu den Urphänomenen, die *auch nur zu erkennen* ihm *schon eine große Glückseligkeit und davon sich mit Verständigen unterhalten ein edles Vergnügen* bedeutete.[42] Das Verhältnis dieser unbedingten Kunst zur Religion war für Goethe keineswegs negativ. Vielmehr sah er in ihr auch dasjenige geborgen, ja, verkörpert, über dessen Verlust oder Gefährdung sich die Romantiker ereiferten. *Die Kunst ruht auf einer Art religiosem Sinn, auf einem tiefen, unerschütterlichen Ernst.*[43] Der Schritt von der Bedingtheit zur Unbedingtheit, über den Cornelius blutige Tränen weinen wollte, war für Goethe das Zusichselbstkommen der Kunst, die in ihm ihr tiefstes Wesen, ihren geheimnisvollen Symbolcharakter offenbart.

In dieser Wertfrage berühren wir den Gegensatz zwischen Goethe und der Romantik an seinem empfindlichsten Punkt. Klassik und Romantik treten sich hier schroff gegenüber. Das Zurücktauchen ins Elementarische bei Runge, die Vereinseitigung des Naturerlebens bei der romantischen Landschaftsmalerei, die Rückwendung zu den Primitiven bei den Nazarenern: sie alle sind für Goethe Symptom der Gefahr, daß sich das Gefühl für Größe und Würde der unbedingten Kunst, die ein Hauptanliegen seines Lebens war, verlieren würde. Den romantischen Kunstfrühling mußte er daher ablehnen.

IV

Goethe ging in seiner Beschäftigung mit bildender Kunst nicht von der Geschichte, sondern von der Natur aus. Trotzdem liegt auch seiner Kunstauffassung ein bestimmtes Geschichtsbild zugrunde bzw. kann ihr zugeordnet werden.

Solange sich Goethes Blick nur auf das schaffende Prinzip, auf die *individuelle Keimkraft*[44] der Kunst richtete, war ihm die Geschichte, nicht anders als die Natur, allein der Schoß gestaltbildender Möglichkeiten. Jede Form, wenn sie nur gefühlt ist, sieht der junge Goethe als ein Glas an, *wodurch wir die heiligen Strahlen der verbreiteten Natur an das Herz der Menschen zum Feuerblick sammeln.*[45] Nachahmung bestimmter verpflichtender Vorbilder lehnt er ab. *Schule und Prinzipium fesselt alle Kraft der Erkenntnis und Tätigkeit.*[46]

Und wie muß dir's werden, wenn du fühlest,
Daß du alles in dir selbst erzielest ...
Nicht in Rom, in Magna Graecia,
Dir im Herzen ist die Wonne da![47]

Je stärker sich Goethe aber vom Schaffenden zum Geschaffenen, von der Keimkraft zur Form und dem ihr zugrunde liegenden Gesetze wendete, um so stärker mußte die Geschichtlichkeit der Kunst in seinen Gesichtskreis treten. Der reife Goethe machte die Erfahrung, daß die Kunst sich zwar in verschiedenen Individuen verkörpert, aber mit ihnen doch nicht identisch ist und daß sie wie jedes andere organische Wesen eine Geschichte hat – eine Geschichte, die nur aus ihr selbst, nicht aus *sittlichen Ursachen, die freilich als mitwirkend nicht ausgeschlossen werden können*[48], verstanden werden kann.

Die Erfahrung der Geschichtlichkeit der Kunst ist Goethe in Italien aufgegangen. Seine Vermutung, daß die großen Künstler *nach eben den Gesetzen verfuhren, nach welchen die Natur verfährt*, vermochte ihm das Rätsel der Kunst nicht ganz aufzuklären. Es *ist noch etwas anders dabei, das ich nicht auszusprechen wüßte.*[49] In einem Brief an die Herzogin Luise versuchte er, es mit Namen zu nennen. *Es ist viel Tradition bei den Kunstwerken, die Naturwerke sind immer wie ein erstausgesprochenes Wort Gottes.*[50]

Diese Einsicht führte ihn von jugendlicher Ablehnung der Tradition zu positiver Auseinandersetzung mit ihr. Sein Lehrer wurde Winckelmann, den er in Rom erst wirklich zu studieren begann. Winckelmann hatte die in der Antike entwickelte, von der italienischen Renaissance erneuerte Lehre von den ,,Gezeiten" aufgenommen und sich zu der *Idee einer Geschichte der Kunst* erhoben. Er hatte, wie Goethe es rühmend gesagt hat, *als ein neuer Kolumbus, ein lange geahndetes, gedeutetes und besprochenes, ja man kann sagen ein früher schon gekanntes und wieder verlornes Land* entdeckt.[51]

Die von Winckelmann vertretene Lehre, daß *die ganze Kunst ein Lebendiges* sei, *das einen unmerklichen Ursprung, einen langsamen Wachstum, einen glänzenden Augenblick seiner Vollendung, eine stufenfällige Abnahme*[52] darstelle, traf mit Goethes Naturvorstellungen so sehr zusammen, daß er sie sich völlig zueignen konnte. Goethe hat sich darauf beschränkt, seine eigenen Beobachtungen allein innerhalb der Grenzen dieses Geschichtsbildes anzustellen. Goethes Leistung als Kunsthistoriker liegt nicht in der Schöpfung eines neuen, sondern allein in der Bereicherung und Vertiefung des traditionellen Kunstgeschichtsbildes. Sein Anliegen war, wie in der Natur, so auch in der Kunst, den individuellen Formen, wie sie *durch die Determination des äußeren Elementes sich verschieden* bilden[53], so weit es ihm möglich war, nachzugehen und dennoch in ihrer Verschiedenheit die immer gleiche Idee der Kunst festzuhalten. Geschichtliche Mannigfaltigkeit und ideelle Einheit waren für ihn keine Gegensätze. Das Festhalten an der immer gleichen Idee der Kunst erlaubte ihm, zu ganz klaren Wertungen zu kommen (wobei er die Werturteile nicht einfach aus der Tradition übernahm, sondern sie aus seinen eigenen Voraussetzungen begründete). *Nur auf dem höchsten und genausten Begriff von Kunst* – so war seine niemals wieder preisgegebene Maxime – *kann eine Kunstgeschichte beruhen.*[54]

V

Die „Hamburger Ausgabe" bietet aus Goethes Kunstschriften nur eine knappe Auswahl. Sie umfaßt in chronologischer Ordnung die wichtigsten Schriften der frühen, mittleren und späten Zeit. An diesem beschränkten Teil von Goethes umfassender Tätigkeit werden wir Zeugen seiner Entwicklung, des Reichtums und der Ausweitung seiner Gedanken, seiner leidenschaftlichen Hingabe an die Sache, seines Erzieherethos und auch der strengen Arbeit an sich selbst. Goethe der Kunstschriftsteller ist kein anderer als Goethe der Dichter. So wichtig die Fragestellungen sind, die ihn beschäftigen (terminologische, monographische, biographische, problemgeschichtliche Fragen), ihr volles Leben empfangen sie erst durch die Form, die er ihrer Darstellung gibt. Welche Mannigfaltigkeit der literarischen Ausdrucksformen von Hymnus, Wallfahrtsbüchlein, Novelle, Gespräch, biographischer Skizze bis zur Buchbesprechung und wissenschaftlichen Abhandlung! Oft – vor allem in der späten Zeit – ist seine Arbeit im wesentlichen Redaktion ihm übermittelter Vorarbeiten – so in dem Zusammenwirken mit Heinrich Meyer, in der Verarbeitung von Bildbeschreibungen Sulpiz Boisserées oder von Bossis Erörterungen über Leonardos Abendmahl –; aber auch dann beobachten wir, wie er das Fremde an Eigenstes anschließt und sich dadurch einverleibt und wie es unter seiner Hand durch Einschübe, Streichungen, Umgestaltungen, Zusammenziehungen Leben und Gestalt gewinnt. Auch für den Kunstschriftsteller Goethe gilt, was Schiller bewundernd über den Dichter Goethe an den gemeinsamen Freund Heinrich Meyer geschrieben hat: „Während wir anderen mühselig sammeln und prüfen müssen, um etwas Leidliches langsam hervorzubringen, darf er nur leis an dem Baume schütteln, um sich die schönsten Früchte, reif und schwer, zufallen zu lassen."[55]

1) Wilhelm v. Humboldt, Rezension von Goethes 2. Römischem Aufenthalt. Ges. Schriften, I, Werke, VI, 1. Hälfte. – 2) D'Alembert, Eléments de Philosophie, I. Mélanges de Littérature, d'Histoire et de Philosophie, Amsterdam 1758, IV, S. 1 ff. – 3) Goethe, 10. Mai 1806. Vgl. Riemer, Briefe von und an Goethe, Leipzig

1846, S. 288 f. – 4) 29. Januar 1826. – 5) An Schultz, 3. Juli 1824. – 6) An Beuth, 22. Februar 1831. – 7) An Meyer, 20. Mai 1796. – 7a) vgl. hierzu E. Cassirer, Freiheit und Form. Studien zur deutschen Geistesgeschichte, Berlin 1922, S. 136. – 8) Hamann, Schriften (hrsg. von Roth), VII, S. 197 f. – Werke, hrsg. von Nadler, Bd. 2, S. 164. – 9) Herder, Auch eine Philosophie der Geschichte zur Bildung der Menschheit, 2. Abschnitt (Werke, hrsg. von Düntzer, Bd. 21, S. 179). – 10) *13. Buch.* Bd. 9, S. 556,21 ff. – 11) 23. August 1787. Bd. 11, S. 386. – 12) 22. Februar 1788. Bd. 11, S. 518 f. – 13) *Konfession des Verfassers.* Bd. 14, S. 253,9–13. – 14) 21. Dezember 1787. Bd. 11, S. 446. – 15) 20. April 1825. – 16) 6. Juni 1831 zu Eckermann. – 17) *Geschichte der Farbenlehre.* Bd. 14, S. 252,24–35. – 18) Ebd. Bd. 14, S. 254,5–7. – 19) *1. Buch.* Bd. 9, S. 28. – 20) *6. Buch.* Bd. 9, S. 224. – 21) An Philipp Erasmus Reich, 20. Februar 1770. – 22) An Johann Gottfried Roederer, Herbst 1773. – 23) 30. November 1779. – 24) An Lavater, 2. September 1779. – 25) An Friedrich Müller, 21. Juni 1781. – 26) Tagebuch, 2. Mai 1800. – 27) 20. Dezember 1786. Bd. 11, S. 150. – 28) An Zelter, 15. Januar 1813. – 29) S. 490, Nr. 881. – 30) An Karl Friedrich Grafen v. Reinhardt, 7. Oktober 1810. – 31) An Wilhelm v. Humboldt, 17. März 1832. – 32) Tagebuch Sulpiz Boisserées, 1811. – 33) Bd. 1, S. 245. – 34) S. 298–300. – 35) *Dichtung und Wahrheit, 13. Buch.* Bd. 9, S. 582,17. – 36) Gespräch mit Friedrich Förster, 1825. – 37) 14. Februar 1814. – 38) An Mosler, März 1812. – 39) An Sulpiz Boisserée, 27. September 1816. – 40) An Beuth, 22. Februar 1831. – 41) Bd. 12, S. 471, Nr. 754. – 42) Bd. 12, S. 34. – 43) Bd. 12, S. 468, Nr. 728. – 44) Bd. 12, S. 30. – 45) Bd. 12, S. 22. – 46) Bd. 12, S. 9. – 47) In dem Gedicht *Sendschreiben.* – 48) Bd. 12, S. 111. – 49) Bd. 11, S. 168. – 50) 23. Dezember 1786. – 51) Bd. 12, S. 110. – 52) Bd. 12, S. 111. – 53) *Versuch einer allgemeinen Vergleichungslehre.* – 54) Bd. 12, S. 52. – 55) Schiller an Meyer, 21. Juli 1797.

ANMERKUNGEN

I. DIE FRÜHE ZEIT. 1771–1786

Die Schriften der Frühzeit sind Gelegenheitsäußerungen. Ob ein bestimmtes Werk bildender Kunst die Bewunderung oder die Stimme eines Zeitgenossen die Kritik des Stürmers und Drängers hervorruft, immer geht es Goethe im Sinne Hamanns und Herders um den unmittelbaren Ausdruck seiner Erfahrung der Kunst als schöpferischer Lebensmacht. *Sieh, Lieber* – so schreibt er am 21. August 1774 an Friedrich Heinrich Jacobi –, *was doch alles Schreibens Anfang und Ende ist, die Reproduktion der Welt um mich durch die innere Welt, die alles packt, verbindet, neu schafft, knetet und in eigner Form, Manier wieder hinstellt, das bleibt ewig Geheimnis, Gott sei Dank, das ich auch nicht offenbaren will den Gaffern und Schwätzern.* Dieses Erlebnis, das Goethe nach den konventionellen Leipziger Anfängen recht eigentlich erst zum Dichter werden ließ, ist der Ausgangspunkt auch seiner Betrachtungen über das Wesen der Kunst. In einer Reihe von Aufsätzen und Buchbesprechungen hat er – nicht systematisch, aber bei den verschiedensten Anlässen doch immer von dem einen Zentrum her – seine Anschauungen entwickelt und versucht, das Persönliche durch seine Begründung im Allgemeinen zu vertiefen.

VON DEUTSCHER BAUKUNST (1772)

Erstdruck November 1772 bei Deinet in Frankfurt am Main als Flugschrift ohne Angabe des Verfassers mit der Jahreszahl 1773. Wiederholung in Herders Sammlung „Von deutscher Art und Kunst", Hamburg 1773, und in Gottfried Huths „Allgemeinem Magazin für die bürgerliche Baukunst", 1789. Von Goethe wieder abgedruckt in *Über Kunst und Altertum, Bd. 4, Heft 3, 1824.* – Morris, Bd. 3. – Wichtige Neuausgabe von Ernst Beutler, München 1943. – Der junge Goethe. Hrsg. von Hanna Fischer-Lamberg. Bd. 3, 1966, S. 101–107 u. 442–445. – Momme Mommsen, Die Entstehung von Goethes Werken in Dokumenten. Bd. 2, 1958, S. 314–321. – Norbert Knopp, Zu Goethes Hymnus „Von deutscher Baukunst". DVjs. 53, 1979, S. 617–650.

Der erste Teil ist vermutlich schon 1771 in Sesenheim geschrieben worden, der zweite und dritte Teil 1771 in Frankfurt und 1772 in Frankfurt oder Wetzlar (Beutler).

Goethe kommt drei Jahre später, 1775, in *Dritte Wallfahrt nach Erwins Grabe* wieder auf dieses *Blatt verhüllter Innigkeit* und seinen rätselhaften Stil zu sprechen (S. 29, 12ff.). In *Dichtung und Wahrheit,* *9. Buch* und *12. Buch* (Bd. 9, S. 382ff. und S. 507f.) gibt er aus dem Abstand des Alters, aber aus einem – im Umgang mit Sulpiz Boisserée – neu gewonnenen Verständnis für die gotische Baukunst eine Darstellung seines Weges von traditioneller Ablehnung der Gotik zu ihrer leidenschaftlichen Bewunderung unter dem Eindruck der Begegnung mit dem Straßburger Münster und eine Kritik seines Jugendaufsatzes: Anerkennung seines damaligen Standpunkts, aber Ablehnung des von Hamanns und Herders Beispiel angeregten dithyrambischen Stils. – Über die zeitgenössische Wirkung der Schrift vgl. Ernst Herbert Lehmann, Die Anfänge der Kunstzeitschrift in Deutschland, Leipzig 1932, S. 83 und Beutler.

7,3. *D.M.* = divis manibus (dem seligen Geiste), gebräuchliche Weiheformel altrömischer Grabinschriften. – Über den geschichtlichen Erwin von Steinbach wissen wir aus zwei Urkunden von 1284 und 1293, aus der schon im späteren 18. Jhdt. nicht mehr vorhandenen, vermutlich erst im 16. Jhdt. entstandenen Inschrift am Mittelportal des Münsters: „Anno Domini 1277 in die beati Urbani hoc gloriosum opus inchoavit

magister Ervinus de Steinbach", einer in einzelnen Bruchstücken noch
erhaltenen Inschrift an der Brüstung der ehemaligen Marienkapelle am
Münster: ,,1316 aedificavit hoc opus magister Erwin" und endlich aus
der in der folgenden Anmerkung genannten Grabinschrift von 1318, wo
er als ,,gubernator fabrice ecclesie argentinensis" bezeichnet wird. Erwin von Steinbach gilt der heutigen Forschung als Hauptmeister des
Fassadenunterbaus. Vgl. Otto Kletzl, Meister Erwin von Steinbach und
seine Bedeutung für die deutsche Gotik. Forschungen und Fortschritte
1935.

7,5. Goethe kannte den Namen *Erwins* aus dem ,,Straßburger Mün-
ster- und Thurn-Büchlein oder Kurtzer Begriff Der merkwürdigsten
Sachen, so im Münster und dasigen Thurn zu finden", das er sich bei
seiner Ankunft in Straßburg gekauft hatte. In ihm ist auch von Erwins
Grabstein die Rede: ,,Nachdeme nun der fürtreffliche Werckmeister
Ervinus im Jahre 1316 unser lieben Frauen Capell verfertiget hatte, ist er
endlich gestorben, im Jahre 1318. Wie aus seiner Grabschrifft, auswendig am Münster, gegen dem Creutzgang hinüber abzunehmen: Anno
Domini 1318 XVI. Kal. Febr. obiit magister Ervinus, Gubernator Fabricae Ecclesiae Argentinensis." Das Grab, in der Nordostecke des Münsters, ist erst 1816 von Sulpiz Boisserée und Engelhard (dem Architekten aus den *Wahlverwandtschaften*) wiederentdeckt worden.

7,13 f. = einst aus dem väterlichen Erbe (Beutler).

7,23 ff. Hier klingt zum ersten Mal die Vision des sterbenden Faust an: *Es kann
die Spur von meinen Erdetagen Nicht in Äonen untergehn.*

7,32 f. Am 7. August 1771 verließ Goethe Sesenheim. In diesen Sätzen spiegelt
sich also persönlichstes leidvolles Erleben wider.

8,2 ff. Anspielung auf das 10. Kapitel der Apostelgeschichte, wo sich vor Petrus
vom Himmel herab ein ähnliches Tuch zeigt voll reiner und unreiner Tiere. Beutler weist darauf hin, daß dieses 10. Kapitel der Perikopentext für die Predigt am
2. Oster- und 2. Pfingstfesttag ist und daß Goethe vielleicht Pfingstmontag 1771
(den 20. Mai) eine Predigt des Pfarrers Brion in Sesenheim über diesen Text gehört
hat. Der biblische Text wird Goethe aber auch aus J. G. Hamanns ,,Aesthetica in
nuce" geläufig gewesen sein (Werke, hrsg. von J. Nadler, Bd. 2, 1950, S. 200).
Auch der dithyrambische Stil des Aufsatzes ist nicht ohne Hamann denkbar. *So
aber verhüllte ich, durch Hamanns und Herders Beispiel verführt, diese ganz
einfachen Gedanken und Betrachtungen in eine Staubwolke von seltsamen Worten
und Phrasen, und verfinsterte das Licht, das mir aufgegangen war, für mich und
andere (Dichtung und Wahrheit, Dritter Teil, 12. Buch. Bd. 9, S. 508).*

8,10. Hier beginnt der zweite Teil der Schrift, die Gegenüberstellung des
Nordischen und des Welschen, wobei Goethe das Nordische wie das Antike als
Originalkunst preist, das Welsche als mißverstandene Nachahmung der Antike
ablehnt.

8,14. Auch der Begriff des *Genius* war Goethe aus seiner ihm durch Herder
vermittelten Lektüre der Hamannschen Schriften (,,Sokratische Denkwürdigkeiten") geläufig.

8,30. Gemeint sind die Kolonnaden von St. Peter in Rom, 1656/57 von Lorenzo Bernini (1598–1680) erbaut. Goethe kannte sie von den römischen Prospekten im Vorsaal seines Vaterhauses. Sein römischer Aufenthalt sollte ihn später das Unberechtigte dieser frühen Kritik lehren.

9,10f. Goethe redet hier den Jesuiten Marc Antoine Laugier (1703 bis 1769) an, in dessen „Essays sur l'Architecture" von 1753–55 es im 1. Kapitel heißt „L'homme veut se faire un logement qui le couvre sans l'ensevelir. Quelques branches abbattues dans la forêt sont les matériaux propres à son dessin. Il en choisit quatre des plus fortes qu'il élève perpendiculairement, et qu'il dispose en quarré. Au dessus il en met quatre autres en travers; et sur celles-ci il en élève qui s'inclinent, et qui se réunissent en pointe de deux côtés." Dazu das Titelbild (Abb. bei Beutler, S. 33). – Goethes Vater besaß den Essay in der deutschen 1768 in Leipzig erschienenen Übersetzung, ebenso Laugiers „Observations sur l'Architecture" von 1765. Daß im vierten Teil des Essays der gotische Stil positiv gewürdigt wird, ja, sogar ein Hymnus auf den Turm des Straßburger Münsters steht, scheint Goethe nicht gesehen zu haben. – Goethe hat sich später noch einmal bei Gelegenheit einer Betrachtung über den Ursprung der antiken Steinbaukunst mit dieser auf Vitruv zurückgehenden, in nachmittelalterlicher Zeit zuerst von Antonio Manetti in seiner Biographie des Florentiner Baumeisters Brunellesco vorgetragenen These auseinandergesetzt, wobei er gegen Vitruvs *Märchen von der Hütte, das nun auch von so vielen Theoristen angenommen und geheiliget worden ist,* polemisiert (*Baukunst* in Wielands Teutschem Merkur, 1788. Weim. Ausg. Bd. 47, S. 60). Vgl. Wolfgang Herrmann, Laugier and 18th Century French Theory, London 1962. – Joachim Gaus, Die Urhütte, Wallraf-Richartz-Jahrbuch, Bd. XXXIII, 1971, S. 7ff.

9,33ff. Diese Anschauung hat Goethe erst in Italien überwunden. Palladios Bauten in Vicenza haben ihn eines Besseren belehrt. Am 19. September 1786 schreibt er aus Vicenza an Charlotte v. Stein: *Säulen und Mauern zu verbinden, ist ohne Unschicklichkeit beinahe unmöglich … Aber wie er das durcheinander gearbeitet hat, wie er durch die Gegenwart seiner Werke imponiert und vergessen macht, daß es Ungeheuer sind. Es ist wirklich etwas Göttliches in seinen Anlagen, völlig die Force des großen Dichters, der aus Wahrheit und Lüge ein Drittes bildet, das uns bezaubert.* Wie dann aus dieser halb widerwilligen Anerkennung die neue Lehre von der Fiktion wurde, die sich über den Standpunkt der Jugend hoch erhebt und von größter Bedeutung für die Geschichte der Architekturinterpretation ist, dazu vgl. die Anmerkungen zu seinem Aufsatz *Baukunst* von 1795, S. 587ff.

10,16ff. In *Dichtung und Wahrheit, 12. Buch,* wird der gleiche Gedanke noch einmal ausgedrückt: *Wir … die wir uns durchaus gegen die Witterung schützen, und mit Mauern überall umgeben müssen, haben den Genius zu verehren, der Mittel fand, massiven Wänden Mannigfaltigkeit zu geben, sie dem Scheine nach zu durchbrechen und das Auge würdig und erfreulich auf der großen Fläche zu beschäftigen.* (Bd. 9, S. 508.)

10,24. Goethe hatte in Leipzig den Unterricht Adam Friedrich Oesers (1717–1799) genossen, der ihm die Anschauungen des älteren akademischen Klassizismus vermittelt hatte. *Sein Unterricht* – so hatte er noch am 20. Februar 1770 aus Frankfurt an Philipp Erasmus Reich geschrieben – *wird auf mein ganzes Leben Folgen haben. Er lehrte mich, das Ideal der Schönheit sei Einfalt und Stille.* Nun sehen wir ihn unter dem Eindruck des Münstererlebnisses und der Ideen seiner Freunde Herder (und durch ihn Hamanns) und Johann Heinrich Merck über die akademischen Anschauungen hinauswachsen.

10,28. Goethe denkt hier an den Artikel „Gotisch" in Johann Georg Sulzers „Allgemeiner Theorie der schönen Künste nach alphabetischer Ordnung der Kunstwörter", deren erster Teil 1771 erschien und 1772 von Johann Heinrich Merck in den „Frankfurter Gelehrten Anzeigen" besprochen worden war. Dieser Artikel beginnt: „Man bedienet sich dieses Beiworts in den schönen Künsten vielfältig, um dadurch einen barbarischen Geschmack anzudeuten, wiewohl der Sinn des Ausdrucks selten genau bestimmt wird."

11,37ff. Zur Erläuterung dieses Satzes müssen wir *Dichtung und Wahrheit, 3. Teil, 11. Buch,* heranziehen. Hier erzählt Goethe von der ansehnlichen Gesellschaft auf einem Landhause, von wo man die Vorderseite des Münsters und den darüber emporsteigenden Turm gar herrlich sehen konnte:

„*Es ist schade*", sagte jemand, „*daß das Ganze nicht fertig geworden und daß wir nur den einen Turm haben.*" *Ich versetzte dagegen:* „*Es ist mir ebenso leid, diesen einen Turm nicht ganz ausgeführt zu sehn; denn die vier Schnecken setzen viel zu stumpf ab, es hätten darauf noch vier leichte Turmspitzen gesollt, sowie eine höhere auf die Mitte, wo das plumpe Kreuz steht.*" – *Als ich diese Behauptung mit gewöhnlicher Lebhaftigkeit aussprach, redete mich ein kleiner muntrer Mann an und fragte:* „*Wer hat Ihnen das gesagt?*" – „*Der Turm selbst*", *versetzte ich.* „*Ich habe ihn so lange und aufmerksam betrachtet, und ihm so viel Neigung erwiesen, daß er sich zuletzt entschloß, mir dieses offenbare Geheimnis zu gestehn.*" – „*Er hat Sie nicht mit Unwahrheit berichtet*", *versetzte jener;* „*ich kann es am besten wissen, denn ich bin der Schaffner, der über die Baulichkeiten gesetzt ist. Wir haben in unserem Archiv noch die Originalrisse, welche dasselbe besagen, und die ich Ihnen zeigen kann.*" (Bd. 9, S. 499.)

Von den *Originalrissen* ist hier vor allem der Schaubildentwurf der Westfassade von Matthäus Ensinger von 1419 und der Schaubildentwurf des Südturmes von Hans Hammer um 1485 (Otto Kletzl, Schaubildpläne und alte Ansichten der Westfassade des Münsters von Straßburg, Elsaß-Lothringisches Jahrbuch 1936, T. I und IV) und der berühmte sog. Riß B der Westfassade aus dem 13. Jhdt. (Hamann-Weigert, Das Straßburger Münster und seine Bildwerke, Berlin 1928, Abb. 18 und Kletzl im Marburger Jahrbuch für Kunstwissenschaft 1944) zu vergleichen. Das *plumpe Kreuz* auf allen Abbildungen gut sichtbar. – Goethe vermerkt ausdrücklich, daß er bedauert habe, *nicht früher von diesem Schatz unterrichtet gewesen zu sein.* Es handelt sich hier also um ein frühes Zeugnis für Goethes Fähigkeit in der Betrachtung von Werken bildender Kunst, das Fehlende bzw. falsch Vollendete aus der Einsicht in die höhere Notwendigkeit des Ganzen richtig zu ergänzen. Vgl. dazu v. Einem, Goethe-Studien, S. 98 f. – Über den Tonwechsel des Aufsatzes an dieser Stelle vgl. Beutler, S. 41 f.

12,22. Hier wird deutlich, worauf Goethe letztlich zielt: während er italienische und französische Kunst für Ableger der griechisch-römischen Kunst hält, ist ihm die gotische Kunst Ursprache und allein aus diesem Grunde der griechischen ebenbürtig. So schief diese Anschauung aus der Kenntnis der geschichtlichen Tatbestände sein mag und so wenig es gerechtfertigt ist, die gotische Kunst als deutsche Kunst zu bezeichnen, so hat Goethe hier doch etwas Richtiges geahnt. Alle geschichtliche Ableitung der Gotik vermag auch für uns das Rätsel ihres schöpferischen Ursprungs und ihres Wesens nicht zu erklären, und auch uns bleibt nichts übrig, als sie im gleichen Sinne, wie wir es bei der griechischen Kunst tun dürfen, als „Ursprache" zu deuten. Vgl. hierzu Otto Georg v. Simson, Die gotische Kathedrale, Darmstadt 1968, S. 93.

13,10 ff. Dieser Satz richtet sich wieder gegen Sulzer. In seiner Schrift „Die schönen Künste in ihrem Ursprung, ihrer wahren Natur und besten Anwendung" (1772) sieht Sulzer den Sinn des künstlerischen Schaffens in der verschönernden Nachahmung der Natur und Erziehung zur Tugend. Vgl. Goethes Besprechung dieser Schrift, S. 15 ff. dieses Bandes.

13,16–18. Mit diesem Satz überwindet Goethe die akademische Kunstlehre der Vergangenheit und legt den Grund zu aller späteren fruchtbaren Kunst- und Kunstgeschichtsbetrachtung. In Sulzers „Theorie" heißt es noch: „Mit dem allgemeinen Namen der bildenden Künste bezeichnet man alle Künste, welche sichtbare Gegenstände nicht bloß durch Zeichnung und Farben, sondern in wahrer körperlicher Gestalt nachahmen. Dies sind die Bildhauerkunst, die Steinschneiderkunst, die Stempelschneiderkunst, die Stukkaturkunst." In dieser Bedeutung finden wir den Begriff auch in Herders Abhandlung über die „Plastik" gebraucht. Lessings „Laokoon" rechnet zwar die Malerei ebenfalls unter die bildenden Künste, aber gerade bei ihm ist „bildend" noch ganz dasselbe wie „abbildend". Erst bei Goethe gewinnt „bildend" den Sinn des Produktiven, den es für uns noch hat. – Auch später, als für Goethe die Schönheit wieder zum höchsten Wert geworden war, gab er den Gewinn seiner Jugenderkenntnis nicht preis. Sie ermöglicht ihm hier sogar den Zugang zu dem jener Zeit sonst noch ganz verschlossenen Gebiet der primitiven Kunst der Naturvölker – von dem Begriff der ,,bildenden Kraft" her ist auch sie Kunst so gut wie die Kunst der Griechen. – Goethes Satz ist undenkbar ohne Hamann und Herder. Vergleicht man aber ein Wort Hamanns: ,,Wer Willkür und Phantasie den schönen Künsten entziehen will, stellt ihrer Ehre und ihrem Leben als ein Meuchelmörder nach" (Leser und Kunstrichter. 1762. Werke, hrsg. von Nadler, Bd. 2, S. 343), so wird überraschend deutlich, wie schon beim jungen Goethe ein objektives Element unüberhörbar ist. Für Willkür ist in seiner Lehre kein Raum.

14,10f. Hier wird die Grenze der Goetheschen Betrachtung deutlich. Goethe, der das Münster nur als individuelles Kunstwerk zu begreifen vermag (darin liegt seine Leistung), setzt es gegen den *eingeschränkten düstern Pfaffenschauplatz des medii aevi* ab, dem es doch geschichtlich zugehört. Die Bewunderung des *Babelgedankens* (7,20), die Begeisterung für die individuelle Schöpferkraft, der der Künstler ein *heiliger Name* (7,28), ein *Gesalbter Gottes* (14,5) ist, hat Goethe den christlichtranszendenten Gehalt der gotischen Sakralkunst noch verbergen müssen. Vom Innenraum hören wir kein Wort.

14,14ff. Es muß fraglich bleiben, woran Goethe hier denkt. Der Neubau von S. Marie Madeleine in Paris, der von den meisten Erklärern genannt wird, ist 1764 von Pierre Contant d'Ivry (1698–1777) begonnen worden, aber nicht über die allerersten Anfänge hinausgekommen. Wenn Goethe diesen Bau im Sinn hat, so muß er Contants Pläne gekannt haben, die in dem Werk von M. Patte, Monuments érigés en France à la gloire de Louis XV, Paris 1765, pl. V, IX, X, XI, veröffentlicht worden sind. Doch darüber ist nichts bekannt. Diese Pläne zeigen ein lateinisches Kreuz mit drei tonnengewölbten Schiffen und Säulenarkaden und einer hohen Kuppel. Der Bau sollte sich der Gesamtanlage der Place Louis XV (Place de la Concorde) einfügen. Vgl. Patte, pl. V. Goethes abfällige Bemerkung kann sich bestenfalls auf den Innenraum beziehen. Sie würde zeigen, wie wenig Goethe damals selbst für die stark antikisierende Richtung des Barock Verständnis aufbrachte. Erst das Studium Palladios und der römischen Architektur sollte seinen Architekturbegriff erweitern. S. Marie Madeleine wurde 1777 (also fünf Jahre nach Goethes Schrift) durch Guillaume Couture (1732–1799) nach einem veränderten Plan weitergebaut, aber ebenfalls bald wieder liegen gelassen. 1791 sollte sie nach Plänen Pierre Vignons (1763–1828) Nationalversammlung, später Börse werden. Die heutige Tempelfront (ebenfalls nach einem Plan Pierre Vignons) stammt erst aus dem Jahre 1806, als der Bau durch Napoleon zum Ruhmestempel bestimmt worden war. Nach Napoleons Sturz durchgreifende Veränderungen zum Zweck der kirchlichen Bestimmung. Vollendung erst 1842 durch Jean Jacques Huvé (1783–1852). – Daß Goethe die von Nicolas Nicole (1702–1784) 1746 begonnene Kirche S. Madeleine in Besançon im Sinne gehabt habe, wie Horst Oppel, Die schönsten Aufsätze Goethes, Recklinghausen 1948, S. 662 behauptet, ist ganz unwahrscheinlich. Vgl. Cornelius Gurlitt, Die Baukunst Frankreichs, Dresden 1899/1900,T. 49/50. Freilich wäre auch denkbar, daß Goethe *Magdalene* irrtümlich statt *Genoveva* geschrieben hat. Auf die von Jacques-Germain Soufflot 1757 begonnene Sainte-Geneviève in Paris, den letzten großen Kirchenbau der französischen Könige, könnten sich Goethes Bemerkungen ebensogut beziehen. Goethe waren vielleicht Stiche und die Gründungsmedaille von 1764 bekannt. Vgl. Michael Petzet, Soufflots Sainte-Geneviève und der französische Kirchenbau des 18. Jahrhunderts, Berlin 1961. Daß Goethe ausdrücklich *baut jetzt* sagt, paßt zur Baugeschichte von Sainte-Geneviève. Vgl. Christian Beutler, Paris und Versailles. Stuttg. 1970. S. 93 ff.

14,18ff. Es ist nicht bekannt, woran Goethe hier denkt. Beutler, S. 45 f. verweist auf das von dem jüngeren Blondel 1764–68 errichtete Portal des Metzer Domes; aber Goethe würde Blondel nicht als *einen unsrer Künstler* bezeichnen. Auch an den 1752–56 errichteten klassizistischen Porticus der Kathedrale von Genf könnte gedacht werden.

14,22. Unter den *geschminkten Puppenmalern* sind ganz allgemein die deutschen Bildnismaler des Spätbarock zu verstehen. Man denke etwa an Johann Conrad Seekatz' (1719–1768) Bild der Familie Goethe in Weimar, Nationalmuseum.

14,26f. Die *holzgeschnitzteste Gestalt* bezieht sich nicht, wie meist mißverstanden wird, auf die Persönlichkeit Dürers (als Kennzeichen seiner Männlichkeit), sondern wirklich auf seine Gestalten. Der Ausdruck ist sogar, wenn man will, noch nicht ganz frei von dem konventionellen Tadel. Zwar ist Dürer dem Dichter willkommener als die *geschminkten Puppenmaler*; aber es wäre ihm damals noch nicht eingefallen, ihn etwa mit Raffael auf eine Stufe zu stellen. – Goethe kannte Dürers Namen seit seiner Leipziger Zeit. Aber Oesers Abneigung gegen die *allzu kindlichen Anfänge der deutschen Kunst (Dichtung und Wahrheit, 8. Buch.* Bd. 9, S. 314, 1 f.) wird zunächst auch seines Schülers Meinung bestimmt haben. Hier haben wir nun das erste Zeugnis der später so entschieden vollzogenen Hinwendung zu Dürer. Wir müssen es vor den Hintergrund seiner allgemeinen Wendung zu der *Deutschheit des sechzehnten Jahrhunders (Dichtung und Wahrheit, 3. Teil, 11. Buch.* Bd. 9, S. 480) rücken, um es in seiner Bedeutung ganz zu ermessen. Es ist die Zeit, in der ihn die Lebensbeschreibung Götzens von Berlichingen *im Innersten ergriff (Dichtung und Wahrheit, 2. Teil, 10. Buch.* Bd. 9, S. 413), in der auch Ulrich Hutten, Hans Sachs und die *bedeutende Puppenspielfabel* (ebd.) des Faust ihn beschäftigten. In den folgenden Jahren vertiefte sich das Verhältnis zu Dürer im Verkehr mit Johann Heinrich Merck, der 1780 seine für die Geschichte der Dürerforschung so wichtige Abhandlung ,,Einige Rettungen für das Andenken Albrecht Dürers gegen die Sagen der Kunstliteratur'' (Wielands Teutscher Merkur. Wiederabgedruckt in: Johann Heinrich Mercks Schriften und Briefwechsel, hrsg. von Kurt Wolff, I, Lpz. 1909) verfaßte, und mit Lavater, für dessen Sammlung Dürerscher Graphik Goethe ordnend und ankaufend tätig war. Am 1. März 1780 schrieb er an Lavater: *Ich verehre täglich mehr die mit Gold und Silber nicht zu bezahlende Arbeit des Menschen, der, wenn man ihn recht im Innersten kennen lernt, an Wahrheit, Erhabenheit und selbst Grazie nur die ersten Italiener zu seinesgleichen hat. Dies wollen wir nicht laut sagen.* Vgl. v. Einem, Goethe-Studien, S. 25 ff.

14,30. Auch hier geht Hamann voran: ,,Wer ein Schöpfer zu werden wünscht, um ein neues aber ödes Land mit schönen Naturen zu bevölkern, folge dem Orakel der Themis und verhülle sich und seine Muse! Verhüllt und entgürtet werfen Autor und seine Muse die Knochen ihrer Mutter" (gemeint sind die akademischen Kunstregeln, die Lehrsätze der Schule) ,,hinter sich." (Aus der gegen Christian Ludwig v. Hagedorns Betrachtungen über die Malerei gerichteten Schrift ,,Leser und Kunstrichter nach perspektivischem Unebenmaße", Königsberg 1762. Werke, hrsg. v. Nadler, 2,345.)

14,31 f. Ps. 139,9: ,,Nähme ich Flügel der Morgenröte ..."

14,35. Erinnerung an Sir. 27,11: ,,Wie der Löwe auf den Raub lauert" oder Ps. 17,12: ,,wie ein Löwe, der des Raubes begehrt".

15,1 ff. Die Schlußapotheose vergleicht den Künstler mit *Herkules* und *Prometheus.* Als Herakles nach heldenhaftem Leben unter unsäglichen Qualen den Flammentod gestorben war, empfing den Vergötterten im Olymp Athene und geleitete ihn zu Hera. Hera gab ihm ihre Tochter Hebe, die Göttin der ewigen Jugend, zur Gemahlin. Prometheus hat den Menschen die Himmelsgabe des Feuers gebracht. – In derselben Zeit, in der Goethe unter dem Einfluß Herders die gotische Kunst als Ursprache entdeckte, wandelte sich ihm aus der gleichen Sicht sein Griechenbild. Der Rokokohellenismus des 18. Jhdts., dem er noch in seiner Leipziger Zeit angehangen hatte und dem er nach seinem Straßburger Aufenthalt (September 1773) in *Götter, Helden und Wieland* so scharf zu Leibe rücken sollte, versank. An seine Stelle treten die großen Gestalten der griechischen Sage und Geschichte als Lebenssymbole: Herakles, der Lebensheld, Prometheus, der Lebensspender, Tantalus, der Leidende, Sokrates, der Streiter für Wahrheit, usw. Für diese neue Griechenauffassung haben wir in diesen Schlußsätzen ein frühes Zeugnis. Vgl. hierzu Trevelyan, Kap. 2. – Der Vergleich des Künstlers mit Prometheus, antiker Überlieferung folgend, ist durch Shaftesburys ,,Characteristics of Men, Manners, Opinions, Times", London 1711 (3. Abhandlung Soliloquy), zum Gemeinplatz der deutschen ästhetischen Literatur des 18. Jhdts. geworden. Vgl. hierzu: Oskar Walzel, Das Prometheussymbol von Shaftesbury zu Goethe, 2. Aufl. München 1932, und: H. Sudheimer, Der Geniebegriff des jungen Goethe, Berlin 1935. – Ähnliche Anreden an das künftige Genie in Goethes gleichzeitigen Aufsätzen, Rezension von Lavaters ,,Aussichten in die Ewigkeit" und *Zwo ... biblische Fragen* (Morris, Bd. 3).

„DIE SCHÖNEN KÜNSTE" VON J. G. SULZER

Erstdruck in den Frankfurter Gelehrten Anzeigen, 18. Dezember 1772. – Morris, Bd. 6.

Der Schweizer Philosoph Johann Georg Sulzer (1720–1779) hatte 1772 einen Auszug aus seiner 1771–74 erschienenen ,,Allgemeinen Theorie der schönen Künste", einem Hauptwerk des akademischen Klassizismus, unter dem Titel ,,Die schönen Künste in ihrem Ursprung, ihrer wahren Natur und besten Anwendung" veröffentlicht. Merck hatte die ,,Allgemeine Theorie" in den Frankfurter Gelehrten Anzeigen besprochen und ihre Rückständigkeit gegenüber den neuen Anschauungen Lessings und Herders beleuchtet. In der gleichen Literaturzeitung erschien Goethes Besprechung. Über Sulzer vgl. Robert Hering im Jb. d. Fr. Dt. Hochstifts 1928 und Anna Tumarkin, Der Ästhetiker Johann Georg Sulzer, Frauenfeld 1933. –

1772 hatten Herder, Goethe, Merck, Georg Schlosser, der Gießener Professor der Rechte Höpfner u. a. die bei Deinet seit 1736 unter dem Titel ,,Frankfurtische Gelehrte Anzeigen" erscheinende Literaturzeitung zu ihrem kritischen Organ gemacht. Ihre Besprechungen literarischer Neuerscheinungen waren Gemeinschaftsarbeiten. *Wer das Buch zuerst gelesen hatte, der referierte, manchmal fand sich ein Korreferent; die Angelegenheit ward besprochen, an verwandte angeknüpft, und hatte sich zuletzt ein gewisses Resultat ergeben, so übernahm einer die Redaktion. (Dichtung und Wahrheit, 3. Teil, 12. Buch. Bd. 9, S. 551.)* Über den Anteil der genannten Autoren vgl. Witkowski, Weim. Ausg. Bd. 38, S. 306 ff. und Morris, Bd. 6. Vgl. auch Hermann Bräuning-Oktavio, Beiträge zur Geschichte und Frage nach den Mitarbeitern der Frankfurter Gelehrten Anzeigen vom Jahre 1772, Darmstadt 1912. – Ende 1772 mußte *jener literarische Verein* (ebd.) dem Widerspruch des Publikums weichen und aus der Redaktion ausscheiden.

Goethe hat 1823 Eckermann mit der Aufgabe betraut, für die *Ausgabe letzter Hand* eine Auswahl seiner Beiträge vorzunehmen. Diese Auswahl ist vielfach irrig. Erst der neueren Forschung ist es gelungen, den Anteil der genannten Autoren im großen und ganzen zu sondern. Die Zuschreibung der Sulzer-Rezension an Goethe erfolgt hier in Übereinstimmung mit Morris. Vgl. dagegen Erich Schramm im Euphorion 1932.

Die Rezensionen für die Frankfurter Gelehrten Anzeigen haben einen eigenen Charakter. Wild, aufgeregt und flüchtig hingeworfen, wie sie sind, möchte ich sie lieber Ergießungen meines jugendlichen Gemüts nennen als eigentliche Rezensionen. Es ist auch in ihnen so wenig ein Eingehen in die Gegenstände als ein gegebener, in der Literatur begründeter Standpunkt, von wo aus diese wären zu betrachten gewesen, son-

dern alles beruhet durchaus auf persönlichen Ansichten und Gefühlen ... Und da nun ferner meine ganze jugendliche Gesinnungs- und Denkungsweise sich überall ohne Rückhalt leidenschaftlich ausläßt, so liegen die anfänglichen Richtungen meiner Natur in diesen Rezensionen offen vor Augen, und demnach möchten sie auch für alle diejenigen, die mir und meinen Leistungen einen näheren Anteil schenken, nicht ohne einiges Interesse sein. (Sicherung meines literarischen Nachlasses, Über Kunst und Altertum 1824. Weim. Ausg. Bd. 41, 2, S. 90.) Vgl. auch Goethes Vorwort zu Eckermanns Aufsatz „Über Goethes Rezensionen für die Frankfurter Gelehrten Anzeigen von 1772–73", *Über Kunst und Altertum 1826.*

15,24 ff. Die Besprechung setzt ironisch ein. Es soll etwa heißen: inhaltlich steht die Schrift noch auf der Stufe von Batteux' überholter Schrift „Les beaux arts reduits à un même principe", von der es mehrere deutsche Übersetzungen gab, sprachlich ist sie ohne Eigenwüchsigkeit, so daß man nicht weiß, ob es sich um Original oder Übersetzung handelt.

15,28 ff. Auch dieser Satz ist voller Ironie. Sollte das Unbedeutende der Schrift Absicht sein, um mit einer *exoterischen* (d. h. allgemeinverständlichen) *Lehre* das arme Publikum abzuspeisen, während die eigentlichen Gedanken als esoterische (d. h. nur Eingeweihten zugängliche) Lehre zurückgehalten werden? *Nach Art der Alten* bezieht sich wohl auf Aristoteles. In Aulus Gellius' Noctes Atticae XX,5 (um 150 n. Chr.) heißt es über Aristoteles: „Ἐξωτηρικά dicebantur, quae ad rhetoricas meditationes facultatemque argutiarum civiliumque rerum notitiam conducebant. Ἀκροατικά autem vocabantur, in quibus philosophia remotior subtiliorque agitabatur." Über Goethes Beschäftigung mit griechischer Philosophie, für die wir hier ein frühes Zeugnis haben, vgl. A. Mentzel, Goethe und die griechische Philosophie, Wien 1932. Die „Noctes Atticae" aus dem Besitz von Goethes Vater befinden sich in Goethes Bibliothek. Vgl. Hans Ruppert, Goethes Bibliothek, Katalog, Weimar 1958, Nr. 1387.

16,1. Hinweis auf Mercks Rezension von Sulzers „Allgemeiner Theorie".

16,9. In Mercks Rezension heißt es: „Wir wundern uns, daß der Verfasser dem Faden nicht gefolgt ist, den Lessing und Herder aufgewunden haben, der die Grenzen jeder einzelnen Kunst und ihre Bedürfnisse bestimmt."

16,37f. Die *septem artes liberales der alten Pfaffenschulen* sind: Grammatik, Rhetorik, Dialektik, Arithmetik, Geometrie, Musik, Astronomie. Zahl und Reihenfolge sind vom Mittelalter, in dessen Bildungswesen sie eine große Rolle spielen, aus der Spätantike übernommen worden. Der Begriff der „artes liberales" als Studien, die eines freien Mannes würdig sind und nicht dem Gelderwerb dienen, stammt von Seneca. „Ars" hat hier nicht die Bedeutung von „Kunst", sondern von „Lehre". Vgl. Ernst Robert Curtius, Europäische Literatur und lateinisches Mittelalter, Bern 1948, S. 44f.

17,2f. *daß, solange man in generalioribus sich aufhält, man nichts sagt* ... Eine
Grundanschauung Goethes, die er später in der *Einleitung in die Propyläen* näher
ausgeführt hat: S. 51,38–52,4.

17,6ff. In den folgenden Abschnitten tritt der Gegensatz in der Na-
tur- und Kunstauffassung zwischen dem jungen Goethe und dem durch
Sulzer repräsentierten akademischen Klassizismus mit aller Schärfe hervor. Die gleiche Naturauffassung im *Werther* (Bd. 6, S. 53, 7–13) und in
dem pseudogoetheschen Fragment über die Natur. Das Urerlebnis der
schaffenden und zerstörenden Natur, wie es uns hier entgegentritt, wird
genährt durch spätantike Vorstellungen. Für das Fragment hat sich
durch die Forschungen von Franz Schultz (Festschrift für Julius Petersen, 1938) und Franz Dornseiff (Antike 1939) die Quelle im 10. Orphischen Hymnus (aus einer Sammlung Hymnen, die im 3. oder 4. Jhdt.
n. Chr. von einem unbekannten Autor wahrscheinlich in Ägypten oder
Kleinasien verfaßt worden sind) nachweisen lassen. Über den 10. Orphischen Hymnus vgl. Curtius, Europäische Literatur, a. a. O., S. 114 ff.
und die dort angegebene Literatur. – Daß Goethe die Orphischen
Hymnen durch Herder, der bereits 1765 ihre neue Ausgabe von J. M.
Gesner in den „Königsberger Anzeigen" besprochen hatte, schon zur
Zeit der Abfassung der Sulzer-Rezension kannte, liegt nahe und lehrt
insbesondere die Stelle 18,4–7. – Vgl. hierzu A. Mentzel, Goethe und
die griechische Philosophie, a. a. O., S. 20 und Trevelyan, S. 75. – Von
dieser Naturauffassung aus kann Kunst nicht mehr als bloße Nachahmung oder Verschönerung verstanden werden. Sie ist wie die Natur
selbst Schöpfung, Urlaut. Aber hier vollzieht Goethe eine eigentümliche Wendung. Indem die Kunst *aus den Bemühungen des Individuums
entspringt, sich gegen die zerstörende Kraft des Ganzen zu erhalten* (18,
17f.), ist sie zugleich Widerspiel der Natur. Hier wird zuerst der objektive Charakter der Kunst, dessen Erkenntnis Goethes spätere Bemühungen gelten sollten, und ihr Gegensatz zur Natur geahnt. Vgl. v.
Einem, Goethe-Studien, S. 78.

17,20. *Metropolis* = Hauptstadt. Goethe denkt hier wohl an das Erdbeben von
Lissabon 1755, dessen tiefe Wirkung auf den Knaben er in *Dichtung und Wahrheit*
schildert. (Bd. 9, S. 29–31.)

18,33. Vgl. Ebr. 5,12: „daß man euch Milch gebe und nicht starke Speise". Vgl.
auch 1. Kor. 3,2.

19,4. Anspielung auf den reichen venezianischen Senator *Pococurante* in Vol-
taires Roman „Candide" (Kap. 27), der trotz aller verfeinerter Lebensgenüsse
unbefriedigt bleibt.

19,10f. Die Stelle ist schwer verständlich. Das *Märchen der vier Weltalter* war Goethe aus Ovids Metamorphosen vertraut. Da hier aber von
Geschichte die Rede ist, so wird der Hinweis auf Ovid schwerlich
genügen. Die Lehre von den vier Weltaltern, aus den Weissagungen des

Buches Daniel (2,31 ff. und 7,3 ff.) zuerst in dem um 204 n. Chr. verfaßten griechischen Danielkommentar des Bischofs Hippolytos von Rom
entwickelt, von Hieronymus in seinen Danielkommentar übernommen
und zu allgemeiner Geltung gebracht, teilt die Weltgeschichte in die vier
Weltreiche der Assyrer, Meder-Perser, Makedonen und Römer. Das
römische Reich dauert bis ans Ende der Zeiten und wird erst von dem
himmlischen Königreich abgelöst, „das nimmermehr zerstöret wird".
Auf dieser Lehre beruht die Kaiserideologie des Mittelalters, deren Fiktion bis zum Jahre 1806 aufrechterhalten worden ist. Dem jungen
Goethe ist sie bei der Krönung Josephs II. zum römischen König in
Frankfurt 1764 noch lebendig entgegengetreten. Auch im Schrifttum
und in der Bildkunst (Deckengemälde, Kupferstiche, Gartenskulpturen,
Gebrauchskunst) lebt sie noch bis in 18. Jhdt. weiter. In Jans Schrift
„Antiquae et pervulgatae de quattuor monarchiis sententiae contra re-
centiorum quorundam obiectiones assertio" (1. Auf. 1712, 2. Aufl.
1728, 3. Aufl. in C. M. Breyers Historischem Magazin I) fand sie noch
einmal eine leidenschaftliche theologische Rechtfertigung. Selbst Herders universalhistorische Auswahl in seiner Geschichtsphilosophie von
1774 ist noch durch diese Lehre bestimmt. Trotzdem hatte sie durch die
fortschreitende Säkularisierung des Geschichtsdenkens seit der Renaissance ihre Allgemeingültigkeit längst verloren. Zur Nachwirkung der
Lehre im 18. Jhdt. vgl. I. G. Meusel, Selecta Bibliotheca Historica I, 1,
1782, S. 180 ff. Vgl. hierzu Paul Egon Hübinger, Spätantike und frühes
Mittelalter, DtVjs. 1952, und Werner Kaegi, Historische Meditationen I,
Zürich 1942, S. 221 ff. – Goethe sah Geschichte nicht anders als
Natur und Kunst an. Es lag ihm, dem Schüler Herders und Justus
Mösers, auch hier nicht am Allgemeinen, sondern am Individuellen,
sofern es das Allgemeine widerspiegelt. So mußte er auch die Lehre von
den vier Weltaltern, die für das Individuelle keinen Raum hat, als Irrleh-
re ablehnen. Zu Goethes Geschichtsauffassung vgl. W. Lehmann, Goethes Geschichtsauffassung in ihren Grundlagen, 1930, und vor allem
Friedrich Meinecke, Die Entstehung des Historismus, 2. Aufl. München 1946.

19,11. Pragmatische Geschichte bedeutet nach dem Sprachgebrauch des
18. Jhdts. soviel wie Geschichte zum praktischen Gebrauch für Staatsmänner. Vgl.
Heinrich Ritter v. Srbik, Geist und Geschichte vom deutschen Humanismus bis
zur Gegenwart I, München o.J. (1950). *Zum Roman umpragmatisiert* ist also
wiederum ironisch zu verstehen. Auch hier handelt es sich um den Widerspruch
gegen das Konstruierte und Unwahre. So hält Herder (Reisejournal 1769) etwa
den Rousseauschen Naturmenschen für ein Romanbild.

19,12. Über das Krisenbewußtsein des 18. Jhdts., dessen Anfänge wir bis auf
Vasari zurückverfolgen können, vgl. Julius v. Schlosser, Die Kunstliteratur, Wien
1924, S. 277 ff. und v. Einem, Goethe-Studien, S. 127 ff.

19,28–30. Erinnerung an Cicero, De officiis, Kap. 1, 18: „Formam quidem ipsam, Marce fili, et tamquam faciem honesti vide." Diese Schrift war dem 18. Jhdt. durchaus lebendig. Vgl. Th. Zielinski, Cicero im Wandel der Jahrhunderte, Leipzig und Berlin 1912.

20,3–8. Der junge Goethe betonte gern den Gegensatz des Schaffenden und des bloß Betrachtenden. ... *lerne täglich mehr, wie viel mehr wert es in allem ist, am Kleinsten die Hand anlegen ... als von der vollkommensten Meisterschaft eines anderen kritisch Rechenschaft zu geben.* (An Röderer, Herbst 1773.) Vgl. auch *An Kenner und Liebhaber* von 1774 (Bd. 1, S. 53).

20,15. Das *Empyreum* ist der 10. Himmel in Dantes Paradies (Divina Commedia, Teil III, Gesang 30–33) mit der Himmelsrose, deren Blätter die Sitze seliger Geister sind. Goethe kannte den Begriff aus Milton und Klopstock.

20,25. Περὶ ἑαυτοῦ heißt hier soviel wie „Bericht". Gebildet nach dem Titel der Selbstbetrachtungen des Kaisers Marc Aurel, der freilich Τὰ εἰς ἑαυτόν heißt. Vgl. Goethe an Charlotte v. Stein 14. September 1780: *Nehmen Sie dieses ewige περὶ ἑαυτοῦ gutmütig auf.*

ENGLISCHE KUPFERSTICHE

Erstdruck in den Frankfurter Gelehrten Anzeigen 6. Oktober 1772. – Morris, Bd. 6.

An den Kupferstichanzeigen des Jahrganges von 1772 der Frankfurter Gelehrten Anzeigen sind Goethe, Merck und vielleicht auch Herder beteiligt. Die Anzeige der beiden Landschaften nach Claude Lorrain „trägt sichere stilistische Merkmale ihrer Herkunft von Goethe" (Morris, S. 216).
Es handelt sich um zwei Bilder im Besitz des Earl of Radnor in Longford Castle (England): 1. „L'Aurore de l'Empire romain" (Liber Veritatis 122), 1,02 : 1,35 m 1650, gestochen von James Mason (1710 bis ca. 1780) 1772. – 2. „La Décadence de l'Empire romain" (Liber Veritatis 82), 1,02 : 1,36 m 1644, gestochen von William Woollett (1735–1785). Der Titel des zweiten Kupferstiches lautet: „Roman Edifices in Ruins. The allegorical Evening of the Empire". Signiert und datiert 1772. Vgl. Mark Pattison, Claude Lorrain, sa vie et ses œuvres, Paris 1884, S. 233 und 234 und Marcel Röthlisberger, Claude Lorrain, The Paintings, Bd. I, New Haven 1971, S. 232f. und 300f., Bd. II, Abb. 158 und 211. – Beide Stiche sind abgebildet bei Morris, Goethes und Herders Anteil an dem Jahrgang 1772 der Frankfurter Gelehrten Anzeigen, 3. Aufl., Stuttgart und Berlin 1915.
Claude Gellée, genannt Claude le Lorrain, geb. 1600 in Chamagne bei Mirecourt an der Mosel, gest. 1682 in Rom. Französischer Landschaftsmaler und Radierer. Schüler des Agostino Tassi in Rom, später

von Paul Brill beeinflußt, seit 1613 mit kurzen Unterbrechungen in
Rom tätig. – Claude Lorrain ist mit Nicolas Poussin zusammen der
Hauptvertreter der idealen Landschaftsmalerei des 17. Jhdts. Seine
Landschaften mit ihren unendlichen Weiten, dem Golddunst ihrer Atmosphäre, ihren feenhaften Architekturen beherrscht das Motiv para-
diesischer Sehnsucht (Italien als Arkadien). Goethe hat in Italien die
Einheit von Natur und Geschichte, Gegenwart und Vergangenheit mit
seinen Augen gesehen. Für die tiefe Wirkung Claudes auf Goethe (cha-
rakteristischerweise durch England vermittelt) ist diese Besprechung ein
wichtiges frühes Zeugnis. – Über Claude und Goethe vgl. Karl Koetschau, Wallraf-Richartz-Jahrbuch VI, 1930, und Gaston Varenne, Revue de littérature comparée, 1932.

AUS GOETHES BRIEFTASCHE

Erstdruck Leipzig 1776. – Morris, Bd. 5.

Goethe hatte ein Mitglied seines Frankfurter Kreises, Heinrich Leopold Wagner (über ihn vgl. *Dichtung und Wahrheit*, Bd. 10, S. 11),
bestimmt, das 1773 in Amsterdam erschienene Werk von Louis Séba-
stien Mercier, Du théâtre ou nouvel essay sur l'art dramatique, das in
seiner Kritik Corneilles, Racines, sogar Molières, seinem Lob der nationalen Kunst Calderons, Shakespeares und Goldonis und seiner
Forderung einer ursprünglichen, aus dem Leben der Gegenwart ge-
schöpften Kunst sich mit den Anschauungen der Stürmer und Dränger
berührte, ins Deutsche zu übersetzen. Er selbst wollte Anmerkungen
und Zugaben beisteuern. Die Anmerkungen kamen nicht zustande. Die
Zugaben, die mit dem französischen Text nichts zu tun haben, betreffen
vor allem die bildende Kunst. Die Übersetzung erschien unter dem Titel
,,Neuer Versuch über Die Schauspielkunst. Aus dem Französischen.
Mit einem Anhang aus Goethes Brieftasche. Leipzig 1776" (Facsimile-
druck, hrsg. von Peter Pfaff. Heidelberg 1967). Sie enthält folgende
Beiträge von Goethe: 1. *Nach Falconet und über Falconet.* 2. *Dritte
Wallfahrt nach Erwins Grabe im Juli 1775.* 3. *Brief.* 4. *Guter Rat auf ein
Reißbrett, auch wohl Schreibtisch.* 5. *Kenner und Künstler.* 6. *Wahrhaf-
tes Märchen.* 7. *Künstlers Morgenlied.* Dazu eine Einleitung. Aus diesen
Beiträgen werden hier die Einleitung und Nr. 1 und 2 abgedruckt. Nr.
4, 5 und 7 in Bd. 1, S. 62, 61 und 54. – Vgl. hierzu Morris 6, S. 521 f.

21,29 f. Die Frankfurter Gelehrten Anzeigen hatten im Januar 1775
die Mitteilung gebracht: ,,D. Goethe läßt das unlängst erschienene
merkwürdige Buch Du théâtre ou nouvel essay sur l'art dramatique
übersetzen und solches mit Anmerkungen und Zugaben nach Ostern
herausgeben."

22,16. Es ist für den jungen Goethe höchst charakteristisch, daß die Ablehnung der akademischen Regeln (hier des Dramas) ihn keineswegs zur Ablehnung der Regeln und Gesetze überhaupt führt. Der äußeren Form stellt er die *innere Form* gegenüber. Dieser Plotinische Begriff (ἔνδον εἶδος), im Neuplatonismus des Mittelalters und der Renaissance noch lebendig, war um die Wende des 17. zum 18. Jhdt. durch die Philosophie Lord Shaftesburys zu neuem Leben erweckt worden. Von Shaftesbury hat ihn Goethe übernommen (vgl. z. B. Characteristics, 1738, III). Vgl. hierzu Oskar Walzel, Einleitung zu Schillers Philosophischen Schriften, Cottasche Säkularausgabe, Bd. XI.

22,22 f. Die *Fabel vom Wolf und Lamme* des griechischen Fabeldichters Äsop (eines Zeitgenossen des Solon) lautet: „Ein Wolf, der von Hunden gebissen und übel zugerichtet war, lag darnieder und war außerstande, sich Nahrung zu verschaffen. Als er ein Schaf erblickte, bat er es, ihm einen Trunk aus dem nahen Fluß zu bringen. ,Wenn du mir nur etwas zu trinken gibst', sagte er, ,etwas zu essen werde ich schon finden!' – ,Allerdings', unterbrach ihn das Schaf, ,wenn ich dir zu trinken bringe, wirst du mich fressen!'" Vgl. Antike Fabeln, eingeleitet und neu übertragen von Ludwig Mader, Zürich 1951, S. 89.

22,27 f. Vgl. *Faust* 534: *Wenn ihr's nicht fühlt, ihr werdet's nicht erjagen.* Erinnerung an Paulus' Brief an die Philipper, Kap. 3,13 und 14: „Ich vergesse, was dahinten ist, und strecke mich zu dem, das da vorne ist, und jage nach dem vorgesteckten Ziel, nach dem Kleinod, welches vorhält die himmlische Berufung Gottes in Christo Jesu."

23,6 f. Anspielung auf Lessings Laokoon.

23,12 ff. Der französische Bildhauer Etienne Maurice Falconet (1716 bis 1791), der Schöpfer des großartigen Reiterdenkmals Peters d. Gr. in Petersburg, hatte in seiner Schrift „Observations sur la statue de Marc Aurèle et sur d'autres objets relatifs aux beaux arts", Amsterdam 1771, einst scharfe Kritik des von der Kunstliteratur als antikes Meisterwerk gepriesenen Reiterdenkmals auf dem Kapitol in Rom gegeben. Ferner hatte er in Abwehr gegen ihn gerichteter Angriffe die Behauptung aufgestellt, daß Abgüsse für das Studium das gleiche bedeuten wie die Marmororiginale.

Er sagt hierüber auf S. 129: „Cependant ces tons, cette transparence du marbre qui produisent l'harmonie, cette harmonie elle-même, n'inspire-t-elle pas à l'artiste la mollesse, la suavité qu'il met après dans ses ouvrages? Et le plâtre au contraire, ne le prive-t-il pas d'une source d'agréments qui relèvent si bien la peinture et la sculpture? L'observation n'est que superficielle. Un peintre trouve l'harmonie dans les objets naturels bien autrement que dans un marbre qui représente ces objets. C'est la source où il puise continuellement. Là, il n'a pas à craindre, comme d'après le marbre, de devenir faible coloriste. Comparez, pour cette partie seulement, Rembrandt et Rubens à Poussin, qui avoit beaucoup étudié les marbres, et dites-moi ce que gagne un peintre avec leurs tons. Le sculpteur ne cherche pas non plus l'harmonie dans la matière qu'il travaille, il sait l'y mettre, s'il sait l'avoir dans la nature, et la voit aussi bien dans un plâtre que dans un marbre. Car il est faux que le plâtre d'un marbre harmonieux ne le soit pas aussi. Autrement on ne feroit que des modèles privés de sentiment: le sentiment c'est harmonie et vice-versa."

Diese Stelle setzt Goethe in wörtlicher Übersetzung an die Spitze seines Aufsatzes. Was ihn dazu veranlaßt, ist nicht die Zustimmung zu der These, daß für das Studium der Gips den Marmor ersetzen könne (sie interessiert ihn gar nicht), sondern vielmehr die Zustimmung zu der in dieser These spürbaren antiklassischen Gesinnung, der die innere Form wichtiger als die äußere Form und für die die Natur der Urquell der Kunst ist. Insbesondere der letzte Satz: ,,Le sentiment c'est harmonie et vice-versa" schien ihn in seiner Ahnung der *geheimnisvollen Kräfte, durch die jedes zu seinesgleichen gezogen wird* (18,5 f.), zu bestätigen. Später ist gerade Goethe es gewesen, der die Unvergleichlichkeit des Marmors stark betont hat. *Der Marmor ist ein seltsames Material, deswegen ist Apoll von Belvedere im Urbilde so grenzenlos erfreulich, denn der höchste Hauch des lebendigen, jünglingsfreien, ewig jungen Wesens verschwindet gleich im besten Gipsabguß (Italienische Reise, 25. Dezember 1786, Bd. 11, S. 151).* Diese Erfahrung war eine Frucht erst der italienischen Reise und der durch Italien angeregten Beschäftigung mit dem Problem des *Materiales der bildenden Kunst* (Weim. Ausg. Bd. 47, S. 64–66). Sie fehlt ihm hier ebenso wie im Aufsatz *Von deutscher Baukunst* die Erfahrung des Sinnes der Berninischen Kolonnaden von St. Peter. – Zu Falconet vgl. Edmund Hildebrandt, Leben, Werke und Schriften des Bildhauers E. M. Falconet, Straßburg 1908 und Louis Réau, Etienne Falconet, 2 Bde., Paris 1922. Vgl. ferner Georg Witkowski, Goethe und Falconet, 1893.

24,11 ff. Die folgenden Ausführungen bekämpfen die akademische Lehre des Decorum (eines Zentralbegriffes der Kunsttheorie seit der Renaissance), der Genres- und Stilgesetze und der Fehler der Maler gegen Geschichte, Kostüm, Bibeltext, passenden Ort usw., wie sie uns in dem ,,Trattato della Pittura e Scultura, uso ed abuso loro composto da un teologo ed un pittore" von Pietro da Cortona und Ottonelli, 1652, in Jüngers ,,De inanibus picturis", 1678, in Rohrs ,,Pictor errans in historia sacra", 1679, und ihren Nachfolgern im 18. Jhdt. entgegentritt (vgl. die Besprechung der ,,Kritischen Abhandlung über die Fehler der Maler wider die geistliche Geschichte und das Kostüm" in den Frankfurter Gelehrten Anzeigen, Weim. Ausg. Bd. 38, S. 394). Sie setzen gegen diese Lehre ihr neues Erlebnis der Magie des Künstlerischen, die Überzeugung von dem Eigenrecht des Schöpferischen, die Forderung der inneren Wahrheit.

24,35. Vgl. Shaftesbury, ,,Soliloquy": ,,Such a poet is indeed a second maker."
25,18. Sie begann damals die gewirkte Tapete zu verdrängen.

25,23. Übersetzung von Decorum. Vgl. hierzu Alste Horn-Oncken, Über das Schickliche, vor allem S. 25.

25,24f. Die Zusammenstellung von *Rembrandt, Raffael* und *Rubens* ist von größter Kühnheit. Rembrandts Ruhm war zwar bei Künstlern und Sammlern bis ins 18. Jhdt. hinein lebendig geblieben; das offizielle Kunsturteil war aber durchaus negativ. Goethes hohe Einschätzung, bedingt durch seine enge Verbindung mit den im Bann der holländischen Kunst schaffenden Frankfurter Malern, ist für die Geschichte der Beurteilung Rembrandts von großer Bedeutung. In diesem in Frankfurt geschriebenen Aufsatz tritt sie besonders eindrucksvoll hervor. Freilich vermag Goethes Blick noch nicht bis zu dem persönlichsten, die Grenzen des Holländischen sprengenden Kern der Rembrandtschen Kunst vorzudringen. Er sieht ihn als ,,gesteigerten Ostade". Vgl. Ludwig Münz, S. 40ff., vor allem S. 61. – Über Goethes Verhältnis zu Rubens vgl. Anmkg. zu 175,34ff. – Über Goethe und Raffael vgl. Bd. 11, S. 597f.

26,5. *geschlägelt* = gefehlt.

26,9. Goethe denkt hier an Raffaels Sixtinische Madonna, die er von seinem Besuch der Dresdner Galerie 1767 her kannte. Vgl. Marielene Putscher, Raphaels Sixtinische Madonna. Das Werk und seine Wirkung, Tübingen 1955.

26,24ff. Goethe denkt hier an Rembrandts (von den Rembrandtisten des 18. Jhdts. häufig als Vorlage benutzte) Radierung ,,Die Anbetung der Hirten bei Laternenschein", B. 46, um 1652 (W. v. Seydlitz, Die Radierungen Rembrandts, Leipzig 1922, S. 111, Nr. 46). Diese Radierung finden wir auch bei Lessing erwähnt. In den ,,Kollektaneen" (Ausgabe Lachmann, Bd. 11, S. 506) heißt es: ,,Die Rembrandtische Manier schickt sich zu niedrigen, possierlichen und ekeln Gegenständen sehr wohl ... Hingegen wollte ich hohe, edle Gegenstände nach Rembrandts Art zu traktieren nicht billigen. Ausgenommen solche hohe, edle Gegenstände, mit welchen Niedriges und Edles verbunden ist. Zum Exempel die Geburt eines Gottes in einem Stalle unter Ochsen und Eseln. Und solche, mit welchen die Dunkelheit vor sich verbunden ist." Vgl. dazu Münz, S. 53.

27,7ff. Vgl. Falconet, ,,Reflexions sur la sculpture": ,,Quelques femmes peintes par Rubens qui, malgré le caractère flamand et peu correcte, séduiront toujours par le charme du colorit", und ,,Observations sur la statue de Marc Aurèle": ,,Les femmes de Rubens qui plaisent tant avec leurs incorrections".

27,31. Adam Elsheimer (1578–1610), ,,Jupiter und Merkur bei Philemon und Baucis" (nach Ovids Metamorphosen, VIII), Dresden, Gemäldegalerie. Vgl. H. Weizsäcker; Adam Elsheimer, I, Berlin 1936, S. 194, T. 115. Der Stich von Hendrik Goudt (gest. nach 1626) nach einem anderen Exemplar der Komposition

abgeb. bei Weizsäcker, T. 114. Goethe besaß zwei Stiche der Komposition. Vgl.
Schuchardt, I, Nr. 185/6.

27,30 ff. Diese Schlußsätze bereiten von der Ebene des Subjektiven
die Gegenstandslehre des reifen Goethe vor. Vgl. v. Einem, Goethe-
Studien, S. 79.

28,5. Die erste Wallfahrt nach°Erwins Grabe hat in Goethes Aufsatz *Von deutscher Baukunst* ihren Niederschlag gefunden. Die zweite
Wallfahrt ist Goethes Besuch in Straßburg vom 24.–26. Mai 1775 auf
der Reise mit den beiden Grafen Stolberg in die Schweiz. Die dritte
Wallfahrt geschah auf der Rückreise aus der Schweiz im Juli 1775. Am
13. Juli bestieg Goethe das Münster. Oben auf der Plattform schrieb er
die Blätter. ,,Vorbild mögen ihm Wallfahrtsbüchlein gewesen sein, wie
er sie, drei Wochen vorher, in Maria-Einsiedeln hatte kennen lernen.
Wir wissen aus *Dichtung und Wahrheit* (*18. Buch*), welchen Eindruck
dieser größte Wallfahrtsort der Schweiz auf Goethe gemacht hat. Wie
er, in der Schatzkammer, im Geist die goldene Krone einer Heiligen auf
Lilis hellglänzende Locken drückte und wie ihn schon beim Aufstieg
der Zug und die Gebete der Pilger in ein besonderes Gefühl versetzten
... Hier lernte Goethe eine Wallfahrtsordnung kennen: Vorbereitung,
Gebet und dann die Wallfahrtsstationen." (Beutler, S. 53 f.)

28,6 ff. Der Dichter, der auf seiner Schweizer Reise den göttlichen Odem der
erhabenen Bergnatur gespürt hatte, erlebt nun in dem ihm wohlvertrauten Münster die gleiche Gotteskraft. Nicht als *Babelgedanken* (7,20), wie in dem früheren
Münsteraufsatz, sondern als *Gedanken der Schöpfung* (28,27) faßt er nunmehr das
Münster auf und wendet sein Gemüt über den Künstler hinweg zu dem Urschöp-
fer, zu Gott. *Alles belebende Liebe* (28,17), das ist eine Umschreibung des ehrfürchtig vermiedenen Namens Gottes.

28,22 ff. Erinnerung an den Rheinfall von Schaffhausen, an den St. Gotthardt,
an den Zürcher See.

28,27 f. Wortprägung aus Klopstocks Ode ,,Der Zürcher See": ,,schöner ein
froh Gesicht, Das den großen Gedanken Deiner Schöpfung noch einmal denkt".

29,1. Die drei Stationen sind auf der ersten und zweiten Galerie des Turmes
und auf der Plattform des Südturmes geschrieben worden.

29,10. *liebwärts:* in die Gegend von Lili Schönemann, von der Goethe vergeblich geflohen war.

29,12. Erinnerung an seinen Aufsatz *Von deutscher Baukunst.*

29,28. *Anspulen.* So in dem Druck von 1776 und in Himburgs Nachdruck von
1779. Im Druck von 1832: *Anspülen.* Vermutlich nicht im Sinne von ,,Spulen" =
(einförmiges) Aufwickeln (so faßt Witkowski die Stelle auf), sondern: ,,Spülen".
In diesem Bilde wirkt wohl der Eindruck des Zürcher Sees nach.

29,31. Zu *Raritätenkasten* vgl. Bd. 6, S. 572 u. Bd. 12, S. 226, 19.

30,1. Der Dichter Johann Michael Reinhold *Lenz* (1750–1792), Goethes
Freund aus seiner Straßburger Zeit, hatte an der Münsterbesteigung des 13. Juli
teilnehmen wollen, sich aber eine halbe Stunde verspätet.

30,5 ff. Vgl. Goethe an Röderer, 21. September 1771: *Das größte Meisterstück der deutschen Baukunst, das Sie täglich vor Augen haben ... wird Ihnen nachdrücklicher als ich sagen, daß der große Geist sich hauptsächlich vom kleinen darin unterscheidet, daß sein Werk selbständig ist, daß es ohne Rücksicht auf das, was andere getan haben, mit seiner Bestimmung von Ewigkeit her zu koexistieren scheine; da der kleine Kopf durch übelangebrachte Nachahmung seine Armut und seine Eingeschränktheit auf einmal manifestiert.*

II. DIE MITTLERE ZEIT. 1788–1805

Goethes Kunstschriften der frühen Zeit preisen in dithyrambischen Worten das Schöpferische. Wenn auch sein Blick mehr von der Kunstgeschichte umfaßt als der Blick der akademischen Kunstlehre, so ist es doch nicht die Verschiedenheit der Kunst als Geschichte, sondern die Einheit der Kunst als Schöpfung, der seine leidenschaftliche Anteilnahme gilt. Die Schriften der mittleren Zeit setzen die italienische Wandlung voraus. Man muß die *Italienische Reise* gelesen haben, um sie in ihrer Handlung und Zielsetzung verstehen und würdigen zu können. In Italien hatte der tägliche sinnlich-anschauliche Umgang mit großer bildender Kunst ihn erfahren lassen, daß man *nicht lange mit Kunstwerken aufmerksam umgehen kann, ohne zu finden, daß sie nicht allein von verschiedenen Künstlern, sondern auch aus verschiedenen Zeiten herrühren und daß sämtliche Betrachtungen des Ortes, des Zeitalters, des individuellen Verdienstes zugleich angestellt werden müssen* (110, 1–6), ferner, daß *kein Urteil möglich ist, als wenn man es historisch entwickeln kann* (Bd. 11, S. 167, 33 f.), und *daß hier die Achse der ganzen Kunstkenntnis befestigt sei* (110,7 f.). Goethe sieht nun in der Kunst nicht mehr bloß den *allgemeinen Abglanz der Natur,* sondern eine *andre Natur* (an Karl August v. Weimar, 1788. – Bd. 11, S. 565), die er aus sich selbst zu begreifen sucht. Seiner Naturlehre (für die ebenfalls sein Aufenthalt in Italien entscheidend wurde) tritt, mit ihr innig verbunden, ja, ihr notwendiges Gegenstück, seine klassische Kunstlehre zur Seite. Der Ton wird ein anderer: nicht mehr dithyrambisch, sondern klar, deutlich, genau. *Es kommt darauf an, daß bei dem Wort, wodurch man ein Kunstwerk zu erläutern hofft, das Bestimmteste gedacht werde, weil sonst gar nichts gedacht wird* (52,2–4). Dieses Bedürfnis nach Durchsichtigkeit und Genauigkeit führte ihn zu intensiver Beschäftigung mit der Kunstgeschichte und Kunsttheorie. Ihre überlieferten Begriffe (über die er sich in seiner Jugend leichten Herzens hinweggesetzt hatte) nimmt er nun wieder auf, prüft sie und erfüllt sie mit seiner lebendigen Anschauung. Gattungs- und Wertprobleme treten mit zunehmendem Gewicht in seinen Gesichtskreis.

ANMERKUNGEN · SCHRIFTEN ZUR KUNST

In Schiller und in Heinrich Meyer gewann Goethe in diesen Jahren seine nächsten Weggefährten. Schiller, mit dem er seit 1794 freundschaftlich verbunden war, eröffnete ihm durch seine an Kant anschließenden Spekulationen den Zugang zu einer ganz neuen Begriffswelt, deren inniger Bezug zu der Welt seiner eigenen Vorstellungen und Anschauungen ihn beglückte und förderte. Durch Schiller wurde ihm Kants „Kritik der Urteilskraft" zu lebendiger und verpflichtender Gegenwart. Später gedachte er des *ungeheuren Gewinnes* (an Schultz, 18. September 1831) seiner damaligen Auseinandersetzung mit ihr, daß sie ihn auf sich selbst aufmerksam gemacht und ihn aus seinem hartnäckig verfochtenen Realismus zu größerer Freiheit und Gerechtigkeit gebracht habe. Schillers Tod im Jahre 1805 traf Goethe tief. Eine Epoche fruchtbarster Wechselwirkung fand mit ihm ihr Ende.

Den Schweizer Maler Heinrich Meyer hat Goethe in Italien kennen gelernt. In der *Italienischen Reise* hat er ihm ein Freundschaftsdenkmal gesetzt. Aus Rom schreibt er am 25. Dezember 1787: *Der Glanz der größten Kunstwerke blendet mich nicht mehr, ich wandle nun im Anschauen, in der wahren unterscheidenden Erkenntnis. Wieviel ich hierin einem stillen, einsam fleißigen Schweizer, namens Meyer, schuldig bin, kann ich nicht sagen. Er hat mir zuerst die Augen über das Detail, über die Eigenschaften der einzelnen Formen aufgeschlossen ... Er hat eine himmlische Klarheit der Begriffe und eine englische Güte des Herzens. Er spricht niemals mit mir, ohne daß ich alles aufschreiben möchte, was er sagt, so bestimmt, richtig, die einzige wahre Linie beschreibend sind seine Worte. Sein Unterricht gibt mir, was mir kein Mensch geben konnte, und seine Entfernung wird mir unersetzlich bleiben ... Alles, was ich in Deutschland lernte, vornahm, dachte, verhält sich zu seiner Leitung wie Baumrinde zum Kern der Frucht. Ich habe keine Worte, die stille, wache Seligkeit auszudrücken, mit der ich nun die Kunstwerke zu betrachten anfange ...* (Bd. 11, S. 446 f.) 1792 holte Goethe Meyer als Leiter der Zeichenschule nach Weimar. Seit Italien blieb Meyer Goethes Berater und Helfer in allen Fragen, die bildende Kunst und Kunstgeschichte angingen.

In den Jahren des Bundes mit Schiller begann auch schon (trotz vieler persönlicher naher Beziehungen) Goethes Gegensatz zur Romantik wirksam zu werden. Er zwang ihn, seine klassischen Anschauungen immer strenger, unerbittlicher und oft mit polemischer Schärfe vorzutragen.

EINFACHE NACHAHMUNG DER NATUR, MANIER, STIL

Erstdruck: Teutscher Merkur, Februar 1789.

Goethe hatte gleich nach der Rückkehr aus Italien begonnen, die Ergebnisse seiner italienischen Kunsterfahrung und -studien in Aufsätzen für die von Wieland seit 1773 herausgegebene literarische Zeitschrift „Der Teutsche Merkur" zusammenzufassen. (Vgl. Brief an Wieland, September 1788.) – 1788 erschienen unter der Überschrift *Zur Theorie der bildenden Kunst: Baukunst* und *Material der bildenden Kunst.* 1789 folgten: *Einfache Nachahmung der Natur, Manier, Stil; Von Arabesken; Über die bildende Nachahmung des Schönen von K. Ph. Moritz; Über Christus und die zwölf Apostel nach Raffael von Marc Anton gestochen und von Herrn Prof. Langer in Düsseldorf kopiert.* – Noch bevor Goethe selbst an die Ausarbeitung seiner italienischen Kunststudien gegangen war, war seines Freundes Karl Philipp Moritz (1757–1793) Büchlein „Über die bildende Nachahmung des Schönen", Braunschweig 1788, das aus ihren gemeinsamen römischen Unterhaltungen herausgewachsen war, erschienen. Sein Eindruck spiegelt sich in Goethes Aufsatz unmittelbar wider.

30,10f. Goethe schließt sich hier an die vorhandenen Begriffe der Kunsttheorie an. *Nachahmung der Natur* ist ein Grundbegriff schon der antiken Kunstlehre. Von der Renaissance erneuert, blieb er bis ins 18. Jhdt. hinein (Batteux, Sulzer, Mengs, Reynolds u. a.) lebendig. Schon Vasari unterscheidet drei verschiedene Grade der Nachahmung. Sie kann ängstlich und unbeholfen sein. Sie kann in genauem Studium die Wirklichkeit nachbilden. Sie kann endlich – von höheren Ideen geleitet – sich über die Wirklichkeit erheben. In Christian Ludwig v. Hagedorns „Betrachtungen über die Malerei", Leipzig 1764, heißt es: „Sehen, wählen, verschönern sind die Stützen des klugen Beobachters für die Erweiterung der Kunst." Moritz (Gedanken Mengs' selbständig weiterentwickelnd) deutet diese Grade ins Psychologische: der Tor äfft Sokrates nach, der Schauspieler parodiert Sokrates, der Weise ahmt Sokrates nach. Goethe macht sich die traditionelle Dreiteilung zu eigen, läßt aber den Begriff der *Nachahmung* nur für die unterste Stufe zu. – *Manier* ist die „maniera" der italienischen Kunstliteratur. Ursprünglich bedeutet sie das jedem Künstler, jeder Nation, jeder Zeit eigene Verfahren künstlerischer Behandlung. In diesem wertindifferenten Sinn spricht man von maniera buona, maniera cattiva, von maniera antica, moderna usw. Im 17. Jhdt. vollzieht sich in der Kunstlehre des barocken Klassizismus (Bellori, Baldinucci u. a.) ein Bedeutungswandel. Maniera wird nun nicht mehr in Verbindung mit einem Adjektiv oder

Genitiv (etwa maniera buona oder maniera di Donatello), sondern absolut gebraucht. Dipingere di maniera = aus dem Kopf, nicht unmittelbar nach der Natur malen. In dieser Bedeutung gewinnt der Begriff Manier jenen tadelnden Sinn der Manieriertheit, den er bis in die Gegenwart behalten hat. Goethe gebraucht das Wort *Manier* im Sinne des dipingere di maniera, des Erfindens, *ohne die Natur selbst vor sich zu haben* (31,23 f.); aber er betont ausdrücklich, daß er es *in einem hohen und respektablen Sinne* (34,24) auffasse, d. h. also ohne jene tadelnde Bedeutung, die ihm die klassizistische Lehre beigelegt hatte. *Manier* steht für Goethe wertmäßig über der *einfachen Nachahmung*. In der Kunstnovelle *Der Sammler und die Seinigen* hat Goethe seinen Begriff noch weiter ausgebaut. Vgl. hierzu Erwin Panofsky, Idea. Ein Beitrag zur Geschichte der älteren Kunsttheorie, Berlin 1924, vor allem S. 114 f.; und v. Einem, Goethe-Studien, S. 120 ff. Ferner Georg Weise, La doppia origine del concetto di Manierismo, Studi Vasariani, Firenze 1950, S. 181 ff. – Der Begriff des *Stiles* hat seinen Ursprung in der antiken Rhetorik, die den stilus sublimis, mediocris und humilis unterschied. Um die Mitte des 17. Jhdts. wurde er in dem gleichen Kreise, der den Begriff der maniera abgewertet hat, von der Poetik und Rhetorik (die ihn aus der Antike übernommen hatten) auf Werke bildender Kunst übertragen und in dem ursprünglichen Sinn der maniera verwandt. Bellori überliefert eine Maxime Poussins, in der es heißt: „Lo stile è una maniera particolare e industria di dipingere e di segnare . . .“ (Panofsky, Idea, S. 115.) In Deutschland hat sich der Begriff für Werke der bildenden Kunst seit Winckelmann und Mengs eingebürgert. Goethe behält ihn hier dem *höchsten Grad* vor, *welchen die Kunst je erreicht hat und je erreichen kann* (34,29–31). – Goethes drei Begriffe sind zunächst psychologisch als Begabungstypen zu verstehen. Er führt mit ihnen den Versuch einer Typenlehre fort, den Mengs in seinen Schriften unternommen hatte. Sie stellen aber zugleich eine Stufenfolge dar. Hierin liegt für Goethe das eigentlich Wichtige. Nunmehr erschließen sich ihm Entwicklungen und Wertstufen. Indem er die höchste erreichbare Stufe, den Stil, auf den Grundfesten der Erkenntnis ruhend sieht, vollzieht er die für sein späteres Denken entscheidende Wendung zum Objektiven. Dabei ist charakteristisch, daß er die Stufen nicht nur gegeneinander abgrenzt, sondern auch miteinander verbindet. Das Wesen der Kunst ist eins. Jede Stufe hat ihr Recht. Wie die unterste schon auf die höchste hindeutet, so ist die höchste nicht ohne die unterste möglich. (Vgl. die Anmkg. zu 34,34.)

33,19. *Jan van Huysum*, 1682–1749. – *Rachel Ruysch*, 1664–1750.

34,34. Die Notwendigkeit, sich von der Seite des Gegenstandsproblemes mit dem Verhältnis von Kunst und Religion zu beschäftigen, und der Umgang vor allem mit ägyptischer Kunst, die in Italien sein lebhaftes Interesse fand, brachte

Goethe später dazu, an seiner eigenen Stufenfolge eine wichtige Korrektur vorzunehmen. In den *Neuen Unterhaltungen über verschiedene Gegenstände der Kunst* (Weim. Ausg. Bd. 48, S. 134–137) heißt es, von diesem Schema abweichend: *In den ältesten Zeiten diente die Kunst jederzeit der Religion, indem sie gewisse strenge, trübe, seltsame und gewaltsame Vorstellungen ausbildete. Deswegen fing die bildende Kunst nirgends vom Natürlichen an, sondern überall mit einer Art von barbarischem Sinn und Geschmack.* Das heißt also: die Kunst beginnt nicht mit der einfachen Nachahmung der Natur, sondern im Gegenteil mit Vorstellungen, die vom Natürlichen weit abliegen, und freundet sich erst langsam mit der Natur an. Diese Einsicht findet sich später auch im romantischen Denken wieder. Ihre vollen Konsequenzen hat aber erst die neuere Kunstwissenschaft gezogen.

BAUKUNST 1795

Von Goethe nicht veröffentlicht. Erstdruck in der Weim. Ausg. Bd. 47, S. 67ff. Unser Abdruck beschränkt sich auf den allg. Teil. Vgl. v. Einem, Goethe-Studien, S. 103f.

Auf dem Rückweg von Straßburg nach Frankfurt 1771 war Goethe im Mannheimer Antikensaal in dem Abguß eines Kapitells vom römischen Pantheon zum ersten Mal die antike Baukunst (die er vorher nur aus den Prospekten seines Vaterhauses gekannt hatte) leibhaft entgegengetreten. In *Dichtung und Wahrheit* (*11. Buch*) heißt es: *Ich leugne nicht, daß beim Anblick jener so ungeheuren als eleganten Akanthblätter mein Glaube an die nordische Baukunst etwas zu wanken anfing.* (Bd. 9, S. 502, 25–27.) In Italien hatte sich dann – scheinbar endgültig – die Wendung zur Baukunst des Südens vollzogen. Antike und die auf der Antike fußende Baukunst der Renaissance und des Barock (vor allem Werk und Lehre Palladios) fanden seine leidenschaftliche Anteilnahme.

Der Straßburger Goethe hatte das gotische Münster als *Babelgedanken* (7,20) individueller Schöpferkraft verstanden. Für den italienischen und nachitalienischen Goethe wird auch die Baukunst mehr und mehr zu einer *andren Natur* (Bd. 11, S. 565). Er sinnt ihren Bedingungen nach und sucht ihre Gesetze wie objektive Naturgesetze zu bestimmen. Die Wendung vom Subjektiven zum Objektiven ist auch hier deutlich. Wiederum führt das Bedürfnis, seine neue Anschauung auch begrifflich zu klären, zur Auseinandersetzung mit der Theorie. Palladio und Vitruv sind seine Führer. Später kamen Labacco, Serlio, Scamozzi u. a. hinzu. (Vgl. Brief an Heinrich Meyer, 16. November 1795.)

Die erste Frucht seiner Beschäftigung mit der Baukunst des Südens ist der Aufsatz *Baukunst* von 1788 im Teutschen Merkur. Er beschäftigt sich ausschließlich mit griechischer Tempelarchitektur und sucht nach dem ihr zugrunde liegenden Prinzip. Goethe greift noch einmal die

These auf, die schon im Münsteraufsatz seinen Widerspruch herausgefordert hatte, daß die *Hütte die erstgeborne der Welt ist* (9,17f.). Er fand sie zur Ableitung des griechischen Steintempels unzureichend. Nicht die hölzerne Hütte habe den *sehr entfernten Anlaß* (Weim. Ausg. Bd. 47, S. 60) zur Tempelarchitektur gegeben, vielmehr seien die ältesten Tempel selbst von Holz gewesen und die spätere Steinbaukunst habe diesen dem Volke geheiligten Ursprung niemals vergessen. Goethe vermeidet es hier in fast auffälliger Weise, ein Werturteil abzugeben, und begnügt sich mit dieser bloßen Feststellung. *Daß nun ein solches Gebäude* (nämlich ein Holztempel), *durch die Andacht der Völker geheiligt, zum Muster ward, wornach ein anderes, von einer ganz andern Materie, aufgeführt wurde, ist ein Schicksal, welches unser Menschengeschlecht in hundert andern Fällen erfahren mußte.* (Ebd., S. 63.) Hier klingt – ohne daß irgendwelche Folgerungen gezogen würden – das Problem der Übertragung von einer in die andere Materie an, das in Goethes späterem Aufsatz eine so große Rolle spielen sollte.

Der Aufsatz von 1795, wichtiger als jener erste, ist ein Vorklang der geplanten, freilich niemals verwirklichten zweiten großen Reise nach Italien, aus der Vorbereitung des gemeinsam mit Heinrich Meyer in Aussicht genommenen großen Italienwerkes erwachsen. Am 16. November 1795 schreibt Goethe an Meyer: *Durch einen äußeren Anlaß bin ich bewogen worden, über die Baukunst Betrachtungen anzustellen, und habe versucht, mir die Grundsätze zu entwickeln, nach welchen ihre Werke beurteilt werden können. Ich habe Schillern meinen ersten Entwurf mitgeteilt, der ganz wohl damit zufrieden ist ...* Dieser erste Entwurf vom 29. Oktober 1795, aus dem der vorliegende Aufsatz erwachsen ist, ist abgedruckt Weim. Ausg. Bd. 47, S. 327ff.

35,10. Die Bedeutung des *Materials* der bildenden Kunst hatte Goethe in Italien einsehen gelernt. Zu den 1788 im unmittelbaren Anschluß an die Reise veröffentlichten „Merkur"-Aufsätzen gehört *Material der bildenden Kunst.* Hier heißt es: *Kein Kunstwerk ist unbedingt, wenn es auch der größte und geübteste Künstler verfertigt: er mag sich noch so sehr zum Herrn über die Materie machen, in welcher er arbeitet, so kann er doch ihre Natur nicht verändern. Er kann also nur in einem gewissen Sinne und unter einer gewissen Bedingung das hervorbringen, was er im Sinne hat, und es wird derjenige Künstler in seiner Art immer der trefflichste sein, dessen Erfindungs- und Einbildungskraft sich gleichsam unmittelbar mit der Materie verbindet, in welcher er zu arbeiten hat.* (Weim. Ausg. Bd. 47, S. 64f.) Im Aufsatz von 1795 führt Goethe das aus, geht aber beträchtlich weiter.

35,20. Die Lehre von den *drei Zwecken* schließt sich im ganzen der architekturtheoretischen Tradition an. Vitruv, auf dem die neueren Theoretiker fußen, scheidet firmitas, welche Wahl des Terrains, Baumaterialien und Fundamentierung umfaßt, utilitas, die die Arten der Gebäude nach ihrer Zweckmäßigkeit beurteilt, und venustas, die Probleme der architektonischen Schönheit. Vgl. Des Marcus Vitruvius Pollio Zehn Bücher über Architektur, Übers. u. erl. von J(akob) Prestel,

Straßburg 1913 = Zur Kunstgesch. d. Auslands, Heft 96ff., 6. Buch, 3. Kap., 2. Abschnitt, S. 26.

36,3ff. In den Bemerkungen über die *Natur des Sinns, für welchen das Ganze harmonisch sein soll* (35,36f.), verläßt Goethe den Boden der Tradition, erhebt sich weit über die Möglichkeiten seines frühen Münsteraufsatzes, erschließt für die Beurteilung der Baukunst eine Sphäre, die, wenn nicht dem Erlebnis, so doch dem Erlebnisbewußtsein bisher unzugänglich geblieben war (auf dem Gebiete der Plastik war in gewissem Sinne Herder vorangegangen), und nimmt Einsichten voraus, zu denen die moderne Kunstwissenschaft erst sehr viel später kommen sollte.

36,6f. Wie neu die Erkenntnis ist, daß die Baukunst nicht allein für das Auge, sondern gleichsam für den ganzen Körper arbeitet, lehrt ein Blick auf das Schrifttum jener Zeit. In Sulzers Artikel über die Baukunst wird das Problem der architektonischen Schönheit im Sinne der architekturtheoretischen Überlieferung allein auf das Auge bezogen. Auch in Winckelmanns ,,Anmerkungen über die Baukunst der Alten" findet sich keine Vordeutung des Goetheschen Gedankens. Schiller, dem Goethe seinen Aufsatz mitgeteilt hatte, gibt den Gedanken an Wilhelm v. Humboldt weiter (9. November 1795). Humboldt antwortet: ,,Über Goethes Idee ... wünschte ich wohl mehr zu wissen. Es ist mir nicht recht klar." (20. November 1795.)

36,9f. Die *Lehre von den Proportionen* ist ein Hauptstück der traditionellen Architekturtheorie seit Vitruv. Sie wird hier aber zum ersten Mal nicht unter dem Gesichtspunkt der Wandgliederung, sondern unter dem der Raumwirkung gesehen.

36,18f. In Sulzers Artikel über die Baukunst heißt es: ,,Der Maler erfindet seine Formen nicht, sie sind schon in der Natur vorhanden; aber der Baumeister muß sie erschaffen." – Mit seiner Lehre von der *Fiktion* griff Goethe aufs neue den Gedanken der Übertragung von einem ins andere Material auf. In seinem Aufsatz von 1788 hatte er sich mit bloßer historischer Feststellung begnügt. Nun gibt er eine positive Wertung, und zwar in dem doppelten Sinn der höchsten Qualität und der höchsten Entwicklungsstufe. Dasselbe gilt von der Verbindung von Säulen und Mauern. Im Münsteraufsatz hatte er sie schroff abgelehnt. Erst Palladio, der Meister der Fiktion, hatte ihn eines anderen belehrt. (Vgl. hierzu Anmkg. zu 9,34.) Was in dem Brief vom 19. September 1786 (*Italienische Reise*, Bd. 11, S. 53) nur halb widerwillig anerkannt wurde, wird nunmehr zur Lehre, *um gewissen Puristen zu begegnen, die auch in der Baukunst gern alles zu Prosa machen möchten* (37,37–39). Vgl. Bd. 11, S. 585. – Wie die Lehre von der Raumwirkung, so geht auch die Lehre von der *Fiktion* über die architekturtheoretische Überlieferung weit hinaus. Ohne Zweifel schwingen in ihr Erlebnisse spätantiker und südlich barocker Architekturen mit, und man meint, mit ihr den Schlüssel auch zu der nordischen Barockkunst in Händen zu haben. Davon hören wir freilich bei Goethe nichts. Die volle geschichtliche Konsequenz ist von ihm noch nicht gezogen worden.

36,34 ff. Der Handschrift sind schematische Zeichnungen beigefügt: *opus incertum* = unregelmäßiges Mauerwerk aus Bruchstein und Mörtel; *opus pseudisodomum* = Mauerwerk mit ungleich hohen Schichten; *opus isodomum* = Mauerwerk mit gleich hohen Schichten. Goethe sind diese Begriffe aus Vitruv und Palladio geläufig (Prestel, I, S. 77 ff.). – Zur etruskischen Baukunst vgl. Winckelmann, Geschichte der Kunst des Altertums. Erster Teil, 3. Kap.

37,10 ff. Über *die dorischen Tempel von Sizilien und Großgriechenland* vgl. Winckelmann, Anmerkungen über die Baukunst der alten Tempel zu Girgenti in Sizilien. Bibliothek der schönen Wissenschaften und Freien Künste 1762.

EINLEITUNG IN DIE PROPYLÄEN

Erstdruck: *Propyläen, 1798.* – Im Erstdruck lautet die Überschrift natürlich nur *Einleitung*, weil davor das Titelblatt steht: *Propyläen. Eine periodische Schrift, herausgegeben von Goethe.* Schon die *Ausg. l. Hd., Bd. 38, 1830*, führte sinngemäß die Überschrift *Einleitung in die Propyläen* ein, weil der Aufsatz jetzt abgetrennt von jener Zeitschrift erschien.

Goethe schuf sich für seine theoretisch-geschichtlichen Bemühungen und Kunsterkenntnisse, von denen die Aufsätze nach der italienischen Reise im „Teutschen Merkur" und vor allem der Aufsatz über Baukunst von 1795 Zeugnis ablegen, und für seine innig mit ihnen verbundenen kunsterzieherischen Absichten ein eigenes Publikationsorgan: die *Propyläen*, eine periodische Schrift. Sie erschienen durch Schillers Vermittlung bei Cotta erstmalig im Oktober 1798, konnten sich aber gegen die aufkommende romantische Zeitströmung (im Gründungsjahr der *Propyläen* starb bereits der junge Wackenroder) nicht halten und gingen schon 1800 wieder ein. Sie umfassen 3 Bände in 6 Stücken. Als Herausgeber zeichnete Goethe. Seine Mitarbeiter waren Schiller, Heinrich Meyer und der Haller Altphilologe Friedrich August Wolf. – Über das Scheitern seiner Zeitschrift schreibt Goethe in den *Tag- und Jahresheften* im Abschnitt *1800: Der Propyläen dritter und letzter Band ward, bei erschwerter Fortsetzung, aufgegeben. Wie sich bösartige Menschen diesem Unternehmen entgegenstellten, sollte wohl zum Trost unserer Enkel, denen es auch nicht besser gehen wird, gelegentlich näher bezeichnet werden.* Auch Schiller schreibt von der „unerhörten Erbärmlichkeit" des Publikums (an Goethe, 5. Juli 1799).

Goethe schrieb für die „Allgemeine Zeitung", 29. April 1799, eine Selbstanzeige. (Abgedr. Weim. Ausg. Bd. 47, S. 35 ff. und 284 ff.) In ihr heißt es: *Man würde sich nur traurigen und vergeblichen Betrachtungen überlassen, wenn man hier anzeigen wollte, wie diese Arbeiten, welche teilweis und sukzessiv dem Publico vorgelegt werden können, in einer anderen Gestalt und zu einem erfreulicheren Ganzen hätten verarbeitet werden sollen, wenn nicht am Ende des Jahrhunderts der alles bewegende Genius seine zerstörende Lust besonders auch an Kunst und Kunstverhältnissen ausgeübt hätte. Wir wünschen, daß die Teile, die wir gerettet haben, da wir das Ganze aufgeben mußten, in diesen Zeiten der allgemeinen Auflösung wieder bindend für Künstler und Kunstfreunde werden mögen.* Hier wird die tiefe Erschütterung Goethes durch die Französische Revolution und ihre Folgen sichtbar. Insbesondere denkt Goethe hier an die Plünderung der italienischen, vor allem römischen Kunstschätze durch die französischen Revolutionstruppen. Napoleon (*der alles bewegende Genius*) hatte im Waffenstillstandsvertrag mit dem Papst 1796 und im Friedensvertrag von Tolentino 1797 die Auslieferung einer großen Zahl der kostbarsten und berühmtesten alten und neueren Kunstwerke italienischer Kirchen und Sammlungen verlangt, die mit zahllosen Werken anderer Länder nach Paris in das geplante französische Nationalmuseum überführt wurden. (Vgl. hierzu v. Einem, C. L. Fernows Römische Briefe, Berlin 1944, S. 53 und 316.) Die klassische Kunstlehre Goethes muß gerade in ihrem sittlichen Gehalt vor dem Hintergrund dieser das Bestehende erschütternden und in Frage stellenden Weltbewegung gesehen werden.

In Goethes Anzeige heißt es weiter: *Die Verfasser der Propyläen wünschen besonders auf würdige Kunstwerke aufmerksam zu machen, und die reine Ansicht derselben immer mehr befördern zu helfen; diese ist jetzt möglicher als sonst, wird aber noch immer auf mancherlei Weise gehindert. So stand der reinen Ansicht griechischer Kunstwerke lange Zeit eine gewisse Vorliebe für römische Antiquitäten, so wie eine unmittelbare Vergleichung mit Dichterwerken entgegen. Winckelmann und Lessing, zwei den Deutschen nie genug verehrte Männer, haben ein Großes geleistet, indem sie jene beiden Übel verminderten.* (Weim. Ausg. Bd. 47, S. 37.) Hier werden zwei Hauptanliegen der Klassik und des reifen Klassizismus berührt: die Unterscheidung zwischen dem Griechischen und Römischen in der Nachfolge der Antike und die Scheidung der Kunstarten.

38,10. Der Name der Zeitschrift, *Propyläen,* durch Heinrich Meyer empfohlen – während Schiller „Der Künstler" vorgeschlagen hatte (an Cotta 29. Mai 1798) –, ist für den reifen Goethe sehr bezeichnend, und nirgends kommt der Unterschied des Klassikers gegen den Stürmer und Dränger so klar und deutlich zum Ausdruck wie in den Anfangsworten der *Einleitung.* Die Propyläen, das Eingangstor der Akropolis von Athen, waren durch das große Werk von I. Stuart und Revett, Antiquities of Athens, 1762–1787, das die ersten Aufnahmen attischer und ionischer Tempel enthielt und für die Wendung zum Griechischen in der Architektur des Klassizismus entscheidende Bedeutung gewann, bekannt geworden. Zehn Jahre vor Goethes *Propyläen* wurde in Berlin durch Langhans das Brandenburger Tor (1789–1793) nach dem Vorbild der Propyläen von Athen erbaut, ebenfalls vermittelt durch die Aufnahmen von Stuart und Revett.

39,6. Die *harmonisch verbundenen Freunde* sind die seit 1801 so genannten Weimarischen Kunstfreunde, abgekürzt *W. K. F.*, zu denen außer den Mitarbeitern der *Propyläen* seit 1804 auch C. L. Fernow gehörte.

41,37f. Goethe hatte gerade den *Xenien*-Kampf hinter sich, in dem seine und Schillers Hauptgegner die alten Anhänger der Aufklärung (der Berliner Buchhändler Nicolai u. a.) und die christlich pietistische Richtung (Matthias Claudius, die Gebrüder Stolberg, Johann Georg Schlosser, Friedrich Heinrich Jacobi u. a.) waren. Jetzt, wo es sich um bildende Kunst handelt, denkt Goethe vor allem an den bürgerlichen Realismus des Spätbarock und die aufstrebende Romantik. In der *Flüchtigen Übersicht über die Kunst in Deutschland (Propyläen III,2)* heißt es: *In Berlin scheint, außer dem individuellen Verdienst bekannter Meister, der Naturalismus mit der Wirklichkeits- und Nützlichkeitsforderung zu Hause zu sein und der prosaische Zeitgeist sich am meisten zu offenbaren. Poesie wird durch Geschichte, Charakter und Ideal durch Porträt, symbolische Behandlung durch Allegorie, Landschaft durch Aussicht, das allgemein Menschliche durchs Vaterländische verdrängt.* (Weim. Ausg. Bd. 48, S. 23.) – 1797 war die erste Programmschrift der Romantik, die „Herzensergießungen eines kunstliebenden Klosterbruders" von Wilhelm Heinrich Wackenroder, erschienen und von A. W. Schlegel in der Jenaer Literaturzeitung besprochen worden. 1798 folgten Ludwig Tiecks Künstlerroman „Franz Sternbalds Wanderungen" und in der von A. W. und Fr. Schlegel gegründeten Zeitschrift „Athenäum" das von A. W. und Caroline Schlegel verfaßte Gespräch „Die Gemälde".

42,15ff. Diese Gedanken sind für die Kunstlehre des reifen Goethe von größter Bedeutung. Wir werden ihnen in den folgenden Schriften der mittleren Zeit immer wieder begegnen. Die *ewige Lüge von Verbindung der Natur und Kunst* (an Heinrich Meyer, 20. Mai 1796) sucht er zu zerstören, um die Kunst als *andre* oder *zweite* Natur um so klarer begreiflich machen zu können. (Vgl. oben S. 552f.)

42,36ff. Vgl. hierzu die entsprechende Stelle in *Winckelmann*, S. 103,6ff.

43,28. Man erinnert sich hier des Abschiedsbesuches in der Abgußsammlung der französischen Akademie in Rom, 11. April 1788: *Selbst vorbereitet steht man wie vernichtet. Hatte ich doch Proportion, Anatomie, Regelmäßigkeit der Bewegung mir einigermaßen zu verdeutlichen gesucht, hier aber fiel mir nur zu sehr auf, daß die Form zuletzt alles einschließe, der Glieder Zweckmäßigkeit, Verhältnis, Charakter und Schönheit.* (Bd. 11, S. 542.)

44,3ff. Vgl. hierzu Bd. 11, Nachwort des Herausgebers zur *Italienischen Reise*, Abschnitt V von „Die Reise".

44,3ff. Hier spricht der Verfasser der künftigen *Farbenlehre*. Im März 1788 meldet ein Brief aus Rom *allerlei Spekulationen über Farben*. (Bd. 11, S. 526,22–27.) Seit dieser Zeit finden wir Goethe mit dem Problem der Farben als physikalischer Erscheinungen und als künstlerischer Formen beschäftigt. Die Arbeit an der *Farbenlehre* zieht sich aber noch über zwei Jahrzehnte hin. Erst 1810 ist sie abgeschlossen worden. Vgl. hierzu *Geschichte der Farbenlehre. Konfession des Verfassers.* Bd. 14, S. 251–269. Vgl. ferner Goethes Übersetzung von Diderots „Versuch über die Malerei" *(Propyläen II)*, dessen 2. Kapitel über die Farbe handelt.

45,33. Gemeint ist die von Heinrich Meyer ausgearbeitete Abhandlung „Über die Gegenstände bildender Kunst". (Vgl. „Kleine Schriften zur Kunst von Heinrich Meyer". Deutsche Literaturdenkmale des 18. und 19. Jhdts., Bd. 25, Heilbronn 1886, S. 3 ff.) – Das Gegenstandsproblem beschäftigte Goethe seit seiner Frühzeit. (Vgl. Anmkg. zu 27,30.) In und seit Italien rückte es immer mehr in den Vordergrund. In den Gesprächen und Briefen zwischen Goethe, Schiller und Meyer spielt es eine große Rolle. In den *Tag- und Jahresheften, 1798,* heißt es: *Indem sich Meyer mit den Gegenständen in dem Hauptpunkt aller bildenden Kunst gründlich beschäftigte, schrieb ich den „Sammler".* In einem Brief vom 9. Mai 1798 schreibt Goethe an Schiller: *Meyer ... ist zufrieden, daß wir seine Abhandlung über die Wahl der Gegenstände nach unserer Überzeugung modifizieren und auch vielleicht in Stellung der Argumente nach unserer Art zu Werke gehen. Wir lesen sie vielleicht nochmals zusammen durch, und dann wird ihr mit wenigem geholfen sein.* – In Goethes Sätzen kommt das schöpferische Verhalten des Künstlers bei der Gegenstandswahl sehr viel stärker zu seinem Recht als in der Abhandlung Meyers.

46,32. Gemeint ist Goethes Abhandlung *Über Laokoon,* S. 56 ff.

46,34. Goethe bediente sich seit seiner Zusammenarbeit mit Meyer bei Betrachtung von Gemälden einer *tabellarischen Methode* (an Meyer, 16. November 1795), die, auf die italienische Renaissancetheorie zurückgehend, in der deutschen Kunstliteratur vor allem von Mengs aufgenommen und systematisch durchgebildet worden war. Die Kategorien dieser Methode sind: Erfindung, Anordnung, Ausdruck, Zeichnung, Gewandbehandlung, Kolorit, Beleuchtung u. a. Ihre Übernahme war für Goethe freilich nicht viel anderes als bloßes Mittel zum Zweck und geschah in ganz freier Weise.

48,10 ff. Diese Sätze berühren persönlichste Saiten des durch Italien gewandelten klassischen Goethe.

49,13. Gegen diese *Vermischung* hatte sich Lessing in seinem „Laokoon" gewandt. Ihm war Fernow in seiner Abhandlung „Über den Zweck, das Gebiet und die Grenzen der dramatischen Malerei" (Neuer Teutscher Merkur, 1797) gefolgt. Die Romantik dagegen (Tiecks „Sternbald") neigte wieder der Vermischung zu, und das war der Grund, warum Goethe dieses Problem schon in seiner *Einleitung* aufgriff. Wie sehr es sich hier um ein Hauptanliegen der neuen klassischen Kunstlehre handelt, geht aus Fernows späteren (in Weimar geschriebenen) Bemerkungen (Römische Studien, II, S. VIII) hervor. Hier erinnert er an Goethes Sätze und sagt:

„Diese Erinnerung scheint gegenwärtig um so nötiger, wo ein des Wesens und Zwecks der Kunst völlig unkundiger, aber mit der Miene mystischen Tiefsinnes zuversichtlich auftretender ästhetischer Idealismus die ungereimte Forderung macht, daß die Künste sich möglichst universalisieren, oder, wie man es richtiger nennen würde, Unzucht miteinander treiben sollen, und daß sie nur auf fremdem Gebiet ihre ganze Wunderkraft entfalten können. So sehen wir denn auch als

Früchte dieser herrlichen Lehre die seltsamsten Bastarde in der Kunst zum Vorschein kommen. Die Poesie tändelt mit Farben und Klängen; ihre Anschauungen
zerfließen klangreich aber formlos in Duft und Nebel; dramatische Personen, statt
zu handeln, unterreden sich in lyrischen Versarten; Tonkünstler malen Schlachten, Seestürme, Mondschein und Regenbogen; Claude und Correggio werden als
musikalische, Michelangelo als epischer Maler gepriesen, während eine träumende
Mystik in den drei Grundfarben das Symbol der göttlichen Dreifaltigkeit ergrü-
belt."

49,22 ff. Vgl. hierzu Goethe an Schiller, 23. Dezember 1797: *Meyer hat bemerkt, daß man alle Arten der bildenden Kunst hat bis zur Malerei hinantreiben
wollen, indem diese durch Haltung und Farben die Nachahmung als völlig wahr
darstellen kann. So sieht man auch im Gang der Poesie, daß alles zum Drama, zur
Darstellung des vollkommen Gegenwärtigen sich hindrängt.*

49,25 f. Vgl. hierzu *Über Wahrheit und Wahrscheinlichkeit der Kunstwerke*
(*Propyläen I, 1*), S. 67 ff.

49,33 ff. Goethe denkt hier ohne Zweifel an die bronzenen Paradiestüren des
Florentiner Baptisteriums von Lorenzo Ghiberti aus den Jahren 1425–1452 (Leo
Planiscig, Lorenzo Ghiberti, Wien 1940, T. 47 ff.), Hauptbeispiele des malerischen
Reliefstils, die er aus Abgüssen des Herzogl. Museums zu Gotha kannte (Brief
vom 22. Juli 1796 an Meyer). Vgl. dazu Fernow, Römische Studien, III, S. 50:
,,Selbst die vorzüglichsten Werke der neueren Kunst in diesem Fache, die erhobenen Bildwerke des Lorenzo Ghiberti an den Türen der Taufkapelle zu Florenz,
haben den Fehler, daß sie völlig malerisch angeordnet sind, und sogar, nach der
einfältigen Sitte der alten florentinischen Maler, mehrere Momente in einem Bilde,
auf verschiedene Gründe hintereinander verteilt, enthalten. Aber der Charakter
schöner Einfachheit, die innige Wahrheit und Anmut des Ausdrucks, der fromme,
kindliche Sinn, womit diese Werke erfunden, die Liebe, mit welcher sie in der
kunstreichen, meisterhaften Ausführung vollendet sind, lassen uns jene Mängel
gern übersehen."

50,27. Hier wird wieder auf den Aufsatz *Über Laokoon* angespielt.

50,34 ff. Goethe hatte in Italien gelernt, Original und Kopie, Marmor und Gips
in ihrem Wert genau zu unterscheiden. Vgl. *Italienische Reise*, Bd. 11,
S. 151,10–13 und Nachwort, Abschnitt V von ,,Die Reise".

51,21 f. Die *Restauration* der *ursprünglichen Teile* hat Goethe sein
Leben lang mit Leidenschaft geübt. Schon im Umgang mit dem Straßburger Münster war diese Fähigkeit zu bemerken. (Vgl. Anmkg. zu
11,37.) Am bekanntesten sind seine Bemühungen um: Mantegnas
Triumphzug Julius Cäsars; Myrons Kuh; die Wandbilder Polygnots in
der Lesche zu Delphi; Philostrats Gemälde.

52,1 ff. Vgl. *Italienische Reise, 29. Juli 1787*, über die Medusa Rondanini: *Wie
gern sagt' ich etwas drüber, wenn nicht alles, was man über so ein Werk sagen
kann, leerer Windhauch wäre. Die Kunst ist deshalb da, daß man sie sehe, nicht
davon spreche, als höchstens in ihrer Gegenwart.* (Bd. 11, S. 372.)

52,26 f. Über Goethes Bild der *Kunstgeschichte*, seinen Zusammenhang mit der
Tradition und seine Versuche, das Bild der Tradition zu erweitern und zu vertiefen, vgl. v. Einem, Goethe-Studien, S. 120 ff.

53,31 ff. Vgl. hierzu Meyers Aufsatz „Über Lehranstalten zugunsten der bildenden Künste", *Propyläen 1799.* Kleine Schriften, S. 57 ff.

55,14 f. Goethes Plan, in Zusammenarbeit mit Meyer den *Kunstkörper* Italiens darzustellen, ist an den Zeitverhältnissen gescheitert. Einblick in diesen Plan geben die umfangreichen systematischen Vorarbeiten (Weim. Ausg. Bd. 34,2, S. 149–251) und Heinrich Meyers Nachlaß (beides kritisch noch nicht durchgearbeitet). Vgl. dazu Max Hecker in der Einleitung zu Goethes Briefwechsel mit Heinrich Meyer, I, Weimar 1917, S. VI, und v. Einem, Goethe-Studien, S. 125.

55,22 ff. Das geplante französische Nationalmuseum in Paris. Vgl. dazu im folgenden die Anmerkungen zu *Einleitung in die Propyläen.*

55,27 ff. Goethe hat in dieser Richtung mehrfach Anregungen gegeben. Am wichtigsten ist sein Plan zu einer Denkschrift über die rheinischen Altertümer, den er 1815 zusammen mit dem Reichsfreiherrn vom Stein entwarf und aus dem die Zeitschrift *Über Kunst und Altertum in den Rhein- und Maingegenden* hervorgegangen ist. Vgl. dazu S. 142 ff.

ÜBER LAOKOON

Erstdruck: *Propyläen I, 1, 1798.*

Goethe hat einen Abguß des Laokoonkopfes zuerst in Oesers Akademie in Leipzig gesehen (Bd. 9, S. 500). Bei seinem ersten Besuch des Mannheimer Antikensaales Ende Oktober 1769 hat er dann einen Abguß der ganze Gruppe kennengelernt. Er schreibt darüber in einem Brief an seinen Freund Langer, 30. 11. 1769: *J'en ai été extasié pour oublier presque toutes les autres statues.* Schon damals hat er (wie sich aus dem Brief ergibt) seine Betrachtungen – und zwar in Auseinandersetzung mit Lessing, Herder und Klotz – schriftlich niedergelegt und Oeser mitgeteilt. Aufsatz und Brief an Oeser sind aber nicht erhalten. August 1771 auf der Rückreise von Straßburg nach Frankfurt scheint er sich bei einem zweiten Besuch des Mannheimer Antikensaales noch einmal mit der Gruppe beschäftigt zu haben. So berichtet *Dichtung und Wahrheit, II. Buch* (Bd. 9, S. 501 f.). Es sind aber von Trevelyan, S. 324 f., berechtigte Zweifel erhoben worden, ob Goethe damals wirklich in Mannheim gewesen ist. Denn offensichtlich paßt Goethes Bericht in *Dichtung und Wahrheit* besser auf den Aufenthalt des Jahres 1769. Die *Italienische Reise* schweigt merkwürdigerweise völlig über den Eindruck des Originals. In Weimar stand Goethe ein Abguß vor Augen. Die Abhandlung der *Propyläen* faßt als reifes Ergebnis jahrzehntelanger Beschäftigung seine Erfahrungen und Erkenntnisse zusammen. Sie gehört in ihrer Gegenstandsnähe und geistigen Durchdringung zu den schönsten Beschreibungen von Kunstwerken, die wir überhaupt haben, und bedeutet in der Geschichte der Bild- oder Kunstbeschreibung einen Wendepunkt. „Sie haben" – so schreibt Schiller an Goethe, 10. Juli 1797 – „mit wenig Worten und in einer kunstlosen Einkleidung herrliche Dinge in diesem Aufsatz ausgesprochen und eine bewundernswürdige Klarheit über die schwere Materie verbreitet. In der Tat, der Aufsatz ist ein Muster, wie man Kunstwerke ansehen und beurteilen soll; er ist aber auch ein Muster, wie man Grundsätze anwenden soll." (Vgl. ferner Goethes Zusammenfassung seiner Ansichten in der Selbstanzeige der *Propyläen*. Weim. Ausg. Bd. 47, S. 35 ff.)

Die Gruppe des trojanischen Poseidonpriesters Laokoon und seiner beiden Söhne, die sich vergeblich gegen die tödliche Umschließung der Schlangen zu wehren suchen (Vergil, Aeneis, Buch 2), ist vermutlich die von Plinius in seiner Naturalis Historiae XXXVI, 37 genannte Gruppe der Künstler Hagesander, Polydoros und Athenodoros aus Rhodos und nicht lange vor Christi Geburt auf Rhodos geschaffen. Die Laokoongruppe wurde bald nach ihrer Entstehung in den Palast des Kaisers Titus gebracht. Sie wurde 1506 in der Nähe von Neros Goldenem Haus (in einem Raum, der zu den Wohngemächern des Titus zu gehören scheint) aufgefunden. Papst Julius II. kaufte sie an und ließ sie im Statuenhof des Vatikanischen Belvedere aufstellen. Seitdem gehört sie zu den Antiken, die die spätere Kunst und das spätere Kunstdenken am nachhaltigsten beeinflußt und beschäftigt haben. Vgl. Hellmut Sichtermann, Laokoon (Werkmonographien Nr. 101), Stuttgart 1964 und Leopold Ettlinger, Exemplum Doloris, in: De Artibus Opuscula XL, Essays in Honor of Erwin Panofsky, New York 1961.

Um die Mitte des 18. Jahrhunderts beginnt in der Geschichte ihres Nachruhmes ein neues Kapitel. 1755 erläuterte Winckelmann in seiner Erstlingsschrift „Gedanken über die Nachahmung griechischer Werke ..." das Ideal der „edlen Einfalt und stillen Größe" an dieser Gruppe: „So wie die Tiefe des Meeres allezeit ruhig bleibt, die Oberfläche mag noch so wüten, ebenso zeiget der Ausdruck in den Figuren der Griechen bei allen Leidenschaften eine große und gesetzte Seele." Bei Vergil dagegen erhebe Laokoon „ein schreckliches Geschrei". Diese Deutung und vor allem die Kritik Vergils rief Lessing auf den Plan. Sein „Laokoon" (1767 erschienen) verteidigt Vergil mit der Begründung, daß bildende Kunst und Dichtung verschiedenen Prinzipien gehorchen. Die Dichtung hat es mit dem inneren Sinn und dem Gefühl zu tun. Sie darf Dinge beschreiben, die der bildenden Kunst, die sich an das Auge wendet, verwehrt sind. Die Griechen haben sich nicht gescheut, in ihrer Dichtung körperliche und seelische Qual darzustellen. In der bildenden Kunst aber war ihr oberstes Gesetz die Schönheit. Das ist der Grund, warum Laokoon nicht schreit. Lessings These wurde u. a. von seinem Hauptgegner Klotz (,,Von den alten geschnittenen Steinen") angegriffen, von Lessing in den ,,Briefen antiquarischen Inhalts" (7. und 8. Brief, 1768) verteidigt. Herder trat in seinem ersten ,,Kritischen Wäldchen" gegen Lessing auf Winckelmanns Seite. – In der Auseinandersetzung seines verlorenen Aufsatzes mit diesen Standpunkten stellte sich der junge Goethe sowohl gegen Lessing wie gegen Winckelmann. *J'ai fait des remarques sur le Laocoon qui donnent bien de lumière à cette fameuse dispute, dont les cambattants sont de bien grands hommes. Mais comme nous voyons tous les jours, que jamais génie n'est universel, et que bon poète n'est pas d'abord bon architecte, c'est de même de Lessing, de Herder, de Klotz.* (An Langer, 30. November 1769.) Seinen Standpunkt kennen wir aus den *Ephemerides* (Weim. Ausg. Bd. 37, S. 90): *Die Alten ... scheuten nicht so sehr das Häßliche als das Falsche ... Es ist mir das wieder ein Beweis, daß man die Fürtrefflichkeit der Alten in etwas anders als der Bildung der Schönheit zu suchen hat.* In *Dichtung und Wahrheit, II. Buch,* heißt es: *Auf Laokoon jedoch war meine größte Aufmerksamkeit gerichtet, und ich entschied mir die berühmte Frage, warum er nicht schreie, dadurch, daß ich mir aussprach, er könne nicht schreien. Alle Handlungen und Bewegungen der drei Figuren gingen mir aus der ersten Konzeption der Gruppe hervor. Die ganze so gewaltsame als kunstreiche Stellung des Hauptkörpers war aus zwei Anlässen zusammengesetzt, aus dem Streben gegen die Schlangen, und aus dem Fliehn vor dem augenblicklichen Biß. Um diesen Schmerz zu mildern, mußte der Unterleib eingezogen und das Schreien unmöglich gemacht werden. So entschied ich mich auch, daß der jüngere Sohn nicht gebissen sei.* (Bd. 9, S. 502.)

Die Entscheidung des jungen Goethe für die Wahrheit als oberstes Kunstprinzip der Griechen bedeutet einen ersten Versuch, die griechische Kunst an seine eigenen Kunsterfahrungen, die ihn bisher im Kreise des holländischen Realismus gehalten hatten, anzuschließen. Sie bedeutet ferner (freilich noch mit unzureichenden Mitteln) den Versuch einer Vertiefung des traditionellen Griechenbildes, indem das Prinzip der Wahrheit die Darstellung des Leidens nicht ausschloß.

Es bedurfte eines Anstoßes von außen, ehe der reife Goethe das Laokoonproblem erneut aufgriff und eine Lösung suchte, die seine frühe Entscheidung mit seiner gereiften Kunsteinsicht versöhnte. 1797 gab ihm der Altertumsforscher Aloys Hirt (Bd. 11, Anm. zu 441, 22) bei einem Besuch in Weimar einen Aufsatz über die Gruppe, den Schiller dann in den ,,Horen" desselben Jahres veröffentlichte. In diesem Aufsatz setzt Hirt Schönheit und Wahrheit gleich. Goethe begrüßte Hirts Kritik an Winckelmann und Lessing. Sein Aufsatz, so schreibt er am 14. Juli 1797 an Meyer, hat das Verdienst, *daß er den Kunstwerken auch das Charakteristische und Leidenschaftliche als Stoff zuschreibt, welches durch den Mißverstand des Begriffs von Schönheit und göttlicher Ruhe allzu sehr verdrängt worden war.* Hirts eigentliche These aber, die Gleichsetzung von Schönheit und Wahrheit, die seiner eigenen Jugendthese nahestand, lehnte er nunmehr ab. Hirts Aufsatz ist der unmittelbare Anlaß zu Goethes *Propyläen*-Aufsatz gewesen. Am 5. Juli 1797 schreibt er an Schiller: *Ich habe bei dieser Gelegenheit mich eines Aufsatzes erinnert, den ich vor mehreren Jahren schrieb, und habe, da ich ihn nicht finden konnte, das Material, dessen ich noch wohl eingedenk bin, nach meiner und, ich darf wohl sagen, unserer jetzigen Überzeugung zusammengestellt.* Hirt hat zu Goethes Abhandlung in einem damals nicht gedruckten Aufsatz (veröffentlicht von Ferdinand Denk, Das Kunstschöne und Charakteristische von Winckelmann bis Friedrich Schlegel, München 1925) und in einem Aufsatz „Nachtrag über Laokoon" („Horen" 1797) Stellung genommen. – Meyer schrieb über Goethes Aufsatz an den Verfasser: Er „steht so schön in der Mitte zwischen den zwei Extremen, die da wechselweise behauptet worden, nämlich von der Schönheit ohne Teilnahm' und Leidenschaft als höchster Zweck und Ziel der Kunst und der Wahrheit, die man vorgestellt haben wollte. Wo bleibt im ersten Falle Leben, Bewegung, Rührung! Im andern behält die Kunst keine Würde, ist eine schlechte Nachahmerin, dienend, nicht frei, nicht herrschend." (26. Juli 1797.)

56,9f. Die Gruppe gehörte zu den durch den Friedensvertrag von Tolentino an Frankreich ausgelieferten Kunstwerken, war aber zur Zeit der Abfassung von Goethes Aufsatz in Paris noch nicht aufgestellt worden.

56,25ff. Goethes Bemerkungen über die *Bedingungen, welche wir von einem hohen Kunstwerke fordern* (57,21f.), spiegeln die kritische Auseinandersetzung mit den Grundsätzen Hirts wider. Die Begriffe *Anmut* (57,11ff.) und *Schönheit* (57,16ff.) entsprechen der in der *Einleitung in die Propyläen* unterschiedenen *geistigen* und *sinnlichen Behandlung.* Zu der ersteren vgl. 46,36–47,3. Durch die *sinnliche Behandlung* wird *das Werk durchaus den Sinnen faßlich, angenehm, erfreulich und durch einen milden Reiz unentbehrlich* (47,4–6).

57,24f. Die Gruppe hat für Goethe also paradigmatischen Wert. Hier zeigt sich der reife Goethe durchaus als Schüler Winckelmanns, dessen „Geschichte der Kunst des Altertums" zugleich „Versuch eines Lehrgebäudes" ist. Auch in seiner Hochschätzung folgt Goethe der Tradition und vor allem Winckelmann. „Der Weise" – so heißt es bei Winckelmann – „findet darinnen zu forschen und der Künstler unaufhörlich zu lernen, und beide können überzeuget werden, daß in diesem Bilde mehr verborgen liegt, als das Auge entdecket, und daß der Verstand des Meisters viel höher noch als sein Werk gewesen." Erst die allmähliche

Erschließung der klassischen und vorklassischen griechischen Kunst im 19. und 20. Jahrhundert hat den Ruhm der Gruppe erblassen lassen. Goethe hat ihre Anfänge (die Entdeckung der Skulpturen von Ägina, des Parthenon, von Phigalia) noch miterlebt und als neue Epoche für seine Einsicht in höhere bildende Kunst enthusiastisch begrüßt. Aber der hohen Einschätzung der Laokoongruppe ist er bis zuletzt treu geblieben. (Vgl. *Reizmittel in der bildenden Kunst.* Weim. Ausg. Bd. 49, 2, S. 34.)

57,35. Der Begriff *Anmut* oder *sinnliche Schönheit* wird hier näher umschrieben. Er dient dazu, Gegenstand und Form zu trennen. Der Ausdruck gehört zum Gegenstand, die Anmut liegt in der Form. So wird das Paradox erklärlich, daß gerade die Laokoongruppe *zugleich anmutig* sei. Hier wird der gedankliche Fortschritt über Winckelmann und Hirt besonders deutlich. So wenig der traditionelle Begriff der Anmut – oder der ebenfalls gebrauchte Begriff des *Zierates* (77,34) – ausreichen mag, das Wesen der künstlerischen Form auszuschöpfen, durch die (Winckelmann und Hirt noch unbekannte) Trennung von Gegenstand und Form war es möglich geworden, die Fülle verschiedenartigen Ausdrucks als Stoff für die Kunst anzuerkennen, ohne die Forderung an die Schönheit der Form einschränken zu müssen. Vgl. in der Novelle *Der Sammler und die Seinigen* die Stelle über den Niobidensarkophag 77,33–39.

58,30ff. Vgl. hierzu Meyer, ,,Über die Gegenstände der bildenden Kunst": ,,In symbolischen Figuren der Gottheiten oder ihrer Eigenschaften bearbeitet die bildende Kunst ihre höchsten Gegenstände, gebietet selbst Ideen und Begriffen, uns sinnlich zu erscheinen, nötigt dieselben, in den Raum zu treten, Gestalt anzunehmen und den Augen anschaulich zu werden ... Der große Zyklus der zwölf obersten Gottheiten und die kleineren der Musen, der Grazien, Horen, Parzen usw. greifen alle, wie Räder eines Uhrwerks, zum Zweck eines vollendeten Ganzen in einander; sie umfassen, füllen und begrenzen auch, wie es scheint, das ganze Gebiet der Kunst im Charakteristischen, im idealisch Erhabenen, im Gefälligen, Reizenden und Schönen."

59,9f. Goethe denkt hier an das ihm seit seiner Jugend bekannte Bildwerk der Niobe mit ihrer jüngsten Tochter, Florenz, Uffizien, einst Mitte einer figurenreichen Gruppe, die den Tod der Söhne und Töchter der Niobe durch die Pfeile Apollons und seiner Schwester Artemis darstellte. Das Bildwerk ist die römische Nachbildung eines griechischen Originales des 4. Jahrhunderts, das im Altertum Praxiteles oder Skopas zugeschrieben wurde. Vgl. K. W. Stark, Niobe und die Niobiden in ihrer literarischen, künstlerischen und mythologischen Bedeutung, Leipzig 1863, und: Erna Mandowsky, Some notes on the early history of the Medicean ,,Niobide", Gazette des beaux arts, 1953. Über die Gruppe hat Meyer einen von Goethe redigierten Aufsatz in den *Propyläen, 1799,* geschrieben. Goethe schreibt darüber an Schiller: *Indem ich dieser Tage den Aufsatz über die Familie der Niobe durchging, hätte ich mögen anspannen lassen, um nach Florenz zu fahren.* (21. Juli 1798.)

59,12. Antike Großbronze der Zeit von Christi Geburt. Rom, Konservatoren-
palast, Sala dei Trionfi, Nr. 2. Stuart-Jones, A Catalogue of the Ancient Roman
Sculptures preserved in the Municipal Collections of Rome. Oxford 1926, S. 43,
Pl. 60.

59,13. Späthellenistische Ringergruppe, Marmor, Florenz, Uffizien, Tribuna.
Brunn-Bruckmann, Denkmäler römischer Skulptur, T. 431.

59,13 f. Zwei einander genau entsprechende hellenistische Marmorgruppen eines Satyrs, der mit einem Hermaphroditen ringt. Dresden, Staatl. Skulpturen-
sammlung. Brunn-Bruckmann, T. 731.

60,15. Goethe beabsichtigt, in den *Propyläen* einen Aufsatz *Über das Betrachten der Statuen bei der Fackel* zu bringen. Vgl. *Fernere Aufzeichnung über den
Inhalt der Propyläen.* (Weim. Ausg. Bd. 47, S. 283.) Dieser Plan kam aber nicht
zur Ausführung. Ein Manuskript über dieses Thema von Meyer veröffentlichte er
in der *Italienischen Reise* (Bd. 11, S. 439–441).

60,16 ff. In der Anzeige der *Propyläen* heißt es: *Der Vater wird im Augenblicke
verwundet, der jüngste Sohn ist aufs äußerste verstrickt und geängstigt, der älteste
könnte sich vielleicht noch retten. Das erste erschreckt uns, das zweite quält uns mit
Furcht, und das dritte tröstet uns durch Hoffnung.* (Weim. Ausg. Bd. 47, S. 40.)

60,33. Obwohl Goethes Beobachtung richtig ist, ist sie von der archäologischen Forschung (auch in der neuesten Rekonstruktion von
Filippo Magi) nicht berücksichtigt worden.

60,34. Über die Restauration der Gruppe s. Meyers Aufsatz in den *Propyläen,
1799*: „Einige Bemerkungen über die Gruppe Laokoons und seiner Söhne" und
(den Standpunkt der heutigen Archäologie zusammenfassend) Arnold v. Salis,
Antike und Renaissance, Zürich 1947, S. 145. Vgl. auch Sichtermann, S. 5 ff.

61,26 ff. Hier lenkt Goethe zu Winckelmann zurück, in dessen Beschreibung
gerade dieses Moment besonders betont wird. Winckelmann spricht von dem
„Bild eines Mannes", „der die bewußte Stärke des Geistes gegen den Schmerz zu
sammeln suchet".

62,18–20. Dieses Thema hat die antike Plastik nicht dargestellt.

63,26. Der rechte Arm des jüngsten Sohnes ist eine Ergänzung Cor-
nacchinis und muß (wie der rechte Arm des Laokoon) nach innen gebogen vorgestellt werden. Vgl. die Rekonstruktion von Filippo Magi bei
Sichtermann, Abb. 3, S. 13.

64,4 f. Goethe kannte das Thema aus der Naturalis Historia des Plinius (35,63),
der ein Gemälde des Zeuxis „Hercules infans, dracones strangulans" erwähnt, aus
den „Imagines" des jüngeren Philostrat (vgl. dazu *Philostrats Gemälde* Weim.
Ausg. Bd. 49,1, S. 113–115) und aus einem Gemälde aus Herkulaneum (freilich ist
Herakles in diesen antiken Werken nicht schlafend dargestellt). – Zu dieser Stelle
schrieb Meyer am 26. Juli 1797: „Es ist ein junger Herkules zu Florenz vorhanden, zwar nicht ruhend, sondern wie er die Schlangen mit seinen Händen erwürgt.
Der Künstler dieses Werks kann neben dem Urheber des Laokoon seinen
Platz einnehmen ... Es ist ein köstliches, herrliches Werk, welches Sie dereinst
nicht ohne Bewunderung sehen werden." Es handelt sich hier um die schon von
Winckelmann erwähnte späthellenistische Gruppe in Florenz, Uffizien. Zum The-

ma vgl. Otto Brendel, Der schlangenwürgende Herakliskos, Jb. d. Deutschen
Archäolog. Instituts, Bd. 47, 1932, S. 191ff. Die Florentiner Gruppe Abb. 12.

64,37f. Winckelmann deutet den Ausdruck des Vaters anders: „Sein eigenes
Leiden ... scheint ihn weniger zu beängstigen als die Pein seiner Kinder, die ihr
Angesicht zu ihrem Vater wenden und um Hilfe schreien, denn das väterliche
Herz offenbaret sich in den wehmütigen Augen, und das Mitleiden scheinet in
einem trüben Dufte auf denselben zu schwimmen."

65,2. *Furcht, Schrecken und Mitleiden.* Goethe hatte damals erneut des Aristoteles Poetik studiert (vgl. Brief an Schiller, 28. April 1797).

65,32ff. In einem Brief vom Oktober 1796 (Briefwechsel I, S. 367ff.) nennt
Meyer unter gleichen Gesichtspunkten Laokoon, Niobe und Farnesischen Stier
zusammen. Über die Gruppe der Niobe schrieb er in den *Propyläen 1799.* Die
Gruppe des Farnesischen Stiers ist in den *Propyläen* nicht besprochen worden,
obwohl Meyer es lebhaft wünschte (26. Juli 1797 an Goethe) und der Plan auch in
der *Ferneren Aufzeichnung über den Inhalt der Propyläen* erwähnt wird.

65,39–66,2. *Milo,* ein durch seine Stärke berühmter Athlet aus Kroton, sechs-
mal Sieger in Olympia, lebte im 6. Jhdt. v. Chr. Seinen Tod fand er, als er einen
Baumstamm, in dem Keile steckten, mit den Händen auseinanderreißen wollte,
aber, im Spalt festgehalten, von wilden Tieren zerrissen wurde. Die bekanntesten
neueren Bildwerke dieses Themas sind Pierre Pugets Gruppe von 1682 und Etienne Maurice Falconets Aufnahmestück in die Akademie von 1754 (Edmund Hildebrand, Malerei und Plastik des 18. Jahrhunderts in Frankreich, Wildpark-Potsdam
1924, Abb. 45 und 76). 1768 errang Jacques-Edme Dumont mit dem Milonthema
den Rompreis der französischen Akademie (vgl. Saunier, Les grands prix de peinture, sculpture, gravure en médaille, Paris 1896, S. 33). Zu Pugets Gruppe von
1682: Paris, Louvre (Klaus Herding, Pierre Puget, Das bildnerische Werk, Berlin
1970, Kat. Nr. 38, Tf. 180). – Zu Falconets Aufnahmestück in die Akademie von
1754: ebenfalls Paris, Louvre. (Vgl. Edmund Hildebrandt, Malerei und Plastik des
18. Jahrhunderts in Frankreich, Wildpark-Potsdam 1924, Abb. 76.)

66,7ff. Vgl. zu diesem *Wort* neben der einleitend genannten Literatur Christian
Gottlieb Heynes „Prüfung einiger Nachrichten und Behauptungen vom Laokoon
im Belvedere" (Sammlung antiquarischer Aufsätze, Leipzig 1779) und Schillers
Aufsatz „Über das Pathetische", Neue Thalia, 1793 und 1794. Auch Schiller nennt
Vergils Erzählung „bloß Nebenwerk".

ÜBER WAHRHEIT UND WAHRSCHEINLICHKEIT
DER KUNSTWERKE

Erstdruck: *Propyläen I, 1, 1798.*

Zur Durchführung seines großen Italienwerkes plante Goethe 1797,
sich mit Meyer in Italien zu treffen. Die politischen und kriegerischen
Ereignisse und eine Erkrankung Meyers brachten den Plan der Italienreise zum Scheitern. Goethe fuhr am 30. Juli 1797 von Weimar ab,
machte in Frankfurt Station, begnügte sich aber dann, Meyer in seinem
Heimatort Stäfa am Zürcher See aufzusuchen. *Nach Italien habe ich*

keine Lust (an Knebel, 10. August 1797). Von dieser nur halb ausgeführten Reise gibt der Bericht *Aus einer Reise in die Schweiz über
Frankfurt, Heidelberg, Stuttgart und Tübingen im Jahre 1797* Kunde. –
In Frankfurt sah Goethe im Theater die Oper ,,Palmyra" von Mozarts
Rivalen, dem Wiener Hofkapellmeister Antonio Salieri, mit den Deko-
rationen des Mailänders Giorgio Fuentes (1756–1822), die seine Bewun-
derung erregten. *Man sieht die Studien einer großen Schule und die
Überlieferungen mehrerer Menschenleben in den unendlichen Details,
und man darf wohl sagen, daß diese Kunst hier auf dem höchsten Grade
steht.* – Am 18. August – dem Datum der Erstfassung des Gesprächs
(Weim. Ausg. Bd. 47, S. 432) – notiert er: *Ich besuchte gestern den
Theatermaler, dessen Werke mich so sehr entzückt hatten, und fand
einen kleinen, wohlgebildeten, stillen, verständigen, bescheidenen
Mann. Er ist in Mailand geboren, heißt Fuentes, und als ich ihm seine
Arbeiten lobte, sagte er mir: er sei aus der Schule des Gonzaga, dem er,
was er zu machen verstehe, zu verdanken habe.* Aufführung der Oper
,,Palmyra" in Frankfurt und Besuch bei Fuentes geben den biographi-
schen Hintergrund des Gespräches ab. Zu Fuentes vgl.: Josephine
Rumpf-Fleck, Italienische Kultur in Frankfurt im 18. Jahrhundert,
Köln-Stuttgart 1936. – Hans Tintelnot, Barocktheater und Ba-
rockkunst, Berlin 1939. Und: Albert Richard Mohr, Frankfurter Thea-
terleben im 18. Jahrhundert, Frankfurt 1940.

67,4ff. Daß Goethe die *gemalten Zuschauer* verteidigt, hat die Goethephilolo-
gie zu Unrecht beanstandet (vgl. Jub.-Ausg. Bd. 33, S. 308f.). Im Gegenteil zeigt
sich hier Goethes weiter Sinn und seine Unvoreingenommenheit. Die *gemalten
Zuschauer*, die ihm aus seiner Kenntnis der italienischen Kunst geläufig waren,
gehörten für ihn zum Begriff der Theatermalerei. Die *Baukunst im höheren Sinn
soll ein ernstes, hohes, festes Dasein ausdrücken, sie kann sich, ohne schwach zu
werden, kaum aufs Anmutige einlassen; auf dem Theater aber soll alles eine anmutige Erscheinung sein. Die theatralische Baukunst muß leicht, geputzt, mannigfaltig sein, und sie soll doch zugleich das Prächtige, Hohe, Edle darstellen. Die Deko-
rationen sollen überhaupt, besonders die Hintergründe, tableaux machen. Der
Dekorateur muß noch einen Schritt weiter tun als der Landschaftsmaler, der auch
die Architektur nach seinem Bedrüfnis zu modifizieren weiß.* (An Schiller, 14. August 1797).

68,12–14. Vgl. hierzu *Wanderjahre II,9* (Bd. 8, S. 262): ,,. . . *man sagt ja, die
Wahrheit liege in der Mitte.*" – ,,*Keineswegs!*" *erwiderte Montan:* ,,*in der Mitte
bleibt das Problem liegen, unerforschlich vielleicht, vielleicht auch zugänglich,
wenn man es darnach anfängt.*"

70,4f. Goethe stellt *innere Wahrheit, die aus der Konsequenz eines
Kunstwerks entspringt,* gegen die äußere Wahrheit der bloßen Natur-
nachahmung, Kunstwahrheit gegen Naturwahrheit. Diese Entgegenset-
zung ist ein Hauptanliegen des reifen Goethe, das in den Schriften der

mittleren Zeit immer wieder begegnet. Der Begriff der *inneren Wahrheit* entspricht dem Begriff der *innern Form* (22,16) in den Kunstschriften des jungen Goethe.

70,38f. Goethe denkt hier an die von dem älteren Plinius in seiner „Naturalis Historia" (35,54) überlieferte, von den späteren Kunstschriftstellern seit Ghiberti immer wiederholte Geschichte von Zeuxis, dessen gemalte Weintrauben die Vögel herbeilockten.

DER SAMMLER UND DIE SEINIGEN

Erstdruck: *Propyläen II, 2, 1799.*

Goethe schrieb am 19. Juni 1799 an Schiller: *Ich lege den Sammler bei und wünsche, daß der Spaß, indem er nun beisammen ist, Sie wieder unterhalten möge. Gedenken Sie dabei der guten Stunden, in denen wir ihn erfanden.* Schiller antwortete am folgenden Tage: „Es hat mir in der Gestalt, worin es jetzt ist, noch viel reicher und belebter geschienen, als je vorher beim einzelnen Lesen, und es muß als das heiter und kunstlos ausgegossene Resultat eines langen Erfahrens und Reflektierens auf jeden irgend empfänglichen Menschen wundersam wirken. Der Gehalt ist nicht zu übersehen, eben weil so vieles Wichtige nur zart, nur im Vorbeigehen angedeutet ist."

Die Kunstnovelle ist eine Gemeinschaftsarbeit von Goethe und Schiller. Goethe berichtete darüber an Meyer: *Heute vor acht Tagen kam mit Schillern etwas zur Sprache, das wir in einigen Abenden durcharbeiteten und zu einer kleinen Komposition schematisierten. Ich fing gleich an auszuführen und bringe es wahrscheinlich diese Woche zustande ... Es heißt: Der Kunstsammler und ist ein kleines Familiengemälde in Briefen und hat zur Absicht, die verschiedenen Richtungen, welche Künstler und Liebhaber nehmen können, wenn sie nicht aufs Ganze der Kunst ausgehen, sondern sich an einzelne Teile halten, auf eine heitere Weise darzustellen.* (27. November 1798.) An Inhalt und Gestalt hat Schiller regsten Anteil. Die Ausführung ist von Goethe (vgl. Goethe an Schiller, 22. Juni 1799). Am 12. Mai 1799 war die Novelle in der vorliegenden Form vollendet.

Die Personen der Novelle sind: ein Arzt und Besitzer eines Kunstkabinetts, zwei Nichten, die bei ihm wohnen, Besucher des Kunstkabinetts, unter ihnen ein Philosoph und ein Fremder. Der Arzt tritt mit dem Herausgeber der *Propyläen* in Korrespondenz und schildert, abwechselnd mit seiner Nichte Julie, Entstehung der Sammlung und ihre Besucher. Der vorliegende Band beschränkt sich auf die Wiedergabe des *5.* und *6. Briefes* und von Teilen des *8. Briefes,* in denen die eigentlichen Probleme der Novelle (Verhältnis von Charakter und Schönheit und die Klassifikationen von Künstlern und Liebhabern) zur Sprache kommen.

Literatur: Mattis Jolles, Goethes Kunstanschauung, Bern 1957.

73,8 ff. Im *4. Brief* hatte der Arzt dem Herausgeber der *Propyläen* empfohlen, eine gewisse heitere Liberalität gegen alle Kunstfächer zu zeigen, den beschränktesten Künstler und Kunstliebhaber zu schätzen, sobald jeder nur ohne sonderliche Anmaßung sein Wesen treibt, andererseits alle diejenigen zu befehden, die von beschränkten Ideen ausgehen und mit einer unheilbaren Einseitigkeit einen vorgezogenen und beschützten Teil der Kunst zum Ganzen machen wollen. *Lassen Sie uns, zu diesen Zwecken, eine neue Art von Sammlung ordnen, die diesmal nicht aus Bronzen und Marmorstücken, nicht aus Elfenbein noch Silber bestehen soll, sondern worin der Künstler, der Kenner und besonders der Liebhaber sich selbst wiederfinde. (4. Brief.)* Er schickt ihm einen ersten leichtesten Entwurf einer Klassifizierung von Künstlern und Liebhabern, der schon Nachahmer, Punktierer, Skizzisten u. a. enthält, und fordert den Adressaten auf: *Geben Sie mir das gleiche zurück. (4. Brief.)* Darauf bezieht sich der Eingang des *5. Briefes.*

73,25. In dem *Fremden* ist deutlich Aloys Hirt zu erkennen, dessen Weimarer Besuch 1797 und dessen Aufsätze ,,Versuch über das Kunstschöne" und ,,Laokoon" (,,Horen" 1797) zu den Erörterungen über das Charakteristische und Schöne führten, die auch die folgende Unterhaltung (mit wörtlichen Zitaten aus Hirts Aufsätzen) bestimmen.

74,8. Zu dem Begriff der *Manier* vgl. Anmkg. zu 30,10f.

74,14. *Kollation* = collazione (italienisch) = Imbiß. – Der *Philosoph* wird im *2. Brief* als *junger Mann* eingeführt. *Als er auf Akademien zog, versprach er viel. Er trat aus der Schule, stark im Griechischen und Lateinischen, mit schönen Kenntnissen beider Literaturen, bewandert in der alten und neuen Geschichte, nicht ungeübt in der Mathematik, und was noch alles erfordert wird, um dereinst ein tüchtiger Schulmann zu werden; und nun kommt er zu unserer größten Betrübnis als Philosoph zurück.* Aus dem folgenden ergibt sich, daß mit dem *Philosophen* Schiller gemeint ist.

76,14 ff. Vgl. hierzu Schiller an Goethe: Die Ästhetiker ,,müssen freilich verlegen sein, wenn sie den Vatikanischen Apoll und andere ähnliche, durch ihren Inhalt schon schöne Gestalten mit dem Laokoon, mit einem Faun oder anderen peinlichen oder ignoblen Repräsentationen unter einer Idee von Schönheit begrifen sollen". (7. Juli 1797.)

76,27. Bei *Dirce mit ihren Stiefsöhnen* handelt es sich um die Gruppe des Farnesischen Stieres, eine römische Kopie der kolossalen Marmorgruppe des Apollonios und Tauriskos aus der Mitte des 2. Jhdts. v. Chr., die die beiden Jünglinge Zethos und Amphion darstellt, die ihre böse Stiefmutter Dirke an die Hörner eines wilden Stieres binden. Vgl. Bd. 11, Anmkg. zu 352,20.

77,6. *Assertion* = Behauptung.

77,7. Angelo *Fabroni*, Dissertazione sulle Statue appartenenti alla favola di Niobe, Firenze 1779. Vgl. dazu Heinrich Meyers Hinweis auf Fabronis Abbildungen *Propyläen II, 2, 1799*, S. 133.

77,17ff. Es handelt sich hier um einen Sarkophag in Rom, Vatikan. (Abb.: Fabroni, T. 18 und 19, und: Carl Robert, Die antiken Sarkophagreliefs, III, Berlin 1919, Nr. 313.) In den *Propyläen II, 2, 1799*, S. 137 heißt es über ihn: ,,Das Basrelief auf der Graburne im Clementinischen Museum ist hingegen in seiner ganzen Erfindung und Anordnung auf das Gefällige und Angenehme berechnet. Es deutet auf Zeiten, wo die Kunst freier und leichter zu Werke ging und das Symmetrische mehr zu verbergen bemüht war." (Heinrich Meyer.)

78,1. Vgl. Lessings Abhandlung ,,Wie die Alten den Tod gebildet", 1769, und Herders ,,Nachtrag", der in dem Genius mit der gesenkten Fackel nicht den Tod, sondern den Schlaf sieht (6. Brief). ,,An die Gottheit des Todes sollte bei diesem Genius nicht gedacht werden, dieser Erinnerung wollte man vermittelst seiner eben entweichen."

79–88. In den *6. Brief* sind nach Ernst Boehlich, S. 101ff., Bestandteile eines verlorenen Schillerbriefes eingegangen. Doch muß daran festgehalten werden, daß Gedankenführung und Formulierung Goethe angehören. Am 27. April 1799 schreibt Goethe an Schiller: *Ich schicke die erste Hälfte des ,,Sammlers" schon unter die Presse, indem sich die zweite noch im limbo patrum befindet. Ich hoffe auch diese, wenn wir nur einmal zusammen sind, bald ans Tageslicht zu fördern.* Am 11. Mai schreibt er: *Den 6. Brief, der hier beiliegt, sende ich, wie er hat werden können. Er mag als Skizze so hingehen; um ihn würdig auszuführen, gehört mehr dazu, als ich jetzt imstande bin zu leisten. Betrachten Sie ihn daher von der Seite: ob er nichts enthält, was dem Zweck zuwider ist, da er den Zweck nicht ganz erfüllen kann.* In der fraglichen Zeit zog Schiller in Jena um und hatte keine ,,ruhige Stunde". – Eine von der gedruckten Fassung abweichende handschriftliche Fassung: Weim. Ausg. Bd. 47, S. 334–337.

79,13. *Relation* = Bericht.

80,37ff. Schiller, der Hirts Aufsätze in die ,,Horen" aufgenommen hatte, war an der Erörterung über das Charakteristische leidenschaftlich interessiert. Noch vor Kenntnis von Goethes Entgegnung auf Hirts Laokoonaufsatz schrieb er an Goethe: ,,Wie hat man sich von jeher gequält und quält sich noch, die derbe, oft niedrige und häßliche Natur im Homer und in den Tragikern bei den Begriffen durchzubringen, die man sich von dem griechischen Schönen gebildet hat. Möchte es doch einmal einer wagen, den Begriff und selbst das Wort Schönheit, an welches einmal alle jene falschen Begriffe unzertrennlich geknüpft sind, aus dem Umlauf zu bringen und, wie billig, die Wahrheit in ihrem vollständigsten Sinn an seine Stelle zu setzen." (7. Juli 1797.) An diese Stelle werden wir hier erinnert. Noch neigt Schiller auf Hirts Seite, obwohl sein Begriff der Wahrheit dem im *Sammler* entwickelten Goetheschen Schönheitsbegriff schon nahe kommt.

81,15. Mit den *neuen Herren Philosophen* sind Kant und seine Anhänger gemeint. Kant hatte in seiner ,,Kritik der Urteilskraft" (1790) zum ersten Mal ein eigenes Gebiet für das Ästhetische abgegrenzt: das Gefühl. Von ihm ging Schiller in seinen ästhetischen Schriften aus, und auch in Goethes Äußerungen ist die Wirkung von Kants Werk in der schärferen Unterscheidung von Subjekt und Objekt deutlich zu spüren. Im Alter hat er sein Verhältnis zur neueren Philosophie rückschauend ausgesprochen: *Ich danke der kritischen und idealistischen Philosophie, daß sie mich auf mich selbst aufmerksam gemacht hat, das ist ein ungeheurer Gewinn, sie kommt aber nie zum Objekt.* (18. September 1831 an Schultz.)

81,32ff. Gegenüber dem Primat des Verstandes und der in der vorkantischen Philosophie üblichen Trennung der oberen und unteren Seelenkräfte wird hier die Einheit des Menschen betont und die Kunst als ein der Philosophie ebenbürtiges Organ, die Welt zu erfassen, in ihr altes Recht wiedereingesetzt.

82,8ff. Zum folgenden vgl. den Aufsatz S. 30ff., insbesondere S. 33f.

83,14. Vgl. 1. Mos. 1,26. *Elohim* = Plural zu Eloah. (Vgl. Bd. 2, S. 13 und Bd. 9, S. 352,9.)

84,16. Winckelmann unterschied in der „Geschichte der Kunst des Altertums" den „großen und hohen", den „schönen" Stil und den „Stil der Nachahmer".

84,31ff. Vgl. hierzu Schillers Deutung der Juno Ludovisi im 15. Brief „Über die ästhetische Erziehung des Menschen": „Indem der weibliche Gott unsere Anbetung erheischt, entzündet das gottgleiche Weib unsere Liebe; aber indem wir uns der himmlischen Holdseligkeit aufgelöst hingeben, schreckt die himmlische Selbstgenügsamkeit uns zurück."

85,9. *Ägide.* Der grauenvolle, furchtbar strahlende unzerbrechliche Schild des Zeus, ein Werk des Hephästos.

85,32f. Wie sehr auch der reife Goethe mit seiner Forderung des Schöpferischen selbst beim Bildnis die Schranken der alten Rangordnungen durchbricht, wird deutlich, wenn man mit diesem Satz Meyers Erörterungen über Bildnisse in seinem Aufsatz „Über die Gegenstände der bildenden Kunst" vergleicht: „Das Bestreben des Künstlers und der Wunsch des Abgebildeten gehen beide nur auf äußere Ähnlichkeit der Gesichtszüge, der weitere, edlere Zweck des Kunstwerks in Darstellung des Charakters wird dabei weder gefordert noch gekannt ... Das Bild hat kein allgemeines Interesse, wenn auch übrigens die mechanische Behandlung an demselben gut sein kann."

86,35ff. Die folgenden Worte fast religiöser Ergriffenheit gehören zu Goethes schönsten Äußerungen über die schaffende Kraft des Genies. Sie zeigen besonders deutlich, daß der reife Goethe die Grundlagen seiner Jugend nicht verleugnet.

89,1ff. Der *7. Brief* gibt Juliens Bericht des folgenden Tages über verschiedene Besucher im Kunstkabinett des Oheims. Der *8. Brief* gibt das im *6. Brief* angekündigte Schema des Philosophen, von Juliens Hand nach den gemeinsamen Unterhaltungen zu Papier gebracht. *Es trat ein sonderbarer Umstand ein, als wir die Liebhaber, die uns gestern besuchten, auch mit in unsere Einteilung einrangieren wollten. Sie paßten nirgends hin, wir fanden eben gar kein Fach für sie. Als wir darüber unsern Philosophen tadelten, versetzte er: "Meine Einteilung kann andere Fehler haben; aber das gereicht ihr zur Ehre, daß außer dem Charakteristiker niemand Ihrer übrigen diesmaligen Gäste in die Rubriken paßt. Meine Rubriken bezeichnen nur Einseitigkeiten, welche als Mängel anzusehen sind, wenn die Natur den Künstler dergestalt beschränkte, als Fehler, wenn er mit Vorsatz in dieser Beschränkung verharrt. Das Falsche, Schiefe, fremd Eingemischte aber findet hier keinen Platz. Meine sechs Klassen bezeichnen die Eigenschaften, welche, alle zusammen verbunden, den wahren Künstler sowie den wahren Liebhaber ausmachen würden ..."* – Die Tatsache, daß das Schema von dem *Philosophen* entworfen worden ist, deutet auf Schillers Anteil. Außerdem gibt es einen handschriftlichen Entwurf des Schemas von Schiller mit handschriftlichen Zusätzen Goethes, aus dem die Zusammenarbeit beider genau hervorgeht (Weim. Ausg. Bd. 47, S. 338 f.). Von Goethe stammen die Begriffe *Nachahmer* (Kopisten, Schattenrißler, Leister, Poetisierer, Scheinmänner, Nebulisten, Phantasmisten, Schwebler und Nebler), *Imaginanten* (Charaktermänner, Rigoristen, Winkler, Steife), *Undulisten* (Schlängler, Liberale), *Kleinkünstler* (Miniaturisten, Pünktler, Punktierer, Skizzisten, Umrißler, Entwerfer), *Improvisatoren, Karikanten,* von ihm auch die Unterteilung in *Ernst, Ernst und Spiel* und *Spiel.* – Wie sehr die Klassifizierung in der vorliegenden Form Goethesch ist, geht aus Schillers Brief vom 20. Juni 1799 an Goethe nach Übersendung der Novelle hervor: "Die Aufführung der Charaktere und Kunstrepräsentanten hat dadurch noch sehr gewonnen, daß unter den Besuchfratzen keine in das Fachwerk paßt, welches nachher aufgestellt wird. Nicht zu erwähnen, daß der kleine Roman dadurch – poetisch – an Reichtum und Wahrheit gewinnt, so wird auch dadurch philosphisch der ganze Kreis vollendet, welcher in den drei Klassen des Falschen, des Unvollkommenen und des Vollkommenen enthalten ist. Die letzteren Ausführungen, die ich noch nicht kannte, sind sehr glücklich." – Die Klassifizierung der Künstler und Liebhaber setzt Gedanken des Aufsatzes *Einfache Nachahmung der Natur, Manier, Stil* fort. Denn auch dort handelt es sich nicht nur um Wertbegriffe, sondern um Begabungstypen. Im *Sammler* werden diese Ansätze weiter ausgebaut. Mengs hatte in seinen "Betrachtungen über die Schönheit" und in dem "Schreiben an Herrn Pons" den ersten Versuch einer Typenlehre gemacht. Er sieht die Mannigfaltigkeit möglicher Stile (den älteren, hohen, schönen, den Stil der Nachahmer) nicht nur, wie Winckelmann, historisch, sondern auch psychologisch. Er teilt den Geschmack in den guten, mittelmäßigen, schlechten, großen, kleinen, ausdrucksvollen, reizenden, den Stil in den hohen, schönen, reizenden, bedeutenden oder ausdrucksvollen, den natürlichen, fehlerhaften und leichten. Er scheidet die koloristische und die zeichnerische Anlage. Goethes Einteilung führt weit über Mengs hinaus und hat auch für uns ihre Fruchtbarkeit noch nicht eingebüßt. Goethe sah hier erst einen Anfang. An Schiller schrieb er: *Der wahre Nutzen für uns steht noch eigentlich bevor.* (22. Juni 1799.) Er hoffte seinen Klassen eine *ungeheure Tiefe* geben zu können, indem er sie auf die größten Künstler übertragen, *diese außerordentlichen Menschen in ihrer Beschränktheit betrachten und sie doch als Könige oder hohe Repräsentanten ganzer Gattungen aufstellen* (22. Juni 1799) wollte. In einer Gemeinschaftsarbeit wiederum mit Schiller über den Dilettantismus, von der sich viele Vorarbeiten erhalten haben (Weim. Ausg. Bd. 47, S. 299–326) und die ebenfalls für die *Propyläen* bestimmt war, hoffte er, von dem im *Sammler* gelegten Fundament zu sehr wichtigen Resultaten zu kommen. (An Schiller, 22. Juni 1799.) – Schiller war in den Briefen an Körner 1793, die seine Auseinandersetzung mit Kant spiegeln, zu ähnlichen Ergebnissen wie Goethe in seinem Aufsatz *Einfache Nachahmung der Natur, Manier, Stil* gekommen. ,,Der große Künstler . . . zeigt uns den Gegenstand (seine Darstellung hat Subjektivität), der schlechte seinen Stoff (die Darstellung wird durch die Natur des Mediums und durch die Schranken des Künstlers bestimmt).'' (Brief an Körner vom 28. Februar 1793. Beilage: ,,Das Schöne in der Kunst''.)

92,24. *bloß logisches Dasein.* Ausdruck aus Schillers handschriftlichem Entwurf.

93,1 f. Hier ist an William Hogarths ,,Analysis of Beauty'', London 1753, mit ihrer Theorie der Schönheitswellenlinie gedacht, deren Ursprung freilich im italienischen Manierismus liegt. Von Hogarths Buch gibt es eine deutsche Übersetzung von Mylius mit Vorrede von Lessing, 1754. Daß Goethe Hogarth kannte, geht aus seinen Briefen vom 31. Juli und 8. August 1775 an Lavater hervor.

WINCKELMANN

Erstdruck in dem Sammelwerk: *Winckelmann und sein Jahrhundert. In Briefen und Aufsätzen herausgegeben von Goethe.* Tübingen 1805. Neuausgabe von Helmut Holtzhauer, Leipzig 1969. – Wichtige Neuausgabe des Goetheschen Winckelmannaufsatzes von E. Howald, Zürich 1943.

Die *Propyläen* sollten nicht nur der Kunsterkenntnis, sondern auch der Kunsterziehung dienen. 1799 hatte Goethe mit Meyer begonnen, in Anknüpfung an die gemeinsame Abhandlung *Über die Gegenstände der bildenden Kunst* den Künstlern Gelegenheit zu geben, *jene aufgestellten Maximen praktisch zu prüfen (Propyläen II, 1, S. 163),* indem sie Preisaufgaben stellten. Diese Preisaufgaben der *Weimarischen Kunstfreunde*

(Goethes, Meyers, Schillers, seit 1804 auch Fernows) wurden, nachdem die *Propyläen* 1800 eingegangen waren, in der Jenaer ,,Allgemeinen Literaturzeitung" fortgesetzt. Auch sie kamen aber nicht über das Jahr 1805 hinaus. Dieses Jahr, in dem die Preisaufgaben dasselbe Schicksal erlitten wie die *Propyläen* (zugleich das Todesjahr Schillers), ist das Erscheinungsjahr des Sammelwerkes über Winckelmann. Es stellt eine Art Fortsetzung der *Propyläen* dar und versucht aufs neue, der eigenen klassischen Lehre Gehör zu verschaffen.

In den *Tag- und Jahresheften*, Abschnitt *1804*, schreibt Goethe: *Winckelmanns frühere Briefe an Hofrat Berendis waren schon längst in meinen Händen, und ich hatte mich zu ihrer Ausgabe vorbereitet. Um das, was zu Schilderung des außerordentlichen Mannes auf mannigfaltige Weise dienen könnte, zusammenzustellen, zog ich die werten Freunde Wolf in Halle, Meyer in Weimar, Fernow in Jena mit ins Interesse, und so bildete sich nach und nach der Oktavband, wie er sodann in die Hände des Publikums gelangte.* Goethes Anteil entstand Ende 1804 und Anfang 1805, z.T. während schwerer Krankheit. Am 20. April 1805 schrieb er an Schiller: *Die drei Skizzen zu einer Schilderung Winckelmanns sind gestern abgegangen. Ich weiß nicht, welcher Maler und Dilettant unter ein Gemälde schrieb: In doloribus pinxit. Diese Unterschrift möchte zu meiner gegenwärtigen Arbeit wohl passen.*

Den Anfang des Sammelbandes bilden 27 Briefe Winckelmanns an seinen Jugendfreund Hieronymus Dietrich Berends oder Berendis (1719–1782), zuletzt Kammerrat und Kassenverwalter der Herzogin Amalie in Weimar, die nach seinem Tode in den Besitz der Herzogin gekommen waren und deren Herausgabe Goethe seit 1799 plante. (Vgl. Johann Joachim Winckelmann, Briefe, herausgegeben von Walter Rehm, I, Berlin 1952, S. 469ff.) Es folgen von Meyer der wichtige ,,Entwurf einer Geschichte der Kunst des 18. Jahrhunderts", zu dem Fernow die ,,Bemerkungen eines Freundes" beisteuerte, und endlich die drei ,,Skizzen zu einer Schilderung Winckelmanns", von denen die erste über den Menschen von Goethe, die zweite über die Entwicklung von Meyer, die dritte über die wissenschaftliche Bedeutung von dem Hallenser, später Berliner Philologen Friedrich August Wolf (1759 bis 1824) stammt. Den Schluß bildet (von Goethes Hand) ein ,,Verzeichnis sämtlicher Winckelmannscher Briefe in chronologischer Ordnung" (vgl. dazu B. A. Müller, Euphorion 1914). Goethes Vorarbeiten: Weim. Ausg. Bd. 46, S. 395f. – Das Werk ist der Herzogin Amalie gewidmet. – Über Goethes Verhältnis zu Winckelmann vgl. Bd. 11, Anm. zu 147,20 und zusammenfassend: Howald S. 59ff.

Goethes Schrift ist der erste Versuch, Winckelmann vor dem Hintergrund der Kultur des 18. Jahrhunderts als geschichtliche Gestalt zu sehen und zu deuten. Die Methode, in aphoristischen Skizzen Umwelt,

Bildungskräfte und Lebensstationen aufzuzeigen, hatte Goethe zum ersten Mal im Anhang der Buchausgabe seiner Übersetzung der Selbstbiographie des Florentiner Goldschmiedes Benvenuto Cellini (1500–1572) erprobt. Hier wendet er sie zum zweiten Mal an und entwirft ein Bild von hinreißender Kraft und Kühnheit. Indem Winckelmann (*unser Winckelmann*) als Zeuge der eigenen klassischen Kunstrichtung aufgerufen wird, wird das Denkmal zugleich Bekenntnisschrift.

97,32. Johann Joachim Winckelmann ist 1717 zu Stendal als Sohn eines armen Schuhmachers geboren. Nach dem Besuch der Lateinschule in Stendal und des Cöllnischen Gymnasiums in Berlin, den ihm Freitische und Nebenarbeiten ermöglichten, studierte er seit 1738 in Halle Theologie und Philosophie, in Jena Medizin und Mathematik, ohne Befriedigung zu finden. 1743 übernahm er in Seehausen in der Altmark das Amt eines Konrektors. ,,Ich habe den Schulmeister mit großer Treue gemacht und ließ Kinder mit grindigten Köpfen das Abc lesen, wenn ich während dieses Zeitvertreibs sehnlich wünschete, zur Kenntnis des Schönen zu gelangen, und Gleichnisse aus dem Homer betete" – so schrieb er später aus Rom an Heinrich Füßli (22. September 1764).

97,36. 1748 wurde Winckelmann endlich Bibliothekar des Reichsgrafen Bünau in Nötnitz bei Dresden. ,,Vielleicht" – so schreibt er in seiner Bewerbung – ,,werde ich in Zukunft der Welt mehr nützen können, wenn ich auf irgendwelchem Wege aus meinem Dunkel gezogen würde und in der Hauptstadt eine Beschäftigung fände." Von Nötnitz aus lernte er Dresden mit seiner Gemäldegalerie und seiner Antikensammlung kennen und knüpfte Beziehungen zu lebenden Künstlern und Kunstschriftstellern, vor allem zu Oeser und Hagedorn an.

98,8. Der Ägyptenplan wird in einem Brief von Winckelmanns Vorgänger als Konrektor in Seehausen, dem späteren Oberhofprediger und Oberkonsistorialrat Friedrich Eberhard Boysen, an den Dichter Gleim vom 8. April 1745 erwähnt: ,,Winckelmann, den ich nach Berlin nicht habe befördern können, will so lange in Seehausen bleiben, bis er sich ein kleines Kapital gesammlet hat, und dann nach Ägypten gehen, um bei den Pyramiden die Kunst der Alten zu studieren." (Briefe von Herrn Boysen an Herrn Gleim, Frankfurt und Leipzig 1772, S. 52) Vgl. auch Boysens Eigene Lebensbeschreibung, Quedlinburg 1795, I, S. 259: ,,Er äußerte" (bei Besuchen in Magdeburg bei Boysen) ,,über seine Entwürfe und Erwartungen mehr nicht, als daß er gesonnen wäre nach dem Tod seines Vaters nach Ägypten einen Zug zu tun und daselbst die Pyramiden zu studieren." Vgl. ferner J. J. Winckelmann, Histoire de l'Art de l'Antiquité, traduite de l'Allemand par M. Huber, Leipzig 1781, I, S. XLIf. – Freundliche Hinweise von Walter Rehm.

98,9. Winckelmann plante im Herbst 1741 im Anschluß an seine Universitätsstudien eine ,,akademische Reise" nach Frankreich. Sie fand aber schon in Gelnhausen ihr vorzeitiges Ende. Vgl. Carl Justi, Winckelmann und seine Zeitgenossen, I. 2. Aufl. Lpz. 1898. Kap. 3, S. 97ff.

98,11. Brief an Berendis, 27. März 1752: ,,Ich bin entschlossen, mich auf einen gewissen Fuß in Rom zu setzen."

98,15 ff. Das hier entworfene Idealbild der Antike trägt deutlich gegenromantische, ja, gegenchristliche Züge. Sind es doch gerade die Ro-

mantiker gewesen, die sich bei ihren Betrachtungen (Wackenroder und Tieck in den ,,Herzensergießungen eines kunstliebenden Klosterbruders", in den ,,Phantasien über die Kunst" und im ,,Sternbald", Friedrich Schlegel in dem ,,Gespräch über die Poesie" und in den ,,Gemäldebeschreibungen aus Paris und den Niederlanden") *ins Unendliche warfen* (98,36f.) und insbesondere die antike Kunst gegen die christliche Kunst herabsetzten. In Schlegels ,,Gemäldebeschreibungen" heißt es: ,,Das Licht der Hoffnung ist es, was der heidnischen Kunst fehlt und als dessen höchsten oder letzten Ersatz sie nur jene hohe Trauer und tragische Schönheit kennt; und dieses Licht der göttlichen Hoffnung, getragen auf den Fittichen des seligen Glaubens und der reinen Liebe, obwohl es hienieden nur in den Strahlen der Sehnsucht schmerzlich hervorbricht, ist es, was uns aus den Gebilden der christlichen Kunst in göttlicher Bedeutung als himmlische Erscheinung und klare Anschauung des Himmlischen entgegentritt und anspricht, und wodurch diese hohe, geistige Schönheit, welche wir eben darum die christliche nennen, möglich und für die Kunst erreichbar wird." (Friedrich v. Schlegels Sämtliche Werke, VI, Wien 1846, S. 168.) In der ,,Erläuterung des Polygnotischen Gemäldes auf der rechten Seite der Lesche zu Delphi" von Friedrich und Johann Riepenhausen von 1805 heißt es § 14: ,,Niemals war der Grieche zu der Erfindung eines solchen Kunstwerkes gelangt, in welcher sich der Geist der ganzen Welt, mit allem seinem Glanze, allen seinen Verborgenheiten und seiner entzückenden, herrlichen Hoheit, offenbart: diese lag außerhalb des Umfangs seiner Möglichkeit, und war späteren Zeiten vorbehalten, in welchen eine andere göttlichere, geheimnisvollere Religion, eine andere durch sie wiedergeborene Welt mit neuer Vortrefflichkeit überströmen sollte." In Meyers Rezension des Riepenhausenschen Werkes (Jenaische Allgemeine Literaturzeitung, 2. Jg., 1805) hatte Goethe *eine einzige Stelle verstärkt* (22. Juli 1805) und zu diesem Satze der Riepenhausen gesagt: *Wem ist in diesen Phrasen die neukatholische Sentimentalität nicht bemerklich? Das klosterbrudrisierende, sternbaldisierende Unwesen, von welchem der bildenden Kunst mehr Gefahr bevorsteht als von allen Wirklichkeit fordernden Kalibanen.* (Vgl. Benz, Goethe und die romantische Kunst, S. 120.) Aber auch unabhängig von der Auseinandersetzung mit der Romantik war das Verhältnis der *Neueren* zu den *Alten* seit seiner Italienerfahrung für Goethe ein Lebensproblem. *In der Nähe der beschriebenen Gegenstände* Homers (aus Neapel) schrieb er bereits an Herder: *Sie stellten die Existenz dar, wir gewöhnlich den Effekt; sie schilderten das Fürchterliche, wir schildern fürchterlich; sie das Angenehme, wir angenehm.* (Bd. 11, S. 323.) Noch in der *Geschichte der Farbenlehre* sehen wir ihn mit dem *Glück der griechischen Ausbildung* (*Betrachtungen über Farbenlehre und Farbenbehandlung der Alten;* Bd.

14, S. 40,28) beschäftigt. Auch Schillers Abhandlung „Über naive und sentimentalische Dichtung" muß zur geschichtlichen Beurteilung des hier entworfenen Antikenbildes herangezogen werden.

98,30 ff. Vgl. hierzu Herman Nohl, „Wozu dienet alle der Aufwand von Sonnen und Planeten?", Die Sammlung 1953. – Nohl vermutet eine frühere (vorläufig nicht nachweisbare) Variante dieses Gedankens und untersucht seine Herkunft. „Am nächsten ... kommt dem Goethewort eine Stelle in Garves ‚Eigene Betrachtungen über die allgemeinsten Grundsätze der Sittenlehre', Breslau 1798, S. 64 ff.; ‚Und wenn in dem unermeßlichen Raume irgendeine Weltkugel schwimmt, auf welcher sich nichts als Tiere und Pflanzen und keine Menschen befinden, so hat diese zwar einen viel niedrigeren Zweck als unsere Erde, aber sie ist doch nicht umsonst erschaffen: denn es wohnen auf ihr Wesen, welche sich ihres Daseins bewußt sind und sich desselben erfreuen.' – Man möchte beinahe glauben, daß Goethe diese Stelle bei Garve gekannt hat und ... sein *unbewußt seines Daseins erfreut* entgegengesetzt hat."

99,36 ff. Es bedarf keines Wortes, daß Goethe hier Winckelmann nicht psychologisch, sondern ideal sieht. Zugleich wird deutlich, daß das *Antike* für ihn nicht so sehr ein geschichtlicher wie ein sittlicher Wert ist. Wir rühren hier an die Wurzel seines klassischen Humanismus.

100,30 ff. Auch dieser Absatz ist polemisch gegen die Romantik gerichtet. Das *Heidnische* muß als Gegenbild der *neukatholischen Sentimentalität* (vgl. Anmkg. zu 98,15 ff.) verstanden werden.

101,14. Von 1751 bis 1754 verhandelte Winckelmann mit dem päpstlichen Nuntius am sächsischen Hof, Alberigo Grafen von Archinto, über seinen Übertritt zur katholischen Kirche. Am 1. Juni 1754 fand der Übertritt statt. Goethe berührt Winckelmanns Schritt hier nur wie im Vorübergehen und gleichsam vorbereitend. In einem späteren Abschnitt (104,33 ff.) behandelt er ihn ausführlicher.

101,19 ff. Zu diesem Abschnitt vgl. vor allem B. Vallentin, Winckelmann, Bln. 1931.

101,33. *Chloris* (die Blühende) und *Thyia* (die Stürmende) sind zwei mythische Freundinnen. In seinem Aufsatz über *Polygnots Gemälde in der Lesche zu Delphi* von 1804 (Weim. Ausg. Bd. 48, S. 84–120) erwähnt Goethe sie bei der Beschreibung von *Besuch des Odysseus in der Unterwelt: Unter Phaidra ruht Chloris auf den Knien der Thyia. Man glaubt in ihnen zwei zärtliche Freundinnen zu sehen.* Diese Stelle gab zu dem späteren Zwist zwischen Goethe und dem Altphilologen Welcker Anlaß. (Vgl. darüber R. Kekulé v. Stradonitz im Goethejahrbuch 1898.)

102,11. Goethe denkt hier an Winckelmanns Schüler Friedrich Wilhelm Lamprecht, den Sohn des Oberamtmanns Lamprecht zu Hadmersleben bei Magdeburg, mit dem er erst in Hadmersleben, dann in Seehausen bis 1746 zusammen lebte.

102,28 ff. Dieser Abschnitt führt die Ideen der *Einleitung in die Propyläen* und des *6. Briefes des Sammlers* weiter aus.

103,23–25. Das berühmteste Götterbild der Griechen, die Goldelfenbeinstatue des Zeus von Phidias für den Zeustempel in Olympia, ist oft bewundernd beschrieben worden. (Vgl. J. Overbeck, Die antiken Schriftquellen zur Geschichte der bildenden Künste bei den Griechen, Leipzig 1868, S. 125 ff. und J. Liegle, Der Zeus des Phidias, Berlin 1952.) Die Überzeugung, daß es ein Unglück sei, zu sterben, ohne den Zeus des Phidias gesehen zu haben, ist von Epiktet (Arrian. Epict. I, 6, 23. Overbeck, S. 132, Nr. 727) ausgesprochen worden. – Goethe hatte sich damals mit dem Zeus des Phidias noch wenig beschäftigt. Später reizte ihn das Problem auch seiner Rekonstruktion, vor allem, seit er das Werk des französischen Archäologen Quatremère de Quincy, Le Jupiter Olympien, Paris 1815, kennen gelernt hatte.

104,8 ff. Nunmehr bespricht Goethe die Religionsveränderung ausführlich. Auch hier muß man sich den aktuellen Bezug vergegenwärtigen. Die *neukatholische Sentimentalität* hatte bereits begonnen, sich praktisch auszuwirken. Im Herbst 1804 waren die Brüder Riepenhausen zur katholischen Kirche übergetreten. 1808 folgte dann Friedrich Schlegel, in den Jahren darauf die nazarenischen Maler. So lag Goethe daran, den Übertritt Winckelmanns in seiner Andersartigkeit zu erklären, noch einmal den *gründlich gebornen Heiden* zu betonen und gegen Abfall und Wankelmut beharrenden Willen und Ausdauer in dem vom Schicksal zugewiesenen Lebenskreis zu preisen. Man spürt bis in die Sprache hinein die Leidenschaftlichkeit von Goethes Stellungnahme. Was er hier über Festhalten und Ausdauern sagt, ist wie ein Schlüssel zu seiner Weimarer Existenz.

104,13. *Particulier* = Privatmann – Heinrich Graf v. *Bünau* (1697–1762) war zunächst Kammerherr und Oberkonsistorialpräsident in Dresden, trat 1741 in die Dienste Kaiser Karls VII., der ihn in den Reichsgrafenstand erhob und ihn als Reichshofrat und bevollmächtigten Minister zu verschiedenen diplomatischen Aufgaben verwandte.

105,5 f. Dafür legen gerade die Briefe an Berendis Zeugnis ab. ,,Das ist mein Unglück allein, daß ich kein Mittel sehe, zu meinem Zwecke zu gelangen, ohne einige Zeit ein Heuchler zu werden.'' (17. September 1754.)

106,30 ff. Ende 1752 arbeitete Winckelmann an einer unvollendet gebliebenen ,,Beschreibung der vorzüglichsten Gemälde der Dresdener Galerie''. 1755 erschien seine Schrift ,,Gedanken über die Nachahmung der griechischen Werke in der Malerei und Bildhauerkunst''. Sie enthält die berühmt gewordenen Sätze: ,,Die reinsten Quellen der Kunst sind geöffnet: glücklich ist, wer sie findet und schmecket. Diese Quellen suchen, heißt nach Athen reisen.'' ,,Der einzige Weg für uns, groß, ja, wenn es möglich ist, unnachahmlich zu werden, ist die Nachahmung der Alten.'' ,,Das allgemeine vorzügliche Kennzeichen der griechischen Meisterstücke ist ... eine edle Einfalt und eine stille Größe.'' Die *Anhänge* sind das ,,Sendschreiben'', in dem Winckelmann, ohne seinen Namen zu nennen, die eigene Schrift angriff, und die ,,Erläuterung'', mit der er 1756 sich von Rom aus gegen diese Einwände verteidigte. Vgl. hierzu G. Baumecker, Winckelmann in seinen Dresdener Schriften, Berlin 1933.

107,13–15. Dieser Wunsch Goethes ist durch Carl Justis Winckelmannbiographie erfüllt worden.

107,16. Philipp Daniel *Lippert* (1702–1785), seit 1739 Zeichenmeister bei den Königl. Pagen in Dresden, seit 1764 Professor der Antike an der Akademie. Seine

Sammlung von Abdrücken geschnittener antiker Steine (die berühmte Lippertsche Daktyliothek) ist für den Klassizismus des 18. Jhdts. von hoher Bedeutung gewesen. „Alle Welt fing an, das Altertum nach Lipperts Pasten zu studieren." „Winckelmann verdankt seine Anschauungen mehr den geschnittenen als den gemeißelten Bildern." (Justi.) Über Lippert und seine geschichtliche Bedeutung vgl. Justi, 2. Buch, 4. Kap. – Christian Ludwig v. *Hagedorn* (1713–1780), seit 1763 Direktor der Dresdener Akademie. Seine „Betrachtungen über die Malerei" von 1762 sind ein Hauptwerk der deutschen Kunstliteratur des 18. Jhdts. Vgl. über ihn Justi. Und: Wilhelm Waetzoldt, Deutsche Kunsthistoriker, I, Leipzig 1921, S. 94ff. – Adam Friedrich *Oeser* (1717–1799), Maler. Seit 1764 Direktor der Akademie und Zeichenschule in Leipzig, Goethes Lehrer. Vgl. über ihn Justi. Und: Waetzoldt, I, S. 77ff. Ferner Bd. 9, S. 308,34ff. – Christian Wilhelm Ernst Dietrich (1712–1774), Maler und Inspektor der Dresdener Akademie, seit 1741 Hofmaler. Winckelmann nennt ihn in einem Brief an Usteri vom 20. Februar 1763 „den Raffael unserer und aller Zeiten im Landschaften". – Karl Heinrich v. Heinecken (1707–1791), seit 1746 Leiter der Dresdener Gemäldegalerie und des Kupferstichkabinetts. Sein Hauptwerk sind die beiden Bände „Nachrichten von Künstlern und Kunstsachen", Leipzig 1768/69. – Matthias *Oesterreich* (1716–1778), Direktor der Dresdener, seit 1757 der Potsdamer Gemäldegalerie. Von ihm gibt es eine „Beschreibung der Königl. Bildergalerie und des Kabinetts in Sanssouci", Potsdam 1764. Winckelmann nennt ihn in dem zitierten Brief an Usteri einen „großen Esel und Erzbetrüger".

107,34. Am 18. November 1755 ist Winckelmann durch die Porta del Popolo in Rom eingezogen. Goethes Schilderung läßt das eigene Romerlebnis anklingen. Damals war er selbst zum Schüler Winckelmanns geworden. *Vor einunddreißig Jahren, in derselben Jahreszeit kam er, ein noch ärmerer Narr als ich, hierher, ihm war es auch so deutsch Ernst um das Gründliche und Sichere der Altertümer und der Kunst. Wie brav und gut arbeitete er sich durch! Und was ist mir nun aber auch das Andenken dieses Mannes auf diesem Platze! (Italienische Reise, 13. Dezember 1786*, Bd. 11, S. 148.) Vgl. hierzu Herbert Koch, Winckelmann und Goethe in Rom, Tübingen 1950.

108,16. Der *Freund* ist Wilhelm v. Humboldt, der von 1802 bis 1808 Preußischer Ministerresident in Rom war. Der im folgenden abgedruckte Brief ist vom 23. August 1804 datiert. Zu Goethes Veränderungen des Originals vgl. Weim. Ausg. Bd. 46, S. 397f.

109,7f. Die Begriffe des *Elegischen* und *Satirischen* weisen auf Schillers Abhandlung „Über naive und sentimentalische Dichtung" zurück. „An eine von diesen beiden Empfindungsarten wird jeder sentimentalische Dichter sich halten." (Ende des Abschnitts „Die sentimentalischen Dichter".)

109,9. *Tibur* ist das heutige Tivoli, prachtvoll auf einer vom Monte Genaro nach Süden streichenden Kalkkette, die der Anio durchbricht, gelegen. In der römischen Kaiserzeit haben hier viele Römer ihre Villen gehabt, auch Horaz, der das Leben auf seinem Landsitz in mehreren Gedichten besingt. „Beatus ille qui procul negotiis" („selig, wer fern von Geschäften") ist der Anfang der 2. Epode.

109,26ff. Anton Raphael *Mengs* (1728–1779), Bildnis- und Historienmaler, Hofmaler in Dresden und Madrid. Das Deckenfresko des „Parnaß", das Mengs 1760/61 für Winckelmanns Gönner, den Kardinal Alessandro Albani, im Hauptsaal des neuerbauten Casino seiner Villa malte, war der Auftakt der Wendung gegen den Barock. Aus dieser entwicklungsgeschichtlichen Stellung ist Winckelmanns überschwengliche Bewunderung zu erklären und zu rechtfertigen. „Er ist als ein Phönix gleichsam aus der Asche des ersten Raffaels erweckt worden, um der Welt in der Kunst die Schönheit zu lehren und den höchsten Flug menschlicher Kräfte in derselben zu erreichen." (Winckelmann an Volkmann 27. März 1761.) Winckelmann widmete ihm seine „Geschichte der Kunst des Altertums". Mengs siedelte 1761 von Rom nach Madrid über, so daß der persönliche Umgang mit Winckelmann auf wenige Jahre beschränkt blieb. Über Mengs vgl. Ulrich Christoffel, Der schriftliche Nachlaß des Anton Raphael Mengs, Basel, 1918. Vgl. auch Anton Raphael Mengs, Briefe an Raimondo Ghelli und Anton Maron. Herausgegeben und kommentiert von Herbert v. Einem, Abhandlungen der Akademie der Wissenschaften in Göttingen, Philologisch-Historische Klasse, Göttingen 1973.

109,36f. Der Plan dieser und der 110,9f. erwähnten Schrift ist nicht ausgeführt worden.

110,1ff. Die Notwendigkeit geschichtlicher Betrachtung war Goethe in Italien aufgegangen. Gerade diese Erfahrung hatte ihn zum Schüler Winckelmanns gemacht. In der Vorbereitung des großen Italienwerkes war er mit der Tradition der Kunstliteratur vertraut geworden. – Vgl. in diesem Zusammenhang: Julius v. Schlosser, Die Kunstliteratur, Wien 1924, S. 449ff. Und: v. Einem, Goethe-Studien, S. 120ff.

110,37. *Vellejus Paterculus,* römischer Geschichtschreiber der ersten Kaiserzeit (geb. ca. 19 v. Chr.). Die von Goethe zitierte Stelle steht im ersten der „Historiae Romanae ad M. Vinicium Consulem Libri duo". (I, 17, 4–7. Übersetzung von Jacobs, Leipzig 1793.)

111,3ff. Der Gedanke der Periodizität der Kunstentwicklung (auf Vorstellungen antiker Historiographen, vor allem der „Epitome rerum Romanarum" des Florus, zurückgehend) findet sich in der nachantiken Literatur zuerst in Boccaccios Novelle von Giotto und Messer Forese (Decamerone, VI, 5). Er ist dann von dem Florentiner Bildhauer Lorenzo Ghiberti in seinen „Denkwürdigkeiten" übernommen, in konsequenter Weise aber erst von Giorgio Vasari, dem eigentlichen Begründer der neueren Kunstgeschichtsschreibung, ausgeführt und auf die Geschichte der bildenden Kunst bezogen worden. Bei Vasari findet sich zum ersten Mal auch die Überzeugung, daß die moderne Entwicklung ein Spiegelbild der antiken Entwicklung sei. Beide Gedanken hat Winckelmann aus der italienischen Kunstliteratur des 17. Jhdts. (vor allem aus dem Vitenwerk des Giovanni Pietro Bellori) übernommen. Für Goethe ist Winckelmann der Vermittler. Vgl. hierzu v. Schlosser, Die Kunstliteratur, und: Erwin Panofsky, Das erste Blatt aus dem ,,Libro" Giorgio Vasaris, Staedel-Jahrbuch 1930, S. 59 ff.

111,37. Marcus Fabius Quintilianus (geb. ca. 35 n. Chr.), Lehrer der Beredsamkeit in Rom. Sein Hauptwerk sind die 12 Bücher ,,Die institutione oratoria". Buch 12, Kap. 10 enthält die hier wiedergegebene Stelle. Über den auch von Winckelmann erwähnten Abriß der antiken Kunstgeschichte vgl. A. Kalkmann, Quellen der Kunstgeschichte des Plinius, 1898.

113,31 f. Domenico *Passionei* (1682–1761), Kardinal. Seit 1755 Leiter der Vatikanischen Bibliothek in Rom. Seine Bibliothek im Palast der Consultà auf dem Quirinal war neben der Bibliothek des Grafen Bünau in Nötnitz die bedeutendste Privatsammlung im damaligen Europa. Archinto hatte Winckelmann von Dresden aus dem Kardinal als Bibliothekar empfohlen. Aber Winckelmann wollte ,,als freier Mann leben und sterben". Seit 1756 hatte er freien Zutritt zu dieser Bibliothek. ,,Hier auf Monte Cavallo, im Palast der Consultà mit den Kolossen der Dioskuren vor den Fenstern, sind die Bücher durchblättert worden, in denen Winckelmann die gelehrten Bestandteile der Kunstgeschichte sammelte." (Justi, II, S. 92.) Vgl. M. Castelbarco Albani della Somaglia, Un grande Bibliofilo del Secolo XVIII, Il Cardinale Domenico Passionei, Firenze 1937.

114,13 ff. 1757 wurde Winckelmann, durch die politischen Ereignisse in Deutschland gezwungen, ohne seine sächsische Pension leben zu müssen, für kurze Zeit Bibliothekar des 1753 zum Governatore von Rom, 1756 zum Kardinal und Staatssekretär ernannten Grafen Archinto und zog in den von Archinto bewohnten Palazzo della Cancelleria.

114,32. Michelangelo *Giacomelli* (1695–1774), Prälat und Sekretär der Breven. Winckelmann nennt ihn ,,einen der größten Gelehrten in aller Gelehrsamkeit, einen großen Mathematiker, Physiker, Poeten und Griechen, gegen welchen ich in diesem Teile die Segel streiche". (9. März 1757 an Francke.) Über ihn vgl. Justi, II, S. 84 ff. – Antonio *Baldani* (1691–1765), Kanoniker am Pantheon, seit 1718 Auditor und Vorleser des Kardinals Albani. ,,Ich bin ein genauer Freund des Gelehrtesten in Rom, Giacomelli, und des Weisesten, Baldani." (4. Februar 1758 an Francke.)

114,35. Alessandro *Albani* (gest. 1779), päpstlicher Diplomat und Kardinal, seit 1761 Bibliothekar am Vatikan. Der Kardinal räumte 1759 Winckelmann im letzten Stock seines Palastes Alle Quattro Fontane vier kleine Zimmer ein – sie waren Winckelmanns letzte römische Wohnung. Winckelmann wurde der Gesellschafter und Bibliothekar des Kardinals. Seine Hauptaufgabe bestand aber darin, den Kardinal bei der Vermehrung seiner Antikensammlung und ihrer Aufstellung in der vor der Porta Salaria seit 1746 von Carlo Marchionni erbauten Villa Albani zu beraten. ,,Es sollte scheinen, er baue für mich, er kaufte Statuen für mich, denn es geschieht nichts, was ich nicht billige." Über Albani vgl. Justi, II, S. 275 ff., die Beschreibung der Villa S. 289 ff. Goethe hat die Villa am 8. November 1786 und am 13. März 1788 besucht. – Zur Villa Albani vgl. Joachim Gaus, Carlo Marchionni, Köln 1967, S. 19 ff.

115,25 f. Goethe war im Juni 1787 vierzehn Tage in Tivoli. *Es gehören die Wasserfälle dort mit den Ruinen und dem ganzen Komplex der Landschaft zu denen Gegenständen, deren Bekanntschaft uns im tiefsten Grunde reicher macht.* (*16. Juni 1787*, Bd. 11, S. 350 f.) Eine spezielle Beschäftigung Goethes mit der Villa Hadrians in Tivoli nach dem Werk von Antonio Del Re, Dell'Antichità Tiburtina capitole 5, Roma 1611, und Johann Georg Graevius, Thesaurus antiquitatum et historiarum Italiae, Leiden 1733, ist erst für 1829 nachzuweisen (E. v. Keudell, Goethe als Benutzer der Weimarer Bibliothek, 1931, Nr. 2002/03); eine allgemeine Kenntnis ist aber seit Goethes Italienaufenthalt und seit der Vorbereitung des Italienwerkes vorauszusetzen. Über die Villa vgl. Heinz Kaehler, Hadrian und seine Villa bei Tivoli, Berlin 1950.

115,32 ff. Über die Plünderung der Villa durch die Franzosen im Januar 1796 vgl. Justi, II, S. 295: ,,Die auserlesenen Stücke, die damals ins Musée Napoléon kamen, sind bei der Zurückgabe, da der Besitzer die Transportkosten scheute, verkauft worden; ein großer Teil kam in die Glyptothek zu München, nur das Antinousrelief wurde zurückgebracht."

116,11 f. In Herkulaneum wurde seit 1711, in Pompeji seit 1748 gegraben, 1755 wurde in Neapel die ,,Hekulanensische Akademie" gegründet, die seit 1757 das große (erst 1779 mit Bd. 8 abgeschlossene) Kupferstichwerk ,,Le Antichità di Ercolano esposte" herausgab, Winckelmann unternahm 1758, 1762, 1764 und 1767 Reisen nach Neapel. Der Ertrag seiner zweiten Reise, die er als Begleiter des jungen Grafen Heinrich v. Brühl machte, war sein an Brühl gerichtetes ,,Sendschreiben von den Herkulanischen Entdeckungen", 1762 in Dresden erschienen; der Ertrag der dritten Reise, die er in Begleitung von Heinrich Füßli und Peter Volkmann machte, sind die an Füßli gerichteten ,,Nachrichten von den neuesten Herkulanischen Entdeckungen", 1764 in Dresden erschienen.

116,32. Philipp Baron v. *Stosch* (1691–1757), Kunstkenner und Sammler. Er besaß die größte Sammlung antiker Gemmen (3000 geschnittene Steine, 28 000 Abdrucke), die nach seinem Tode von Friedrich d. Gr. für Berlin erworben wurde. 1758 reiste Winckelmann auf Einladung von Wilhelm Muzel-Stosch, dem Schwestersohn und Erben des Barons, nach Florenz, um einen Catalogue raisonné der Sammlung herzustellen, der 1760 unter dem Titel ,,Description des pierres gravées du feu Baron de Stosch" erschien. Es ist ein Vorläufer der ,,Geschichte der Kunst des Altertums". – Justi, II, S. 218 ff. und Walther Rehm, Johann Joachim Winckelmann, Briefe, Bd. I, Berlin 1952, S. 556 (mit ausführlichen Literaturangaben).

117,16 ff. Winckelmann hatte als Bibliothekar in Nötnitz an der Reichshistorie des Grafen v. Bünau (von der in den Jahren 1728–1743 vier Bände erschienen waren) mitgearbeitet. 1754 hatte er einen (erst nach seinem Tode veröffentlichten) Aufsatz ,,Gedanken über den mündlichen Vortrag der neueren allgemeinen Geschichte" geschrieben.

118,3 ff. Goethe faßt hier die Erfahrungen seines Winckelmannstudiums zusammen und spiegelt wieder in Winckelmann sich selbst. Schon von Rom aus hatte er an Herder geschrieben: *Ach Winckelmann! Wie viel hat er getan, und wie viel hat er uns zu wünschen übrig gelassen ... Er hat mit den Materialien, die er hatte, geschwinde gebaut, um unter Dach zu kommen. Lebte er noch (und er könnte noch frisch und gesund sein), so wäre er der erste, der uns eine neue Ausarbeitung seines Werkes gäbe. (13. Januar 1787.)*

119,30 f. Winckelmann hatte auf der Universität Halle die Vorlesungen der Philosophen Christian Wolff und Alexander Baumgarten (des Begründers der ästhetischen Wissenschaft) gehört. Gerade sie haben seine Abneigung gegen Philosophen und Kunstliteratur ohne lebendige künstlerische Anschauung geweckt, von der seine Schriften und Briefe so oft Zeugnis ablegen. Es sind ,,Kindereien ohne große Mühe zusammengeschmiert, die endlich die Mäuse fressen werden". (C. Justi, Bd. 1, Lpz. 1898, S. 70.)

119,35. Johann Friedrich *Christ* (1700–1756), 1731–1756 Professor an der Universität Leipzig. Er ,,eröffnet den Reigen der Altertumsforscher und Kunstgeschichtsschreiber des 18. Jahrhunderts". (Waetzoldt, I, S. 46.) Seine kunsthistorisch wichtigsten Arbeiten sind eine monographische Studie über Lucas Cranach (in den Fränkischen Acta erudita et curiosa, I, Nürnberg 1726) und die ,,Anzeige und Auslegung des Monogrammatum" von 1747. Seine Liebe und sein Forscherehrgeiz galt vor allem (lange vor der Romantik) der Wiederentdeckung der altdeutschen Kunst. Christ ist der Lehrer des Göttinger Philologen Heyne und Lessings. Winckelmann, der (wie Wolf in ,,Winckelmann und sein Jahrhundert", S. 459, vermutet) in Nötnitz oder Dresden ,,von den handschriftlich herumgehenden Heften des Christischen sogenannten Collegium litterarium" Gebrauch gemacht haben mochte, ,,woraus er manche nutzbare Notiz, selbst über das Technische der Kunstwerke, aber freilich keinen allgemeinen Geist des Altertums ziehen konnte", sprach in Rom die Hoffnung aus, Christ einmal durch Roms Kunstschätze zu führen. Über Christ vgl. Waetzoldt, I, S. 45 ff. – Wenn Winckelmann auch Christs Vorlesungen nicht gehört hat, so hat er doch in Halle Johann Heinrich Schulzes 1766 als Buch erschienenes Kolleg über griechische und römische Altertümer nach Münzen besucht.

119,38 ff. Zu dieser außerordentlich wichtigen Stelle sind Goethes 1817 entstandene Vorarbeiten zur Geschichte seines botanischen Studiums zu vergleichen: *Einwirkung der neueren Philosophie, Anschauende Urteilskraft, Bedenken und Ergebung, Bildungstrieb.* In ihnen versuchte Goethe den Einfluß der kantischen Lehre auf sein Denken darzustellen. Goethe hatte sich nach der Rückkehr von Italien 1788 zuerst mit Kant beschäftigt. Aber erst 1794 ist er durch Schiller tiefer in seine

Philosophie eingeführt worden. Der „Kritik der Urteilskraft" von 1790 bekannte er *eine höchst frohe Lebensepoche schuldig zu sein.* Auf die Frage Eckermanns (11. April 1827), welchen der neueren Philosophen er für den vorzüglichsten halte, antwortet er: *Kant ist der vorzüglichste, ohne allen Zweifel. Er ist auch derjenige, dessen Lehre sich fortwirkend erwiesen hat und die in unsere deutsche Kultur am tiefsten eingedrungen ist.* Vgl. hierzu: Karl Vorländer, Kant-Schiller-Goethe, Leipzig 1907; und ders., Goethes Exemplar der Kritik der Urteilskraft, Kantstudien, II, 1898.

120,18 ff. Diese Stelle fordert unseren Widerspruch heraus. Werke und Briefe Winckelmanns sind voller Zeugnisse seiner Neigung und seines Verständnisses für Poesie. Allem voran steht die Verehrung Homers. Vgl. hierzu K. Kraus, Winckelmann und Homer, 1935. In seiner „Abhandlung von der Fähigkeit der Empfindung des Schönen in der Kunst und dem Unterrichte in derselben" (1763) schlägt er zum Unterricht eines Knaben vor: „Zuerst sollte dessen Herz und Empfindung durch Erklärung der schönsten Stellen alter und neuer Skribenten, sonderlich der Dichter, rührend erwecket und zu eigener Betrachtung des Schönen in aller Art zubereitet werden, weil dieser Weg zur Vollkommenheit führet."

120,24 f. Winckelmann pflegte morgens „ein Lied aus dem hannöverschen Gesangbuche zu singen". (20. März 1766 an Genzmer.)

121,33. Die „Monumenti antichi inediti spiegati ed illustrati da Winckelmann", das zweite Hauptwerk Winckelmanns, erschienen in seinem Selbstverlag 1767 in zwei Foliobänden mit 216 Tafeln. Sie haben den Zweck, die in den vergangenen Jahrzehnten ans Licht gekommenen Altertümer bekannt zu machen. Der 1. Teil (Trattato preliminare) ist eine Neubearbeitung der „Geschichte der Kunst des Altertums". Der 2. Teil ist der Besprechung der Denkmäler gewidmet.

122,20 ff. Benedikt XIV. Lambertini (1675–1758). Seinem Nachfolger Clemens XIII. Rezzonico (1693–1769) verdankte Winckelmann 1763 die Ernennung zum Prefetto dell' Antichità di Roma, zum Scriptor linguae Teutonicae an der Vaticana und 1764 die Anwartschaft auf die Stelle des Scriptor linguae Graecae. Ihm hat er zu Castelgandolfo in einer großen Gesellschaft ein Stück, den Tod Agamemnons, vorgelesen (Justi, III, S. 323). – Über Benedikt XIV. vgl. Ludwig v. Pastor, Geschichte der Päpste, Bd. 16, 1. Abteilung, Freiburg 1931, S. 3 ff. Über Clemens XIII. vgl. Pastor, S. 444 ff.

123,1 ff. Zu diesem Abschnitt vgl. Goethes Wort zu Eckermann (16. Februar 1827): *Man lernt nichts, wenn man ihn liest, aber wird etwas.*

123,35. *Scharade* = Silbenrätsel.

125,4. *Aisance* = Ungezwungenheit.

125,37 ff. *Fürst* Leopold Friedrich Franz *von Dessau* (1740–1817), der Bauherr von Schloß und Garten in Wörlitz. Winckelmann lernte ihn im Dezember 1765 kennen. „Ich bin von Dessau, mein lieber Winckelmann, ich komme nach Rom, um zu lernen, und habe Sie nötig", so führte sich der Fürst bei Winckelmann ein, und Winckelmann, leicht entflammt, äußerte: „Ich habe vor Freuden geweint, einen so edlen Zweig aus einem wilden Stamm und einen Fürsten und patriotischen Deutschen zu Ehren unseres Volkes zu kennen." Über ihn vgl. Justi III, S. 281 ff. – Den *Erbprinzen* Georg August *von Mecklenburg-Strelitz* (1748–1785) lernte Winckelmann ebenfalls 1765 kennen (vgl. Brief vom 20. Mai 1767 an R. v. Berg). – Der *Erbprinz* Karl Wilhelm Ferdinand *von Braunschweig* (1735–1806), Neffe Friedrichs d. Gr., kam 1766 nach Rom. Winckelmann nennt ihn „den deutschen Achilles" (20. Mai 1767). Über ihn vgl. Justi III, S. 287. – Johann Hermann v. *Riedesel,* Freiherr zu Eisenbach (1740–1785), Kammerherr und preußischer Gesandter in Wien. Riedesel war 1762/1763 in Rom und lud Winckelmann 1766 vergeblich ein, ihn auf einer Reise nach Sizilien und Griechenland zu begleiten. Über Riedesel vgl. W. Rehm in „Imprimatur" VIII, 1938. Goethe hatte auf seiner Reise nach Sizilien 1787 Riedesels Buch „Reise durch Sizilien und Großgriechenland" *wie ein Brevier oder Talisman* bei sich. *Sehr gern habe ich mich immer in solchen Wesen bespiegelt, die das besitzen, was mir abgeht, und so ist es grade hier: ruhiger Vorsatz, Sicherheit des Zwecks, reinliche, schickliche Mittel, Vorbereitung und Kenntnis, inniges Verhältnis zu einem meisterhaft Belehrenden, zu Winckelmann.* (26. *April* 1787; Bd. 11, S. 277.) Zu Riedesel auch W. Rehm, Götterstille und Göttertrauer, München 1951, S. 202 ff. – Riedesels Buch liegt in einer Neuausgabe von Arthur Schulz, Winckelmanngesellschaft Stendhal, Berlin 1965, vor.

126,13 f. Winckelmann war Mitglied der Accademia di S. Luca zu Rom, der Accademia Etrusca zu Cortona, der Society of Antiquity in London, der Königlichen Gesellschaft der Wissenschaften zu Göttingen.

126,17 f. Die Arbeit an seinem Hauptwerk „Geschichte des Altertums" begann 1757. Nach mehrfacher Umarbeitung erschien das Werk 1764 bei Walther in Dresden. 1765 ging Winckelmann an die Vorarbeit zu einer Neuauflage, die erst 1776 in Wien erschien. 1767 veröffentlichte er „Anmerkungen über die Geschichte der Kunst des Altertums". Die französische Übersetzung von Huber erschien in drei Teilen Leipzig 1781.

126,31. Die Ernennung zum Prefetto dell'Antichità di Roma durch Papst Clemens XIII. geschah 1763.

128,4. Der Friede zu Hubertusburg, der 1763 den Siebenjährigen Krieg beendete.

128,4–6. Im Spätsommer und Herbst 1765 führte Winckelmann Verhandlungen über einen Ruf nach Berlin als Bibliothekar Friedrichs d. Gr. Auf seiner letzten Reise nach Deutschland hatte er die Absicht, sich in Berlin dem König vorzustellen. Vgl. Justi, III, S. 270 ff.

128,10. Gerlach Adolf v. *Münchhausen* (1688–1770), Hannoverscher Minister, ist der eigentliche Gründer der Göttinger Akademie der Wissenschaften und der Göttinger Universität (1737). Vgl. Götz v. Selle, Die Georg-August-Universität zu Göttingen, Göttingen 1937, S. 16 ff.

128,13. Winckelmanns Briefe an seine *Schweizer Freunde* Caspar und Heinrich Füßli, Salomon Geßner, Christian v. Mechel und die beiden Usteri sind 1778 in Zürich gedruckt worden.

128,21 f. Die Reise von Dresden nach Rom hatte Winckelmann über Regensburg, München, Verona durch Tirol geführt.

128,23. Winckelmann trat am 10. April 1768 mit dem Bildhauer Cavaceppi seine Reise nach Deutschland an. Der Weg führte über Bologna, Verona, Augsburg nach Regensburg. Hier entschloß er sich zur Umkehr. „Ich habe mir von Augsburg an die größte Gewalt angetan, vergnügt zu sein; aber mein Herz spricht nein, und der Widerwillen gegen diese weite Reise ist nicht zu überwältigen . . . Ich bin überzeugt, daß für mich außer Rom kein wahres Vergnügen zu hoffen ist." (14. Mai 1768 an Muzel-Stosch.)

128,35. Am 8. Juni 1768 wurde Winckelmann auf der Rückreise nach Rom in Triest von dem Italiener Francesco Arcangeli ermordet. Vgl. Cesare Pagnini (Hrsg.), Mordakte Winckelmann, Berlin 1965.

129,1. Goethe denkt hier an den Napoleonischen Kunstraub.

LETZTE KUNSTAUSSTELLUNG 1805

Von Goethe nicht veröffentlicht. Erster Druck aus dem Nachlaß in der Quartausgabe von Goethes Werken, II, 1837, S. 650. – Der Text der vorliegenden Ausgabe bringt nur einen Auszug. Der Aufsatz beginnt folgendermaßen: *Die siebente und letzte Kunstausstellung war den Taten des Herkules gewidmet. Hoffmann von Köln erhielt abermals den Preis. Herkules, der den Fluß in den Stall des Augias hereinführt, war höchst geistreich gedacht, mit Lust und Freiheit vollendet. Um uns recht zur Beurteilung vorzubereiten, studierten wir die Philostratische Gemälde, deren lebensreiche Gegenstände wir den Liebhabern empfohlen. Polygnots Lesche und sonstige alte Kunstwerke, von denen uns nur die Beschreibung übriggeblieben, wurden fleißig bedacht und im antiken Sinn nach mannigfaltiger Prüfung so gut als möglich wiederhergestellt. Hiebei verlor man die frühere Mitwirkung der Gebrüder Riepenhausen, deren schönes Talent sich mit andern der Legende und dem Mittelalter zugewendet hatte.*

Goethes Bericht ist der Abschluß seiner praktischen kunstpädagogischen Bemühungen. Mit großer Schärfe und einem Pathos, dessen innere Erregung unüberhörbar ist, wird der unfreiwillige Abbruch der Ausstellungen und Preisaufgaben begründet und noch einmal der eigene klassische Standpunkt der immer stärker um sich greifenden Romantik entgegengestellt. Vgl. hierzu v. Einem, Goethe-Studien, S. 163.

III. DIE SPÄTZEIT. 1812–1832

Die Einsicht der Erfolglosigkeit seiner kunstpädagogischen Bemühungen führte Goethe keineswegs zur Resignation. Er gab zwar den *Wahn* auf, *es sei auf die Menschen genetisch zu wirken* (15. Januar 1813 an Zelter), aber er verzichtete nicht darauf, den eigenen Standpunkt klar, unmißverständlich und, wo es ihm gut dünkte, auch polemisch zu vertreten. *Die höheren Forderungen* – so lautete seine Maxime – *sind an sich schon schätzbarer, auch unerfüllt, als niedrige, ganz erfüllte.* (S. 490, Nr. 881.) Noch im Jahre des Abbruchs der Weimarer Ausstellungen und des Winckelmannwerkes schrieb er an Meyer: *Sobald ich*

*nur einigermaßen Zeit und Humor finde, so will ich das neukatholische
Künstlerwesen ein für alle Mal darstellen; man kann es immer indessen
noch reif werden lassen und abwarten, ob sich nicht altheidnisch Gesinn-
te hie und da hören lassen.* (22. Juli 1805).

Goethes Standpunkt, wie er in den Schriften der mittleren Zeit zum
Ausdruck kommt, hat sich in der Spätzeit nicht verändert. Trotzdem
tragen die Kunstschriften der Spätzeit einen anderen Charakter. Die
Theorie tritt zurück. Den größten Raum nehmen geschichtliche Be-
trachtungen ein. Mit Vorliebe wird die Rekonstruktion untergegange-
ner oder fragmentarisch erhaltener großer Werke der Vorzeit versucht.
Das Interesse an der Geschichte nährt sich von dem Wissen um die
Bedeutung der Bedingungen, denen jedes Kunstwerk unterworfen ist.
Immer ist es aber die Kunst, die ihn beschäftigt, die Kunst, die als *andre
Natur* (Bd. 11, S. 565) den gleichen Lebensgesetzen gehorcht, denen er
im weiten Bereich der Schöpfung ehrfürchtig nachsinnt.

Goethes geschichtlicher Blick bleibt in der Spätzeit umfassend, ja,
gegenüber der Beschränkung der mittleren Zeit ist er wieder umfassender geworden. Was der junge Goethe ahnend berührt hatte, tritt uns
nun in der gesättigten Anschauung des Alten entgegen. Vor allem ist
ihm die altdeutsche Kunst, der einst sein Jugendhymnus auf das Straßburger Münster gegolten hatte, noch einmal ganz nahe gekommen.
Aber gerade hier wird das Verhalten des alten Goethe durchsichtig. Als
es Sulpiz Boisserée 1811 gelungen war, Goethes Teilnahme für die Bau-
aufnahmen des Kölner Domes zu erregen, als es ihm endlich auch gelungen war, ihn zum Besuch seiner Sammlung altdeutscher Bilder in
Heidelberg zu bewegen, da gab Goethe statt des von dem Romantiker
erhofften neuen Bekenntnisses in seiner neuen Zeitschrift *Über Kunst
und Altertum* 1816 eine objektiv geschichtliche Betrachtung. Im gleichen Jahre veröffentlichte er – gleichsam als Gegengewicht – seine *Italienische Reise*, die noch einmal das Bekenntnis zum Klassischen aussprach. Es ist dieselbe Zeit, in der ihn außerdem mohammedanische
Religion, Mythologie und Sitten beschäftigten und in der er den *West-
östlichen Divan* schuf. Das einzelne Geschichtliche hat für ihn nicht
absolute, sondern symbolische Bedeutung. Wie er von *Weltliteratur*
spricht, so ist auch in der bildenden Kunst sein Blick auf die Weltkunst
gerichtet. Die Überzeugung aber von der Kunst als *andrer Natur* bewahrte ihn vor allem Relativismus. Der griechischen Kunst erscholl bis
zuletzt sein uneingeschränktes Lob. Nach seiner Rückkehr von den
Boisserées in Heidelberg hat er seine Stellung zwischen kanonischer
Verehrung der Griechen und neuer Hinwendung zur vaterländischen
Vergangenheit in einem Brief an seinen alten Freund Knebel ausgesprochen: *Jeder sucht und wünscht, wozu ihm Schnabel oder Schnauze gewachsen ist. Der will's aus der enghalsigen Flasche, der vom flachen*

Teller, einer die rohe, ein anderer die gekochte Speise. Und so hab ich mir denn auch, bei dieser Gelegenheit, meine Töpfe und Näpfchen, Flaschen und Krüglein gar sorgsam gefüllt, ja, mein Geschirr mit manchen Gerätschaften vermehrt. Ich habe an der Homerischen wie an der Nibelungischen Tafel geschmaust, mir aber für meine Person nichts gemäßer gefunden als die breite und tiefe immer lebendige Natur, die Werke der griechischen Dichter und Bildner. (9. November 1814.)

MYRONS KUH

Erstdruck: *Über Kunst und Altertum II, 1. 1818.* Der Nachtrag: Ebd. *VI, 2. 1828.*

Myron aus Eleutherai in Böotien ist unter den großen Meistern der griechischen Skulptur des 5. Jhdts. v. Chr. (des von Winckelmann so genannten ,,hohen Stiles'') der älteste. Von zweien seiner Hauptwerke können wir uns nach römischen Kopien noch genaue Vorstellungen machen: dem Diskuswerfer und der Gruppe von Athene und Marsyas. Von seinen berühmten Tierdarstellungen, auch von seiner in den Quellen oft genannten Kuh, deren Lebendigkeit, Natürlichkeit und Wahrheit die Hirten, Stiere und Kälber zur Verwechslung mit der Wirklichkeit führte, fehlt uns dagegen eine genaue Spur. Myron sah sein Ziel in der Darstellung starker Bewegung – sie ist es auch, die schon das antike Kunsturteil über ihn bestimmt hat.

Goethes Rekonstruktionsversuch, der nicht von den Quellen, sondern von seinem Kunstideal ausgeht, fand schon bei den Zeitgenossen Widerspruch und wird von der heutigen Archäologie abgelehnt. Die richtige Rekonstruktion hat aber bis heute noch nicht gelingen wollen. (Wichtiger Aufsatz von R. Delbrück in: Römische Mitteilungen 1901. Über Myron vgl. Paolo Arias, Mirone. Firenze 1940. Zu Goethes Aufsatz: Behrendt Pick, Goethes Münzbelustigungen, Jb. G.Ges., Bd. 7, 1920, S. 218 ff.)

Goethes Beschäftigung mit der Rekonstruktion des Myronischen Werkes begann 1812. (Tagebuch 19. November und 25. und 26. Dezember.) Sie fand mit der Drucklegung des vorliegenden Aufsatzes 1818 einen Abschluß, wurde aber, wie der Nachtrag von 1828 zeigt, auch später noch fortgesetzt. Im Dezember 1812 gab er Meyer den Entwurf: *Erhält er Ihren Beifall und teilen Sie mir Ihre ferneren Bemerkungen mit, so kann er weiter bearbeitet werden. Vielleicht möchten Sie selbst die Restauration dieses Kunstwerks vornehmen. Ich wünschte es aber als Statue, nicht als Basrelief zu sehen, weil die Komposition dann noch größere Vorteile hat, indem das Kalb in die Diagonale der Base zu stehen kommt, andrer Vorteile zu geschweigen … Die Münzabdrücke*

liegen in dem Schächtelchen; der mit 530 bezeichnete ist wohl der voll-
kommenste. Bei diesen *Münzabdrücken* handelt es sich um die von
Goethe 1802 erworbene Sammlung von Schwefelpasten alter Münzen
des Theodore Edmé Mionnet (eine Auswahl von 1473 Stück), die ihn in
diesen Jahren lebhaft beschäftigte. In einer Silbermünze von Dyrrha-
chion aus dem 4. Jhdt. v. Chr. glaubte Goethe das Myronische Werk
wiederzuerkennen. Vgl. Gardner, Catalogue of Greek Coins, London
1883. Thessaly to Aetolia, Pl. XIII, Nr. 10. – Goethe muß den an Meyer
gesandten (nicht erhaltenen) Entwurf aus den Augen verloren haben.
Die Tagebücher melden vom 9. und 15. März 1818: *Myrons Kuh wie-*
dergefunden und zum Druck ajustiert. Myrons Kuh abgeschlossen.

130,10. Vgl. Ciceros 4. Rede gegen Verres (60,135). Wortlaut bei Overbeck,
S. 103. – Der byzantinische Historiker Procop (gest. um 560 n. Chr.), der das
Werk auf dem Forum Pacis des Vespasian in Rom sah, erwähnt es in seiner Schrift
,,Bellum Gothicum'' (IV,21). Wortlaut bei Overbeck, S. 103.

130,16. Die *Epigramme* stehen in der Goethe durch Herder bekannten ,,An-
thologia Graeca'', einer Sammlung kleiner, besonders epigrammatischer Gedichte,
die im 10. Jahrhundert in Byzanz aus älteren Sammlungen zusammengestellt worden war. Wortlaut der griechischen Texte bei Overbeck, S. 103 ff. Goethe schreibt
am 17. November 1784 an Knebel: *Herder ist über der Anthologie und ist im*
Übersetzen sehr glücklich. Von Herders Übersetzungen erschien 1785 der erste,
1786 der zweite Teil ,,Blumen aus der griechischen Anthologie gesammelt'' und
,,Anmerkungen über die Anthologie der Griechen''. – Goethes Tagebuch vom
26. Dezember 1812 meldet: *Mittags Professor Riemer. Auf Myrons Kuh bezügliche*
Epigramme aus der Anthologie.

130,32 f. Von den *Athleten* ist der bekannteste der Diskobol. Von den
drei Heraklesdarstellungen haben wir literarische und bildnerische
Zeugnisse. – Goethe hatte weder von der Kunst Myrons noch von ihrer
zeitlichen Ansetzung bereits eine klare Vorstellung. Das Lob der *Na-*
türlichkeit in den Epigrammen ist aus der besonderen geschichtlichen
Leistung Myrons durchaus verständlich. Für Goethe, dem alles daran
lag, die Sphären von Kunst und Natur zu trennen, konnte es nur *Dilet-*
tantenlob (130,27) sein.

131,12. *dutet* = tutet (mit dem Horn). Vgl. 132,26.

132,4. Gerade diese Folgerung ist irrig. Da nach den unten zitierten
Epigrammen die Kälber sich nähern, muß vielmehr geschlossen werden,
daß kein Kalb dargestellt war und daß es sich also nicht um *eine säugen-*
de Kuh gehandelt hat.

132,13 f. Griechischer Text: Overbeck, S. 132, Nr. 577.
132,15 f. Griechischer Text: Overbeck, S. 132, Nr. 562. In Herders Übersetz-
zung: ,,Kalb, was suchest du hier an meinen Brüsten und blökest? Milch verlieh
sie mir nicht, Myrons erschaffende Hand.''
132,22 f. Griechischer Text: Overbeck, S. 132, Nr. 580.

132,27. *supponiert* = vorausgesetzt.

132,35 f. *Dyrrhachium* ist das griechische Epidamnos, heutige Durazzo, im griechischen Illyrien gelegen. – Die heutige Forschung neigt eher dazu, die langsam schreitende Kuh ohne Junges auf Goldmünzen des Kaisers Augustus, die mit einer Marmorstatue des Konservatorenpalastes in Rom übereinstimmt (vgl. Delbrück, T. IV und Gabrici, La Numismatica di Augusti in Studi e Materiali 1902, II, S. 164 ff.), auf Myrons Bildwerk zurückzuführen.

133,25–27. *Gleichgewicht im Ungleichen ... Gegensatz des Ähnlichen ... Harmonie des Unähnlichen* sind Grundgedanken Goethescher Kompositionslehre, die in seinen Interpretationen immer wiederkehren. Vgl. z. B. *Italienische Reise, Bericht, Dezember 1787.* Sodann: *Relief von Phigalia* (S. 169 ff.), Briefe an Reinhard vom 26. Dezember 1825 und an Zelter vom 30. Dezember 1825.

134,19 ff. Die folgenden Überlegungen Goethes bedürfen starker Einschränkung. Hera, Pallas Athene und Aphrodite sind mit ihren Söhnen dargestellt worden: Hera, den Herakles säugend, z. B. auf einem apulischen Lekythos des 5. Jhdts. in London, British Museum (A. B. Cook, Zeus, III, Cambridge 1940, Pl. XV, 1), Pallas mit ihrem und des Poseidon Sohn Erichthonios auf dem Hermonax Stamnos der Münchener Vasensammlung aus dem 5. Jhdt. (Furtwängler-Reichhold, Griechische Vasenmalerei, III, München 1932, S. 95 ff., T. 137), Aphrodite mit Eros auf einem apulischen Lekythos des 5. Jhdts. in Taranto (Cook, a. a. O., Pl. XV, dort als Hera mit Herakles). Vgl. auch die schon Winckelmann bekannte Marmorstatue einer stillenden Göttin im Vatikan, vermutlich das Werk eines kampanisch-griechischen Künstlers aus dem 1. oder 2. Jahrhundert v. Chr., vielleicht eine gräzisierte Darstellung der Isis mit dem Horusknaben (vgl. Walter Amelung, Die Skulpturen des Vatikanischen Museums, I, Berlin 1903, Nr. 741, T. 48). Über die Darstellung einer göttlichen Mutter mit dem Kind in den Armen oder an der Brust im Altertum, insbesondere über die Darstellung der sog. Pietas Augustae, vgl. Julius v. Schlosser, Präludien, Berlin 1927, S. 23. – Aphrodite ist die Mutter des Eros. Die Umdeutung der badenden Aphrodite des Doidalses zur säugenden Venus ist freilich erst eine Erfindung von Rubens (Stich von Galle nach einem verschollenen Gemälde).

134,21 ff. Die Sage der Bildung der Milchstraße findet sich u. a. in dem „Poetikon Astronomicon" des Goethe wohlbekannten augusteischen Dichters Hygin. Sie ist von Tintoretto (London, National Gallery) und Rubens in einem für das Jagdschloß Torre de la Parada bei Madrid gemalten Werk seiner Spätzeit (Madrid, Prado) dargestellt worden.

134,29. Es fällt immer wieder auf, wie Goethe die antiken Göttergestalten bald griechisch, bald lateinisch benennt. Im ganzen gesehen, haben selbst bei ihm die lateinischen Benennungen den Vorzug.

134,38. *Amalthea* ist der Name der Ziege, die den kretischen Zeus nährte. – *Chiron*, Sohn des Kronos und der Philyra, ausgezeichnet durch Gerechtigkeit und Weisheit, Erzieher und Lehrer der berühmtesten mythischen Helden des Altertums, des Achill, Iason, Asklepios u. a. – Chiron und Achill in den Antichità di Ercolano esposte, I, Tav. VIII. – Vgl. auch Goethes Darstellung Chirons in der *klassischen Walpurgisnacht* (Bd. 3, S. 224 ff.).

135,5. *Zeuxis*, einer der berühmtesten Maler des griechischen Altertums. Er stammt aus Herakleia, hat sicher im letzten Viertel des 5. Jhdts. v. Chr. gearbeitet und dürfte zwischen 445 und 435 geboren sein. Bilder oder Kopien nach ihm sind nicht erhalten, wohl aber Bildbeschreibungen. Die Kentaurenfamilie wird von Lukian, Zeuxis 3 (Overbeck, S. 314; vgl. dazu Blümner, Archäologische Studien zu Lukian, S. 36 ff.) ausführlich beschrieben: Das Original sei auf dem (von Sulla veranlaßten) Transport nach Italien vor Kap Malea gesunken, in Athen jedoch befinde sich eine genaue Kopie. Vgl. Wilh. Kraiker, Das Kentaurenbild des Zeuxis, 106. Winckelmannsprogramm, Berlin 1950.

135,9 ff. Vielleicht ein Karneol in Goethes Kunstsammlung. Vgl. Schuchardt, II, S. 5, Nr. 6. – *Skopas*, bedeutender Bildhauer des 4. Jhdts., tätig in Peloponnes, Attika, Theben usw. Goethe denkt hier offenbar an die ihm durch Plinius, Naturalis Historia, XXXVI, 26 (Overbeck, S. 227, Nr. 1175) bekannte Gruppe von Seewesen, die später Cn. Domitius Ahenobarbus im Tempel des Neptun auf dem Marsfeld beim Circus Flaminius in Rom aufstellte. Sie umfaßte Poseidon, Thetis und Achill, umgeben von vielen Seewesen. Erhalten die (spätere) Basis in Rom. Vgl. hierzu Margarete Bieber in Thieme-Becker, Künstlerlexikon XXXI, 1937, S. 118 f. – Zwischen der von Goethe gegebenen Beschreibung und dem Werk des Skopas besteht keine Beziehung.

132,25. Die Kapitolinische Wölfin aus Erz, Rom, Konservatorenpalast, das Wahrzeichen Roms. Die Wölfin ist eine griechische oder etruskische Arbeit vom Ende des 6. Jhdts. v. Chr.; die Knaben (Romulus und Remus) in ihrer heutigen Gestalt sind Schöpfungen der ausgehenden Frührenaissance. Vgl. Leo Bruhns, Die Kunst der Stadt Rom, Wien 1951, T. I.

135,39. Hier hat Goethe im Druck eine Stelle fortgelassen. Anstelle der Worte *eine Augusta Puerpera* (erhabene Wöchnerin) heißt es in der Handschrift:

ein Gegenstand, mit dem sich die neuere Kunst so gern beschäftigt! Eine Frau mit einem Säugling, wenn auch nicht säugend, ist ein unanständiges Motiv für die höhere Kunst. Nur die neuere Zeit, die so gern da unserer Sinnlichkeit schmeichelt und sie herniederzieht, statt sie zu erheben, konnte, bei einem gänzlichen Verfall des Kunstsinns, einem solchen Gegenstand hohen Adel verleihen: denn was heißt es weiter als die Freuden der Begattung und die Schmerzen der Geburt zur Schau tragen. Wem es Behagen macht, der ergetze sich daran. Aber wenn denn doch der Riß zwischen Altem und Neuem immer unheilbarer werden soll, so versäume man keine Gelegenheit, entschieden auszusprechen, worin denn eigentlich der Charakter der alten Kunst bestehe. (Weim. Ausg. Bd. 49,2, S. 322.)

In dieser unterdrückten Stelle werden wir gewahr, daß auch bei Abfassung des Myronaufsatzes die Gegenstellung zur Romantik eine, vielleicht sogar die entscheidende Rolle spielt. Goethe versucht hier für einen Augenblick, die großen Naturthemen der Antike – *Natur auf allen ihren Stufen, da, wo sie mit dem Haupte den göttlichen Himmel, und da, wo sie mit den Füßen die tierische Erde berührt* (135,20 ff.) – gegen die romantisch-neukatholische Madonnendarstellung, Vergöttlichung der Natur gegen Vermenschlichung Gottes auszuspielen. Es ist

ein Paradox, nur als solches und von der Ebene der Polemik aus verständlich, ja, entschuldbar, wenn auch in Goethes Gegenstandslehre tief
begründet. Seine Gerechtigkeit und Menschlichkeit haben dann aber
vermocht, dieses ungerechte und unhaltbare Paradox zu unterdrücken.
– Die antiromantische Einstellung von Goethes Aufsatz hat Friedrich
Schlegel sehr wohl verstanden. In seinem Aufsatz „Über die deutsche
Kunstausstellung in Rom im Jahre 1819" (Jahrbücher der Literatur,
VII, 1819) heißt es:

> „Es dürfte überhaupt mit der Sache des Christentums noch bei weitem nicht so
> schlecht stehen, als es die Revolutionsmänner und neuen Helden sich selbst einbil
> den, oder doch uns überreden möchten ... Es fehlt auch noch außer den Kirchen
> nicht an einzelnen Privatleuten, die wohl in irgendeinem dazu bestimmten Zim
> mer ihres Hauses eine Verkündigung, eine heilige Jungfrau mit dem Kinde oder
> sonst ein wohlgemaltes frommes Bild zur Freude und Andacht vor Augen zu
> haben wünschen. Nachdem jedoch die Sinnesart der Menschen sehr mannigfaltig
> ist, so wird andern vielleicht die Darstellung einer säugenden Kuh lieber sein. Und
> gewiß, wenn die Behandlung so vortrefflich ist, wie wir uns die berühmte Kuh des
> Myron zu denken haben, und wie sie uns Goethe nach seiner Art, in dem 4. Hefte
> über Kunst, so meisterhaft schildert; so darf auch dieser Gegenstand keineswegs
> von dem Gebiete der Kunst ausgeschlossen bleiben. Nur wenn es die Absicht sein
> sollte, durch diesen oder andre solche in ihrer Art auch verdienstliche tierische
> Gegenstände, die erst genannten höheren und heiligen zu verdrängen, so würden
> wir uns dagegen erklären müssen." (Schlegels Sämtliche Werke, VIII, Wien 1846,
> S. 175f.)

136,14ff. Die folgenden Zeilen fassen noch einmal Goethes Idealvorstellung der Kunst als *andrer Natur* zusammen. Der Ausdruck vollkommenster Natürlichkeit wird nicht dadurch erreicht, daß der Künstler das Natürliche nachahmt, sondern dadurch, daß er wie die Natur
natürlich hervorbringt.

136,29. Gilles *Ménage* (1613–1692), französischer Dichter und Gelehrter.

137,3. *Admetos'*, des mythischen Königs von Pherae, *Herden* wurden von
Apollon, der eine Zeitlang bei ihm als Hirt diente, durch Fruchtbarkeit vermehrt.

137,11. Der Maler und Kunsthistoriker Wilhelm Johann *Zahn* (1800–1871)
hatte Goethe 1827 sein Werk „Die schönsten Ornamente und merkwürdigsten
Gemälde aus Pompeji, Herkulanum und Stabiae" zum Geschenk gemacht.
Goethe hat es in *Über Kunst und Altertum* 1828 besprochen. Dieser Besprechung
fügte er den hier abgedruckten Nachtrag hinzu. In Goethes Tagebuch (10. September 1827) heißt es: *Wir gratulierten uns zur Publikation solcher Kunstwerke
und hofften von den pompejanischen Ausgrabungen eine Reform der seit 30 Jahren
törig retrograden deutschen Kunst.*

137,12. Vgl. hierzu Brief an Meyer vom 30. September 1827, wo er das Bild
mein Favoritbild nennt. – Zu Goethe und Zahn: Benno v. Hagen, Pompeji im
Leben und Schaffen Goethes. Goethe, Viermonatsschrift, 9, 1944, S. 88–108. –
Goethe besaß eine plastische Nachbildung nach der Gruppe „Telephus von der

Hinde gesäugt". Vgl. Schuchardt, II, S. 338, Nr. 137. Abb.: Goethe, 1944, vor S. 96.

137,25. Vgl. Schuchardt, I, S. 330, Nr. 26: ungenannter neuerer Künstler: „Ein kleiner von bewaldeten Bergen eingeschlossener See, vorn unter einer alten Eiche säugt eine weiße Hirschkuh ihr Junges." Die Anmerkung Jub.-Ausg. Bd. 35, S. 358 beruht auf einem völligen Mißverständnis.

RUYSDAEL ALS DICHTER

Erstdruck in Cottas „Morgenblatt für gebildete Stände", Tübingen 1816.

Jacob van Ruysdael ist 1628 oder 1629 (nicht 1635, wie Goethe noch annahm) zu Haarlem geboren, 1682 daselbst gestorben. Nach Aussage von Urkunden und Quellen (vgl. Wijnmann, Oud Holland 1932) scheint er zunächst Arzt gewesen zu sein. Seit 1647 Mitglied der Haarlemer Malergilde. 1657–1681 in Amsterdam. 1681/1682 in einem Altersstift seiner Vaterstadt. Vgl. J. Rosenberg, J. van Ruysdael, Berlin 1928.

Jacob van Ruysdael repräsentiert mit Allart van Everdingen (1621–1675) und Meindert Hobbema (1638–1709) die zweite große Phase der holländischen Landschaftsmalerei, die seit den 50er Jahren des 17. Jhdts. die südliche heroische Landschaft ins Nordische übertrug. Baumgruppen in dramatischer Bewegtheit, umbuschtes Mühlwerk, rauschende Wasserfälle – das sind ihre bevorzugten Themen. Jacob van Ruysdael ist der Größte dieser Gruppe. Seine Bilder, am bewußtesten und durchdachtesten gebaut, sind in strengem Sinn Ideallandschaften, Landschaftsdichtungen, in denen die treu aufgefaßte Natur pathetisch und ins Symbolische überhöht wird. Den dichterischen Charakter der Ruysdaelschen Kunst (von der akademischen Kunstlehre und auch noch von der beginnenden Romantik gegenüber seiner Naturnähe verkannt) hat zuerst Goethe in dem vorliegenden Aufsatz gewürdigt. Darin liegt die Bedeutung des Aufsatzes für die Geschichte der Beurteilung Ruysdaels.

Aber Goethes Ruysdaelaufsatz darf ebensowenig wie sein Myronaufsatz nur geschichtlich genommen werden. Er hat beispielhaften Charakter. Der Leser soll sich von der Einsicht durchdringen, *wie weit die Kunst gehen kann und soll* (142,9f.). Was Goethe an Ruysdael fesselt, ist die *Gesundheit seines äußern und innern Sinnes* (142,14). Ruysdael ist für Goethe Beispiel, daß *der reinfühlende, klardenkende Künstler, sich als Dichter erweisend, eine vollkommene Symbolik erreicht* (142,12f.). Deutlich ist wieder die Gegenstellung zur Romantik, hier zur romantischen Landschaftsmalerei, zu spüren. Denn in ihr vermißte Goethe gerade jene Gesundheit des inneren und äußeren Sinnes. Infolgedessen konnte er auch ihre Symbolik nicht anerkennen. *Das sind ja lauter Negationen des Lebens* – so äußerte er sich 1825 in einem Gespräch mit Friedrich Förster über ein Bild Karl Friedrich Lessings, „Klosterhof im Schnee", und als Förster an Ruysdaels Friedhofsbild erinnerte und „bescheidentlich fragte, ob nicht auch die elegische Stimmung in der Landschaftsmalerei eine Berechtigung habe", da entgegnete Goethe: *Zuverlässig – allein dann laßt die Marmortafeln der Gräber durch den Zauber der Mondbeleuchtung uns in eine wohltuend rührende Stimmung versetzen, und die grünbelaubten Bäume und Gras und Blumen vergessen machen, daß wir uns auf einem Totenacker befinden.* (Vgl. Carl v. Lorck, Goethe und Lessings „Klosterhof im Schnee". Westdeutsches Jahrbuch für Kunstgeschichte IX, 1936, S. 205.)

Goethe kannte Ruysdael aus d'Argenville, Abregé de la vie des plus fameux peintres, Paris 1745, und seit seinem ersten Besuch in der Dresdener Galerie 1768, über den er im *8. Buch* von *Dichtung und Wahrheit* (Bd. 9, S. 320 ff.) berichtet hat. Vermutlich von seinem Besuch 1790 hat sich ein Oktavheft von 36 Blättern erhalten, das links die Abschrift des offiziellen Galeriekataloges von 1771, rechts eigenhändige Bemerkungen enthält, die uns zeigen, für welche Bilder Goethe sich besonders interessiert und wie genau er sie betrachtet hat. (Vgl. Weim. Ausg. Bd. 47, S. 368–387.) Hier werden eine ganze Reihe von Ruysdaelschen Bildern erwähnt, aber keines von den im Aufsatz besprochenen. Als bestes Bild von Ruysdael in Dresden bezeichnet Goethe die Hirschjagd (Jacob Rosenberg, Jacob van Ruysdael, Berlin 1928, Kat.-Nr. 285).

Das Tagebuch meldet unter dem 31. Januar 1813: *Aufsatz über die Landschaft von Ruysdael,* unter dem 1. Februar: *Abschnitt des Aufsatzes über das Ruysdaelische Kloster,* so daß der zweite Abschnitt am frühesten entstanden sein muß. Goethe besaß eine „sehr schön ausgeführte Sepiazeichnung" nach dem „Kirchhof" von C. Lieber. (Schuchardt, I, S. 335, Nr. 64.) Der erste und dritte Abschnitt und die Einleitung sind vermutlich erst nach Goethes Aufenthalt in Dresden April und August 1813 hinzugefügt worden. Am 14. April 1816 ist das fertige Manuskript an Cotta geschickt worden. An demselben Tag verzeichnet das Tagebuch die *Redaktion und Durchsicht der Papiere über Sizilien* – wieder wird hier das Nebeneinander von Nord und Süd in Goethes Denken dieser Zeit deutlich.

138,26–139,8. Der *Wasserfall* mit Burghügel rechts hinten, 0,99 × 0,85. Rosenberg, Kat.-Nr. 155.

139,9–141,5. Das *Kloster.* 0,75 × 0,96. Rosenberg, Kat.-Nr. 467. Staffage von Berchem. – Gegen Goethes Auffassung der Symbolik Ruysdaels polemisiert der Romantiker Carl Gustav Carus in seinen „Betrachtungen und Gedanken vor ausgewählten Bildern der Dresdener Galerie", 1867 (Neudruck 1938): „Sollten die Darstellungen des Künstlers in Wahrheit allein einer solchen Symbolik gelten, so möchte man darin leicht bei vielen modernen Künstlern, z. B. bei Friedrich, weit bedeutendern Schilderungen begegnen. Nein! Wenn man bei Ruysdael von Sym-

bolik sprechen will, so kann man dabei eigentlich nur an das geheimnisvoll Be-
deutsame, wie es die Natur selbst in sich hegt und trägt, denken, ein Sinn, nach
welchem jeder Baum ... ein Symbol ist der Schöpferkraft der Welt, und jeder
Quell uns mahnen kann an die Entstehung alles organisch Geschaffenen aus einem
Urflüssigen ... Denn jede andere Symbolik greift mir für einen so tief naiven
Künstlergeist allemal zu flach und erscheint zu konventionell, während man dagegen diese Natursymbolik in Ruysdeal überall fast in gleicher Weise zur Hand hat
wie in der offenen freien Natur selbst."
139,19. *Schösser* = Zollbeamter.

140,16ff. In der Beschreibung der entblätterten *Buche* wird die gegenromantische Tendenz des Aufsatzes besonders klar. Das Abgestorbene soll nicht isoliert werden. Es wird nur als Teil des Lebensganzen
geduldet.

141,6–142,15. Der Judenkirchhof. 0,84 × 0,95. Rosenberg, Kat.-Nr. 154. Von
Goethe als Klosterkirchhof gedeutet, obwohl er selbst im Stich von Blotelingh,
1670, die beiden Zeichnungen des Judenkirchhofs von Ruysdael besaß, auf denen
z. T. genau die gleichen Gräber wie auf dem Gemälde vorkommen und die im
Gespräch mit Eckermann (17. Februar 1830) ganz richtig mit dem Dresdener Bild
in Verbindung gebracht werden. Bergstrom und Ruine sind freie dichterische
Zutat Ruysdaels. Vgl. über dieses Bild und die 1924 aufgetauchte erste Fassung
(außer Rosenberg) Karl Erich Simon in: Festschrift für Adolf Goldschmidt, Berlin
1935.

KUNST UND ALTERTUM AM RHEIN UND MAIN

Erstdruck: *Über Kunst und Altertum in den Rhein- und Maingegenden von
Goethe*, Stuttgart 1816.

Das Kapitel *Heidelberg* gehört zu dem großen Rechenschaftsbericht,
den Goethe über seine beiden Rheinreisen 1814 und 1815 geschrieben
und mit dem er die neue Zeitschrift der Weimarischen Kunstfreunde
Über Kunst und Altertum eingeleitet hat. Es beschäftigt sich ausschließlich mit der damals in Heidelberg befindlichen Sammlung altdeutscher
Gemälde der Brüder Boisserée.

Die Brüder Sulpiz (1783–1851) und Melchior (1786–1851) Boisserée,
Kölner Kaufmannssöhne, durch Wackenroders „Herzensergießungen",
Tiecks „Sternbald" und seine „Phantasien über die Kunst", Friedrich
Schlegels „Europa" mit dem Ideengut der Romantik vertraut geworden, 1803 im persönlichen Umgang mit Friedrich Schlegel in Paris weitergebildet, hatten frühzeitig ihr leidenschaftliches Interesse der mittel-
alterlichen Kunst ihrer Heimatstadt Köln zugewandt. Die durch die
Säkularisation der geistlichen Herrschaften 1803 bewirkte Verschleude-
rung des kirchlichen Kunstbesitzes bestärkte ihren Entschluß, das

Preisgegebene bzw. Gefährdete zu retten, durch Studium seiner Voraussetzungen und seiner Geschichte zum geistigen Besitz des deutschen Volkes zu machen und seiner Erneuerung durch die Kunst der eigenen Zeit zu dienen. So entstand, in ihren Erwerbungen bald über Köln hinausgreifend, die Sammlung altdeutscher und altniederländischer Gemälde, die zuerst in Köln, seit 1809 in Heidelberg, seit 1819 in Stuttgart ihren Platz hatte und die dann nach vergeblichen Bemühungen Schinkels, sie für Berlin zu gewinnen, durch König Ludwig I. von Bayern für München erworben wurde, wo sie heute noch den Grundstock der Sammlung altdeutscher und altniederländischer Gemälde der Älteren Pinakothek bildet. – Von gleichem Interesse wie die Malerei war für Sulpiz Boisserée die Baukunst des Mittelalters. 1808 begann er mit der Vermessung und zeichnerischen Rekonstruktion des Kölner Domes, aus der dann sein später (1822–1831) erschienenes Werk ,,Ansichten, Risse und einzelne Teile des Domes zu Köln" hervorging. Auch hier war das Interesse des Romantikers nicht allein auf die Vergangenheit, sondern ebenso auf die Zukunft gerichtet. ,,Alle meine Betrachtungen über die Kunst, über die Weltgeschichte und über den Gang des menschlichen Geistes von den frühesten Zeiten bis auf die unsrige wiesen mich auf den Aufschwung zum Höhern hin, den alle gebildeten Völker versucht haben, und nicht aufhören zu versuchen, gleichsam in einem unendlichen Bau an der Stadt Gottes auf Erden." (Fragment einer Selbstbiographie. Sulpiz Boisserée, I, Stuttgart 1862, S. 43.)

Der Widerhall, den die Boisseréesammlung als Pflanzstätte romantischen Geistes in Deutschland fand, war außerordentlich. Es war aber Wunsch und Wille der Brüder, sich auch der Teilnahme, Fürsprache und womöglich Bundesgenossenschaft des Klassikers Goethe zu versichern. Hatte Goethe doch als Erster in seinem Aufsatz über das Straßburger Münster die Herrlichkeit des deutschen Mittelalters gepriesen und ließen sein 1808 erschienener *Faust* und seine 1809 erschienenen *Wahlverwandtschaften* (mit der Gestalt des Architekten) auch jetzt wenigstens Verständnis der neuen Bestrebungen erhoffen. Goethe ist zuerst im Mai 1808 durch Friedrich Schlegel auf die Boisseréesammlung hingewiesen worden; aber erst die durch den Grafen Reinhard vermittelte persönliche Bekanntschaft, bald Freundschaft mit Sulpiz, der ihn 1811 in Weimar besuchte und seitdem in ständiger Fühlung mit ihm blieb, hat Goethes anfängliche Zurückhaltung, ja, Ablehnung überwinden und ihn endlich bestimmen können, ausnahmsweise den üblichen Badeaufenthalt in Karlsbad mit Wiesbaden zu vertauschen und von dort aus Heidelberg zu besuchen. Goethe war vom 24. September bis zum 9. Oktober 1814 zum ersten Mal, vom 21. September bis zum 7. Oktober 1815 zum zweiten Mal als Gast der Brüder zum Studium ihrer Sammlung in Heidelberg.

Der unmittelbare Eindruck der Sammlung auf Goethe war über-mächtig. *Da hat man nun auf seine alten Tage sich mühsam von der Jugend, welche das Alter zu stürzen kommt, seines eigenen Bestehens wegen abgesperrt, und hat sich, um sich gleichmäßig zu erhalten, vor allen Eindrücken neuer und störender Art zu hüten gesucht, und nun tritt da mit einem Male vor mich hin eine ganz neue und bisher mir ganz unbekannte Welt von Farben und Gestalten, die mich aus dem alten Gleise meiner Anschauungen und Empfindungen herauszwingt – eine neue, ewige Jugend, und wollte ich auch hier etwas sagen, es würde diese oder jene Hand aus dem Bilde herausgreifen, um mir einen Schlag ins Gesicht zu versetzen, und der wäre mir wohl gebührend.* (Aus Bertrams Unterhaltungen, 1863. Vgl. Firmenich-Richartz, Die Brüder Boisserée, I, Jena 1916, S. 201.) – Dennoch konnte von einer Bekehrung des „alten Heidenkönigs" (Sulpiz Boisserée an Amalie v. Hellwig 23. Oktober 1814, Sulpiz Boisserée, I, S. 229) keine Rede sein. Goethe konnte weder den Standpunkt der eigenen Jugend, in der *charakteristischen Kunst* die *einzige wahre* zu sehen (13,28), erneuern noch sich den romantischen Standpunkt zu eigen machen, in der Wiederaufnahme des Mittelalterli-chen das Heil der Zukunft zu erhoffen. Das Neue, das ihm hier über-wältigend entgegenkam, vermochte er nur als Dokument *einer Stufe menschlicher Kultur* (an Reinhard, 22. Juli 1810) aufzunehmen und an-zuerkennen. Sein Interesse war vornehmlich geschichtlich gerichtet. *Dankbar muß ich erkennen, daß ich ohne diese dringende Nötigung niemals weder dem wichtigen Punkt der Kunsterhaltung durch die bar-barische Zeit hindurch noch auch den Eigentümlichkeiten nationeller und provinzieller Wiederherstellung Aufmerksamkeit hätte schenken können.* (An Zelter, 11. März 1816.) Wie immer, so suchte Goethe auch hier hinter dem geschichtlichen Sonderfall das allgemeine Gesetz zu erkennen. Vgl. insbesondere 162,29–163,4.

Goethe hatte schon bei seinem ersten Besuch dem Drängen der Bois-serée stattgegeben, „über unsere Sammlung, über unser Bemühen um das altdeutsche Bauwesen und über die Art und Weise, wie wir dazu gekommen, eine eigene kleine Schrift zu schreiben. Ei der Teufel (sagte er mir mehrmal), die Welt weiß noch nicht, was Ihr habt, und was Ihr wollt, wir wollens ihr sagen und wir wollen ihr, weil sie es doch nun einmal nicht anders verlangt, die goldenen Äpfel in silbernen Schalen bringen; wenn ich nach Haus komme, mache ich ein Schema, das schik-ke ich Euch, damit Ihr Eure Bemerkungen dazu macht ... die Redak-tion behalte ich ..." (Sulpiz Boisserée an Dr. Schmitz, 24. Oktober 1814, Sulpiz Boisserée, I, S. 233.) Bei seiner zweiten Rheinreise erwei-terte sich dieser Plan im Gedankenaustausch mit dem Reichsfreiherrn vom Stein zu dem Plan einer Denkschrift über die Erhaltung der rheini-schen Altertümer nach der Neuordnung der Rheinlande unter preußischer Herrschaft. Vom 25. bis zum 27. Juli war Goethe mit Stein in Köln. *Sie haben mich enthusiastisch, ja, fanatisch aufgenommen, so daß man es kaum erzählen darf. Beinahe alles habe ich gesehen und bin aufgeregt worden, über Erhaltung und Ordnen der Kunstschätze am Rhein mein Gutachten abzugeben. Das will ich denn auch wohl tun, denn es ist der Mühe wert, die besten Dinge stehn am Rande des Verderbens, und der gute Wille der neuen Behörden ist groß, dabei herrscht Klarheit und so läßt sich etwas wirken.* (Goethe an August v. Goethe, 1. August 1815.)

Aus beiden Plänen ist das erste Heft der neuen Zeitschrift hervorgegangen, dem hier das Kapitel *Heidelberg* entnommen worden ist. Goethe schickte es an den preußischen Innenminister Freiherrn v. Schuckmann und an Oberpräsident Sack mit Begleitschreiben, in denen er die geistigen Aufgaben Preußens am Rhein noch schärfer charakterisierte. Daß Goethe aber statt eines Bekenntnisses eine geschichtliche Betrachtung gab, mußte die hochgespannten Erwartungen der Romantiker enttäuschen. Trotzdem fürchtete Goethe noch Mißverständnisse. An Zelter schrieb er: *Dich wird es indessen gewiß interessieren, wo ich innehalte und was ich über die Fortsetzung sage. Der Hergang der Kunst durch das Mittelalter und gewisse Lichtpunkte bei der Wiedererscheinung reiner Naturtalente haben, hoffe ich, durch meine Darstellung gewonnen. Nur werden leider die schreibseligen Legionen Deutschlands meine Ernte, wie sie auch sein mag, sehr geschwinde ausdreschen und mit den Strohbündeln als reichen Garben am patriotischen Erntefest einherstolzieren.* (26. März 1816.) Zu einer Fortsetzung seiner Betrachtungen und ausführlicher Beschreibung der Boisseréesammlung ist es denn auch trotz Vorarbeiten nicht mehr gekommen. (Vgl. hierzu die wichtigen „Paralipomena" Weim. Ausg. Bd. 34,2. Ferner: Eduard Firmenich-Richartz, Die Brüder Boisserée, I, Jena 1916. – Georg Poensgen, Die Begegnung mit der Sammlung Boisserée in Heidelberg, in dem Sammelband „Goethe und Heidelberg", Heidelberg 1949.)

143,19. Johann Baptist *Bertram* (1776–1841), Jurist. Sulpiz Boisserée lernte ihn im Sommer 1800 in Köln kennen. Er ist es gewesen, der ihn mit den Ideen Friedrich Schlegels bekannt gemacht und ihn zur Aufgabe des Kaufmannsberufes veranlaßt hat. Für geistige Ausbildung und spätere Entwicklung Sulpiz Boisserées kommt diesem kritischen Freunde eine hohe Bedeutung zu.

143,22f. Sulpiz war 1798–1800 als kaufmännischer Lehrling in Hamburg. Dort kam er in Beziehung zu Reimarus, Friedrich Perthes, Sieveking, Klopstock, Friedrich Heinrich Jacobi, Claudius, Gerstenberg u.a. – Melchior war 1797–1800 in Anhalt an der niederrheinisch-holländischen Grenze, 1802/1803 in Antwerpen.

143,23ff. Diese Angaben sind ungeau. Die Brüder Boisseré reisten zusammen mit Bertram im September 1803 nach Paris, vor allem, um das Musée Napoléon kennenzulernen. Dort wurden sie Hausgenossen

Friedrich Schlegels, der sie in das Studium der Philosophie, Ästhetik und Literatur einführte. Ende April 1804 fuhren sie mit Friedrich Schlegel über Belgien, Aachen, Düsseldorf nach Köln zurück. Eine Frucht dieser gemeinsamen Reise sind die 4. Sendung von Friedrich Schlegels an Tieck gerichteten „Gemäldebeschreibungen aus Paris und den Niederlanden" und seine „Grundzüge der gotischen Baukunst auf einer Reise durch die Niederlande, die Rheingegenden usw.". Schlegel blieb von 1804 bis 1807 in Köln. „Für Schlegel bot sich die Aussicht, wenn auch nur vorübergehend, auf eine Anstellung an der höheren Schule in Köln dar ... Einige Männer hofften auf die Möglichkeit einer teilweisen Wiederherstellung der Universität, weil die Regierung sich mit einer neuen Einrichtung des Schulwesens beschäftigte." (Sulpiz Boisserée, I, S. 27.) Die 1388 gegründete Universität war 1800 unter französischer Herrschaft aufgehoben worden. Als vorläufiger Ersatz wurde 1805 die bestehende Sekundärschule zur „Ecole secondaire communale de premier degré" erhoben. An dieser Schule ist Schlegel von 1806 bis 1807 „deuxième professeur des belles lettres" gewesen (vgl. Firmenich-Richartz, S. 55). – Schon hier ist auffällig, daß Goethe, der von der Bedeutung Friedrich Schlegels für Sulpiz Boisserée wußte, den Namen verschweigt.

143,35 ff. Die gleiche Erzählung in *Wilhelm Meisters Wanderjahren, 2. Buch, 11. Kap.* (Bd. 8, S. 268). Der Hinweis der Bongschen Ausgabe (Bd. 20, S. 226) auf Salomon Geßners berühmte Idylle „Der erste Schiffer", 1765, ist nicht überzeugend.

144,3 f. Sulpiz Boisserée schildert in seiner Selbstbiographie: „Es geschah in den ersten Monaten nach unserer Rückkehr, als wir mit Schlegel auf dem Neumarkt, dem größten Platz der Stadt, spazierten, daß wir einer Tragbahre mit allerlei Geräte begegneten, worunter sich auch ein altes Gemälde fand, auf dem die goldenen Scheine der Heiligen von ferne leuchteten. Das Gemälde, die Kreuztragung mit den weinenden Frauen und der Veronika darstellend, schien nicht ohne Vorzüge. Ich hatte es zuerst bemerkt und fragte nach dem Eigentümer, der wohnte in der Nähe, er wußte nicht, wo das große Bild zu lassen, und er war froh, es für den geforderten Preis loszuwerden. Nun hatten wir für die Unterbringung zu sorgen; um Aufsehen und Spottreden zu vermeiden, beschlossen wir, das bestaubte Altertum durch eine Hintertüre in unser elterliches Haus zu fördern. Als wir dort anlangten, erschien durch ein eigenes Zusammentreffen unsere alte Großmutter an der Türe, und nachdem sie das Gemälde eine Weile betrachtet hatte, sagte sie zu dem etwas verschämten neuen Besitzer: ‚Da hast du ein bewegliches Bild gekauft, da hast du wohl daran getan!' Es war der Segensspruch zu dem Anfang einer folgereichen Zukunft." (S. 29 f.)

144,14 f. Vgl. hierzu die Anmerkungen zu S. 177.

145,3. Vgl. hierzu Pick, Goethes Münzbelustigungen, S. 210.

145,9 ff. Der *wichtige Punkt der Kunsterhaltung durch die barbarische Zeit hindurch* (an Zelter, 11. März 1816) war ein Hauptinteresse bei Goethes Studium der Sammlung. Das Problem der Kunsterhaltung durch das seinem Wesen nach kunstfeindliche Christentum hat Goethe schon seit seiner Italienreise beschäftigt. In Meyers Aufsatz „Über Lehranstalten zugunsten der bildenden Künste" (*Propyläen 1799*) heißt es: „Glaube oder behaupte doch niemand, dem es um Erforschung und Ausbreitung der Wahrheit zu tun ist, daß die christliche Religion den bildenden Künsten hinderlich gewesen; ohne dieselbe wäre sie vielmehr wahrscheinlich nie wieder erstanden. Es bedurfte des Enthusiasmus des Christentums, wenn der mächtige, dauernde Anstoß bewirkt werden sollte, dessen schönes Resultat wir nun in so manchem Meisterstück großer Künstler bewundern." Vgl. auch H. Meyer in „Winckelmann und sein Jahrhundert", S. 204. – Erst jetzt aber gewann Goethe von diesem Prozeß eine anschauliche Vorstellung.

145,10. „Wer des Feuers bedarf, sucht's unter der Asche" ist ein orientalisches Sprichwort. Vgl. Goethe an Sulpiz Boisserée, Dezember 1815. – Zeit der Orient-Studien und des *Divan*.

145,14. Hier geht Goethe bereits deutlich über den Standpunkt von 1799 hinaus. Er unterscheidet die Lehre und das *Geschichtliche* der neuen Religion, d. h. den gestalthaften Personenkreis von der Dreieinigkeit bis zu den Aposteln, Bekennern und Märtyrern, *der ohne Wollen und Zutun* allein durch die Kunst veranschaulicht werden konnte. Dem antiken Olymp setzt er nunmehr den *christlichen Olymp* zur Seite und glaubt, bei seiner Ausbildung sei noch die gestaltbildende Antike tätig gewesen: Am 19. November 1814 schreibt er an Sulpiz Boisserée: *Da ich Gelegenheit gehabt, noch mehr echte byzantinische Arbeiten zu sehen, so bin ich überzeugter, daß von dort her der ganze Zyklus des christlichen Olymps bildlich ist überliefert worden, welches wohl geschehen mußte, da man mehr oder weniger die charakteristischen Verschiedenheiten der Ober- und Untergötter auszudrücken bemüht gewesen. Haben Sie die Gefälligkeit, von Ihrer Seite weiter darauf zu merken, weil für Kunst und Kunstgeschichte die Abstammung der Gestalten immer das Bedeutendste bleibt.* Sulpiz Boisserée antwortet auf diese Bitte am 3. Dezember 1814 mit einem ausführlichen Schreiben, das Grundfragen der christlichen Ikonographie berührt (Sulpiz Boisserée, II, Stuttgart 1862, S. 42ff.). Dazu kam dann noch das Studium des großen Werkes des ihm von Italien her persönlich bekannten Séroux d'Agincourt, „Histoire de l'art par les monuments depuis sa décadence au IV. siècle jusqu'à son renouvellement au XVI. siècle", 1810–1823. Goethe schrieb am 29. Januar 1816 an Sulpiz: *Mit welcher Frömmigkeit und Aufmerksamkeit ich … zu Werke gehe, ersehen Sie daraus, daß die 14 Foliohefte des d'Agincourt mir nicht aus den Augen kommen, ein Werk, das ich schätze, weil es mich höchlich belehrt, und das ich verwünsche,*

weil es mir die Einbildungskraft verdirbt. (Vgl. Bd. 11, Anmkg. zu
S. 370, 34.)

145,27f. Io, die nach der Berührung und dem Anhauch des Zeus den Epaphus
gebar, wird Mutter und Jungfrau genannt. Vgl. Ovid, Metamorphosen, I, Nr. 7. –
Die jungfräuliche Athene galt als die Mutter des Erichthonios.

146,17ff. Goethe denkt hier an die (seit dem 3. Jhdt. geübte) Auslegung der
Heiligen Schrift nach dem vierfachen (buchstäblichen, allegorischen, moralischen
und mystisch-anagogischen) Schriftsinn und an die „Concordantia Veteris et Novi
Testamenti".

147,5. Susdal, Stadt in Rußland, nordöstlich von Moskau gelegen, Sitz eines
Bischofs und mehrerer Klöster. – Goethe kannte russische Heiligenbilder aus der
Griechischen Kapelle in Weimar, die seit dem Einzug der jungen Großfürstin
Maria Pawlowna 1803 bestand. Ende Februar oder Anfang März 1814 hatte er
durch Vermittlung der Großfürstin sich aus Rußland Aufklärung über die in
Susdal hergestellten Andachtsbilder erbeten. Sein „Wunschzettel" wurde von der
Großfürstin nach Petersburg weitergeleitet, von wo auf dem gleichen Wege ein
Bericht an die Großfürstin geschickt und eine Sendung von Heiligenbildern (zwei
Muttergottesdarstellungen, ein Bild des Heilands und ein Bild, die 12 Feste dar-
stellend) in Aussicht gestellt wurde. Goethes „Wunschzettel" ist in Weim. Ausg.
Bd. 49, 2, S. 238f. abgedruckt. Hier heißt es: *Am angenehmsten wäre es, Muster-
stücke von jeder Art dieser Bilder, wenn auch nur im kleinsten Format, zu erhalten, womöglich von den jetztlebenden besten Künstlern, weil es belehrend für den
Kunstfreund sein müßte, wie ein aus den ältesten Zeiten von Konstantinopel her
abgeleiteter Kunstzweig bis auf unsere Tage sich unverändert durch eine stetige
Nachahmung erhalten, da in allen andern Ländern die Kunst fortgeschritten und
sich von ihren ersten religiosen strengen Formen entfernt hat.* Der russische Bericht
zuletzt veröffentlicht von Hans Wahl, Goethe 10, 1947. – Inzwischen war Goethes Interesse an der russischen Kunst durch die Begegnung mit der Sammlung
Boisserée noch verstärkt worden. Auch Sulpiz Boisserée hatte ihn auf sie verwiesen und ihm zur „Übersicht des neugriechischen Bilderwesens" empfohlen, sich
den „Moskowitischen Bilderkalender in 12 Tafeln" aus der russischen Kapelle in
Weimar zu verschaffen (Brief vom 3. Dezember 1814). Der russische Bericht und
die Sendung aus Susdal scheinen nicht in Goethes Hände gekommen zu sein. Am
23. Oktober 1813 schreibt Goethe an Sulpiz Boisserée: *Die Heiligenbilder aus der
Priesterfabrik aus Susdal sind mir abermals zugesagt. Sie sollen unterwegs, ja,
vielleicht schon hier sein, nur ist man in Irrung wegen der Kiste, worin sie befindlich. Es wäre mir sehr gelegen, wenn sie sich gerade jetzt auftäten, denn ich bin
schon bis an die Tore von Heidelberg gelangt und präpariere einen feierlichen
Einzug, um, weniger refraktär als die Europäer in China, den heiligen drei Königen le compliment d'usage zu machen.* Vgl. hierzu Maximilian v. Propper, Goethes
Verhältnis zur russischen Ikonenmalerei, „Goethe", Bd. 25, 1964, S. 27ff.

147,15. Der byzantinische Kaiser Leo III. (714–741) trat 726 mit einem Edikt
hervor, das die Entfernung der heiligen Bilder anordnete. Dieses Edikt wurde
durch seinen Nachfolger Konstantin V. Kopronymos (741–775) 754 noch ver-
schärft. Erst durch das 2. Konzil zu Nicäa 787 wurde der Bilderverfolgung ein
Ende gemacht und die Verehrung des Kreuzes und der Bilder Christi, Mariens,
der Engel und der Heiligen durch Kuß und ehrende Kniebeugung als recht und

fromm wiederanerkannt. Vgl. Wilhelm Neuß, Die Kirche des Mittelalters, Bonn 1946, S. 62f.

147,19ff. Die Gemälde und Bildwerke der sog. „schwarzen Madonnen" sind über große Teile Europas verbreitet. Über das Problem ihrer Ursprünge in heidnischer Zeit und ihrer Verbreitung vgl. E. Saillens, Nos Vierges noires, leurs origines, Paris 1945. – Über das auf dem Tuch der Veronika abgebildete Heilandsgesicht hat Sulpiz Boisserée in seinem Brief vom 3. Dezember 1814 Goethe ausführliche Auskunft gegeben. (Sulpiz Boisserée, II, S. 45f.)

147,29ff. Zu Goethes Beurteilung der byzantinischen Kunst, die auf dem von Séroux d'Agincourt veröffentlichten Material beruht, vgl. Philipp Schweinfurth, Goethe und Séroux d'Agincourt, Revue de la littérature comparée, XII, Paris 1932. – Sulpiz Boisserée vertrat den gleichen Standpunkt. In seinem Brief vom 3. Dezember 1814 heißt es: „Man muß immer mehr und mehr vermuten, daß das Schöne, daß die Kunst in der Bildnerei nie ganz untergegangen, sondern selbst in der dicksten Dunkelheit und Not sich einzeln, wenigstens durch Kopien immer erhalten hat." (Boisserée, II, S. 47.)

148,1ff. Die folgenden Ausführungen zeigen, wie Goethe auf dem ihm neuen Gebiete (im Hinblick auf die Romantiker mit besonderer Betonung) seine an der klassischen Kunst gebildeten Grundsätze und Wertmaßstäbe zur Anwendung bringt. Es gelingt ihm hier, ohne daß nach dem damaligen Stand der Forschung schon eine anschauliche Vorstellung von den Stilphasen der byzantinischen Kunstgeschichte möglich gewesen wäre, das erhaltende und bewahrende Element der byzantinischen Kunst und ihre Bedeutung für die Kunst des 13. Jhdts. durchsichtig zu machen. – Über das *offenbare Geheimnis* (148,16) der verheimlichten Symmetrie, auf das Goethe seit Italien immer wieder zu sprechen kommt, vgl. v. Einem, Goethe-Studien S. 117, Anm. 154.

148,34. Die Bronzetüren der altchristlichen Basilika S. Paolo fuori le mura in Rom sind beim Brande der Basilika 1823 schwer beschädigt worden. Ihre Reste heute in der Sammlung der Basilika. Zeichnungen der ganzen Tür und Details bei Séroux d'Agincourt, IV, T. XIII–XX. 54 Einzelfelder trugen Figuren von Aposteln und Heiligen und Propheten, ferner biblische Darstellungen von der Geburt Christi bis zum Pfingstfest. Die Verzierung war damasziert in Silber und nielliert. Die langen Inschriften (lateinisch, griechisch und syrisch) melden, daß die Türen 1070 in Konstantinopel durch Staurakios und einen unbekannten syrischen Metallkünstler verfertigt worden sind.

149,12f. Die *beiden Kolossen* sind die sog. Rossebändiger oder Dioskuren auf der Piazza del Quirinale, dem nach ihnen früher sog. Monte Cavallo. Vgl. über sie Bd. 11, Anm. zu 127,6ff.

149,34f. Colonia Agrippina = Köln. Agrippina war die Tochter des Germanicus.

150,1f. Der Legende nach erbaute Konstantins Mutter, die hl. Helena (gest. 326), zu Ehren des nach 286 hingerichteten Gereon und 50 seiner Gefolgsleute aus der Thebanischen Legion des hl. Mauritius die Gereonskirche in Köln. Daß dieser Legende geschichtliche Wahrheit zugrunde liegt, haben die in den letzten Jahren durchgeführten Grabungen Armin v. Gerkans erwiesen. Vgl. A. v. Gerkan, Der Urbau von St. Gereon in Köln. Forschungen zur Kunstgeschichte und christlichen Archäologie, I, Baden-Baden 1952.

150,2. Theophano, die Gemahlin Kaiser Ottos II. (gest. 991), Tochter des byzantinischen Kaisers Johann I. Tzimiszes (969–976), erbaute die Kirche des von dem Kölner Erzbischof Bruno (dem Bruder Kaiser Ottos d. Gr.) zu Ehren des byzantinischen Heiligen Pantaleon errichteten Benediktinerklosters St. Pantaleon nach ihrem Einsturz 996 neu. ,,Das neue Gotteshaus war wohl Mittelpunkt und Kirche einer alten griechischen Kolonie, von der noch die Namen ,Griechenmarkt' und ,Griechenpforte' zeugen. Theophano bestimmte denn auch dieses Gotteshaus zu ihrer Ruhestätte.'' Hans Vogts, Köln im Spiegel seiner Kunst, Köln 1950, S. 60.

150,6. Die von der bildenden Kunst oft dargestellte Legende berichtet, daß die Tochter des christlichen Königs von Britannia Maurus, *Ursula*, von dem Sohn des heidnischen Nachbarkönigs Aetherius zur Ehe begehrt wurde. Ursula willigte unter der Bedingung ein, daß der Bräutigam sich taufen lasse und drei Jahre auf sie warte und daß ferner ihr eigener Vater ihr zehn erlesene Jungfrauen mit je tausend Mägden zuführe. Sie selbst forderte für sich ebenfalls tausend Mägde. Auf einer Seefahrt, die sie mit ihren elftausend Jungfrauen unternahm, wurden ihre Segelschiffe vom Wind ergriffen und bis Köln getrieben. In Köln erfuhr Ursula ihre Bestimmung. Der Träumenden erschien ein Engel, der ihr verkündete, daß sie nach Rom reisen solle und auf der Rückfahrt in Köln den Märtyrertod sterben werde. Auf der Rückfahrt wurde sie denn auch vor den Mauern von Köln mit ihren Jungfrauen, dem Papst Cyriacus und anderen Bischöfen, die sich ihr angeschlossen hatten, und ihrem Bräutigam Aetherius, der ihr entgegengefahren war, von den Hunnen getötet. – Die Gründung der Ursulakirche in Köln erfolgte vermutlich schon in konstantinischer Zeit, so daß die in der Legende nachwirkenden geschichtlichen Ereignisse trotz der Nennung der Hunnen ins 4. Jhdt. gesetzt werden müssen. Zur Legende vgl. W. Levison, Das Werden der Ursulalegende, Bonner Jahrbücher 1927. – Teile der Thebaischen Legion des hl. Mauritius sind nach der Legende von Agaunum in der Südschweiz, wo die übrigen hingemetzelt wurden, nach Bonn, Köln und Xanten marschiert und haben hier infolge ihrer Weigerung, vor den heidnischen Göttern zu opfern, den Märtyrertod erlitten. Der Anführer der in Köln getöteten Schar war der hl. Gereon. Die hier überlieferten Ereignisse gehören ebenfalls ins 4. Jhdt. – Über Goethes Darstellung dieser Legenden vgl. Tumparoff, Goethe und die Legende, Berlin 1910.

150,21. Goethe denkt hier an die durch die französische Revolution veranlaßten Emigrationen.

150,38. In der Nacht vom 24. zum 25. August 1572 wurde der Führer der Hugenotten Coligny mit etwa 2000 Hugenotten in Paris ermordet, in den folgenden Tagen im übrigen Frankreich etwa 25–30000 Hugenotten. – Vom 2. bis zum 7. September 1792 wurden allein in Paris 7000 Royalisten ermordet.

151,6ff. Das Bild, das Goethe im folgenden von der Entwicklung der *niederländischen Kunstschule* entwirft, entspricht im großen der Vorstellung, die zuerst von Friedrich Schlegel in seinen ,,Gemäldebeschreibungen aus Paris und den Niederlanden 1802–1804'' entwickelt und später von Sulpiz Boisserée auf Grund der Neuerwerbungen der Boisseréesammlung wesentlich vervollständigt und modifiziert worden ist. Vgl. Sulpiz' wichtigen Brief vom 13. Februar 1811 an Fr. Schlegel (Boisserée, I, S. 96 ff.). Danach lassen sich drei Epochen unterscheiden. Die erste wird bezeichnet durch das ,,durchgängige, ausschließliche Bestehen griechischer Art und Weise in aller Malerei und Bildhauerei der Deutschen von den ersten Zeiten an bis Eyck". Die zweite stellt den ,,Übergang von der ersten gänzlich griechischen Kunst zur national deutschen", die dritte die ,,ganz national deutsche Weise", die durch Johann von Eyck begründet worden ist, dar. Es bedarf kaum eines Hinweises, daß diese Entwicklungsvorstellung für uns nur noch historische Bedeutung hat.

151,15. ,,Von dem Einfluß des Himmels" hatte auch Winckelmann in der ,,Geschichte der Kunst des Altertums" gehandelt.

151,39 ff. Die folgenden Betrachtungen beziehen sich auf den aus dem Klarakloster stammenden sog. Klarenaltar, heute im Kölner Dom. Ferdinand Wallraf nennt in der von Goethe S. 157 zitierten Abhandlung im ,,Taschenbuch für Freunde altdeutscher Zeit und Kunst auf das Jahr 1816" den Klarenaltar als ,,uraltdeutsch gemalten Altar". Vgl. ferner dazu Sulpiz Boisserée an Fr. Schlegel, 13. Februar 1811: ,,Die angeführten Gemälde, die mit noch andern neugriechisch-kölnischen Werken in unserer Sammlung und bei Wallraf eine ziemlich vollständige Reihe der christlichen Vorstellungen bilden, sind mit wenigen Ausnahmen der Mitte des 14. Jahrhunderts zuzuschreiben, aber das Glück hat mir ... auch vergönnt, unter Beistand unseres Freundes Wallraf einen großen Altar von 1306, woran eine Menge kleiner Gemälde sind, die sich meist auf das Leben der Jungfrau Maria beziehen, aus einer zerstörten Kirche in den Dom zu retten. Dieses Werk ist nicht allein für die Kunstgeschichte ein wahrer Schatz, sondern auch wegen den vielen überaus zarten anmutigen Frauenköpfchen höchst erfreulich anzusehen." (Boisserée, I, S. 98 f.) 1306 ist das Jahr der Gründung des Klaraklosters. Die Entstehung des (mehrfach erneuerten) Altares wird heute auf Grund von Stifterwappen auf ca. 1350 angesetzt. Vgl. Alfred Stange, Deutsche Malerei der Gotik, II, Berlin 1936, S. 99 (mit Abbildungen).

152,14 ff. Den Bildbeschreibungen aus der Boisseréesammlung liegen Konzepte Sulpiz Boisserées zugrunde. – Das Bild, heute in der Münchener Pinakothek, ist ein Hauptwerk des sog. ,,weichen Stiles" in Köln aus dem Anfang des 15. Jhdts. Über den Meister und die von ihm heute noch bekannten Werke vgl. Klaus Heinrich Schweitzer, Der Veronikameister und sein Kreis, Bonner Dissertation 1933 (gedruckt 1935). – Seit dem frühen Mittelalter wurde in Rom ein Tuchbild mit dem Antlitz Christi verehrt, das man für ein wahres Bildnis des Herrn (vera icon) hielt. Dieses Bild ist wohl der Ausgangspunkt der Veronikalegende, die sich bis ins 6. und 7. Jhdt. zurückverfolgen läßt und die durch die Legenda aurea des 13. Jhdts. weite Verbreitung gefunden hat. Danach befand sich Veronika in den Jahren der öffentlichen Wirksamkeit Christi auf dem Wege zu einem Maler, der ihr ein Bild des Herrn malen sollte, als der Herr ihr selbst begegnete, die Leinwand an sein Gesicht drückte und sich gleichsam selbst porträtierte. Eine – vermutlich spätere – Fassung der Legende verband die Begegnung mit der Passion. – Einzelbildnisse gaben das Schweißtuch entweder allein, vor Goldgrund gespannt oder von Engeln gehalten. Das Kölner Bild gibt zum ersten Mal Veronika selbst und den Christuskopf leidend mit Dornenkrone. – Den beigefügten Kupferstich schickte Goethe am 21. Februar 1816 an Sulpiz: *Hier ein Abdruck des schweren, aber, wie mich dünkt, wohlgeratenen Wagnisses, von Ihrer Veronika Rechenschaft zu geben.* Sulpiz bedankt sich am 3. März 1816 für den „wirklich über die Maßen gut gelungenen Kupferstich unserer Veronika" und fügt hinzu: „Die liebe deutsche Welt wird ein wunderliches Gesicht machen, wenn der Dichter in demselben Augenblick, da er den Verdacht nicht ablehnt, ein Muselmann zu sein, ihr das heilige Tuch der Tücher vorhält. Ich meine, ich hörte schon aus der Ferne etwas von Frevel und Lästerung." (Boisserée, II, S. 107.) Hierbei mag er an das am 26. Juni 1814 entstandene *Divan*-Gedicht *Beiname* im *Buch Hafis* (Bd. 2, S. 20) gedacht haben: *Und so gleich' ich dir vollkommen, Der ich unsrer heil'gen Bücher Herrlich Bild an mich genommen, Wie auf jenes Tuch der Tücher Sich des Herren Bildnis drückte, Mich in stiller Brust erquickte, Trotz Verneinung, Hindrung, Raubens, Mit dem heitern Bild des Glaubens.*

154,8. André Grabar, La sainte face de Laon, Prag 1931, sieht sogar zwischen der vera icon und dem antiken Gorgoneion einen geschichtlichen Zusammenhang.

154,11. Gemeint sind die Innenseiten des Altares aus Kloster Heisterbach im Siebengebirge (jetzt München, Pinakothek) aus der Nachfolge von Stefan Lochner mit der Darstellung einzelner Apostel und Heiliger zwischen gotischem Rahmenwerk. Vgl. zu diesem Altar Sulpiz Boisserée in seiner Selbstbiographie und in dem Brief an Friedrich Schlegel vom 13. Februar 1811. Boisserée betont den Einfluß der Bildhauerei auf die Malerei und fährt fort: „Am auffallendsten erscheint dieser durchaus plastische Charakter in den 6 Aposteln mit dem hl. Benedictus und Bernhardus, die auf zwei Flügeltafeln jeder in einer auf Goldgrund in deutscher Bauart gezeichneten Laube stehen; das ganze Bild, wovon das Mittelstück verloren oder zugrunde gegangen ist, hat ... einen aus 16 Lauben gebauten goldenen Altarschrein vorgestellt, dessen Umrisse mit schwarzer Farbe hier und da in den zurückgehenden Teilen mit schwachen Schraffierungen ausgeführt sind." (Boisserée, I, S. 100f.) Boisserées Gedanke des Einflusses der Bildhauerei auf die Malerei ist hier von Goethe übernommen worden.

155,5ff. Der Hinweis auf *Wolfram* findet sich zuerst in Friedrich Schlegels Gemäldebeschreibungen, 3. Nachtrag alter Gemälde, „Europa" 1804, S. 138: „Sollte aber jemand Zweifel hegen gegen diese Ankündigung und Behauptung einer so sehr alten kölnischen Schule deutscher Malerei, so können wir dafür einen sehr vollgültigen, und zwar gleichzeitigen Gewährsmann aus der schwäbischen Periode anführen. Es ist kein anderer als der größte Dichter, den Deutschland jemals gehabt hat; doch unter dieser Bezeichnung möchten ihn nur wenige erkennen in dem Zeitalter des Undanks und der Vergessenheit altdeutschen Ruhms. Es ist Wolfram von Eschilbach; in dessen Parcival, Vers 4705 der Myllerschen Ausgabe, da von der bezaubernden Schönheit eines Ritters die Rede ist, heißt es:

,Von Kölne noch von Maastricht
Nicht ein Schildrer entwurf ihn baß.'"
(Buch 3, 1270f.; in Lachmanns Ausg. 158,14f.)

155,23 ff. Im Jahre 1164 schenkte Friedrich Barbarossa nach der Eroberung von Mailand dem Kölner Erzbischof und Reichskanzler Reinhald von Dassel die bis dahin in S. Celso in Mailand aufbewahrten Gebeine der hl. Drei Könige. Sie fanden im Dom ihre neue Ruhestätte. Durch sie wurde Köln zu einem der vornehmsten Wallfahrtsziele der Christenheit.

156,8. Der Name des *Meister Wilhelm von Köln* ist durch den Göttinger Kunsthistoriker Johann Dominicus Fiorillo in den Annalen der Dominikanermönche zu Frankfurt von 1306–1500 gefunden und in seiner „Geschichte der zeichnenden Künste in Deutschland und den Vereinigten Niederlanden", I, Hannover 1815, S. 417f., bekannt gemacht worden. – Das Dombild ist der heute im Kölner Dom befindliche Altar der Ratskapelle am Rathausplatz in Köln, ein Hauptwerk von Stefan Lochner aus der Mitte der 40er Jahre des 15. Jhdts. Er stellt geöffnet die Verehrung der Gottesmutter durch die Stadtpatrone (die hl. Drei Könige, Gereon und Ursula mit ihrem Gefolge), geschlossen die Verkündigung dar. Sulpiz Boisserée ist es zu verdanken, daß „das Bild aus seiner dunklen Gefangenschaft von der ehemaligen Rentkammer befreit und nach dem Dom getragen wurde. 1810 am Sonntag nach Dreikönig hatte ich die Freude, den alten Schatz in seiner neuen Herrlichkeit im Dom glänzen und alle Welt zur Andacht und Bewunderung hinreißen zu sehen. Es war mir eine der größten Freuden, die ich je empfunden!" (Tagebuch. Boisserée, I, S. 73.) – Die Erwerbung des Heisterbacher Altares für seine Sammlung hatte ihm den ersten Fingerzeig zur geschichtlichen Einordnung gegeben. „Hiermit war denn auch dem bewunderungswürdigen Kunstwerk, welches man wegen der ihm eigenen Mischung des Ideellen und Individuellen, sowie wegen der höchst sanften, verschmelzenden und zugleich glänzenden Ausführung nicht wohl einzureihen gewußt hatte, seine wahre Stelle angewiesen. Wir erkannten, daß dasselbe der zur vollsten Selbständigkeit gelangten altkölnischen Schule angehörte, und den Übergangspunkt von der ältern traditionellen zu der neuern ganz naturgetreuen Kunst bezeichne, wie denn auch später Goethe dieses Bild sehr treffend die Achse der niederrheinischen Kunstgeschichte genannt hat." (Selbstbiographie. Boisserée, I, S. 38.) Die erste eingehende öffentliche Würdigung des hochberühmten, noch im 18. Jhdt. „von Kennern des Apellis Arbeit gleich geschätzten" (1739), in der Franzosenzeit in Vergessenheit geratenen Werkes gab Friedrich Schlegel im 3. Nachtrag seiner Gemäldebeschreibungen, „Europa" 1804. Die Zuschreibung an Meister Wilhelm geschah durch Sulpiz Boisserée. In seinem Brief vom 13. Februar 1811 an Friedrich Schlegel schreibt er: „Alle diese Vorzüge eines vollendeten Stils mußten aber zu der Vermutung führen, daß dies Werk einer spätern Zeit angehöre, bis ich bei Gelegenheit der Herstellung des Bildes auf der Rückseite der Flügeltafeln, die eine bisher verborgene herrliche Verkündigung enthalten, unten am Boden die Jahreszahl 1410 entdeckte. Aus dieser Angabe ließ sich auf den Meister schließen, sie paßt ziemlich zu der Nachricht, welche die Limburger Chronik bei dem Jahre 1380 über einen Meister Wilhelm in Köln gibt, der damals der berühmteste Maler in allen deutschen Landen war." (Boisserée, I, S. 101.) Die Stelle in der Limburger Chronik heißt: „1380. In diser zit was ein meler zu Cöllen der hiß Wilhelm. Der was der beste meler in Duschen landen, als er wart geachtet von den meistern, want he malte einen iglichen menschen von aller gestalt, als hette ez gelebet." (Vgl. Arthur Wyß, Die Limburger Chronik. Mon. Germ. Histor. Script. Vernac. ling. IV, 1, 75. – Firmenich-Richartz, Meister Wilhelm, Zeitschrift für christliche Kunst 1891 und 1895. – Ders., Kölnische Künstler in alter und neuer Zeit. Neuausgabe von Merlos „Nachrichten". Düsseldorf 1895. S. 949ff.) – Bei der Lesung „1410" durch Sulpiz Boisserée, die von Goethe übernommen worden ist, handelt es sich um die Mißdeutung von Lochners auf dem Fliesenfußboden der Verkündigung angegebenem Steinmetzzeichen. – Die Zuschreibung an Meister Wilhelm war unhaltbar, denn dieser Meister war 1387 bereits nicht mehr am Leben. – 1823 entdeckte der Frankfurter Historiker Johann Friedrich Böhmer (Kunstblatt 1823) in Dürers Tagebuch seiner Niederländischen Reise die berühmt gewordene Notiz, die den Namen „Meister Stephan" verriet. Dieser Meister Stefan ist dann von Johann Jacob Merlo („Nachrichten von dem Leben und den Werken Kölnischer Künstler") mit dem vom Bodensee stammenden von 1442 bis zu seinem frühen Tode 1451 in Köln nachweisbaren Stefan Lochner identifiziert worden. – Goethe lernte das Dombild bei seinem Besuch Kölns mit dem Reichsfreiherrn vom Stein, 25.–27. Juni 1815, kennen. Ernst Moritz Arndt berichtet in seinen Erinnerungen „Meine Wanderungen und Wandelungen mit dem Reichsfreiherrn H. K. F. vom Stein", wie er mit Ministerialrat Eichhorn den Freiherrn vom Stein suchte und im Dom fand. „Und wen erblickten wir nicht weit von ihm? Da stand der neben ihm größte Deutsche des 19. Jahrhunderts: Wolfgang Goethe, sich das Dombild betrachtend. Und Stein zu uns: ‚Lieben Kinder, still! still! nur nichts Politisches, das mag er nicht. Wir können ihn da freilich nicht loben, aber er ist doch zu groß.'"

156,20ff. Über die verschiedenen Restaurierungen vgl. Otto H. Förster, Die Sicherungsarbeiten am Kölner Dombild. Jahrbuch der Rheinischen Denkmalpflege 1930.

157,3 f. „Taschenbuch für Freunde altdeutscher Zeit und Kunst auf das Jahr 1816" mit der Beschreibung von Ferdinand Wallraf. Vgl. darüber Sulpiz Boisserée an Goethe 21. Dezember 1815. (Boisserée, II, S. 91.)

157,24. Zu der geschichtlichen Beurteilung Jan van Eycks (ca. 1390–1441) durch Goethe vgl. Anmkg. zu 151,6 ff. Während Friedrich Schlegel und die Boisserée in Paris das Hauptwerk der Brüder van Eyck, die Mitteltafel des Genter Altares von 1432, gesehen haben (Friedrich Schlegel gibt eine ausführliche Beschreibung in seinen Gemäldebriefen), kannte Goethe im Original nur den „großen Eyck" der Boisseréegalerie, den von Boisserée Jan van Eyck zugeschriebenen Dreikönigsaltar des Roger van der Weyden (ca. 1397–1464) aus St. Columba in Köln (heute München, Pinakothek). Auf dieses Spätwerk Rogers (ca. 1460) beziehen sich Goethes Ausführungen. Die Zuschreibung an Roger erfolgte erst 1841 in Passavants Aufsatz „Beiträge zur Kenntnis der altniederländischen Malerschulen", Kunstblatt 1841, und wurde von Sulpiz Boisserée in einem Brief an seinen Bruder Melchior vom 6. September 1841 akzeptiert.

158,15. Die Erfindung der Ölmalerei wurde Jan van Eyck zuerst von Vasari in der ersten Auflage seines Vitenwerkes 1550 in der technischen Einleitung „Del Dipingere à olio in tavola e su le tele" zugeschrieben. In der Vita des Antonello da Messina wurde aber diese Behauptung wieder eingeschränkt. Daher die vorsichtige Formulierung Goethes. (Vgl. E. Berger, Quellen und Technik der Fresko-, Öl- und Temperamalerei des Mittelalters, 1897. – Ludwig Scheewe, Hubert und Jan van Eyck. Ihre literarische Würdigung bis ins 18. Jahrhundert, Den Haag 1933.) – „Die Erfindung der Ölmalerei, die den Zeitgenossen als die Ursache der außerordentlichen Leistung, als die eigentliche Errungenschaft erschien, war, tiefer aufgefaßt, eine Folge, da die zur Produktivität gediehene Sehweise mit den alten Mitteln nicht auskam und die neue Technik gebar. Die Freiheit vom Gildenzwang erleichterte dem im Fürstendienst tätigen Meister den Bruch mit der Überlieferung. Eine langsame, mit flüssigen, aber rasch trocknenden Pigmenten lasierende Malweise, die viele Schichten übereinander breitete und einen smaltartigen Farbenkörper hervorbrachte von nie erblickter Leuchtkraft, wurde wirtschaftlich lohnend, weil die fürstlichen Gönner Bilder und Bücher wie Schmuckstücke aus Gold und Gestein werteten und die auf engen Raum gesammelte Kostbarkeit würdigten." (Max I. Friedländer, Altniederländische Malerei, I, Bln. 1924, S. 130.)

160,3. Der Columbaaltar Rogers zeigt in der Mitte die Anbetung der Könige, links die Verkündigung, rechts die Darstellung im Tempel. Er hat Goethe den tiefsten Eindruck gemacht, wie viele Zeugnisse lehren. „Vor dem großen Bild Eycks hat Goethe lange schweigend gesessen, den ganzen Tag nichts darüber geredet, aber nachmittags beim Spaziergang gesagt: ‚Da habe ich nun in meinem Leben viele Verse gemacht, darunter sind ein paar gute und viele mittelmäßige, da macht der Eyck ein solches Bild, das mehr wert ist, als alles, was ich gemacht habe.'" (Wilhelm Grimm an seinen Bruder Jacob, 31. Oktober 1815.)

161,20 f. Lukas malt die Madonna, ebenfalls von Roger van der Weyden. München, Pinakothek. Das Exemplar der Boisseréesammlung ist vermutlich Werkstattarbeit. Das Original vermutlich in Boston, Museum. (Vgl. Friedländer,

Altniederländische Malerei, II, Bln. 1924, S. 126, Nr. 106 und XIV, Nachtrag, Leyden 1937, T. IX.)

161,34ff. Dieser Wunsch ist durch I. N. Strixner in vollendeter Form in Erfüllung gegangen. Vgl. ,,Sammlung altnieder- und oberdeutscher Gemälde der Brüder Boisserée und Bertram, lithographiert von I. N. Strixner", 38 Lieferungen, 1821–1840. Dazu Goethe in den *Tag- und Jahresheften*, Abschnitt *1821*.

162,1ff. Vgl. hierzu Sulpiz Boisserée an Goethe, 27. Oktober 1815: ,,In dem Kapitel von Heidelberg bitte ich gelegentlich unsern kleinen Maler Köster, als ein Gegenstück zu Fuchs, anzuführen, er restauriert unvergleichlich besser als dieser, ist auch eigentlich mehr Künstler – Fuchs hingegen mehr Dekorateur. Eine gute Veranlassung mag Ihnen der Wunsch geben, daß man uns die Mittel verschaffe, eine Auswahl von unseren Gemälden stechen zu lassen. Dabei wäre denn unseres verstorbenen Freundes Epp zu erwähnen, der sich durch seine Ihnen größtenteils bekannten trefflichen Kopien, die Christina, den Kopf der sterbenden Maria, die Veronika, die Maria aus der Verkündigung von Eyck, des großen Bildnisses von Dürer in Nürnberg usw., andererseits auch durch die gelungensten Nachbildungen nach Raffael, Leonardo und Francia bestens zu dieser Unternehmung vorbereitet hatte. Köster trat bei uns an Epps Stelle, dieser besorgte vorher unsere Restaurationen, und durch ihn wurden wir erst mit feinerer Unterscheidung der Farben, Vorkehrungen rücksichtlich der Reinlichkeit usw. bekannt, welche bei einer völlig gewissenhaften Restauration zu beobachten sind. Er war zugleich Porträtmaler und glücklicher als Köster, doch erst gegen das Ende; früher malte er fast ebenso hart und steif, nur zeichnete er immer besser. Diese alte fleißige Art zu malen haben sie von München mitgebracht. Köster war zuerst bloßer Landschaftsmaler." (Boisserée, II, S. 71.) – Christian Philipp Köster, geb. 1784 in Friedelsheim (Rheinpfalz), gest. 1851 in Heidelberg. Landschafts- und Architekturmaler. Seit 1809 Bilderrestaurator. Seine Erfahrungen legte er in der Schrift ,,Über Restauration alter Ölgemälde", Heidelberg 1827–1830, nieder, der er als Zugabe die Schrift ,,Zerstreute Gedanken über Kunst", Heidelbg. u. Bln. 1833–1842, folgen ließ. – Peter Epp, gest. nach 1813, wirkte in Heidelberg und Mannheim.

162,19. Das Versprechen, *in dem nächsten Stück die übrigen Juwelen der Boisseréeschen Sammlung gleicherweis zu behandeln* (Anzeige in Cottas ,,Morgenblatt" 1816), hat Goethe nicht erfüllt. Zu Boisserées Berichten und Goethes Vorarbeiten vgl. Weim. Ausg. Bd. 34,2, Paralipomena, S. 20ff.

162,24ff. Die These, daß die mit Jan van Eyck beginnende Phase der national deutschen Kunst von fremdländischem, insbesondere italienischem Einfluß frei sei, ist eine Grundüberzeugung Sulpiz Boisserées. Vgl. seinen Brief vom 13. Februar 1811 an Friedrich Schlegel.

163,19. Vgl. zu dieser Stelle: v. Einem, Goethe und Dürer, S. 39, Anm. 7.

163,31f. Hans Memling (ca. 1435–1494). – Israel von Meckenem (ca. 1450–1503). Sulpiz Boisserée identifizierte diesen Künstler irrigerweise mit dem heute sog. Meister des Marienlebens. Vgl. seinen Brief an Goethe vom 2. Dezember 1815. – Lucas van Leyden (1494–1533). – Quentin Massys (1465/6–1531). – Über die Werke bzw. vermeintlichen Werke dieser Künstler in der Sammlung Boisserée vgl. Firmenich-Richartz, S. 448ff.

163,35f. Jan van Scorel (1495–1562). – Marten van Heemskerck (1498–1574). – Goethe hält sich hier an Sulpiz Boisserées ihm zugesandtes ,,kurzes Verzeichnis einiger altdeutscher Gemälde nebst flüchtigen Bemerkungen zur altdeutschen Malerei". Hier heißt es u. a.: „Vor allem wird Joh. Schoreel als derjenige gerühmt, der zuerst die bessere Kunstweise nach den Niederlanden brachte und daselbst Licht der Kunst genannt wurde... In Rom zeichnete er fleißig nach Raffael und Michelangelo. Verbindet die den Italienern eigene größere Anmut des Ausdrucks und freiere Bewegung der Gestalten mit der tiefen edlen Wahrheit und frischen kräftigen Farbenpracht der Niederländer, ohne das geringste von dem echt deutschen Charakter aufzuopfern." Weim. Ausg. Bd. 34,2, S. 41. – In den Vorarbeiten zu seinem Aufsatz stellt Goethe Jan van Eyck, Memling, Scorel und Lucas van Leyden zusammen und sagt: *In diesen vier Meistern finden sich die Elemente der neuern niederländischen Kunst, die teils durch außerordentliche Menschen wie Rubens und Rembrandt im ganzen, teils durch andere gleichfalls höchst glücklich begabte in einzelnen Teilen ausgeführt wurden.* (Weim. Ausg. Bd. 34,2, S. 32.)

164,5 ff. Die hier vorgetragene, durch die Kunstliteratur des 17. und 18. Jhdts. bedingte Rembrandtauffassung hat sich als irrig erwiesen. Rembrandt hat, wie die neuere Forschung auch im einzelnen hat nachweisen können, intime Kenntnisse der italienischen Kunst gehabt. Auch in der Entwicklung seiner Kunst spielt die italienische Kunst eine bedeutende Rolle.

164,9. Die Absicht, im nächsten Heft über die Vorzüge und Eigentümlichkeiten der oberdeutschen Schule zu berichten, ist nicht ausgeführt worden, obwohl Boisserée sehr daran gelegen war und er Goethe Beiträge zur Verfügung bzw. in Aussicht stellte. Vgl. seinen Brief vom 2. Juli 1816 (Boisserée, II, S. 120 ff.) und Goethes Antwort vom 10. Juli. – Goethes Absicht, 1816 ein drittes Mal nach Heidelberg zu kommen, um „Wolgemut und Albrecht Dürer in Boisserées Gesellschaft zu sehen" (10. Juli 1816), scheiterte. *Am 20. Juli* – so schreibt er am 22. Juli 1816 an Sulpiz – *früh sieben Uhr fuhr ich mit Hofrat Meyer von Weimar ab, um neun Uhr warf der Fuhrknecht höchst ungeschickt den Wagen um, die Achse brach, mein Begleiter wurde an der Stirn verletzt, ich blieb unversehrt. Hiebei blieb nichts übrig, als nach Weimar zurückzukehren, wo wir denn auch gegen ein Uhr wieder anlangten. Die Störung des Vorhabens und die Verwundung des Freundes machen es ungewiß, ja, unwahrscheinlich, daß ich die Reise von neuem antreten werde.*

164,17. Die Bemerkung Waetzoldts, Deutsche Kunsthistoriker, I, S. 283, „Goethe erkannte den Hauptfehler der kunstgeschichtlichen Arbeiten Boisserées, einseitig von kölnisch-niederdeutscher Kunst aus das Wesen altdeutscher Malerei überhaupt bestimmen zu wollen" ist weder von Goethe noch von Boisserée aus gerechtfertigt. Boisserées Satz in seinem Brief an Schlegel vom 13. Februar 1811: „daß diese Schule" (er sagt Eyck, meint aber Roger, und zwar speziell den Columbaaltar) „sich selbst auf Süddeutschland erstreckt habe" (Boisserée, I, S. 105), entspricht auch noch der neuesten kunstgeschichtlichen Auffassung. Vgl. auch seinen Brief vom 10. Juli 1817 an Goethe (Boisserée, II, S. 179).

JOSEPH BOSSI ÜBER LEONARD DA VINCIS ABENDMAHL ZU MAILAND

Erstdruck: *Über Kunst und Altertum, I, 3, 1817.* – Aus dem umfangreichen Aufsatz (Weim. Ausg. Bd. 49,1, S. 201–248) ist hier nur ein Kapitel ausgewählt. Der gesamte Aufsatz umfaßt folgende Kapitel: *Aus dem Leben Leonhards – Des-*

sen öffentliche Werke – Das Abendmahl – Technisches Verfahren – Ort und Platz – Zunehmendes Verderbnis – Kopien überhaupt – Kopien des Abendmahls – Neuste Kopie – Blick auf Leonard – Zur Sache! – Vergleichung.

Eugène Beauharnais, seit 1805 Vizekönig von Italien, hatte 1807 den Auftrag gegeben, eine Mosaikkopie von Leonardos Abendmahl in Originalgröße herzustellen. Den Auftrag erhielt der römische Mosaizist Giacomo Raffaelli (1753–1836), der 1804 von der Cisalpinischen Republik als erster Leiter der Scuola del Mosaico nach Mailand berufen worden war. Raffaelli schuf das Mosaik in den Jahren 1810–1817. Es wurde 1818 von den Österreichern in die Minoritenkirche nach Wien überführt. Zur Vorbereitung dieses Mosaiks hatte der Mailänder Maler und Sekretär der Brera-Akademie, Begründer der 1806 eröffneten Brera-Galerie und des Museo Archeologico in Mailand, Giuseppe Bossi (1777–1815) unter Benutzung der vorhandenen alten Kopien 1807 einen Karton und anschließend bis 1809 eine farbige Kopie des Abendmahles hergestellt (heute Mailand, Museum des Sforzakastells). Seine bei Gelegenheit seiner Arbeit angestellten Forschungen veröffentlichte er unter dem Titel „Del cenacolo di Leonardo da Vinci" 1810. Seine Memoiren von 1807–1815 sind 1878 im Mailänder Archivio Stor. Lomb. bekanntgemacht worden.

1817 lernte Großherzog Karl August von Weimar auf einer kurzen Erholungsreise in Mailand den Nachlaß Bossis kennen und erwarb für Weimar eine Mappe von Durchzeichnungen, die Bossi bei seiner Arbeit nach mehreren alten Kopien gemacht hatte, und Bossis Werk von 1810. Nach seiner Rückkehr ließ er im Atelier Ferdinand Jagemanns eine kleine Ausstellung dieser Erwerbungen veranstalten. Hier sah Goethe am 16. November 1817 zuerst die Durchzeichnungen und faßte den Entschluß, sich näher mit Leonardos Leben, dem Inhalt seiner Schriften und dem Abendmahl zu beschäftigen (vgl. Brief an Meyer vom 24. Februar 1818). *Eine große Anregung, über diese Gegenstände zu denken und sich das Verdienst eines der größten Künstler, die jemals gelebt, zu vergegenwärtigen, ist ... gegeben und, daß eine solche Gelegenheit nicht versäumt werde, höchst zu wünschen,* so schrieb er am 24. November 1817 an den Großherzog. In den folgenden Monaten ist unter Verwertung von Bemerkungen des Konservators der Brera Gaetano Cattaneo an Goethe (vgl. Brief an Meyer, 24. Februar 1818) die Besprechung des Bossischen Werkes entstanden, aus der hier allein der dem Abendmahl selbst gewidmete Abschnitt ausgewählt worden ist. Vorarbeiten Weim. Ausg. Bd. 49,2, S. 220–227. Ein erster Entwurf ging bereits am 24. November an Karl August, am 4. Dezember an Sulpiz Boisserée. *Diese Untersuchungen* – so schrieb Goethe am 16. Januar 1818 an Boisserée – *waren für mich von der größten Bedeutung, sie nötigten mich, dem außerordentlichen Künstler und Menschen wieder einmal auf allen Spuren zu folgen; wo man denn doch über die Tiefe der Möglichkeit erschrickt, die sich in einem einzigen Menschen offenbaren kann.*

Goethe hatte das Abendmahl auf seiner Rückreise von Rom am 23. Mai 1788 gesehen. (Eine kurze, vermutlich vor dem Original gemachte Notiz: Weim. Ausg. Bd. 49,2, S. 221.) Am gleichen Tage schrieb er an Karl August: *Dagegen ist das Abendmahl des Leonard da Vinci noch ein rechter Schlußstein in das Gewölbe der Kunstbegriffe. Es ist in seiner Art ein einzig Bild und man kann nichts mit vergleichen.* Diese kurze Bemerkung deutet darauf hin, daß er schon damals in Leonardos Werk eine höchste Offenbarung künstlerischer Weisheit sah; aber es bedurfte doch erst der erneuten Begegnung unter dem Eindruck der Bossischen Forschungen, um Goethe zur schöpferischen Versenkung und Auseinandersetzung mit dem Werke zu bewegen. In einem Brief an Zelter (30. November 1817) nennt er das Werk *die erste komplette malerische Fuge.* – Bei Abschluß seiner Arbeit über das Abendmahl lernte Goethe die wichtigste der Bearbeitungen des Leonardoschen Nachlasses aus dem 16. Jhdt., den berühmten Codex 1270 der Vaticana in der Ausgabe von Manzi, 1817, kennen. *Eben indem wir schließen, wird uns dargebracht: Trattato della Pittura di Lionardo da Vinci; tratto da un Codice della Biblioteca Vaticana. Roma 1817. Dieser starke Quartband enthält viele bisher unbekannte Kapitel, woraus tiefe neue Einsicht in Leonards Kunst und Denkweise gar wohl zu hoffen ist.* (Schluß seines Aufsatzes.) Hier fand Goethe die Bestätigung eigener Naturbeobachtungen und -deutungen. In den *Nachträgen zur Farbenlehre* führt Goethe Leonardo als *würdigste Autorität* an. – Lavinia Mazzucchetti, Goethe e il Cenacolo di Leonardo. Milano 1939. – Walther Scheidig, Leonardo-Goethe-Bossi, in: Leonardo da Vinci, der Künstler und seine Zeit. Berlin 1952. – Emil Möller, Das Abendmahl des Leonardo da Vinci. Baden-Baden 1952. – Momme Mommsen, Die Entstehung von Goethes Werken in Dokumenten. Bd. 1, 1958, S. 403–427.

164,30. Leonardo da Vinci (1452–1519) malte das Abendmahl im Auftrage des Regenten von Mailand, Lodovico il Moro, in den Jahren 1495–1498 für das Refektorium des Klosters S. Maria delle Grazie in Mailand.

164,34. Raphael *Morghen* (1761–1833) vollendete 1800 den Stich nach dem Abendmahl. Vgl. Niccolò Palmerini, Catalogo delle opere d'intaglio di Raffaello Morghen. Firenze 1810, S. 35, Nr. 170.

165,4. *Refektorium* = Speisesaal.

165,7 ff. Diese Stelle ist besonders wichtig. Goethe schildert hier als erster und einziger den Lebenszusammenhang, für den Leonardos Werk geschaffen worden ist.

165,34. Vgl. Möller, S. 49 mit ausführlichen Angaben. Der Fußboden ist nach Möller im 19. Jhdt. um etwa einen Meter erhöht worden, um den tiefgelegenen Saal vor Überschwemmungen zu schützen.

166,16ff. Goethe hat die hier nach Luca Pacioli (De Divina Proportione 1509) und Bossi gegebene Deutung schon in seiner *Italienischen Reise* (*25. Januar* 1787) ausgesprochen. (Bd. 11, S. 166, 15–18.) Diese Deutung ist die natürliche, und erst in neuerer Zeit (Strzygowsky) sehr zu Unrecht aufgegeben worden. Sie findet sich zuerst (ohne Zweifel auf den Künstler selbst zurückgehend) in dem Werk des mit Leonardo befreundeten bedeutenden Mathematikers Luca Pacioli, ,,De divina proportione", 1498, ferner in einem um 1500 angefertigten Stich und ist später von Vasari, Lomazzo und jüngeren Schriftstellern (wie Fernow) übernommen worden. Bei Bossi heißt es: ,,Auf diesen Augenblick, den alle Leonardo vorausgegangenen Künstler vermieden haben, baut er seine Komposition auf und nimmt sich vor, die Wirkung der Worte auf die 11 Freunde und den Verräter zu zeigen. Die Verschiedenheit der Gemüter, des Alters und des Charakters eines jeden, so eng wie möglich an die Geschichte angeschlossen, gibt die Grundlage für die wunderbare Differenzierung ab, die Leonardo in das Werk brachte, indem er mit höchster Kunst das monotone Thema der 13 männlichen Gestalten besiegte." (S. 78f. Übersetzung nach Scheidig.) Goethe bemerkt ausdrücklich etwa in der Mitte seiner Arbeit (Weim. Ausg. Bd. 49,1, S. 230): *Bis hierher haben wir von dem Werke des Ritter Bossi im allgemeinen Nachricht, im einzelnen Übersetzung und Auszug gegeben.* Er verschweigt also nicht, wie sehr er Bossi folgt. Auch die Wirkung der Worte Christi auf die Jünger ist im 2. Buch von Bossi ausführlich behandelt worden. Was dennoch Goethe hoch über Bossi hinaushebt und seiner Arbeit das unverkennbar Goethesche Gepräge gibt, ist die pakkende Unmittelbarkeit seiner Vergegenwärtigung der Szene, das tiefe Durchdenken des einzelnen aus der Konzeption des Ganzen, die Fähigkeit, den Organismus des Werkes aus seinem Lebenspunkt, den Worten Christi, zu entwickeln. – Die Deutung durch Goethe und die späteren Forscher, die ihm folgten, wird Leonardos Werk freilich nicht ganz gerecht. Hätte Leonardo nur die Verratsankündigung gegeben, so hätte er (trotz aller psychologischen Vertiefung gegenüber seinen Vorgängern) dem Anspruch des Themas nur unvollkommen genügt. Aber Leonardo hat auch (wie es das Thema verlangt) die Einsetzung des Sakramentes dargestellt. Das war für die früheren Betrachter selbstverständlich. Es ist aber von Goethe und den späteren Auslegern, die ihm folgten, nicht gesehen worden. Raphael Morghens Stich ist in einem sehr wesentlichen Punkt ungenau. Die Linke Christi weist deutlich auf das Brot. Die Rechte aber macht eine Gebärde, die unverständlich bleiben muß und die den modernen Auslegern Schwierigkeit gemacht hat (Goethe selbst schweigt hierüber). Auf dem Original und den alten Kopien dagegen ist deutlich vor der Rechten Christi ein Becher zu erkennen. Wie die Linke – verhalten, aber unverkennbar – auf das Brot, so weist die Rechte auf den Wein. Christus spricht nicht nur das Wort „Einer unter euch wird mich verraten", sondern er spricht auch die Worte der Einsetzung. Mit leisem Hinweis auf das Mysterium fidei bietet er sich als Opfer dar. Vgl. dazu v. Einem, Das Abendmahl des Leonardo da Vinci, Arbeitsgemeinschaft für Forschung des Landes Nordrhein-Westfalen, Geisteswissenschaften, Heft 99, Köln und Opladen 1961, S. 62 ff.

167,7. Goethe übernimmt aus Bossi die Namen der Apostel, wie sie in dem vermutlich 1547 gemalten Fresko zu Ponte Capriasca auf einem Fries unter die einzelnen Figuren gesetzt worden sind. Änderungsvorschläge bei Möller.

RELIEF VON PHIGALIA

Von Goethe nicht veröffentlicht. Erstdruck von Otto Harnack im Goethe-Jahrbuch 1898.

1811 war der Fries aus dem Innern des Apollotempels zu Bassai bei Phigalia (Arkadien) ausgegraben worden. Die Reliefs (peloponnesische Arbeiten vom Ende des 5. Jhdts. v. Chr.) stellen Kämpfe der Lapithen und Kentauren und der Griechen und Amazonen dar. Die Originale befinden sich seit 1814 in London, British Museum. (Vgl. Hedwig Kenner, Der Fries des Tempels von Bassae-Phigalia, Wien 1946; S. 30 ausführliche Geschichte der Entdeckung der Reliefs.)
1818 sah die Malerin Louise Seidler (1786–1866) Abgüsse des Frieses in der Münchener Akademie (Erinnerungen der Malerin Louise Seidler, Neue Ausgabe, 1922, S. 95). Sie zeichnete einen Teil („Herkules mit der Amazonenkönigin in Konflikt, noch zwei Streitpaare und zwei Pferde") in der Größe des Originals auf blauem Papier (Kenner, T. 21), die Hauptplatte des Amazonenfrieses, und schickte die Zeichnung am 3. Februar 1818 an Goethe (Schuchardt, I, S. 289, Nr. 676). Goethe war über diese Sendung hochbeglückt. *Es ist ein Abgrund von Weisheit und Kraft, man wird sogleich zweitausend Jahre jünger und besser,* so schrieb er an seinen Sohn (10. Februar 1818). Am 11. Februar diktierte er den Aufsatz *Relief von Phigalia* als Sendschreiben an Louise Seidler. Er ist unvollendet geblieben.
In der gleichen Zeit, in der Goethe durch die Vermittlung von Sulpiz Boisserée sein Verhältnis zur altdeutschen Kunst erneuerte und vertiefte, in der er mit dem *West-östlichen Divan* sich in die Patriarchenwelt des Ostens versenkte, in der er durch die Redaktion der *Italienischen Reise* sich erneut Rechenschaft über die in Italien vollzogene Wendung ablegte, begann auch in seinem Verhältnis zur griechischen Kunst eine neue Epoche. Schon in Rom hatte er Zeichnungen nach dem Fries des Parthenon in Athen gesehen (22. August 1787) und war auf die

Winckelmann noch verschlossen gebliebene Größe der griechischen Klassik aufmerksam geworden. Aber erst 1814 auf seiner Rheinreise sah er in Darmstadt die ersten Gipse (12. Oktober 1814 an seine Frau). In den folgenden Jahren beschäftigten ihn die inzwischen nach England verbrachten Parthenonskulpturen häufig – er lernte sie durch die Veröffentlichung von Thomas Bruce Earl of Elgin and Kincardine, The Elgine Marbles from the Temple of Minerva at Athens, London 1816, näher kennen, verschaffte sich Kopien der im Louvre aufbewahrten Zeichnungen von 1683, 9 große Kohlezeichnungen der Engländer W. Landser und W. Bewick, und erwarb schließlich sogar einen Abguß des Pferdekopfes vom Gespann der Selene aus dem Ostgiebel, der 1819 im Osteologischen Institut der Universität Jena aufgestellt wurde. *Hier ist doch allein Gesetz und Evangelium beisammen,* so lautete sein begeistertes Urteil in einem Brief an Sartorius (20. Juli 1817). – Zur Kenntnis der Parthenonskulpturen kam die Kenntnis der 1811 entdeckten Giebelskulpturen des Tempels der Aphaia zu Ägina, die er durch den von Schelling herausgegebenen Bericht J. M. Wagners über die Äginetischen Bildwerke, Stuttgart-Tübingen 1817, und durch Zeichnungen näher kennen lernte, und der Reliefs von Phigalia. Goethe wußte fortan, *daß man hier die höchste Stufe der aufstrebenden Kunst im Altertum gewahr werde* (*Tag- und Jahreshefte,* Abschnitt *1818*).

169,2–10. Das Zitat ist dem Begleitschreiben Louise Seidlers vom 3. Februar 1818 entnommen. Goethe bringt das gleiche Zitat in seinem Brief an Meyer vom 26. März 1818. Das Befremden der Malerin über die Gedrängtheit der Proportionen gibt Goethe die Veranlassung, sich erneut mit dem Problem der Richtigkeit, Wahrscheinlichkeit und Wahrheit auseinanderzusetzen. Goethe sucht das Gesetz, aber nicht die Regel. Das Festhalten am Gesetz gibt dem großen Künstler die Freiheit, sich über die Schulregeln hinwegzusetzen. Vgl. dazu seinen Brief an Meyer vom 26. März 1818.

169,8f. Hier sind die Rossebändiger vom Monte Cavallo gemeint. Louise Seidler erwähnt in ihrer Lebensbeschreibung (S. 86) in München die Abgüsse „der in Deutschland bisher noch nicht gesehenen Dioskuren vom Monte Cavallo". – In dem Brief vom 26. März 1818 zitiert Goethe den Satz Louise Seidlers in etwas anderer Form: *Und was soll man sagen.* Diese Lesart ist wohl die richtige. An das Zitat anknüpfend sagt Goethe in dem Brief weiterhin: *Der Bemerkung wegen Wiederholung der Kolossen würde ich entgegensetzen: man möge doch bedenken, wie man uns nun bald seit 2000 Jahren mit Muttergottesbildern ennuyiert habe.*

169,15 ff. Der hier ausgesprochene Gedanke ist von hoher methodischer Bedeutung. Goethe sieht den inneren Zusammenhang von Architektur und Plastik. Die Plastik ist *Dienerin der Architektur.* Beide stehen unter dem gleichen Gesetz. Für die gotische Baukunst hatte vor

Goethe bereits Friedrich Schlegel in seinen „Grundzügen der gotischen Baukunst" 1804/05 die gleiche Erkenntnis ausgesprochen.

169,20. Man erinnert sich hier der Worte über Paestum aus der *Italienischen Reise* vom *23. März 1787.* Bd. 11, S. 220,1 ff.

170,8 f. Vgl. Goethes Abhandlung S. 164 ff.

170,28. Es handelt sich hier um die Kopien in Castellazzo, in Ponte Capriasca und in der Bibliotheca Ambrosiana in Mailand, die Goethe in seiner Abhandlung über Leonardo bespricht und von denen er die Durchzeichnungen Bossis in Weimar vor Augen hatte.

171,1 ff. Quinten und Oktaven lassen sich nicht gleichzeitig völlig rein einstimmen. Vgl. hierzu *Problem und Erwiderung,* 1823 (Weim. Ausg., Abt. II, Bd. 7,2 *Zur Morphologie,* 2. Teil): *Vergleichung mit den natürlich immer fortschreitenden Tönen und der in die Oktaven eingeengten gleichschwebenden Temperatur. Wodurch eine entschieden durchgreifende höhere Musik, zum Trutz der Natur, eigentlich erst möglich wird.* – Goethe beschäftigte sich intensiv mit einer Tonlehre. (An Sartorius 19. Juli 1810. HA Briefe Bd. 3, S. 130 u. Anm.) Am 11. Juli 1817 schrieb er an Willemer: *Ich hatte schon längst im Sinne meiner Farbenlehre auch eine Tonlehre schematisiert, d. h. nach derselben Methode punktweis unter mehreren Rubriken verfaßt, was bei der Tonlehre zur Sprache kommen könnte.* 1826 übersandte er Zelter die Tabelle zu einer Tonlehre. *Du siehst ihr den Ernst an, wie ich dieses ungeheure Reich wenigstens für die Kenntnis zu umgrenzen gesucht habe. Jedes Kapitel, jeder Paragraph deutet auf etwas Prägnantes; die Methode des Aufstellens kann man gelten lassen, sie war von mir gewählt, weil ich sie der Form nach meiner Farbenlehre anzuähnlichen gedachte. Noch manches andere hatte ich vor, das aber bei dem veloziferischen Leben seitwärts zurückblieb.* (11. Oktober 1826.) Die Tabelle dort abgedruckt. Vgl. auch: Weim. Ausg., Abt. II, Bd. 11, S. 285 ff. und Bd. 13, S. 461. Vgl. ferner *Zur Farbenlehre. Didaktischer Teil, 5. Abteilung. Verhältnis zur Tonlehre* (Bd. 13, S. 490 f.).

171,12. Vgl. hierzu *Tag- und Jahreshefte,* Abschnitt *1817: Für die bildende Kunst näherten sich dieses Jahr große Aufschlüsse. Von Elgins Marmoren vernahm man immer mehr und mehr, und die Begierde, etwas dem Phidias Angehöriges mit Augen zu sehen, ward so lebhaft und heftig, daß ich an einem schönen sonnigen Morgen, ohne Absicht aus dem Hause fahrend, von meiner Leidenschaft überrascht, ohne Vorbereitung aus dem Stegreife nach Rudolstadt lenkte und mich dort an den erstaunenswürdigen Köpfen von Monte Cavallo für lange Zeit herstellte.* (Bd. 10, S. 520,38 bis 521,8.)

171,24. *Fronton* = Westgiebel. Goethes Beobachtung ist durchaus zutreffend.

171,26–28. Die ihm von Martin Wagner 1817 übersandte Zeichnung der Athene aus dem Westgiebel des Tempels von Ägina abgeb. bei Wegner, S. 36. – Zur *Niobe* vgl. Anmkg. zu 59,9. Das *irgendwo* deutet darauf hin, daß auch Goethe – freilich ohne entschiedene Stellungnahme – das Problem der Aufstellung der Gruppe beschäftigt hat. 1816 gab der englische Architekt Cockerell in Rom ein großes Blatt heraus mit dem Giebelfeld eines dorischen Tempels und der Einordnung der Niobidengruppe in Florenz in diesen Giebel. 1817 griff August Wilhelm Schlegel den Gedanken auf (Kunstblatt 1817); auch Welcker vertrat in diesem Jahre dieselbe These. Vgl. hierzu Stark, S. 17 f.

171,29. Über das Problem der unbezeichneten Mitte vgl. Anmkg. zu 148,1 ff.

ANTIK UND MODERN

Erstdruck: *Über Kunst und Altertum, II, 1, 1818.*

172,2. Der Anfang bezieht sich auf die Abhandlung *Philostrats Gemälde,* die Goethe an gleicher Stelle dem vorliegenden Aufsatz vorangehen ließ.

172,11. Goethe schrieb an Schubarth am 2. April 1818. *Alles, was geschieht, ist Symbol, und indem es vollkommen sich selbst darstellt, deutet es auf das übrige. In dieser Betrachtung scheint mir die höchste Anmaßung und die höchste Bescheidenheit zu liegen. Diese Forderung haben wir mit dem Obersten und dem Geringsten gemein.*

172,13. Das Heft erschien Breslau 1817, auf 2 Bände erweitert 1818 unter dem Titel ,,Zur Beurteilung Goethes mit Beziehung auf verwandte Literatur und Kunst". – *Karl Ernst Schubarth* (1796–1861), Philologe und Ästhetiker, seit 1842 Professor der Geschichte in Breslau. Er besuchte 1820 Goethe in Weimar und wurde Mitarbeiter der Zeitschrift *Über Kunst und Altertum.* Seine 1821 erschienenen ,,Ideen über Homer und sein Zeitalter" vertreten gegen Friedrich August Wolf erneut die These der Einheit der homerischen Gedichte. *Die Zerreißenden werden nicht damit zufrieden sein, weil es versöhnt und einet* schrieb Goethe darüber an Zelter (14. Oktober 1821).

172,36 ff. Goethe nimmt Gedanken wieder auf, die in seinem Briefwechsel mit Schiller eine große Rolle spielen und den Inhalt von Schillers Untersuchung ,,Über naive und sentimentalische Dichtung" ausmachen. Vgl. ferner Goethes Aufsatz *Literarischer Sansculottismus,* S. 239–244.

173,12. Dieser Ausspruch darf nicht, wie es bei Horst Oppel, Die schönsten Aufsätze Goethes, 1948, S. 720, geschieht, mit dem bekannten Ausspruch Napoleons ,,Voilà un homme!" verwechselt werden.

174,2. Daniel *Chodowiecki* (1726–1802), Maler und Kupferstecher. Über Goethes Besitz an Blättern von Chodowiecki vgl. Schuchardt, I, S. 109, Nr. 49 und S. 260, Nr. 281. Am 25. Oktober 1823 äußerte Goethe über Chodowiecki zu Eckermann: *Die bürgerlichen Szenen gelangen ... vollkommen, wollte er aber römische oder griechische Helden zeichnen, so ward es nichts.*

174,8 f. Vgl. hierzu den Aufsatz *Einfache Nachahmung der Natur, Manier, Stil* (S. 30–34), die Novelle *Der Sammler und die Seinigen* (S. 73–96) und die zu diesen Aufsätzen gehörenden Anmerkungen des Herausgebers.

174,30. Über Goethe und *Raffael* vgl. Bd. 11, Anm. zu 103,11.

174,36. Pietro Vanucci, gen. Il Perugino (ca. 1450–1523), Hauptmeister der umbrischen Malerschule. Raffaels Verhältnis zu ihm ist von Goethe genau bezeichnet worden.

174,37 ff. Goethe sieht die große Bedeutung Leonardos und Michelangelos für die Entwicklung Raffaels durchaus richtig. Seine Bemerkungen dürfen nur im Hinblick auf Raffael gewürdigt werden. Es wäre allzu billig, ihre Ungenauigkeit bemängeln zu wollen. Der *Moses*, nach 1513–1516, heute die Hauptfigur am Grabmal Julius' II. in Rom, S. Pietro in Vincoli.

175,17 f. Dieser berühmte Satz zeigt, was Goethe unter Nachahmung bzw. Nachfolge der Griechen verstand. Auch Winckelmann meinte nichts anderes mit seinem Satz: ,,Der einzige Weg für uns, groß, ja, wenn es möglich ist, unnachahmlich zu werden, ist die Nachahmung der Alten.‘‘

175,27. Über die *Schule der Carracci* vgl. Bd. 11, S. 599.

175,34 ff. Peter Paul *Rubens* (1577–1640). Goethe kannte seinen Namen seit seiner Jugend. Seine Werke lernte er zuerst 1768 in Dresden, 1774 in Düsseldorf (die Bilder, die heute größtenteils der Münchener Pinakothek angehören) und Köln kennen. Seit dieser frühen Zeit war Rubens ihm (unabhängig von der wechselnden Wertung der offiziellen Kunstliteratur) zu unverlierbarem geistigen Besitz geworden. Seine Anschauung Rubensscher Kunst suchte er, wo er nur konnte, zu vertiefen. In seinen Bemerkungen über die Dresdener Galerie (Weim. Ausg. Bd. 47, S. 368–387) finden wir viele z. T. kritische Urteile über Rubens, als beste Arbeiten bezeichnet er ,,Hieronymus‘‘ und ,,Satyr preßt Traube‘‘ (nicht ganz eigenhändig). Noch in einem späten Gespräch mit Eckermann (18. April 1827) bezieht er sich auf ein Rubenssches Bild, die ,,Rückkehr von der Arbeit‘‘ im Palazzo Pitti, Florenz, von dem er zwei Stiche besaß (Schuchardt, I, S. 182, Nr. 370 und 371). Seine eigene Sammlung von Rubensstichen umfaßt eine größere Anzahl. – Goethe verehrte in Rubens zunächst die natürliche Kraft des Genies. *Ihr findet Rubensens Weiber zu fleischig! Ich sage euch, es waren seine Weiber, und hätt' er Himmel und Hölle, Luft, Erd' und Meer mit Idealen bevölkert, so wäre er ein schlechter Ehmann gewesen . . .* (27,7 ff.). Aber Goethe blieb auf diesem Standpunkt nicht (wie Heinse in seinen ,,Briefen aus der Düsseldorfer Gemäldegalerie‘‘) stehen. Später pries er die souveräne Meisterschaft, wie sie sich freilich nur unter den glücklichsten, selten gewährten Bedingungen entfalten kann. Am 15. September 1815 notiert Sulpiz Boisserée folgende Stichworte aus einem Gespräch Goethes: *In Hobbema, in Paul Veronese, in Rubens erscheint die Selbständigkeit der Kunst – wo der Kunst der Gegenstand gleichgültig wird, sie rein absolut, der Gegenstand nur der Träger ist – dies ist die höchste Höhe.* (Firmenich-Richartz, S. 415 f.) Zu diesen glücklichen Bedingungen gehört *die große Erbschaft* vom 14.–16. Jahrhundert, von der hier die Rede ist. – Goethes Äußerungen über Rubens wirken wie ein Vorspiel der ,,Erinnerungen aus Rubens" von Jacob Burckhardt. Es ist denkwürdig, aber tief innerlich begründet, daß die Kunst des Rubens in den größten Wortführern des Klassischen, die sich über die Enge klassizistischer Doktrin erhoben, einen so starken Widerhall finden konnte. Für Winckelmann gilt ein Gleiches. In den ,,Erläuterungen" seiner ,,Gedanken über die Nachahmung der griechischen Werke" heißt es: ,,Rubens hat nach der unerschöpflichen Fruchtbarkeit seines Geistes wie Homer gedichtet; er ist reich bis zur Verschwendung; er hat das Wunderbare wie jener gesucht, überhaupt wie ein dichterischer und allgemeiner Maler." – Vgl. hierzu O. Bock v. Wülfingen, Rubens in der deutschen Kunstbetrachtung, Berlin 1947.

175,36. *Erdgeborner* = Autochthone. Vgl. Bd. 1, S. 310, Nr. 41 und die Anmkg.

VON DEUTSCHER BAUKUNST (1823)

Erstdruck: *Über Kunst und Altertum, IV, 2, 1823.*

Schon der Titel *Von deutscher Baukunst* ruft die Erinnerung an den Jugendaufsatz über das Straßburger Münster (S. 7–15) wach. In der Tat ist der Aufsatz von 1823 gleichsam das Vorwort zu seinem Wiederabdruck, den Goethe auf Wunsch des Breslauer Germanisten und Altertumforschers Johann Gustav Büsching 1824 in der Zeitschrift *Über Kunst und Altertum* veranstaltete.

Goethe hatte in seinem Jugendaufsatz die seit Vasari sog. ,,gotische" Baukunst *deutsch* genannt. *Das ist deutsche Baukunst, unsre Baukunst, da der Italiener sich keiner eignen rühmen darf, viel weniger der Franzos.* (12,21–23.) Dieser Name hatte sich aber doch nicht eingebürgert. So sprach 1801/02 August Wilhelm Schlegel in seinen Berliner ,,Vorlesungen über schöne Literatur und Kunst" (von ihm selbst nicht veröffentlicht), 1804/05 Friedrich Schlegel in seinen ,,Grundzügen gotischer Baukunst", 1813 Freiherr Carl Friedrich v. Rumohr in seiner Abhandlung ,,Vom Ursprung der gotischen Baukunst" (in Schlegels ,,Deutschem Museum") weiter von ,,gotischer" statt von ,,deutscher" Kunst. Friedrich Schlegel sagt ausdrücklich: ,,Wir können unmöglich eine Bauart die deutsche nennen, welche über alle jene einst von den Goten beherrschten Länder vom äußersten Osten bis zum fernen Westen des christlichen Abendlandes geblüht hat! Da uns diese ausschließend deutsche Benennung nur auf das seit König Konrad von den übrigen Reichen abgesonderte deutsche Vaterland in viel zu enge Schranken zurückführen würde." (Sämtl. Werke, VI, S. 181.) Rumohr betont zwar den „wichtigen Anteil", den die Deutschen „an der Ausbildung des gotischen Stiles haben", fürchtet aber „nur neue Verwirrungen in der Archäologie der Modernen, wenn der Name deutsche Architektur ihn je sollte ersetzen müssen". (Deutsches Museum, III, S. 487.) Goethe dagegen wollte an der von ihm zu ersten Mal mit positivem Vorzeichen angewandten Bezeichnung *deutsche Baukunst* festhalten. *Sehr ungern bemerke: wie man uns vom Rhein her den wohlerworbenen Ausdruck Deutsche Baukunst verkümmern und gotische wieder einführen will: daß doch die Menschen, da so gar viel in der Welt zu tun ist, das einmal wohl und unschuldig Begründete nicht wollen bestehen lassen!* (31. Januar 1822 an Büsching.) Er war daher sehr erfreut, daß Büsching in seinem „Versuch einer Einleitung in die Geschichte der altdeutschen Bauart" die Goethesche Bezeichnung erneut zu Ehren brachte.

177,3 ff. Die Einleitungssätze verschleiern den geschichtlichen Sachverhalt und lassen die eigene Position (wohl absichtlich) im unklaren. Wenn *von alten Zeiten her*, d. h. seit dem 15. Jhdt., die mittelalterliche Baukunst als „maniera tedesca ovvero gotica" bezeichnet worden ist, so geschah das in abschätzigem Sinn. Deutsch und gotisch ist gleichbedeutend mit barbarisch. Wenn die Deutschen erst in neuester Zeit von *deutscher Bauart* gesprochen haben (Goethe meint hier den eigenen Jugendaufsatz), so geschah es umgekehrt in aufwertendem Sinn. *Deutsch* heißt hier so viel wie urtümlich, eigengewachsen. Zu diesem Problem vgl. Lüdtke, „Gotisch" im 18. und 19. Jahrhundert, Zeitschr. f. dt. Wortforschung IV, 1903, und: J. v. Schlosser, Gotik, in „Präludien", Berlin 1927, S. 270 ff.

177,8 f. Hatte Goethe in seinem Jugendaufsatz das Straßburger Münster als *Babelgedanken* (7,20) eines gottgleichen *Genius* (10,15) gepriesen, so sieht er nun, belehrt durch die ausgreifenden Untersuchungen der Romantiker, die Gotik nicht mehr als Individual-, sondern als Kollektivstil.

177,15. François Blondel (1617–1686), der bedeutendste Architekt des 17. Jhdts. in Frankreich. Seit 1669 mit der Oberleitung der öffentlichen Bauten in Paris beauftragt. Seit 1672 Direktor der Pariser Bauakademie. Seine Vorlesungen über Architektur (Cours d'Architecture, Paris 1675–1683) sind aus seiner Lehrtätigkeit an der neugegründeten Académie Royale de l'Architecture hervorgegangen. Blondel spricht in seiner Einleitung von der „ungeheuer unerträglichen Manier, die noch zu unserer Väter Zeiten unter dem Namen der gotischen Baukunst gewöhnlich gewesen" (vgl. Erwin Panofsky, Das erste Blatt aus dem „Libro" Giorgio Vasaris, Staedeljahrbuch, VI, S. 37). Goethe ruft hier absichtlich einen strengen Klassizisten und Gegner der Gotik als Kronzeugen für den so wichtigen Punkt der gesetzlichen Grundlagen des gotischen Stiles an. Die von ihm zitierte Stelle aus dem Kapitel XVI ist sehr frei übersetzt. – Im Kommentar der Jubiläumsausgabe (Bd. 35, S. 371) ist der hier gemeinte Blondel irrtümlich mit dem jüngeren

Jacques François Blondel (1705–1774) verwechselt worden, von dem ,,Cours d'Architecture civile" (vollendet von P. Patte) in 6 Bänden Text und 3 Tafelbänden 1771–1777 erschienen sind.

178,13. In seinem Jugendaufsatz war es auch Goethe auf das Problem der Proportion (*alles Gestalt, und alles zweckend zum Ganzen;* 12,9 f.) angekommen.

178,19 ff. Die Wiedererweckung der Gotik begann in England gleichzeitig mit der Reformierung der Gartenkunst vom Kunstgarten zum Natur- oder Landschaftsgarten um die Mitte des 18. Jhdts. Von England griff sie auf Deutschland über. Das Landhaus des Horace Walpole an der Themse, Strawberry-Hill, 1764 eingeweiht, und das Gotische Haus im Park von Wörlitz des Fürsten Leopold Friedrich Franz von Dessau (Winckelmanns Freund), 1773 begonnen, sind ihre beiden frühesten großen Denkmäler. Gleichzeitig mit diesen Versuchen schöpferischer Wiederherstellung des gotischen Stiles, z. T. sogar früher, begann in Frankreich (vor allem durch Montfaucon), in England durch Willis, Ducarell, Carter u. a. das Studium der historischen Denkmäler des Mittelalters und die Veröffentlichung zeichnerischer Aufnahmen. In Deutschland leitet Goethes Jugendaufsatz auf der Spur Herderschen Geschichtsdenkens die Annäherung an die Gotik ein. Aber erst die romantische Bewegung, vor allem Friedrich Schlegel und Sulpiz Boisserée legten den Grund zu wirklich historischer Erkenntnis. – An den romantischen Bestrebungen, soweit sie *uns in den Stand setzen, Wert und Würde im rechten Sinn, das heißt historisch zu fühlen und zu erkennen* (178,31–33), nahm der alte Goethe lebhaftesten Anteil.

Zur Geschichte der Wiedererweckung der Gotik: Kenneth Clark, The Gothic Revival. 1. Aufl. 1928; 2. Aufl. 1950; London. – Alfred Neumeyer, Die Erweckung der Gotik in der deutschen Kunst des späten 18. Jahrhunderts. Repertorium für Kunstwiss. 1928. – Karl Koetschau, Goethe und die Gotik. Festschr. für Paul Clemen. Bonn 1926. – Heinrich Lützeler, Die Deutung der Gotik bei den Romantikern. Wallraf-Richartz-Jahrbuch, II, 1925. – Paul Clemen, Strawberry-Hill und Wörlitz. Neue Beiträge deutscher Forschung, Königsberg 1943.

179,3. Goethe sah den Mailänder Dom am 22. Mai 1788, wie es scheint, nur von außen. Er schreibt am folgenden Tag an Herzog Karl August: *Gestern war ich auf dem Dom, welchen zu erbauen man ein ganzes Marmorgebirg in die abgeschmacktesten Formen gezwungen hat. Die armen Steine werden noch täglich gequält, denn der Unsinn oder vielmehr der Armsinn ist noch lange nicht zustande.* Mit den *modernen Veränderungen* können nur die im 17. Jhdt. nach dem Entwurf von Pellegrino Pellegrini in Renaissanceformen begonnenen Teile der Fassade gemeint sein. Freilich kann man von ihnen kaum sagen, daß sie *den alten Charakter nicht mehr erkennen ließen.* Den Zustand des späten 18. Jhdts. zeigt ein Aquarell von Marc Antonio dal Re. Vgl. Herbert Siebenhüner, Deutsche Künstler am Mailänder Dom, München 1944, T. 3. – Im Gespräch mit Sulpiz Boisserée hat Goethe selbst seine *Wut und Haß gegen die gotische Architektur* als Folge seiner

Leidenschaft für Palladio zugegeben (Gespräch vom 8. August 1815, Firmenich-Richartz, S. 403); aus Venedig schreibt er am 8. Oktober 1786 von einem antiken Gebälk in der Sammlung Farsetti: *Das ist freilich etwas anderes als unsere kauzenden, auf Kragsteinlein übereinander geschichteten Heiligen der gotischen Zierweisen, etwas anderes als unsere Tabakspfeifensäulen, spitze Türmlein und Blumenzacken; diese bin ich nun, Gott sei Dank, auf ewig los!* (Bd. 11, S. 88,15-19.)

179,6f. Graf Reinhard, der die Bekanntschaft mit Sulpiz Boisserée vermittelte (vgl. S. 614), schrieb am 16. April 1810 an Goethe: „Er gedenkt ... eine Beschreibung der Domkirche zu Köln und ihrer Altertümer nebst der Geschichte ihres Baues herauszugeben. Die Zeichnungen, von der Hand eines geschickten Künstlers, Quaglio aus München (einige wenigstens sind von diesem), liegen bereits fertig und haben in Frankfurt und Heidelberg allgemeinen Beifall gefunden." (Firmenich-Richartz, S. 120.) Von diesen Zeichnungen schickte Sulpiz Boisserée mit ausführlichem Begleitschreiben 6 Blatt an Goethe. Sie fanden, wie zu erwarten war, sein lebhaftes Interesse (trotz aller Zurückhaltung, die er zunächst gegen Boisserée beobachtete). *Die Kölner Zeichnungen sind gar zu schön* – so heißt es in einem Brief an Meyer vom 12. Mai 1810. An Reinhard schrieb er: *Die Bemühungen des jungen Mannes, durch welchen die vorliegenden Zeichnungen zustande gekommen, sind höchlich zu loben. Er ist dabei gründlich zu Werke gegangen, wie ich denn gern bekenne, daß der Grundriß des Doms zu Köln, wie er hier vorliegt, eins der interessantesten Dinge ist, die mir seit langer Zeit in architektonischer Hinsicht vorgekommen. Der perspektivische Umriß gibt uns den Begriff der Unausführbarkeit eines so ungeheuren Unternehmens und man sieht, mit Erstaunen und stiller Betrachtung, das Märchen vom Turm zu Babel an den Ufern des Rheins verwirklicht ... Desto erfreulicher, obgleich ebenso erstaunenswürdig, ist die Restauration oder vielmehr der auf dem Papier unternommene Ausbau ...* Einschränkend und sich gegen die romantische Verabsolutierung wendend heißt es dann aber zum Schluß: *Mir kommt das ganze Wesen wie ein Raupen- und Puppenzustand vor, in welchem die ersten italienischen Künstler auch gesteckt, bis endlich Michelangelo, indem er die Peterskirche konzipierte, die Schale zerbrochen und als wundersamer Prachtvogel sich der Welt dargestellt hat.* (14. Mai 1810.) – Endlich kam es am 3. Mai 1811 zu dem in seinen Briefen (Firmenich-Richartz, S. 128ff.) köstlich geschilderten Besuch Boisserées in Weimar, in dessen Verlauf an Hand der Zeichnungen des Kölner Domes die Probleme der gotischen Architektur ausführlich und gründlich besprochen wurden. Im 9. *Buch* von *Dichtung und Wahrheit* (Bd. 9, S. 382ff.) benutzt Goethe die Gelegenheit der Besprechung seines alten Verhältnisses zum Straßburger Münster und seines Erwinaufsatzes dazu, zwischen seiner Jugendbegeisterung und seinem neuerwachten Interesse eine Brücke zu schlagen. Und hier nennt er nun mit *apostolischer Generosität* (14. Februar 1814 an Sulpiz Boisserée) den Namen und die Bemühungen des Sulpiz Boisserée. Bei seinen beiden Rheinreisen 1814 und 1815 kam es dann zu neuen Begegnungen mit den Denkmälern selbst. – Vgl. Firmenich-Richartz, S. 115–247. – R. Benz, Goethes Anteil am Wiederaufbau des Kölner Domes. ,,Goethe" 7, 1942, S. 226–256. – A. Grisebach, Goethe in Heidelberg und der Kölner Dom. In: ,,Goethe und Heidelberg", Heidelberg 1949, S. 196–203. – Der Kölner Dom im Jahrhundert seiner Vollendung. Bd. 2. Essays. Hrsg. v. Hugo Borger. Köln 1980.

179,12. Goethe hat sich nur schwer überzeugen lassen, dem Kölner Dom vor dem Straßburger Münster den Vorzug zu geben. An Reinhard schreibt er in dem schon zitierten Brief vom 14. Mai 1810: *Ich habe mich früher auch für diese Dinge interessiert und eben so eine Art von Abgötterei mit dem Straßburger Münster getrieben, dessen Fassade ich auch jetzt noch, wie früher, für größer gedacht halte als die des Doms zu Köln.* Über seine Sinnesänderung berichtet Sulpiz Boisserée an Bertram am 10. Mai 1811: ,,Alles, was er wegen dem Straßburger Münster zu sagen hatte, ließ er bald fallen. Er brummte am Dienstag, als ich bei ihm mit den Zeichnungen allein war, wirklich zuweilen wie ein angeschossener Bär, man sah, wie er in sich kämpfte und mit sich zu Gericht ging, so Großes je verkannt zu haben... Die Vergleichung mit dem Straßburger Münster führte uns vor allem auf die Türme, je tiefer wir da in die Untersuchung kamen, desto höher stieg sein Erstaunen. Am meisten äußerte sich das an der Vorhalle und ihren ungeheuern, reich gegliederten innern Pfeilern, denen hatte er in der kleinen Gestalt des ganzen Risses keinen Verstand abgewinnen können, jetzt, wo ich sie ihm groß vorlegte und von allem Rechenschaft gab, drangen sie ihm die lebhafteste Bewunderung ab, und es freute mich, daß er sich von selbst gerade hier an das dickste, verwickeltste Ende machte, worin so tiefe Schönheit und Geist verborgen liegt und wozu ich noch immer so wenige Menschen habe bewegen können; da sieht man doch, wo der rechte Sinn zu Hause ist. Selbst die schöne Rose am Straßburger Münster hat er zwar nicht aufgegeben, wiewohl das zum Teil Widerstrebende mit den spitzen dreieckigen Gestalten des Ganzen eingestanden, und daß er dem großen Fenster als unserer Domkirche angemessener für diese durchaus den Vorzug einräume, wie er das runde Rad zu dem übrigen Bau von Straßburg geziemender halte." (Firmenich-Richartz, S. 133 f.) Vgl. auch Goethes Bemerkungen: *Zu Boisserées Aufsatz über Herstellung des Straßburger Münsters* in: *Über Kunst und Altertum, I, 1816.*

179,24. Georg Moller (1784–1852), Architekt, Schüler von Weinbrenner. Sulpiz Boisserée hatte ihm 1811 an Stelle von Quaglio die Zeichnungen zum Kölner Dom übergeben. 1814 fand Moller in Darmstadt die nördliche Hälfte, 1816 Boisserée in Paris die südliche Hälfte des großen Fassadenrisses (über diesen ausführlich Hans Kauffmann, Die Kölner Domfassade. In: „Der Kölner Dom". Festschrift zur 700-Jahr-Feier, Köln 1948, S. 101 ff., T. 10). Vgl. ferner Boisserées Brief an Goethe vom 9. Januar 1816 (Sulpiz Boisserée, II, S. 94 ff.) und Georg Moller, Bemerkungen über die aufgefundene Originalzeichnung des Domes zu Köln nebst 9 Kupfertafeln, Darmstadt 1818. – Goethe ließ durch den Weimarer Oberbaudirektor Coudray die Stiche auf Leinwand aufziehen und mit Aquarellfarben ausmalen. Vgl. seine ergänzende Notiz zu Meyers Anzeige des „Kölner Domrisses von Moller" in *Über Kunst und Altertum, II*, Weim. Ausg. Bd. 49,2, S. 179–181: *wobei ... das Werk in seinen Teilen vor- und rücktretend so belebt wurde, daß man einen perspektivischen Riß vor sich zu sehen glaubt. Auch im einzelnen ward nichts versäumt; die fehlenden Statuen sind im alten Sinne eingezeichnet und manches andere zum Ganzen Förderliche beobachtet worden.* Der Domriß hat Goethe intensiv beschäftigt. *An euerm Domriß ist mir ein Licht aufgegangen; ich habe (ein) aperçu gehabt. Ich glaube jetzt das ganze Geheimnis der Architektur heraus zu haben.* (Gespräch vom 2. Oktober 1815. Firmenich-Richartz, S. 421.) Vgl. Marie Frölich und Hans-Günther Sperlich, Georg Moller, Baumeister der Romantik, Darmstadt 1959.

179,33 ff. Georg Moller, Denkmäler der deutschen Baukunst, Darmstadt 1818.

180,10 ff. „Ansichten, Risse und einzelne Teile des Doms zu Köln, mit Ergänzungen nach dem Entwurf des Meisters". Von Sulpiz Boisserée, Stuttgart 1821. Vgl. dazu Goethes erste Besprechung in *Über Kunst und Altertum, IV, 1823*. (Weim. Ausg. Bd. 49,2, S. 182–184.)

180,24. Es handelt sich um den in der Anmkg. zu 156,8 beschriebenen Besuch. In dem großen Rechenschaftsbericht über die beiden Rheinreisen hat Goethe zum ersten Mal den Wunsch nach Vollendung des Kölner Domes ausgesprochen: *Hat er nun dieses leider nur beabsichtigten Weltwunders Unvollendung von außen und innen geschaut, so wird er sich von einer schmerzlichen Empfindung belastet fühlen, die sich nur in einiges Behagen auflösen kann, wenn er den Wunsch, ja, die Hoffnung nährt, das Gebäude völlig ausgeführt zu sehen. Denn vollendet bringt ein groß gedachtes Meisterwerk erst jene Wirkung hervor, welche der außerordentliche Geist beabsichtigte: das Ungeheure faßlich zu machen. Bleibt aber ein solches Werk unausgeführt, so hat weder die Einbildungskraft Macht noch der Verstand Gewandtheit genug, das Bild oder den Begriff zu erschaffen.*

182,1. „Ein ‚Amphigouri' ist, nach dem ‚Dictionnaire de l'Académie Française', ein Schriftstück, dessen Sätze unabsichtlich nur Bruchstücke von Ideen und keinen vernünftigen Sinn enthalten; Goethe gebraucht *Amphigurie, amphigurisch* häufig im Sinne von wortreicher Verhüllung des eigentlichen Gedankenkerns." (Jub.-Ausg. Bd. 35, S. 372.) – An Willemer 31. Dez. 1816. – Goethe-Wb., Bd. 1, Sp. 451.

182,7. Gottlieb *Büsching* (1783–1829), Professor der Altertumskunde in Breslau. Sein Buch „Versuch einer Einleitung in die Geschichte der altdeutschen Baukunst" erschien 1821.

JULIUS CÄSARS TRIUMPHZUG, GEMALT
VON MANTEGNA

Erstdruck: *Über Kunst und Altertum, IV, 1, 2, 1823.*

Goethe hatte Mantegna in Padua kennen gelernt und einen unerwartet starken persönlichen Eindruck gehabt. Er schrieb darüber ausführlich an Charlotte v. Stein (Brief vom 27. September 1786; leicht überarbeitet *Italienische Reise*, Bd. 11, S. 62,17–31) und pries Mantegnas *wahre, derbe, reine, lichte, ausführliche, gewissenhafte Gegenwart*, die einen glücklichen Ausgangspunkt für die Künstler der Folgezeit geboten habe. – Seit dieser ersten Begegnung hat Goethe Mantegna nicht mehr aus den Augen verloren. Seine Sammlung verzeichnet eine ganze Reihe von Blättern nach seinen Werken (vgl. Schuchardt, I, S. 43 ff.). 1795 veröffentlichte Heinrich Meyer in den *Propyläen* einen Aufsatz „Mantua im Jahre 1795" mit der Beschreibung von Mantegnas Mantuaner Werken. Es handelt sich hier um eine Vorarbeit zu dem geplanten großen Italienwerk. Im Juni 1820 erwarb Goethe in Frankfurt neun Holzschnitte Andrea Andreanis nach Mantegnas Triumphzug, im September desselben Jahres ein fehlendes zehntes Blatt. (Vgl. Schuchardt, I, S. 44, Nr. 406.) An Meyer schrieb er am 30. Juni 1820: *Sehr glücklich macht mich der Triumphzug des Mantegna. So oft ich ihn im Leben sah, hab' ich ihn bewundert; wie man aber bisher ohne ihn leben konnte, begreif' ich nicht recht. Dennoch ist es immer schön genug, daß uns solche Schätze für spätere Jahre aufbewahrt sind. Die Abdrücke sind noch sehr respektabel, wenn auch nicht von den ersten, wohl erhalten, unbeschädigt und so eine sehr schöne Erwerbung. Dieser Festzug war in Mantua prope D. Sebastiani aedes in maiori eius aula, also in einem innern Klosterhofe, gemalt; ist noch irgend etwas davon übrig?* Die *sehr schöne Erwerbung* ist der Anlaß für Goethes erneute intensive Beschäftigung mit Mantegna und seinem Triumphzug in den Jahren 1820–1822 gewesen. In den *Tag- und Jahresheften*, Abschnitt *1820*, heißt es hierüber genauer: *Der Triumphzug Mantegnas, von Andreas Andreani in Holz geschnitten, hatte unter den Kunstwerken des 16. Jahrhunderts von jeher meine größte Aufmerksamkeit an sich gezogen. Ich besaß einzelne Blätter desselben, und sah sie vollständig in keiner Sammlung, ohne ihnen eine lebhafte Betrachtung ihrer Folge zu widmen. Endlich erhielt ich sie selbst und konnte sie ruhig neben- und hintereinander beschauen; ich studierte den Vasari deshalb, welcher mir aber nicht zusagen wollte. Wo aber gegenwärtig die Originale seien, da sie, als auf Tafeln gemalt, von Mantua weggeführt worden, blieb mir verborgen. Ich hatte meine Blätter eines Morgens in dem Jenaischen Gartenhause vollständig aufgelegt, um sie genauer zu betrachten, als der junge Mellish, ein Sohn meines alten Freundes* (Joseph Charles Mellish of Blith, englischer Diplomat, Schriftsteller, 1797–1802 in Weimar, seit 1798 Kammerherr, *1769–1823), hereintrat und sich alsobald in bekannter Gesellschaft zu finden erklärte, indem er kurz vor seiner Abreise aus England sie zu Hamptoncourt wohlerhalten in den königlichen Zimmern verlassen hatte. Die Nachforschung ward leichter, ich erneuerte meine Verhältnisse zu Herrn Dr. Noehden, welcher auf die freundlichste Weise bemüht war, allen meinen Wünschen entgegenzukommen. Zahl, Maß, Zustand, ja, die Geschichte ihres Besitzes von Karl I. her, alles ward aufgeklärt, wie ich solches in Kunst und Altertum, IV. Band, 2. Heft umständlich ausgeführt habe. Die von Mantegna selbst in Kupfer gestochenen Originalblätter aus dieser Folge kamen mir gleichfalls durch Freundesgunst zur Hand, und ich konnte alle zusammen, mit den Nachweisungen von Bartsch verglichen, nunmehr ausführlich erkennen und mich über einen so wichtigen Punkt der Kunstgeschichte ganz eigens aufklären.*

Der erste Teil des Aufsatzes trägt in der Handschrift die Bemerkung: *Geschrieben Jena den 31. Oktober 1820. Erneuert Jena den 1. Oktober 1821. Abgeschlossen Weimar den 21. Mai 1822.* (Dazu gehören die Paralipomena Weim. Ausg. Bd. 49,2, S. 227–235.)

Kanzler Müller schreibt in *Über Kunst und Altertum, VI*, 3, S. 641: „Heinrich Meyers kritisch-historische Studien, sein scharfes Beobachtungstalent und Goethes geniale Auffassungs- und Darstellungsgabe durchdringen sich wechselseitig zu friedlicher Harmonie und führen uns oft, z. B. im Triumphzug Mantegnas, die Gestalten und Meisterwerke früherer Epochen in lebendiger Anschaulichkeit vorüber.“ Danach muß bei diesem Aufsatz neben der Mitarbeit Noehdens auch die Mitarbeit Meyers angenommen werden. Sie bezieht sich auf die historische Beschreibung des Triumphzuges (vgl. Weim. Ausg. Bd. 49,2, S. 295) und auf den zweiten Teil. Am 1. September 1820 hatte Goethe Meyer gebeten, sich *über die Verdienste dieses außerordentlichen Mannes im allgemeinen* zu erklären. Meyer hatte darauf geantwortet: „Den Andreas Mantegna betreffend habe ich viele Anmerkungen gemacht und seine besten Werke, ich denke, fleißig beobachtet. Einiges die zu Mantua Angehende ist zwar schon in den *Propyläen* eingerückt, es bleibt aber dem ohngeachtet noch manches zu Benutzende.“ (6. September 1820.)

Der Aufsatz läßt Goethes starke persönliche Anteilnahme am Schicksal dieses Künstlers, in dem er sich selbst zu spiegeln scheint, ferner seine Vorliebe für zyklische Darstellungen und für die Rekonstruktion unvollendet gebliebener oder nur fragmentarisch erhaltener Werke erkennen. Für die Geschichte der Beurteilung Mantegnas ist er von großer Wichtigkeit. Durch die Erkenntnis der Individualität des Künstlers (der eigentümlichen Verbindung von Natur und Idealität) kommt Goethe über die bisherige abschätzige Kritik (wie wir sie etwa bei Mengs oder Volkmann finden) hinaus zu einem der Bedeutung und dem Wesen Mantegnas, insbesondere seinem „Triumphzug“, adäquaten Urteil.

Eine Nachwirkung von Goethes Beschäftigung mit Mantegnas Triumphzug ist in den 1827 geschriebenen Szenen des *1. Aktes* von *Faust, 2. Teil, Weitläufiger Saal mit Nebengemächern,* zu spüren (vgl. Bd. 3, S. 158–184, V. 5065ff. u. Kommentar). – Kuno Francke, Mantegna's Triumph of Caesar in the second part of Faust. In: Studies and Notes in Philology and Literature. Harvard University, New York 1892. S. 125ff. – Ders., Goethe and Mantegna. Modern Language Notes, Bd. 11, S. 53–58.

182,19. Andrea *Mantegna,* geb. 1431 in Vicenza, gest. 1506 in Mantua. Schüler Francesco Squarciones zu Padua, weitergebildet durch den Einfluß seines Schwiegervaters Jacopo Bellini und des Studiums der Antike. Hauptmeister der paduanischen Schule des 15. Jhdts. – Vgl. Paul Kristeller, Andrea Mantegna, Berlin 1902. – Guiseppe Fiocco, Andrea Mantegna, Mailand 1937. – Erika Tietze-Conrat, Andrea Mantegna, London 1956.

182,22. Der *Triumphzug Cäsars* ist eine Hauptschöpfung der Spätzeit Mantegnas, begonnen wahrscheinlich 1484, unvollendet abgeschlossen 1492. Er ist von Herzog Francesco Gonzaga von Mantua in Auftrag gegeben und vielleicht ursprünglich für den Theatersaal des Castello Corte in Mantua, die Camera dei Trionfi (in der außerdem noch die Trionfi Petrarcas, vielleicht auch von Mantegnas Hand gemalt, zu sehen waren), bestimmt worden. Er besteht aus 9 Bildern, Kartons, mit Leimfarben auf Papier gemalt. Die Folge ist 1627 von König Karl I. für England erworben worden (Näheres bei Kristeller, S. 293ff.) und befindet sich heute in vielfach übermaltem und restauriertem Zustande in Hamptoncourt. Zu den literarischen und bildnerischen Quellen des Triumphzuges vgl. Lucio Paribeni, Il trionfo di Cesare, di Andrea Mantegna, Roma 1940. – Darstellungen antiker Triumphzüge in Anlehnung zeitgenössischer Trionfi begegnen in der italienischen Kunst seit dem 14. Jhdt. häufiger. Seit dem Ende des 15. Jhdts. kommt die Benutzung antiker Schrift- und Bildquellen (Reliefs, Münzen, geschnittene Steine usw.) hinzu. Das bedeutendste monumentale Beispiel eines antiken Triumphzuges all'antica aus der italienischen Kunst des späten 15. Jhdts. ist die Folge Mantegnas. Hier ist die Absicht antiker Bildwirkung durch Übernahme des römischen Reliefstiles aus dem 1. Jhdt. n. Chr. besonders offensichtlich. Diese Absicht hindert den Künstler aber nicht, seinem Zug das Gepräge voller sinnlicher Gegenwärtigkeit zu geben. Gerade das hat Goethe gefühlt und bewundert. Die Triumphzüge der späteren italienischen Kunst sind dagegen in der Nachbildung antiker Vorlagen viel unfreier. – Mantegnas Folge hat durch Stiche seiner Schule frühzeitig Verbreitung gefunden. 1599 hat sie Andrea Andreani in farbigen Holzschnitten herausgegeben. Rubens kannte sie seit seinem Italienaufenthalt und hat sie 1629 in London noch einmal gesehen. Er hat mehrere Teile frei nachgebildet. Vgl. hierzu Werner Weisbach, Trionfi. Berlin 1919. – Ernest Law, Mantegna's Triumph of Julius Caesar. London 1927. – Hans Kauffmann, Rubens und Mantegna. In: Köln und der Nordwesten. 1941.

183,16. Francesco Squarcione (1397–1474), Paduaner Maler. Er hat nach Aussage der Quellen Griechenland und Rom besucht, um die antiken Denkmäler zu studieren, und besaß, wie urkundlich bezeugt ist, eine Menge Gipsabgüsse antiker Figuren. – Goethe verbessert seine Quelle Vasari, der fälschlich von Jacopo Squarcione spricht. Der richtige Vorname z. B. bei Carlo Ridolfi, Le Maraviglie dell' Arte (1648). Neu hrsg. v. Detlev Frhrn. v. Hadeln. Bd. 1. Bln. 1914. S. 85. Vgl. Guiseppe Fiocco, Il Museo imaginario di F. Squarcione, Atti dell'Accademia Pataviana di Scienze, Lettere e Arti, Bd. LXXI, 3, 1958/59, S. 50ff.

183,19. Angabe nach Vasari (deutsche Ausgabe von Gottschewski und Gronau, V, S. 30). In einer Urkunde von 1441 wird Mantegna als Adoptivsohn Squarciones aufgeführt.

183,26f. 1454 heiratete Mantegna Nicolosia, die Tochter des Malers Jacopo Bellini (ca. 1400–1470/71). Jacopo Bellini war der Vater der beiden Maler Giovanni (gest. 1516) und Gentile (1429–1507) Bellini.

183,27–29. Vasari: ,,Als Squarcione es erfuhr, erzürnte er sich dergestalt mit Andrea, daß sie von da ab stets Feinde waren.''

183,30ff. Vgl. Anmkg. zu 183,16.

184,10ff. Vasari: ,,Squarcione tadelte Andreas Arbeiten von jetzt an stets öffentlich; und vor allem tadelte er rücksichtslos die Malereien, die Andrea in jener St.-Christoph-Kapelle'' (in S. Agostino in Padua) ,,ausgeführt hatte, indem er sagte, sie taugten nichts, weil er dabei die antiken Marmorwerke nachgeahmt habe, an denen sich die Malerei nicht vollkommen erlernen läßt: denn der Stein hat stets Härte an sich und nie jene zarte Weichheit, wie das Fleisch und die Dinge selbst, die biegsam sind und sich mannigfach bewegen.'' (S. 32.)

184,27. Vasari spricht S. 33 ausführlich über die von Mantegna in den Eremitanifresken angebrachten Bildnisse.

184,31. Vasari, S. 33: ,,Ferner porträtierte er hier noch den Ritter Messer Bonramino und einen gewissen Bischof von Ungarn, einen ganz närrischen Menschen, der den ganzen Tag über in Rom herumlungerte und dann nachts, wie 's liebe Vieh, in einen Stall schlafen ging.''

185,31ff. Knapp, Andrea Mantegna, Stuttgart und Leipzig 1910 (Klassiker der Kunst), S. 50. – 186,14ff. Knapp, S. 51. – 186,27ff. Knapp, S. 52. – 186,35ff. Knapp, S. 53. – 187,3ff. Knapp, S. 54. – 187,9ff. Knapp, S. 55. – 187,24ff. Knapp, S. 56. – 188,4f. Hier befindet sich Goethe in Widerspruch zu Vasari. Bei diesem (S. 35) heißt es: ,,unter der Menge der Zuschauer eine Frau, die an der Hand ein Kind hält: das hat sich einen Dorn in den Fuß getreten und zeigt ihn seiner Mutter in anmutiger und höchst naturwahrer Weise''. Vgl. S. 198 und 199f.

188,23ff. Knapp, S. 57. – 189,3ff. Knapp, S. 58.

189,13ff. Goethe hat durchaus richtig gefühlt, daß der Zug mit dem 9. Bild nicht abgeschlossen war. Wir wissen durch die 1521 gedruckte Chronik des Equicola, daß Mantegnas Nachfolger in Mantua Lorenzo Costa (ca. 1460–1535) beauftragt worden war, die Folge zu ergänzen; vermutlich hatte aber auch Mantegna schon ein Schlußbild geplant. Vgl. dazu Kristeller, S. 304f. Goethe reiht einen Stich (B. 11) an, der heute als Werkstattarbeit gilt. Er hat ihn durch den Weimarer Kupferstecher Karl August Schwerdgeburth (1785–1878) im Gegensinn und in Größe der Andreanischen Holzschnitte umzeichnen lassen. (Vgl. Schuchardt, I, S. 45. Abbildung des Stiches bei Fiocco, T. 184.) Die gegenständliche Deutung des Stiches schwankt noch zwischen Senatoren, Schreibern und Beamten. Goethes

Erklärung als *Lehrstand* dürfte kaum das Richtige treffen. Vgl. Paul Kristeller, Andrea Mantegna. Bln. 1902. S. 305.

190,19. Auch in *Dichtung und Wahrheit, 7. Buch,* führt Goethe den berühmten Leipziger Professor der Poesie, Logik und Metaphysik Johann Christoph *Gottsched* (1700–1766) in einer grotesken Situation vor. (Bd. 9, S. 268,4–26.)

192,14ff. Vgl. Anmkg. zu 182,19.

192,25f. Karl I. wurde durch das Parlament Oliver Cromwells zum Tode verurteilt und am 27. Januar 1649 hingerichtet. Die Versteigerung seines Kunstbesitzes fand 1650 und 1653 in London statt. Über Karls Kunstbesitz vgl. Waagen, Kunstwerke in England, I, 1837, S. 23ff. Mantegnas Folge wurde aber damals nicht versteigert, wie Waagen noch fälschlich angibt (I, S. 383). Vgl. Kristeller, S. 296.

192,30f. Über Raffaels Kartons vgl. Bd. 11, Anmkgn. zu S. 350,23 und S. 361–364 (Goethes Aufsatz *Päpstliche Teppiche*).

193,17. Georg Heinrich *Noehden* (1770–1826), Kunstforscher und Philologe. 1818 Lehrer der Prinzessinnen Maria und Augusta in Weimar, seit 1822 Bibliothekar am Britischen Museum in London. Noehden übersetzte Goethes Abhandlung über Leonardos Abendmahl: Observations on Leonardo da Vinci's celebrated Picture of the Last Supper by Goethe, translated and accompanied with an introduction, London 1821. Von Goethe in *Über Kunst und Altertum, dritten Bandes drittes Heft* 1822 besprochen (Artemisausgabe, Bd. 13, S. 911ff.).

193,27. Hans *Holbein* d.J. war 1526–1528 und 1532–1543 in England, seit 1536/37 im Dienst König Heinrichs VIII.

193,29. Über *Kronprinz Heinrich* vgl. Waagen, I, S. 24.

193,34. *Rubens* war 1629/30 in diplomatischer Mission in London. Er vermittelte u.a. die Erwerbung der Raffaelischen Kartons. – Anton *van Dyck* (1599–1641) war zuerst 1620/21 in England. Endgültig siedelte er 1632 als Hofmaler Karls I. nach London über, wo er (mit Ausnahme der Jahre 1634/35) bis zu seinem Tode blieb.

193,36. Vgl. hierüber ausführlich Waagen.

194,3ff. Dieses und die folgenden Zitate vermutlich aus dem 194,26–28 genannten Werk. Über die Versteigerungen von 1650 und 1653 vgl. Waagen, I, S. 32.

194,21. Über dieses *Verzeichnis* vgl. Waagen, I, S. 457.

194,34f. Über Tizians Bild vgl. Waagen, I, S. 483.

195,35f. Erzherzog Leopold Wilhelm, Statthalter der Österreichischen Niederlande, kaufte vieles. Nach seiner Thronbesteigung 1658 kam seine Sammlung nach Wien. Ferner erwarb der Holländer Reinst mehrere Bilder. Diese schenkten die Generalstaaten Karl II. von England zurück. Vgl. hierzu Sandrart, Teutsche Akademie, Vorrede zum 3. Buch des 1. Teils, ,,Teure Gemälde zu unserer Zeit", und Waagen, I, S. 33 und 36.

196,3. Adam *Bartsch,* Le peintre-graveur. Neue Ausgabe Leipzig 1866, XIII.

196,12. *Strutt,* Biographical Dictionary, cont. an historic account of all the engravers and a short list of their most estemeed works, 2 Bde., 1785/86.

196,19. Filippo *Baldinucci,* Cominciamento e progresso dell'arte d'intagliare in rame colla vita de'piu eccellenti maestri della stessa professione, Florenz 1686,

2. Ausg. mit Anmerkungen von Manni, Florenz 1767. – Mantegna war 1488–1490 in Rom, wo er die Privatkapelle des Papstes Innozenz VIII. im Belvedere des Vatikans ausmalte. Die Folge war aber 1487 bereits begonnen. Die Stiche nach ihr gelten heute als Arbeit der Mantegnaschule. Goethes Beweisführung ihrer Originalität ist nicht zwingend, da er sie nicht mit den Originalen Mantegnas, sondern mit den (späteren) Holzschnitten von Andreani vergleicht. Jedoch hat er richtig gesehen, daß die Kupferstiche nicht nach Mantegnas Gemälden, sondern nach verlorenen Zeichnungen, die den Gemälden vorausgehen, ausgeführt worden sind. Die Kupferstiche sind abgebildet bei Kristeller, Abb. 94–97. Vgl. auch die einzig erhaltene Studie in der Kopie in Chantilly (Kristeller, Abb. 99).

199,6f. Die *Lücke* heißt: ,,denjenigen, der den Triumphator schmäht''. Goethe dürfte hier unbedingt recht haben.

201,22. *Pausanias*, griechischer Schriftsteller des 2. Jhdts. Hauptquelle der antiken Kunstgeschichte. Seine Beschreibung der Gemälde des Polygnot in der Lesche zu Delphi hat Goethe lange beschäftigt. Zur Weimarischen Kunstausstellung von 1803 hatten die Göttinger Gebrüder Riepenhausen zwölf Blätter Bleistiftumrisse mit Rekonstruktionen der Gemälde Polygnots in der Lesche zu Delphi eingesandt. Goethe war über diesen Rekonstruktionsversuch hocherfreut und hat daraufhin selbst eine Rekonstruktion in der Jenaischen Allgemeinen Literaturzeitung 1804 und 1805 veröffentlicht. Vgl. dazu Artemisausgabe, Bd. 13, S. 363 ff. und 451 ff. – Scheidig, Goethes Preisaufgaben, S. 372 ff. – Ernst Grumach, Goethe und die Antike. Potsdam 1949. S. 634–649 und 877 f. – Horst Nahler, Goethes Aufsatz über Polygnot. (Jb.) Goethe 28, 1966, S. 93–105.

201,27. Flavius *Philostrat*, Sophist in Rom und Athen unter Kaiser Septimius Severus. Sein zweibändiges Werk Εἰκόνες beschreibt Gemälde aller Art. Vgl. Goethes Abhandlung *Philostrats Gemälde* in *Über Kunst und Altertum, II, 1, 1818.* Vgl. Artemisausgabe, Bd. 13, S. 792 ff.

LA CENA, PITTURA IN MURO DI GIOTTO

Erstdruck: *Über Kunst und Altertum, V, 1, 1824.*

Der Aufsatz ist Goethes letzte öffentliche Stellungnahme gegen die Bestrebungen der Romantiker, *sich rückwärts zu bilden, in den Schoß der Mutter zurückzukehren und so eine neue Kunstepoche zu begründen.* (14. November 1814 an Sulpiz Boisserée.)

Der Trierer Maler Johann Anton Ramboux (1790–1866), in Paris unter David gebildet, war 1816 nach Rom gekommen und hatte sich dort den Romantikern, insbesondere dem Führer des Lukasbundes, Friedrich Overbeck, angeschlossen. Overbeck berichtet über ihn an seinen Freund Vogel: ,,Eine sehr merkwürdige Erscheinung ist auch

Ramboux aus Trier, der früher ein Anbeter und Nachahmer Davids war und noch vor kurzem hier Modellstudien nach Art der Franzosen aufs manierierteste zeichnete und malte, und nun auf dem schönen Wege der Natur, die er höchst genialisch auffaßt, mit Riesenschritten wandelt." (Howitt, Friedrich Overbeck, I, S. 414.) Auf der berühmten Ausstellung deutscher Kunst im Palazzo Caffarelli in Rom im Frühjahr 1819 stellte Ramboux die Zeichnung „Das Abendmahl nach Giotto im Refektorium zu S. Croce in Florenz" (heute Berlin, Nationalgalerie) aus. Sie ist ein wichtiges Dokument der romantischen Hinwendung zur frühen italienischen Kunst und war für Ramboux selbst der Auftakt systematischer Beschäftigung mit dieser Epoche. Ramboux hat auf seinen beiden Italienreisen (1816–1822 und 1832–1842) viele außerordentlich wertvolle Aquarellkopien nach italienischen Wandgemälden geschaffen (heute Düsseldorf, Städt. Kunstsammlungen) und eine bedeutende Sammlung von italienischen Gemälden des 13. bis 15. Jhdts. zusammengebracht, „welche außerhalb Italiens zu ihrer Zeit überhaupt kein Gegenstück gefunden hätte und auch heute nur etwa von der Londoner National Gallery und dem Kaiser-Friedrich-Museum in Berlin übertroffen würde" (O. H. Förster, Kölner Kunstsammler, Berlin 1931, S. 121). Die Sammlung ist 1867 versteigert worden. (Vgl. hierzu P. O. Rave, Ramboux und die Wiederentdeckung altitalienischer Malerei in der Zeit der Romantik. Westdeutsches Jahrbuch für Kunstgesch., XII/XIII, München 1943, S. 231 ff.)

Ramboux' Zeichnung wurde auf Betreiben des mit den deutschrömischen Romantikern freundschaftlich verbundenen Kunsthistorikers Carl Friedrich Freiherr v. Rumohr (des Verfassers der „Italienischen Forschungen") von Ferdinand Ruscheweyh (1785–1845) gestochen und 1821 in drei sehr großen Blättern herausgegeben. Diesem Stich gilt Goethes Besprechung, die die künstlerische Arbeit voll anerkennt, die Bekanntmachung des Werkes im Interesse der kunstgeschichtlichen Forschung begrüßt, aber das Blatt als Dokument romantischer Kunstgesinnung ablehnt.

Das Fresko des Abendmahls im Refektorium des Franziskanerklosters S. Croce in Florenz, das früheste in der Folge der Refektoriumsbilder des Abendmahls in der Toskana, von Vasari Giotto zugeschrieben, hat zuerst Rumohr in seinen „Italienischen Forschungen" (Neuausgabe von J. v. Schlosser, 1920, S. 271) Giotto abgesprochen. Es gilt heute allgemein als Werk des Giottoschülers Taddeo Gaddi (gest. 1366) um 1340. (Vgl. Walter und Elisabeth Paatz, Die Kirchen von Florenz, I, Frankfurt 1940, S. 582. – Abb. bei Emil Möller, Das Abendmahl des Leonardo da Vinci, Baden-Baden 1952, S. 15. – Abb. der Zeichnung von Ramboux bei Rave, S. 239. – Hans Eichler, Der Trierer Maler J. A. Ramboux im Urteil Goethes, Trierisches Jahrbuch 1952.) – Vgl. ferner die Aufsätze von Gertrude Coor über die Dugento-, Trecento- und Quattrocento-Gemälde aus der Sammlung Ramboux, Wallraf-Richartz-Jahrbuch, Bd. XVI, 1954, Bd. XVIII, 1956 und Bd. XXI, 1959. Vgl. ferner Katalog der Gedächtnisausstellung des Wallraf-Richartz-Museums „I. A. Ramboux", Köln 1966/67 und Hans Joachim Ziemke, Ramboux und die italienische Kunst, Staedel Jahrb., N. F., Bd. 2, 1969.

203,27ff. Hier wäre etwa an folgende Schriften zu denken: August Kestner, Über die Nachahmung in der Malerei, Frankfurt 1818. – Friedrich Schlegel, Über die deutsche Kunstausstellung in Rom im Jahre 1819, Jahrbücher der Literatur, VII, Wien 1819. – Johan David Passavant, Ansichten über die bildenden Künste und Darstellung des Ganges derselben in Toscana zur Bestimmung des Gesichtspunktes, aus welchem die neudeutsche Schule zu betrachten ist, Heidelberg 1820.

203,35ff. Goethe denkt hier wohl an den *Papierhelden* Basilius v. Ramdohr (an Meyer, 15. September 1796) und sein Werk „Über Malerei und Bildhauerarbeit in Rom für Liebhaber des Schönen in der Kunst", 3 Bde., Leipzig 1787. In Bd. 1, S. 53 heißt es über den Apoll von Belvedere: „Das Bein, mit welchem Apollo vortritt, ist um 9 Minuten länger als das hintere." S. 64ff. gibt er eine Kritik des Laokoon. S. 330 heißt es über den Borghesischen Fechter: „Man wirft der Lage des Rückgrates vor, daß sie mit der Lage des vorderen Leibes nicht übereinstimmt." Es scheint aber, daß Goethes Gedankengang auch unmittelbar der Lektüre Winckelmanns widerspiegelt (vgl. „Geschichte der Kunst des Altertums", Kap. IV, Stück 2).

205,11–13. Schon seit dem 9. Jhdt. ist in der morgen- und abendländischen Kunst mit der Darstellung des Abendmahles die Ankündigung des Verrates, und zwar des Matth. 26 geschilderten zweiten Momentes: „Der mit der Hand mit mir in die Schüssel tauchte, der wird mich verraten", verbunden worden. Bedeutungsmäßig ist die Verratsankündigung aber immer Neben-, die Einsetzung des eucharistischen Mahles dagegen immer die Haupthandlung. Taddeo Gaddis Werk steht also in einer alten Tradition. Diese Tradition ist bis zu Leonardo lebendig geblieben. Leonardo hat dann zum ersten Mal nicht den bei Matthäus geschilderten zweiten, sondern den ersten Moment dargestellt: „Einer unter euch wird mich verraten." Vgl. hierzu die Anmkg. zu 166,16.

205,35. Es ist Goethe wie der späteren Leonardoforschung entgangen, daß Leonardos Werk eine unmittelbare Berührung mit Taddeo Gaddis Werk voraussetzt. Diese Berührung gilt für das Ganze (Christus als feierliche Mitte der Tischgesellschaft) wie für das einzelne, etwa die drei Jünger ganz rechts: das Erheben beider Arme bei der Randfigur, das Erheben der Rechten bei der mittleren, die Doppelbewegung des Dritten bilden keimhaft die lebhaftere Bewegung der entsprechenden Gruppe bei Leonardo vor, wobei das Rätsel des künstlerischen Schöpfungsprozesses sichtbar wird: denn dieser individuelle Zusammenhang stellt sich erst bei dem fertigen Werk, nicht schon bei den Entwürfen ein.

DIE EXTERNSTEINE

Erstdruck: *Über Kunst und Altertum, V, 1, 1824.*

Goethe besaß 5 kleine Eisengußtäfelchen, Nachbildungen nach Reliefs der Porta Nigra in Trier, des Pfarrhoftores in Remagen und der Kreuzabnahme der Externsteine (Schuchardt, II, S. 30, Nr. 19). In einem Brief an Staatsrat Schultz in Berlin vom 9. Januar 1824 erkundigt sich Goethe, ob *irgend jemand über den Gegenstand in Berlin gedacht und geforscht habe.* Schultz schickt ihm durch Ottilie v. Goethe die Durchzeichnung einer Zeichnung, die der Bildhauer Christian Rauch (1777–1857) am 23. Juli 1823 gemacht hatte. (Vgl. Friedrich und Karl Eggers, Christian Rauch, II, Berlin 1878, S. 34f., und Karl Eggers, Rauch und Goethe, Berlin 1889, S. 61.) Goethe antwortet am 8. März 1824 beglückt: *Die Zeichnung der Externsteine, die mir Ottilie mitbringt, ist mir ein großes Geschenk; gleich die Vorstellung im Eisenguß gewann meine Neigung, das Bild interessierte, intrigierte mich; ein kleiner Aufsatz ist geschrieben, der freilich erst jetzt Gestalt erhält.*

Das auffällige Naturdenkmal der Externsteine bei Horn in Lippe-Detmold – eine Gruppe von 13 Sandsteinfelsen in einer im übrigen flachen Landschaft – wird wahrscheinlich schon in heidnischer Zeit Kultstätte gewesen sein. Im Jahre 1093 (3 Jahre vor dem 1. Kreuzzug) erwarb das Kloster Abdinghof die Externsteine, vermutlich in der Absicht, sie zu einer Heiliggrabanlage auszugestalten. In der Tat war hier die Möglichkeit gegeben, die Kernstücke der Jerusalemer Anlage, die 3 im natürlichen Felsen bestehenden Erinnerungsstätten (das Grab Christi, den Golgathafelsen mit dem Sacellum und endlich die Kreuzauffindungsgrotte, in der nach der Legende Konstantins Mutter, die hl. Helena, 3 Kreuze fand, von denen das eine sich durch ein Wunder als das Kreuz Christi erwies), getreuer als sonst, d. h. nicht künstlich, sondern ebenfalls im natürlichen Felsen und vor allem – im Gegensatz zu früheren Anlagen – vollständig nachzubilden. (Vgl. hierzu Aloys Fuchs, Im Streit um die Externsteine, Paderborn 1934.) – Die Kreuzauffindungsgrotte befindet sich zu ebener Erde in dem ersten Felsen. Dieser trägt außen das 5,50 m hohe Relief der Kreuzabnahme. Eine Inschrift im Innern der Kreuzkapelle nennt das Jahr der Weihe 1115 und den Bischof Heinrich, der die Weihe vollzogen. Das Relief ist das bedeutendste Monumentalwerk der westfälischen Skulptur des 12. Jhdts., ja, der erste bedeutende Versuch einer monumentalen Komposition auf deutschem Boden. Seine stilgeschichtliche Stellung ist immer noch nicht ganz geklärt. (Vgl. hierzu Otto Schmitt, Zur Datierung der Externsteinreliefs, Beiträge für Georg Swarzenski, Berlin 1951, S. 26.) Zum Relief der Kreuzabnahme: Bei dem Thema der Kreuzabnahme handelt es sich nicht so sehr um eine historische Szene wie um das kultisch-eucharistische Geschehen des Empfanges des Corpus Christi durch die Gläubigen.

207,5 f. Der byzantinische Bilderstreit und seine Folgen. Vgl. hierzu Anmkg. zu 147,15.

207,21. Das Relief ist wesentlich später entstanden.

207,30. Der von Goethe empfundene östliche Charakter liegt im Darstellungstypus, der von der byzantinischen Kunst unter Zuhilfenahme des apokryphen Nikodemusevangeliums schon früh ausgebildet worden ist, nicht in der Darstellung selbst.

207,36 ff. Es handelt sich hier um die üblichen Personifikationen von Sonne und Mond, nicht um Kinder und auch nicht um Vorhänge. Es erübrigt sich daher, eine Schriftquelle wie den Kommentar des Philosophen Simplicius (6. Jhdt. n. Chr.) zum Echeiridion des Epiktet (gest. 114 n. Chr.) heranzuziehen.

208,18. *Manes*, ein nichtchristlicher Perser, ist der Gründer der sog. manichäischen Sekte. Er lebte bereits im 3. Jhdt. Die Grundlage seiner Lehre war die Annahme zweier höchster Weltprinzipien, des Gottes des Lichtes, von dem die Seelen kommen, und des Gottes der Finsternis, von dem die Leiber kommen.

208,29 f. Die Personifikationen von Sonne und Mond haben mit der dualistischen Lehre des Manichäismus nichts zu tun.

208,32 f. Nikodemus. Goethe gibt hier die einzig richtige Erklärung, indem er von einem niedrigen gebogenen Baum spricht.

209,2 f. Das von Goethe besprochene Motiv gehört zum ikonographischen Urbestand der Komposition. Goethe hat sich selbst später notiert: *Das auf den Externsteinen bemerkte Motiv, daß des Sohnes Haupt auf das Haupt der Mutter herabhängt, findet sich auch im Dom zu Assisi, gemalt von Cavallini. Wie auch im Dom zu Siena.* (Weim. Ausg. Bd. 49, 2, S. 262.)

209,4 ff. Die „Ohnmacht Mariae" ist, wie Goethe richtig bemerkt, ein spätes ikonographisches Motiv.

209,6 ff. Daniele Ricciarellis (ca. 1500–1566) berühmte Kreuzabnahme in S. Trinità dei Monti in Rom von 1541. (Vgl. Hermann Voß, Die Malerei der Spätrenaissance in Rom und Florenz, Berlin 1920, Abb. 30.)

209,16 f. So wenig hier von Manichäismus gesprochen werden darf, so ist doch die Gestalt Gottvaters, der die Seele Christi in seinem Arm hält, die Kreuzfahne trägt und sich herabneigt, in dieser Darstellung ganz ungewöhnlich und muß als sehr persönlich gedeutet werden, vermutlich im Zusammenhang der Bestimmung des Ortes. Gottvater nimmt das Opfer Christi für die Sünden der Menschheit an. Er nimmt die Seele des Gestorbenen auf und hält die Siegesfahne für ihn bereit. Das Grab ist zugleich Stätte der Auferstehung.

209,17 ff. Im unteren Teil, durch einen vorspringenden Streifen deutlich von der Kreuzabnahme getrennt, sind ein Mann und eine Frau dargestellt, beide kniend, von einem Drachen umschlungen, der mit gespreizten Beinen mitten unter dem Kreuz steht. Die Darstellung ist sehr verwittert und abgestoßen, aber doch noch so weit erkennbar, daß ihre Deutung möglich ist. Es sind Adam und Eva, von den Banden des Teufels umstrickt, in der Vorhölle der Erlösung harrend. Sie heben den von dem Drachen freigelassenen Arm flehend zum Kreuz empor.

Wie das Gottvatermotiv, so rückt auch die Adam-und-Eva-Darstellung die historische Kreuzabnahme aus der Dimension der geschichtlichen Einmaligkeit in die Dimension kultischer Vergegenwärtigung.

209,23 ff. Séroux *d'Agincourt* bildet T. 163 die in der Anmkg. zu 209,2 f. genannte Kreuzabnahme in S. Francesco in Assisi ab.

209,32 f. *Thomas Hyde* (1636–1703), *Historia religionis veterum Persarum*, 1700. Vgl. dazu Brief an Riemer, 25. Mai 1816: *Da ich keine Bücher bei mir habe, so nahm ich aus der Büttnerschen Bibliothek nur was mir not tat und habe mich in den Thomas Hyde zum ersten Mal recht hineingelesen.*

CHRISTUS

Erstdruck der 1830 datierten Handschrift in „Nachgelassene Werke", Bd. 4, 1832. – Am 16. 3. 1830 schreibt Eckermann (Artemis, Bd. 24, S. 402): Goethe „zeigt mir sodann einen Christus mit zwölf Aposteln, und wir reden über das Geistlose solcher Figuren als Gegenstände der Darstellung für den Bildhauer". Eckermann sagt nicht, um was es sich hier handelt, vermutlich, wie Trunz annimmt, um die Veröffentlichung „Der Herr und seine Apostel in bildlichen Darstellungen" von I. P. v. Langer, mit begleitendem Texte von M. F. v. Freyberg, Stuttgart und Tübingen 1823, die Goethe seit 1823 besaß. – Zu denken wäre ferner an Thorvaldsens Skulpturenzyklus „Christus und die zwölf Apostel" in der Frauenkirche zu Kopenhagen, von dem Goethe sehr schöne Abdrücke der Kupferstiche von Pietro Folo, Fontana und Bettelini nach Thorvaldsens Christus, Petrus, Paulus, Jacobus Minor und Simon besaß (Schuchardt, Goethes Kunstsammlungen, I, 1848, S. 142, Nr. 475). Das legt Goethes Bemerkung „den Bildhauern vorgeschlagen" nahe. Zu dem Thorvaldsen-Zyklus vgl. Herbert v. Einem, Thorvaldsens „Christus", Festschrift für Eduard Trier, Berlin 1980.

Es ist von höchstem Interesse, daß Goethe, der so leidenschaftlich um das Problem der rechten Gegenstandswahl für die bildende Kunst bemüht war und die Themen der antiken Mythologie über die Themen der christlichen Heilsgeschichte und Lehre stellte, im hohen Alter den Bildhauern einen alt- und neutestamentlichen Zyklus vorschlug. Sein Ziel war einmal, *die hohe Ehrfurcht, die wir vor jenem Zyklus hegen,* zu *betätigen* (210,6 f.), zum anderen, mitzuarbeiten an der nach der Auffassung sowohl der Klassiker wie der Romantiker trotz der Blüte der italienischen Kunst des 16. Jhdts. noch unvollendeten christlichen Kunst, insbesondere der christlichen Skulptur, und einen dem großen griechischen Zyklus der olympischen Götter gleichwertigen christlichen Zyklus zu schaffen. In dem von Goethe und Meyer gemeinsam entworfenen Aufsatz „Über die Gegenstände der bildenden Kunst" (*Propyläen 1798*) heißt es unter den „symbolischen Gegenständen": „Der große Zyklus der 12 obersten Gottheiten und die kleineren der Musen, der Grazien, Horen, Parzen usw. greifen alle, wie Räder eines Uhrwerks, zum Zweck eines vollendeten Ganzen ineinander, sie umfassen, füllen und begrenzen auch, wie es scheint, das ganze Gebiet der Kunst im Charakteristischen, im idealisch Erhabenen, im Gefälligen, Reizenden und Schönen ... Obschon die alten großen Muster der neueren Kunst den Weg gebahnt, so hat dieselbe sich doch in ihren Symbolen nie zu gleicher Höhe emporschwingen können. Die besten Figuren von Gottvater sind immer ernst und von sehr strengem Charakter und kommen dem Jupiter der Alten nicht gleich, welcher sie nicht nur in schöner Form der Glieder übertrifft, sondern neben dem Erhabenen und Gewaltigen auch noch väterlich, milde und gütig ist. Christus ist liebreich, sanft, fromm, duldend und gut, aber in unsern Bildern meistenteils auch schwach." – Der Romantiker Friedrich Schlegel schreibt in seinem Bericht ,,Über die deutsche Kunstausstellung zu Rom im Jahre 1819": ,,Nächstdem aber bleibt das Ziel des Bildhauers, eine Gestalt aufzustellen, die so klassisch sei, daß sie geradezu für eine Antike gelten könnte, wie etwa Thorwaldsens ,Merkur', welcher nur desfalls mit dem Schwerte umgürtet zu sein scheint, um vielen Hunderten moderner Marmorbilder durch seine Gegenwart ihren unvermeidlichen Tod anzukündigen. Erst dann, wenn unsere Skulptur diese erste und nicht zu umgehende Stufe der Vollkommenheit erreicht hat, dürfen wir fragen, ob sie nun wohl auch imstande sein werde, ganz andere und uns eigentümliche Gegenstände mit der gleichen Meisterschaft zu behandeln und den im Mittelalter unvollendet gebliebenen Anfang und ersten Entwurf einer christlichen Skulptur auszuführen und durch die Tat zu vollenden; in welcher Hinsicht z. B. der von dem trefflichen Dannecker entworfene Christus als erster großer Versuch dieser Art in jetziger Zeit unsere ganze Teilnahme und gespannteste Erwartung in Anspruch nimmt." (Sämtliche Werke, VIII, S. 177.)

Der Gesichtspunkt des Goetheschen Aufsatzes ist die alte Idee des Zyklischen, die ihn so oft in Kunst und Natur beschäftigt hat: die Abwandlung des Einen ins Viele und die Rückbeziehung des Vielen auf das Eine.

Welche hohe Bedeutung Goethe im Alter einem religiösen Bilderzyklus beimaß, geht daraus hervor, daß er einem solchen in der *Pädagogischen Provinz* der *Wanderjahre* eine zentrale Stellung gibt, erzieherisch und kultisch (Bd. 8, S. 158,24–165,5; dazu der Kommentar); noch aus dem Jahre 1830 gibt es einen Entwurf Goethes, der als Vorschlag für Bilderzyklen gedacht ist (Weim. Ausg. Bd. 53, S. 219–221). Für Goethes anschauliche Phantasie war es von hier kein weiter Weg zur Dichtung; seine Dichtungen der Spätzeit sind durchaus zyklischer Art, und dieses zyklische Konzipieren und Darstellen kann geradezu als Eigenheit des Goetheschen Altersstils gelten.

210,11. Goethe denkt hier an Raffaels für die Sala vecchia de' Palafrenieri im Vatikan gemalten, im Original nicht mehr erhaltenen Zyklus

„Christus und die zwölf Apostel" (I. D. Passavant, Rafael von Urbino, Leipzig 1839, S. 201, Nr. 127), den er in der *Italienischen Reise* erwähnt (Bd. 11, S. 449 und Anm.) und über den er im Septemberheft 1789 des „Merkur" mit den Titel *Über Christus und die zwölf Apostel nach Raphael von Marc Anton gestochen und von Herrn Professor Langer in Düsseldorf kopiert* (Gedenkausgabe, Bd. XIII, S. 76 ff.) geschrieben hat. Über die Stiche Marc Antons vgl. Bartsch, Le peintre graveur, XIV, 1875, Nr. 64–76; The Illustrated Bartsch, 26, 1978, T. 92–104.). Dieser Zyklus ist aber nicht mit der genannten Veröffentlichung von Langer 1823 identisch. – Auch diesem Zyklus gegenüber bedeutet Goethes Aufsatz durch die Einbeziehung der alttestamentlichen Gestalten etwas grundsätzlich Neues, das aus seiner Bemühung um die Idee des Zyklischen erklärt werden muß.

211,24. Das Grabmal Papst Julius' II. in Rom, S. Pietro in Vincoli. Die Figur des Moses zwischen 1513 und 1516 für das Obergeschoß des zweiten Grabmalentwurfes von 1513 geschaffen, hat 1545 in der endgültigen Ausführung ihren Platz in der Mitte des Untergeschosses gefunden. Vgl. Herbert v. Einem, Michelangelo, Berlin 1973, T. 46.

212,19. Hier steht Goethe ohne Zweifel die Darstellung auf Raffaels 2. Teppichfolge von 1531 im Vatikan vor Augen. Vgl. Hubert Schrade, Die Auferstehung Christi, Berlin 1932, T. 32, Nr. 132 und S. 215.

215,37. Vgl. hierzu den Aufsatz *Verein der deutschen Bildhauer* von 1817, zuerst gedruckt in den „Nachgelassenen Werken": *Da von allen Zeiten her die Bildhauerkunst das eigentliche Fundament aller bildenden Kunst gewesen und mit deren Abnahme und Untergang auch alles andere Mit- und Untergeordnete sich verloren, so vereinigen sich die deutschen Bildhauer in dieser bedenklichen Zeit, ohne zu untersuchen, wie die übrigen verwandten Künste sich vorzusehen hätten, auf ihre alten, anerkannten, ausgeübten und niemals widersprochenen Rechte und Satzungen dergestalt, daß es für Kunst und Handwerk gelte, wo erhobene, halb oder ganz runde Arbeit zu leisten ist.*

LANDSCHAFTLICHE MALEREI

Vorhanden sind 3 Schemata und ein Entwurf zu einem Aufsatz. Das „kurze Schema" ist datiert: *22. März 1818.* Goethe war damals in Jena. Er hat es dem dortigen Schreiber Färber diktiert. – Das zweite Schema steht auf einem Folioblatt, das auf der 1. Seite eigenhändige Notizen Goethes für die Zeitschrift *Über Kunst und Altertum* enthält. Dann auf der 2. Seite das Schema, diktiert an John, der seit 1814 für Goethe arbeitete. – Das „ausführliche Schema" ist Diktat an Schuchardt, der seit 1825 für Goethe schrieb. Er hat auch die Skizze zu dem Aufsatz geschrieben, offensichtlich Diktat, wobei Goethe Lücken ließ, die er später ausfüllen wollte. Goethes Tagebuch notiert Beschäftigung mit Landschaftsmalerei: 10. Okt. 17; 20. bis 22. März 18; 29. April 24; 11. März 27; 1., 5., 23.,

29. Mai 29; 16. Juni 29; 13. Sept. 29; 8. Juni 30; 28. Nov. 31; 29. Febr. 32. Besonders aufschlußreich: 29. Mai 1829: *Einiges über landschaftliche Konzeptionen und Kompositionen diktiert.* 13. Sept. 1829: *Meyer ... brachte den Aufsatz über landschaftliche Gegenstände wieder mit.* 28. Nov. 1831: *Eckermann ... brachte den Aufsatz über die Landschaftsmaler zur Sprache und holte den Entwurf herbei, den ich durchging und mir die Angelegenheit wieder ins Gedächtnis rief.* 29. Febr. 1832: *Den Aufsatz über landschaftliche Arbeiten durchgesehen und auf dessen Vollständigkeit gedacht.*

Der Aufsatz blieb unvollständig. Nach Goethes Tod edierte ihn Heinrich Meyer im 6. Band von *Über Kunst und Altertum.* Meyer war im Edieren ungeschickt, außerdem war er zu dieser Zeit krank; er starb bald darauf. Er gab Goethes Aufzeichnungen als 2 Aufsätze heraus, dem einen ließ er den Titel *Landschaftliche Malerei,* den andern nannte er ,,Künstlerische Behandlung landschaftlicher Gegenstände". Außerdem druckte er in ihm auch alles das, was auf dem Blatt mit Notizen für *Über Kunst und Altertum* steht und was mit Landschaftsmalerei nichts zu tun hat, z. B. Notizen über den Farnesischen Stier usw. Sodann füllte Meyer alle Lücken in Goethes Text aus, mit matten Formulierungen, nicht Goethes Stil entsprechend. Einige Namen in dem ,,Ausführlichen Schema" ließ er versehentlich weg. Diese fehlerhafte Edition wurde von späteren Ausgaben in Kleinigkeiten verbessert, im Ganzen aber nicht verändert. Unser Abdruck geht unmittelbar auf die Handschriften im Goethe- und Schiller-Archiv (NFG) zurück. Dabei ist aber wie überall in der HA die Orthographie der Gegenwart benutzt.

Wie in den anderen Kunstschriften der Spätzeit ist auch hier der geschichtliche Gesichtspunkt ausschlaggebend: die Landschaftsmalerei nach ihren Bedingungen und in ihrer Entwicklung zu verstehen. Das kurze Schema von 1818, die Wiederaufnahme der Arbeit 1829, die aber nicht mehr vollendet werden konnte, zeigen, wie lange und intensiv Goethe die geschichtlichen Probleme durchdacht hat. – Die Geschichte der Landschaftsmalerei, für Goethe seit seiner Jugend Gegenstand des Interesses und der Liebe, wird mit erstaunlicher Hellsichtigkeit, divinatorischem Tiefblick und ganz ohne beengende dogmatische Vorstellungen zur Darstellung gebracht. Hier hat die Erfahrung lebenslangen Umgangs mit bildender Kunst (der Anschauung großer Werke, des eigenen Sammelns, der geschichtlichen Reflexion) Gestalt gewonnen. Man muß Goethes Ausführungen ,,wie Alterszeichnungen eines großen Künstlers" (Waetzold) auffassen. Um den Hintergrund kennenzulernen, gegen den sich Goethes Äußerungen abheben, lese man Fernows Aufsatz ,,Über die Landschaftsmalerei." (Römische Studien II, 1806) und Heinrich Meyers geschichtliche Betrachtung in seiner ,,Kunstgeschichte des 18. Jahrhunderts" (,,Winckelmann und sein Jahrhundert", S. 180ff.).

Zu den von Goethe behandelten Problemen vgl. Kurt Gerstenberg, Die ideale Landschaftsmalerei, Halle 1923. – de Wetering, Die Entwicklung der niederländischen Landschaftsmalerei vom Anfang des 16. Jahrhunderts bis zur Jahrhundertmitte, Bonn 1938. – Rolph Grosse, Die holländische Landschaftskunst 1600–1650, Stuttgart 1925. – E. H. Gombrich, Renaissance Artistic-Theory and the Development of Landscape Painting, Gazette des Beaux Arts 1953, S. 335 ff. – Wolfgang Stechow, Dutch Landscape Painting of the Seventeenth Century, London 1966.

Kurzes Schema

216,10 *Paul Bril* (1554–1626). Über Goethes Besitz: Schuchardt, I, S. 152 Nr. 57–60 (hier auch die erwähnten zwölf Monate in guten Abdrücken) und I, S. 302, Nr. 80–811. – Es fällt auf, daß Goethe den Frankfurter Maler Adam Elsheimer (1578–1620), der gerade für Paul Bril von entscheidender Bedeutung gewesen und ihm künstlerisch und entwicklungsgeschichtlich überlegen ist, nicht nennt, obwohl er in seiner Sammlung gut vertreten war (vgl. Schuchardt I, S. 121, Nr. 177–190 und S. 263, Nr. 309–310).

216,10 *Jodocus de Momper* (1564–1635). Über Goethes Besitz: Schuchardt, I, S. 171, Nr. 254–256 und S. 307, Nr. 863.

216,10 *Girolamo Muziano* (1528–1592), Schüler Romaninos, in Venedig weitergebildet unter dem Einfluß Tintorettos, in Rom Michelangelos. (Schuchardt I, S. 48, Nr. 443).

216,11. In Goethes Besitz befinden sich zwei Stiche nach Landschaften von Gisbert de Hondekoeter 1604–1653, (Schuchardt, I, S. 163, Nr. 178–179) und 4 Landschaftszeichnungen von seinem bekannteren Sohn Melchior de Hondekoeter, 1636–1695, (Schuchardt I, S. 305, Nr. 843).

216,11. *Hendrick III von Cleve* (ca. 1525–1589). In Goethes Besitz zwei Stiche nach Landschaften (Schuchardt, I, S. 153, Nr. 72). Von Bildern hat sich nichts erhalten.

216,12. Die wichtigsten Einsiedeleien sind die in Stichen hauptsächlich des Cornelis Cort überlieferten Landschaftsentwürfe Tizians mit heiligen Einsiedlern, die Kirchenlandschaften des Polidoro da Caravaggio und Maturino in S. Silvestro a Monte Cavallo in Rom vor 1527, der Zyklus mit heiligen Einsiedlern und Einsiedlerinnen an Wänden und Decke des Verbindungsganges zwischen Sakristei und Grab der hl. Cäcilie in S. Cecilia in Trastevere zu Rom von Paul Bril und die Landschaften aus dem Leben der Propheten Elisa und Elias an den Seitenwänden der Karmeliterkirche S. Martino ai Monti in Rom von Gaspard Dughet (vgl. Karl Woermann, Kirchenlandschaften, 1890). – Heinrich Meyer weist ferner auf „Hieronymus Muzians Heilige, in Bildnissen dargestellt, welche Cornelis Cort in sechs bekannten schönen Blättern in Kupfer stach" (Vgl. Anm. zu 216,10).

216,18. Lodovico *Carracci* (1555–1619), der eigentliche Begründer der bologneser Malerschule, und seine Vettern Agostino (1557–1602) und Annibale (1560–1609) Carracci. Annibale Caraci darf als Begründer der „heroischen Landschaft" bezeichnet werden. – Über Goethes Besitz: Schuchardt, I, S. 24, Nr. 205–249 und S. 237, Nr. 43–48.

216,18. *Claude Lorrain* (Claude Gelee, 1600–1682). – Goethe äußerte am 10. 4. 1829 zu Eckermann: *Da sehen Sie einmal einen vollkommenen Menschen, der schön gedacht und empfunden hat und in dessen Gemüt eine Welt lag, wie man sie nicht leicht irgendwo draußen antrifft. Die Bilder haben die höchste Wahrheit, aber keine Spur von Wirklichkeit. Claude Lorrain kannte die reale Welt bis ins kleinste Detail auswendig, und er gebrauchte sie als Mittel, um die Welt seiner schönen Seele auszudrücken. Und das ist eben die wahre Idealität, die sich realer Mittel so zu bedienen weiß, daß das erscheinende Wahre eine Täuschung hervorbringt, als sei es wirklich.* – Über Goethes Besitz: Schuchardt, I, S. 201, Nr. 66–101 und S. 318, Nr. 975. – Vgl. hierzu S. 21,2 ff. u. Anm. Vgl. ferner Karl Kötschau, Goethe und Claude Lorrain, Wallraf-Richartz-Jahrbuch, N. F. 1, 1930, S. 261 ff.

216,18. *Domenichino* = Domenico Zampieri (1581–1641), der bedeutendste Nachfolger der Carracci und als Landschafter von großem Einfluß auf Poussin. – Über Goethes Besitz: Schuchardt, I, S. 32, Nr. 286–300 und S. 239, Nr. 67–69.

216,19. *Nicolas Poussin* (1594–1665), Hauptmeister der heroischen Landschaft. Seine Landschaften gehören erst seiner späten Schaffenszeit (seit 1648) an. – Über Goethes Besitz: Schuchardt, I, S. 207, Nr. 124–139 und S. 320, Nr. 998–1000.

216,19. Gaspard *Dughet*, nach seinem Lehrer und Schwager auch Gaspard Poussin genannt (1613–1675).

216,19. Johannes *Glauber* (1646–1726) gehört zu den Vertretern der italianisierenden heroischen Landschaft in den Niederlanden unter dem Einfluß Gaspard Poussins. – Über Goethes Besitz: Schuchardt, I, S. 161, Nr. 154–159 und S. 304, Nr. 832.

216,23. Herman (III) *Saftleven* (1609–1685). Saftleven unternahm größere Reisen an Mosel und Rhein. Topographisch genaue Zeichnungen in der Wiener Hofbibliothek. – Über Goethes Besitz: Schuchardt, I, S. 184, Nr. 389–395.

Schema auf einem Blatt mit Notizen für die Zeitschrift Über Kunst und Altertum

217,3: *peinliche Art:* genaue, ins einzelne gehende Darstellungsweise. Das Wort *peinlich* bedeutet zu Goethes Zeit „einen hohen Grad der Mühe verursachend, mit vieler Mühe verbunden" (Adelung), „eine ängstliche, pedantische, übertriebene, bis ins einzelne und kleinste sich erstreckende Genauigkeit, Sorgfalt und Bedenklichkeit zeigend" (Grimms Wb.).

217,8. Vgl. hierzu Goethes Aufsatz *Julius Cäsars Triumphzug, gemalt von Mantegna 1823* und den Kommentar dazu.

217,9. *Tiziano* Vecellio (1488–1576). Vgl. hierzu die spätere ausführlichere Darstellung auf S. 221. Der kurze Hinweis zeigt, daß Goethe die große Bedeutung Tizians für die Geschichte der Landschaftsmalerei klar vor Augen hat. – Über Goethes Besitz: Schuchardt, I, S. 90 ff., Nr. 861–925.

217,17. Jan *Breughel* d. Ä. (1568–1625). Über Goethes Besitz: Schuchardt, I, S. 302, Nr. 812–813.

217,17. Roland *Savery* (1576–1639). Über Goethes Besitz: Schuchardt, I, S. 184, Nr. 396.

217,17. *Isaak Major,* geb. um 1576 in Frankfurt (Main), gest. 1630 in Wien. Goethe besaß mehrere Kupferstiche von ihm. Schuchardt, I, S. 169, Nr. 235, S. 185, Nr. 396.

217,19. Über Goethes Verhältnis zu *Dürer* vgl. Anm. zu 14,26f. – Daß Goethe hier „Dürer und die übrigen Deutschen" in seine Überlegungen zur Entwicklung der Landschaftsmalerei einbezieht, ist besonders beachtenswert und ohne Vorläufer. – Über Goethes reichen Besitz an Kupferstichen und Holzschnitten Dürers: Schuchardt, I, S. 112, Nr. 70–174.

217,33ff. Peter Paul *Rubens* (1577–1640). Die Bemerkung gehört zu den schönsten Äußerungen über Rubens überhaupt. Ordenberg Bock v. Wülfingen, Rubens in der deutschen Kunstbetrachtung, Berlin 1947, S. 60 sieht mit Recht von hier aus auf das zusammenfassende Urteil Jacob Burckhardts in seinen „Erinnerungen aus Rubens": „Im Bewußtsein seines eigenen edeln und mächtigen Wesens muß er einer der höchst bevorzugten Sterblichen gewesen sein. Unzulänglich ist alles Irdische, und Prüfungen sind auch über ihn ergangen; allein das große Gesamtergebnis seines Lebens strahlt derart auf alles einzelne zurück, daß die Laufbahn als eine völlig normale erscheint."

218,5. *Rembrandt* Harmensz van Rijn (1606–1669). – Diese Worte öffnen „weit über die gegebene Erkenntnis der Zeit hinaus dem Verstehen der Struktur Rembrandtscher Werke den Weg" (Ludwig Münz, Die Kunst Rembrandts und Goethes Sehen, Leipzig 1934, S. 88). Sie haben in Johann Heinrich Füsslis „Lectures on Painting" (1801) ihre Vorstufe. Hier heißt es: „Licht und Schatten hatte er völlig in seiner Gewalt und nicht weniger alle dazwischen schwebenden Mittelfarben. Er tauchte seinen Pinsel mit gleichem Glücke in die Kühle der Dämmerung, in den Mittagsstrahl, in den bläulichsten Schimmer, in das schwindende Zwielicht, und machte die Finsternis sichtbar." Goethe hat Füsslis „Lectures" gekannt. Vgl. Heinrich Meyers Besprechung ihrer deutschen Übersetzung durch Joachim Eschenburg, Braunschweig 1803 in der Jen. Allg. Lit. Ztg. 1804 mit den Bemerkungen Goethes. – Über Goethes Besitz: Schuchardt, I, S. 176ff., Nr. 310–351.

218,9. Giovanni Francesco *Grimaldi* (ca. 1606–1680). – Über Goethes Besitz: Schuchardt, I, S. 40f., Nr. 361–374.

218,13. Zu *Claude Lorrain* vgl. den Aufsatz *Englische Kupferstiche* S. 21 und die Anmerkung dazu. Mit dem Satz *Im Claude Lorrain erklärt sich die Natur für ewig* gibt Goethe seiner lebenslangen Liebe zu Claudes Kunst den stärksten Ausdruck. Claude Lorrain erreicht das Höchste und Letzte, das der Landschaftsmaler überhaupt erreichen kann.

Ausführliches Schema

219,20. *Sebastian Bourdon* (1616–1671), in Rom unter dem Einfluß von Poussin und Claude Lorrain gebildet. 4 Radierungen Bourdons bespricht Goethe ausführlich in dem Aufsatz *Antik und modern* (angehängt an *Philostrats Gemälde*. Weim. Ausg., Bd. 49, 1, S. 156–160). – Über Goethes Besitz: Schuchardt, I, S. 196, Nr. 10–38.

219,21. *Jean François Millet* (1642–1679), Schüler von Gaspard Dughet. – Über Goethes Besitz: Schuchardt, I, S. 159 ff., Nr. 137–146.

219,22. *Frans Neve* (geb. 1606) bildete sich unter dem Einfluß von Rubens und van Dyck. Über Goethes Besitz: Schuchardt, I, S. 172, Nr. 262.

219,25. *Aert van der Neer* (1603 od. 04–1677).

219,25. *Allaert van Everdingen* (1621–1675). Über Goethes Besitz: Schuchardt, I, S. 155 ff., Nr. 92–127.

219,28. *Matthäus Merian* d. Ä. (1595–1650). Über Goethes Verhältnis zu Merian, den er von früher Jugend kannte: Ernst Beutler, Die Philemon- und Baucis-Scene (vgl. Bibliographie am Ende des vorliegenden Bandes). – Über Goethes Besitz: Schuchardt, I, S. 132, Nr. 282.

219,38. *Philipp Hackert* (1737–1807). Vgl. Goethe, Philipp Hackert, Tübingen 1811 (Jub.-Ausg., B. 34, S. 197 ff.). – Über Goethes Besitz: Schuchardt, I, S. 268, Nr. 365–369.

220,3 ff. Hierzu bemerkt Heinrich Meyer im Erstdruck von Goethes Aufsatz in „Kunst und Altertum" VI, 3, 1832: „Der Verfasser zielet hier auf einige schätzbare Zeichnungen englischer Landschaftsmaler, welche er während seines Aufenthaltes in Rom an sich brachte." Hierzu Schuchardt, I, S. 323, Nr. 1028: „16 landschaftliche Zeichnungen, größtentheils mit schwarzer und weißer Kreide auf farbiges Papier gezeichnet, eine derselben leicht koloriert. Zusammen in einem Umschlag mit eigenhändiger sehr bezeichnender Aufschrift Goethes: Neuere Engländer, nebulistisch aber ästimabel."

Entwurf des Aufsatzes

In dem Entwurf des Aufsatzes kommen nur Namen vor, welche die drei Schemata schon enthalten. Nach dem Grundsatz der Hbg. Ausg., Namen da zu kommentieren, wo sie zuerst auftreten, sind sie dort erläutert. Deswegen sei für die Lektüre des Aufsatz-Entwurfs auf den Kommentar zu S. 216,6–220,5 verwiesen.

ZU MALENDE GEGENSTÄNDE

Anlaß und genaues Datum unbekannt. Ohne Zweifel aus Goethes letzter Zeit. Manuskript von Goethes Sekretär Schuchardt; Korrekturen von Goethe; die Überschrift von Eckermann (posthum, wie die Handschrift ausweist, im Zusammenhang der Vorbereitung des ersten Drucks). Das Ganze anscheinend einer der nur skizzierten Entwürfe der Spätzeit, daher die sprachlichen Unkorrektheiten. Erstmalig durch Eckermann zum Druck gebracht in den „Nachgelassenen Werken" Bd. 4, 1832. – Unser Text nach der Handschrift im Goethe- und Schiller-Archiv in Weimar. – Vgl. dazu WA Briefe, Bd. 47, S. 350 f., Brief-Entwurf vom 24. Mai 1830 an J. G. v. Quandt.

223,14. Die Geschichte von Pyramus und *Thisbe* nach Ovids „Metamorphosen" (IV, 55 ff.) ist seit dem Mittelalter sehr häufig dargestellt worden, freilich nicht die von Goethe angegebene Szene. – Vgl. hierzu M. D. Henkel, Illustrierte Ausgaben von Ovids Metamorphosen im 15., 16. und 17. Jahrhundert, Vorträge der Bibliothek Warburg 1926–1927, Berlin 1930.

223,22 ff. Philipp Otto Runge (1777–1810) schrieb am 4. Dezember 1806 an Goethe: „Ich hatte für diesen Winter vor, eine ausführliche Skizze in Öl auszuarbeiten von einem Bild, welches in der Kapelle aufgestellt werden soll, welche Kosegarten auf Arkona angefangen. Ich bin schon ziemlich in der Komposition fertig, es liegt nun bei andern. Es ist die Erscheinung Christi, wie er zu Petro sagt: ,Du Kleingläubiger, warum zweifeltest du?' Es ist im Mondenschein, und da das Ganze in einer ansehnlichen Größe fürs Gebäude ausgeführt werden sollte, auch das einzige" (Gemälde) „darin ist, so würden manche imposanten Erscheinungen, die der Wogen und des Mondenscheines, des Stürzens des Schiffs, welche mit den nächsten Umgebungen der Natur im Einklang ständen, zusammenzufassen sein." (Ph. O. Runges Briefwechsel mit Goethe, hrsg. von Hellmuth Freiherrn v. Maltzahn, Weimar 1940. = Schr. d. G.-Ges., 51. S. 59.) – Daniel Runge in seiner Ausgabe „Hinterlass. Schriften von Ph. O. Runge", I, Hamburg 1840, S. 348, weist (ob mit Recht, wird schwer zu entscheiden sein) auf Goethes Aufsatz hin: „Es ist hiernach nicht wenig merkwürdig, wenn man eine Bemerkung über den Gegenstand dieses Bildes, als Stoff für die Kunst, in Goethes Werken, Ausgabe letzter Hand, unter der Rubrik: ,Zu malende Gegenstände' lieset, wobei wir nicht sagen können, ob solches früher oder später auf das Papier geworfen worden ..." – Das Thema ist als Symbol der Kirche im Sturm der Welt seit altchristlicher Zeit häufig dargestellt worden. Die bekannteste Darstellung ist das Mosaik Giottos in der Vorhalle von St. Peter in Rom, vermutlich die Überarbeitung eines altchristlichen Mosaiks. (Vgl. dazu Paeseler, Giottos Navicella und ihr spätantikes Vorbild, Römisches Jahrbuch für Kunstgeschichte, V, 1941.)

ZUR TEXTGESTALT DER SCHRIFTEN ZUR KUNST

Unsere Ausgabe der Schriften zur Kunst schließt an die Erstdrucke an, sofern nichts anderes vermerkt ist. Goethe hat nur eine Auswahl dieser Schriften in seine *Ausgabe letzter Hand* (C, C¹) aufgenommen. Dabei sind unwesentliche Änderungen vorgekommen, wohl meist durch Schreiber und Setzer, z. B. 38,18 *unsre* statt *unsere*, 43,25 f. *Verborgene* statt *Verborgne* usw. Dergleichen ist in unsere Lesarten nicht aufgenommen. Druckfehler der Erstausgaben sind berichtigt, ohne jedesmal verzeichnet zu sein. Wie in den anderen Bänden der Hamburger Ausgabe ist die Orthographie modernisiert und die Interpunktion ist schonend dem heutigen Gebrauch angenähert.

Für Leser, welche Vergleiche mit anderen Ausgaben machen wollen, werden im folgenden genannt die Erstdrucke und der Abdruck in der *Ausg. l. Hd.;* von den neueren wissenschaftlichen Ausgaben vor allem die Weimarer Ausgabe (WA), weil man in ihr die Lesarten findet; sodann die Cottasche Jubiläums-Ausgabe, denn in ihr ist der Text nochmals kritisch gesichtet, doch ist ihre Interpunktion wegen der Vorliebe für Ausrufungszeichen usw. kritisch zu bewerten. In der

„Berliner Ausgabe" bilden die Schriften zur Kunst die Bände 19 und 20 (1973 u. 1974). Die Jugendschriften findet man nach den Erstdrucken ediert in den Ausgaben „Der junge Goethe" von Max Morris (1909–1912) und von Hanna Fischer-Lamberg (1963–1974), mit Kommentar. Das Werk „Die Entstehung von Goethes Werken in Dokumenten" von Momme Mommsen, ist nur bis zu dem Stichwort „Dichtung und Wahrheit" gediehen. Für diejenigen Werke aber, die es behandelt, findet man hier reichhaltiges Material. Bibliographisch bleiben die Goethe-Bände von Goedekes „Grundriß" die Grundlage, ferner: Goethe-Bibliographie hrsg. von H. Pyritz u. a., Bd. 1, 1965, und Bd. 2, 1968. Ergänzend dazu die jährlichen Bibliographien im Goethe-Jahrbuch.

Die Schriften zur Kunst wurden für die 1. Auflage des vorliegenden Bandes, die 1953 erschien, textlich betreut von Werner Weber (Hamburg), der 1975 verstorben ist. Er hat an einigen wenigen Stellen Formen der Erstdrucke durch Formen späterer Goethescher Drucke ersetzt, z. B. 14,9 *würkend* im Erstdruck durch *wirkend* in *Über Kunst und Altertum* und in der *Ausg. l. Hd.* Diese Formen sind meist belassen, sie sind aber im folgenden vermerkt, sofern es nicht so unwesentliche Einzelheiten sind wie *gehn* und *gehen*, die vielfach auf Schreiber und Setzer, nicht auf Goethe zurückgehen. In den Gedichten, wo es auf den Klang ankommt, sind diese Einzelheiten wichtiger. Die Webersche Textgestaltung ist zwar dankbar benutzt, doch sind für die 8. Auflage sämtliche Texte neu durchgesehen und mit den Originaldrucken verglichen, Fehler sind verbessert und der Text von *Landschaftliche Malerei* ist nach den Handschriften gebracht in anderer Fassung und Anordnung als früher. Der Abschnitt „Zur Textgestalt" ist neu geschrieben.

Manche Erstdrucke sind heute in Faksimile-Drucken leicht zugänglich. Goethes Zeitschrift *Die Propyläen* ist 1965 in einem fotomechanischen Neudruck erschienen, hrsg. von Wolfgang Frhr. v. Löhneysen. Diese Ausgabe ist wissenschaftlich gut brauchbar. Anders der Neudruck von *Über Kunst und Altertum,* der 1970 erschienen ist. Hier fehlen die Umschlag-Seiten der Hefte, auf denen Goethesche Maximen, Inhaltsverzeichnisse usw. stehen. Die Titelblätter sind verändert, indem statt „Stuttgart, in der Cottaschen Buchhandlung. 1818" eingesetzt ist „Bern, neuverlegt bei Herbert Lang, 1970" usw. Dieser fotomechanische Neudruck ist also nur bedingt brauchbar.

S. 7 ff. *Von deutscher Baukunst.* Text nach dem Erstdruck *Von deutscher Baukunst. D. M. Ervini a Steinbach. 1773.* Ohne Angabe von Verfasser und Ort. Der Druck wurde im November 1772 vom Verlag Deinet in Frankfurt ausgegeben, er war – wie es bei Drucken des Herbst-Termins üblich war – vorausdatiert auf 1773. Von Goethe wieder abgedruckt in *Über Kunst u. Altertum* Bd. 4, Heft 3, 1824, S. 12–31, und daraufhin in der *Ausg. l. Hd.* Bd. 39, 1830, S. 339–351. Angeschlossen ist hier *Von deutscher Baukunst 1823.* – WA 37, S. 137–151 und 38, S. 288–290. – Morris 3, S. 101–109 u. 6, S. 288–290. – Fischer-Lamberg 3, S. 101–107 u. 442–445. – Goedeke 4, 3 S. 112. – Momme Mommsen Bd. 2, 1958, S. 314–321. – Die Abdrucke in *Über Kunst u. Altertum* und in der *Ausg. l. Hd.* sind in Kleinigkeiten anders. Moderne Drucke gehen meist auf den Erstdruck zurück. Dieser hat 12,26 *Schwürigkeiten;* 14,9 *würkend;* 14,35 *Gebürges,* Sprachformen, die auch in anderen Jugendwerken Goethes vorkommen, die er aber in der Weimarer Zeit bald aufgab.

S. 15 ff. *Die schönen Künste.* Erster Druck: Frankfurter Gelehrte Anzeigen 18. Dez. 1772. – *Ausg. l. Hd.* 33, S. 24–33. – WA 37, S. 206–214 und Bd. 38,

S. 316f. – Jubil.-Ausg. 33, S. 13–19. – Morris 6, S. 220–225. – Fischer-Lamberg 3, S. 93–97 u. 441. Der Erstdruck hat 18,9 *würken* 19,2 *mitwürkend* 20,26 *Schwürigkeiten.* – Die *Ausg. l. Hd.* hat 18,26 *gläsernen.* – Erstdruck und *Ausg. l. Hd.* haben 16,4 *zusammen beleben.* Seuffert in Dt. Literaturdenkmale des 18. Jh.s, Bd. 7/8, 1883, S. CIV hat die Konjektur *zusammenkleben* vorgeschlagen, die einleuchtend ist.

S. 21ff. *Englische Kupferstiche.* Erster Druck: Frankfurter Gelehrte Anzeigen 6. Okt. 1772. – WA 38, S. 376f. – Morris 6, S. 231f. – Fischer-Lamberg 3, S. 82 u. 439.

S. 21ff. *Aus Goethes Brieftasche.* Erster Druck: Neuer Versuch über die Schauspielkunst. Aus dem Französischen. Mit einem Anhang aus Goethes Brieftasche. Lpz. 1776. – WA 37, S. 311–325 und 38, S. 405–407. – In der Jubil.-Ausg. aufgeteilt: Bd. 33, S. 35–44 und Bd. 36, S. 115–116. – Morris 5, S. 344–350 und 6, S. 521–524. – Fischer-Lamberg 5, S. 352–356 u. 484–486. – Bibliographie: Goedeke 4,2 S. 140f. – Der Erstdruck hat 22,34 und 24,8 *Würkung* 24,32 *Würkungen* – 28,24 *Schneegebürge* – 28,29 *krützlenden.*

S. 30ff. *Einfache Nachahmung der Natur, Manier, Stil.* Erster Druck: Der Teutsche Merkur. Febr. 1789. S. 113–120. Von Goethe in seine Ausgaben bei Cotta 1806–1810 (Ausg. A) und 1815–1819 (Ausg. B) aufgenommen. *Ausg. l. Hd.* (C¹) Bd. 38, S. 180–187. – WA 47, S. 77–83 u. 409. – Jubil.-Ausg. 33, S. 54–59. – 31,37 *letzteren* alle Goetheschen Drucke seit der Ausgabe A. – 33,26 *wechselseitigen Ausg. l. Hd.* – 33,29 *alsdann* in A, B und C¹.

S. 35ff. *Baukunst.* Von Goethe nicht veröffentlicht. Erwähnt in Goethes Briefen an Schiller 1. Nov. 1795 und an H. Meyer 16. Nov. 1795 und in Schillers Brief an Humboldt 9. Nov. 1795. – Erster Druck: WA 47, S. 67–76 und 327–330; dazu WA 34,2 S. 146. – Momme Mommsen Bd. 1, 1958, S. 188–193 (Reiche Materialzusammenstellung).

S. 38ff. *Einleitung in die Propyläen.* Erster Druck: *Propyläen* Bd. 1, 1798, S. III–XXXVIII. – *Ausg. l. Hd.* 38, S. 1–31. – WA 47, S. 1–32 und 392–400. – Jubil.-Ausg. 33, S. 102–124. – Die Erstausgabe hat 42,36 *geistisch* 50,22f. *ohnerachtet* 50,27 *für.* Die Form 46,8 *Augenblicke erschaffe* im Erstdruck und *Ausg. l. Hd.* ist wohl ein Versehen, da Goethe immer dergleichen Zusammenstoß von Vokalen vermied. Schon die Jubil.-Ausg. setzt daher *Augenblick.* – 53,29 *strittige* in 2 Handschriften, *streitige* in den Drucken.

S. 56ff. *Über Laokoon.* Erster Druck: *Propyläen* Bd. 1, 1798, S. 1–19. – *Ausg. l. Hd.* 38, S. 33–52. – WA 47, S. 96–118 und 410–412. – Jubil.-Ausg. 33, S. 124–137. – Der Erstdruck hat 57,22 *fodern.* Zwei Handschriften haben 66,26 *Windungen,* die Drucke aus Goethes Zeit *Wendungen.* Statt *des Laokoons* setzt die *Ausg. l. Hd.* immer *des Laokoon,* so 58,18; 58,21f.; 60,6; 65,12; 66,18.

S. 67ff. *Über Wahrheit und Wahrscheinlichkeit der Kunstwerke.* Erster Druck: *Propyläen* Bd. 1, 1798, 1. Stück, S. 55–65. – In der 2. Cottaschen Ausgabe (B) Bd. 20, 1811, S. 291–300. – *Ausg. l. Hd.* 38, S. 145–154. – WA 47, S. 257–266 und 432–434. – Jubil.-Ausg. 33, S. 84–91. – Die Handschrift hat 70,12 *solle,* die Drucke *sollte;* die Handschr. 71,3 *mir's,* die Drucke *mir.* Der Erstdruck hat 67,12 und 72,27 *ohngefährer* und 68,37 *demohngeachtet.* Die *Ausg. l. Hd.* hat 68,2 *theatralischen.* Die WA macht 70,14 die problematische Konjektur *erscheint.*

S. 73ff. *Der Sammler und die Seinigen.* Erster Druck: *Propyläen* Bd. 2, 1799, 2. Stück, S. 26–122. Von Goethe aufgenommen in die Cottasche Ausgabe B, Bd. 20,

1819, S. 301–388. – *Ausg. l. Hd.* 38, S. 53–141. – WA 47, S. 119–208 und 412–415.
– Jubil.-Ausg. 33, S. 137–204. – Der Erstdruck hat 91,3 *würken,* 80,14 und 95,9
ohngefähr; aus der veralteten und seltenen Form *strippigt* 76,16 wird in der *Ausg.
l. Hd. struppigt* (Vgl. Dt. Wb. 10,3 Sp. 1621 u. 10,4 Sp. 144f.). – Die *Ausg. l. Hd.*
hat 94,35 *bezaubernden.* In Goethes Drucken fehlt 96,2 *spielend,* es steht aber in
der Handschrift und ist seit der WA in die neueren Drucke aufgenommen.

S. 96ff. *Winckelmann.* Erster Druck: *Winckelmann und sein Jahrhundert.
Hrsg. von Goethe.* Tübingen 1805. (XVI, 496 S.). Dieser Band enthält S. 1–160
Briefe Winckelmanns; S. 161–386 „Entwurf einer Kunstgeschichte des 18. Jahrhunderts" ohne Verfassernamen (von Heinrich Meyer); S. 387–477 *Skizzen zu
einer Schilderung Winckelmanns;* diese drei *Skizzen* sind nur durch *I, II* und *III*
bezeichnet, wieder ohne Namensnennung; *I* ist von Goethe, *II* von Meyer, *III*
von Friedrich August Wolf. In der *Ausg. l. Hd.* Bd. 37, 1830, lautet der Titel
einfach *Winckelmann.* Das Vorwort sagt, es seien *Aufsätze von drei Freunden
verfaßt;* dann folgen wieder mit *I, II, III* bezeichnet die Aufsätze Goethes, Meyers und Wolfs. Neuere Ausgaben pflegen Goethes Aufsatz ohne die Aufsätze
Meyers und Wolfs zu drucken und benutzen wie die *Ausg. l. Hd.* den kurzen Titel
Winckelmann. Der Titel *Skizzen zu …* ist nur sinnvoll, wenn alle drei Aufsätze
beieinander bleiben. – *Ausg. l. Hd.* Bd. 37, 1830, S. 1–97. – WA 46, S. 1–101 und
391–399. – Jubil.-Ausg. 34, S. 3–48. – Berliner Ausg. Bd. 19, S. 471–520 u. 1036. –
107,16 haben Erstausgabe und *Ausg. l. Hd.* die Namensform *Heinecke,* der Name
war aber *Heinecken.* 112,17 und 112,22 *Xeuxis* Erstdruck, *Zeuxis Ausg. l. Hd.*
119,10 *Anfoderung* Erstdruck, *Anforderung Ausg. l. Hd.* 120,29 *schienen* Goethes Drucke, *scheinen* berechtigte Konjektur der WA.

S. 130ff. *Myrons Kuh.* Erster Druck: *Über Kunst u. Altert.* 2, 1818, Heft 1,
S. 9–26. Ergänzend: Ebd. Bd. 6, 1828, S. 401f. – WA 49,2 S. 3–15, 256 und 321f. –
Jubil.-Ausg. 35, S. 145–154. – Der Erstdruck hat 130,8 *ohngefähr* und 132,16
Eyter. Das Wort *von* 135,34 steht in der Handschrift, fehlt aber in den ersten
Drucken.

S. 138ff. *Ruysdael als Dichter.* Erster Druck: Morgenblatt für gebildete Stände
1816, Nr. 107 vom 3. Mai. – *Ausg. l. Hd.* 39, 1830, S. 261–269. – WA 48,
S. 162–168 u. 271f. – Jubil.-Ausg. 35, S. 3–8. – Der Erstdruck hat 140,30 *kehrend.*
– 139,28 haben Erstdruck und *Ausg. l. Hd.: Jahren.* neuere Ausgaben die Konjektur *Jahrhunderten.*

S. 142ff. *Kunst und Altertum am Rhein und Main.* Erster Druck: *Über Kunst
u. Altertum* Bd. 1, 1816, S. 1–196. – Dann in Bd. 3 der „Nachgelassenen Schriften", 1833. – WA 34,1 S. 69–200 und 34,2 S. 8–46. – Jubil.-Ausg. 29, S. 235–332.

S. 164ff. *Joseph Bossi …* Erster Druck: *Über Kunst u. Altertum* Bd. 1, Heft 3,
1817, S. 113–188. – *Ausg. l. Hd.* 39, 1830, S. 87–136. – WA 49,1 S. 201–248 und
49,2 S. 293–294. Jubil.-Ausg. 35, S. 25–64. – Momme Mommsen Bd. 1, 1958,
S. 403–427.

S. 169ff. *Relief von Phigalia.* Erster Druck: Goethe-Jahrbuch 1898, S. 3–13. –
WA 49,2 S. 16–20 und 323. – Jubil.-Ausg. 35, S. 160–163. – Nur in einem Manu-
skript – Diktat an den Schreiber Färber in Jena – erhalten, ohne Goethesche
Korrekturen. Färbers Versehen sind in den Editionen im Goethe-Jb. und in der
WA berichtigt, denen auch unser Abdruck anschließt.

S. 172ff. *Antik und modern.* Erster Druck: *Über Kunst u. Altertum.* Bd. 2, Heft
1, S. 145–162. – *Ausg. l. Hd.* 39, 1830, S. 74–85. – WA 49,1 S. 149–160 und 49,2

S. 285–287. – Jubil.-Ausg. 35, S. 124–132. – Momme Mommsen Bd. 1, 1958, S. 100–103.

S. 177ff. *Von deutscher Baukunst. 1823.* Erster Druck: *Über Kunst u. Altertum* Bd. 4, Heft 2, S. 139–151. – *Ausg. l. Hd.* 39, 1830, S. 352–360. – WA 49,2 S. 159–167 u. 344; Bd. 53, S. 407f. – Jubil.-Ausg. 35, S. 231–237. – Momme Mommsen Bd. 2, 1958, S. 321. – Der Abschnitt 182,14–17 steht im Erstdruck, fehlt in der *Ausg. l. Hd.*, weil dort der Aufsatz von 1772 vor diesem späten Aufsatz abgedruckt ist.

S. 182ff. *Julius Cäsars Triumphzug* ... Erster Druck: *Über Kunst u. Altertum* Bd. 4, 1823, Heft 1, S. 111–133, Heft 2, S. 51–76. – *Ausg. l. Hd.* 39, 1830, S. 140–182. – WA 49,1 S. 253–288 und Bd. 49,2 S. 227–235 sowie 295–298. – Jubil.-Ausg. 35, S. 164–188. – Erhalten sind Korrekturbogen des Erstdrucks mit 2 Goetheschen eigenhändigen Korrekturen, die im Druck dann versehentlich nicht berücksichtigt sind: 200,14 *erblicken* statt *erkennen*, 200,34 *ihn* statt *sie*.

S. 203ff. *La Cena, pittura* ... *di Giotto.* Erster Druck: *Über Kunst u. Altertum.* Bd. 5, Heft 1, 1824, S. 112–118. – Nicht in der *Ausg. l. Hd.* – WA 49,1 S. 291–295 u. Bd. 49,2 S. 298. Dazu Bd. 53, S. 538: ,,Wahrscheinlich von H. Meyer verfaßt.'' Vermutlich ist aber die Fragestellung, ob von Goethe oder von Meyer, falsch. Es ist wahrscheinlich Gemeinschaftsarbeit wie anderes auch, und die beiderseitigen Anteile sind nicht mehr feststellbar. Die geistige Grundhaltung und manches Stilistische weisen auf Goethe. – Jubil.-Ausg. 35, S. 242–246. – 205,30 *vornimmt* Erstdruck, Jubil.-Ausg., *vernimmt* WA (Konjektur).

S. 206ff. *Die Externsteine.* Erster Druck: *Über Kunst u. Altertum* Bd. 5, Heft 1, 1824, S. 130–139. – *Ausg. l. Hd.* 39, S. 304–310. – WA 49,2 S. 46–52, 262 und 329. – Jubil.-Ausg. 35, S. 237–242.

S. 210ff. *Christus nebst zwölf* ... *Figuren* ... Von Goethe handschriftlich (Diktat an John) hinterlassen. Erster Druck: Nachgelassene Werke Bd. 4, 1832, S. 23–33. – WA 49,2 S. 89–98 u. 334f. – Momme Mommsen Bd. 2, 1958, S. 184f. – Eckermann 16. und 21. März 1830. – In der Handschrift folgt am Ende noch: *und sollte, wenn es in einer so ernsten, zarten Sache zu scherzen erlaubt ist, auch nur der Anfang durch die Konditor am Weihnachtsabende gemacht werden.*

S. 216ff. *Landschaftliche Malerei.* In dem vorliegenden Band unmittelbar nach den Handschriften, daher anders als in den anderen Ausgaben, die alle auf Heinrich Meyers von ihm überarbeiteten Druck in *Über Kunst und Altertum* Bd. 6, Heft 3, 1832 (nach Goethes Tode), S. 433–453 zurückgehen. Ich verzichte auf eine Aufzählung der zahlreichen Abweichungen. – WA 49,2 S. 239–246.

S. 223. *Zu malende Gegenstände.* Von Goethe handschriftlich hinterlassen, Diktat an Schuchardt, fragmentarisch, auf einer Seite oben beginnend. Darüber gequetscht Eckermanns Überschrift ,,Zu malende Gegenstände'', offenbar für den Druck in den ,,Nachgelass. Werken'' formuliert. Gestrichen ist am Ende des ersten Abschnitts der Satz *Ein Niederländer z. B. würde aus vorstehendem Gedicht ein gar anmutiges Bild zu entwickeln wissen.* Die Handschrift enthält keinerlei Merkmal, aus dem sich erkennen ließe, was mit *vorstehendem Gedicht* gemeint ist. Der Anfang des 3. Abschnitts lautet zunächst: *Nun aber eiligst, da der Platz mangelt, zum Heiligsten* ... Der Schluß lautete in der Handschrift ursprünglich: *unternommen hat, der freilich seinen Nachkommen auf ewige Zeiten alles vorweg nahm.* – Erster Druck: Nachgelass. Werke 4, 1832, S. 262f. – WA 49,1 S. 433f. und 49,2 S. 319. – Unser Druck nach der Handschrift in Weimar.

NACHWORT ZU DEN
SCHRIFTEN ZUR LITERATUR

In den Schriften zur Literatur läßt sich der Dichter, Naturforscher und Kunsttheoretiker Goethe auch als Kritiker und Literaturbetrachter vernehmen. Überschaut man seine kritische Leistung im ganzen, so wird man ein durchgehendes Grundanliegen immer wieder bemerken können: das redliche Bemühen, sich selbst Rechenschaft zu geben vom Empfangenen und Fortgeführten, das Streben nach Selbsteinbeziehung in den überpersönlichen Strom der abendländischen Dichtungsüberlieferung. Denn Goethe war nicht nur ein Gebender und Weisender – er konnte es gerade darum werden, weil er sich selbst, und mit zunehmendem Alter nur immer nachdrücklicher, in erster Linie als einen Empfangenden und Lernenden verstand. Der fruchtbarste und originellste deutsche Dichter war zugleich derjenige, der am entschiedensten betonte, was er nicht sich selbst, sondern der Welt, den großen Vorgängern und Mitstrebenden zu danken hatte. Der Greis, der sich selbst immer mehr historisch wurde, spricht es aus in der Rückschau des Hochalters, das nicht mehr in Jahrzehnten, sondern in Jahrhunderten und Jahrtausenden denkt: *Man spricht immer von Originalität, allein was will das sagen! Sowie wir geboren werden, fängt die Welt an auf uns zu wirken, und das geht so fort bis ans Ende. Und überall! was können wir denn unser Eigenes nennen als die Energie, die Kraft, das Wollen! Wenn ich sagen könnte, was ich allen großen Vorgängern und Mitlebenden schuldig geworden bin, so bliebe nicht viel übrig*[1]. Und wenige Wochen vor seinem Tode zieht er das Fazit: *Im Grunde aber sind wir alle kollektive Wesen, wir mögen uns stellen, wie wir wollen. Denn wie weniges haben und sind wir, das wir im reinsten Sinne unser Eigentum nennen! Wir müssen alle empfangen und lernen, sowohl von denen, die vor uns waren, als von denen, die mit uns sind*[2]. Mit der größten Bescheidenheit vermag er sich ein- und unterzuordnen. Etwa, wenn er es ablehnt, sich mit Shakespeare zu vergleichen, *der sich auch nicht gemacht hat, und der doch ein Wesen höherer Art ist, zu dem ich hinaufblicke und das ich zu verehren habe*[3]. Oder wenn er bewundernd ausruft: *Sehen Sie, meine Herren, ich glaube auch etwas geleistet zu haben, aber gegen einen der großen attischen Dichter, wie Äschylos und Sophokles, bin ich doch gar nichts*[4].

Das muß man gegenwärtig halten, will man Goethes Stellung in der Geschichte der literarischen Kritik, die ja in Deutschland niemals wie im angelsächsischen oder romanischen Raum eine durch Tradition gesicherte selbständige Gattung geworden ist, im rechten Lichte sehen. Und gerade darin ist er auch im strengen Sinne Literaturkritiker, daß er seinen Standpunkt innerhalb des literarischen Geschehens sowohl der Vergangenheit wie der Gegenwart selbst nahm, als Mitstrebender und Sicheinbeziehender, im Unterschied zum Literarhistoriker, der von außerhalb die literarischen Erscheinungen und Epochen als in sich abgeschlossene Gestalten mustert und gliedert. Die Schriften zur Literatur – unsere Ausgabe muß sich naturgemäß auf eine sinnvolle Auswahl beschränken – sind nur ein Teil, und nicht einmal der bedeutendste, der Goetheschen Äußerungen über Poesie und Literatur. *Wilhelm Meisters Lehr-* und *Wanderjahre,* der *West-östliche Divan* mit den *Noten und Abhandlungen,* die *Xenien* aus der klassischen Zeit, *Dichtung und Wahrheit,* vor allem aber der unerschöpfliche Reichtum der *Maximen und Reflexionen,* der Briefe, Tagebücher und Gespräche müssen hinzukommen, um das Bild des Kritikers Goethe vollständig zu machen. Und hier wie überall wird man erst zu einem klaren Einblick gelangen, wenn man das Prinzip seiner Kritik aus dem Ganzen seines Welt- und Kunstverständnisses begreift, das aus den Schriften zur bildenden Kunst nicht weniger erhellt als aus seinem umfangreichen naturwissenschaftlichen Werk. Nirgendwo entwickelt Goethe eine systematische Dichtungstheorie. Was er an theoretischer Grundlegung zu geben hat, steht in den Schriften zur Kunst. Nicht zufällig. Denn erst von der Anschauung der bildenden Kunst und Natur war er zur Einsicht in die verbindlichen Gesetze auch der Dichtung gelangt. Immer geht er vom aufmerksamen Beobachten des Einzelphänomens, vom Besonderen, nicht selten Unscheinbaren aus. Aber keine seiner Einzelaussagen bleibt isoliert. Sie alle sind Äußerungen eines ganzheitlichen Weltverhältnisses, das sich in den Anmerkungen zur beschränktesten Mundartdichtung ebenso folgerichtig zu erkennen gibt wie in den Stellungnahmen zu den großen Erscheinungen der Weltpoesie.

Es ist erstaunlich, mit was allem sich der Dichter beschäftigte. Wie das Auge des Türmers Lynceus das Nächste und Fernste zugleich umfaßt, so schweifte der Blick des Kritikers Goethe von der eignen Gegenwart bis in die Antike, von der schlichten Volksdichtung der engsten Heimat über den gesamten europäischen Raum bis in die fernen Osten, nach Persien, Indien, China. Bis ins hohe Alter war er bemüht, sich der abendländischen Überlieferung zu versichern und die zeitgenössischen Bestrebungen zu verfolgen. Wie weit sein Interesse reichte, beweist die Zusammenstellung der von ihm aus der Weimarer Bibliothek entliehenen Werke[5]. Im Durchschnitt las der Dichter nachweislich einen Oktavband täglich.

Vielgestaltig wie die Gegenstände sind auch die Formen der Goetheschen Äußerungen. Sie reichen von der nicht zur Veröffentlichung bestimmten, rasch hingeworfenen fragmentarischen Notiz, dem unausgeführten skizzenhaften Schema über die knapp umreißende, zugespitzte Maxime, die kursorisch-allgemeine oder auch bis ins Einzelne gehende, aus dem Stegreif charakterisierende Rezension bis zum durchgeformten Essay, zur breitangelegten Darstellung, zur zusammenfassenden Monographie. Als solche wollen seine Arbeiten jeweils verstanden und darum in der Auswertung wohl abgewogen werden. Dazu hat sich der Stil der Goetheschen Literaturkritik im Laufe seiner Entwicklung merklich gewandelt. Er begann seine Rezensententätigkeit in den ,,Frankfurter Gelehrten Anzeigen", einer seit 1736 erscheinenden Literaturzeitung, die, seit dem 1. Januar 1772 von Joh. Heinr. Merck herausgegeben, zum kritischen Organ des Sturm und Drang wurde. Mitarbeiter waren neben Goethe und Merck insbesondere Herder, J. G. Schlosser und der Gießener Jura-Professor Höpfner. Anonym erschienen, lassen sich die einzelnen Beiträge nicht mehr genau zuordnen. Sie enthalten jedoch durchweg gemeinsam erarbeitetes Gedankengut. Schon Ende des Jahrgangs 1772 stellte Goethe seine Mitarbeit ein. Das nächste Organ, für das er nach längerer Pause wieder literaturkritische Beiträge lieferte, war die ,,Jenaische Allgemeine Literaturzeitung". 1785 gegründet, war diese Zeitschrift nach vorübergehendem Absinken durch die neuen Herausgeber Schütz und Bertuch zur führenden Literaturzeitung geworden. Als durch den Abgang mehrerer berühmter Professoren die Universität Jena zu verwaisen drohte, wollte 1803 auch die JALZ heimlich nach Halle übersiedeln. Da griff Goethe, um das Ansehen der Jenaer Universität besorgt, ein und beschloß, mit dem Geheimrat v. Voigt die Zeitung selbst zu übernehmen. Das wurde der Anlaß zahlreicher neuer Arbeiten, wie z. B. der Hebel- und der Wunderhorn-Rezension, die Goethe, der unter dem offiziellen Herausgeber Eichstädt die Hauptlast trug, von 1804 bis 1807 beisteuerte. Über die Entwicklung, die sein kritisches Urteil inzwischen durchgemacht, sagt er treffend später selbst: *Die Rezensionen für die Frankfurter Gelehrten Anzeigen haben einen eigenen Charakter. Wild, aufgeregt und flüchtig hingeworfen wie sie sind, möchte ich sie lieber Ergießungen meines jugendlichen Gemüts nennen als eigentliche Rezensionen. Es ist auch in ihnen so wenig ein Eingehen in die Gegenstände als ein gegebener, in der Literatur begründeter Standpunkt, von wo aus diese wären zu betrachten gewesen, sondern alles beruhet durchaus auf persönlichen Ansichten und Gefühlen ... Die hier sich anschließenden Rezensionen für die Jenaer Literaturzeitung sind von den eben erwähnten in mancher Hinsicht sehr verschieden. Die Gegenstände sind bedeutender, das Urteil ist befestigt, die Art und Weise der Ansicht und Behandlung, alles ist anders, wie denn eine Reihe von dreißig Jahren vieles verändert und erweitert hatte*[6]. Im ,,Morgenblatt für Gebildete Stände", für das Goethe von 1807 bis 1816 schrieb, veröffentlichte er dann in der Hauptsache Selbstanzeigen seiner Werke, gab er Antwort auf Fragen aus seinem Leserkreis, indem er auf diese Weise versuchte, die Beziehungen zwischen sich und dem Publikum enger zu gestalten und das literarische Interesse wachzuerhalten.

1816 aber trat er mit einer eignen Literaturzeitung hervor, die bis zu seinem Lebensende sein eigentliches kritisches Organ bleiben sollte: *Über Kunst und Altertum. Von Goethe.* Die Gründung dieser Zeitung fällt in die Jahre seiner geistigen Auswanderung in die reine *Patriarchenluft* des Ostens, in denen sein ganzes Literaturverhältnis eine neue Wendung nehmen sollte. Es war der Versuch einer Integration auch der Dichtung des Orients, wie sie ihm besonders in Hafis, dem ,,Bewahrer des Korans", entgegentrat, in die westliche Tradition. Doch stand er damit nur scheinbar im Bannkreis der Romantik, die sich von hier eine erwünschte Bekehrung des strengen Antike-Adepten versprach. Die Ausweitung von Goethes literarischem Horizont war keineswegs eine romantische. Wenn Goethe über die klassische Kunstkonzeption hinauswuchs, so in einem ganz anderen Sinne. Es bedeutete eine noch entschiedenere Wendung auf das Gegenständliche hin und vom genial-persönlichen Kunstsinne weg. Zur gleichen Zeit, als er im *Divan* zu einer vertieften religiösen Grundlegung der Dichtung vordrang, verwahrte er sich ausdrücklich gegen alle unbestimmten, düster schwärmenden Phantasien der *neudeutschen religios-patriotischen Kunst.* So konnte es kommen, daß schon mit dem zweiten Heft von *Über Kunst und Altertum* aus einer ursprünglich – nicht zuletzt durch den nachhaltigen Einfluß der Brüder Boisserée und ihrer Sammlungen – den deutschen Altertümern, für die Goethes Interesse neu erwacht war, zugedachten Zeitschrift ein Kampforgan gegen die an diese Altertümer anknüpfende moderne romantische Kunst der Subjektivität und Innerlichkeit wurde. Goethes ablehnende Haltung gegen die Romantiker, besonders Wackenroder, Tieck und die Brüder Schlegel, ist der Ausdruck einer geschichtlichen Sorge. Gewiß war er imstande und bereit, *Schönheiten im einzelnen*[7] auch in der romantischen Kunst wahrzunehmen und anzuerkennen. Aber er sah in dem schrankenlosen Subjektivismus, in der Entfernung vom Gegenständlichen und in der sich willkürlich ins Unendliche freisetzenden Phantasie nur die Symptome einer sich immer mehr ausbreitenden Tendenz der Zeit, die zur Katastrophe, zur Auflösung ins Elementarische und zum Zerfall der Kunst und des Menschen überhaupt führen mußte. Darum schweigen die Literaturschriften fast ganz über die großen romantischen Zeitgenossen und stellen lieber unbedeutendere, aber tüchtige, verläßliche, gegenständliche lobend heraus. Goethes Stellungnahme ist das Bekenntnis einer ganz bewußt übernommenen geschichtlichen Verantwortung. Darum darf auch seine durch alle Literaturschriften hindurchgehende Vorliebe für die Volksdichtung (Goethe spricht auch von *Naturpoesie* oder *Nationalpoesie*[8]) keineswegs mit der romantischen gleichgesetzt werden. Was ihn daran anzog, war gerade nicht der unbestimmt ferne Ursprung, das geheimnisvolle Dunkel der Vergangenheit, das Patriotische, das der Gegenwart verlorengegangene, sehnsüchtig wiedergesuchte Ideal, sondern das Konkrete, Besondere, Eigentümliche, Gegenständliche und Gegenwärtige, das Tüchtige und Bestimmte, war der lebendige Beweis, den ihm die Volkslieder aller Stämme und Nationen erbrachten, daß das Hiesige und Alltägliche, das Nächste und Gegenwärtige poetisch und symbolisch, daß die Poesie eine Welt- und Völkergabe sei. Das fand Goethe in den spanischen Romanzen ebenso bestätigt wie in den alemannischen Gedichten Hebels, den Liedern aus Des Knaben Wunderhorn und der südslawischen Volkspoesie. *Das lebhafte poetische Anschauen eines beschränkten Zustandes*, heißt es in der Wunderhorn-Rezension, *erhebt ein Einzelnes zum zwar begrenzten, doch unumschränkten All, so daß wir im kleinen Raume die ganze Welt zu sehen glauben*[9].

Hinter allen literaturkritischen Äußerungen des späten Goethe steht die Überzeugung, daß der wahre Dichter ganz hinter seinem Gegenstand zurücktrete, das Objekt, symbolisch transparent, aber immer deutlicher hervortreten müsse; daß der Maßstab für ein Kunstwerk darin zu suchen sei, wieweit es eine wahre Aussage und Auslegung der menschlichen Natur im ganzen, das heißt aber zugleich der Welt und ihrer gründenden Ordnung, in der allein der Mensch seine Wirklichkeit hat, gibt und wieweit eine meisterliche (nicht geniale) Beherrschung und Behandlung des jeweiligen Materials diese Auslegung der vorgegebenen Welt ermöglicht hat. Diese Einsicht Goethes spiegelt sich auch in dem zurückhaltenden, schlichten und konkreten Stil seiner Besprechungen aus jener letzten Epoche, der aus der weisen Selbstbeschränkung des Alters die brillante Formulierung und das geistreiche Aperçu bereitwillig der Treffsicherheit gegenstandsgesättigter Begriffe und behutsam umschreibender Wendungen aufopfert.

Der leitende Impuls von Goethes Literaturkritik war *Teilnahme*. Teilnahme ist zugleich einer der Lieblingsbegriffe des Goetheschen Alters. Er gehört zusammen mit jenem anderen, den er immer wieder vorbringt: *Folge geben* und *Folge haben*. Es sind seine Gegenbegriffe zu Polemik und Originalität. Er unterscheidet einmal zwischen *negativer* und *zerstörender* Kritik einerseits und *affirmativer* oder *produktiver*[10] anderseits. Er selbst bekannte sich, wie es seiner Natur gemäß war, zur letzteren. Wo er teilnimmt, will er verstehen, empfangen, danken und fördern. Was ihm nicht gemäß oder falsch ist, läßt er lieber liegen. Nur dort, wo er eine geschichtliche Verantwortung zu tragen glaubt, greift er ein, wie im Falle der Romantik oder Newtons[11]. Vor allem fordert er Ehrfurcht den Großen der Tradition gegenüber. Darum vermochte er den Brüdern Schlegel ihre leichtfertig absprechenden Urteile über Molière, Racine, Corneille, Euripides nicht zu verzeihen. Eine liebevolle Aufmerksamkeit auf alles Eigentümliche, das verstehende Sich-Einlassen auf einen Gegenstand unter Verzicht auf alle Prätensionen, besonders darauf, den eignen Geist leuchten und sprühen zu lassen[12], macht das Wesen Goethescher Literaturkritik aus.

Verglichen mit der kritischen Leistung Lessings oder der Brüder Schlegel mag die Goethesche beiläufig und unsystematisch genannt werden. Gewiß entsprang sie weder der rationalen Forderung einer strengen Gattungspoetik – obgleich der Dichter noch ein ganz klares Wissen um die Eigengesetzlichkeit der Gattungen hatte – noch dem intellektuellen Entwurf einer progressiven Universalkultur. Aber ihr tragender Grund, aus dem jede einzelne Stellungnahme hervorging, war – und wurde im Alter immer deutlicher – die Idee der *Weltliteratur*[13]. Der Begriff selbst, wie auch der andere von der *Weltpoesie*, ist eine Prägung Goethes. Er gebraucht ihn 1827 zum erstenmal[14]. Zwar gibt er an keiner Stelle eine genaue Definition des Begriffes; aber aus seinen verstreuten Äußerungen[15] und seiner kritischen Tätigkeit im ganzen läßt sich seine Bedeutung wohl ablesen. *Weltpoesie* ist für ihn die Völkergabe der Dichtung, die *dem Bauer so gut gegeben wie dem Ritter*[16]. Sie ist zugleich das Insgesamt der Überlieferung der großen Dichtungen aller Völker. *Weltliteratur* aber ist ein noch umfassenderer Begriff. Er meint alle in Wort und Schrift mitgeteilten Werke und Äußerungen der Vermittlung zwischen den Menschen aller Nationen. Also nicht nur die „schöne Literatur". Auch die kritische, interpretierende, die biographische, Brief- und Memoirenliteratur ist gemeint; vor allem aber die Übersetzungsliteratur[17] – Goethe hat selbst dazu beigetragen–, die den Geist des einen Volkes mit dem des andern bekannt macht. Für Goethe sind die Verschiedenheiten der Sprache und des Charakters gerade nicht das trennende, sondern, wie die Münzsorten, das verbindende, den Verkehr erleichternde Moment innerhalb der Nationen. „Weltliteratur ist, wie alle Begriffe Goethes, keine definitorische Abgrenzung, sondern Einheitspunkt vieler Bezüge, Zentrum divergierender Perspektiven: sie ist ein Aufgegebenes" (Curtius)[18]. Gewiß hat Goethe auch hier Anregungen von den Romantikern zurückempfangen. Aber seine Weltliteraturidee ist nicht in erster Linie ein Erkenntnisbegriff und auch nicht vorwiegend auf die Vergangenheit gerichtet: sie ist etwas Gegenwärtiges, Aufgegebenes, zu Verwirklichendes. Sie ist auch darin moderner als die romantische Konzeption, daß sie den Bereich der Dichtung und Kunst übergreift und der Einsicht in die gesellschaftliche Wirklichkeit der modernen Welt entspringt: die fortschreitende Weltkommunikation in Technik, Handel und Verkehr fordert auch die Weltkommunikation der Literatur. Und zwar so, daß nicht nur der Chor der Nationalliteraturen zusammenklingt, sondern die Literatoren der einzelnen Völker in lebendiger Wechselwirkung voneinander lernen und sich aneinander korrigieren. Das heißt aber, daß immer die Literatur am deutlichsten vernommen werden sollte, in der das allgemein Menschliche in der besonderen Ausprägung am stärksten zum Tragen kommt. Vermittelnde europäische Zeitschriften wie die italienische „L'Eco" (Goethe seit 1828 bekannt) oder die 1824 von Dubois und Leroux gegründete französische „Le Globe" (von Goethe seit 1826 mit Bewunderung gelesen) schienen dem Dichter eine besonders wichtige Rolle in der Förderung der Weltliteratur zu spielen. Er selbst stellte seine Zeitschrift *Über Kunst und Altertum* ganz in ihren Dienst. Leider kam Goethes für dieses Organ geplante größere Abhandlung über die Weltliteratur, von der Vorarbeiten in sein Vorwort zur deutschen Übersetzung von Thomas Carlyles Schillerbiographie eingegangen sind, nicht mehr zur Ausführung.

Es waren viele Quellen, die in Goethes Weltliteraturidee zusammenströmten: seine seit der Jugend nicht wieder preisgegebene *Vorliebe für eigentümliche Volksgesänge* [19], sein gründliches Studium der Antike, die er immer als die Grundlage der gesamten abendländischen und europäischen Literatur und Bildung ansah, die Humanitätsidee der klassischen Zeit, seine vielgeübte Fähigkeit der vergleichenden Betrachtung in allen Lebens- und Erkenntnisbereichen, die Erschließung der Dichtung des Orients und nicht zuletzt die Bibel, die für ihn das Buch der Bücher und das verbindende Urdokument der Menschheit blieb.

Es ist sicher kein Zufall, daß Goethe den Begriff der *Weltliteratur* etwa zur gleichen Zeit entwickelte, als er auch den der *Weltfrömmigkeit* [20] in den *Wanderjahren* prägte. Beide sind Antworten auf die durch die neuzeitlichen Revolutionen in die Menschheit gekommene Bewegung. Wie die Hausfrömmigkeit in die Weltfrömmigkeit, sollen die Nationalliteraturen in die Weltliteratur hineinwachsen. Aber noch in einem andern Sinne hängen beide Begriffe zusammen. Durch die Begegnung mit Hafis, dem „Bewahrer des Korans", war Goethe der religiöse Grund der Dichtung in einem vertieften Sinne aufgegangen. Sah er den letzten Sinn der Kunst schon längst nicht mehr im unmittelbaren Ausdruck des subjektiven Gefühls, so erschloß sie sich ihm hier in ihrer objektiven, die Zeiten umgreifenden religiösen Bedeutung, wenn er in den *Noten und Abhandlungen* zum *Divan* von der Dichtung sagt, *daß doch zuletzt in ihr das Heil der Menschheit aufbewahrt bleibe* [21]. Und 1820 schrieb er angesichts des Streites der Klassiker und Romantiker in Italien: *Wenn sich über mannigfaltige Vorkommenheiten der Zeit die Menschen entzweien, so vereinigt Religion und Poesie auf ihrem ernsten tiefern Grunde die sämtliche Welt* [22]. In der Vereinigung der Menschheit und der Wiederherstellung der ganzen und heilen Welt liegt für den

greisen Dichter das Verbindende von Religion und Dichtung, von *Welt-*
frömmigkeit und *Weltliteratur*:

> *Wie David königlich zur Harfe sang,*
> *Der Winzerin Lied am Throne lieblich klang,*
> *Des Persers Bulbul Rosenbusch umbangt,*
> *Und Schlangenhaut als Wildengürtel prangt,*
> *Von Pol zu Pol Gesänge sich erneun,*
> *Ein Sphärentanz, harmonisch im Getümmel –*
> *Laßt alle Völker unter gleichem Himmel*
> *Sich gleicher Gabe wohlgemut erfreun*[23].

[1]) Zu Eckermann, 12. Mai 1825. – [2]) Zu Eckermann, 17. Februar 1832. – [3]) Zu
Eckermann, 30. März 1824. – [4]) Zu W. Zahn, 7. September 1827. – [5]) Keudell-
Deetjen, Goethe als Benutzer der Weimarer Bibliothek. Weimar 1931. – [6]) *Siche-*
rung meines literarischen Nachlasses. Weitere Nachrichten davon. Über Kunst und
Altertum, IV, 3. 1824. – [7]) Im Gespräch mit S. Boisserée vom 6. Mai 1811 sagt
Goethe anläßlich gemeinsamer Betrachtung von Runges Arabesken: *Da sehen Sie*
einmal, was das für Zeug ist! Zum Rasendwerden, schön und toll zugleich …
Freilich, sagte er, *das will alles umfassen und verliert sich darüber immer ins*
Elementarische, doch noch mit unendlichen Schönheiten im einzelnen. Da sehen
Sie nur, was für Teufelszeug, und hier wieder, was da der Kerl für Anmut und
Herrlichkeit hervorgebracht, aber der arme Teufel hats auch nicht ausgehalten, er
ist schon hin, es ist nicht anders möglich, was so auf der Kippe steht, muß sterben
oder verrückt werden, da ist keine Gnade. – [8]) Zu Goethes Volkslied-Begriff und
Wortgebrauch vgl. 282,9ff. u. d. Anmkg. dazu. – [9]) Vgl. 282,27–30. – [10]) Vgl.
Teilnahme Goethes an Manzoni. Graf Carmagnola noch einmal. 1821. – [11]) Vgl.
hierzu die Anmkg. zu Maxime Nr. 502. – [12]) Vgl. Gespräch mit Eckermann,
20. April 1825: *Das Unglück ist im Staat, daß niemand leben und genießen, son-*
dern jeder regieren, und in der Kunst, daß niemand sich des Hervorgebrachten
freuen, sondern jeder seinerseits selbst wieder produzieren will … Es ist ferner kein
Ernst da, der ins Ganze geht, kein Sinn, dem Ganzen etwas zuliebe zu tun,
sondern man trachtet nur, wie man sein eigenes Selbst bemerklich mache und es
vor der Welt zu möglichster Evidenz bringe … Überall ist es das Individuum, das
sich herrlich zeigen will, und nirgends trifft man auf ein redliches Streben, das dem
Ganzen und der Sache zuliebe sein eigenes Selbst zurücksetzte. – [13]) Dazu besonders F. Strich, Goethe und die Weltliteratur, Bern 1946, und E. R. Curtius, Goethe als Kritiker (1948). In: Curtius, Kritische Essays zur europäischen Literatur,
Bern 1950. S. 28–58. – [14]) Tagebuchnotiz vom 15. Januar 1827: *An Schuchardt*
diktiert bezüglich auf französische und Weltliteratur. – [15]) Siehe S. 361–364. –
[16]) Vgl. die Maxime Nr. 918. – [17]) Vgl. 352,20–353,28. – [18]) E. R. Curtius, a. a. O.
S. 47. – [19]) Vgl. Anmkg. zu S. 327–338. – [20]) Zum Begriff der *Weltfrömmigkeit*
siehe die Anmkg. in Bd. 8 zu S. 243,6ff. – [21]) Bd. 2, S. 245,12f. – [22]) *Klassiker und*
Romantiker in Italien, sich heftig bekämpfend. Über Kunst und Altertum, II, 2.
1820. – [23]) *Über Kunst und Altertum, VI, 1, 1827. S. 199.*

ANMERKUNGEN

ZUM SHAKESPEARES-TAG

Den schwer zu überschätzenden Einfluß, den Shakespeares Geist und Dichtung auf Goethe ausgeübt, hat der Dichter während seines ganzen Lebens immer wieder betont, am deutlichsten vielleicht in dem Gedicht *Zwischen beiden Welten* (gedr. 1820, Datierung unsicher, die ersten Zeilen entstanden vermutlich viel früher. Vgl. Bd. 1, Anmkg. zu S. 373): *Lida, Glück der nächsten Nähe, William, Stern der schönsten Höhe, Euch verdank' ich, was ich bin.* Dreimal hat Goethe ausführlicher seinem Shakespeare-Erlebnis Ausdruck gegeben. In der Frühzeit in der vorliegenden hymnischen Rede, während der Weimarer Klassik im *3., 4.* und *5. Buch* von *Wilhelm Meisters Lehrjahren* (vgl. Bd. 7, Nachwort u. die Anmkg. zu S. 179,35) und in der Spätzeit in dem Aufsatz *Shakespeare und kein Ende* (vgl. S. 287ff. u. die Anmkgn. dazu). Die Shakespeare-Rede ist nicht ein Dokument literarischer Kritik, sondern ein feierndes Bekenntnis des Sturm-und-Drang-Goethe zu Natur und Genie, ein pathetischer Dank an den Genius Shakespeare, durch den sich der eben aus Straßburg nach Frankfurt zurückgekehrte Dichter zu sich selbst erweckt und befreit fühlte. Am 21. September 1771 schrieb Goethe an Röderer in Straßburg, daß er bei Salzmanns ,,Deutscher Gesellschaft" um einen *Ehrentag des edlen Schäkespears ansuchen* werde. Für diesen hat er vermutlich den Aufsatz verfaßt. Ob jedoch auf dem am 14. Oktober tatsächlich veranstalteten Ehrentage, bei dem der Freund Lerse die Festrede hielt, Goethes Aufsatz verlesen wurde, ist zweifelhaft. Am gleichen Tag aber, dem protestantischen Namenstag für Wilhelm, fand laut Haushaltungsbuch des Rates Goethe in dessen Haus in Frankfurt ein ,,Dies Onomasticus Schackspear" statt, bei dem Goethes Huldigung vorgetragen wurde. Ursprünglich sollte Herders Shakespeare-Aufsatz (zuerst gedruckt in ,,Von deutscher Art und Kunst" 1773. Werke, Suphan 5,208ff.) bei Gelegenheit dieser ,,Liturgie" zu Wort kommen. Doch dieser blieb aus. Herders Straßburger Einwirkung ist aber auch in Goethes Skizze unverkennbar. Die Anrede *meine Herren* beweist den Charakter der Rede, einige Stellen (224,32; 226,16f.) fingieren wohl ein Sendschreiben, da ja eine Abhandlung von auswärts versprochen war. Natur und Genie, die ewigen Quellen aller bildenden und zeugenden Kraft, sind die Angelpunkte, um die sich Goethes Rede dreht. Das zeigt, wie sehr sie in den Umkreis des Geniekultes, in die Nähe der ausgeführten oder geplanten Dichtungen um Prometheus, Mahomet, Caesar, neben die Shakespeare als ebenbürtig tritt, in die Gedankenwelt des Aufsatzes *Von deutscher Baukunst* (1772) und des

Toblerschen Fragments „Die Natur" (1781/82) gehört. „Natur! Wir
sind von ihr umgeben und umschlungen ... Sie schafft ewig neue Gestalten", heißt es im letzteren. *Natur, Natur! nichts so Natur als Shakespeares Menschen* – das ist die Absage an das konventionelle, künstliche
französische Theater, radikaler, als sie Lessing je ausgesprochen, und
aus einem andern, neuen Geist heraus. Lessing, getragen von der Idee
einer an Aristoteles anknüpfenden strengen, vernunftgegründeten Gattungspoetik, hatte aufgewiesen, daß Shakespeare das Wesensgesetz der
Tragödie wahrer erfülle als die regelmäßige französische Bühne. Aber es
ist der Vernunftplan der Schöpfung, den das Genie in seinen Werken
vernehmbar macht, wenn es „Gesetz" gegen „Regeln" stellt: „Aus diesen wenigen Gliedern sollte er ein Ganzes machen, das völlig sich rundet, wo eines aus dem andern sich völlig erklärt; wo keine Schwierigkeit
aufstößt, derentwegen wir die Befriedigung nicht in seinem Plane finden, sondern sie außer ihm, in dem allgemeinen Plane der Dinge suchen
müssen; das Ganze dieses sterblichen Schöpfers sollte ein Schattenriß
von dem Ganzen des ewigen Schöpfers sein" (Hamb. Dramat. 79.
Stück). An die Stelle der Gattungspoetik tritt bei Herder die Deutung
des Dramas als Geschichte, der Geschichte als Drama. „Weltseele" verwirklicht sich in ihm, nicht Gattungsgesetz. Es ist nicht mehr eine
gesetzliche, sondern eine einmalige Kunstwelt, eine atmosphärische
Stimmungseinheit, die „Seele der Begebenheit" atmet. Aber auch für
Herder steht noch ein Plan dahinter, doch im Gegensatz zu Lessing ein
unfaßlicher, dunkler, irrationaler. Eine übervernünftige Absicht hat alle
„Auftritte der Natur" „im Plane der Trunkenheit und Unordnung gesellt", als „dunkle kleine Symbole zum Sonnenriß einer Theodizee Gottes". Bei Goethe tritt der geschichtliche Gedanke wieder zurück. *Ur-
sprünglichkeit* und *kolossalische Größe* des Genies als eines zweiten
Schöpfers (Shaftesburys „second maker", Anm. zu 24,35), das nur nach
seinem eingebornen inneren Gesetz (Shaftesburys „inward form", vgl.
Anm. zu 22,16) schafft und gestaltet, stehen im Mittelpunkt. Der
„Plan" ist ganz in die Dunkelheit entrückt, nicht mehr erkenn- oder
verstehbar, nur noch im kongenialen *Gefühl* des Genies zu ergreifen.
Um der rätselhaften „inneren" Schöpfungskraft willen hat der junge
Goethe deren Spiegelung auch in einer erkennbaren „äußeren" Gesetzlichkeit preisgegeben. So mußte er sich im *Götz*, der von Shakespeare
unmittelbar inspiriert wurde, notwendig auch wieder von diesem entfernen. Das ist der Grund, warum Herder in seiner Kritik sagen konnte:
„Shakespeare hat Euch ganz verdorben." Nach allem ist die Shakespeare-Rede ganz und gar keine Shakespeare-Interpretation. Goethe begegnete dem Genie Shakespeares nicht als Historiker und ästhetischer Kritiker wie Herder, sondern als Dichter. Als solcher aber bewahrheitete er
das Wort, das Lessing bei Gelegenheit Shakespeares gesagt hatte: „Ein

Genie kann nur von einem Genie entzündet werden" (17. Literatur-brief).

Erster Druck: Allg. Monatsschrift für Wiss. u. Lit., Braunschweig, April 1854, S. 247ff., durch Otto Jahn. Die Hs. aus dem Nachlaß von F. Jacobi jetzt in Frankf. a. M., Freies deutsches Hochstift. – B. von Wiese, Die deutsche Tragödie von Lessing bis Hebbel. 2. Aufl. Hamburg 1952. S. 54–64. – H. Schöffler, Shakespeare und der junge Goethe. Sh.-Jb. 76, 1940. S. 11–33. – Horst Oppel, Das Shakespeare-Bild Goethes. Mainz 1949. – Paul Böckmann, Der dramatische Perspektivismus in der deutschen Shakespeare-Deutung des 18. Jahrhunderts. In: Vom Geist der Dichtung. Gedenkschrift f. R. Petsch, Hbg. 1949. S. 65–119. – F. Gundolf, Shakespeare und der deutsche Geist. Bln. 1911 u. ö. – Fritz Strich, Goethe und die Weltliteratur. Bern 1946. S. 114ff. – O. Walzel, Das Prometheus-symbol von Shaftesbury zu Goethe. ²München 1932. – H. Sudheimer, Der Genie-begriff des jungen Goethe. Berlin 1935. – Rud. A. Schröder, Goethe und Shakespeare. Bochum 1949 = Shakespeare-Schriften, 4. – Der junge Goethe. Hrsg. von H. Fischer-Lamberg, Bd. 2, 1963, S. 83–86 und dazu der Kommentar S. 327–329.

224,2. Goethe schreibt *Zum Schäkespears Tag*. Zweimal kommt sogar die Schreibung *Schäckespear* vor (224,34 u. 226,19).

224,22. *dieser emsige Wandrer*, ein Bild, das bei Herder wiederholt auftaucht. Für Goethe wurde das *Wandrer*-Sinnbild ein Grundmotiv, das in bedeutungsvol-len Abwandlungen durch sein ganzes Werk, von der frühen Hymne (Bd. 1, S. 36ff.) bis zur Philemon-und-Baucis-Szene in *Faust II*, hindurchgeht. Vgl. H. J. Schrimpf, Gestaltung und Deutung des Wandermotivs bei Goethe. Wirkendes Wort III, 1952/53, 1. Heft, S. 11ff.

224,27. *Tapf* für Fußtapfen (Fußstapfen).

225,7f. *erkenntlich*, in der Bedeutung von „erkennend" oder „dankbar".

225,19. *Türne*, mhd. Form für Türme, im älteren Neuhochdt. erhalten.

225,30–32. Vgl. den Brief an Herder über Pindar von Mitte Juli 1772.

225,33–35. Vgl. Bd. 4, S. 203ff. *Götter, Helden und Wieland.*

226,1. *in genere* = im allgemeinen.

226,3f. Goethe denkt nicht an die gleichnamigen „Aktionen" der Wanderbüh-nen vom ausgehenden 17. bis ins 18. Jhdt., sondern an die politisch-geschichtli-chen Vorgänge, wie sie Shakespeares Historien zugrunde liegen.

226,15. *Delphos* für Delphi, bei Goethe häufig.

226,19. *schöner Raritätenkasten* = Guckkasten, ein Bild, das zwar als Gleich-nis für das Welttreiben damals gebräuchlich war, aber doch darauf hinweist, daß der junge Goethe Shakespeares bauenden Kunstverstand noch unterschätzt. Vgl. 29, 31 und Bd. 6, S. 65, 4f. u. die Anmkg. Ferner: E. A. Boucke, Wort und Bedeutung in Goethes Sprache. 1901. S. 246f., 294f.

226,22–27. Goethe trägt „in die Shakespeareschen Tragödien seinen eignen Konflikt hinein . . . In dieser Wendung zum psychologischen Charakterdrama, zur Tragödie der individuellen Seinsform und der ihr von außen und innen erwachsen-den Begrenzung knüpft Goethe im Grunde stärker an Lessing als an Herder an". B. von Wiese, Die deutsche Tragödie von Lessing bis Hebbel. 1952. S. 59.

226,30. Vgl. *Götter, Helden und Wieland*, Bd. 4, S. 203ff., bes. S. 210, 35.

226,33f. *Thersit*, der griechische Spötter, von Odysseus wegen seiner Schmä-hungen gegen Agamemnon mit dem Szepter geschlagen. Ilias II, 212–277. In Shakespeares „Troilus und Cressida" spielt Thersites eine wichtige Rolle.

227,3. Shaftesbury nannte den wahren Dichter einen „second maker", einen „Prometheus unter einem Jupiter". Vgl. 15, 1 ff. u. die Anmkg., ferner 24, 35 u. Anmkg.

227,4. *kolossalisch*, ein Herderscher Lieblingsbegriff.

227,19–24. Vgl. den Brief an S. v. La Roche vom Juni 1774. S. auch die Anmkg. zu Maxime Nr. 1048–1049.

227,22. *Zona torrida* = die heiße Zone.

227,26f. Tob. 6, 3.

BRIEF DES PASTORS ZU *** AN DEN NEUEN PASTOR ZU ***

Eins der wichtigsten religiösen Dokumente aus der Goetheschen Frühzeit. Im *12. Buch* von *Dichtung und Wahrheit* berichtet Goethe ausführlich über die Voraussetzungen der 1772 entstandenen Schrift, die zeitlich mit einer aus dem gleichen Geist konzipierten *Zwo wichtige bisher unerörterte Biblische Fragen* von einem ebenso fingierten *Landgeistlichen in Schwaben* zusammenfällt: *In eine der Hauptlehren des Luthertums, welche die Brüdergemeine noch geschärft hatte, das Sündhafte im Menschen als vorwaltend anzusehn, versuchte ich mich zu schicken, obgleich nicht mit sonderlichem Glück. Doch hatte ich mir die Terminologie dieser Lehre so ziemlich zu eigen gemacht, und bediente mich derselben in einem Briefe, den ich unter der Maske eines Landgeistlichen an einen neuen Amtsbruder zu erlassen beliebte. Das Hauptthema desselbigen Schreibens war jedoch die Losung der damaligen Zeit, sie hieß Toleranz, und galt unter den besseren Köpfen und Geistern.* (Bd. 9, S. 511f.) Unter dem Einfluß der Susanne Katharina v. Klettenberg hatte Goethe sich der pietistischen Gefühlsfrömmigkeit geöffnet und der Herrnhutischen Brüdergemeine genähert. (Vgl. Bd. 7, *sechstes Buch* der *Lehrjahre, Bekenntnisse einer schönen Seele*, und die Anmkgn. dazu.) Was er suchte, war der Geist des Urchristentums, die lebendige Glaubensgemeinschaft noch jenseits aller dogmatischen Orthodoxie. Aber er wurde in Straßburg bald von der Brüdergemeine selbst, ihrer Selbstgerechtigkeit und Unduldsamkeit, ihrem Subjektivismus, der *in einem Individuo alles* genießen wollte, vor allem aber auch durch das Vorwalten der Erbsündenlehre abgestoßen. Rousseaus, Hamanns und Herders Einwirkung vermittelte dem jungen Dichter eine neue, naturhaftere, weltoffenere und männlichere Frömmigkeit. So atmet der *Brief des Pastors* pietistische Gefühlsfrömmigkeit und verrät doch zugleich auch ein deutliches inneres Sich-Ablösen. Zudem darf Goethes damalige Auffassung nicht ohne weiteres mit der des fiktiven, naturgemäß positiver offenbarungsgläubigen Landgeistlichen gleichgesetzt werden. Näheren Aufschluß gibt der Briefwechsel mit Lavater aus dieser Zeit. Die Kritik nahm den Brief über die Toleranz freundlich auf. Das Verhältnis Goethes zum Christentum hat verschiedene Wandlungen durchgemacht. Immer war es unkirchlich. An Lavater schrieb er am 29. Juli 1782, daß er *zwar kein Widerchrist, kein Unchrist, aber doch ein dezidierter Nichtchrist* sei. Von der Bibel aber, die er sein Leben lang als das Buch der Bücher betrachtete, sagte er, daß er ihr seine ganze sittliche Bildung verdanke (vgl. auch Maxime Nr. 64). Während er in der klassischen Zeit immer wieder seine grundsätzliche Verschiedenheit vom christlichen Weltverständnis hervorgehoben hat, am heftigsten vielleicht in einigen lange unterdrückten *Venetianischen Epigrammen,* gibt es in der Jugend wie im Alter eine deutliche Nähe zum Christentum. Vgl. die Lehre von den drei Ehrfurchten in den *Wanderjahren,* den Abschnitt über die Sakramente im 7. *Buch* von *Dichtung und Wahrheit,* die *Novelle.* Mehrfach hat er sich ausdrücklich zu dem Johannes-Evangelium bekannt; so in dem Brief an Zelter vom 7. November 1816: *denn ich habe ja nur das Testament Johannis gepredigt: Kindlein liebt euch, und wenn das nicht gehen will: laßt wenigstens einander gelten.* (Ähnlich an Carlyle 1828.) *Mag die geistige Kultur nun immer fortschreiten, mögen die Naturwissenschaften in immer breiterer Ausdehnung und Tiefe wachsen, und der menschliche Geist sich erweitern wie er will, über die Hoheit und sittliche Kultur des Christentums, wie es in den Evangelien schimmert und leuchtet, wird er nicht hinauskommen* (zu Eckermann, 11. März 1832).

Erster Druck: Frankfurt a. M. Januar 1773, in der Eichenbergischen Buchhandlung. Dann erst wieder in der *Ausgabe letzter Hand,* Bd. 56, 1840. – Hans Barner, Zwei „theologische" Schriften Goethes. Diss. Leipz. 1930. – Alfred Grosser, Le jeune Goethe et le Piétisme. In: Études Germaniques 4, 1949. – A. Brausewetter, Goethes Stellung zur christlichen Weltanschauung. In: Dt. Monatsschrift f. d. ges. Leben der Gegenwart. Bln. 6. Jg. Sept. 1906. S. 777–785. – Karl Aner, Goethes Religiosität. Tbgn. 1910. – K. J. Obenauer, Goethe in seinem Verhältnis zur Religion. Jena 1921. – Hans v. Schubert, Goethes religiöse Jugendentwicklung. Leipz. 1925. – Wilh. Fliedner, Goethe und das Christentum. Gotha 1930. – E. Franz, Goethe als religiöser Denker, Tbgn. 1932. – Else Köppe, Das Verhältnis des jungen Goethe zum Christentum. Phil. Diss. Marburg 1939. = German. Studien, 206. Bln. 1939. – Wilh. Kahle, Goethe und das Christentum. Dülmen 1946. – Wilh. Troll, Goethe und die christliche Tradition des Abendlandes. Mainz 1947. – Charles du Bos, Der Weg zu Goethe. Aus d. Franz. von Conr. Fischer. Olten 1949. – Robert d'Harcourt, La Religion de Goethe. Strasbourg, Paris 1949. – Otto Huppert, Humanismus und Christentum. Goethe und Lavater, die Tragik einer Freundschaft. Stuttg. 1949. – August Raabe, Goethe und Luther. Bonn 1949. – Martin Saupe, Goethe als Christ. Jena 1949. – Rich. H. Grützmacher, Die Religionen in der Anschauung Goethes. Baden-Baden 1950. – Paul Althaus, Goethe und das Evangelium. München 1951. – Hanna Fischer-Lamberg, Das Bibelzitat beim jungen Goethe. In: Gedenkschr. f. F. J. Schneider. Weimar 1956. –

Peter Meinhold, Goethe zur Geschichte des Christentums. (Deutsche Klassik und Christentum.) Freiburg i. B. 1958. – Der junge Goethe. Hrsg. von H. Fischer-Lamberg 3, 1966, S. 108–116 u. 445–447. – Momme Mommsen, Die Entstehung von Goethes Werken in Dokumenten. Bd. 1, 1958, S. 431–434. –Vgl. ferner die Bibliographie am Ende dieses Bandes.

228,24f. Anspielung auf Joh. 10, 1–16.

229,18. *Pyrrho*, der antike Philosoph (um 360–270 v. Chr.), Haupt der skeptischen Schule.

229,31f. Vgl. Apg. 9, 1ff.; 13, 9. – 229,33. *erwischt* = ergriffen.

230,7. *Erbsünde*. Goethe konnte sich nie damit abfinden. Er legte alles Gewicht auf *einen gewissen Keim ... welcher, durch göttliche Gnade belebt, zu einem frohen Baume geistiger Glückseligkeit emporwachsen könne* (*D. u. W., 15. Buch;* Bd. 10, S. 44).

230,28. *Wiederbringung* = Apokatastase, d. i. Wiederherstellung des ursprünglichen Zustandes der Welt, des Reiches Gottes auf Erden, verbunden mit einer allgemeinen Bekehrung aller Sünder, auch des Teufels. Lehre des Origenes, im 6. Jhdt. als Ketzerei verworfen.

230,32f. Abgeleitet aus Mark. 9, 48 und Matth. 25, 41.

231,6. *subtilisieren* = spitzfindig deuten. – 231,6–9. Herdersches Gedankengut.

231,22f. *Spötter von Ferney,* Voltaire.

231,33f. Mit Bezug auf Rousseaus „Profession de foi du vicaire savoyard" im Émile, Buch 4 (1762), doch abweichend davon.

231,37. *Gnadenwahl* = Prädestination, nach der nur die von Ewigkeit Erwählten zur Seligkeit gelangen.

232,2–7. Matth. 8, 28–34; Luk. 8, 32–37. – 232,14–18. Vgl. 1. Kor. 15, 53f.

232,29. In Sullys „Memoiren" wird Heinrich IV. von Frankreich der Plan zu einer europäischen Republik, einer générale république très chrétienne, mit einem obersten Bundesrat an der Spitze zur Stiftung des ewigen Friedens in der Christenheit zugeschrieben. Hauptzweck des Bundes: Verteidigung gegen Russen und Türken. Der Plan ist aber wohl eine Erdichtung Sullys. – Th. Kükelhaus, Der Ursprung des Plans vom ewigen Frieden in den Memoiren des Herzogs von Sully. Berlin 1893.

232,30. *Augsburg und Dordrecht*: Luthertum und Calvinismus. Die „Augsburger Konfession" (Confessio Augustana), 1530, war das Glaubensbekenntnis der Lutheraner. Die „Dordrechter Synode", 1618–1619, formulierte das Glaubensbekenntnis der Calvinisten.

232,39. Robert *Bellarmin* (1542–1621), Jesuit und Polemiker der Gegenreformation, Verf. der „Disputationes" (1581) und der „Christianae doctrinae explicatio" (1603). Veit Ludw. v. *Seckendorff* (1626–1692), Kanzler in Gotha, Apologet des Luthertums, Verf. eines „Commentarius historicus et apologeticus de Lutheranismo" (1688).

233,33f. Nach dem Grundsatz: cuius regio, eius religio.

233,39. Vgl. 235,14f. Für die Reformierten sind Wein und Brot hinleitende Zeichen, nicht wie für die Lutheraner wirkliches Blut und wirklicher Leib.

234,27ff. Luk. 22, 50f. – 234, 29. Matth. 7, 7f. – 234, 39f. 2. Petri 3, 15f.

235,8f. Gal. 2, 11ff. und Apg. 15.

236,13. *Status causae*, Stand der Dinge.

236,32f. 2. Kor. 12, 2, 4. – 236, 33ff. 1. Kor. 14.

236,38. Jung-Stilling war Schneider gewesen. Joh. Lorenz v. *Mosheim* (1694 bis 1755), Prof. der Theologie, Verf. kirchengeschichtlicher Werke pragmatischer Auffassung. Goethe las ihn in Straßburg.

237,9. *Unnamen,* Goethesche Neubildung.

237,16f. Matth. 7, 15.

237,26. 2. Joh. 9f. u. 3. Joh. 11. – 237, 30. 1. Kor. 12, 3.

238,26. *Salomons Diskurse:* die Sprüche Salomonis und der Prediger Salomo.

238,32ff. Man versuchte alte Kirchenlieder rationalistisch der Dogmatik anzupassen und beraubte sie dadurch meist ihrer Kraft und Gefühlsunmittelbarkeit.

LITERARISCHER SANSCULOTTISMUS

Der Aufsatz, im Mai 1795 verfaßt, richtet sich gegen die *ungebildete Anmaßung* (vgl. 240, 24ff.), mit der die ungegründete Autoren und Zeitschriften das Bessere zu verdrängen suchten, wie es die Sansculotten der Französischen Revolution im politischen Bereich taten. Zu denken ist dabei an den Widerstand, der Schillers „Horen" entgegentrat und auf den später auch die scharfe Kritik der *Xenien* abzielt. Der Autor des von Goethe zitierten Aufsatzes im „Berlinischen Archiv" vom März 1795 ist nach einem Brief W. v. Humboldts an Schiller vom 23. Oktober 1795 der vielverspottete Dichter Daniel Jenisch (1762–1804), der auch in den *Xenien*-Kampf verwickelt war. Wichtig für die Bestimmung der deutschen Klassik ist die Antwort Goethes auf die Frage, unter welchen Bedingungen ein *klassischer Nationalautor* entstehen kann. Schiller hatte kurz zuvor in seinen „Ästhetischen Briefen" (besonders im neunten) ebenfalls die den großen Künstler ermöglichenden Bedingungen entwickelt.

Erster Druck: Die Horen, 1. Jg., 5. Stück. Tübingen 1795. S. 50–56. – Georg Lukács, Das Zwischenspiel des klassischen Humanismus. In: Spiegelungen Goethes in unserer Zeit. Wiesbaden 1949. S. 147ff.

240,17. Vgl. die Anmkg. zu 226, 33f.

242,39. *Smelfungus:* ein immer tadelnder Wanderer in L. Sternes „Sentimental Journey".

244,3f. Kant.

PLATO ALS MITGENOSSE
EINER CHRISTLICHEN OFFENBARUNG

Die Kritik richtet sich gegen Friedrich Grafen Stolbergs Übersetzung „Auserlesene Gespräche des Platon" (Königsberg 1795/6), die durch ihre *abscheuliche* frömmelnde Vorrede Goethes und Schillers Unwillen erregte. An W. v. Humboldt schrieb Goethe am 3. Dezember 1795, daß Stolberg sich nicht gescheut habe, *eine offenbare Persiflage, wie z. B. der Ion ist, als ein kanonisches Buch zur Verehrung darzustellen.* Die älteren Deutungen des ,,Ion" sind zusammengestellt bei Karl Steinhart, Platons sämtliche Werke, übers. v. H. Müller, Bd. 1, 1850. Zur neueren Forschung über die Stellung des ,,Ion" in Platons Frühwerk vgl. K. Ritter, Unterabteilungen innerhalb der zeitlich ersten Gruppe der Platonischen Schriften. Hermes 1938. – H. G. Gadamer, Platon und die Dichter. 1934.

Erster Druck: *Über Kunst und Altertum, Bd. 5, Heft 3, 1826.* S. 79–90.
245,10f. *theurgisch* = göttlich machend, dann: zauberisch.
246,24f. Ion versteht die Voraussetzungen der Dichtung als Weiserin des Göttlichen nicht mehr; sie ist bloße τέχνη geworden.
246,36f. Vgl. 248, 37–39.

ÜBER EPISCHE UND DRAMATISCHE DICHTUNG

Entstanden in der Zeit des Gedankenaustauschs zwischen Goethe und Schiller über die Grenzen der Gattungen. Goethe sandte den aus gemeinsamen Resultaten zusammengestellten Aufsatz am 23. Dezember 1797 an Schiller. Vgl. das Gespräch Wilhelm Meisters mit Serlo über Roman und Drama im *5. Buch, Kap. 7* der *Lehrjahre* (Bd. 7, S. 307f.).

Erster Druck: *Über Kunst und Altertum, Bd. 6, Heft 1, 1827.* S. 1–7. Anschließend sind dort die Briefe Goethes vom 23. und 27. sowie die Schillers vom 26. und 29. Dezember 1797 zur näheren Erklärung mitabgedruckt.
249,20. Ein methodischer Vergleich, um die Gattungen *innerhalb ihrer reinen Bedingungen* (an Schiller, 23. Dezember 1797) einsichtig zu machen.
250,6–8. Schillers Auffassung. Ihr entspricht die antike Tragödie mehr als die Shakespearesche.
251,1–4. Das Problem Schillers in der ,,Braut von Messina".

ÜBER SCHILLERS WALLENSTEIN

Ein bedeutender, die Grundidee des ,,Wallenstein" zusammenfassender Abschnitt aus dem Aufsatz *Die Piccolomini,* der Jan.-Febr. 1799 unter teilweiser Mitarbeit Schillers (vgl. dessen Brief an Körner vom 8. Mai 1799) verfaßt wurde.

Erster Druck: Allgemeine Zeitung, Nr. 84–90, vom 25.–31. März 1799.
252,21. *Menschheit:* in der Bedeutung von ,,Menschsein".

REGELN FÜR SCHAUSPIELER

Gekürzt. In den *Annalen 1803* berichtet Goethe: *Es meldeten sich, mit entschiedener Neigung für die Bühne, zwei junge Männer, die sich* (Pius Alexander) *Wolff und* (Karl Franz) *Grüner nannten ... Nach einiger Prüfung fand ich bald, daß beide dem Theater zur besonderen Zierde gereichen würden ... Ich beschloß, sie festzuhalten, und weil ich eben Zeit hatte ... begann ich mit ihnen gründliche Didaskalien ... Die Grammatik, die ich mir ausbildete, verfolgte ich nachher mit mehreren jungen Schauspielern; einiges davon ist schriftlich übrig geblieben.* Diese *Didaskalien*, die Goethe in seiner Eigenschaft als Direktor des Weimarischen Theaters (er leitete es von 1791 bis 1817) durchführte, wurden erst 1824, nachdem er 1816 seine Aufzeichnungen wiedergefunden hatte, nach diesen und erhaltenen Nachschriften der Schauspieler von Eckermann unter Anweisung des Dichters in der vorliegenden Form zusammengestellt. Im Unterschied zu Lessing, der in seinen Schauspielerregeln eine realistische Ausdruckskunst gefordert hatte, knüpft Goethe, von seinem klassischen Standpunkt aus, wieder an die französische Tradition der stilisierten schönen Bewegungen an.

Erster Druck: Nachgelass. Werke 4 (= *Ausg. l. Hd.* 44), S. 296–326. Aus dem Nachlaß. – Goethe erzählt über die Entstehung dieser *Regeln* ausführlich und launig in einem Brief an Zelter vom 3. Mai 1816. (Briefe Bd. 3, S. 351.) – Paralipomena in der Weim. Ausg. I, 40, S. 420ff. Neues, ungedrucktes Material aus dem erst 1949 aufgefundenen Nachlaß Pius Alexander Wolffs bietet Hans-Georg Böhme, Die Weilburger Goethe-Funde. = Die Schaubühne, hrsg. von C. Niessen und A. Kutscher, Bd. 36. Emsdetten 1950. – J. Wahle, Schriften der Goethe-Ges. VI, S. 162ff. – J. Petersen, Schiller und die Bühne. Berlin 1904. – W. Kunze, Goethes Theaterleitung im Urteil der Zeitgenossen. München 1942. – Hans Knudsen, Goethes Welt des Theaters. Berlin 1949. – Maurice Colleville, Goethe et le théâtre: L'esthétique du poète à l'époque classique. Études Germaniques 4, 1949. S. 148–161. – W. Flemming, Goethes Gestaltung des klassischen Theaters. Köln 1949. – Günther Ziegler, Theaterintendant Goethe. Leipzig 1954. – Vgl. ferner die Bibliographie am Ende des vorliegenden Bandes.

254,18ff. Vgl. *Wilhelm Meisters Lehrjahre*, Bd. 7, S. 303, 19f.

261,12. Die *Regeln für Schauspieler* schließen mit dem folgenden Abschnitt: *§ 91. Hiebei versteht sich von selbst, daß diese Regeln vorzüglich alsdann beobachtet werden, wenn man edle, würdige Charaktere vorzustellen hat. Dagegen gibt es Charaktere, die dieser Würde entgegengesetzt sind, z. B. die bäurischen, tölpischen etc. Diese wird man nur desto besser ausdrücken, wenn man mit Kunst und Bewußtsein das Gegenteil vom Anständigen tut, jedoch dabei immer bedenkt, daß es eine nachahmende Erscheinung und keine platte Wirklichkeit sein soll.*

In Gerhart Hauptmanns Tragikomödie „Die Ratten" (1911) werden die klassizistischen *Regeln für Schauspieler* satirisch verspottet. Der „idealistische" bürgerliche Theaterdirektor Hassenreuter beruft sich pathetisch auf sie und der „naturalistische" Theologiekandidat und Sozialist Spitta tut sie als „grenzenlos läppisch" und „durch und durch mumifizierten Unsinn" ab (3. Akt). Hauptmann bezog sich hier aber nicht auf Goethes Schauspieler-Regeln selbst, die erst 1832 aus dem Nachlaß gedruckt wurden, sondern benutzte (Angabe von Elisabeth Frenzel) ein zeitgenössisches anti-goethesches Pamphlet aus dem Jahre 1808 des Schauspielers und späteren Journalisten Karl Wilhelm Reinhold (= Zacharias Lehmann, geb. 1777 in Hamburg, gest. 1841 ebda.). Reinhold wurde zusammen mit seiner Frau Caroline im Oktober 1806 nach Weimar engagiert, bereits im Sommer 1807 wieder entlassen, wirkte aber im Mai und August 1807 noch bei dem Leipziger Gastspiel des Weimarischen Theaters mit. Gerade dieses geglückte Gastspiel nahm er zum Anlaß für sein Pamphlet: „Saat von Goethe gesät am Tage der Garben zu reifen. Ein Handbuch für Ästhetiker und junge Schauspieler. Weimar 1808". Es ist dies eine heftige polemische Kritik am Weimarer Schauspielstil vom Standpunkt des plattesten Naturalismus, die schon damals abgelehnt wurde und ohne Resonanz blieb. – Daß Hauptmann in den „Ratten" nicht Goethe, sondern Reinholds Pamphlet zitiert, wurde erstmals nachgewiesen von: Hans Knudsen, in: Vossische Zeitung, Nr. 393, 20. August 1922. Vgl. dazu auch: Siegfried H. Muller, G. Hauptmann und Goethe. Goslar 1950. S. 17, 88.

ALEMANNISCHE GEDICHTE

Die Rezension der Hebelschen Gedichte, die in 2. Auflage 1804 bei Macklot in Karlsruhe erschienen, ist ein Beispiel für die lebendige Teilnahme des späten Goethe an der volkstümlichen mundartlichen Naturdichtung. Neben Hebel zollte er auch G. Hiller, Fürnstein, dem Rostocker Babst und dem Nürnberger Grübel seine Anerkennung. Vgl. dazu die Maxime Nr. 944 und den Briefwechsel mit Schiller vom Dezember 1798 sowie den Brief an Eichstädt vom 16. Januar 1805. Goethe hatte 1804 nach langer Pause seit den Beiträgen zu den „Frankfurter Gelehrten Anzeigen" wieder eine umfangreichere Rezensententätigkeit aufgenommen, diesmal für die „Jenaische Allgemeine Literaturzeitung". Über den äußeren Anlaß dazu berichtet Goethe Näheres in den *Annalen 1803* (vgl. unsere allgemeine Einleitung).

Erster Druck. Jenaische Allgemeine Literaturzeitung, Nr. 37, vom 13. Februar 1805. Sp. 289–294. – Walter Rehm, Goethe und Joh. Peter Hebel. Freiburg 1949. = Freiburger Univ.-Reden, N. F. 7.

262,2. *Dryaden und Hamadryaden* = Baumnymphen.

263,3 ff. u. 22 f. Das hat Hebel später getan.

264,17 ff. Diese Behauptung Goethes wurde heftig, aber nicht ganz zutreffend, angegriffen von Klaus Groth, Über Mundart und mundartige Dichtung. Berlin 1873. S. 16 u. 20 f.

265, 15. 1. Sam. 25. – 265,20. *Prosopopöien* = Personifikationen.

RAMEAUS NEFFE

Textprobe aus Goethes *Anmerkungen*. Goethe übersetzte auf Veranlassung Schillers Anfang 1805 den bis dahin ungedruckten geistreichen, satirischen Dialog Diderots ,,Le Neveu de Rameau" (1761) und veröffentlichte ihn im gleichen Jahre mit eignen Anmerkungen versehen zum erstenmal. In *Über Kunst und Altertum* brachte er 1823 und 1824 noch *Nachträgliches zu Rameaus Neffen*. Für die Anmerkungen, die aber in erster Linie eigne, durch die Übersetzung angeregte Goethesche Gedanken enthalten, benutzte er als Quellen Rousseau, Palissot und Marmontel.

Erster Druck: Rameaus Neffe. Ein Dialog von Diderot. Leipz. 1805, bei G. J. Göschen. Dann: Goethes Werke (Ausg. B). Bd. 20. 1819. – Rudolf Schlösser, Rameaus Neffe. Studien und Untersuchungen zur Einführung in Goethes Übersetzung des Diderotschen Dialogs. Berlin 1900. – F. Strich, Goethe und die Weltliteratur. Bern 1946. S. 145–158. – Ernst Gammillscheg, Diderots Neveu de Rameau und die Goethesche Übersetzung der Satire. Wiesbaden 1953. – Goethe-Handbuch, Bd. 1, 1961, Artikel ,,Diderot" von A. Fuchs. – Roland Mortier, Diderot in Deutschland. Stuttg. 1967 u. ö. – Vgl. ferner die Bibliographie am Ende des Bandes.

269,1 ff. Vgl. 240, 34 ff.

DES KNABEN WUNDERHORN

Arnim und Brentano hatten den 1806 in Heidelberg erschienenen ersten Teil des ,,Wunderhorn" Goethe gewidmet und in Erinnerung an seine Jugendbegeisterung für das Volkslied auf seinen Beifall gerechnet. Der Dichter nahm die Sammlung erfreut auf. *Annalen 1806: Das Wunderhorn, altertümlich und phantastisch, ward seinem Verdienste gemäß geschätzt und eine Rezension desselben mit freundlicher Behaglichkeit ausgefertigt.* Das beglückte die Herausgeber um so mehr, als Goethe ihre redaktionellen Eingriffe, mit denen sie einen Teil der Lieder versucht hatten der Zeit näherzubringen, billigte (vgl. 283,28 ff.), während J. H. Voß sie heftig kritisierte. 1810 dankten Arnim und Brentano in der Literaturzeitung für Goethes Rezension. Den 2. und 3. Band der Sammlung (1808) besprach allerdings nicht mehr Goethe, sondern der Germanist v. d. Hagen. Goethe schickte seine kurz vorher verfaßte Rezension am 12. Januar 1806 an Eichstädt. Die Gedichtüberschriften sind von Goethe abgekürzt zitiert.

Erster Druck: Jenaische Allgemeine Literaturzeitung, Nr. 18/19, vom 21./ 22. Januar 1806. Sp. 137–148. – E. Jenny, Goethes altdeutsche Lektüre. 1900. – O. Mallon, Goethe und des Knaben Wunderhorn. Philobiblon 7, 1934.

S. 315–323. – R. Benz, Goethe und die Heidelberger Romantik. In: Goethe und Heidelberg. Heidelberg 1949. S. 119–143. – Momme Mommsen, Die Entstehung von Goethes Werken in Dokumenten. Bd. 1, 1958, S. 146–151.

272,3f. Goethe verfaßte selbst eine Ballade *Der Rattenfänger* (Jub.-Ausg. Bd. 1, S. 116f.).

272,8f. Von Goethe ebenfalls im Elsaß aufgeschrieben, wie auch die Nrn. 125, 255, 259, 282. – Vgl. Bd. 1, S. 448f.

273,22ff. Verwandt mit Goethes *Schäfers Klagelied* (Jub.-Ausg. Bd. 1, S. 55f.).

276,2. *Vaudeville* = aktuelles satirisches Volkslied, Gassenhauer.

278,38. *così fan tutte*, Titel einer Mozartoper. *tutti: plur. masc.*

279,10. *Cocagne* = Schlaraffenland, hier: Volksvergnügen.

279,27. Gleim, der Verf. der „Preußischen Kriegslieder von einem Grenadier" (1758). *Das heiße Afrika* ist Schubarts „Kaplied".

280,6. *im Bojardo* : in Matteo Maria Bojardos (1434–1494) Epos „Orlando *innamorato" (1486)*.

280,29f. *Pfauenschwanz*, das Abzeichen der den Schweizern feindlichen öster-reichischen Ritter.

281,39 Ähnlich charakterisiert Goethe 332, 38ff. die *Serbischen Lieder*. Diese lakonische Kennzeichnung durch Schlagworte wurde von F. Schlegel parodiert.

282,9ff. *Man spricht so oft den Namen Volkslieder aus und weiß nicht immer ganz deutlich, was man sich dabei denken soll. Gewöhnlich stellt man sich vor, es sei ein Gedicht, aus einer wo nicht rohen, doch ungebildeten Masse hervorgetreten; denn da das poetische Talent durch die ganze menschliche Natur durchgeht, so kann es sich überall manifestieren, und also auch auf der untersten Stufe der Bildung ... Man möchte ich aber durch eine geringe Veränderung des Ausdrucks einen bedeutenden Unterschied bezeichnen, indem ich sage Lieder des Volks, d.h. Lieder, die ein jedes Volk, es sei dieses oder jenes, eigentümlich bezeichnen und wo nicht den ganzen Charakter, doch gewisse Haupt- und Grundzüge dessel-ben glücklich darstellten (Spanische Romanzen,* 1823). Vgl. die Maxime Nr. 942.

283,5f. Von Herder nach Percys „Reliques" übertragen. Vgl. Goethes Brief an Herder vom 7. Juni 1793.

PLAN EINES LYRISCHEN VOLKSBUCHES

Am 28. Juni 1808 erging im Auftrage der bayrischen Regierung durch den Theologie-Professor F. J. Niethammer an Goethe der Auftrag, ein lyrisches Volksbuch der Deutschen zusammenzustellen, das in der Zeit des Niederbruchs einen geistigen Zusammenhalt geben und als „Grundlage der allgemeinen Bildung der Nation" dienen könnte. Goe-the ging auf den Vorschlag ein, wechselte mehrere Briefe darüber und entwarf verschiedene Pläne (Weim. Ausg. I, 42 II, S. 397–428). Am 19. August schickte er den vorliegenden Aufsatz an Niethammer. Das Volksbuch kam nicht zustande, aber es ist bezeichnend, was unter Goe-thes Händen daraus werden sollte. Der *tüchtige Gehalt*, nicht die ästhe-tische *Form* schien ihm bald das Wichtigste: *Auf den Charakter des*

Volks, nicht auf den Geschmack ist zu wirken heißt es in einem Schema. Schließlich erschien ihm auch die nationale Idee nicht mehr ausreichend. Er beantwortet die Frage nach dem geforderten Gehalt: *Das Rechte, das Tüchtige aller Zeiten und Völker.* Dahinter wird schon deutlich die Vorstellung der *Weltliteratur* spürbar.

Erster Druck: Vom Fels zum Meer, Heft 1, 1889. S. 70–73. – Reinhard Buchwald, Goethe und das deutsche Schicksal. München 1948. S. 235–246. – Vgl. ferner die Bibliographie am Ende des Bandes.

285,6ff. Vgl. 264, 17ff.

286,21ff. Hier deutet sich der Gedanke der *Weltliteratur* an. Vgl. S. 361–364.

286,36. *Alphabet* = ein Buch von 23 Bogen. Die Bogen wurden nach älterem Brauch mit Buchstaben bezeichnet.

SHAKESPEARE UND KEIN ENDE

Entstanden: Teil I und II im März 1813; Teil III Anfang 1816. Während der junge Goethe in seiner Rede *Zum Shakespeares-Tag* (vgl. S. 224–227 u. die Anmkg. dazu) ein leidenschaftliches subjektives Bekenntnis zu dem großen Dichter gibt, auf den er seine eignen Probleme überträgt, versucht der späte eine objektive Deutung aus kritischem Abstand. Schon in den *Lehrjahren* zeigte sich die Wendung zu einem exakteren Verständnis, wenn auch die dort gegebene Hamlet-Interpretation nur aus dem Entwicklungsgang Wilhelm Meisters ganz begreiflich wird (vgl. Bd. 7, *3., 4.* und *5. Buch*, Nachwort und Anmerkungen zu S. 179,35). Es regten sich Zweifel, ob Shakespeares Menschen wirklich so ganz *Natur* seien (vgl. 226,38 f. und Bd. 7, S. 192,23 ff.), und die Einsicht in Shakespeares bauenden Kunstverstand und gestalterische Besonnenheit vertiefte sich. Auch im vorliegenden Aufsatz gilt weiterhin: *Shakespeare gesellt sich zum Weltgeist* (289,20). Aber jetzt versucht Goethe, in einer spekulativen Theorie seinen geistesgeschichtlichen Ort zu bestimmen. Erblickt er in der Antike ein Vorwalten des *Sollen*, in der Moderne ein Überwiegen des *Wollen*, so deutet er Shakespeare als einen *entschieden modernen Dichter*, der zwischen beiden steht: *Durch das Sollen wird die Tragödie groß und stark, durch das Wollen schwach und klein* (293,18–20). Aber Shakespeare *tritt einzig hervor, indem er das Alte und Neue auf eine überschwengliche Weise verbindet* (293,29 f.). Denn Shakespeare hat das *Sollen* ganz in den Menschen selbst hineinverlegt, *indem er das Notwendige sittlich macht* (294,23 f.). Ähnlich grenzt Goethe im *Prolog zu Eröffnung des Berliner Theaters am 26. Mai 1821* drei geschichtliche Gestalten des Dramas gegeneinander ab:

> *Vom tragisch Reinen stellen wir euch dar*
> *Des düstern Wollens traurige Gefahr;*

Der kräftige Mann, voll Trieb und willevoll,
Er kennt sich nicht, er weiß nicht, was er soll,
Er scheint sich unbezwinglich wie sein Mut
Und wütet hin, erreget fremde Wut
Und wird zuletzt verderblich überrennt
Von einem Schicksal, das er auch nicht kennt.
Unmaß in der Beschränkung hat zuletzt
Die Herrlichsten dem Übel ausgesetzt,

Und ohne Zeus und Fatum, spricht mein Mund,
Ging Agamemnon, ging Achill zu Grund.
Ein solches Drama, wer es je getan,
Es stand dem Griechenvolk am besten an;
Sie haben, großen Sinns und geistiger Macht,
Mit wenigen Figuren das vollbracht.

Nach Jahren stürmt's auf wogem Wellenmeer;
Wir führen euch zum Schauplatz ganze Heere.
Die Mittelzeit gebieret Mann für Mann,
Der Tüchtige hilft sich, wie er helfen kann,
Und wenn zuletzt ihm Fehl zu Fehle schlägt,
Ergibt er sich dem Kreuze, das er trägt.
Was Dulden sei, erscheint ihm nur gering,
Weil er im Handeln an zu dulden fing;
Entsagung heiligt Kriegs- und Pilgerschritt,
Sie treibt's, zu leiden, weil der Höchste litt.

Nun aber zwischen beiden liegt, so zart,
Ein Mittelglied von eigner, holder Art,
Schicksal und Glaube finden keinen Teil,
In reiner Brust allein ruht alles Heil:
Denn immerfort, bei allem, was geschah,
Blieb uns ein Gott im Innersten so nah;
Wo Erd' und Himmel sich im Gruße segnen,
Dem Staunenden als Herrlichstes begegnen.

Teil *III* unseres Aufsatzes sieht kritisch auf Shakespeare als Theaterdichter, weil er zu wenig die Erfordernisse der Bühne berücksichtige.
Goethe rechtfertigt damit seine kürzenden Weimarer Bühnenbearbei-
tungen und richtet sich gegen die romantische Shakespeare-Dramatur-
gie. Später aber korrigiert er seine Auffassung wieder, wenn er an Tieck
rühmt: *Wo ich ihn ferner auch sehr gern antreffe, ist, wenn er als Eiferer*
für die Einheit, Unteilbarkeit, Unantastbarkeit Shakespeares auftritt
und ihn ohne Redaktion und Modifikation von Anfang bis zu Ende auf
das Theater gebracht wissen will (L. Tiecks Dramaturgische Blätter.
1826).

Erster Druck: Teil *I, II:* Morgenblatt für gebildete Stände, Nr. 113, 12. Mai 1815. Teil *III: Über Kunst und Altertum, Bd. 5, Heft 3, 1826.* S. 69–79. – Vgl. J. Wahle, Schriften der Goethe-Ges. Bd. 6, S. 243 und O. Walzel, ebd. Bd. 13, S. LXIIf. – Nicht abgedruckt wurde nur ein kleiner Abschnitt am Schluß von Teil *III,* der sich auf die Weimarer Bühne und Einzelheiten der Aufführung bezieht. – B. v. Wiese, Die deutsche Tragödie von Lessing bis Hebbel. 2. Aufl. Hamburg 1952. S. 79ff. Weitere Literatur siehe Anmkg. zu S. 224–227. Ferner die Anm. zu Bd. 7, S. 179,35 und die Bibliographie in Bd. 14.

288,38. Tieck hat, besonders im Dresdner Kreis, meisterhaft Shakespeare vorgelesen. Vgl. die Maximen Nr. 927 und 928.

289,23f. Vgl. Tassos Wort Bd. 5, S. 166, V. 3432f.

289,37f. Vgl. 226, 19.

291,9. *romantisch,* hier: sentimentalisch im Schillerschen Sinne.

293,31–33. Vgl. 226, 22–27.

294,5f. In den *Lehrjahren.* Vgl. Bd. 7, S. 245, 39ff.

294,34f. *präkonisieren* = lobpreisen.

295,13ff. Die Schrift Heinr. *Blümners* erschien Leipzig 1814, die *Rezension* 1815 in Nr. 12f. der Jenaischen Allg. Literaturzeitung.

295,34ff. Vgl. die Maxime Nr. 951; ferner zu Eckermann am 26. Juli 1826.

297,3–5. „Heinrich IV.", 2. Teil, IV, 4.

297,9f. *Epitomator* = Zusammenfasser.

297,34f. Diese *vorhandenen Stücke* waren Goethe aus L. Tiecks „Alt-Engl. Theater" (1811) bekannt. Doch hat nach neuerer Forschung nur der ältere „König Johann" Shakespeare als Vorlage gedient.

GEISTESEPOCHEN

Der bedeutende geschichtsphilosophische Aufsatz bezieht sich nach einigen Nachlaßnotizen auf: Gottfried Hermann, De mythologia Graecorum antiquissima. Diss. 1817 (= Opuscula Bd. 2, 1827, S. 167ff.) und: Briefe über Homer und Hesiodus, vorzüglich über die Theogonie, von Gottfried Hermann und Friedrich Creuzer. Heidelberg 1818. Goethe entwirft hier ein pessimistisches Bild der Geschichtsentwicklung, wodurch er sich von den meist optimistischen Geschichtskonzeptionen seiner Zeitgenossen bedeutsam abhebt. Vgl. das Gespräch mit Eckermann vom 29. Januar 1826: *Alle im Rückschreiten und in der Auflösung begriffenen Epochen sind subjektiv, dagegen aber haben alle vorschreitenden Epochen eine objektive Richtung. Unsere ganze jetzige Zeit ist eine rückschreitende, denn sie ist eine subjektive.*

Erster Druck: *Über Kunst und Altertum, Bd. 1, Heft 3, 1817.* S. 107–112. – W. Flitner, Goethe im Spätwerk. Hamburg 1947. S. 219–224. – Arnold Bergstraesser, Die Epochen der Geistesgeschichte in Goethes Denken. Monatshefte (Madison, U. S. A.) 40, 1948, S. 127–136. Wieder abgedruckt in: Bergstraesser, Staat und Dichtung. Freiburg 1967. S. 87–97.

300,26. *das erste, befruchtete:* im hesiodisch-platonischen Sinne.

INDISCHE UND CHINESISCHE DICHTUNG

Entstanden vermutlich 1821. Über die öffnende und verjüngende Wirkung, die von der Dichtung des Fernen Ostens auf ihn ausging, hat Goethe sich mit zunehmendem Alter wiederholt geäußert (z. B. in den *Zahmen Xenien*). Am greifbarsten zeigt sie sich wohl im *Westöstlichen Divan* mit seinen *Noten und Abhandlungen* (Bd. 2, S. 7–270 u. Anmkgn.), in der *Paria*-Legende (Bd. 1, S. 361–366 u. Anmkg.) und in den *Chinesisch-deutschen Jahres- und Tageszeiten* (Bd. 1, S. 387–390 u. Anmkg.). Für Goethes Spätzeit ist aber neben der Hinwendung zum Fernen Osten auch eine abermalige, umfassendere Aneignung der Antike bezeichnend (vgl. die *Klassische Walpurgisnacht* in *Faust II*). Nicht einfach als Flucht und Gegensatz ist der Aufbruch nach dem Osten zu verstehen, sondern als der Versuch einer Integration des Orients in die abendländische Überlieferung: *Gottes ist der Orient! Gottes ist der Okzident!* (Bd. 2, S. 10). Hier liegt eine der Wurzeln von Goethes *Weltliteratur*-Idee. Mit dem weltverneinenden indischen Buddhismus wußte er freilich wenig anzufangen. Aber die ,,Sakuntala``, das berühmte dramatische Werk des indischen Dichters Kalidasa (um 500 n. Chr.), bewunderte er immer wieder (vgl. 301, 10f.).

Erster Druck: Nachgelass. Werke 9 (= *Ausg. l. Hd.* 49), S. 145–148. Aus dem Nachlaß. Titel von Eckermann. – F. Strich, Goethe und die Weltliteratur. Bern 1946. S. 167–184. – Christine Wagner-Dittmar, Goethe und die chinesische Literatur. In: Studien zu Goethes Alterswerken. Hrsg. von E. Trunz. Frankfurt 1971. S. 122–228. – Vgl. ferner die Bibliographie am Ende des vorliegenden Bandes.

301,10. *Sakontala* = Sakuntala. Vgl. Bd. 1, Anmkg. zu S. 206: *Will ich die Blumen* ... und die Maxime Nr. 960 mit Anmkg. Ferner Bd. 2, S. 257, 14ff.

301,19. ,,*Gita-Govinda* oder die Gesänge Jajavedas, eines altindischen Dichters. Aus dem Sanskrit ins Englische, aus diesem ins Deutsche übersetzt von F. H. v. Dalberg``. Erfurt 1802.

301,33. Der englische Orientalist Sir William *Jones* (1746–1794) begründete mit seinen ,,Poeseos Asiaticae commentariorum libri VI`` (1777) die orientalischen Studien in Europa. Von ihm stammen u. a. die ersten Übersetzungen von ,,Sakuntala`` und ,,Gita-Govinda``.

302,1. *Megha-Duta* = Der Wolkenbote. Von Wilson 1815 ins Englische, Teile daraus auch ins Deutsche übersetzt von Kosegarten (JALZ 1818, Nr. 131f.). Vgl. Bd. 2, S. 257, 27ff.

302,25. ,,Laou-seng-urh or An Heir in his old age. A Chinese Drama``. London 1817. Eine deutsche Übersetzung von M. Engelhardt erschien im Morgenblatt, Nr. 86–96, April 1818.

302,29. Der Genitiv *der schönsten Zeremonien* steht so in der Handschrift. Obwohl *entbehren* mit Genitiv durchaus Goethescher Sprachgebrauch ist, pflegte Goethe bei nachfolgender Akkusativ-Konstruktion (wie in diesem Fall) durch Anpassung zu vereinfachen. Da es sich um einen noch nicht endgültig ausgefeilten Text aus dem Nachlaß handelt, hat die Weimarer Ausgabe hier die Konjektur *die schönsten Zeremonien* eingeführt (WA I, Bd. 42/2, S. 281).

CALDERONS „TOCHTER DER LUFT"

Goethes aufmerksame Beschäftigung mit Calderon ist seit 1802 *(Annalen)* häufig belegt. Näheres s. Bd. 2, Anmkg. zu S. 57, Nr. 46. Der Umgang mit der persischen Dichtung hatte Goethe dem Spanier, dessen geheime Verwandtschaft mit der orientalischen Welt er zu spüren glaubte, noch näher gebracht. Das Verbindende sah er wohl in der Vereinigung der Poesie mit einer höchst sublimen, durchgeistigten Kultur: *der Dichter steht an der Schwelle der Überkultur, er gibt eine Quintessenz der Menschheit* (304, 18f.). Darum hat Calderon auch seinen Platz im *West-östlichen Divan* (Bd. 2, S. 57,46). An einem anderen *Divan*-Gedicht läßt sich sogar eine unmittelbare Einwirkung des Spaniers nachweisen. Einige Verse aus dem ersten Akt der „Tochter der Luft" (V. 17ff.) haben offenbar dem Gedicht *Zwiespalt* im *Buch des Sängers* (Bd. 2, S. 14f.) zugrunde gelegen. Über die von Goethe besonders hoch eingeschätzte „Tochter der Luft" vgl. vor allem die Briefe an Gries und Knebel vom 20. Mai und 13. Juni 1821. Die Bewunderung Calderons hinderte Goethe indessen nicht, vor einer falschen Aneignung des spanischen Theaters zu warnen. Vgl. die Maximen Nr. 928, 929 und 953, 954.

Erster Druck: *Über Kunst und Altertum, Bd. 3, Heft 3, 1822.* S. 128–134. – Goethe und Calderon. Hrsg. von E. Dorer. Lpz. 1881. – K. Wolf, Goethe und Calderon. GJb. 34, 1913, S. 118–140. – F. Strich, Goethe und die Weltliteratur. Bern 1946. S. 159–166. – Momme Mommsen, Die Entstehung von Goethes Werken in Dokumenten. Bd. 2, 1958, S. 17–22. – Vgl. ferner die Bibliographie am Ende des Bandes.

303,7f. Quelle des Zitats: Jacob Balde, Lyrica III, 13:

> „Cur spissos foliis dividimus libros,
> Ut magni pateant somnia Socratis
> De nugis hominum, seria veritas
> Uno volvitur assere."

Durch Herauslösen der Verse aus dem Zusammenhang der Strophe bewirkt Goethe eine neue grammatische Beziehung und Sinnänderung: „Die ernste Wahrheit aus den Possen der Menschen rollt auf einem Brette ab." – Balde war seit Herders Übersetzung („Terpsichore", 1795/96) im Weimarer Kreise sehr bekannt.

303,32f. *bretterhaft.* Goethe rühmte an Calderon besonders, daß seine Stücke so theatergerecht seien, was er bei Shakespeare im ganzen gerade vermißte (vgl. 295, 21ff.). An H. v. Kleist schreibt er am 1. Februar 1808: *Vor jedem Brettergerüst möchte ich dem wahrhaft theatralischen Genie sagen: hic Rhodus, hic salta! Auf jedem Jahrmarkt getraue ich mir, auf Bohlen über Fässer geschichtet, mit Calderons Stücken, mutatis mutandis, der gebildeten und ungebildeten Masse das höchste Vergnügen zu machen.*

305,24. J. D. *Gries* (1775–1842), Übersetzer spanischer und italienischer Dichtungen.

VON KNEBELS ÜBERSETZUNG DES LUCREZ

Entstanden 1822. C. v. Knebel arbeitete seit vielen Jahren unter lebhafter Anteilnahme Goethes an seiner Lucrez-Übersetzung, die endlich 1816 teilweise, 1821 vollständig erschien. – Eine übersichtliche Zusammenstellung aller Äußerungen Goethes über den römischen Dichter gibt Ernst Grumach, Goethe und die Antike. Berlin 1949. 1. Bd., S. 335–353.

Erster Druck: *Über Kunst und Altertum, Bd. 3, Heft 3, 1822.* S. 156–162.
306,33. *Lucrez* (96–55 v. Chr.); *Persius* (34–62 n. Chr.).
307,39 ff. Friedrich der Große in der Schlacht bei Kunersdorf.

NEUE LIEDERSAMMLUNG
VON KARL FRIEDRICH ZELTER

Die Liedersammlung von Goethes Altersfreund kam 1821 in Zürich und Berlin heraus. – Erster Druck: *Über Kunst und Altertum, Bd. 3, Heft 3, 1822.* S. 171 f.
309,6 f. Vgl. den bedeutenden Briefwechsel zwischen Goethe und Zelter, den Goethe selbst noch kurz vor seinem Tode zur Herausgabe bestimmte.

ÖSTLICHE ROSEN VON FRIEDRICH RÜCKERT

Die ,,Östlichen Rosen" erschienen Lpz. 1822 u. ö. – Erster Druck: *Über Kunst und Altertum, Bd. 3, Heft 3, 1822.* S. 173–175.
309,23. *Ernst Schulze* (1789–1817), Verf. der ,,Bezauberten Rose" (1818).
310,1. *Eberwein* (1786–1868), Weimarer Musikdirektor.
310,12. Die ,,Ghaselen" erschienen 1821. Vgl. R. Unger, Platen in seinem Verhältnis zu Goethe. Bln. 1903. = Munckers Forschungen, 23.

PHAETHON, TRAGÖDIE DES EURIPIDES

Gottfr. Hermann (vgl. die Anmkg. zu S. 298–300) übersandte Goethe im Juli 1821 seine Edition ,,Euripidis fragmenta duo Phaethontis" (Opuscula, Bd. 3, 1828). Darüber schreibt Goethe in einem ersten Nachtrag zum vorliegenden Aufsatz: *Die vom Herrn Professor und Ritter Hermann im Jahre 1821 freundlichst mitgeteilten Fragmente wirkten, wie alles, was von diesem edlen Geist- und Zeitverwandten jemals zu mir gelangt, auf mein Innerstes kräftig und entschieden; ich glaubte hier eine der herrlichsten Produktionen des großen Tragikers vor mir zu sehen; ohne mein Wissen und Wollen schien das Zerstückte sich im innern Sinn zu restaurieren, und als ich mich wirklich an die*

Arbeit zu wenden gedachte, waren die Herren Professoren Göttling und Riemer in Jena und Weimar behilflich durch Übersetzen und Aufsuchen der noch sonst mutmaßlichen Fragmente dieses unschätzbaren Werks. Die Vorarbeiten, an die ich mich sogleich begab, liegen nunmehr vor Augen; leider ward ich von diesem Unternehmen, wie so vielen andern, abgezogen, und ich entschließe mich daher, zu geben, was einmal zu Papier gebracht war. (Zur Vorliebe des späten Goethe, fragmentarisch Überliefertes zu rekonstruieren und wieder zur Ganzheit zusammenzufügen, siehe auch Anm. zu 51, 21 f. und das Nachwort zu den Kunstschriften der Spätzeit 1812–1832.) Die Beschäftigung mit dem griechischen Tragiker Euripides geht durch Goethes ganzes Leben. Die Satire *Götter, Helden und Wieland* ist ein erstes Zeugnis davon. Vgl. ferner Goethes *Iphigenie, Elpenor, Faust II, 3. Akt.* 1827 erscheint in *Über Kunst und Altertum* ein weiterer Aufsatz über *Die Bacchantinnen des Euripides.* Dort gab Goethe auch 1823, *IV, 2,* S. 152–158, und 1827, *VI, 1,* S. 79–84, zwei Nachträge zu seiner Rekonstruktion des „Phaethon". Über Goethes Arbeit vgl. U. v. Wilamowitz-Möllendorf in „Hermes", Bd. 18, 1883. S. 396 ff. – Eine übersichtliche Sammlung aller Goetheschen Äußerungen über Euripides gibt E. Grumach, Goethe und die Antike. Berlin 1949. 1. Bd., S. 268–298. Dort auch über Aischylos und Sophokles S. 242–268. – Inge Wiemann, Goethe u. die griechischen Tragiker. Diss. Kiel 1966. – Vgl. ferner die Bibliographie am Ende dieses Bandes.

Erster Druck: *Über Kunst und Altertum, Bd. 4, Heft 2, 1823.* S. 5–34.

310,22 f. *Ovid,* Metamorphosen I, 749–778; II, 1–400. *Nonnus,* Dionysiaka, XXXVIII. Vgl. auch 318,6.

310,27 u. ö. *Thetis.* Goethe meint nicht die Nereide, sondern des Okeanus Schwester und Gemahlin Tethys. Oft verwechselt.

312,14. *Morgengift* = Morgengabe.

312,29–315,5. Hermanns erstes Fragment.

318,11 ff. Hermanns zweites Fragment.

318,23. *Apollon:* hier = der Vernichter (ἀπολῶν).

JUSTUS MÖSER

Über den starken Eindruck, den *vor allen andern der herrliche Justus Möser* (1720–1794), der Verf. der „Osnabrückischen Geschichte" (1768) und der „Patriotischen Phantasien" (1774–1786), bereits auf den jungen Dichter machte, erklärt sich Goethe des näheren in *Dichtung und Wahrheit, 13.* und *15. Buch.* Herder hatte ihm die ersten Aufsätze des *unvergleichlichen Mannes* vermittelt und auch Beiträge Mösers in „Von deutscher Art und Kunst" aufgenommen. Es war vor allem das

Tüchtige des Gehalts und das Volkstümliche des Vortrags, womit Möser so nachdrücklich auf Goethe und die junge Generation wirkte. – Der hier vorgelegte Aufsatz ist ein gutes Beispiel dafür, wie beim späten Goethe durch Anknüpfen an Vorgegebenes, Weiterdenken und Neuformulieren aus einem umfassenderen Gedankengang maximenartige Wendungen resultathaft herauswachsen (vgl. 321,30–322,25 und dazu die Maximen Nr. 908 und 909).

Erster Druck: *Über Kunst und Altertum, Bd. 4, Heft 2, 1823*. S. 129–134. – R. Buchwald, Goethe und das deutsche Schicksal. München 1948. S. 18–29, 67–73.
320,22. Der dritte Band erschien 1824, aus dem Nachlaß hrsg. von H. v. Bar.
320,32–321,29. Der genaue Titel des Aufsatzes: ,,Etwas zur Verteidigung des sogenannten Aberglaubens unserer Vorfahren". In: Mösers vermischte Schriften, hrsg. v. Nicolai. Berlin 1797. Bd. 1, S. 331. Goethe zitiert frei.
322,1. *Origenes*, der altchristliche Kirchenlehrer (um 185–254).
Nach 322,25 folgte im ersten Druck noch ein Hinweis Goethes auf das Gedicht ,,Bannfluch" aus Byrons ,,Manfred".

WIEDERHOLTE SPIEGELUNGEN

Verfaßt wohl am 29. Januar 1823. Im Herbst 1822 hatte der Bonner Professor Näke Sesenheim besucht und darüber in einem Büchlein ,,Wallfahrt nach Sesenheim" (1840 hrsg. v. Varnhagen von Ense) berichtet. Für die ihm von einem Freunde übersandte Handschrift dieser Schilderung dankte Goethe mit dem vorliegenden Aufsatz.

Erster Druck: Nachgelass. Werke, Bd. 9 (= *Ausg. l. Hd.* 49), S. 19f. Der Titel stammt von Eckermann.
322,29. *Entoptik* = die Lehre von den durch wiederholte Spiegelungen verursachten Farberscheinungen innerhalb durchsichtiger Körper. Vgl. *Max u. Refl.* Nr. 687. – Ausführlich darüber Goethes Aufsatz *Entoptische Farben*, Leopoldina-Ausgabe, Bd. 8, 1962, S. 94–138.
323,35. Hierunter folgt in den Handschriften (HH¹): *Weimar den 29.* (H: *28.*) Jan. 1823.

VORSCHLAG ZUR GÜTE

Entstanden vermutlich Herbst 1823. – Erster Druck: Quartausgabe (Q), Bd. 2, 1837. S. 657. Titel von Eckermann.
324,2f. Hrsg. v. Varnhagen von Ense, zum 28. August 1823.

GOETHES BEITRAG
ZUM ANDENKEN LORD BYRONS

Goethe hat Byrons dichterische und menschliche Entwicklung von Anfang an mit lebhafter Anteilnahme verfolgt. Er sah in ihm wie in Napoleon eine dämonische Natur, eine geniale Existenz, die ganz von innen heraus, nach ihrem geheimnisvollen, eingebornen Gesetz lebte und schaffte. Goethes begeisterte, leidenschaftliche Anerkennung, der er mit zunehmendem Alter wie bei keinem zweiten modernen Dichter immer wieder Ausdruck gegeben hat, ist um so auffälliger, als seine eigne Auffassung von der Kunst und vom Künstler zur gleichen Zeit eine ganz andre Richtung nahm (vgl. die Künstlerkolonie in der *Pädagogischen Provinz* der *Wanderjahre*).

Erster Druck: Journal of the conversations of Lord Byron: noted during a residence with his lordship at Pisa, in the years 1821 and 1822. By Thomas Medwin. London 1824. S. 291–295 (deutsche Fassung); S. 278–284 (engl. Übersetzung). – Näheres über die persönlichen Beziehungen der beiden Dichter s. Bd. 1, Anmkg. zu S. 348 f. Den vorliegenden Aufsatz verfaßte Goethe am 12. und 13. Juli 1824 als Beitrag zu Thomas Medwins ,,Conversations of Lord Byron". Vgl. auch die Maximen Nr. 957 und 1072. Wichtige Paralipomena zu unserm Aufsatz: Weim. Ausg. I, 42/1, S. 427 ff. – A. Brandl, Goethes Verhältnis zu Byron. GJb. 20, 1899, S. 3–36. – J. G. Robertson, Goethe and Byron. London 1926 = Publ. of the English Goethe Society. New Series, II. – F. Strich, Goethe und die Weltliteratur. Bern 1946. S. 297–312. – A. Bartels, Einführung in die Weltliteratur im Anschluß an das Leben und Schaffen Goethes. Bd. 3. München 1913. S. 146–159 (Zusammenstellung von Goethes Äußerungen über Byron).

325,27 f. ,,To the illustrious Goethe a stranger presumes to offer the homage of a literary vassal to his liege-lord, the first of existing writers, who has created the literature of his own country, and illustrated that of Europe. The unworthy production which the author ventures to inscribe to him is entitled Sardanapalus."

326,4. ,,To the illustrious Goethe by one of his humblest admirers this tragedy is dedicated."

326,17. Der Sohn des englischen Konsuls in Genua.

SERBISCHE LIEDER

In *Über Kunst und Altertum, IV,1* schrieb Goethe 1823: *Meine frühere Vorliebe für eigentümliche Volksgesänge hat späterhin nicht abgenommen, vielmehr ist sie durch reiche Mitteilungen von vielen Seiten her nur gesteigert worden (Volksgesänge abermals empfohlen).* So reicht auch sein Interesse an der südslawischen Volkspoesie bis um das Jahr 1775 zurück. Sein *Klaggesang von der edlen Frauen des Asan Aga* (entstanden 1774/75; vgl. Bd. I, S. 82 ff. und die Anmerkung dazu), der

1778 im 1. Teil von Herders „Volksliedern" erschien, ist die Bearbeitung einer serbo-kroatischen Volksballade. Auch später weist Goethe gelegentlich auf die serbische Literatur hin. Eine eingehendere Beschäftigung erfolgte aber, nachdem der Serbe Vuk Stepan. Karadžić bereits vorher seine serbische Volksliedersammlung (1814f.) an Goethe übersandt hatte, erst auf eine Anregung Jacob Grimms (vgl. dessen Brief vom 1. Oktober 1823, Goethes Antwort vom 19. Oktober 1823 und den weiteren Briefwechsel) und der Übersetzerin Therese A. L. v. Jakob (Deckname: Talvj). Goethe verfaßte freilich nicht, wie erhofft, eine Vorrede zu Vuks Liederbuch, sondern schrieb im Anschluß an J. Grimms Vorarbeiten (z. B. dessen Rezension der Sammlung in den „Göttingischen gelehrten Anzeigen", 1823, Nr. 177f.) den vorliegenden Aufsatz. Erst einige Monate später erschien die Übersetzung des Frl. v. Jakob im Druck: „Volkslieder der Serben, metrisch übersetzt und historisch eingeleitet von Talvj", Halle 1825/26. Darin haben die Lieder aber eine andere Reihenfolge als in dem vorher von der Übersetzerin an Goethe gesandten Manuskript, dessen Anordnung die Einzelcharakteristik in unserm Aufsatz folgt.

Erster Druck: *Über Kunst und Altertum, Bd. 5, Heft 2, 1825.* S. 35–60. – Milan Čurčin, Das serbische Volkslied in der deutschen Literatur. Lpz. 1905. – M. Murko, Archiv f. slaw. Philologie 28, 1906. S. 351–385. – G. Gesemann, Die serbo-kroatische Literatur. Potsdam 1930, und: Kultur der Südslawen. Potsdam 1936. – Jevto M. Milović, Goethe, seine Zeitgenossen und die serbokroatische Volkspoesie. Diss. Berlin 1941 = Veröffentl. des Slaw. Instituts an der Friedr.-Wilh.-Universität Berlin, 30. Lpz. 1941. – Heinr. Jilek, Goethe und der slawische Südosten. Zs. f. Deutsche Geisteswissenschaft 3, 1940/41. S. 161–177. – Vgl. ferner die Bibliographie am Ende dieses Bandes.

331,6ff. Dieses Gedicht, mit dem Titel „Der Tod des Kralewitsch Marko", das Vuk Karadžić selbst übersetzte, veröffentlichte Goethe in *Über Kunst und Altertum V, 1, 1824.*

331,9. *Rustan,* der bekannte Held der persischen Sage.

331,30. *der Eule vergleichbar.* Diese Ansicht Goethes wurde von der Talvj bestritten.

332,1. *Czerny Georg,* Anführer der serbischen Erhebung gegen die Türken 1804–1812; wurde 1817 ermordet.

332,3. *Sulioten.* In einem Buch, „Der Suliotenkrieg", berichtete Lüdemann 1825 über den heldenhaften Kampf des zuletzt unterlegenen albanesischen Volksstammes der Suiloten.

332,38ff. Mit einer ähnlichen *Charakterisierung aus dem Stegreife* bespricht Goethe 271,10ff. auch die Lieder aus „Des Knaben Wunderhorn". Zur besseren Orientierung geben wir die genauen Überschriften der einzelnen Lieder nach der Talvjschen Übersetzung: 1. Serbische Mädchensitte. 2. Des Mädchens Fluch. 3. Nachtigall! sing nicht so frühe! 4. Abschied. 5. Sarajewo. 6. Des Jünglings Segen. 7. Zweifel. 8. Seltsame Freundesbotschaft. 9. Grabt mir ein Grab! 10. Der Brautführer. 11. Liebeswunsch. 12. Jagdabenteuer. 13. Liebende Besorgnis.

14. Witwe und Jungfrau. 15. Liebesqual. 16. Männertreue. 17. Das liebende Mädchen. 18. Ich vergönn' es ihm. 19. Herzenssorge. 20. Selbstgespräch. 21. Der Ring, das echte Liebespfand. 22. Der Hirsch und die Wila. 23. Die Giftmischerin. 24. Des Mädchens Bitte. 25. Allen dienen, Einen lieben. 26. Liebesgespräch. 27. Kapitulation. 28. Zwiefache Verwünschung. 29. Der Kleine. 30. Glückliches Finden. 31. Mädchensorge. 32. Es kann nichts verborgen bleiben. 33. Verein im Tode. 34. Bruder, Schwester und Fremde. 35. Der Rückkehrende. 36. Erkältetes Herz. 37. Wünsche. 38. Schwur und Reue. 39. Armes Kind. 40. Wiedersehn. 41. Überraschung. 42. Liebesliedchen. 43. Verwelktes Herz. 44. Die Braut des Herzogs Stephan. 45. Irdische Denkmäler. 46. Schalkhaftes Liebesgespräch. 47. Der Gatte über alles. 48. Tödliche Krankheit. 49. Schmerzliche Nähe. 50. Wen nahmst du dir zum Vorbild? 51. Der weibliche Fahnenträger. 52. Die gefangne Nachtigall. 53. Beschreibung einer serbischen Schönheit. 54. Locke mich – ich komme. 55. Belgrad in Flammen. (Nr. 29 und 51 lagen Goethe in der Handschrift vor, finden sich aber nicht im Druck von 1825/26.)

334,31 ff. Von den Aposteln der Slawen Kyrill und Methodios, in altslawischer (altbulgarischer) Sprache.

335,20 f. Vgl. oben, unsere allgemeine Anmerkung.

336,26 f. Vgl. den *West-östlichen Divan*, insbes. Bd. 2, S. 7, *Hegire*, V. 1 ff.

337,5. Johann Severin *Vater* (1771–1826), Sprachforscher in Halle.

337,10. Gemeint ist Therese Albertine Luise v. Jakob (1797–1870); vgl. oben, unsere allgemeine Anmerkung.

FRIEDRICH VON RAUMER, GESCHICHTE DER HOHENSTAUFEN

Die „Geschichte der Hohenstaufen und ihrer Zeit" des bekannten Berliner Historikers Fr. Ludw. v. Raumer (1781–1873) erschien 1823–1825 in 6 Bänden.

Erster Druck: *Über Kunst und Altertum, Bd. 5, Heft 2, 1825.* S. 164–166.

DANTE

Diesen Aufsatz sandte Goethe als Beilage zu dem Brief vom 6. bis 9. September 1826 an Zelter, welcher ihn an den Dante-Übersetzer Karl Streckfuß (1778–1844) weiterleiten sollte. Streckfuß' Übersetzung der „Göttlichen Komödie", auf die sich der Aufsatz bezieht, erschien 1824–1826. Goethes Verhältnis zu Dante ist wechselnd. In den *Annalen 1821* äußert er sich kritisch über *Dantes widerwärtige, oft abscheuliche Großheit* (widerwärtig = widerstrebend, schwer zugänglich; vgl. *Faust* 9798). Doch geht die Form der Terzinen im Gedicht auf Schillers Schädel (vgl. Bd. I, S. 366) gewiß auf die Streckfußsche Dante-Übersetzung zurück. Auch an den Schluß des *Faust II* ist zu erinnern, auf den das Vorbild der „Divina Commedia" bis in Einzelheiten eingewirkt hat. Vgl. auch die Maxime Nr. 962.

Erster Druck: Nachgelass. Werke Bd. 6 (= *Ausg. l. Hd.* 46), S. 273–277. Aus dem Nachlaß. Titel von Eckermann. – F. Strich, Goethe und die Weltliteratur. Bern 1946. S. 130 f. – Momme Mommsen, Die Entstehung von Goethes Werken in Dokumenten. Bd. 2, 1958, S. 248–250. – Vgl. ferner die Bibliographie am Ende dieses Bandes.

339,22. Der von Dante (11. Gesang des Purgatorio) gefeierte Florentiner *Giotto di Bondone* (ca. 1266–1337) eröffnet in der Tat mit seinen großen Freskenzyklen in Assisi, Padua und Florenz ein neues Zeitalter der europäischen Kunst.

340,2. *Mikromegisches,* das Klein-Große. Vgl. die Maxime Nr. 621.

340,9. Gemeint ist die Darstellung der Hölle auf den Fresken an der Südwand des Campo Santo zu Pisa. Sie wird mit den andern Fresken der Südwand heute dem Pisaner Maler Francesco Traini (1. Hälfte des 14. Jhs.) zugeschrieben. Goethe folgt noch der alten Vasarischen Zuschreibung an den Florentiner Maler und Bildhauer Andrea *Orcagna* (ca. 1308–1368).

340,10. *Tafel des Cebes,* ein aus neustoischen oder zynischen Kreisen stammendes allegorisches Gemälde von den verschiedenen Zuständen des menschlichen Seelenlebens in der Schrift „Pinax" des Griechen Kebes.

341,30. *Christi Höllenfahrt,* vgl. Bd. 1, S. 9–13.

NACHLESE ZU ARISTOTELES' POETIK

Das bedeutendste Dokument der Auseinandersetzung Goethes mit der berühmten Tragödiendefinition des Aristoteles, mit dem er sich unter die klassischen Ausleger der Katharsis-Stelle einreiht. Goethes Beschäftigung mit der Poetik des Aristoteles fällt in ganz verschiedene Zeiten seines Lebens. Nach einem Brief an Schiller vom 6. Mai 1797 las er sie zuerst im Jahre 1767 in der Übersetzung von Curtius (s. u. Anmkg. zu 342, 30 ff.). Dreißig Jahre danach liegt das eingehende gemeinsame Studium mit Schiller. Aber auch später nimmt Goethe von Zeit zu Zeit immer wieder Stellung, so besonders in Briefen an Zelter und Göttling von 1824–1827. (Vgl. auch die Maximen Nr. 922 und 923.) Goethe benutzte zu seiner Aristoteles-Lektüre verschiedene Übersetzungen, u. a. die deutsche Poetik-Ausgabe von Joh. Gottl. Buhle. Berlin 1799 (vgl. Keudell-Deetjen, Goethe als Benutzer der Weimarer Bibliothek. Weimar 1931. Nr. 1742, 1772–1774). 1826/1827 entlieh er sich aus der Weimarischen Bibliothek die Poetik des Aristoteles in griechischer, lateinischer und deutscher Fassung, darunter die Ausgaben von Daniel Heinsius (Leiden 1620) und von J. G. Buhle (Berlin 1799). Im Zusammenhang mit dieser erneuten Lektüre entstand unser Aufsatz.

Eine ausführliche Darstellung von Goethes Aristoteles-Lektüre bei Karl Schlechta, Goethe in seinem Verhältnis zu Aristoteles. Frkf. Studien zur Relig. und Kultur der Antike, XVI. Frkf. a. M. 1938. Vgl. ferner Max Kommerell, Lessing und Aristoteles. Untersuchung über die Theorie der Tragödie. Frkf. a. M. 1940, bes. S. 60–62, 258–262. – Wolfg. Schadewaldt, Furcht und Mitleid? Zu Lessings Deutung des Aristotelischen Tragödiensatzes. Hermes, Zs. f. klass. Phil., 83, 1955. S. 129–181. – Eine gute Zusammenstellung von Goethes Äußerungen über die Theorie der Tragödie und die Poetik des Aristoteles gibt Ernst Grumach, Goethe und die Antike. Berlin 1949. Bd. 1, S. 232–242 und Bd. 2, S. 769–785. – S. auch Ludw. Hasenclever (Hrsg.), Das Tragische und die Tragödie. Grundsätzliche Äußerungen deutscher Denker und Dichter. Mchn. u. Bln. 1927. – K. Borinski, Die Antike in Poetik und Kunsttheorie vom Ausgang des klass. Altertums auf Goethe und Wilhelm von Humboldt. Lpz. 1914. – Johannes Vahlen, Aristoteles und Goethe. Sitzungsber. d. Wiener Akad. d. Wiss., phil.-hist. Kl. 75, 1873, S. 220–224. Wieder abgedruckt in: Vahlen, Gesammelte philol. Schriften, Bd. 1, Lpz. 1911, S. 226–230. – Momme Mommsen, Die Entstehung von Goethes Werken in Dokumenten. Bd. 1, 1958, S. 142–146. – Vgl. ferner die Bibliographie am Ende dieses Bandes.

Erster Druck: *Über Kunst und Altertum, Bd. 6, Heft 1, 1827.* S. 84–91.

342,30ff. Zum Verständnis der Goetheschen Auslegung geben wir die Tragödiendefinition des Aristoteles im Original und in den geschichtlich bedeutsamsten Übersetzungen, die auch den deutschen Klassikern vorgelegen haben; zum Schluß die maßgebliche Übertragung von Theodor Gomperz.

Ἔστιν οὖν τραγῳδία μίμησις πράξεως σπουδαίας καὶ τελείας μέγεθος ἐχούσης, ἡδυσμένῳ λόγῳ χωρὶς ἑκάστῳ τῶν εἰδῶν ἐν τοῖς μορίοις, δρώντων καὶ οὐ δι' ἀπαγγελίας, δι' ἐλέου καὶ φόβου περαίνουσα τὴν τῶν τοιούτων παθημάτων κάθαρσιν. (Aristoteles, Poetik VI, 1449 b, 24 ff.)

Definitio autem apud Aristotelem haec: ... quam nolo hic impugnare aliter, quam nostram subnectendo. Imitatio per actiones illustris fortunae, exitu infelici, oratione gravi metrica. (Julius Caesar Scaliger. 1561.)

Tragoedia ergo est seria, absolutae et quae iustam magnitudinem habeat, actionis imitatio; sermone constans ad voluptatem facto: ita ut singula genera in singulis partibus habeant locum: utque non enarrando, sed per misericordiam et metum, inducat similium perturbationum expiationem. (Daniel Heinsius. 1610.)

La tragédie est donc une imitation d'une action grave, entière et qui a une juste grandeur: dont le style est agréablement assaisonné, mais différemment dans toutes ses parties, et qui sans le secours de la narration, par le moyen de la compassion et de la terreur, achève de purger en nous ces sortes des passions, et toutes les autres semblables. (André Dacier. 1692.)

Das Trauerspiel ist nämlich die Nachahmung einer ernsthaften, vollständigen und eine Größe habenden Handlung, durch einen mit fremdem Schmuck versehenen Ausdruck, dessen sämtliche Teile aber besonders wirken: welche ferner, nicht durch die Erzählung des Dichters, sondern durch die Vorstellung der Handelnden selbst uns vermittelst des Schreckens und des Mitleidens von den Fehlern der vorgestellten Leidenschaften reiniget. (Michael Conr. Curtius. 1753.)

Das Trauerspiel ist die Darstellung einer würdigen und in sich abgeschlossenen, eine gewisse Größe besitzenden Handlung in verschönter Rede, unter partienweise gesonderter Verwendung der Verschönerungsarten, nicht in erzäh-

lender Form, sondern durch handelnde Personen – eine Darstellung, welche durch Erregung von Mitleid und Furcht die Entladung dieser Affekte herbeiführt.
(Theodor Gomperz. 1897.)
Lessing, der sich in der „Hamburgischen Dramaturgie" (74. Stück ff.) ausführlich mit der Aristotelischen Theorie der Tragödie auseinandersetzt, und auch Goethe haben beide, indem sie einem tieferen und wahreren Verständnis des Aristoteles den Weg öffneten, sich zugleich auch auf eine jeweils eigentümlich moderne Weise wieder von ihm entfernt. Beider Übersetzung der Tragödiendefinition ist philologisch inkorrekt. Zugleich aber gilt: „Wenn man schon irrt, kann man nicht treffsicherer, genialer, fruchtbarer irren!" (Kommerell über Goethe a. a. O. S. 61.) Für Aristoteles ist die Katharsis das ἔργον, das τέλος der Tragödie. „Das Lebewesen ist die Tragödie, sein Leben ist die tragische Wirkung" (Kommerell a. a. O. S. 63). Lessing trifft den Aristoteles genau, indem er im Gegensatz zu seinen Vorgängern die untrennbare Zusammengehörigkeit von dramatischer Form und Absicht der Tragödie behauptet (vgl. „Hamb. Dramat." 77. Stück), indem er ferner die Katharsis nicht mehr moralisch-lehrhaft, sondern als eine Verwandlung des ganzen Menschen deutete. Er entfernt sich zugleich von ihm, weil er als Aufklärer immer noch den Zweck der Tragödie außerhalb ihrer selbst in der ethisch gedeuteten Reinigung von Furcht und Mitleid als Affekten des Zuschauers erblickte. Goethe wiederum nähert sich Aristoteles in seiner Deutung, indem er die organische Abrundung der Tragödie in sich selbst behauptet (Ausgleichung, . . . Versöhnung solcher Leidenschaften – Mitleid und Furcht – zuletzt auf dem Theater, 343,15 f.) und einen außerhalb ihrer gelegenen ethischen Effekt bestreitet (vgl. den Brief an Zelter vom 23.–29. März 1827: Die Vollendung des Kunstwerks in sich selbst ist die ewige unerläßliche Forderung! Aristoteles, der das Vollkommenste vor sich hatte, soll an den Effekt gedacht haben! Welch ein Jammer!). Er entfernt sich aber gleichfalls von Aristoteles dadurch, daß auch er die Einheit des Lebensprozesses der Tragödie, ihres Seins und Wirkens, verkennt, welche Aristoteles allein meinen kann, wenn er nicht zwischen den Affekten und der Katharsis auf dem Theater und im Zuschauer trennt, sondern die therapeutisch entladende Wirkung als einen unteilbaren, Kunstwerk und Polis zugleich umfassenden Vorgang begreift und, indem er den „Zuschauer" (d. i. hier die „Polis") mit in den Lebensprozeß der Tragödie hineinzieht, in der Tat einen außerhalb ihrer selbst gelegenen Effekt nicht kennt. Nach Jakob Bernays, dem wir die entscheidende Aufklärung des philologischen Problems der Tragödiendefinition verdanken (1857), ist dabei der Genitiv κάθαρσις τῶν παθημάτων nicht wie noch durch Lessing und Goethe als gen. obj. oder (wie bei Lessing zugleich) als gen. subj., sondern als gen. separat., nicht als Reinigung der Leidenschaften oder durch die Leidenschaften, sondern als Reinigung (Entladung) von den Leidenschaften aufzufassen, so daß die pathologische κίνησις der Affekte (perturbatio) in der therapeutischen κάθαρσις zur wiederherstellenden und die Seele heilenden, den Geist befreienden Ruhe käme. 342,28 f. deutet sich das richtige Verständnis der Stelle als gen. sep. auch schon bei Goethe an; doch beweist seine folgende Übersetzung (vgl. 343, 3 f.), daß er sie selbst im andern Sinn (als gen. obj.) aufgefaßt wissen will. – Am 17. März 1827 schreibt Zelter über die fragliche Stelle an Goethe: „In ernsthafter Stimmung heftet sich wohl irgendein Bedenkliches an; so bin ich an Deiner Verdeutlichung der problematischen Worte des Aristoteles hängen geblieben und will nicht loslassen. Unter ein paar andern Übersetzungen der Poetik des

Aristoteles fällt mir am meisten auf, wie der helle klare Lessing die Stelle, nach seiner Aussage von Wort zu Wort, deutsch gibt, den Stein des Anstoßes liegen sieht und die beliebte Reinigung der Leidenschaften bona fide gelten läßt. Ja daß er ihn liegen gesehn, dürfte sich aus der polemischen Mühe erraten, die Leidenschaften gleichsam zu rubrizieren, zu distinguieren und die Erklärungen der Corneille, Curtius und Dacier gegen das alte Original zu halten. Genug, daß ich Deinen Begriff am einleuchtendsten finde, mir unter dem problematischen Worte die reine Abschließung einer ernsthaften Handlung (als eine Art von Geschäft) zu denken und die Wirkung auf die Zuschauer gar nicht prädestinieren zu wollen."

343,17f. *aussöhnende Abrundung.* Über Goethes Verhältnis zum Tragischen vgl. an Schiller, 9. Dezember 1797: *Ich kenne mich zwar nicht selbst genug, um zu wissen, ob ich eine wahre Tragödie schreiben könnte; ich erschrecke aber bloß vor dem Unternehmen und bin beinahe überzeugt, daß ich mich durch den bloßen Versuch zerstören könnte.* Und an Zelter, 31. Oktober 1831: *Ich bin nicht zum tragischen Dichter geboren, da meine Natur konziliant ist; daher kann der rein tragische Fall mich nicht interessieren, welcher eigentlich von Haus aus unversöhnlich sein muß ... Ferner: Alles Tragische beruht auf einem unausgleichbaren Gegensatz. Sowie Ausgleichung eintritt oder möglich wird, schwindet das Tragische ...* (zu Kanzler v. Müller 6. Juni 1824. Gespräche, hrsg. von W. Herwig. Bd. 3, 1, Zürich 1971, S. 697). – B. v. Wiese, Die deutsche Tragödie von Lessing bis Hebbel. ²Hamburg 1952. S. 77ff.

343,35. *aristotelischer Ästhetik.* Fehlt in der ersten Handschrift. Eine zweite ist von Goethes Sekretär John unverständlich und wohl auf Grund eines Hörfehlers ergänzt: „israelitischer Ästhetik"; danach auch die Drucke. Wir folgen M. Hekkers Konjektur in der Weim. Ausg. I, 41 II, S. 555. E. v. d. Hellen und O. Walzel (Jub.-Ausg. Bd. 38, S. 299 zu S. 83, 9) vermuten: „in realistischer Ästhetik".

343,36. Goethe schrieb auch einen Aufsatz über *Die tragischen Tetralogien der Griechen* (1823). Vgl. die Maxime Nr. 923. Der „Ödipus in Kolonos" ist freilich nicht der dritte Teil einer Trilogie.

343,39. Über den Begriff des *Dämonischen* handelt Goethe ausführlich im 20. Buch von *Dichtung und Wahrheit* (Bd. 10, S. 175, 11ff.).

344,9f. Im 13. Kap. der Poetik.

344,20. Politik VIII, 7, 1341 b 38.

344,28. „*Alexandersfest*", ein Oratorium Händels (1736).

LORENZ STERNE

Goethe hat den starken Einfluß, den der englische Dichter Laurence Sterne (1713–1768) auf seine eigne Entwicklung und Bildung hatte, besonders im Alter mehrfach hervorgehoben. Seine Altersweisheit vermochte gerade das Kongeniale in Sternes übergreifender, weltweiter

Ironie und Toleranz immer deutlicher wahrzunehmen: *Es wäre nicht nachzukommen, was Goldsmith und Sterne gerade im Hauptpunkte der Entwicklung auf mich gewirkt haben. Diese hohe wohlwollende Ironie, diese Billigkeit bei aller Übersicht, diese Sanftmut bei aller Widerwärtigkeit, diese Gleichheit bei allem Wechsel und wie alle verwandte Tugenden heißen mögen, erzogen mich aufs löblichste, und am Ende sind es denn doch diese Gesinnungen, die uns von allen Irrschritten des Lebens endlich wieder zurückführen* (an Zelter, 25. Dezember 1829).

Erster Druck: *Über Kunst und Altertum*, Bd. 6, Heft 1, 1827. S. 91–93. – Näheres über Goethe-Sterne siehe Bd. 8, Anmkg. zu S. 480, Nr. 126. Vgl. auch die Maximen Nr. 955 und 956. – H. W. Thayer, L. Sterne in Germany. New York 1905. – J. Boyd, Goethe's knowledge of English literature. Oxford 1932. – Vgl. ferner die Bibliographie am Ende dieses Bandes.

RÖMISCHE GESCHICHTE VON NIEBUHR

Die Betrachtung entstand nach dem 18. Januar 1827, als der berühmte Begründer der modernen Geschichtswissenschaft, Barth. Georg Niebuhr (1776–1831), die zweite Ausgabe seiner ,,Römischen Geschichte" an Goethe übersandte, nachdem er bereits am 10. November 1811 die erste vorausgeschickt hatte. Goethe veröffentlichte den Aufsatz nicht, weil er von dem Buche selbst weniger als von seinem eignen Gemütszustand aussage, schickte ihn aber in Abschrift mit einem Brief vom 4.–15. April 1827 an Niebuhr. Die Rezension in *Über Kunst und Altertum, VI, 2, 1828,* S. 233 ff. übernahm Göttling.

Erster Druck: Lebensnachrichten über B. G. Niebuhr, Bd. 3, Hamburg 1839. S. 363 ff.

347,27. *Paralogismen* = falsche Schlüsse.

DAS NIBELUNGENLIED

Die *Annalen* berichten *1806* zuerst von den ,,Nibelungen". 1807/08 wandte sich Goethe einer eingehenden Lektüre zu, nachdem er im Oktober 1807 Fr. H. v. d. Hagens Neuausgabe (1807) erhalten hatte. In den von ihm eingerichteten ,,Mittwochsvorträgen" behandelte er daraufhin (vermutlich erst 1808) das Nibelungenlied vor den Weimarer Damen. Auf einem zu diesem Zweck angefertigten *Verzeichnis* und einer *hypothetischen Karte* zum ersten Teil, von denen die *Annalen 1807* berichten, sowie anderen, durch W. Grimms Aufsätze in den ,,Heidelberger Jahrbüchern" (1809) und in Daubs und Creuzers ,,Studien", Bd. 4

(1808), beeinflußten Skizzen beruht allem Anschein nach unser Aufsatz. Im Antwortbrief an v. d. Hagen vom 18. Oktober 1807 rühmte Goethe das Nibelungenlied dem Stoff und Gehalte nach. Später warnte er aber auch vor Überschätzung und einem schiefen Vergleich mit der ,,Ilias". Doch sagt er noch am 2. April 1829 zu Eckermann: *Das Klassische nenne ich das Gesunde und das Romantische das Kranke. Und da sind die Nibelungen klassisch wie der Homer, denn beide sind gesund und tüchtig.*

Erster Druck: Nachgelass. Werke 5 (= *Ausg. l. Hd. 45*), 1833. S. 205–209. Aus dem Nachlaß. – E. Jenny, Goethes altdeutsche Lektüre. 1900. – R. Steig, Goethe und die Brüder Grimm. Berlin 1892. – Arthur Hübner, Goethe und das deutsche Mittelalter. (Jb.) Goethe, 1, 1936. S. 83–99.

348,5. Goethe hatte die Nibelungenlied-Ausgabe des *Bodmer*-Schülers Christoph Heinr. *Müller* (1782), der eine erste, unvollständige von Bodmer selbst (1757) vorausgegangen war, schon früh in die Hand bekommen, aber ungelesen liegen lassen.

350,7ff. Goethe hatte z. B. dem Pilsener Gymnasialprofessor J. St. Zauper empfohlen, die ,,Ilias" in Prosa zu übersetzen.

350,18f. Die Nibelungen an Etzels Hof.

THE LIFE OF FRIEDRICH SCHILLER

Am 15. April 1827 übersandte der bekannte englische Schriftsteller Thomas Carlyle (1795–1881) seine Schiller-Biographie und die Sammlung deutscher romantischer Dichtungen ,,German Romance" an Goethe, wie er schrieb, ,,als Zeugnisse des Vordringens der deutschen Literatur in England". Goethe stand mit Carlyle, dem er sich in gemeinsamer Beförderung des *Weltliteratur*-Gedankens eng verbunden fühlte, seit 1824 in herzlichem Gedankenaustausch (damals hatte Carlyle ihm seine *Wilhelm Meister*-Übersetzung zugeschickt). Der vorliegende Aufsatz ist mit geringen Abweichungen entlehnt aus einem Brief an Carlyle vom 20. Juli 1827. Anfang 1830 verfaßte Goethe auch eine Einleitung zur deutschen Übersetzung von Carlyles ,,Leben Schillers", die in Frankfurt a. M. 1830 erschien.

Erster Druck: *Über Kunst und Altertum, Bd. 6, Heft 2, 1828.* S. 277f. – Vgl. Correspondence between Goethe and Carlyle edited by Charles Eliot Norton. London 1887; ferner: Goethes und Carlyles Briefwechsel. Berlin 1887. – F. Strich, Goethe und die Weltliteratur. Bern 1946. S. 312–327. – Momme Mommsen, Die Entstehung von Goethes Werken. Bd. 2, 1958, S. 98–100. – Ferner: Bd. 1, S. 349 u. die Anmkg.

GERMAN ROMANCE

Auch diese Besprechung entstand im Zusammenhang der Sendung Carlyles an Goethe vom 15. April 1827 (vgl. die Anmkg. zum vorigen Aufsatz) und ist teilweise (351,29–352,2 und 352,20–353,28) ebenfalls aus dem Brief an Carlyle vom 20. Juli 1827 entnommen, wobei 353,3–28 einer früheren Gelegenheit entstammen.

Erster Druck: *Über Kunst und Altertum, Bd. 6, Heft 2, 1828.* S. 279–284. 352,20ff. Zum folgenden vgl. 361,21–364,28.

353,27. Zu Beginn des Jahrhunderts waren die europäischen Bibelgesellschaften entstanden: die englische wurde 1804 gegründet, im gleichen Jahre die Nürnberger (später Basler), 1805 die Regensburger, 1809 die russische, 1813 die sächsische, 1814 die preußische Hauptbibelgesellschaft, 1823 der Zentralbibelverein für das protestantische Bayern.

HISTOIRE DE LA VIE ET DES OUVRAGES DE MOLIÈRE

Die Besprechung dieses Buches richtet sich gegen A. W. Schlegels absprechendes Urteil über Molière in ,,Über dramatische Kunst und Literatur" (1811, Bd. 2, 1, S. 226ff.). Vgl. dazu das Gespräch mit Eckermann vom 28. März 1827, wo Goethe über den französischen Dichter sagt: *Ich kenne und liebe Molière seit meiner Jugend und habe während meines ganzen Lebens von ihm gelernt. Ich unterlasse nicht, jährlich von ihm einige Stücke zu lesen, um mich immer im Verkehr des Vortrefflichen zu erhalten. Es ist nicht bloß das vollendete künstlerische Verfahren, was mich an ihm entzückt, sondern vorzüglich auch das liebenswürdige Naturell, das hochgebildete Innere des Dichters. Es ist in ihm eine Grazie und ein Takt für das Schickliche und ein Ton des feinen Umgangs, wie es seine angeborene schöne Natur nur im täglichen Verkehr mit den vorzüglichsten Menschen seines Jahrhunderts erreichen konnte. Von Menander kenne ich nur die wenigen Bruchstücke, aber diese geben mir von ihm gleichfalls eine so hohe Idee, daß ich diesen großen Griechen für den einzigen Menschen halte, der mit Molière wäre zu vergleichen gewesen.* S. auch das Gespräch vom 12. Mai 1825, wo der ,,Geizige" *im hohen Sinne tragisch* genannt wird und es von Molières Stücken im ganzen heißt, daß sie ans Tragische grenzen.

Erster Druck: *Über Kunst und Altertum, Bd. 6, Heft 2, 1828.* S. 378f. – F. Strich, Goethe und die Weltliteratur. Bern 1946. S. 155f.

FAUST, TRAGÉDIE DE MONSIEUR DE GOETHE

Die französische Prachtausgabe des *Faust* erhielt der Dichter am 22. März 1828. Goethe schenkte fremdsprachlichen Übersetzungen seiner eignen Dichtungen darum besondere Aufmerksamkeit und machte sie seinem Leserkreis bekannt, weil er sich auch davon eine Förderung der *Weltliteratur*-Idee versprach (vgl. 353,14ff.). Der vorliegende Aufsatz verdient Beachtung auch deswegen, weil er zeigt, wie sehr sich der späte Goethe von seiner eignen Faust-Gestalt fortentwickelt hat (355,1f.). Vgl. dazu das Gedicht Bd. 1, S. 321, 106 u. Anmkg.

Erster Druck: *Über Kunst und Altertum, Bd. 6, Heft 2, 1828*. S. 387–389. – Vgl. die Bibliographie am Ende dieses Bandes.

354,24. Fr. Alb. Alexander *Stapfer* (1802–1892) veröffentlichte in Paris 1821–23 Goethes Dramen in französischer Übersetzung. Auch diese Ausgabe hatte der Dichter 1826 in *Über Kunst und Altertum* besprochen.

BLICKE INS REICH DER GNADE

D. Joh. Friedr. Röhr, der Herausgeber der „Kritischen Prediger-Bibliothek", in der Goethes im Januar 1830 verfaßter Aufsatz zuerst erschien, hatte ursprünglich nicht beabsichtigt, Fr. W. Krummachers (1796–1868) Predigten-Sammlung anzuzeigen. Dann aber glaubte „der Herausgeber auch den hochverehrten Nestor unserer deutschen Literatur, welcher die verschiedenartigsten Erscheinungen derselben noch stets mit jugendlichem Interesse verfolgt und würdigt, auf diese Predigten aufmerksam machen und um sein Urteil über dieselben ersuchen zu müssen. Dieser las sich tief in sie hinein und gab sie begleitet von einem Aufsatze zurück, durch welchen er ‚sich einigermaßen Rechenschaft geben wollte: wie in unserer Zeit ein Mann, den man doch für vernünftig halten sollte, auf solche Verirrungen geraten könne'" (aus Röhrs Vorbemerkung; das Zitat ist, leicht abgewandelt, Goethes Brief an Röhr vom 20. Jan. 1830 entnommen). Goethes ganze Abneigung gegen Orthodoxie wie gegen jede selbstgefällige pietistische Frömmelei (vgl. 357, 28ff.), die sich schon in früher Jugend anbahnte, kommt hier im höchsten Alter noch einmal verhalten-ironisch zum Ausdruck. Vgl. den *Brief des Pastors*, S. 228–239, u.d. Anmkg. dazu.

Erster Druck: Kritische Prediger-Bibliothek. Hrsg. v. D. Joh. Friedr. Röhr. Bd. 11, Heft 1, Neustadt a. d. O. 1830. S. 21ff.

FÜR JUNGE DICHTER – WOHLGEMEINTE
ERWIDERUNG

Diesen Aufsatz fügte Goethe seinem Antwortbrief vom 22. Januar 1832 an den jungen Dichter Melchior Meyr (1810–1871) bei, der ihm seine Gedichte mit der Bitte um Beurteilung übersandt hatte. Eckermann gab ihn nach Goethes Tode unter dem Titel „Für junge Dichter" in dem letzten Heft der Zeitschrift *Über Kunst und Altertum* heraus. Der Aufsatz ist keine Absage an die Dichtung und Kunst überhaupt, sondern an den Dilettantismus, Subjektivismus und falschen Gebrauch der Einbildungskraft, wie ihn Goethe unter den jüngeren Zeitgenossen immer mehr um sich greifen sah. Die Kunst war ihm im Alter im Sinne der *Wanderjahre* nicht prometheisch willkürliches Verändern der Welt, sondern Vernehmlichmachen der gründenden Ordnung, in der der einzelne Mensch seine verantwortliche Stelle hat. Also Überwindung des Nur-Ästhetischen und Subjektiven, des Vorwaltens der Innerlichkeit und des daraus folgenden Weltschmerzes – das ist gemeint. Weisung und Leitung unseres Daseins gründen in der vorgegebenen Ordnung der Welt, der wir *Einstand* und *Folge geben* müssen, nicht im individuellen Gefühl. Nichts anderes meint auch die hintergründige Maxime Nr. 1028: *Auf ihrem höchsten Gipfel scheint die Poesie ganz äußerlich; je mehr sie sich ins Innere zurückzieht, ist sie auf dem Wege zu sinken.* Ganz in diesem Sinne sagte Goethe am 29. Januar 1826 zu Eckermann: *Solange* ein Dichter *bloß seine wenigen subjektiven Empfindungen ausspricht, ist er noch keiner zu nennen; aber sobald er die Welt sich anzueignen und auszusprechen weiß, ist er ein Poet … Alle im Rückschreiten und in der Auflösung begriffenen Epochen sind subjektiv, dagegen aber haben alle vorschreitenden Epochen eine objektive Richtung. Unsere ganze jetzige Zeit ist eine rückschreitende, denn sie ist eine subjektive. Dieses sehen Sie nicht bloß an der Poesie, sondern auch an der Malerei und vielem anderen. Jedes tüchtige Bestreben dagegen wendet sich aus dem Inneren hinaus auf die Welt, wie Sie an allen großen Epochen sehen, die wirklich im Streben und Vorschreiten begriffen und alle objektiver Natur waren.* Und am 24. September 1827, gleichfalls zu Eckermann: *Die Poeten schreiben alle, als wären sie krank und die ganze Welt ein Lazarett. Alle sprechen sie von den Leiden und dem Jammer der Erde … Das ist ein wahrer Mißbrauch der Poesie, die uns doch eigentlich dazu gegeben ist, um die kleinen Zwiste des Lebens auszugleichen und den Menschen mit der Welt und seinem Zustand zufrieden zu machen* (vgl. 359, 19ff.). Noch eindeutiger heißt es im Brief an Zelter vom 18. März 1811: *Jeder echte Künstler ist als einer anzusehen, der ein anerkanntes Heilige bewahren und mit Ernst und Bedacht fortpflanzen will.*

Erster Druck: *Über Kunst und Altertum, Bd. 6, Heft 3, 1832*. S. 516–520. – M. Hecker, Goethes ästhetisches Testament. Jb. G. Ges. 19, 1933. S. 62–84. – E. Spranger, Goethes Weltanschauung. (Wiesbaden) 1946. S. 157ff. – H. v. Einem, Goethes Kunstphilosophie. Mehrfach gedruckt, u. a. in: H. v. Einem, Goethe-Studien. München 1972, S. 72–88. (Goethe-Bibliogr., begr. von H. Pyritz, I Nr. 5817; II Nr. 1076.) – Vgl. auch die Bibliographie am Ende dieses Bandes.

359,12f. S. unten Z. 32–35. Vgl. Bd. 1, S. 327 Nr. 139 u. Anm.

NOCH EIN WORT FÜR JUNGE DICHTER

Diesem Nachlaß-Aufsatz gab Eckermann in der *Ausgabe letzter Hand* den Titel „Noch ein Wort für junge Dichter" und fügte ihn dem vorhergehenden „Für junge Dichter" an. Hier verknüpft Goethe das Bewußtsein, durch die Entdeckung der Individualität, des ganz von innen heraus lebenden Menschen und Künstlers der *Befreier* der Deutschen geworden zu sein, mit der im vorigen Aufsatz erhobenen Forderung nach Weltoffenheit und Tüchtigkeit des Gehalts. Woraus erhellt, daß er nicht die Preisgabe des Individuellen und Innerlichen meinen konnte, sondern nur deren Begründung und *heiter entsagende* (vgl. S. 359, 19) Bewahrung in einer zusammenhaltenden Ordnung.

Erster Druck: Nachgelass. Werke 5 (= *Ausg. l. Hd. 45*), 1833. S. 426–428. Aus dem Nachlaß.

360,10ff. Der junge Goethe schrieb am 21. August 1774 an F. H. Jacobi: *Sieh, Lieber, was doch alles Schreibens Anfang und Ende ist, die Reproduktion der Welt um mich durch die innere Welt, die alles packt, verbindet, neu schafft, knetet und in eigner Form, Manier wieder hinstellt, das bleibt ewig Geheimnis, Gott sei Dank, das ich auch nicht offenbaren will den Gaffern und Schwätzern.*

GOETHES WICHTIGSTE ÄUSSERUNGEN ÜBER „WELTLITERATUR"

Die Zusammenstellung S. 361–364 umfaßt, dem Charakter der Hamburger Ausgabe entsprechend, nur die wichtigsten der Goetheschen Äußerungen zu dem Thema. Zu vergleichen ist auch HA, Briefe Bd. 4, S. 55, 214, 215, 236, 277f., 280f., 321, 333f., 352–354. Ferner gibt es Zusammenstellungen Goethescher Äußerungen über *Weltliteratur* und *Nationalliteratur* im Anhang des Buches von Fritz Strich, „Goethe und die Weltliteratur", Bern 1946 (2., verbesserte und ergänzte Auflage, mit ausführlicher Bibliographie, Bern 1957), sowie im 33. Bd., 1971, der Neuen Folge des Jahrbuchs der Goethe-Gesellschaft, S. XIII–XVI.

ZUR TEXTGESTALT DER SCHRIFTEN
ZUR LITERATUR

Unser Text folgt in der Regel den Erstdrucken (E), unter ständiger Berücksichtigung der erhaltenen authentischen Handschriften (H) und der *Ausgabe letzter Hand* (C¹ u. C), deren Lesarten stellenweise bevorzugt wurden. Wir verzeichnen die bemerkenswerten Abweichungen. Zum Vergleich wurde die Textgestalt der Weim. Ausg. und der Jub.-Ausg., für die Jugendschriften außerdem M. Morris, Der junge Goethe (Lpz. 1909–1912) herangezogen. Orthographie und Zeichensetzung sind im Sinne der Hamb. Ausg. modernisiert.

Die vor einem Komma stehende Ziffer bezeichnet die Seite, die nach dem Komma stehende die Zeile. Bei weiteren Zitaten derselben Seite ist lediglich die Zeile angegeben.

238,5 *einen* statt *einem* E; 239,35 *diese Zeilen* Eck. über *die Horen dagegen* H, *diese Zeilen* C¹C; 36 *dem* Eck. aus *demjenigen* H, *dem* C¹C; 244,3 *klärer* E–C; 19–22 H beginnt ohne Titel mitten im Satz: *aber zugleich wird auch das Mährchen von den drey Ringen immer fort gespielt, niemand ...*; 20 *Offenbarung!* H¹; 28 f. *die* statt *alle die, welche* H; 29 *positiven* statt *ausschließenden* H; 245,3 *sondern* statt *die vielmehr* H; 6 *früher schon* fehlt H; 12 *würde* statt *könnte* H; 16 *um* fehlt H; 16 f. *fürtrefflichen* H; 18 *des* statt *desjenigen* H; 19 *des* statt *dessen* H; 31 *Durch* fehlt H, *enthält* statt *geht* H; 32 *einen gewissen polemischen* H; 246,4 *eine idealische* statt *jene phantastische* H; 13 *und die* statt *aber* H; 14 *mehr, um die* fehlt H, *mehr zu* statt *zu* H; 17 *vor* statt *für* H; 19. *Dichter* statt *Poeten* H, *werden.* statt *würden!* H, *würden?* C¹C; 23 *allen denen* statt *alledem* H; 29 *Tropfen* H; 30 *läßt er ihn* statt *gibt er ihm* H; 31 *zu* fehlt H; 246,34 *vor* statt *für;* 247,2 *sollte* statt *müßte* H; 12 *Wagelenker* H; 13 *aber der* statt *der* H; 15 *nichts als Beschreibung* H; 18 *dazu gehöret* statt *sie betrifft* H; 22 *über die* statt *von der* H; 25 *die alten* statt *alte* H; 25 f. *weil sie* statt *worauf die Pferde* H; 26 *gebildet* nach *Geschirr* H, *sollen* statt *sollten* H; 33 nach *reißen* folgt *indessen läßt sich der stumpfe Ion von* H; 248,3 *darin* fehlt H; 5 *sagt zu dem Haß* statt *gesteht dem Haß zu* H; 9 *Würkung* H; 10 f. *und man hätte nicht nöthig statt ohne ... hätte* H; 12 *hätte* statt *besäße* H; 13 *unsere* statt *uns die* H; 17 *zuletzt* nach *Ion* H; 18 *mehreren ... im* fehlt H; 19 *in* fehlt H, *und der* statt *und* H; 21 *collificirt* statt *qualifiziert* H; 23 *Individuums* C¹C; 23–25 *die ... und* fehlt H; 25 *seyn mochte* statt *war* H; 31 *Bößheit* H; 38 *der* statt *das* H; 249,3 *wird* statt *würde* H; 9 fehlt C¹C; 18 *wornach* HH¹, 23 *vor Augen haben* statt *vergegenwärtigen* HH¹; 32 *persönliche* nach *die* HH¹; 32 f. *beschränkt* statt *auf ... angewiesen* HH¹; 250,7 f. *weniges* H–C; 21 *letzte* vor *Arten* H¹; 23 *vollständig* über *zu einem Ganzen* H; 27 *gehören, von welcher sie zunächst umgeben sind* statt *gehören ... umgibt* H¹; 28 *Darin* über *In dieser* H¹; 29 *epische* statt *Epiker* HH¹; 37 *Ahndungen* H¹; 261,25 *Darstellungen* E; 265,16 *Bauertracht* H¹–C; 276,25 *Bauerburschenschaft* H¹C; 277,37 *und empfunden* fehlt H¹C¹; 277,39 u. 278,1 u. 4 Das *b* ist ein Zusatz Goethes, der darum nötig wurde, weil im Original irrtümlich die Seitenzahlen 260–269 doppelt angewendet worden sind. H¹–C: *(261.);* 280,10 *uns* nach *es* E; 13 *Recensionen* statt *Ausgabe* E; 17 *nahe zu* mit Tinte aus *nahezu (nahe = beinahe)* H¹; 21 *Wunderlich, romantisch* H¹–C; 283,9 *alten* C¹C, danach Weim. Ausg., *allen* EH¹, danach Jub.-Ausg.; 11 *wünschten* H¹–C; 28 ungeklärt, ob die übereinstimmend so überlieferte Formulierung in dieser Form authentisch; 284,29

Die Jub.-Ausg. macht ohne Grund die Konjektur „Belohnung" für *Belehrung;* 287,10 *Ende!* EH¹, Titel fehlt H; 13 *dieß* statt *das* E-C; 15 *erstens* H¹-C; 30 *innig* gestr. H¹ fehlt C¹C, *durchschauen* statt *erkennen* C¹C, über *erkennen* H¹; 288,17 *klärer* H-C; 22 *Sinn, und durch* H; 23 *sogleich* statt *zugleich* C¹C; 32 *erst* fehlt E-C; 39 *noch durch* statt *noch* H; 289,6 *die* statt *zwar gewisse* H; 11 f. *die Helden die Herren die Könige die Boten* H; 37 f. *Werke* statt *Dichtungen* H; 290,5 *würken* H; 9 *fürtrefflich* H; 24 kein Absatz H; 38 *Ahndungen* H; 291,5 *sind* statt *ist* H; 11 *auf* statt *von* H¹-C; 12 *und* statt *ja* H; 16 *was die äußere Form betrifft* statt *der... nach* H; 34 f. *dem... Mißverhältniß* H; 37 *dieses ist es, was* H; 38 setzt H; 292,9 *einsweilen* HE, *etwas damit* H¹-C; 12 *müssen sich* H; 21 kein Absatz H-E, *Art von* H; 27 *des* statt *dieses* H; 36 *Spiel* statt *Verfahren* H; 38 *sie* statt *diese Art Spiele* H; 293,7 *Aller* statt *Aber* E (Druckfehler); 15 *neuen* E-C; 21 *in dem* E-C; 34 kein Absatz H; 294,6 *so* statt *sie* H, *aber öfters* H; 11 *des* statt *eines* H; 15 *des echten* H; 18 *und* fehlt H; 28 *ist* statt *sein mag* H; 295,2 *religiös* C¹C; 4 *mäckeln* E-C; 5 *dieses* statt *Gegenwärtiges* H; 7 *Geister* über *Genien* H, *ungeheuren* HC¹C; 9 *reinigen* statt *vereinigen* EH¹; 10 *der* statt *gedachter* H; 13 *Blümners* korrigiert aus *Plinners* H, *schätzbarer* (Eck. aus *schätzbare* H¹) H¹-C; 15 *fürtreffliche* HE-C; nach 20 folgt *Goethe* E; 21 *III.* fehlt HE gestr. H¹ zugesetzt H²; 22 fehlt H; nach 22 folgt *(Zu den Mittheilungen in's Morgenblatt, im Jahre 1816)* H¹E gestrichen H²; 23 *Freunde* H-C; 29 *Shakespeare'n* H; 296,8 *nicht* fehlt H; 13 *Das Epos* H; 16 *die* statt *der* H-E; 22 f. *das... hervorzukehren* fehlt H; 30 *vorträgt* H; 297,12 *Talent* statt *Verdienst* H-E, *dabei immer* H; 26 *wahrscheinlich auch* H *auch wohl* C¹C; 31 *Denkungsart* H; 37 f. etwas abweichend formuliert H; 298,5 *Maschinerie,* statt *Maschinerie und* C¹C; 5 f. *und der Garderobe* fehlt H; 6 *da* statt *wo* H; 10 *gelten zu lassen* statt *anzunehmen* H; 13 *dergleichen gefallen* statt *so etwas zumuten* H-E; 30 *ahndungsvoll* E; 301, vor 2 Titel *Indische Dichtungen (Dichtung?)* H; 19,33 u. 302,33 keine Absätze H, wir folgen der Jub.-Ausg.; 302,38 f. *religiose und polizeiliche* H; 39 *mitwirken* fehlt H ergänzt von Eck.; 303,3 *durch* fehlt H ergänzt von Eck.; 6 Titel C¹C, *Die Tochter der Luft* E; 304,39 *Copacavannah* E-C; 311,8 *jedes* E-C; 15 *Anglanz* E *Anglanz feiert prächtig heute ja* C¹C; 312,20 *Rosse* statt *Pferde* C¹C; 21 *Und von Auroren aufgeweckt den statt Geweckt... bestimmten* H¹, *hoch bestimmten* E; 23 *Wie? Mutter aber soll ich glauben was erschreckt.* H¹; 24 *von* statt *vor* H¹; 34 *deinem* E; 313,17 *Das* statt *Der* E-C; 30 *Syrinx Ton* E-C; 314,1 *mitteln* H-C; 31 *ihre Nähe* E-C; 315,14 *Fußstapfen* C¹C; 31 *welchem* EC¹; 316,7 *nur* statt *nun* E-C; 36 *ihm* EC¹; 317,7 *den Wagen* E; 28 *Wenn* E-C; 31 *Ehestandsfeier* C; nach 318,33 Absatz E-C; 319,5 *jedes* H-C; 7 fehlt E-C; 320,7 *Vers 143–149* E-C; 321,33 *zu* C¹C; 323,27 korrigiert aus vorherigem *Wollte man es darauf anlegen noch mehrere Zwischenspiegelungen aussprechen, wodurch* H; 29 *tragen* statt *steigern* über *gehoben wird* H; 324,2–24 eigenmächtige Eckermannsche Änderungen bleiben unberücksichtigt. Abweichende Lesart in der Jub.-Ausg.; 3 *der Mitlebenden* Randkorrektur für *seiner Zeitgenossen* (aus *Mitgenossen*) H; 25 f. fehlt HH¹ *Lebensverhältniß* zu *Byron* C¹C; 27–30 fehlt C¹C; 27 *sich bewogen gefühlt* statt *gewünscht* HH¹, *Nachricht* HH¹; 30 *bestanden, hier nieder zu legen (legen,* H¹) *und kürzlich so viel davon* statt *bestanden... viel* HH¹; 33 *Mittel zu* HH¹C¹C; 325,4 *Hier* aus *Hierbey* H; 9–11 *nicht... und* im einzelnen abweichend H-C; 14 *hierdurch* C¹C; 19 *zur* C¹C; 24 *freundlichen* H-C; 31 *Deutsche* HH¹E; 326,4 *Stirn* C¹C; 11 *theilnehmenden* H-C; 20 *wenige* C¹C; 21 *nun* fehlt HH¹; 27 *in* statt *ihn* E; 29

jedem HH¹; 32 24. *Juli 1823* H-C; 327,1 *Dichtwelt* HH¹; 3 *großen* HH¹E; 14
staunenswürdige C¹C; 17 *viel* HH¹; 327,20–338,21 vgl. Weim. Ausg. I, Bd. 41,2,
S. 442–457; 338,31 *zusammenhängende* E-C; 339,4 *Tagesweise* statt *momentsweise* H²; 12 *Fakten* H²; 23 f. *Dieser ... ihn* fehlt H; 25 *faßt* H; 25 f. *seiner Einbildungskraft* fehlt H; 26 *als wenn* statt *daß* H; 27 *wollte* statt *konnte* H, *Abstruseste* aus *Abstracteste* H; 28 *Deshalb* statt *Wie* H; 29 *selten oder* fehlt HH¹; 32
hierinne H, *die Gestalten* statt *das Vorgebildete* H; 33 *deren* H; nach 36 *September 1826.* G. H² - C; 340,6–10 etwas abweichend H⁴; 9 bei *Orcagna* eine Anmkg.
Goethes: *Wo das hier gemeinte Bild in Kupfer zu finden, weiß ich nicht gerade
jetzt anzugeben* H-C (fehlt H⁶); 10 *glauben,* statt *einen Kegel einen Trichter* H⁶;
17 f. *die ... benimmt* fehlt H⁴; 18 f. *den nächsten* statt *allen sinnlichen* H⁴; 19 *so*
statt *wie* H⁴; 23 *Des Steingerölls (gehäufs* H³) *Verwirrung* statt *Das ... Augen*
H²H³; 24 abweichend H²H³; 26 *bedrängte* statt *verengte* H²H³; 27 – fehlt H²H³;
nach 31 folgt *Bis wir zum BlutSee endlich näher drangen* H²; 38–341,3 79. *Als nun
das große Maul p* darunter neue Zeile *Lebendig ist* statt *als ... herkam* H³; 11–20
abweichend H⁴H⁵; 13 *per* fehlt H⁵-H⁷; 23 *scharf und* fehlt H⁴; 24 *wieder verbunden* H⁴; 26 *hebelartig ... Fußtritt* fehlt H⁴; 27 *aus dem Gleichgewicht in's* H⁴,
waren statt *gewesen* H⁴, *Dies* H⁴; 28 *da* statt *als* H⁴; 29 *kein Absatz* H⁴, *er* statt
der Dichter H⁴; 342,15 *macht sich überall* statt *wird ... anderwärts* H⁴; nach 18
Weimar den 9. September 1826. G. H-C (außer H⁴H⁶); 20 *Einem jeden* HH²; 21
Dichtung H; 343,5 *eine* statt *die* H; 16 *auf dem Theater* fehlt H; 17 f. *Abrundung*
für *Befriedigung* H; 24 *unvermeidlich* H; 28 *und* statt *dagegen* H, *tritt gewöhnlich* H; 30 f. *ein* statt *eintritt* H; 35 *aristotelischer Ästhetik* (Konjektur) fehlt H
nachgetragen von John *israelitischer Ästhetik* H² vgl. dazu die Anmkg. zu S. 342,
30 ff.; 344,7 f. *als ... Landes* fehlt H; 13 *Tyrann* statt *Bösewicht* H; 23 *durch die*
statt *in den* H, *erst* fehlt H; 36 *vermögen die* statt *werden die* H; 37 *zu veranlassen* H; 39 *ausarten* H; 345,12 *abgeschlossen* fehlt H; 16 *dann* fehlt H; 21 *und* statt
erstem als HH²; 22 *als* statt *wie* HH²; 346,30 *aufmerksam durchgelesen* H; 31 *zu
ziehen gewußt habe* H; 32 f. *und entschuldigen lassen* statt *lassen ... verdienen* H;
33 *bekenne* statt *versichere* H; 34 *schon* fehlt H; 347,2 *doch* fehlt H; 3 *geistige
Auge* HH¹; 3 f. *gestellt und zu begreifen gegeben wird* statt *gestellt ... gibt* H; 5 f.
Verstellung Anfang, Mittel und Ende seiner Kunst bleibe statt *Anfang ... sei* H;
7–9 *an ... habe* etwas abweichend H; 9 *Unser Verfasser setzt* H; 11 *dieselbige*
HH¹; 12 *gewinnt so* H; 17 *holen* statt *schöpfen* H; 18 gestr. *bey* statt *nach* H,
noch manches H; 19 *auch sehr gern* statt *aufrichtig* H; 19 f. *wobey mir denn* statt
aber ... daß H; 20 *mir* fehlt H; 20 f. *auch fernerhin kräftig* statt *immer kräftiger*
H; 24 *aufrichtig* fehlt H; 24 f. *gegenteils* fehlt H; 26 *logische consequente* H; 32 f.
Fruchtbarkeit des für *Freude am* H; nach 33 *Weimar d. 8. Febr. 27.* H.

NACHWORT ZU DEN
MAXIMEN UND REFLEXIONEN

Die *Maximen und Reflexionen* sind ein Goethesches Lebenswerk, als solches nur dem *Faust* oder dem *Wilhelm Meister* vergleichbar. Das will heißen, daß in ihnen nicht nur ein Einzelproblem, eine besondere Erfahrung oder das Erlebnis einer bestimmten Lebensstufe behandelt wird, sondern daß sie Resultate eines ganzen Daseins und damit der Welt im ganzen geben, in der dieses Dasein *lebt und webt und ist.* Zugleich sind die *Maximen und Reflexionen* ein Goethesches Alterswerk, wie der *West-östliche Divan, Wilhelm Meisters Wanderjahre* und *Faust II.* Denn wenn auch manche der Sprüche und Betrachtungen bis in die achtziger Jahre des 18. Jhdts., in die Zeit der Italienischen Reise[1] zurückgehen, andere an längst Erfahrenes und Ausgesprochenes anknüpfen, so entstammt doch die bei weitem überwiegende Mehrzahl den Jahren nach der Jahrhundertwende. Immer stärker wird mit zunehmendem Alter das Bedürfnis des Dichters, die Ergebnisse seines Betrachtens und Erfahrens, seines Denkens und Tuns in knappen, aphoristischen Zügen aufzuzeichnen und mitzuteilen. Denn man weiß *nicht eher als nach einem längern Lebenslauf, was echte Maximen, die uns über das Gemeine heben, für einen hohen Wert haben, der so selten anerkannt wird*[2]. – *Und so bleibt denn im höchsten Alter uns die Pflicht noch übrig, das Menschliche, das uns nie verläßt, wenigstens in seinen Eigenheiten anzuerkennen und uns durch Reflexion über die Mängel zu beruhigen, deren Zurechnung nicht ganz abzuwenden ist*[3]. Ein Alterswerk ist das Buch der Gedanken und Grundsätze auch in seiner zyklischen Grundstruktur. Wie der *Divan,* die *Wanderjahre, Faust II* strahlt es von einer zusammenhaltenden Mitte nach allen Seiten aus, so daß sich rundherum die großen Lebensbereiche begegnen und alle Weltgegenden ineinander spiegeln.

Die *Maximen und Reflexionen* sind ein Weisheitsbuch und darin am meisten wohl den *Wanderjahren* verwandt, jenem weltumspannenden Roman, in dem sich die Dichtung in den gnomischen Symbolraum der Weisheit und Lehre öffnet. Mannigfaltige Verbindungslinien weisen hinüber und herüber. In den *Wanderjahren* überwiegen die meisterlichen und Erziehergestalten (Montan, Lenardo, der Abbé, der Astronom), gipfelnd in der geheimnisvollen, ans Mythische grenzenden Figur der Seherin Makarie. Die Gespräche, Briefe und Aufzeichnungen dieser Menschen sind durchzogen von maximenartigen Wendungen, die ebensogut ihren Platz in Goethes Aphorismensammlung haben könnten. Kein Zufall, daß umgekehrt zwei große Goethesche Spruchreihen als

Betrachtungen im Sinne der Wanderer (Bd. 8, S. 283–309) und *Aus Makariens Archiv* (Bd. 8, S. 460–486) in den Roman aufgenommen und dort zu einem integrierenden Bestandteil wurden. Auch die Beziehungen zum *West-östlichen Divan* sind greifbar. Nicht nur das *Buch der Betrachtungen*, das *Buch des Unmuts*, das *Buch der Sprüche* zeugen davon. Auch die übrigen Lieder und Gedichte, die Parabeln und Gleichnisse enthalten viel Gnomisches, Zugespitztes, Spruchhaftes. *Prophetenwort* wechselt mit Rätselzeichen und Orakelsprüchen. Die *Segenspfänder* z. B. sind redende Steine oder *Auf Papier geschriebne Zeichen.* Man denkt an Goethes eigne tiefsinnigen Maximen bei den Versen: *Ein Siegelring ist schwer zu zeichnen, Den höchsten Sinn im engsten Raum; Doch weißt du hier ein Echtes anzueignen, Gegraben steht das Wort, du denkst es kaum*[4].

Was die *Maximen und Reflexionen* von den andern großen Alterswerken unterscheidet, ist, daß der Dichter sie nicht als ein zusammenhängendes Werk konzipiert hat. Aber sie bilden, wie sie zu Goethes Lebzeiten veröffentlicht wurden und aus dem Nachlaß überliefert sind, ein Ganzes, in dem alle Teile aufeinander abgestimmt scheinen, sich wechselseitig ergänzen, deuten und ineinander spiegeln. Wie von den *Wanderjahren* gilt auch von diesem Buch das Wort: *ist es nicht aus Einem Stück, so ist es doch aus Einem Sinn*[5].

Zwar gewann das gedankliche, reflektierende Element bei Goethe im Alter, das mehr und mehr aus der Erscheinung zurücktritt und vergangne Jahrhunderte wie die eigne Gegenwart aus immer größerem Abstand überschaut, an Bedeutung; doch fehlte es keineswegs seiner Jugend. Es ist eine falsche Vorstellung, den Goethe der Frankfurter, Straßburger und frühen Weimarer Zeit nur als den unbeschwert improvisierenden, ganz aus seinem Innern herauslebenden, unbefangen sich auslebenden Jüngling zu sehen. Schon früh war er zugleich der mit klarem Wachbewußtsein sich selbst Gegenübertretende, seine eigne Entwicklung hellsichtig Beobachtende und Korrigierende. Wilhelm Meisters Bekenntnis *Mich selbst, ganz wie ich da bin, auszubilden, das war dunkel von Jugend auf mein Wunsch und meine Absicht*[6] trifft ebenso entschieden auf ihn zu wie sein eignes baumeisterliches Gleichnis aus dem frühen Brief an Lavater (September 1780): *Das Tagewerk, das mir aufgetragen ist, ... erfordert wachend und träumend meine Gegenwart. Diese Pflicht wird mir täglich teurer ... Diese Begierde, die Pyramide meines Daseins, deren Basis mir angegeben und gegründet ist, so hoch als möglich in die Luft zu spitzen, überwiegt alles andre.* Unverkennbar, wie von hier eine direkte Linie bis zu den Altersmaximen von der *Pflicht* als der *Forderung des Tages* (Nr. 1088) führt. Aber auch das kritische, nicht selten polternde Element aus den Sprüchen des *Unmuts*, das in einer Gestalt wie Jarno-Montan so lebendigen Ausdruck gefunden hat, ist schon frühzeitig da. Ein Beispiel für viele. Marie Körner, die Gattin von Schillers Freund, berichtet von dem 16jährigen Studenten Goethe in Leipzig, daß er öfter bei den Lektionen, die ihr und ihren Geschwistern durch einen trockenen Magister erteilt wurden, zugegen war: „Einmal traf es sich nun, daß wir eben mitten aus einem ihm für junge Mädchen unpassend scheinenden Kapitel des Buches Esther laut vorlesen mußten. Ein Weilchen hatte Goethe ruhig zugehört; mit einem Male sprang er vom Arbeitstische des Vaters auf, riß mir die Bibel aus der Hand und rief dem Herrn Magister mit ganz furioser Stimme zu: Herr, wie können Sie die jungen Mädchen solche ... Geschichten lesen lassen! Unser Magister zitterte und bebte; denn Goethe setzte seine Strafpredigt noch immer heftiger fort, bis die Mutter dazwischentrat und ihn zu besänftigen suchte. Der Magister stotterte etwas von: alles sei Gottes Wort, heraus, worauf ihn Goethe bedeutete: Prüfet alles, aber nur was gut und sittlich ist, behaltet! Dann schlug er das Neue Testament auf, blätterte ein Weilchen darin, bis er, was er suchte, gefunden hatte. Hier, Dorchen! sagte er zu meiner Schwester, das lies uns vor: das ist die Bergpredigt, da hören wir alle mit zu. Da Dorchen stotterte und vor Angst nicht lesen konnte, nahm ihr Goethe die Bibel aus der Hand, las uns das ganze Kapitel laut vor und fügte ganz erbauliche Bemerkungen hinzu, wie wir sie von unserm Magister niemals gehört hatten."

Reflektierende Verallgemeinerungen[7] und belehrende, manchmal etwas altkluge, in zunehmendem Maße aber selbsterzieherische Sentenzen[8] finden sich daher nicht selten schon in den ältesten Briefen, Notizund Tagebüchern, Aufsätzen und Dichtungen[9]. Dabei vermischt sich zunächst kaum unterscheidbar der Einfluß der umfangreichen moralischen Aphorismen-Literatur der Aufklärung mit dem spezifisch Goetheschen Element des Pädagogisch-Didaktischen und seinem anfänglich nur dunkel geahnten Streben, vom Einzelnen und Individuellen ins Allgemeine sich zu erheben. Auch das ironische Element in Goethes Sprechweise, eine jugendliche Vorform seiner späteren verwandelten Lebensironie, ist schon da[10]. Im *Brief des Pastors* dient sie der Toleranzidee[11], die Goethes Leben fortan begleiten und sich bis zu der abgeklärten Altersmaxime Nr. 151 stufenweise vertiefen sollte.

Je deutlicher sich Goethes Einsicht in die Gesetzlichkeit seines eigenen Lebens, in die Gesetzlichkeit der Kunst und der Natur entfaltete – die *Italienische Reise* bezeichnet auch hier den entscheidenden Einschnitt –, um so gültiger, resultathafter, grundsätzlicher werden auch seine Sentenzen und Sprüche. Der *Lehrbrief* aus dem *7. Buch* von *Wilhelm Meisters Lehrjahren* und dessen in das *8. Buch* verstreuter zweiter Teil sind aufschlußreiche Beispiele für diese neue Stufe von Erkenntnis und Formulierung. Die frühen aphoristischen Äußerungen waren Pointierungen eines leidenschaftlich ringenden Gefühls und Geistes, intensiv erlebte Einzelheiten, die sich in konzentrierter sprachlicher Zuspitzung allgemein und absolut setzten. Auch sie mehr Ausdruck als Einsicht oder Erkenntnis, mehr der eignen Lebensbewältigung dienend als der Weltauslegung. Jetzt aber wächst aus dem Aphorismus die Reflexion, aus der Sentenz die Maxime heraus. Aphorismus heißt Abgrenzung, Aussonderung, Ausschließung. Eine hervorstechende Einzelheit wird isoliert, pointiert und als ein Allgemeines ausgesprochen. Im Grundsatz aber wird nicht das Besondere als ein Allgemeines gesetzt, sondern das Allgemeine des Besonderen, in dem es gründet und in das es eingestellt ist, gesucht und ausgesprochen. Zu ihm führt die Reflexion. Der späte Goethe offenbart auf diesem Wege in seinen Maximen *den höchsten Sinn im engsten Raum.*

Maximen und Reflexionen – so hat Goethe, der die beiden Begriffe auch sonst gern gebrauchte, 1822 auf einer Handschrift eine Reihe von Sprüchen und Betrachtungen bezeichnet. Danach und im Anschluß an Bd. 49 (1833) der *Ausgabe letzter Hand* hat Max Hecker in seiner gründlichen, authentischen Ausgabe von 1907 das ganze Goethesche Spruchwerk in Prosa benannt, und unter diesem Namen ist die Sammlung bis heute bekannt geworden. Die Nachlaßwalter hatten ihr in ihrer Ausgabe von 1840 in Analogie zu den *Sprüchen in Reimen,* die im gleichen Band abgedruckt wurden, den Titel ,,Sprüche in Prosa" gegeben, den G. v. Loeper im 19. Bd. (1870) der Hempelschen Ausgabe übernahm. Goethe selbst hat darüber hinaus die verschiedensten Bezeichnungen verwandt. Er spricht von *Einzelheiten* und *Bemerkungen,* von *Betrachtungen* und *Merkwürdigkeiten,* von *Aphorismen, Spänen, Sentenzen, Abstraktionen,* von *Sprüchen* und *Gnomen.* Wie sie ihm bei der Arbeit oder im Gespräch, beim Abfassen eines Briefes oder einer Eintragung ins Tagebuch einfielen, hat er sie auf Zetteln und alten Briefumschlägen aufnotiert, sei es als unmittelbare Eingebungen des Augenblicks oder als das letzte Glied einer langen Gedankenkette. Mannigfaltig wie die Bezeichnungen und Gelegenheiten sind die *Maximen und Reflexionen* in Gehalt und Form. Sie reichen von der fragmentarischen Notiz, die, leicht hingeworfen, nur dem eignen Gedächtnis dienen sollte und nie ausgeführt wurde, bis zur mit beschaulicher Behaglichkeit zu Ende gedachten und wohlausgewogenen Periode. Dazwischen liegt die ganze Fülle möglicher Formen: der zugespitzte Aphorismus, die pointierte, antithetische Definition, der lakonische Kommentar, das volkstümliche Sprichwort, das anschauliche Gleichnis, der anekdotische Erfahrungssatz, der postulatorische Imperativ, die spekulative Abstraktion, die historische Anmerkung, die abwägende Betrachtung, die esoterische Lebensweisheit, das geheimnisvolle Gesetz, der hintergründige Rätselspruch. Alle aber kreisen um die wenigen ersten ,,Grund"-sätze des Lebens und der Welt, nach denen Goethe sucht und die er in immer wieder neuen Formulierungen ehrfürchtig auszusprechen sich müht: die *physischen* oder *sittlichen Urphänomene*[12], welche allen Erscheinungen zugrunde liegen. *In mir lag entschieden und anhaltend das Bedürfnis*, sagt er einmal, *nach den Maximen zu forschen, aus welchen ein Kunst- oder Naturwerk, irgend eine Handlung oder Begebenheit herzuleiten sein möchte*[13]. Das Entdecken eines solchen Grundsatzes, als Ergebnis anhaltenden und selbstlosen Betrachtens, Sich-Versenkens in den Gegenstand, nennt er *Aperçu: ein Gewahrwerden dessen, was eigentlich den Erscheinungen zum Grunde liegt*[14].

Aber Goethe will nicht einfach Resultate weitergeben, er will auf den Weg weisen, wie sie gefunden werden. Er ist Lernender und Lehrer zugleich, Empfangender und Weisender. *Resultate waren es*, heißt es von den *Heften kurzer, kaum zusammenhängender Sätze*, die Wilhelm Meister in *Makariens Archiv* vorfindet, *die, wenn wir nicht ihre Veranlassung wissen, als paradox erscheinen, uns aber nötigen, vermittelst eines umgekehrten Findens und Erfindens rückwärtszugehen und uns die Filiation solcher Gedanken von weit her, von unten herauf wo möglich zu vergegenwärtigen*[15].

Zwei Grunderfahrungen gaben der Entwicklung des späten Goethe die entscheidende Richtung und darum auch dem Spätwerk der *Maximen und Reflexionen* sein unverkennbares Gepräge: das ,,Hervortreten des Objekts" und, damit zusammenhängend, die Bestimmung des Menschen als ,,Dasein in der Welt". Was heißt das? Es klingt wie verhaltene Resignation, wenn Goethe *1805* in den *Annalen* schreibt, wie ihm beim Wiedersehen bedeutender Naturgegenstände zum Bewußtsein kam, daß ihn der künstlerische Sinn *nach und nach zu verlassen drohte*. Aber es war in Wirklichkeit nur der Übergang zu einer neuen Lebenshaltung, einem neuen Weltverständnis, wie es von nun an sein Alter bestimmen sollte: *Da werden wir denn im ganzen bemerken, daß das Objekt immer mehr hervortritt, daß, wenn wir uns früher an den Gegenständen empfanden, Freud' und Leid, Heiterkeit und Verwirrung auf sie übertrugen, wir nunmehr bei gebändigter Selbstigkeit ihnen das gebührende Recht widerfahren lassen, ihre Eigenheiten zu erkennen und ihre Eigenschaften, sofern wir sie durchdringen, in einem höhern Grade zu schätzen wissen*. Er weiß jetzt: nicht der menschliche Geist, und schon gar nicht das Subjekt, gibt den Dingen ihre Gesetze, sondern umgekehrt von ihnen geht die Weisung aus, auf die der Mensch hören und der er sich anvertrauen muß. Die Welt *ist schon gemacht* und gefügt; die Objekte ,,sein" zu lassen und *rein zu vernehmen*, ist die Aufgabe des Menschen. ,,In der Welt sein" aber bedeutet, im Angesicht der Gesamtordnung der Weltdinge zu leben, nicht aber, sich Gegenstände einer andern Welt zu *imaginieren*. *Der Mensch ist als wirklich in die Mitte einer wirklichen Welt gesetzt* ... weiß die Maxime Nr. 58. Allein in der lebendigen Wechselwirkung mit dieser vor- und aufgegebenen Welt vermag er sein Dasein zu verwirklichen: *Der Mensch kennt nur sich selbst, insofern er die Welt kennt, die er nur in sich und sich nur in ihr gewahr wird. Jeder neue Gegenstand, wohl beschaut, schließt ein neues Organ in uns auf*[16]. In der Religion, in der Kunst, in der Natur, in der Wissenschaft, in der täglichen Erfahrung begegnet dem Menschen *Welt*. Davon handeln die *Maximen und Reflexionen*. Sie sind Weisen der Vermittlung des Menschen mit seiner Welt – das macht ihre Welthaltigkeit aus. *Wir wissen von keiner Welt als im Bezug auf den Menschen; wir wollen keine Kunst, als die ein Abdruck dieses Bezugs ist*, lautet die Maxime 725.

Die Wechselwirkung zwischen Mensch und Welt, in der der Mensch sein Dasein verwirklicht, heißt *Denken und Tun*. Das ist das eine große Grundmotiv, das sich durch die *Maximen und Reflexionen* wie ein roter Faden hindurchzieht. Denken und Tun, genauer: das Verhältnis zwischen beiden ist auch das Goethesche Lebensthema gewesen. Man hat diese Doppelheit seiner Existenz, dieses immerwährende Gegen- und Miteinander des Produktiven und Reflektiven, des Tätigen und Nachdenklichen auch als das Prometheische und Epimetheische[17] seiner Natur zu fassen gesucht. Nicht mit Unrecht. Aber diese Bestimmung trifft nur bestimmte Formen und Stufen des Goetheschen Denkens und Tuns. Es wäre auch zu einfach, das Vorwalten des aktiven Elements in die Jugend- und Mannesjahre, das Hervortreten des besinnlich-denkerischen aber in die Altersepoche verweisen zu wollen. So wahr Goethes eignes Wort ist: *Wenn dem früheren Alter Tun und Wirken gebührt, so ziemt dem späteren Betrachtung und Mitteilung*[18], ebenso gilt die angeeignete Maxime (Nr. 1329): „*Wenn man alt ist, muß man mehr tun, als da man jung war.*" Nicht um Denken oder Tun also geht es, sondern um das rechte Verhältnis beider. Die Begriffe haben im Laufe des Goetheschen Lebens eine folgenreiche Umdeutung erfahren. Nicht das ist das Entscheidende, daß die eine Seite mehr hervortritt, sondern daß beide dem späten Goethe etwas ganz anderes bedeuten. Um diesen Sinn und um das richtige Verhältnis hat sich der Dichter sein Leben lang abgemüht.

Den äußersten Gegensatz zur Goetheschen Altersposition erblicken wir in Faust. Bei der Bibelübersetzung (Bd. 3, S. 44) stellt er *Wort* und *Tat* gegeneinander, ersetzt das eine durch das andere. Zwischen dämonischer Tat und unbefriedigtem Erkenntnisdrang wird er hin und her gerissen; aus der Höhe der Betrachtung stürzt er immer wieder hinab in die Tiefe verworrenen, frevelnden Handelns. Sein Tun wie sein Betrachten ist ohne *Folge*. Auch Wilhelm Meister, wenngleich in anderm Sinne, schwankt zwischen Denken und Tun. Die *Lehrjahre* formulieren präzis den nie ganz zu überwindenden Widerspruch: *Der Sinn erweitert, aber lähmt; die Tat belebt, aber beschränkt*[19]. Oder an anderer Stelle, im *Lehrbrief: Handeln ist leicht, Denken schwer; nach dem Gedanken handeln unbequem ...*[20]. Dem späten Goethe aber geht es um die tätig-lebendige Überwindung gerade dieses Widerspruches, der dem rationalen Begreifen allein unauflösbar bleiben muß. Das aber gelingt nur, wenn, wie es die Maxime Nr. 442 formuliert, *Tat dem Urteil, Urteil der Tat zum Leben hilft*. Schon 1798 hatte Goethe an Schiller geschrieben, daß ihm *alles verhaßt* sei, *was mich bloß belehrt, ohne meine Tätigkeit zu vermehren oder unmittelbar zu beleben*[21]. Aufgabe der Wissenschaft wie der Kunst und des tätig-sittlichen Lebens ist es, das Unendliche mit dem Endlichen zu vermitteln (Nr. 1038), die Bereiche des Ewigen und des Vergänglichen *gegeneinanderzuarbeiten*. Das geschieht durch das von der Vernunft geleitete Tun, durch das sich im wirklichen Leben vollziehende Denken des Menschen. Wie für die Kunst und das sittliche Handeln gilt es vor allem von der Wissenschaft. Sie muß ins lebendige Leben eingreifen, *daß sie das Staunen, wozu wir von Natur berufen sind, einigermaßen erleichtere* (Nr. 303). Ebenso muß das handelnde Leben auf die Wissenschaft zurückwirken, um sie lebendig, tüchtig und wirklich zu erhalten, um ihr immer neuen Weltstoff zuzuführen: *Denken und Tun, Tun und Denken, das ist die Summe aller Weisheit, von jeher anerkannt, von jeher geübt, nicht eingesehen von einem jeden. Beides muß wie Aus- und Einatmen sich im Leben ewig fort hin und wider bewegen; wie Frage und Antwort sollte eins ohne das andere nicht stattfinden ...*[22]. Hier deutet sich eine Möglichkeit an, daß der Sinn erweitert, ohne zu lähmen, die Tat belebt, ohne zu beschränken. Die Theorie muß im Leben verwirklicht, das Leben von Theorie durch-strahlt werden. Aber nicht im stoßweisen Wechsel sollen beide aufein-ander folgen und gegeneinander wirken. Das eine muß im andern ge-genwärtig sein. Nicht wie bei Faust sollen Tat und Kontemplation ein-ander aufreiben, sondern Denken und Tun sollen sich aneinander orien-tieren und prüfen. Das Denken ist nicht mehr unbefriedigtes Unend-lichkeitsstreben, das Tun nicht mehr unbedingte Tat (vgl. Nr. 1081). Hatte Faust Wort und Tat gegeneinandergestellt, das eine anstelle des andern zu setzen versucht, so können beide jetzt im Wechsel füreinan-der eintreten. Das Denken handelt, indem es denkt; das Tun denkt, indem es handelt. Das *Denken* erfährt die Wahrheit im Auffassen des Besonderen in seinem Wesen, strebt nicht mehr nach unbedingter Ver-schmelzung mit dem *Einen*, das dadurch entgeistigt würde. Tun meint wissenschaftliche und handwerkliche entsagende Beschränkung auf meisterliches Kennen und Können, nicht mehr verzweifelte dämonische Tat. Der Mensch strebt nach Weisheit für sich, nach verantwortungs-vollem, sorgendem und liebendem Tun für andre. So aber wollen die *Maximen und Reflexionen* verstanden sein: als Wechselsprüche zwi-

schen Denken und Tun. Es sind keine statischen Sätze, sondern fortwir-
kende Lebenserfahrungen: eine verweist auf die andere. Die Reflexion
bedenkt das Getane, die Maxime fordert das Tun des Bedachten.

Das andere große Thema der *Maximen und Reflexionen*, von Paul
Stöcklein erhellend beschrieben[23], ist *das alte Wahre*. Bedeutungsvoll
schlägt die erste Maxime der Reihe *Betrachtungen im Sinne der Wanderer* dieses Thema an: *Alles Gescheite ist schon gedacht worden, man
muß nur versuchen, es noch einmal zu denken* (Nr. 373). Es ist die
Grundüberzeugung des späten Goethe, daß der Mensch nichts von sich
aus vermag, daß er nie am Anfang steht, daß er immer schon ein Heran-
kommender ist. Nicht er bringt aus seinem beschränkten Individuum
das Wahre hervor, nicht er setzt es in die Welt, sondern er empfängt es
von weit her, als jeweils letztes Glied in einer langen Kette des Denkens
und Überlieferns. Makarie, die Weise der *Wanderjahre*, spricht es aus:
*Ist man treu, das Gegenwärtige festzuhalten, so wird man erst Freude
an der Überlieferung haben, indem wir den besten Gedanken schon
ausgesprochen, das liebenswürdigste Gefühl schon ausgedrückt finden.
Hiedurch kommen wir zum Anschauen jener Übereinstimmung, wozu
der Mensch berufen ist, wozu er sich oft wider seinen Willen finden muß,
da er sich gar zu gern einbildet, die Welt fange mit ihm von vorne an*[24].
Mit aller Schärfe hat Goethe, im Sinne von Nr. 371, seine Einsicht im
Gegensatz zu dem Subjektivismus und der Originalitätssucht der Moderne im Brief an Zelter vom 2. Januar 1829 polemisch formuliert: *Die
Hansnarren wollen alle von vorn anfangen und unabhängig, selbständig, original, eigenmächtig, uneingreifend, gerade vor sich hin, und wie
man die Torheiten alle nennen möchte, wirken und dem Unerreichbaren genug tun.* Es ist das Resultat eines langen Lebens: *Das Wahre war
schon längst gefunden, Hat edle Geisterschaft verbunden, Das alte
Wahre, faßt es an!*[25] (= ergreif es und nimm es in Angriff!). Der
Mensch muß versuchen, das alte Wahre, das sich nicht von selbst sichtbar und anerkannt in der Welt hält, zu wiederholen – wiederzuholen,
d. h., falls es in Vergessenheit geriet, es heraufholend zu erinnern. Alles
wahre Forschen, Denken und Handeln ist auf die alte, dem Menschen
übergebene und anvertraute Wahrheit gerichtet, an der er festhalten
muß, will er sich nicht von seiner eignen Mitte, von seinem eignen
Wesen entfernen. Der haltende Grund der Erkenntnis liegt im Anschluß an ein Vorhandenes, Überliefertes und in der gründlichen Erfassung eines anfänglich gegebenen Wahrheitsbestandes. Darum begehrt
Goethe auf, wenn er die Entwicklung der Moderne aus der Kontinuität
dieser Überlieferung herausfallen sieht, wie bei Newton und den Romantikern[26]. In allem Denken und Erkennen sieht er letztlich Neuformulierung, Wiederaneignung, Erinnerung des Entgleitenden oder Ver-
gessenen (vgl. Nr. 809; 805–808).

Das Wahre ist das Alte. Aber dieser Satz läßt sich nicht auch umkehren. Goethe war sich der verfälschenden und verdeckenden Möglichkeit der Tradition wohl bewußt. Gerade darum ist ja das Wiederaussprechen des alten Wahren Neuformulierung, Neuaneignung (vgl. Nr. 375 u. 382). Mit Entschiedenheit hat er sich dagegen verwahrt, ein *Freund des Bestehenden* genannt zu werden[27]. Die *Maximen und Reflexionen* sind selbst das beste Beispiel für das, was Goethe unter Neuformulieren, Weiterdenken, Wiedererinnern versteht. Es bedeutet Anknüpfen, Empfangen, Aneignen, Weitergeben. Goethe selbst hat keinerlei Anspruch auf Originalität seiner *Maximen und Reflexionen* erhoben, und dennoch, gerade darum vielleicht, enthalten sie Äußerungen, die zum Tiefsten gehören, was er zu geben hatte. Sie sind ein Gespräch mit den großen Geistern des Abendlandes über die Jahrhunderte hinweg. Ein großer Teil der Sprüche sind Zitate, die Goethe zuweilen einfach übernommen, manchmal erweitert und fortgeführt hat. Nicht immer sind sie durch Anführungsstriche gekennzeichnet. In nicht wenigen Fällen ist uns die Quelle bis heute nicht bekannt. *Eignes und Angeeignetes* steht organisch nebeneinander. In *Ottiliens Tagebuch* gibt der Dichter selbst einen Hinweis auf diesen Charakter seiner Sprüche: *Einen guten Gedanken, den wir gelesen, etwas Auffallendes, das wir gehört, tragen wir wohl in unser Tagebuch. Nähmen wir uns aber zugleich die Mühe, aus den Briefen unserer Freunde eigentümliche Bemerkungen, originelle Ansichten, flüchtige geistreiche Worte auszuzeichnen, so würden wir sehr reich werden*[28]. Goethe hat sich diese Mühe genommen, um reich zu werden. Schon in frühster Jugend sind seine Tagebücher und Notizhefte voll von Gedankensplittern großer Vorgänger oder bedeutender Zeitgenossen. Diese Neigung zum Sammeln und Aufbewahren ist im Lauf seines Lebens nur stärker geworden. Epiktet, Marc Aurel, die französischen Moralisten des 16. und 17. Jhdts., der derbe deutsche Zincgref, der sprühende Lichtenberg sind einige der Geister, mit denen er umgeht. Hippokrates, Aristoteles, Platon, Plotin werden zitiert und gewürdigt. Aus dem „Koran" Griffiths – Goethe schrieb ihn noch Lawrence Sterne zu – macht er sich längere Auszüge[29]. Dankbar nimmt er das Empfangene auf, um es für die eigne Welterkenntnis fruchtbar zu machen. Nicht nur aus der großen philosophischen und religiösen Tradition, auch aus dem reichen Schatz der volkstümlichen Sprichwörterweisheit, aus den Gesprächen und Briefen der Freunde weiß er zu schöpfen.

Wenn Goethe immer wieder an Überliefertes anknüpft, so tut er es darum, weil er weiß, daß der Mensch ein geschichtliches Wesen ist. Er begegnet der Welt nicht unvermittelt, sondern als einer bereits ausgelegten. An diese Auslegung muß er anschließen, will er die Gegenstände befragen und antworten lassen. Das ist der Sinn der Maxime Nr. 517:

Mit den Ansichten, wenn sie aus der Welt verschwinden, gehen oft die Gegenstände selbst verloren. Kann man doch im höheren Sinne sagen, daß die Ansicht der Gegenstand sei (vgl. Nr. 518, 519). Nur durch Hinhören auf die überkommenen Ansichten und gleichzeitiges prätentionsloses Sich-Versenken in die Weltdinge vermag der Mensch Objekt und Erkenntnis, Gegenstand und benennendes Wort zur Deckung zu bringen, nur so aufzuweisen, wo diese Deckung verlorengegangen ist. Wegen der *Wandelbarkeit des Worts* (Nr. 1024) bedarf es dazu aber der Durchbrechung konventioneller, erstarrter Begriffe, der Ersetzung bloßer *Surrogate* (Nr. 389) durch die Sache selbst, der Neufüllung leer und blaß gewordner Worte durch den wiedergewonnenen Sinn (Nr. 388–390).

Goethe geht es darum, das objektiv Wahre in der Welt zu halten oder, wo es schon entglitten ist, erinnernd wieder hereinzuholen. Diesem Anliegen gelten die *Maximen und Reflexionen* in ihrer durchaus dienenden, vernehmenden Grundhaltung. In allen Phänomenen suchen sie das zugrunde liegende, verbindende Gesetz. In Kunst, Wissenschaft, Geschichte und Menschenleben weisen sie auf die Manifestationen des alle Bereiche zusammenhaltenden *Einen, das sich vielfach offenbart*[30]. Es ist der Symbolcharakter der Welt, den der Betrachter wie der Dichter Goethe in allen Dingen zu erschließen sucht. Nicht zufällig stehen in den *Maximen und Reflexionen* die klassischen Formulierungen seines *Symbol*-Begriffs[31]. Der Würde des Anliegens entspricht die Form. Die pointierten, witzigen Einfälle sind durchaus in der Minderzahl. Selten ist die Goethesche Maxime geistreich oder elegant wie der Aphorismus der französischen Moralisten. Ihr haftet eher etwas Sprödes, Stockendes, Schwerflüssiges, manchmal Umständliches, dann wieder Lakonisch-Gedrängtes, Orakelhaftes an. Das entspricht dem uneingeschränkten Vorrang des Objekts vor dem aussprechenden Subjekt. Die Goethesche Sprechweise scheint sich immer wieder neu am Gegenstand orientieren, sich von ihm korrigieren lassen zu wollen. Zugleich sind seine Sprüche weder politisch noch psychologisch. Sie gehen immer wieder von der Welt im ganzen aus. Nicht die ungewöhnliche Abweichung, sondern das gründende Gesetz erscheint in ihnen als das Außerordentliche, nicht das sprühend Wechselnde, sondern das Bleibende. Goethe will nicht entlarven, wie La Rochefoucauld, er will zusammenbinden und zusammenhalten. Auch dem von ihm hoch geschätzten Lichtenberg (Nr. 419, 420) steht er im Grunde fern. Scharfsinnig und geistreich, pointiert und zugespitzt kommentiert Lichtenberg die wechselnde Mannigfaltigkeit der Menschen und Begebenheiten. Aber seine Lebens- und Welterfahrung selbst bleibt dabei aphoristisch; und dem entspricht die Vereinzelung und Isoliertheit der Gedanken und Stimmungen in seinen Reflexionen. Anders steht es schon mit dem Aphorismenwerk der deutschen Romantiker. In ihm wird eine Welt entworfen. Aber im Unterschied zu Goethe soll dieser Entwurf der Welt in einem progressiven Prozeß, von Fragment zu Fragment, sich erst vollenden. Es ist nicht die vorgegebene gegenständliche, in ihrer Ordnung und Gefügtheit auszulegende Welt, wie bei Goethe, sondern eine intellektuelle, zu errichtende, im Selbstbewußtsein des Geistes sich erst verwirklichende. Die Endlichkeit und Begrenztheit des Menschen und seiner Welt ist aber gerade Voraussetzung und Resultat aller Goetheschen Besinnung: *Willst du ins Unendliche schreiten, Geh nur im Endlichen nach allen Seiten*[32].

Es gehört zu den Eigentümlichkeiten des Goetheschen Alters, daß er in ironischer Selbstbeschränkung oft gerade das Hintergründige und Bedeutende wie beiläufig und im Nebensatz ausspricht, daß er das Tiefe gefällig sagt. Es ist die Ehrfurcht vor dem *Unerforschlichen*. Alles menschliche Wissen stößt auf seine Grenze: *Das schönste Glück des denkenden Menschen ist, das Erforschliche erforscht zu haben und das Unerforschliche ruhig zu verehren* (Nr. 718). In solchen Sprüchen der Weisheit haben die Maximen immer wieder ihre bedeutungsvollen Gelenkstellen. Sei es über Gott und Natur: *„Ich glaube einen Gott!"* ... (Nr. 1), über die Religionen: *Wir sind naturforschend* ... (Nr. 49), *Es gibt nur zwei* ... (Nr. 52), über die Bibel: *Deshalb ist die Bibel* ... (Nr. 64), die Geschichte: *Wir alle leben* ... (Nr. 94), *Das Beste, was wir* ... (Nr. 216), das Leben: *Das Höchste, was wir* ... (Nr. 227), über das Staunen: *Die Wissenschaft hilft uns* ... (Nr. 303), die Manifestation des Schönen: *Das Schöne ist eine* ... (Nr. 719), die Erfahrungen des Menschenlebens: *Ich bedaure die Menschen* ... (Nr. 1038), *Gegen große Vorzüge* ... (Nr. 1271), *Die ungeheuerste Kultur* ... (Nr. 1300) und die menschlichen Lebensalter: *Jedem Alter des Menschen* ... (Nr. 1315).

Was die *Maximen und Reflexionen* zu einem so unvergänglichen Buch der Weisheit macht, ist die ehrfürchtige Frömmigkeit, die religiöse Verantwortung, mit der hier ein dem Tode entgegenlebender Greis die Resultate seines langen Daseins gibt. Sie sind im Angesichte des Unerforschlichen geschrieben, das der späte Goethe an einer entscheidenden Umbruchstelle der Geschichte gegen alle Auflösungen und Verdeckungen noch einmal geltend zu machen suchte. Es besteht kein Zweifel: die neuzeitliche Geschichte ist über ihn hinweggegangen – er hat es selbst noch kommen sehen. Aber er hat ebenso unbeirrbar an dem Zusammenhang der abendländischen Geschichte festgehalten wie an der Überzeugung, daß das hohe Alter sich beruhigen darf *in dem, der da ist, der da war, und der da sein wird* (Nr. 1315): *Ich gehe in meinem Wesen so fort und suche zu erhalten, zu ordnen und zu begründen, im Gegensatz mit dem Lauf der Welt*[33].

Überlieferung und Anordnung

Von den rund 1400 Nummern der *Maximen und Reflexionen*, die Goethe fast ausschließlich in den letzten drei Jahrzehnten seines Lebens auf losen Blättern, alten Papierfetzen und Briefumschlägen, auf Theaterzetteln und schematischen Entwürfen, auf Notizzetteln und Briefkonzepten niederschrieb, hat er nur einen Teil, etwa 800 an der Zahl, selbst der Veröffentlichung übergeben. Die erste Reihe erschien 1809 in den *Wahlverwandtschaften* als Teil von *Ottiliens Tagebuch*. 1810 folgten die Aphorismen im zweiten Band der *Farbenlehre*. Als Goethe 1816 seine Zeitschrift *Über Kunst und Altertum* gegründet hatte, sah er darin eine willkommene Gelegenheit, seine Sprüche verstreut mitzuteilen. In den Heften von 1818–1827 findet sich eine Anzahl von zusammenhängenden Reihen. Auch die *Hefte zur Morphologie* und *zur Naturwissenschaft* (1822/1823) enthalten Maximen und Reflexionen, besonders naturwissenschaftliche. Die umfangreichsten Gruppen aber fügte Goethe als *Betrachtungen im Sinne der Wanderer* und *Aus Makariens Archiv* dem *2.* und *3. Buch der Wanderjahre* bei, als diese 1829 in der endgültigen Fassung erschienen. (Über die Veranlassung dazu vgl. Bd. 8, Kommentar.) Sehr vieles jedoch wurde so, wie es sich auf den verstreuten Zetteln fand, von Eckermann und Riemer erst aus dem Nachlaß herausgegeben. Obgleich nun auch die von Goethe selbst veröffentlichten Reihen Maximen über Kunst, Literatur, Natur, Religion, Ethisches in wechselnder Folge enthalten, so ist doch in allen die sinnvoll ordnende Hand des Dichters mehr oder weniger deutlich zu erkennen. Nach dem von Goethe so häufig angewandten Verfahren der Analogie, der Antithese oder der wechselseitigen Spiegelung verweisen die Sprüche jeweils aufeinander und geben dadurch den Gruppen eine innere Struktur. Diese Ordnung ist in einigen Reihen strenger, in anderen willkürlicher durchgeführt. Am sichtbarsten wohl in den *B. d. W.* und *A. M. A.*, die auf diese Weise der Struktur des Gesamtromans fester eingegliedert sind. Die sinnvolle innere Anordnung vor allem dieser Gruppen hat in neuerer Zeit besonders W. Flitner[34] aufzuweisen versucht. Nun berichtet Eckermann zwar unter dem 15. Mai 1831, Goethe habe gewünscht, die *B. d. W.* und *A. M. A.* in künftigen Ausgaben wieder aus dem Roman herauszunehmen und sachlich aufzugliedern[35]. Seitdem fehlen sie in den späteren Ausgaben der *Wanderjahre*[36]. Eckermanns Angaben sind aber durch die Forschungen Max Wundts[37] als irreführend erwiesen. Wenn Goethe auch äußerliche Gründe für die Einordnung in die *Wanderjahre* angab, so läßt sich doch zeigen, daß er die beiden Spruchsammlungen als integrierenden Bestandteil des Romans aufgefaßt wissen wollte. Auf die innere Beziehung zwischen den *Wanderjahren* und dem Maximenwerk haben wir schon hingewiesen.

Dennoch blieb das Problem der Anordnung des Gesamtbestandes der *Maximen und Reflexionen* offen, da ja der ganze Nachlaß ungeordnet vorlag. So hat die fernere Überlieferung immer wieder zwischen einer konservativ die Goetheschen Gruppen bewahrenden und einer nach sachlichen Gesichtspunkten neu ordnenden Edition geschwankt. Eckermann und Riemer haben in der Ausgabe von 1840 der von Goethe gewünschten Einteilung in Kunst, Natur, Ethisches und Literarisches folgend – wenn auch nicht klar gruppierend und vor allem nicht vollständig – das Maximenwerk unter dem Titel „Sprüche in Prosa" herausgegeben. Ihnen folgte 1870 G. v. Loeper im 19. Bd. der Hempelschen Ausgabe. Das Bedenkliche dieser Edition bleibt die Vermischung des historisch-konservativen mit dem sachlichen Prinzip. Es ist das Verdienst Max Heckers, in seiner kritischen, authentischen und nahezu vollständigen Ausgabe der *Maximen und Reflexionen* nach den Handschriften (Schriften der Goethe-Gesellschaft 21, Weimar 1907) hier klar geschieden und damit die philologische Grundlage für alle späteren Ausgaben geschaffen zu haben. Hecker gibt die von Goethe selbst veröffentlichten Gruppen unverändert in chronologischer Reihenfolge. Lediglich für den Nachlaß verwendet er, Goethes Anregung folgend, die sachliche Gliederung in drei Gruppen. Immer wieder aber wurde das Bedürfnis gespürt, das Ganze des Goetheschen Maximenwerks in einer überschaubaren Gruppierung nach Sachgebieten vor sich zu haben. Das wird besonders verständlich, wenn man bedenkt, daß es nur auf diese Weise möglich ist, alle verwandten Maximen und Reflexionen Goethes über einen bestimmten Gegenstand zusammenzubringen. Freilich sind dafür die drei bisher üblichen Gruppen nicht ausreichend. So mußten die zunächst versuchten systematischen Ausgaben wie die von Loeper und Harnack Kompromisse bleiben. Am weitesten ging Ermatinger im 4. Bd. der Bongschen Ausgabe in dem Versuch einer Neuordnung. Er hat das Unbefriedigende der Einteilungskategorien gespürt und sich zu einer radikalen Umgruppierung entschlossen. Aber seine Systematisierung entbehrt nicht des Gewaltsamen; vor allem ist die Sammlung durch seine nunmehr zu große Anzahl von Ordnungskategorien unübersichtlich geworden. Robert Petsch entschloß sich in der Festausgabe (Bd. 14, Bibliographisches Institut, 1926) wieder zu der Heckerschen Anordnung, der auch Jutta Hecker in ihrer etwas gekürzten Volksausgabe von 1942 und Stöcklein in Bd. 9 der Artemis-Ausgabe (1949) folgten. Die erste übersichtlich nach einigen großen sachlichen Gesichtspunkten gruppierte und auch im einzelnen einleuchtend geordnete Ausgabe der *Maximen und Reflexionen* ist die von Günther Müller (Kröners Taschenausg. Bd. 186, Stuttg. 1944 u. ö.). Diese Ausgabe ist zugleich die vollständigste, da sie über die Heckersche hinaus noch die bisher fehlenden Nummern aus der *Farbenlehre* mitabgedruckt hat. Sie enthält ferner einen umfangreichen modernen Kommentar, der freilich in erster Linie den Naturforscher und Morphologen Goethe berücksichtigt.

Unsere eigne Ausgabe ist allen Vorgängern, insbesondere aber Max Hecker und Günther Müller verpflichtet. Sie versucht ihrerseits eine ganz neue, diesmal durchgängig nach einheitlich sachlichen Gesichtspunkten gegliederte Anordnung unter acht großen Kategorien, die den Lebens- und Erkenntnisbereichen entsprechen, auf die auch in den andern großen Alterswerken und in den Gesprächen und Briefen die Aufmerksamkeit des späten Goethe vorzüglich gerichtet war: Gott und Natur, Religion und Christentum, Gesellschaft und Geschichte, Denken und Tun, Erkenntnis und Wissenschaft, Kunst und Künstler, Literatur und Sprache, Erfahrung und Leben. Diese Neuordnung bietet den Vorteil, daß das ganze Werk im Zusammenhang, wie ein Lesebuch, ohne Gedankensprünge gelesen werden kann und zugleich der wissenschaftlich Arbeitende jede Maxime auch dann, wenn ihm der Anfang oder ein kennzeichnendes Stichwort entfallen ist, leicht findet. Alle Maximen z. B. über Symbol, Urphänomen oder Mathematik sind jeweils an einer Stelle vollzählig zusammengefaßt. Dabei folgen wir im einzelnen, wo es sich irgend ermöglichen ließ, der Goetheschen Anordnung. Der Leser hat zugleich die Möglichkeit, die Maximen *Aus Ottiliens Tagebuche* sowie die *Betrachtungen im Sinne der Wanderer* und *Aus Makariens Archiv* in den *Wahlverwandtschaften* (Bd. 6) und den *Wanderjahren* (Bd. 8) auch in der ursprünglichen Reihenfolge abgedruckt zu finden. Unser Register verzeichnet ferner bei jeder Maxime auch die Nummer der Heckerschen Ausgabe und die Quelle. Der Text ist vollständig und bringt über die Ausgabe G. Müllers hinaus noch eine Nachlese aus *Über Kunst und Altertum* (632–34, 831, 1004/05, 1012/13, 1020). Die Textgestaltung folgt im Wortlaut der historisch-kritischen Ausgabe von M. Hecker.

[1] Aus dieser Zeit stammen nachweislich die Nrn. 1139, 1288 u. 795. – [2] An Rochlitz, 29. März 1801. – [3] An Seebeck, 3. Januar 1832. – [4] Bd. 2, S. 8 f. – [5] An Zauper, 7. September 1821. Bd. 8, S. 521. – [6] Bd. 7, S. 290, 4–6. – [7] Vgl. z. B. 9,5, 11,14–16, 13,16–18, 27,6 f., 224,30 f., 227,20–24, 230,33–35, 231,12–15, 231,20 f., 231,30–32, 232,20–23, 236,16–18. – [8] Vgl. z. B. an Hetzler, 24. August 1770: *Wir müssen nichts sein, sondern alles werden wollen.* Siehe auch die „Späne" in der Weim. Ausg. I, 38, S. 481–501. – [9] Über das aphoristische Element und die Spruchform in Goethes Entwicklung vgl. besonders Gerhart Baumann, Maxime und Reflexion als Stilform bei Goethe. Karlsruhe o. J. (1949) = Phil. Diss. Freiburg 1947 und Wolfgang Preisendanz, Die Spruchform in der Lyrik des alten Goethe und ihre Vorgeschichte seit Opitz. Heidelberg 1952. = Heidelberger Forschungen, hrsg. v. P. Böckmann u. a. – [10] Vgl. die Nachrede Goethes zu den Rezensionen in den „Frankfurter Gelehrten Anzeigen" des Jahrgangs 1772, vom Dezember 1772. –[11] Vgl. die Anmkgn. zu S. 228–239. An Reinhard schreibt Goe-

the am 12. Mai 1826: *Glücklicherweise bleibt uns zuletzt die Überzeugung, daß gar vieles nebeneinander bestehen kann und muß, was sich gerne wechselseitig verdrängen möchte: der Weltgeist ist toleranter als man denkt.* – [12] Vgl. Nr. 15–20 und die Anmkg. dazu. – [13] ,,Biographische Einzelnheiten", *Aus meinem Leben, Fragmentarisches, Jugend-Epoche.* – [14] Vgl. die Anmkg. zu Nr. 365. – [15] Bd. 8, S. 124,39–125,6. – [16] Bd. 13, S. 38,9–12. – [17] Vgl. G. Baumann, a. a. O. S. 1ff. – [18] Bd. 2, S. 126,13f. Beachte den Spruch, mit dem die Einleitung der *Noten und Abhandlungen* zum *Divan* vielsagend beginnt. – [19] Bd. 7, S. 550,11f. – [20] Bd. 7, S. 496,12f. – [21] An Schiller, 19. Dezember 1798; vgl. Nr. 232. – [22] Bd. 8, S. 263,12 bis 17. – [23] Vgl. Paul Stöcklein, Wege zum späten Goethe. Hamburg 1949. S. 157–165. Ähnlich Stöckleins Einführung in die *Maximen und Reflexionen* in Bd. 9 der Artemis-Ausgabe (1949), S. 737–749. – [24] Bd. 8, S. 123,31–39. – [25] Bd. 1, S. 369: *Vermächtnis.* – [26] Vgl. die Anmkg. zu Nr. 502. – [27] Mit Eckermann, 4. Januar 1824. – [28] Bd. 6, S. 426, 2–7. – [29] Bd. 8, Anm. zu *Aus Makariens Archiv.* – [30] Bd. 1, S. 358: *Parabase.* – [31] Vgl. Nr. 745–752 und die Anmkg. dazu. – [32] Bd. 1, S. 304, Nr. 4. – [33] An Knebel, 24. November 1813. – [34] Vgl. besonders W. Flitner, Aus Makariens Archiv. In: Goethekalender des Frkf. Goethemuseums 36, 1943. S. 116–174. – [35] Gespräch mit Eckermann, 15. Mai 1831: ,,Wir wurden einig, daß ich alle auf Kunst bezüglichen Aphorismen in einen Band über Kunstgegenstände, alle auf die Natur bezüglichen in einen Band über Naturwissenschaften ihm allgemeinen, sowie alles Ethische und Literarische in einen gleichfalls passenden Band dereinst zu verteilen habe." – [36] Erst die Artemis-Ausgabe, Bd. 8 (1949) und die vorliegende Hamburger Ausgabe, Bd. 8 (1. Aufl. 1950) haben die ursprüngliche Gestalt der *Wanderjahre* wiederhergestellt. – [37] Max Wundt, Goethes Wilhelm Meister und die Entwicklung des modernen Lebensideals. 'Berlin u. Leipzig 1913. Anhang: Gehören die *B. d. W.* und *A. M. A.* zu den *Wanderjahren?* S. 493–509.

ANMERKUNGEN

1–11. Grundeinsichten des Goetheschen Gott- und Weltverständnisses, die, seit der *Italienischen Reise* gewonnen und befestigt, sich mit zunehmendem Alter vertieften und immer neuen Ausdruck fanden. Die Natur ist Erscheinung des Göttlichen, dessen Geheimnis sich in ihr offenbart. Wir können Gott nicht unmittelbar schauen und ergreifen, aber im *farbigen Abglanz*. Gott zeigt sich in der Welt, bleibt nicht außer ihr. *Ihm ziemt's, die Welt im Innern zu bewegen, Natur in Sich, Sich in Natur zu hegen,* so grenzt das Gedicht *Prooemion* den Goetheschen Gottesbegriff gegen die deistische, zugleich aber auch gegen eine vereinfachende pantheistische Auffassung ab. (Vgl. Bd. 1, S. 357 u. die Anmkg.) *Was kann der Mensch im Leben mehr gewinnen, Als daß sich Gott-Natur ihm offenbare?* heißt es im Gedicht auf Schillers Schädel

(Bd. 1, S. 367). Vgl. auch die Altersgedichte *Eins und Alles* und *Vermächtnis* (Bd. 1, S. 368 ff.). Weil Gott als *heilig öffentlich Geheimnis* im Zusammenhang der Dinge gegenwärtig ist, sind sie *wahr. Wie wahr, wie seiend!* ruft Goethe angesichts kleiner Seetiere in Venedig aus (Bd. 11, S. 93, 8). Jedem erkenntnistheoretischen oder logischen Wahrheitsbegriff liegt für Goethe ein ontologischer als Bedingung seiner Möglichkeit zugrunde, d. h. ein Sich-Zeigen, ein Wahrsein der Dinge noch vor aller Erkenntnis. Sich der Welt zuwenden, sich auf die Dinge in ihrer Wahrheit einlassen heißt sich Gott zuwenden. „In der Welt sein" bedeutet im Zusammenhang des göttlichen Ganzen stehen. Der antike Kosmosbegriff wirkt hier nach. Noch am 11. März 1832 sieht Goethe im Gespräch mit Eckermann die christliche Offenbarung mit dem Offenbarungscharakter der Natur als Welt zusammen: *Ich beuge mich vor ihm* (vor Christus) *als der göttlichen Offenbarung des höchsten Prinzips der Sittlichkeit. Fragt man mich, ob es in meiner Natur sei, die Sonne zu verehren, so sage ich abermals: Durchaus! Denn sie ist gleichfalls eine Offenbarung des Höchsten, und zwar die mächtigste, die uns Erdenkindern wahrzunehmen vergönnt ist.*

2–3. Mit polemischem Bezug auf eine Schrift des Jugendfreundes F. H. Jacobi. Vgl. *Annalen, 1811* (Bd. 10, S. 510,39–511,10): *Jacobi, „Von den göttlichen Dingen", machte mir nicht wohl; wie konnte mir das Buch eines so herzlich geliebten Freundes willkommen sein, worin ich die These durchgeführt sehen sollte: die Natur verberge Gott. Mußte, bei meiner reinen, tiefen, angebornen und geübten Anschauungsweise, die mich Gott in der Natur, die Natur in Gott zu sehen unverbrüchlich gelehrt hatte, so daß diese Vorstellungsart den Grund meiner ganzen Existenz machte, mußte nicht ein so seltsamer, einseitig-beschränkter Ausspruch mich dem Geiste nach von dem edelsten Manne, dessen Herz ich verehrend liebte, für ewig entfernen?* Vgl. auch das Gedicht *Allerdings* (Bd. 1, S. 359 u. die Anmkg.). Ferner Paralipomena zu den *Annalen* (Jub.-Ausg. 30, 402 f.) über Jacobi: *Jacobi hatte den Geist im Sinne, ich die Natur, uns trennte, was uns hätte vereinigen sollen* (S. 403). – Die Maxime Nr. 2 stammt von Schelling und ist wörtlich zitiert aus seiner 1812 erschienenen Schrift „F. W. J. Schellings Denkmal der Schrift von den göttlichen Dingen etc. des Herrn Friedrich Heinrich Jacobi und der ihm in derselben gemachten Beschuldigung eines absichtlich täuschenden, Lüge redenden Atheismus". (In: Schellings Sämmtliche Werke, Stuttg. u. Augsburg, 1. Abt., 8. Bd., 1861, S. 114, Z. 19 ff. = Unveränderter reprografischer Nachdruck der Wiss. Buchges.: Schelling, Ausgewählte Werke, Schriften von 1806–1813, Darmstadt 1968, S. 634.) Zu Goethes Übereinstimmung mit Schelling vgl. auch den Kommentar zu Bd. 1, S. 248. Schellings „Denkmal", aus dem Goethe die Maxime Nr. 2 zustimmend zitiert, richtet sich gegen die gleiche

Schrift Jacobis, ,,Von den Göttlichen Dingen und ihrer Offenbarung"
(Leipzig 1811), gegen die auch Goethes Maxime Nr. 3 polemisiert. Die
beiden streitbaren Formulierungen (Notizen aus Goethes Nachlaß) ge-
hören also sachlich und zeitlich unmittelbar zusammen. Das Zitat ,,Die
Natur verbirgt Gott" steht wörtlich in der genannten Schrift Jacobis
(F. H. Jacobi's Werke, 3. Bd., Leipzig 1816, S. 425 = reprografischer
Nachdruck der Wiss. Buchges., Darmstadt 1968).

4. Vgl. 2. Mose 3, 14, ferner Offb. 1, 4 und 8.

6. Vgl. auch Nr. 295.

7. Vgl. das Gespräch mit Eckermann vom 13. Februar 1829: ... *die Natur
versteht gar keinen Spaß, sie ist immer wahr, immer ernst, immer strenge, sie hat
immer recht, und die Fehler und Irrtümer sind immer des Menschen.* (Ähnlich
Weim. Ausg. II, 9, 225.) Hecker führt an Spinozas Ethik, Einl. zum 3. Teil:,,Nihil
in natura fit . . .".

8. Goethe übersetzte den Keplerschen Ausspruch aus einem lateinischen Brief
an Baron von Stralendorf vom 23. Oktober 1613.

9. Anspielung auf die Widerlegung der rationalen Deduktion des teleologischen
Gottesbeweises, der von der teleologischen, d. h. zweckvollen Einrichtung der
Welt auf einen planenden göttlichen Urheber schließt, in Kants ,,Kritik der reinen
Vernunft". *Brontotheologie* = Donnertheologie; *Niphotheologie* = Schneetheo-
logie. Vgl. den Gesang der Erzengel im *Prolog im Himmel* des *Faust.* Vgl. auch 1.
Kön. 19.

10. Vgl. Jost Schillemeit: ,,Historisches Menschengefühl". Über einige Aphorismen in Goethes ,,Wanderjahren". In: Wissen aus Erfahrungen. Festschr. f.
Herman Meyer. 1977. S. 282–299.

11. Vgl. dazu: *Das Wahre, mit dem Göttlichen identisch, läßt sich niemals von
uns direkt erkennen, wir schauen es nur im Abglanz, im Beispiel, Symbol, in
einzelnen und verwandten Erscheinungen; wir werden es gewahr als unbegreifliches Leben und können dem Wunsch nicht entsagen, es dennoch zu begreifen.*
(*Versuch einer Witterungslehre.* Bd. 13, S. 305, 26–31.)

12–14. *Idee* ist für Goethe das Absolute, das *ewig Eine, das sich
vielfach offenbart*, die göttliche Substanz, in der alle Erscheinungen
gründen, also nichts anderes als *das Wahre, mit dem Göttlichen identisch*. Darum gibt es auch nur die *eine* Idee, im Unterschied zur Plurali-
tät der *Urphänomene* (vgl. Nr. 15–20). Die *Urphänomene* vermitteln
die *Idee* zur *Erscheinung*. Während sie den jeweiligen letzten Grund
der verschiedenen Lebensbereiche darstellen, ist die Idee der letzte
Grund des Insgesamt aller dieser Bereiche. Die Makarie der *Wanderjahre* vermag im Sinne von Nr. 14 Idee und Erscheinung *als identisch*
anzuschauen, d. h. jene *zarte Empirie* auszuüben, von der Nr. 509
spricht. Für Idee sagt Goethe wohl auch das *Eine an sich.* Vgl. das
Gespräch mit Riemer vom 2. August 1807: *Wir sollten nicht von Dingen
an sich reden, sondern von dem Einen an sich. Dinge sind nur nach
menschlicher Ansicht, die ein Verschiedenes und Mehreres setzt. Es ist*

alles nur eins; aber von diesem Einen an sich zu reden, wer vermag es?
Vgl. auch Nr. 539, 730 u. 745. Weniger streng gebraucht Goethe freilich
den Plural *Ideen* gelegentlich auch im erweiterten Sinn; Nr. 541 z.B.
setzt eine Mehrzahl von Ideen voraus.

15–20. *Urphänomen* ist ein Goethescher Grundbegriff; er spricht
auch von *reinem Phänomen* oder *Haupterscheinung.* Gemeint ist das in
den Erscheinungen schau- und vernehmbare Wesen, das sie zusammenhält. Urpflanze, Urtier, Metamorphose, Magnetismus, Polarität und
Steigerung, aber auch die Liebe, die schöpferische Produktivität (vgl.
Nr. 758), der sittliche Wille usw. sind solche *physischen* oder *sittlichen
Urphänomene.* Das Urphänomen ist aber kein ideierter Begriff, liegt
nicht *hinter* den Phänomenen, sondern begegnet *in* den *rebus singulari-
bus* unmittelbar. Es zeigt sich nicht der abstrakten Spekulation, sondern
allein dem sich versenkenden, an das Objekt hingebenden Schauen. Es
ist das Höchste und Letzte, wozu die Erfahrung gelangt, und offenbart
sich nur als Geheimnis. Das Urphänomen ist das Phänomen selbst in
seiner Unverborgenheit und Offenbarkeit; es schauen bedeutet: dem
Phänomen auf den Grund sehen. *Man suche nur nichts hinter den Phänomenen: sie selbst sind die Lehre* (vgl. Nr. 488, ferner § *177* der *Farbenlehre;* dazu Nr. 531). Für Goethe gilt darum nicht die Unterscheidung von phainomenon und noumenon. Das Gewahrwerden des Ur-
phänomens ist vom *Erstaunen* begleitet. Das entspricht dem platonischen und aristotelischen ϑαυμάζειν. *Das Höchste, wozu der Mensch
gelangen kann, ist das Erstaunen, und wenn ihn das Urphänomen in
Erstaunen setzt, so sei er zufrieden; ein Höheres kann es ihm nicht
gewähren, und ein Weiteres soll er nicht dahinter suchen: hier ist die
Grenze* (zu Eckermann am 18. Februar 1829). Vgl. *Parabase* (Bd. 1,
S. 358): *So gestaltend, umgestaltend – Zum Erstaunen bin ich da;* dazu
Faust V. 6272: *Das Schaudern ist der Menschheit bestes Teil;* ferner
Nr. 303. Goethe spricht auch von *Angst,* die daher rührt, daß der gewohnte Zusammenhang der Dinge entgleitet und das Unvertraute, Ungeheure uns plötzlich überfällt. Mit der Diskussion um Urphänomen
und Idee begann die Freundschaft Goethes mit Schiller (vgl. *Paralipomena zu den Annalen, Erste Bekanntschaft mit Schiller. 1794).* Vgl.
ferner „Erfahrung und Wissenschaft" (1798; Bd. 13, S. 23 ff.) sowie
§ *175* der *Farbenlehre.* Dazu die Gespräche mit Eckermann vom 13. Februar 1829 und 21. Dezember 1831. Für die Beziehung zum Symbolbegriff s. Nr. 745–752. Vgl. auch K. Löwith, Goethes Anschauung der
Urphänomene und Hegels Begreifen des Absoluten. In: Von Hegel zu
Nietzsche, 2. Aufl., Stuttgart 1950, S. 20ff.

21. Zugrunde liegt Goethes Metamorphosenbegriff, die Vorstellung, daß in der
organischen Welt alle Wesen als Idee und Urphänomen zusammenhängen und
sich doch als Erscheinungen nach dem Gesetz der dynamischen Polarität von

Anziehung und Abstoßung, von *Systole und Diastole* (vgl. die Anmkg. zu Nr. 520) ins Mannigfaltige, in die *ewige Mobilität* der Formen sondern und individualisieren. Vgl. Bd. 8, Anmkg. zu *Betrachtungen im Sinne der Wanderer* 132. S. auch den Erdgeist im *Faust*.

22. C. G. *Carus* (1789–1869): von Goethes Morphologie unmittelbar beeinflußter Arzt, Naturforscher und Maler. Veröffentlichte 1843 sein feinsinniges Buch „Goethe. Zu dessen näherem Verständnis". Vgl. P. Stöcklein, C. G. Carus, Hamburg 1948. – C. G. D. *Nees* v. Esenbeck (1776–1858): angesehener Botaniker, mit dem Goethe im Gedankenaustausch über geheimste naturwissenschaftliche Entdeckungen und Erkenntnisse stand; vgl. seinen Brief an Goethe vom 5. April 1823 und Goethes Brief an ihn vom 29. September 1823.

23. Vor einem Mißbrauch der *Analogie* warnt Goethe z. B. in *Problem und Erwiderung* (Weim. Ausg. II, 7, 83): *Will er (der Botaniker) sich der Natur in Liebe ergeben, so mag die Idee der Metamorphose ihn sicher leiten, solange sie ihn nicht verführt Arten in Arten hinüberzuziehen, das wahrhaft Gesonderte mystisch zu verflößen.*

34. *stöchiometrisch* = chemisch meßbar.

36. Goethe denkt auch die Gestaltungen der anorganischen Welt nach Analogie der organischen Metamorphose. Das Urphänomen ist hier die *Kristallisation* und *Urdurchgitterung*.

38. Die Klammern verweisen auf den doppelten Sinn des *mit*. Im Verhältnis von *Stetigkeit* und *Gegensatz* stehen etwa Typus und Metamorphose, vis centripeta und vis centrifuga. Vgl. das *Immer wechselnd, fest sich haltend* in *Parabase* (Bd. 1, S. 358).

40. Vgl. Nr. 420.

42. Aus J. G. Schnabels „Insel Felsenburg".

43. *Albert Julius*: in H. G. Schnabels Robinsonade „Insel Felsenburg" der Stammvater einer Familie, die glücklich auf der weltfernen Insel lebt.

44–45. *Entelecheia* ist die *geprägte Form, die lebend sich entwickelt*. Goethe spricht auch von *Monade*. Zur Erklärung vgl. Bd. 3, Anmerkung zu *Faust* Vers 11934 ff. Ferner auch *Faust* V. 6840 ff. Goethe bestimmt die lebendigen Wesen nicht nach äußerem Bauplan und Einzelmerkmalen, sondern nach ihrem tätigen Weltverhältnis (Gegensatz zu Linnés Pflanzensystem). Dasein ist ihm um einen Richttrieb versammelte Tätigkeit, eingreifendes „In-der-Welt-Sein". Operatio est perfectio rei. Vgl. Nr. 47, 227–229 und die Anmkg. dazu.

46. Vgl. die Anmkg. zu Nr. 227.

48. Abgrenzung der voraussetzungslosen rationalen Naturwissenschaft der Moderne, wie sie Goethe in Newton entgegentrat, gegenüber der ganzheitlichen platonischen oder aristotelischen Naturbetrachtung, an welche Goethe anknüpft. Vgl. Nr. 662–664.

49. Fast wörtlich an Jacobi, 6. Januar 1813 (HA Briefe, Bd. 3, S. 220 ff.). Nicht unentschiedner religiöser Synkretismus, sondern Abweisung unannehmbarer Ausschließlichkeitsansprüche. Goethe kannte durchaus eine Rangordnung des Gottverhältnisses und der Religionen. Das Christentum erschien ihm im Alter als ein Höchstes und *Letztes, wozu die Menschheit gelangen konnte* (vgl. Bd. 8, S. 157,7 f. und das Gespräch mit Eckermann vom 11. März 1832; s. auch Goethes *Novelle*). Aber die christliche Offenbarung kommt in eine bereits religiös ausgelegte Welt, die durch deren Erscheinen keineswegs erledigt wird. S. den Schluß der

Anmkg. zu Nr. 1–11. Ferner den Brief an Boisserée vom 22. März 1831 (HA Briefe, Bd. 4, S. 424), wo sich Goethe ironisch-bedeutend zur Sekte der *Hypsistarier* bekennt. Vgl. A. Kippenberg, Die Hypsistarier. In (Jahrbuch) Goethe 8, 1943. S. 3–19.

56. Vgl. Faustens Verfluchung der christlichen Kardinaltugenden V. 1604–1606 und demgegenüber ihre Hochschätzung in den *Wanderjahren* (Bd. 8, S. 404). Zu *Pandora* vgl. in Bd. 5 das Drama *Pandora* und das Nachwort dazu.

57–58. Joh. G. Hamann (1730–1788) hat über Herder stark auf Goethes Sturm-und-Drang-Zeit eingewirkt. Vgl. *Dichtung und Wahrheit, 12. Buch.* Die zwei erwähnten Versuche fand Goethe in F. H. Jacobis „Werken", Bd. 4, 2. Abt. 1819. Vgl. Nr. 2–3 und die Anmkg. dazu. Nr. 58 deutet auf die Gefahr des Weltverlustes durch phantastische Spekulation über „Dinge einer anderen Welt" (Jacobi). Darin, daß *alle gesunden Menschen* unmittelbar *die Überzeugung ihres Daseins und eines Daseienden um sie her* haben, stimmt Goethe durchaus mit Kant (Kritik der reinen Vernunft, Vorrede zur 2. Aufl., Anm. zu BXL) überein.

64. Diese Maxime folgt in Goethes Reihe in *Über Kunst und Altertum* (1826) direkt auf unsere Nr. 715 und bezieht sich darauf.

69. Fragmentarische Nachlaßmaxime. Gedacht ist wohl daran, daß in beiden Fällen ein Auftrag des Vaters ergeht, einmal freilich als Liebestat, das andere Mal als Racheforderung. Das Gemeinsame läge darin, daß ein höchstes sittliches Wesen zugrunde gehen muß, um die aus den Fugen geratene Welt wieder einzurichten, zu erlösen. Das ist bei Christus *schlimmer*, weil er die ihm Zugehörigen mit in das Opfer hineinruft.

70–74. Goethe lehnte den *Mystizismus* ab, weil er die Welt preisgibt und transzendiert. Im *Transzendieren* aber hatte er die Hauptgefahr seines eignen Zeitalters erkannt (Romantik!). Vgl. Nr. 164 und den Brief an Zelter vom 6. Juni 1825. Der subjektiven Gefühlsfrömmigkeit und dem Versinken im *Abgrund des Subjekts* hält er den objektiven Ehrfurchtbegriff entgegen. Vgl. die Darstellung der Sakramente im 7. *Buch* von *Dichtung und Wahrheit* (Bd. 9, S. 288ff.). Die orientalische Sufik erhält den Vorzug, weil sie welthaltiger ist.

71. *Trophonios* = von der Erde verschlungener Baumeister der griechischen Sage, der aus einer schauerlichen Höhle Orakel erteilte, durch die die Ratsuchenden oft schwermütig wurden.

76. „Die Konvertiten werden bei mir kaltgestellt." Quelle unbekannt.

80. Herkunft des Zitats unbekannt.

82. Petsch vermutet, daß Goethe hier an den urchristlichen Kommunismus gedacht habe.

84. Mit Bezug auf eine Dürer-Anekdote in Zincgrefs „Der Teutschen Scharfsinnige kluge Sprüch, Apophtegmata genant" (Straßburg 1628).

85. „Schwelgerei des Glaubens". Formulierung aus Mme. de Staël: „De l'Allemagne" (1810).

92. Vgl. Hebr. 11, 1.

93. Im Brief an v. Voigt vom 29. März 1818 schreibt Goethe, *daß die Zeit ein Element ist, das nur Wert und Würde durch den Sinn des Menschen erhält.* Aufgabe des Menschen, zumal für den späten Goethe, ist es, die Elemente zu bewältigen, ihrer Herr zu werden. S. den *Versuch einer Witterungslehre* (1825). *Der Dilettantismus* z. B. vermag dieses Element nicht zu bewältigen, sondern *folgt der Neigung der Zeit* (Weim. Ausg. I, 47, S. 324). Vgl. aber auch Bd. 8, S. 405.

105. „Nichts von den sterblichen Dingen ist so unbeständig und flüchtig wie eine Macht, die sich nicht auf ihre eigne Kraft stützt" (Tacitus, Ann. 13, Kap. 19). Zitiert aus den „Apophtegmata" (vgl. Anmkg. zu Nr. 84).

106. Zum näheren Verständnis vgl. Bd. 2, S. 147 f.

108. Vgl. Bd. 8, Anm. zu *Betrachtungen im Sinne der Wanderer* 105.

110. Vgl. Bd. 8, S. 330, 11 f. und die Anmkg. dazu.

120. *Picarden* = Begharden = Mitglieder männlicher Laiengemeinschaften nach dem Vorbild der Beghinen im 13. Jhdt. mit häretischen Tendenzen. *Wiedertäufer* = revolutionäre Sekten der Reformationszeit.

121. Goethe denkt an die Französische Revolution.

124. Daß der Mensch seine Freiheit darin bewahrt, daß er entsagt, der Gemeinschaft *Einstand gibt*, ist ein Grundthema der *Wanderjahre*. Vgl. Nr. 1117.

126. S. auch Nr. 129. Vgl. Goethes Entsagungsbegriff.

128. Vgl. Jub.-Ausg. 9, 200.

131. Anspielung auf 1. Kor. 1, 23.

134–135. Über Goethes Verhältnis zu Napoleon und dessen *dämonischer* Natur vgl. P. Hankamer, Spiel der Mächte. Tbg. u. Stuttg. 1948, S. 91 ff. Siehe auch A. Fischer, Goethe und Napoleon, ²1900, und Ilse Peters, Das Napoleonbild Goethes in seiner Spätzeit, Goethe 9, 1944, S. 140–171; ferner R. Buchwald, Goethe und das deutsche Schicksal, München 1948, S. 257 ff. Vgl. *Dichtung und Wahrheit, 20. Buch;* das *Buch des Timur* im *Divan;* und die Gespräche mit Eckermann vom 7. April 1829 und vom 2. März 1831. Vor allem Goethes Bericht „Unterredung mit Napoleon" in den „Autobiographischen Einzelheiten" im Anhang der *Annalen* (Bd. 10, S. 543–547). – *Caput mortuum* bezeichnet einen Destillationsrückstand.

136. Vgl. Bd. 8, S. 407, 1–4 und 473, Nr. 88.

138. Vgl. Nr. 375.

140. Jules *Mazarin* (1602–1661) setzte Richelieus Politik fort.

142. Die modernen Tageszeitungen mit ihrer Sucht nach Aktualität waren Goethe symptomatisch für die auflösenden Tendenzen seines Zeitalters. Die *Annalen* berichten davon, wie er 1808 das Zeitunglesen einstellte. Noch oft spricht er später vom *Narrenlärm unserer Tagesblätter*. Vgl. Nr. 180.

143. Vgl. Bd. 1, S. 332, 170–172.

154. Vgl. Bd. 8, Anmkg. zu *A. M. A.* 66.

164. Vgl. die Anmkg. zu Nr. 70–74. Im Brief an Zelter vom 6. Juni 1825 heißt es: ... *alles aber, mein Teuerster, ist jetzt ultra, alles transzendiert unaufhaltsam, im Denken wie im Tun*. Nicht nur an Fichte und seine Schüler ist dabei zu denken.

165. Vgl. Nr. 791.

170. *tournure* = gewandtes Auftreten.

172. Vgl. J. Bab, Goethe und die Juden. Berlin 1926. Albert Fuchs, Goethe et Israël. Revue d'Allemagne 5, 1973, S. 523–572.

175. Angeregt durch W. Müllers Gedicht „Der kleine Hydriot" (1822). *Hydriot* = Bewohner der griechischen Insel Hydra. *Brander* = mit Pulver angefülltes Rammschiff.

176–177. Vgl. Bd. 8, *1. Buch, 4. Kapitel* u. den Kommentar dazu.

180. Vgl. Bd. 8, Anmkg. zu *B. d. W.* 39.

184. Vgl. Nr. 1137–1138.

187. Nach Plutarchs Cato-Biographie.

188. Herkunft des Zitats unbekannt.

194. F. *v. Raumer* (1781–1873), Schüler Joh. v. Müllers, ,,Geschichte der Hohenstaufen" (1823/1825). – Ludwig *Wachler* (1767–1838), ,,Lehrbuch der Geschichte" (1816), ,,Handbuch der Geschichte der Literatur" (1823/1824). Durch die Lektüre dieser Schriften veranlaßt sind auch Nr. 190, 191, 911, 912.

196. 1783 erfolgte der erste öffentliche Aufstieg der Brüder Montgolfier in Paris.

202. *gemütlich* = ansprechend, angenehm. S. auch Bd. 8, S. 297, Nr. 96, u. Anm.

216. Über Goethes Verhältnis zur Geschichte vgl. Friedrich Meinecke, Die Entstehung des Historismus. 2. Aufl. Leipzig 1946. S. 469–613.

218–219. Vgl. Bd. 8, Anmkg. zu *A. M.A.* 35 und 36.

227–231. Als zusammenhängende Reihe angeregt durch Ch. W. v. Schütz (1776–1847), ,,Zur Morphologie" (1821), eine von Goethe begrüßte Schrift, von der er im vierten Heft *Zur Morphologie* (1822) größere Auszüge abdruckte. Die Bestimmung des Menschen als *entelechische Monade* (an Zelter 19. März 1827; vgl. die Anmkg. zu Nr. 1314), die sich nach einem ihr einwohnenden Gesetz zielstrebig entwickelt, ist eine Goethesche Grunderfahrung. Vgl. Nr. 21, sowie Nr. 44 bis 45 mit zugeh. Anmkg. Der Begriff *Monas (Monade)* stammt aus der Antike und wurde von Giordano Bruno und Leibniz weiterentwickelt. Von da übernahm ihn Goethe in charakteristischer Umbildung. Er meint bei ihm gleichbedeutend mit dem auf Aristoteles zurückgehenden Begriff *Entelechie* die sich im Tätigsein verwirklichende unteilbare Lebenseinheit, das Geheimnis der Individualität (individuum ist ineffabile), das *Gesetz, wonach du angetreten* (vgl. *Urworte, Dämon.* Bd. 1, S. 359). Im Gespräch mit Falk an Wielands Begräbnistag (25. Januar 1813) sagt Goethe: *Ich nehme verschiedene Klassen und Rangordnungen der letzten Urbestandteile aller Wesen an, gleichsam der Anfangspunkte aller Erscheinungen in der Natur, die ich Seelen nennen möchte, weil von ihnen die Beseelung des Ganzen ausgeht, oder noch lieber Monaden – lassen Sie uns immer diesen Leibnizischen Ausdruck beibehalten! Die Einfachheit des einfachsten Wesens auszudrücken, möchte es kaum einen besseren geben.* Faust und Makarie sind große, bedeutende Monaden oder Entelechien im Goetheschen Sinne (s. Bd. 8, S. 449 ff. und die Anmkg. dazu).

232. Goethescher Grundsatz. Vgl. *Übrigens ist mir alles verhaßt, was mich bloß belehrt, ohne meine Tätigkeit zu vermehren oder unmittelbar zu beleben* (an Schiller, 19. Dez. 1798), ein Wort, das Nietzsche der ,,unzeitgemäßen Betrachtung" ,,Vom Nutzen und Nachteil der Historie für das Leben" voranstellte. Vgl. ferner den Kernsatz der *Wanderjahre: Denken und Tun, Tun und Denken, das ist die Summe aller Weisheit . . .* (s. im Zusammenhang Bd. 8, S. 263). S. auch Nr. 442.

238. Quelle: Plutarchs ,,Moralia". – Grumach S. 853.

242–244. Goethe ordnet das *Anschauen* dem rationalen *Denken* über, da sein Anschauen am traditionalen Theoria-Begriff orientiert ist. Schauen heißt Blicken von hoher Warte (Lynceus), Sehen mit leiblichen Augen und mit Augen des Geistes zugleich (= *reines Anschauen*), Vernehmen des zugrunde liegenden Zusammenhanges der Dinge. Νοῦς ὁρᾷ, νοῦς ἀκούει – so lautet ein Spruch des Epicharm, den Goethe vermutlich bei Aristoteles fand und auf der Rückseite des Titelblattes von *Zur Morphologie 1823* veröffentlichte. Vgl. auch Weim. Ausg. II, 5, II, S. 12.

246. Vgl. Nr. 21 und 23 und die Anmkg. dazu.

248. Vgl.: *Der Mensch kennt nur sich selbst, insofern er die Welt kennt, die er nur in sich und sich nur in ihr gewahr wird* ... (*Bedeutende Fördernis* ...; Bd. 13, S. 38,9 f.).

249. Vgl. Nr. 1081.

251. Vgl. Nr. 232 u. die Anmkg. dazu. Ferner in den *Lehrjahren: Der Sinn erweitert, aber lähmt; die Tat belebt, aber beschränkt* (Bd. 7, S. 550, 11 f.).

254. Vgl. Bd. 8, Anmkg. zu *B. d. W.* 103.

268. Jean François d'Aubuisson de Voisins (1749–1841), Geologe. Seine „Geognosie" erschien 1821 deutsch in Dresden.

276. Ernst Stiedenroth (1794–1858), Philosoph aus Herbarts Schule, „Psychologie zur Erklärung der Seelenerscheinungen", 1824 erschienen und von Goethe in den *Heften zur Naturwissenschaft* lobend besprochen.

278. Joh. Chr. Erxleben (1744–1777), „Anfangsgründe der Naturlehre" (1772). Die Reflexion bezieht sich auf die von G. Chr. Lichtenberg besorgte 6. Aufl. dieses Werks. Über den letzteren, von Goethe sehr geschätzten, bekannten Physiker und Aphoristiker vgl. Paul Requadt, Lichtenberg. Zum Problem der deutschen Aphoristik. Hameln 1948.

283. Vgl. Bd. 8, S. 263, 3 ff. und die Anmkg. dazu.

287. Gemeint ist Joh. St. Zauper (1784–1850), „Grundzüge zu einer deutschen theoretisch-praktischen Poetik, aus Göthes Werken entwickelt" (1821).

289. Der *Kritiker* = Sir F. Palgrave in der „Edinburgh Review" vom März 1817.

295. Vgl. das Gedicht *Vermächtnis* (Bd. 1, S. 369 f.): *Den Sinnen hast du dann zu trauen* ...

311–312. Vgl. Nr. 545.

324. S. Nr. 331–334, 634. Ferner: Bd. 1, S. 370, V. 33 u. die Anmkg.

328. *Intermundien* = Räume zwischen den Weltkreisen.

339. Vgl. die Anmkg. zu Nr. 880–890.

346. K. W. Nose (1753–1835), Arzt und Geologe, „Historische Symbola die Basalt-Genese betreffend" (1820). Für Goethe ist der Ort, wo einer steht, ihm von Natur zugemessen.

348–350. Vgl. die Anmkg. zu Nr. 880–890.

351. Vgl. die Anmkg. zu Nr. 57–58. Das Zitat stammt aus einem Brief Hamanns an F. H. Jacobi vom 18. Januar 1786.

353. Vgl. Bd. 11, S. 413,28.

355–356. Vgl. Bd. 8, Anmerkungen zu *A. M. A.* 40 und 41.

360. Über *Plato* und *Aristoteles* vgl. Goethes *Geschichte der Farbenlehre*, Bd. 14, S. 53, 35–54, 31 und Namen-Register.

361–364. *Erfinden* hat bei Goethe den bedeutenden Sinn des vernehmenden Gewahrwerdens und Sichtbarmachens, nicht wie gewöhnlich der hinzufügenden Originalität. Vgl. die *Annalen, 1810*, wo alles Erfinden *eine weise Antwort auf eine vernünftige Frage* genannt wird (Bd. 10, S. 508,31).

365. *Aperçu* für Goethe nicht so sehr geistreicher Einfall, sondern freudig-erstauntes Entdecken eines Gesetzes als Folge selbstloser Versenkung in den Gegenstand. In der *Geschichte der Farbenlehre*, Abschn. *Galilei*, nennt Goethe Aperçu *ein Gewahrwerden dessen, was eigentlich den Erscheinungen zum Grunde liegt* (Bd. 14, S. 98,9f.). Vgl. Nr. 477 und Bd. 8, Anmkg. zu *A. M. A.* 80. S. auch die Anmkg. zu Nr. 361–364.

370. *Mme. Roland,* Gattin des Girondistenführers Roland, 1793 hingerichtet. Vgl. die *Annalen* für das Jahr *1820* (Bd. 10, S. 525,26ff.).

373. Vgl. Bd. 8, Anmkg. zu *B. d. W.* 1.

378. *retrogradieren* = zurückschreiten.

384. Vgl. die Anmkg. zu Nr. 880–890.

386. Vgl. Bd. 8, Anmkg. zu *B. d. W.* 31.

391. Vgl. Nr. 210.

400. Herkunft des Zitats unbekannt.

407. Vgl. Goethes späte Abhandlung *Principes de Philosophie Zoologique* (1830/1832), die den Streit zwischen dem *Universalisten* G. de Saint-Hilaire und dem *Singularisten* Cuvier zum Gegenstand hat. Die zwei entgegengesetzten Denkweisen der synthetischen Zusammenschau des Allgemeinen und der trennenden Einzelbeobachtung des Besonderen haben Goethe von jeher lebhaft beschäftigt. Hier kommt es zu einer ausgleichenden Synthese. Beide müssen als *unzertrennliche Lebensakte* ineinandergreifen und *wie Ausatmen und Einatmen sich zusammen verhalten*. Vgl. auch das für Goethes Altersweisheit so typische ironische Mißverständnis im Zusammenhang mit der Julirevolution im Gespräch mit Eckermann vom 2. August 1830. Dort bekennt sich Goethe noch ganz zur *synthetischen Behandlungsweise* Saint-Hilaires. (Bd. 13, S. 219ff. u. Anmkg.) – Dorothea Kuhn, Empirische und ideelle Wirklichkeit. Goethes Kritik des französischen Akademiestreites. Köln 1967.

411. Vgl. Nr. 21 und 246.

414. Franciscus *Aguilonius,* Jesuit aus Brüssel (1557–1617), Verf. einer Optik (1613).

417. Vgl. Bd. 8, S. 262, 30–32.

419–420. Vgl. Bd. 8, Anmerkungen zu *A. M. A.* 96–98. Zu *Lichtenberg* siehe Nr. 278 nebst Anmkg.

421. Hier ein anderer Begriff des *Nutzbaren* als Nr. 478–479, nämlich im Sinne des *Fruchtbaren*, der Verwirklichung des Menschseins im ganzen Dienlichen, nicht der Bedürfnisbefriedigung.

423. *amphigurisch* = zweideutig. Herkunft des Zitats unbekannt.

428. K. C. v. *Leonhard* (1779–1862), berühmter Mineraloge, ,,Handbuch der Oryctognosie" (1822) u. ,,Charakteristik der Felsarten" (1823/24). – Parker *Cleaveland* (1780–1858), amerikanischer Geologe.

432–433. Gemeint ist Alexander *v. Humboldt*. Vgl. Goethes Brief an den Bruder Wilhelm vom 1. Dezember 1831. Zur Geschichte des *Oxforder und Londoner Vereins* = spätere ,,Royal Society of London" bis zu Newtons Eintritt 1671 s. Goethes *Geschichte der Farbenlehre*, Bd. 14, S. 130–142.

453. *Tycho* de Brahe (1546–1601), Astronom.

454. *Antipoden* = Bewohner der andern Erdseite.

465. Herkunft des Zitats unbekannt.

469. Vgl. Bd. 8, S. 120, 11–121, 15 und den Kommentar zu *Buch I, Kap. 10.*

477. Vgl. Nr. 365.

478–479. Vgl. Nr. 421 und die Anmkg. dazu; ferner Bd. 8, S. 36, 29 ff.

482. Quelle des Zitats unermittelt. Über *Präokkupation* vgl. Weim. Ausg. II, 11, S. 246 ff.

486. Vgl. Bd. 8, Anmkg. zu *A. M. A. 88.*

489–495. Für Goethe existiert das *Allgemeine* nicht außer dem *Besonderen*, sondern hat – ganz im aristotelischen Sinne – in ihm seine Wirklichkeit.... *und so kann man sagen, daß wir schon bei jedem aufmerksamen Blick in die Welt theoretisieren (Farbenlehre, Vorwort;* Bd. 13, S. 317, 11 f.). S. auch Nr. 488, 509, 570, 571; vgl. ferner Nr. 15–21 und die Anmkgn. dazu sowie Nr. 745–752.

498. Vgl. Nr. 245 und 617.

502. *Newton* (1643–1727) ist Goethes großer Widersacher in der *Farbenlehre* (vgl. den *Polemischen Teil*). Er war ihm der Repräsentant der modernen rationalen Naturwissenschaft (vgl. Nr. 48), d. h. der mathematisierten Physik (vgl. Nr. 644 und *Farbenlehre, Didaktischer Teil, § 722–729: Verhältnis zur Mathematik*), die von der vorgegebenen menschlichen Daseinswirklichkeit abstrahiert (vgl. Nr. 512, 617 und 689) und nur dem mechanisch Meßbaren und Berechenbaren objektive Realität zuerkennt. Goethes Anliegen ist es aber gerade, Wesen und Erscheinung, lebendiges Dasein und aufschließende Erkenntnis als konkretes Sein in der *Welt, in der wir leben, weben und sind* (§ 739 der *Farbenlehre, Didaktischer Teil)* zusammenzuhalten. Darum entspricht die scharfe Polemik gegen die Newtonsche Physik, die *die Experimente gleichsam vom Menschen abgesondert hat* (Nr. 664), genau dem Kampf gegen die Romantik, die umgekehrt das Ideelle als subjektives Gefühl von der gegenständlichen Welt löst. Für Newton ist der Regenbogen objektives Spektrum (Wellenschwingungen), für die Romantiker subjektive Stimmung (Empfindungsqualitäten). Goethe hingegen will das objektiv Schöne im objektiv Wahren erkennen und damit die Moderne im Zusammenhang der abendländischen Tradition des unum, verum,

pulchrum halten. Der Bedeutung dieses philosophischen Anliegens entspricht die Zahl der Maximen zur Optik. Das zu sehen, ist wichtiger als
eine abgelöste Diskussion um die verschiedenen Farbentheorien (Newton: Lichtbrechung; Goethe: Polarität und Trübung). Dazu: W. Heisenberg, Die Goethesche und die Newtonsche Farbenlehre im Lichte
der modernen Physik (Geist der Zeit, Jg. 19, 1941, S. 261 ff.). Eberhard
Buchwald, Farbenlehre als Geistesgeschichte (Jb.) Goethe 16, 1954, S.
1–13. W. Heisenberg, Das Naturbild Goethes und die technisch-natur-
wissenschaftliche Welt. (Jb.) Goethe 29, 1967, S. 27–42. Und dazu K. L.
Wolf, ebd. S. 289–293. Vgl. ferner die Anm. und Bibl. in Bd. 13,
S. 605–642. – Goethes Werk: *Zur Farbenlehre. Bd. I. Didaktischer Teil.
Polemischer Teil. Bd. II. Materialien zu einer Geschichte der Farbenleh-
re (1810).* Vgl. darin den Abschnitt *Newtons Persönlichkeit.* (Bd. 14,
S. 170–177.)

507. Vgl. § *716–721* der *Farbenlehre, Didaktischer Teil: Verhältnis zur Philosophie.*

509. Vgl. die Anmkg. zu Nr. 489–495.

511. Vgl. die Anmkg. zu Nr. 880–890.

514–516. Vgl. die *Winckelmann*-Schrift (1805), wo es heißt, daß sich in begabten Menschen das gemeinsame Bedürfnis finde, *zu allem, was die Natur in sie
gelegt hat, auch in der äußeren Welt die antwortenden Gegenbilder zu suchen und
dadurch das Innere völlig zum Ganzen und Gewissen zu steigern* (S. 97, 20 ff.).
Ferner die Beilage zum Brief an Chr. Schlosser vom 5. Mai 1815 und deren Auslegung in F. Weinhandl, Die Metaphysik Goethes. Bln. 1932. S. 218–242.

517–519. Für Goethe ist jeder Gegenstand zugleich ein geschichtlich heran-
kommender; er begegnet uns im konkreten Dasein bereits als ein ausgelegter, und
auf diese Auslegung müssen wir uns einlassen, wollen wir ihn selbst befragen. Vgl.
Nr. 394.

520. *Systole und Diastole* = Zusammenziehen und Ausdehnen, Grundbegriffe
der Weltsicht Goethes. Er spricht auch von *Synkrisis und Diakrisis* (= Trennung
und Verknüpfung), *rétrécir und développer, Verselbstung und Entselbstigung.* Auf
dieser Polarität beruht alles Leben (vgl. *Die Metamorphose der Pflanzen,* s.
Anmkg. zu Nr. 536). *Das Geeinte zu entzweien, das Entzweite zu einigen, ist das
Leben der Natur; dies ist die ewige Systole und Diastole, die ewige Synkrisis und
Diakrisis, das Ein- und Ausatmen der Welt, in der wir leben, weben und sind
(Farbenlehre, Didaktischer Teil, § 739).* Vgl. auch das Gedicht vom *Atemholen* im
Divan (Bd. 2, S. 10, 17 ff.). Ferner Bd. 1, S. 305, Nr. 11 u. Anmkg. und Bd. 14
Sachregister.

522. Eine Handschrift trägt bei *Machiavellismus* den Vermerk: *verrucht.* Nach
G. Müller (vgl. dessen Nr. 1030) versteht Goethe unter dem *Spinozistischen,* „daß
jedes endliche Sein ‚Zweck sein selbst‘ ist". Das bedeutet die organische Einheit
des Kunstwerks, in der *Reflexion* weiterentwickelt aber den Grundsatz des ma-
chiavellistischen Primats der staatlichen Selbsterhaltung. Vgl. demgegenüber jedoch Hecker (Anmkg. zu seiner Nr. 322), der in seiner Deutung gerade von der
Nichtigkeit der Einzelwesen und einer Despotie des „Ganzen" bei Spinoza, Ma-
chiavell und dem Dichter ausgeht.

527. *Parallaxe* (grch. Abweichung) = der Winkel, unter dem von einem Punkte aus eine bestimmte Strecke erscheint.

530. *planum inclinatum* = schiefe Ebene.

531–532. Vgl. Nr. 298.

536. Vgl. die Anmkg. zu Nr. 21. *Die Metamorphose der Pflanzen* ist neben der *Farbenlehre* Goethes bedeutendste naturwissenschaftliche Leistung. Das Bildungsgesetz der Gestaltung-Umgestaltung erfaßt alle organischen Naturen. In der *Metamorphose der Pflanzen* (1790/1817) entwickelte Goethe die Morphologie der Pflanzen, d. h. die Bildung-Umbildung von Kotyledonen, Stengelblättern, Kelchblättern, Kronenblättern, Staubgefäßen, Frucht und Samen nach dem polaren Wechsel von Ausdehnung und Zusammenziehung. *So wie wir nun die verschiedenscheinenden Organe der sprossenden und blühenden Pflanze alle aus einem einzigen, nämlich dem Blatte, welches sich gewöhnlich an jedem Knoten entwickelt, zu erklären gesucht haben; so haben wir auch diejenigen Früchte, welche ihre Samen fest in sich zu verschließen pflegen, aus der Blattgestalt herzuleiten gewagt (§ 119; Bd. 13, S. 100f.).* Die Metamorphose ist dreifach: 1. des Blattes zur Urpflanze, 2. der Urpflanze zu den Gattungen, Arten und Individuen, 3. des Individuums zu seinen Wachstumsstadien. Vgl. die Gedichte *Die Metamorphose der Pflanzen* und *Metamorphose der Tiere* Bd. 1, S. 199ff. u. die Anmerkungen dazu sowie die morphologischen Aufsätze Bd. 13, S. 53–250. – K. L. Wolf und W. Troll, Goethes morphologischer Auftrag. In: Die Gestalt, Heft 1, Halle 1942. – Bernh. Hassenstein, Goethes Morphologie als selbstkritische Wissenschaft und die heutige Gültigkeit ihrer Ergebnisse. (Jb.) Goethe 12, 1950. S. 333–357.

538. Vgl. das Gespräch mit Eckermann vom 13. Februar 1829: *Die Gottheit aber ist wirksam im Lebendigen, aber nicht im Toten; sie ist im Werdenden und sich Verwandelnden, aber nicht im Gewordenen und Erstarrten. Deshalb hat auch die Vernunft in ihrer Tendenz zum Göttlichen es nur mit dem Werdenden, Lebendigen zu tun, der Verstand mit dem Gewordenen, Erstarrten, daß er es nutze.*

543. *Enthymem* = abgekürzter Vernunftschluß, der von der Richtigkeit seiner Voraussetzungen abhängt.

550. Im Brief vom 23.–29. März 1827 schreibt Goethe an Zelter, was er tun würde, wenn ihm noch jugendlichere Kräfte zu Gebote stünden: ... *die Natur und Aristoteles würden mein Augenmerk sein. Es ist über alle Begriffe, was dieser Mann erblickte, sah, schaute, bemerkte, beobachtete.* Sehr bemerkenswert ist hier die Häufung der Goetheschen Lieblingsbegriffe. Vgl. K. Schlechta, Goethe in seinem Verhältnis zu Aristoteles. Frankf. Stud. z. Relig. u. Kultur d. Antike, XVI. Frankf. a. M. 1938.

558. Auf die Gefahr, das subjektiv Phantastische mit der objektiven Idee zu verwechseln, weist Goethe immer wieder hin. (Romantik!) Vgl. Nr. 562.

565. Zwischen Goethe und *Schelling* bestanden persönliche Beziehungen. Besonders die Naturphilosophie der mittleren Periode Schellings hat starke Berüh-

rungen mit Goethes Naturauffassung. Die *Annalen, 1798*, berichten von einge-
hender Lektüre der ,,Weltseele'' Schellings. Vgl. Bd. 1, *Weltseele* S. 248 u. die
Anmkg. dazu.

567. Gemeint sind die Gefahren der *Universalisten* einerseits und der *Singularisten* anderseits. Vgl. die Anmkg. zu Nr. 407.

572. In Plutarchs ,,Lehrmeinungen der Philosophen'' (Buch 5, Kap. 20).

573. Fast gleichlautend im Brief an W. v. Humboldt vom 17. März
1832 (HA Briefe, Bd. 4, S. 480). Vgl. auch den Brief an Zelter vom
9. Juni 1831 (HA Briefe, Bd. 4, S. 430) und die Abhandlung *Principes de
Philosophie Zoologique* (1830/1832). Einen Unterschied nach Einzelmerkmalen zwischen Mensch und Tier konnte Goethe bei durchgehen-
der Analogie des osteologischen Bauplans nicht erkennen. Er sieht ihn
im Prinzipiellen. Der Mensch, als Vernunftwesen, ist in seine Umwelt
nicht, wie das Tier, durch seine Organe ,,festgestellt''. Er hat nicht nur
Umwelt, sondern ,,Welt'', weil er darum weiß und aus diesem Wissen
seine Organe *belehren* und leiten kann. Organ und Gegenstand erschließen sich wechselseitig zur ,,Welt''.

579–580. Vgl. Bd. 8, Anmkg. zu *B. d. W.* 100.

584. Im Gespräch nannte Hegel nach Eckermanns Bericht vom 18. Oktober
1827 Goethe gegenüber die Dialektik den ,,geregelten, methodisch ausgebildeten
Widerspruchsgeist''.

588. *obruiert* = überhäuft, überlastet.

591–595. Goethe sieht das Verhältnis von *Ursache und Wirkung* nicht als me-
chanisches Kausalverhältnis, sondern als einen organischen Wirkungszusammen-
hang.

598. *Phanerogamie* = Fortpflanzung durch Samen; *Kryptogamie* = Fortpflanzung durch Sporen.

599. Vgl. Bd. 8, Anmkg. zu *A. M. A.* 108.

600–601, 604–605. Vgl. Bd. 8, S. 686, Anmkg. zu *B. d. W.* 160–164. S. auch
Nr. 268.

606. Vgl. Nr. 578–583.

621. Das *Mikromegische* = die Verwandtschaft des Kleinen mit dem Großen.

624–628. Vgl. Bd. 8, Anmkg. zu *A. M. A.* 29–34.

630. Vgl. Bd. 8, Anmkg. zu *B. d. W.* 135.

632–661. Reflexionen über Würde und Grenzen der *Mathematik*. Vgl. hierzu
den Nachlaßaufsatz *Über Mathematik und deren Mißbrauch* (1826) und den
Abschnitt der *Farbenlehre: Verhältnis zur Mathematik (Didaktischer Teil,
§ 722–729)*. Näheres dazu und zu Goethes Verhältnis zur Mathematik überhaupt
s. Bd. 8, *Wanderjahre, Buch I, Kap. 10*, und die Anmerkung dazu. Goethes Anliegen ist vor allem die strenge Scheidung zwischen Mathematik und Physik. Vgl. vor
allem Nr. 642–644 sowie die Anmkg. zu Nr. 502.

632–634. Neu aufgenommen. Zusammenhängend (einschl. Nr. 831) gedruckt
in *Über Kunst und Altertum, Bd. 6, 1. Heft (1827)*, S. 213 ff. unter dem Titel
Naturphilosophie. (Bd. 13, S. 44 f.) Die angedeutete Stelle aus *d'Alembert* findet
sich von Goethe übersetzt in dem angeführten Aufsatz *Über Mathematik und*

deren Mißbrauch (Bd. 8, Anmkg. zu *1. Buch, 10. Kapitel*). Zu Nr. 634 vgl. Nr. 324, 331–334.

650. *La Grange* (1736–1813), französischer Mathematiker.

656. Malteserritter *L. Ciccolini* (geb. 1767), Astronom. Zur angeführten Briefstelle vgl. *Über Mathematik und deren Mißbrauch* (Bd. 8, Anm. zu *1. Buch, 10. Kapitel*). *La Grange:* vgl. die Anmkg. zu Nr. 650.

660. Vgl. die Anmkg. zu Nr. 502.

661. *de Brahe:* vgl. Nr. 453 nebst Anmkg.

662. Vgl. Nr. 48.

664–665. Vgl. Bd. 8, Anmkg. zu *A. M. A.* 90–92.

667. *Dekomposition* = Zerlegung des Lichts durch das Prisma; *Polarisation* = Differenzierung des Lichts zu Schwingungen nur in einer Ebene. Vgl. die Anmkg. zu Nr. 502.

670. Vgl. Bd. 8, Anmkg. zu *A. M A.* 96.

671. *isomorphisch* = gestaltgleich.

673. *Oryktognost* = Mineralienforscher.

678. Vgl. Bd. 8, S. 260, 25 f.; „Über den Granit" vom 18. Januar 1784 (Bd. 13, S. 253).

682. Gemeint ist das Sexualsystem der Pflanzen. Vgl. den Aufsatz *Verstäubung, Verdunstung, Vertropfung* (1820).

683–697. Zur Farbenlehre. Vgl. die Anmkg. zu Nr. 502.

685–686. J. v. *Fraunhofer* (1787–1826) entdeckte die dunklen Linien des Spektrums. *La Grange:* vgl. die Anmkg. zu Nr. 650.

687. E. L. *Malus* (1775–1812) und T. J. *Seebeck* (1770–1831), Physiker. Malus entdeckte die Polarisation des Lichts (1809), vgl. Nr. 667. *entoptische Farben* = Farberscheinungen innerhalb durchsichtiger Körper; vgl. die Abhandlung *Entoptische Farben* (1820).

688. *Dr. Reade,* „Experimental outlines for a new theory of light" (1816). Goethe las die Darstellung 1817. *diverse Refrangibilität* = unterschiedliche Ablenkbarkeit, Brechung. *Chrysalidenzustand* = Zustand der Schmetterlingspuppe.

709. Vgl. Nr. 78.

712–713. Vgl. Nr. 283, ferner Bd. 8, S. 263, 3 ff. und die Anmkg. dazu.

718. Goethesche Altersweisheit. Nachgebildet nach Plutarch, „Moralia": Τὰ μὲν διδακτὰ μανθάνω, τὰ δ' εὑρετὰ ζητῶ, τὰ δ' εὐκτὰ παρὰ θεῶν ᾐτησάμην. – Grumach, S. 853. Vgl. die Anmkg. zu Nr. 15–20.

719. Bezeichnend für Goethes objektiven Schönheitsbegriff (vgl. die Anmkg. zu Nr. 502). Bei den *geheimen Naturgesetzen* ist an die *Urphänomene* zu denken (vgl. die Anmkg. zu Nr. 15–20), in deren Offenbarwerden sich die *Idee als das Schöne* (vgl. Nr. 745 und die Anmkg. zu Nr. 12–14) manifestiert. S. auch Nr. 745–752 u. die Anmkg. dazu. Die folgenden Maximen bilden eine wichtige Ergänzung zu den Schriften zur Kunst.

720. Vgl. Bd. 8, S. 229, 25–27, wo die Maxime unwesentlich abgewandelt wiederkehrt. *Offenbares Geheimnis* oder *heilig öffentlich Geheimnis*, ein immer wie-

derkehrender Goethescher Grundbegriff. Vgl. Nr. 15–20 und die Anmkg. dazu; s. auch Nr. 752.

722–725. *Verstand* ist hier nicht das ,,Vermögen der Begriffe", sondern meint den Vorgang des eingreifenden Sichtbarmachens, das verstehende Heraufholen des Wesens durch den Künstler. Vgl. S. 32, 16ff.: ... *so ruht der Stil auf den tiefsten Grundfesten der Erkenntnis, auf dem Wesen der Dinge, insofern uns erlaubt ist, es in sichtbaren und greiflichen Gestalten zu erkennen.* Kunst und Natur erschließen sich für Goethe wechselseitig, da in ihnen das gleiche Gesetz, die gleiche gründende *Idee* wiederkehrt. Vgl. den Brief an Herder vom 17. Mai 1787. Ferner in der *Italienischen Reise* (Bd. 11, S. 395): *Diese hohen Kunstwerke sind zugleich als die höchsten Naturwerke von Menschen nach wahren und natürlichen Gesetzen hervorgebracht worden. Alles Willkürliche, Eingebildete fällt zusammen, da ist die Notwendigkeit, da ist Gott.* S. auch Bd. 11, S. 167, 35ff. Goethe betont aber mit zunehmendem Alter, je strenger er die Kunst an das Handwerk anschließt, um so entschiedener den prinzipiellen Unterschied zwischen Natur und Kunst. Vgl. Nr. 797 und Bd. 8, S. 250, 25f.: ... *daß Kunst eben darum Kunst heiße, weil sie nicht Natur ist.* Zu Nr. 725 vgl. die Anmkg. zu Nr. 880–890.

729. Vgl. Nr. 18 und 720.

734–735. Vgl. die Anmk. zu Nr. 880–890. *Aus sich schöpfen* – die Grundgefahr der Moderne, auf die Goethe im Alter immer wieder hinweist. Sein Gegenbegriff: *Folge geben* und *Folge haben.* Alles Große schließt sich ihm an bedeutendes Vorgegebenes an, setzt es fort. Vgl. den Brief an Zelter vom 2. Januar 1829.

739. In der Handschrift auch *Ars est de difficili et bono.* Quelle unbekannt.

741. Die Beziehung der Kunst auf die höchste Vernunft vermittelst des Handwerks ist bedeutungsvoll beim späten Goethe. In den *Wanderjahren* wird das Handwerk *strenge Kunst* genannt, und *hier muß die strenge Kunst der freien zum Muster dienen* (Bd. 8, S. 412, 8f.). In einem Paralipomenon heißt es: *Bei Ausbreitung der Technik* (= Handwerk im gründenden Sinne) *hat man keine Sorge, sie hebt nach und nach die Menschheit über sich selbst und bereitet der höchsten Vernunft, dem reinsten Willen höchst zusagende Organe* (Weim. Ausg. I, 25, II, Par. L).

745–752. Die klassischen Formulierungen des Goetheschen Symbolbegriffes. Vgl. Nr. 12–20, 722–725 u. die Anmkgn. dazu. Ferner Bd. 8, S. 161f. über *Wunder* und *Gleichnis.* Im Gleichnis (wie im Symbol) ist das Hohe, Außerordentliche, Göttliche unmittelbar anwesend, ohne doch mit einem Besonderen einfach identisch zu sein. Das Höchste wird in die Wirklichkeit gegenwärtig wirkend eingeführt und bleibt doch zugleich unerreichbar und unverfügbar. *Alles, was geschieht, ist Symbol, und indem es vollkommen sich selbst darstellt, deutet es auf das übrige. In dieser Betrachtung scheint mir die höchste Anmaßung und die höchste Bescheidenheit zu liegen. Diese Forderung haben wir mit dem Obersten und dem Geringsten gemein* (an Schubarth, 2. April 1818).

746. *Perikarpien* = Fruchthüllen.

748. Gehört zusammen mit Nr. 746 und Nr. 747 und wird, isoliert zitiert, häufig falsch verstanden. *Erscheinung* meint hier nicht den Bereich der Dinge, der Objekte, die der alternde Mensch sieht, sondern das höchste Sich-Darstellen, In-Erscheinung-Treten einer lebendigen Gestalt, ihr auffallendes Leuchten, Strahlen. Der Mensch wird im Alter (wie die Keimblätter einer Pflanze es waren und die Frucht (der Same) nach der „leuchtenden" Blüte wieder wird) gegenüber der Blütezeit seines Lebens im Äußeren *unansehnlich, unscheinbar*. Goethe schrieb als Siebzigjähriger einmal an Boisserée (14. Jan. 1820), man wolle ihn malen in einem Zustand, *wo die Natur auf ihrem Rückzuge sich nun mit dem Notwendigen begnügt, ... die Fülle des Lebens verschwunden ist* (H. A. Briefe, Bd. 3, S. 470f.). Vgl. aber auch Maxime Nr. 892, wo die Rede ist von einer *geistigen Form, die in der Erscheinung hervortritt.* Beim alten Menschen bedeutet dann *Zurücktreten aus der Erscheinung* auch Rückwendung auf die *geistige Form*, Rückbesinnung auf das *Gesetz, die Idee*, also Abstraktion, Vergeistigung und Sublimierung. Über *scheinen, scheinbar, Erscheinung* siehe ausführlich Bd. 7, Anm. zu S. 291,21. Vgl. ferner Bd. 8, Anm. zu *A. M. A. 26–28.*

753. Vgl. die Anmkg. zu Nr. 880–890.

755. *Johannes Secundus* (1511–1536), neulateinischer Liebeslyriker. Vgl. Bd. 1, S. 140f. und die Anmkg.

760. *Ubiquität* = Allgegenwart.

762. Der Hymnus stammt vermutlich von Hrabanus Maurus (um 780–856). 1820 von Goethe übersetzt: *Komm, heiliger Geist, du Schaffender* ... (Vgl. Weim. Ausg., Bd. 4, S. 329 und Bd. 5, 2, S. 204f.)

765. Die angekündigte *Arbeit* wurde nicht ausgeführt.

773. *Kantilene* = gesangsmäßige Melodie, Lied.

776. Der *edle Philosoph* ist Schelling („Vorlesungen über Philosophie und Kunst" 1802/1803). Bedenken dagegen äußert Jutta Hecker, Goethe. Maximen und Reflexionen. Freiburg 1949, S. 274f. Zum Verständnis der Reflexion vom März 1827 vgl. Jost Trier, Clemenswerth. In: Westfalen, Hefte für Geschichte und Volkskunde. 27. Bd. 1948, Heft 1, S. 58f. Der Ursprung der Mythen von Orpheus und Amphion, deren Gesang sich Bäume und Steine fügten, liegt in dem Brauch, die Bauarbeiten mit Musik zu begleiten und dadurch leistungsmäßig zu steigern. Trier sieht das Verbindende von Architektur und Musik im Rhythmus, d. h. im Tanz. Die ausgrenzende „Hegung" des Tanzes kehrt in der Raumbildung des Marktplatzes wieder, dessen „rundumgreifende" Gebäude sich tanzhaft fügen. Zur versittlichenden Wirkung einer solchen

Architektur vgl. die Stadt der bildenden Künstler in den *Wanderjahren,* die sich vom Marktplatz mit seinen *edlern und ernsteren* Gebäuden abstufend ins offene Feld zerstreut (Bd. 8, S. 250ff.). Siehe auch das Gespräch mit Eckermann vom 23. März 1829. – H. v. Einem, ,,Man denke sich den Orpheus". Jahrbuch des Wiener Goethe-Vereins 81–83, 1977–1979, S. 103–116.

785–786. Vgl. die Anmkg. zu Nr. 880–890.

785. Vgl. Nr. 520 und die Anmkg. dazu. Über den Einfluß des Platonismus auf Goethe vgl. F. Koch, Goethe und Plotin, Leipzig 1925.

791. Ähnlich S. 129, 30ff.: *Gemüt wird über Geist gesetzt, Naturell über Kunst, und so ist der Fähige wie der Unfähige gewonnen. Gemüt hat jedermann, Naturell mehrere; der Geist ist selten, die Kunst ist schwer.* Vgl. Nr. 165 und 739. Kennzeichnend für Goethes Auftreten gegen die moderne Kunst der subjektiven Innerlichkeit. S. auch Bd. 8, S. 281, 20ff. Im Brief an Zelter vom 13. Juli 1804 heißt es: *Sehr schlimm ist es in unsern Tagen, daß jede Kunst sich … insofern sie tüchtig und der Ewigkeit wert ist, mit der Zeit im Widerspruch befindet.*

792. Vgl. Bd. 8, S. 250, 6ff. Nach A. Henkel (vgl. GRM 1954, S. 68f.) Umformung eines gascognischen Sprichworts, das Goethe durch Montaigne, Essays, Buch I, Kap. 24, kennen lernte.

794. Vgl. die Anmkg. zu Nr. 880–890.

797. Vgl. die Anmkg. zu Nr. 722–725. Ferner zu Nr. 880–890.

803–810. *Meisterlichkeit* ist für den alten Goethe der Gegenbegriff zum *Dilettantismus,* zur *Originalität,* zum *pfuscherhaften Halbvermögen.* Der wahre *Künstler* schöpft nicht *aus sich,* er schließt sich an, lernt aus der Überlieferung, bei einem Meister, der weiß, was die Sache fordert. *Ein Talent wird nicht geboren, um sich selbst überlassen zu bleiben, sondern sich zur Kunst und guten Meistern zu wenden, die denn etwas aus ihm machen* (mit Eckermann am 13. Dezember 1826). Vgl. Nr. 735 und 741 mit Anmkgn., ferner Nr. 796 und 813. Dazu Bd. 1, S. 318, 91–92. Wichtig auch der Brief an Zelter vom 23. Februar 1832 (HA Briefe, Bd. 4, S. 472f.), außerdem an Humboldt am 17. März 1832 (HA Briefe, Bd. 4, S. 480f.). – Vgl. ferner den Abschnitt zum Thema Meisterschaft und Dilettantismus am Ende der Bibliographie zu den *Maximen und Reflexionen.*

808. Vgl. Bd. 8, S. 123, 35ff., und die Anmkg. zu *A. M A.* 174.

813–815. Zur *Manier* vgl. *Einfache Nachahmung der Natur, Manier, Stil* (S. 30–34) und *Antik und modern* (S. 172–176). Zu 813–814 vgl. die Anmkg. zu Nr. 880–890.

821–827. *Dilettantismus,* für den späten Goethe der Gegenbegriff zur *Meisterlichkeit* (vgl. die Anmkg. zu Nr. 803–810), zum *Tüchtig-Positiven* und damit symptomatisch für die Moderne. In der klassischen Periode hat Goethe, der das dilettantische Element in seiner eignen

Natur kannte (vgl. auch den *Wilhelm Meister*), noch dessen Vorteile und Nachteile gegeneinander abgewogen. Der Dilettant ist ein *Liebhaber der Künste, der nicht allein betrachten und genießen, sondern auch an ihrer Ausübung teilnehmen will.* (Vgl. das Schema *Über den Dilettantismus*, Weim. Ausg. I, 47, S. 299–326; dort S. 321.) Im Alter hingegen wird ihm der Dilettantismus als Zeiterscheinung Ausdruck der allgemeinen Auflösung. *Was dem Dilettanten eigentlich abgeht, ist Architektonik im höchsten Sinne, diejenige ausübende Kraft, welche erschafft, bildet, konstituiert; er hat davon nur eine Art von Ahndung, gibt sich aber durchaus dem Stoff dahin, anstatt ihn zu beherrschen* (Weim. Ausg. I, 47, S. 326). Am 24. August 1823 schreibt Goethe an Zelter von *dem seichten Dilettantismus der Zeit, der in Altertümelei und Vaterländelei einen falschen Grund, in Frömmelei ein schwächendes Element sucht, eine Atmosphäre ... wo eine hohle Phrasensprache, die man sich gebildet, so süßlich klingt, ein Maximengewand, das man sich auf den kümmerlichen Leib zugeschnitten hat, so nobel kleidet, wo man, täglich von der Auszehrung genagt, an Unsicherheit kränkelt und, um nur zu leben und fortzuweben, sich aufs schmählichste selbst belügen muß ... dem redlich denkenden Einsichtigen aber bleibt es gräßlich, eine ganze nicht zu verachtende Generation unwiederbringlich im Verderben zu sehen.* Auch in den Schriften zur Kunst ist das Problem des Dilettantismus mehrfach behandelt. – Vgl. dazu Gerh. Baumann, Goethe: ,,Über den Dilettantismus". Euphorion 46, 1952, S. 348–369.

826. Quelle des Zitats unermittelt.

831. Neu aufgenommen. Vgl. die Anmkg. zu Nr. 632–634.

833–835. Vgl. die Anmkg. zu Nr. 880–890. – Jan van *Huysum* (1682–1749), niederländischer Maler.

836–837. Über *Homer* vgl. Bd. 11, S. 323, Bd. 14, Namen-Register und Bibliographie, ferner das *Schema der Ilias* in *Über Kunst und Altertum, Bd. 3 (1821/ 1822).* – E. Grumach, Goethe und die Antike. Potsdam 1949. S. 117–214.

840. *Byzantinische Kunst*, vom 6. Jahrhundert bis zum Ausgang des 12ten. In *Über Kunst und Altertum, Bd. 1, 1. Heft, 1816*, entwickelt Goethe ihre Fortwirkung bis in die Moderne. Vgl. S. 142 ff. u. die Anmkg.

841. *Domenichin* = Domenichino, italienischer Maler, 1581–1641. Zu *Ovid* vgl. Nr. 864.

843. Über *Raffael* vgl. S. 174 f.; Bd. 11, S. 103, 11 ff. u. Anm.; Bd. 14, Register. *Teppich* = Gobelin nach Raffaels Kartons.

844–850. Vgl. die Anmkg. zu Nr. 880–890.

844. Vgl. die Anmkg. zu Nr. 924.

846–847. Goethe schätzte *Dürer* hoch, wandte sich aber gegen die einseitige Verherrlichung durch die Romantiker. Vgl. H. v. Einem, Goethe und Dürer. Hambg. 1947. Wieder abgedruckt in: H. v. Einem, Goethe-Studien. München 1972.

848. *Martin Schön* = Schongauer (1445–1491), Maler und Kupferstecher.

855–858. Vgl. die Anmkg. zu Nr. 880–890.

855–856. Daniel *Chodowiecky* (1726–1801), der bekannte Kupferstecher, Radierer und Illustrator.

859. Die Maxime stand ursprünglich in einem *Propyläen*-Aufsatz (vgl. die Anmkg. zu Nr. 880–890), der einen Angriff gegen den künstlerischen Naturalismus und Patriotismus Schadows enthielt. Sie schloß unmittelbar an folgende Sätze an: *In Berlin scheint außer dem individuellen Verdienst bekannter Meister der Naturalismus mit der Wirklichkeits- und Nützlichkeitsforderung zu Hause zu sein und der prosaische Zeitgeist sich am meisten zu offenbaren. Poesie wird durch Geschichte, Charakter und Ideal durch Porträt, symbolische Behandlung durch Allegorie, Landschaft durch Aussicht, das allgemein Menschliche durchs Vaterländische verdrängt.*

860–862. Vgl. die Anmkg. zu Nr. 880–890.

863. Vgl. das Gespräch mit Eckermann vom 2. April 1829: *Das Klassische nenne ich das Gesunde und das Romantische das Kranke. Und da sind die Nibelungen klassisch wie der Homer, denn beide sind gesund und tüchtig.* Die Polemik gegen das Romantische und gegen alles Transzendieren geht durch Goethes ganzes Alterswerk. Im Brief an Zelter vom 19. Oktober 1829 heißt es, *daß den Modernen ihr Ideelles nur als Sehnsucht erscheint.* Vgl. die Anmk. zu Nr. 502. Zum *kränklichen Klosterbruder* vgl. die Anmkg. zu Nr. 971. S. aber auch den Aufsatz *Antik und modern* (S. 172–176); ferner die Gestalt des Euphorion im *Faust*.

864. *Ovid* (43 v.–17 n. Chr.), der Dichter der „Metamorphosen", „Ars amatoria" etc., wurde von Augustus ans Schwarze Meer verbannt.

866. Gemeint sind die „Vampyr"dichtungen, seit J. W. Polidoris (Sekretär Byrons) „Vampyre" in die westliche Literatur eingeführt.

871. Vgl. Bd. 8, S. 237, 28–238, 14.

880–890. Mit Nr. 882 beginnt die Maximengruppe einer Nachlaßhandschrift mit dem Titel *Aphorismen, Freunden und Gegnern zur Beherzigung*, die durch eine Auseinandersetzung mit dem Berliner Hofbildhauer Joh. G. Schadow (1764–1850) veranlaßt wurde, aber in ihrer Bedeutung – charakteristisch für die Gesamthaltung des späten Goethe – weit über diesen Anlaß hinausgreift und darum in unsrer Ausgabe aufgegliedert und sachlich eingeordnet wurde. Es handelt sich um die Nrn. 882, 350, 339, 348, 349, 883, 890, 884, 885, 887–889, 797, 725, 786, 785, 511, 384, 794, 753, 880, 881, 844–850, 965–968. Eine erste Niederschrift hat noch die Nrn. 1240, 972, 835, 834, 833, 734, 735, 813, 814, 856, 855, 857, 858, 860–862, 1222. In den *Propyläen III, 2, 1800 (Flüchtige Übersicht ...)* hatte Goethe den *Naturalismus* wie den *Patriotismus* (beachte die Verknüpfung!) Schadows bei Gelegenheit der in Berlin aufgestellten und noch aufzustellenden preußischen Heldenstatuen zu den schlesischen Kriegen (vgl. Nr. 859 und die Anmkg. dazu) angegriffen. In der Berliner Zeitschrift „Eunomia" vom Juni 1801 antwortete Schadow, seinerseits die klassische Kunstauffassung als hemmend und falsch bezeichnend. Goethes *Aphorismen*, die zuerst wohl veröffentlicht werden sollten, sind wieder eine Reaktion hierauf. Die hastigen Schriftzüge einer erhaltenen ersten Niederschrift zeigen deutlich seine zornige Erregtheit. – Herman Grimm, Goethe und der Bildhauer G. Schadow. Vgl. die Bibliographie zu den Schriften zur Kunst.

884. *subintelligieren* = darunter mitbegreifen. Vgl. die Anmkg. zu Nr. 719.

886–890. Vgl. *Einfache Nachahmung der Natur, Manier, Stil* (S. 30–34).

891–893. Vgl. Bd. 8, Anmerkungen zu *A.M.A.* 17–28.

907. *Tropus* = bildhafte, figürliche Redewendung.

908–909. Vgl. S. 320–322.

914. Gemeint ist die Königin Luise von Preußen bei ihrem Aufenthalt in Memel 1807. Vgl. das Gespräch mit v. Müller vom 22. Januar 1821.

922–923. Über *Aristoteles* vgl. die Anmkg. zu Nr. 550. Ferner die *Nachlese zu Aristoteles' Poetik* (1827) (S. 342–345 und die Anmkgn. dazu. Goethe leitete von 1791 bis 1817 das Weimarer Hoftheater. S. auch die *Regeln für Schauspieler* (S. 252–261) aus dem Nachlaß. Zu 923 vgl. S. 313, 12ff.

924. *Schulen* der italienischen Renaissancekunst: *florentinische* (Donatello, Botticelli etc.), *römische* (Michelangelo, Raffael), *venezianische* (Bellini).

927–928. Zu *Calderon* vgl. S. 303ff. und Bd. 8, Anmerkungen zu *A.M.A.* 121–125; ferner Bd. 2, S. 57 u. Anm. Über *Shakespeare* siehe die Anmkg. zu Nr. 948. Zu beiden Namen zahlreiche Verweise im Register Bd. 14.

930. 932. Herkunft der Zitate unbekannt.

937. In *Über epische und dramatische Dichtung* (1797) heißt es, das epische Gedicht stelle *den außer sich wirkenden Menschen* vor, die Tragödie *den nach innen geführten Menschen* (s. S. 250, 3ff.).

941. Goethe denkt an die Ballade (die Handschrift verweist auf Bürgers ,,Lenore").

944. Z.B. Babst, Fürnstein, Grübel, Hebel. Vgl. S. 261ff.

946–947. Vgl. S. 353.

948–954. Zu *Shakespeare* s. S. 224ff. und S. 287ff. und die Anmkgn. dazu. Ferner Bd. 7, Anm. zu 179, 35. – H. Oppel, Das Shakespeare-Bild Goethes. Mainz 1949; F. Gundolf, Shakespeare und der deutsche Geist. Bln. 1911 u.ö.; James Boyd, Goethe's Knowledge of English Literature. Oxford 1932. – *Tropus*, s. die Anmkg. zu Nr. 907.

950. Das Stück wird heute nicht mehr (wie zuerst von Tieck) Shakespeare zugeschrieben.

953. Vgl. Nr. 928.

954. Vgl. S. 303ff. *Kalidasa*, berühmtester indischer Dichter (um 500 n. Chr.).

955–956. Über *Sterne* und zum folgenden vgl. S. 345f. und Bd. 8, Anmerkung zu *A.M.A.* 127–143.

957. Zu *Byron* vgl. S. 324ff.; ferner Bd. 1, S. 348f. und die Anmkg.; Bd. 3, *Faust* V. 9574ff. und die Anmkg. dazu.

960. *Sakuntala*, Drama des Kalidasa. Vgl. Nr. 954 und Bd. 1, S. 513, Anmkg. zu S. 206; ferner Bd. 2, S. 257, 14ff. und Bd. 12, S. 301ff.

961. P. *Corneille* (1606–1684) fügte sich den Forderungen der französischen Akademie nach den drei Einheiten, die auf Veranlassung Richelieus nach dem Theatererfolg des ,,Cid" (1636) erhoben wurden.

962. Zu *Dante* vgl. S. 339ff. und die Anmkgn. dazu. Goethe denkt hier an den 25. Gesang des „Inferno", V. 49–141.

963. *locus communis* = Gemeinplatz.

965–968. Vgl. die Anmkg. zu Nr. 880–890.

965. *Klopstocks* „Messias" besteht aus Hexametern, seine Oden aus reimlosen Strophen. Indem er die griechischen Formen neu aneignete, schlug er eine Brücke zur germanischen Versfreiheit. – J. H. *Voß* gab in seiner Homerübersetzung (1781/1793), seiner „Luise" (1795) und in lyrischen Gedichten *Muster* des antikisierenden Versbaus. – Zu *Hans Sachs* vgl. Bd. 1, S. 135ff. und die Anmerkung dazu. S. auch Nr. 844–846.

969. Gegen die romantische Dichtung und ihre Requisiten.

970. *Oberon*, Elfenkönig (Shakespeare; Wieland); *Blaubart*, französische Märchengestalt, tötete seine sechs Frauen, kommt aber dann durch die Brüder der siebenten selbst um.

971. Über das *klosterbrudrisierende, sternbaldisierende Unwesen (Erl. des polygnotischen Gemäldes ...*, JALZ 1805; siehe die Anm. zu S. 98, 15ff.) äußerte sich Goethe heftig ablehnend. Gemeint sind L. Tieck, Franz Sternbalds Wanderungen. Eine altdeutsche Geschichte (1798), und W. Wackenroder, Herzensergießungen eines kunstliebenden Klosterbruders (1797). Vgl. auch *Über Kunst und Altertum, Bd. 1, 2. Heft, 1817: Von dem kränklichen Klosterbruder und seinen Genossen ... rechnen wir kaum zwanzig Jahre, und dieses Geschlecht sehen wir schon in den höchsten Unsinn verloren.* Zum Verständnis vgl. die Anmkg. zu Nr. 502.

972. *Schmidt von Werneuchen* (1764–1838), märkischer Heimatdichter. Vgl. die Anmkg. zu Nr. 880–890.

973. Hans v. *Schweinichen* (1552–1616), Verf. einer autobiographischen Sittenschilderung, hrsg. von Büsching, Breslau 1820/1822, unter dem Titel „Lieben, Lust und Leben der Deutschen des 16. Jahrhunderts ...", auf die sich Goethe, der dieselbe gern las, hier bezieht.

975. Gemeint ist „La vision" von Delphine Gay.

976. *kurrent* = gängig.

988. *Ate,* Tochter des Zeus, Unheilsgöttin; sie hinkt seit ihrem Sturz auf die Erde, wohin Zeus sie im Zorn geschleudert.

993. *Tropus,* s. die Anmkg. zu Nr. 907.

994. Goethe beklagt sich oft über das Fehlen eines Rechtsschutzes der Autoren, wie wir ihn heute kennen.

995. Vgl. S. 361–364.

996–997. Vgl. Goethes Überblick über die deutsche Literatur des 18. Jahrhunderts in *Dichtung und Wahrheit, 7. Buch* (Bd. 9, S. 258ff.). Friedrichs des Großen Mißachtung in „De la littérature allemande" (1780).

998. Vgl. Nr. 358.

1004–1005. Neu aufgenommen. Aus *Über Kunst und Altertum, Bd. 1, 3. Heft, 1818,* S. 39ff., zusammen mit Nr. 1012, 1013 und 1020 im Anschluß an eine zusammenhängende Darstellung unter dem Titel *Deutsche Sprache.*

1007. Siehe dazu die Anmkg. zu Nr. 502. – *Gemütlich* = innerseelisch. Vgl. Nr. 791.

1008. *Tropus*, s. die Anmkg. zu Nr. 907.

1012–1013, 1020. Neu aufgenommen. Vgl. auch die Anmerkung zu Nr. 1004–1005.

1025. *Sauroktonos* = der Eidechsentötende (nach Plinius).

1026. *Emendation* = Textbesserung.

1027. Günther Müller (vgl. dessen Nr. 798) vermutet, die Stelle beziehe sich auf den berühmten Philologen F. A. Wolf, über den Goethe in den *Annalen 1805* ähnlich berichtet.

1028. Wichtig für Goethes Auffassung der Dichtung. Im schroffen Gegensatz zur romantischen Deutung ist ihm die Poesie auf ihrem höchsten Gipfel *ganz äußerlich*. Vgl. demgegenüber Novalis, der die Poesie „Gemütserregungskunst" nennt. Vgl. auch das Gespräch mit Eckermann vom 15. Januar 1827 über die *Novelle*, in der man fast gar nichts *Innerliches* finde. Ferner das Gespräch mit Eckermann vom 29. Januar 1826. S. auch die Anmkg. zu Nr. 502.

1031. Übersetzung aus einer französischen Sammlung des Ménage (1613–1692) mit dem Titel „Menagiana".

1039. Der Mensch übersteigt den Menschen unendlich, weil Gott ihm sein Bild eingeprägt hat (*herrlich Ebenbild Gottes!* Bd. 8, S. 460, 2). Darum die *Ehrfurcht vor sich selbst*, die die *Wanderjahre* lehren.

1048–1049. Vgl. das kräftige, maximenartige Wort aus dem Gespräch mit Boisserée vom 8. September 1815: *Die Natur ist so, daß die Dreieinigkeit sie nicht besser machen könnte. Es ist eine Orgel, auf der unser Herrgott spielt, und der Teufel tritt die Bälge dazu.* – *Polarität* und *Trübung* sind nach Goethe die optischen Urphänomene. Über den Zusammenhang von Goethes Deutung des Menschenlebens mit der Farbenlehre vgl. G. Schaeder, Gott und Welt, Hameln 1947, S. 259–322.

1056. Wahrscheinlich veranlaßt durch Betrachtung von Schillers Schädel, 1826. Vgl. das Gedicht Bd. 1, S. 366f. und die Anmkg. dazu.

1057. Bedeutungsvoll für Goethes Verhältnis zum Tode. Er konnte sich nie ganz bei dem tröstenden *Stirb und werde!* beruhigen. Immer behielt er einen geheimnisvollen Schauder vor Krankheit und Tod. Der Tod, der *schwarze Probierstein* (an Zelter, 3. Dezember 1812), *ist gewissermaßen eine Unmöglichkeit, die plötzlich zur Wirklichkeit wird* (zu Eckermann, 15. Februar 1830). Bezeichnend ist Goethes Verhalten beim Tode seiner Frau, seines Sohnes; ferner die befremdende Bestimmung der Frau v. Stein, daß ihr Sarg nicht an Goethes Haus vorbeigetragen werden dürfe.

1058. Für das Walten des rätselhaft *Dämonischen* im Menschenschicksal vgl. das Wort Egmonts, mit dem Goethe *Dichtung und Wahrheit* beschließt: *Kind! Kind! nicht weiter! Wie von unsichtbaren Geistern gepeitscht, gehen die Sonnenpferde der Zeit mit unsers Schicksals leichtem Wagen durch; und uns bleibt nichts, als mutig gefaßt die Zügel festzuhalten, und bald rechts, bald links, vom Steine hier, vom Sturze da, die Räder wegzulenken. Wohin es geht, wer weiß es? Erinnert er sich doch kaum, woher er kam.* Bezeichnend ist das Gleichnis des *Wanderers* in unsrer Maxime. Vgl. auch Bd. 8, S. 426.

1064. Vgl. *Dauer im Wechsel,* Bd. 1, S. 248, 33 f. und den Brief an v. Trebra vom 5. Januar 1814.

1065. Vgl. Bd. 8, Anmkg. zu *A. M. A.* 2.

1067. *clam, vi et precario* = heimlich, gewaltsam und bittweise (= auf Bitten abverlangt). Max Hecker erwähnt eine andere (handschriftliche) Fassung der Goetheschen Maxime: *Das Beste, was man tut, tut man nur bittweise.* Vgl. dazu den Kommentar Heckers zu seiner Nr. 135.

1071. Vgl. Wilhelm Meisters Entwicklungsgang und Goethes Anstrengungen in der bildenden Kunst.

1072. Th. *Medwin* (1788–1869), zu dessen ,,Journal of the conversations of Lord Byron ... in the years 1821 and 1822, London 1824" Goethe den Aufsatz S. 324 ff. beigetragen hatte.

1080. Vgl. Bd. 8, Anmkg. zu *B. d. W.* 23.

1081. Vgl. Nr. 249–252; ferner Bd. 8, Anmkg. zu *B. d. W.* 21.

1087–1088. Vgl. Bd. 8, Anmkg. zu *B. d. W.* 2–3.

1093. 1095. Herkunft der Zitate unbekannt. Zu 1095 vgl. Bd. 8, S. 405, 18–32.

1100. *Lustrum* = Zeitraum von fünf Jahren. Ursprünglich alle fünf Jahre dargebrachtes Sühneopfer des römischen Volkes.

1103. Goethe braucht im Alter gern die aus dem Weberhandwerk entnommenen Begriffe *Zettel und Einschlag* zur Bezeichnung polarer Gesetzlichkeit. Das hängt mit der zunehmenden Bedeutung, die das Handwerk erhält, zusammen. Besonderen Symbolcharakter hat die *Weberkunst.* Vgl. Bd. 8, S. 347, 31 f.; ferner Weim. Ausg. I, 13, I, S. 30.

1106. Vgl. Bd. 1, S. 353; *Ihrer sechzig hat die Stunde ...*

1107. Vgl. Röm. 7, 18 f.

1117 ff. Zu diesen Reflexionen findet sich im Nachlaß die folgende Parallele (abgedr. WA I, Bd. 5/2, S. 398):

> *Wer Bedingung früh erfährt*
> *Gelangt bequem zur Freiheit*
> *Wem Bedingung sich spät aufdringt*
> *Gewinnt nur bittre Freiheit.*

Die noch nicht durchgeformte Aufzeichnung wurde in der Quartausgabe und in den Nachlaß-Bänden der Ausg. l. Hd. von Eckermann und Riemer als Prosa-Spruch gedruckt. Hecker ließ den Satz in seiner Ausg. der *MuR* weg, weil er ihn ,,der metrischen Form" wegen den Gedichten zurechnete. Es handelt sich aber wohl kaum um einen Gedichtteil, eher um eine Notiz, die noch nicht ihre feste Form gefunden hat. Goethe notierte Prosa-Sätze gelegentlich auch in Zeilen abgeteilt, um gedanklich scharf zu gliedern (vgl. z. B. die Maximen Nr. 489, 733, 958, 1073, oder Bd. 8, Anm. im Nachtrag zu S. 155,2). Daraus kann ein Prosa-Satz werden, aber auch durch Umformung eine Gedichtstrophe.

1121. Leicht variiertes Zitat aus Plutarch, 3. Teil, Marcus Cato.

1132. Herkunft des Zitats unbekannt.

1138. Vgl. auch Nr. 184. Anlaß zu dieser Betrachtung gab Goethe vielleicht der Gedanke an Herder, wie eine Notiz unter den Vorarbeiten zum *10. Buch von Dichtung und Wahrheit* (Bd. 9, Abschnitt ,,Schemata und Entwürfe") erkennen läßt. Vgl. dazu die Herder-Abschnitte aus den Paralipomena zu den *Annalen* (Jubil.-Ausg. Bd. 30, S. 397f.).

1146. Hegel nennt das gleiche Wort zuerst in der ,,Phänomenologie des Geistes" (1. Aufl. 1807, S. 616), dann in seiner Einleitung in die Geschichtsphilosophie (ed. Lasson, Sämtl. Werke VIII, Leipzig 1930, S. 81): ,,Für einen Kammerdiener gibt es keinen Helden ... nicht aber darum, weil dieser kein Held, sondern weil jener der Kammerdiener ist." Es steht hier im Zusammenhang mit der ,,List der Vernunft", die das Allgemeine und Ganze im einzelnen, auch noch gegen dessen Willen, verwirklicht. Dies Allgemeine vermag die Kammerdiener-Perspektive nicht zu sehen. Über die Quelle des verbreiteten Worts vgl. Bd. 6, S. 699, Anmkg. zu 398, 5 ff. Näheres s. Heckers Anmkg. zu seiner Nr. 47.

1161. Unbekannte französische Quelle.

1170. Erweiternd übersetzt aus der französischen Sammlung ,,Vasconiana ou recueil des bons mots. Lyon 1730".

1184. Vgl. die Anmkg. zu Nr. 1170.

1186. *travers* hier wohl = Fehler und Mängel, die einer Entwicklungsstufe eigentümlich zugehören. Vgl. das Gespräch mit Müller vom 8. März 1824: *Was sind travers? Falsche Stellungen zur Außenwelt ... Jede Lebensstufe hat die ihr eigenen.*

1194. Vgl. Bd. 7, S. 491, 18f. und *Faust* V. 11610f.: *Es war auf kurze Zeit geborgt; Der Gläubiger sind so viele.*

1202. Vgl. die Anmkg. zu Nr. 1048–1049 und das Gespräch mit Eckermann vom 11. März 1832.

1204. Typische Alterswendung. Goethe bestimmt den *Charakter* hier nicht vom Eigentümlichen her, sondern von der *Anhaltsamkeit*, vom *Folge geben* und *Folge haben*. Siehe auch *Geschichte der Farbenlehre*, Abschn. *Newtons Persönlichkeit.* (Bd. 14, S. 170–177). Vgl. Paul Stöcklein, Wege zum späten Goethe, Hamburg 1949, S. 159.

1213. Aus einem Brief Wielands an Bodmer vom 8. Juni 1752. In: Ausgewählte Briefe von C. M. Wieland ..., Zürich 1815. Bd. 1, S. 84. – *Idiotismen* = Eigenheiten.

1221. *Erotomorphism* = analoge Übertragung menschlicher Erotik auf außermenschliche Gebiete.

1222. Vgl. die Anmkg. zu Nr. 880–890.

1229. Herkunft des französischen Zitats unbekannt.

1232. *Timon,* der sprichwörtlich gewordene Menschenhasser zur Zeit des Sokrates, den Shakespeares „Timon von Athen" behandelt und auf den sich Goethe im Zusammenhang mit Jarno-Montan Bd. 8, S. 444, 26 bezieht.

1233. Identisch mit einem Satz des *Lehrbriefs* (Bd. 7, S. 496f.).

1234. Flüchtig hinzugesetzte Bleistiftnotiz Goethes auf einem (sonst mit Tinte beschriebenen) Zettel *Agenda* vom 13. Juli 1829 (Archivkasten 52, 3 in Weimar). Die ganz flüchtige Handschrift hat den gleichen Charakter wie sonst erste dichterische Entwürfe und läßt die Annahme zu, daß es sich um eine Goethesche Original-Maxime handelt.

1237. Vgl. die Wahlsprüche des Oheims der *Wanderjahre,* Bd. 8, S. 65 ff.

1240. Vgl. die Anmkg. zu Nr. 880–890.

1252–1253. Vgl. die Anmkg. zu Nr. 1170.

1256. Aus einem Brief der Frau von Sévigné, deren Briefsammlung Goethe 1824 las, an den Grafen de Bussy-Rabutin vom 19. Juli 1655.

1257. Vgl. Bd. 11, S. 531, 12–14.

1261. Aus Schweinichens Selbstbiographie (vgl. die Anmkg. zu Nr. 973). *Mannräuschlein* ist aber ein Lesefehler des Herausgebers Büsching für „Maurauschlein" oder „Marauschlein" = Mariechen (poln.), vertrauliche Bezeichnung für alle Mädchen.

1262. Nach dem plattdeutschen Wörterbuch von J. K. Dähler, 1781, S. 554.

1263. Vgl. die Anmkg. zu Nr. 1170.

1270. Nach Riemer machte Goethe diese Bemerkung, „als vom Charakter der Juden die Rede war" (Riemer, hrsg. v. Pollmer. Lpz. 1921. S. 331).

1271. Typisch Goethesche Variation eines Schillerwortes aus dem Brief vom 2. Juli 1796 an Goethe: „... daß es dem Vortrefflichen gegenüber keine Freiheit gibt als die Liebe".

1277. Vgl. Bd. 8, S. 51, 14–16.

1278. Aufgenommenes Volkssprichwort.

1279. *salvo honore* = unbeschadet der Ehre. – *Goffo* und *Moroso:* Masken des italienischen Stegreifspiels = Tolpatsch und Murrkopf.

1280. *Enthusiasmus* ist hier Genitiv, parallel zu *Kritik.*

1286. Vgl. Bd. 8, Anmkg. zu *A.M.A.* 182.

1291. Vgl. Grumach, Goethe und die Antike, Bln. 1949, S. 251.

1297. Vgl. Schillers abgrenzende Bestimmung des Realisten und Idealisten am Schluß seiner Abhandlung „Über naive und sentimentalische Dichtung" (1795/1796).

1302. Variiert aus Baco von Verulam (1561–1626), „De dignitate scientiarum", Buch 3, Kap. 6.

1305. *überträgt,* hier = erträgt, hinnimmt.

1308. Vgl. Bd. 8, Anmkg. zu 407, 16f.

1309. Den Anlaß zu dieser Maxime berichtet ausführlich J. S. Grüner, „Briefwechsel und mündlicher Verkehr zwischen Goethe und dem Rate Grüner. Leipz. 1853", S. 138. *Etiam nihil didicisti* = du hast auch nichts gelernt.

1314. *Sibyllinische Bücher,* Sammlung von Weissagungen, die der cumäischen Sibylle, einer Seherin des römischen Altertums, zugeschrieben wird. Die Sage berichtet, daß sie für drei Bücher, nach Verbrennen von sechs anderen, denselben Preis bekommen, den ursprünglich alle neun dem König Tarquinius angebotenen kosten sollten. Ähnlich an Schultz, 29. Juni 1829. Vgl. dazu den bedeutenden Brief an Zelter vom 19. März 1827: *Das alte Märchen der tausendmaltausend und immer noch einmal einbrechenden Nacht erzählen sich die Parzen unermüdet. Lange leben heißt viele überleben: so klingt das leidige Ritornell unseres vaudeville-artig hinschludernden Lebensganges; es kommt immer wieder an die Reihe, ärgert uns und treibt uns doch wieder zu neuem ernstlichen Streben. – Mir erscheint der zunächst mich berührende Personenkreis wie ein Konvolut sibyllinischer Blätter, deren eins nach dem andern, von Lebensflammen aufgezehrt, in der Luft zerstiebt und dabei den über-bleibenden von Augenblick zu Augenblick höhern Wert verleiht. Wirken wir fort, bis wir, vor oder nach einander, vom Weltgeist berufen in den Äther zurückkehren ...* (Briefe, Bd. 4, S. 219).

1315. Vgl. dazu E. Spranger, Goethe über die menschlichen Lebensalter. In: Spranger, Goethes Weltanschauung, Leipzig 1946, S. 88–121. Wieder abgedruckt in: Spranger, Goethe. Tübingen 1967. S. 74–107.

1324. Vgl. die Anmkg. zu Nr. 365.

1329. Eine Handschrift fügt als Quellenangabe hinzu: *Calojerotzame, Albane-ser* (im Zusammenhang mit Goethes südslawischen Literaturinteressen?).

1331. *Epitomator* = Verfasser eines zusammenfassenden Auszugs (= Epitome) aus einem größeren Werk.

1336. *Metempsychose* = Seelenwanderung.

1343. „Ein guter Mann ist immer Rekrut (in der Lehre)." Aus den „Apo-phtegmata" (vgl. die Anmkg. zu Nr. 84).

1349. Vgl. Bd. 8, Anmkg. zu *B. d. W.* 155.

1354. Goethe gibt im *4. Bd., 2. Heft, 1823,* von *Über Kunst und Altertum* selbst eine Erklärung der Herkunft dieses Wortes, das von der Schwester des italieni-schen Juristen Filangieri stammt. Vgl. Bd. 11, S. 203, 34ff.

1356. Aus Schweinichens Selbstbiographie (vgl. die Anmkg. zu Nr. 973).

1365. Vgl. den reisenden Lord der *Wahlverwandtschaften* und den Oheim der *Wanderjahre.*

1373. Goethe weist eine flache Deutung des Epikureismus als Philosophie des Sinnengenusses zurück. G. Müller verweist (seine Nr. 497) darauf, daß Goethe im Gespräch mit v. Müller vom 22. Januar 1821 auch Wilhelm Meister einen *armen Hund* nennt.

1381. Aus den „Apophtegmata" (vgl. die Anmkg. zu Nr. 84).

1382. „Den Aemilius Paulus, einen Mann, der in solchem Maße Lob verdient, als männliche Vortrefflichkeit (virtus) überhaupt begriffen werden kann." Zitat aus Vellejus Paterculus, „Historiae Romanae", Buch 1, Kap. 9. Vgl. auch Gru-mach, S. 865f.

1388. Der *Regenbogen* ist ein Goethesches Grundsymbol dafür, daß wir *am farbigen Abglanz* das Leben haben (vgl. *Faust,* V. 4715–4727).

Hier wird angedeutet, daß wir im allzu Vertrauten leicht das gegenwärtige *Unerforschliche*, das unvertraute *Geheimnis* übersehen.

1389. In den ,,Memoires du cardinal de Retz" (Nouv. Ed. Amsterdam 1731)
heißt es, Cromwell habe gesagt, ,,que l'on ne montait jamais si haut que quand on
ne sait où l'on va".

1390. Für Goethe ist kein Gegenstand so gering, daß er nicht *Folge haben*
könnte. Die Handschrift gibt auch die italienische Fassung (Hecker Nr. 82).

ALPHABETISCHES REGISTER
ZU DEN
MAXIMEN UND REFLEXIONEN

Die Ziffern bzw. Abkürzungen hinter den Maximenanfängen geben nacheinander die Nummern der vorliegenden Ausgabe, die Nummern des chronologischen Abdrucks nach den Handschriften von Max Hekker in den Schriften der Goethe-Gesellschaft, 21. Bd. (Weimar 1907), und die Quellen, aus denen die betr. Maximen stammen. Das ermöglicht dem Leser unseres durchgehend nach einheitlich sachlichen Gesichtspunkten geordneten Textes jederzeit auch die nähere chronologische Bestimmung der einzelnen Maximen.

OT = *Ottiliens Tagebuch* (*Die Wahlverwandtschaften*. 1809).
Fa = *Zur Farbenlehre*, 2. Bd., 3. Abt. 1810.
KA = *Über Kunst und Altertum*. 1818–1827.
Mo = *Hefte zur Morphologie* I/4, 1822.
HN = *Hefte zur Naturwissenschaft* II/1, 1823.
Wa = *Wilhelm Meisters Wanderjahre*. 1829. (*Betrachtungen im Sinne der Wanderer* und *Aus Makariens Archiv*.)
N = Aus dem Nachlaß.
A.M.A. = *Aus Makariens Archiv*. Bd. 8, S. 460–486 der Hamburger Ausgabe.

	Hamb. Ausg.	Hecker	Quelle
Abbildungen	502	157	KA
Aber die Menschen vermögen *A.M.A.*5		621	Wa
Aber in einem jeden	182	481	Wa
Aber man muß wissen . . .	381	989	N
Abstumpfen des Geistes. .	447	1340	N
Aemilium Paulum	1382	228	KA
Albrecht Dürern	847	1089	N
Alle Empiriker.	409	803	N
Alle Ganz- und	1265	386	KA
Alle Gegner einer	692	121	KA
Alle Gesetze sind Versuche.	109	831	N
Alle Gesetze sind von . . .	112	686	Wa
Alle Hypothesen	556	1221	N
Alle Individuen und	414	1182	N
Alle Kristallisationen. . . .	37	1394	N
Alle Liebe bezieht sich. . .	1267	388	KA
Alle Männer vom Fach. . .	446	1263	N
Alle Menschen, wie sie. . .	1115	345	KA
Alle Mystik ist ein	74	336	KA
Alle praktische.	234	924	N
Alle travers, die veralten. .	1186	93	KA
Alle unmittelbare	1299	802	N
Alle Verhältnisse der	6	1379	N
Alle Wirksamkeit ist	40	1368	N
Allein kann der Mensch . .	153	421	HN
Allen andern Künsten . . .	832	361	KA
Alles Abstrakte wird	582	530	Wa
Alles Gescheite ist schon. .	373	441	Wa
Alles Ideelle, sobald es. . .	576	315	KA
Alles ist einfacher, als . . .	525	1209	N
Alles ist gleich *A.M.A.*7		623	Wa
Alles kommt bei der	77	826	N
Alles Lebendige bildet . . .	47	435	HN
Alles Lyrische muß.	940	130	KA
Alles Prägnante, was	788	1101	N
Alles Spinozistische in . . .	522	322	KA
Alles Vortreffliche	1226	348	KA
Alles wahre Aperçu.	365	416	Mo
Alles, was entsteht	28	1252	N
Alles, was im Subjekt ist. .	515	1376	N
Alles, was man	404	1162	N
Alles, was unsern Geist . .	1119	504	Wa
Alles, was wir Erfinden . .	364	562	Wa
Alles, was wir treiben . . .	1109	303	KA
Allgemeine Begriffe	386	471	Wa

	Hamb. Ausg.	Hecker	Quelle
Allgemeines Kausalverhältnis	587	222	KA
Als Drittes entwickelt	229	393	Mo
Als getrennt muß sich	644	573	Wa
Also kommt wie	633	–	KA
Also war in der . . . . A.M.A.	21	637	Wa
Altes Fundament ehrt	375	548	Wa
Am widerwärtigsten sind	618	566	Wa
,,An meinen Bildern	818	1123	N
Anaxagoras lehrt, daß	572	1191	N
Anstatt meinen Worten	272	114	KA
Anthropomorphism	1221	1306	N
Antike Tempel	87	1134	N
Apokrypha	66	822	N
Arden von Feversham	950	358	KA
Auch Bücher haben ihr	914	231	KA
Auch einsichtige	531	768	Wa
Auch gefallen mir die Definitionen . . . A.M.A.	141	757	Wa
Auch in Wissenschaften	304	415	Mo
Auch jetzt im Augenblick	956	760	Wa
Auch zu schmecken ist	694	1301	N
Auf ähnliche, ja gleiche	286	409	Mo
Auf den heiligen Joseph	840	64	KA
Auf der Rezitation ruht	927	737	Wa
Auf die primären	613	613	Wa
Auf diese heitere	43	718	Wa
Aufrichtig zu sein, kann	1362	184	KA
Aus dem Größten wie	507	1225	N
Aus dem Himmel	60	669	Wa
Aus der Natur, nach	5	1409	N
Aus vielen Skizzen	819	1124	N
Ausgezeichnete Personen	1166	88	KA
Autorität, daß nämlich	374	547	Wa
Autorität: ohne sie	382	1174	N
Begegnet uns jemand	1347	4	OT
Begreiflich ist jedes	495	564	Wa
Begriff ist Summe	537	1135	N
Beharre, wo du stehst!	702	549	Wa
Beharren eines jeden im	1205	1349	N
Bei Betrachtung der	513	593	Wa
Bei Betrachtung von	839	1360	Wa
Bei den Griechen	1009	1029	N
Bei den Kontroversen	340	1386	N
Bei den vielfachsten Studien . . . . . . A.M.A.	161	777	Wa
Bei Erweitung des	426	1268	N
Bei Gelegenheit der	854	1130	N
Bei jedem Kunstwerk	830	224	KA
Bei leichter Berührbarkeit entwickelte . . . A.M.A.	159	775	Wa
Bei Naturforschung	568	1375	N
Bei Unvorsichtigkeiten	1289	144	KA
Bei wissenschaftlichen	439	1184	N
Beide jedoch finden	410	804	N
Beim Übersetzen muß	946	1056	N
Beim Zerstören gelten	331	895	N
Beispiele, wie sich die	970	1334	N
Bemalung und	1243	104	KA

	Hamb. Ausg.	Hecker	Quelle
Beschaue doch jeder	876	456	Wa
Bescheidenheit gehört	704	1398	N
Beschränkt doch den	862	1358	N
Besieht man es genauer	218	651	Wa
Besonderes Vergnügen	1188	1312	N
Betrachtet man die	210	–	Fa
Bildliche Vorstellung	906	1003	N
,,Blasen ist nicht flöten	792	472	Wa
Bonus vir	1343	283	KA
Cartesius schrieb sein	551	1215	N
Cato ward in seinem	187	399	Mo
Charakter, der	1206	1325	N
Charakter im großen	1204	839	N
Charaktere machen oft	851	342	KA
Chinesische, indische	999	763	Wa
Chodowiecky ist	856	1131	N
Christliche Mystiker	72	338	KA
Da die Gegenstände	519	1148	N
Da diejenigen, welche	403	1169	N
Da ich mit der	311	551	Wa
Da nun den Menschen	313	553	Wa
Da seit einiger Zeit	697	1292	N
Da wir denn doch zu	194	269	KA
Da wir überzeugt . . A.M.A.	17	633	Wa
Dabei bleibt er eben so	484	702	Wa
Dafür steht ja aber	666	708	Wa
Dagegen aber ist mir's	615	1246	N
Daher ist das schönste	809	792	Wa
Daher kommt, daß	467	1266	N
Darzutun wäre, welches	629	1283	N
Das Absurde, Falsche	322	881	N
Das Absurde, mit	869	364	KA
Das Abwesende wirkt	202	535	Wa
Das Allgemeine eines	300	1204	N
Das Allgemeine und	491	569	Wa
Das Altertum setzen wir	894	300	KA
Das Besondere	492	199	KA
Das Beste, was wir von	216	495	Wa
Das Betragen ist ein	1184	39	OT
Das Christentum steht	83	818	N
Das deutsche Theater	925	735	Wa
Das eigentlich Unverständige	711	238	KA
Das eigentlich wahrhaft Gute	1067	135	KA
Das Eigentümliche	1178	33	OT
Das Einfache durch das	611	611	Wa
Das Element . . . . A.M.A.	167	783	Wa
Das Erhabene, durch	545	1139	N
Das Erhabene, für uns	68	1343	N
Das Erlebte weiß jeder	277	400	Mo
Das Erste und Letzte	759	382	KA
Das Falsche (der Irrtum)	323	1316	N
Das Falsche hat den	332	587	Wa
Das Faßliche gehört	577	333	KA
Das Fürchterlichste ist	1162	1012	N
Das Fürtreffliche	903	227	KA
Das ganze Leben	1107	915	N

	Hamb. Ausg.	Hecker	Quelle
Das Gedächtnis mag	1304	111	KA
Das Gemeine muß man . .	1043	350	KA
Das genetische Verfahren .	592	1235	N
Das Genie mit Großsinn . .	761	1010	N
Das Genie übt eine Art . .	760	1007	N
Das Gesetz, das in die . .	747	1346	N
Das Gesicht . . . . . A.M.A.	128	744	Wa
Das Glück des Genies . . .	761	1008	N
Das große Recht, nicht . .	128	964	N
Das Große, Überkolossale der	22	1275	N
Das höchste Glück ist . . .	1245	524	Wa
Das Höchste wäre: zu . . .	488	575	Wa
Das Höchste, was wir . . .	227	391	Mo
Das Interesse an ihnen . .	473	693	Wa
Das ist die wahre	752	314	KA
Das ist eben das Hohe . . .	635	1390	N
Das Jahrhundert ist	1348	1167	N
Das kleinste Haar	1390	82	KA
Das kommt daher, weil . .	466	1265	N
Das Lächerliche	1210	13	OT
Das längst Gefundene . . .	453	123	KA
Das Leben, so gemein es . .	1040	164	KA
Das Leben vieler	1144	917	N
Das Lebendige hat die . . .	29	1253	N
Das Manierierte ist ein . . .	815	508	Wa
Das Menschliche	971	1361	N
Das Naive als natürlich . .	1042	60	KA
Das Närrischste ist, daß . .	463	583	Wa
Das neunzehnte	552	1216	N
Das poetische Talent	918	732	Wa
Das Publikum beklagt . . .	986	1020	N
Das Publikum will wie. . .	983	1019	N
Das radikale Übel	1163	863	N
Das Recht dringt auf	108	544	Wa
Das Romantische ist	865	1033	N
Das schädlichste.	481	700	Wa
Das Schöne ist	719	183	KA
Das schönste Glück	718	1207	N
Das Schreckliche für . . .	798	1132	N
Das Schwierige leicht. . . .	740	55	OT
Das sogenannte Aus-sich-Schöpfen.	813	1119	N
Das sogenannte Roman-tische einer Gegend . .	868	181	KA
Das Tier wird durch	573	1190	N
Das Trocken-Naive . . .	844	1086	N
Das unheilbare Übel	67	1400	N
Das unmittelbare Gewahr-werden.	16	433	HN
Das Unsterbliche. . . A.M.A.	14	630	Wa
Das Unzulängliche	1062	1176	N
Das Urteil können sie . . .	281	874	N
Das Verhältnis der Künste .	901	484	Wa
Das Verhältnis zu . . A.M.A.	168	784	Wa
Das Wahre (Allgemeine). .	496	1004	N
Das Wahre, Anerkannte. .	315	1399	N
Das Wahre fördert	324	596	Wa
Das Wahre, Gute	1011	1028	N
Das Wahre ist eine	291	236	KA

	Hamb. Ausg.	Hecker	Quelle
Das Wahre ist gottähnlich .	11	619	Wa
Das wäre wohl der	444	1186	N
Das Was des	756	505	N
Das, was man für sie tut . .	262	1320	N
Das werden aber	534	557	Wa
Das Wichtigste bleibt . . .	186	398	Mo
Das Wissen beruht auf . . .	305	1151	N
Das Wissen wird durch . .	308	1152	N
Das Wort, es solle kein . .	353	654	Wa
Das Wort Schule, wie . . .	924	734	Wa
Das Wunderlichste im . . .	1045	927	N
Das Zufällig-Wirkliche . .	1041	103	KA
Das Zurückführen der . . .	597	1244	N
Daß Christus.	69	1305	N
Daß das Bedingte	494	1372	N
Daß der Mensch zuletzt . .	1331	995	N
Daß die bildende Kunst . .	837	1038	N
Daß die Natur, die uns . .	48	1364	N
Daß die Naturforscher. . .	280	873	N
Daß es dem Menschen . . .	566	1374	N
Daß Friedrich der Große .	997	766	Wa
Daß man gerade nur	1293	939	N
Daß Menschen dasjenige. .	816	312	KA
Daß Newton bei seinen . .	687	431	HN
Davon kommt dem.	285	408	Mo
Dem Klugen kommt	1047	919	N
Dem Menschen ist	1155	868	N
Dem tätigen Menschen . .	1082	100	KA
Dem Verzweifelnden. . . .	1129	857	N
Den Deutschen ist nichts .	160	169	KA
Den einzelnen Verkehrt-heiten.	195	280	KA
Den Stoff sieht.	754	289	KA
Den teleologischen	9	808	N
Den Timon fragte.	1232	243	KA
Denke nur niemand, daß .	1301	907	N
Denken ist	242	1150	N
Denn das Gemeine ist's . .	735	1104	N
Denn das Gesetz . . A.M.A.	8	624	Wa
Denn die Götter . . . . A.M.A.	6	622	Wa
. . . Denn eben, wenn. . .	596	1402	N
Denn indem die Form, in die A.M.A.	23	639	Wa
Denn sie sind.	472	692	Wa
Denn wenn wir uns.	359	660	Wa
Denn wir glauben.	663	665	Wa
Der Aberglaube gehört . .	909	500	Wa
Der Aberglaube ist	908	171	KA
Der allgemeine neuere . .	601	602	Wa
Der Alte verliert.	1334	371	KA
Der Appell an die	985	209	KA
Der Augenblick ist eine . .	1098	909	N
Der Bach ist dem	1361	527	Wa
Der Begriff vom	599	724	Wa
Der denkende Mensch hat die wunderliche	545	591	Wa
Der denkende Mensch irrt besonders, wenn	591	1234	N
Der Despotismus	106	321	KA
Der Deutsche hat	159	80	KA

	Hamb. Ausg.	Hecker	Quelle
Der Deutsche läuft	158	764	Wa
Der Deutsche soll alle	1014	978	N
Der Dichter ist.	1028	510	Wa
Der echte Deutsche.	157	976	N
Der echte Schüler	1233	620	Wa
Der eigentliche	330	165	KA
Der eine Bruder brach	1356	245	KA
Der eingeborenste	593	1236	N
Der Empirismus zur	565	1373	N
Der Engländer ist	449	590	Wa
Der erste ist derjenige	213	—	Fa
Der Fehler	490	1164	N
Der Fraunhoferische Versuch	685	1290	N
Der für dichterische und.	838	662	Wa
Der gemeine Wissenschäftler	397	1175	N
Der Gemeinverstand	580	539	Wa
Der geringste Mensch	1239	474	Wa
Der Glaube ist ein.	91	163	KA
Der Granit verwittert	676	1241	N
Der grenzenlose.	586	1308	N
Der Grund aller.	926	736	Wa
Der Handelnde ist	251	241	KA
Der Haß ist ein aktives.	1273	247	KA
Der herrliche Kirchengesang	762	182	KA
Der Historiker kann	224	943	N
Der höchste Zweck.	127	950	N
Der Humor entsteht	1279	1006	N
Der Humor ist eins der	763	65	KA
Der Irrtum ist recht gut	1322	92	KA
Der Irrtum ist viel leichter zu erkennen.	325	166	KA
Der Irrtum verhält sich	334	331	KA
Der Irrtum wiederholt.	319	292	KA
Der ist der glücklichste Mensch.	1064	140	KA
Der Kampf des Alten.	138	346	KA
Der Kampf mit Newton.	690	1294	N
Der Konflikt.	197	—	Fa
Der Kredit ist eine	222	947	N
Der Laie mag das	889	1075	N
Der lebendige begabte	233	1205	N
Der liebt nicht, der	1260	843	N
Der Magnet ist ein	19	434	HN
Der Mathematiker ist angewiesen	641	1286	N
Der Mathematiker ist nur.	650	609	Wa
Der Mensch, abgesehen von	1266	387	KA
Der Mensch an sich.	664	706	Wa
Der Mensch begreift	1220	203	KA
Der Mensch findet sich	606	597	Wa
Der Mensch ist als	58	266	KA
Der Mensch ist genugsam.	1061	1194	N
Der Mensch kann.	1136	1405	N
Der Mensch muß bei	298	563	Wa
Der Mensch wäre nicht	1039	122	KA
Der Menschenverstand, der eigentlichst	583	1201	N
Der Menschenverstand wird mit dem	578	344	KA
Der mittelmäßigste	939	1406	N
Der Müller denkt.	1360	138	KA
Der Mystizismus	70	369	KA
Der Newtonische Irrtum.	689	1293	N
Der Newtonische Versuch.	683	509	N
Der pedantische.	1019	1288	N
Der Philolog.	1027	982	Wa
Der rechtliche Mensch.	1311	830	N
Der Rhythmus hat	775	248	KA
Der Roman ist eine	938	133	KA
Der Romanenheld	937	1048	N
Der Scharfsinn verläßt	338	1011	N
Der Schmutz ist	1387	137	KA
Der Schnee ist eine	1386	127	KA
Der Schulmann, indem	1030	661	Wa
Der schwache Faden	455	—	Fa
Der sinnliche Mensch	1211	14	OT
Der Sprache liegt zwar.	656	1287	N
Der Tag an und für sich	1100	910	N
Der Tag gehört	1101	911	N
Der Tiger, dem	1374	937	N
Der törigste von allen	371	254	KA
Der Umgang mit Frauen.	1176	31	OT
Der Undank ist immer.	1346	185	KA
Der unschätzbare	1001	730	Wa
Der Verständige findet.	1212	15	OT
Der Verständige regiert nicht	1055	687	Wa
Der Vorteil, den sich	873	453	Wa
Der Wolf im Schafpelze	1148	850	N
Der wunderbarste.	1071	68	KA
Der zur Vernunft.	805	469	Wa
Derjenige, der allen.	1338	905	N
Derjenige, der sich mit.	1223	1188	N
Des tragischen Dichters	920	1050	N
Deshalb hat die	416	1212	N
Deshalb ist die Bibel	64	335	KA
Deshalb leben Kinder	1318	276	KA
Deswegen läßt sich	55	520	Wa
Deswegen sagte man	318	1298	N
Deswegen sind Bücher.	427	1270	N
„Deutlichkeit ist eine	351	251	KA
Die Afterweisen suchen	480	699	Wa
Die Allegorie.	750	1112	N
Die Alten vergleichen	741	1192	N
Die Analogie hat zwei	24	559	Wa
Die angenehmsten	1191	11	OT
Die Arbeit macht	1083	71	KA
Die außerordentlichen Männer.	432	436	HN
Die Bedeutsamkeit der.	266	482	Wa
Die bildende Kunst ist	781	59	KA
Die Botaniker haben	1238	473	Wa
Die christliche Religion	82	819	N
Die Deutschen der alten Zeit.	162	974	N

	Hamb. Ausg.	Hecker	Quelle
Die Deutschen der neueren Zeit	163	973	N
Die Deutschen sollten in . .	165	340	KA
Die Deutschen, und	448	589	Wa
Die Dialektik ist die	584	1202	N
Die Dilettanten, wenn sie .	822	447	Wa
Die Dunkelheit gewisser. .	349	1068	N
Die empirisch-sittliche Welt	1112	170	KA
Die Engländer werden . . .	171	977	N
Die Erfahrung nutzt erst. .	564	615	Wa
Die Erscheinung ist vom. .	512	1224	N
Die Existenz irgendeines. .	207	—	Fa
Die Forderung	1013		KA
Die Form will so gut . . .	753	1083	N
Die Frage, ob man bei . .	783	492	Wa
Die Frage über die	46	1397	N
Die Frage, wer höher. . .	190	270	KA
Die Frage: ,,Woher hat's	757	506	Wa
Die Franzosen haben. . . .	625	647	Wa
Die französischen Worte .	1031	102	KA
Die Freigebigkeit	1134	84	KA
Die Freude des ersten . . .	367	1145	N
Die Funktion ist das	45	1367	N
Die Gedanken kommen . .	396	297	KA
Die gegenwärtige Welt. . .	98	896	N
Die Gegenwirkung eines. .	1317	275	KA
Die Geheimnisse der	1058	617	Wa
Die Gelehrten sind meist .	450	255	KA
Die Geognosie des	268	1274	N
Die Geschichte der Philosophie	486	704	Wa
Die Geschichte der Wissenschaften ist	391	545	Wa
Die Geschichte der Wissenschaften zeigt	451	425	HN
Die Geschichte wie das . .	220	945	N
Die Gesellschaft, in die . .	125	952	N
Die Gewalt einer Sprache .	1016	979	N
Die gewöhnlichen.	987	1054	N
Die Griechen nannten . . .	44	1365	N
Die Griechen, wenn sie . .	569	1366	N
Die große Aufgabe wäre. .	643	1282	N
Die große Schwierigkeit. .	520	278	KA
Die größte Achtung, die. .	984	77	KA
Die größte Wahrscheinlichkeit.	1133	360	KA
Die größten Menschen. . .	97	49	OT
Die größten Schwierigkeiten liegen.	1353	772	Wa
Die größten Vorteile im . .	1179	34	OT
Die Güte des Herzens . . .	1121	1318	N
Die Heiligkeit der.	772	489	Wa
Die Hindus der Wüste . . .	1358	145	KA
Die historischen Zeiten . .	206	—	Fa
Die höchste Absicht	736	1352	N
Die höhere Empirie.	523	411	Mo
Die höheren Forderungen sind	881	1085	N
Die Idee ist ewig.	12	375	KA
Die ineinandergreifenden .	201	—	Fa II
Die Irrtümer des	1046	282	KA
Die jungen Leute sind . . .	1324	1413	N
,,Die Kirche schwächt . .	80	821	N
,,Die Klugen haben.	1291	237	KA
Die Konstanz der	499	1229	N
Die Kreatur ist.	51	814	N
Die Kreise des Wahren. . .	328	1249	N
Die Kristallographie	671	721	Wa
Die Kritik erscheint	988	1027	N
Die Kultur des Wissens . .	421	—	Fa
Die Kunst an und für. . . .	897	61	KA
Die Kunst beschäftigt . . .	739	54	OT
Die Kunst ist ein	899	58	KA
Die Kunst ist eine.	729	384	KA
Die Kunst kann	803	250	KA
Die Kunst ruht auf	728	1107	N
Die Kunst soll das.	817	1121	N
Die lateinische Sprache . .	1010	1040	N
Die Laune ist ein	1275	1005	N
Die Lehre von dem	528	1197	N
Die Leidenschaft erhöht. .	1254	24	OT
Die Leidenschaften sind . .	1251	21	OT
Die liberalen	150	215	KA
Die Liebe, deren	1264	385	KA
Die Literatur verdirbt . . .	915	1030	N
Die Lust der Deutschen . .	827	75	KA
Die Malerei ist die	782	491	Wa
Die Mängel erkennt nur. .	1246	523	Wa
Die Manifestation der . . .	745	377	KA
Die Materie A.M.A.20		636	Wa
Die Mathematik ist wie . .	646	605	Wa
Die Mathematik vermag. .	649	608	Wa
Die Mathematiker sind eine Art Franzosen . .	652	1279	N
Die Mathematiker sind wunderliche Leute. . . .	658	1277	N
Die Meisterschaft gilt . . .	802	316	KA
Die Menge fragt bei.	478	697	Wa
Die Menge kann.	1154	177	KA
Die Menschen, da sie. . . .	1302	1189	N
Die Menschen glauben. . .	1125	930	N
Die Menschen halten. . . .	1124	290	KA
Die Menschen kennen . . .	1164	86	KA
Die Menschen sind als . . .	95	957	N
Die Menschen sind durch .	588	716	Wa
Die Menschen sind wie . .	1145	294	KA
Die Menschen verdrießt's .	294	116	KA
Die Menschen werden . . .	1080	463	Wa
Die Menschen wundern . .	273	1313	N
Die mimische Tanzkunst .	777	381	KA
Die Mineralienhändler. . .	674	1260	N
Die Modernen sollen. . . .	1003	1039	N
Die Musik ist heilig oder. .	770	487	Wa
Die Muttersprache	1020	—	KA
Die nächsten faßlichen. . .	595	1238	N
Die Natur auffassen und. .	620	437	HN
Die Natur bekümmert. . .	7	1250	N
Die Natur füllt mit ihrer. .	27	1251	N
Die Natur gerät auf	39	95	KA

	Hamb. Ausg.	Hecker	Quelle		Hamb. Ausg.	Hecker	Quelle
Die Natur hat sich so viel .	245	439	HN	Diejenigen, die das	691	1296	N
Die Natur ist immer	4	1304	N	Diejenigen, welche widersprechen	707	886	N
„Die Natur verbirgt Gott!"	3	811	N	Dies ist es, was man	542	801	N
Die Natur verstummt . . .	498	115	KA	Diese Neigung kann	1269	390	KA
Die Natur wirkt nach . . .	723	1106	N	Dieser schnelle . . . A.M.A.163	779	Wa
Die neuere Zeit schätzt . .	437	–	Fa	Dieser Wirkung nach. . . .	230	394	Mo
Die neueste Philosophie . .	624	646	Wa	Dieses weiter.	893	644	Wa
Die Ohrenbeichte im. . . .	79	823	N	Dilettantismus, ernstlich. .	825	249	KA
Die orientalische	73	337	KA	Doch mag dies auch	532	769	Wa
Die originalsten . . A.M.A.175	791	Wa	Doch muß man	144	680	Wa
Die Pflicht des	191	271	KA	Dozieren kannst du	442	354	KA
Die Phänomene sind	503	1228	N	Drei Dinge werden nicht .	1366	1326	N
Die Realen. Was nicht . . .	1297	925	N	Drei Klassen von Narren .	1367	1327	N
Die Redekunst ist	1029	511	Wa	Dummheit, seinen Feind .	1113	861	N
Die Schönheit: jede	721	1350	N	Durch das, was wir	1175	30	OT
Die Schönheit kann nie . .	726	256	KA	Durch die despotische . . .	961	94	KA
Die schönste Metamorphose	36	1259	N	Durch nichts	1209	12	OT
Die schönste Metempsychose	1336	403	Mo	Durchaus aber	634	–	N
Die schwer zu lösende . .	1152	862	N	Ebenso begreift man	621	438	HN
Die Schwierigkeiten	1352	56	OT	Ebenso geht's allen	885	1072	N
Die Sehnsucht, die nach . .	774	1062	N	Ebenso ist es mit dem . . .	665	707	Wa
Die Sentimentalität der . .	959	363	KA	Echt ästhetisch-didaktisch .	441	378	KA
Die Sinne trügen nicht . . .	295	1193	N	Egoistische Kleinstädterei, die	1147	869	N
Die sogenannten	944	112	KA	Eigentlich kommt alles. . .	811	794	Wa
Die Symbolik verwandelt .	749	1113	N	Eigentlich lernen wir	715	334	KA
Die Technik im	829	1129	N	Eigentlich weiß man nur .	717	281	KA
Die Theorie an und für. . .	570	529	Wa	Eigentlichster Wert der . .	942	514	Wa
Die ungeheuerste Kultur. .	1300	928	N	Eigentümlichkeit des. . . .	945	739	Wa
Die Unmöglichkeit	724	1347	N	Eigentümlichkeit ruft . . .	1215	496	Wa
Die Vernunft hat nur. . . .	604	599	Wa	Ein alter gutmütiger	1309	226	KA
Die Vernunft ist auf das . .	538	555	Wa	Ein anderes ist die.	800	449	Wa
Die vernünftige Welt ist . .	10	444	Wa	Ein ausgesprochenes Wort tritt	424	–	Fa
Die Verwechslung eines . .	1284	206	KA	Ein ausgesprochnes Wort fordert	1036	1000	N
Die Vögel sind ganz	33	1256	N	Ein bedeutendes.	477	696	Wa
Die Vorsicht ist einfach . .	1359	142	KA	Ein beschränkter	1363	174	KA
Die Vorurteile der	1208	341	KA	Ein Deutscher war schon .	168	1331	N
Die Wahlsprüche	1237	319	KA	Ein dramatisches Werk . .	919	1052	N
Die wahre Liberalität. . . .	152	876	N	Ein edler Philosoph.	776	1133	N
Die wahre Vermittlerin . .	18	413	Mo	Ein Eklektiker aber ist . . .	627	649	Wa
Die wahren Weisen.	479	698	Wa	Ein gebranntes Kind	1126	931	N
Die Wahrheit gehört	1229	150	KA	Ein geistreicher Humorist.	993	1337	N
Die Wahrheit widerspricht .	321	310	KA	Ein geistreicher Mann . . .	71	339	KA
Die Weisheit ist nur	226	78	KA	Ein großer Fehler: daß . .	1225	476	Wa
Die Welt ist eine.	355	193	KA	Ein großer Fehler, den . . .	594	1237	N
Die Wirksamkeiten, auf . .	255	536	Wa	Ein großes Übel	574	614	Wa
Die Wissenschaft hilft . . .	303	417	Mo	Ein großes Unheil.	976	1022	N
Die Wissenschaft wird . . .	434	410	Mo	Ein historisches	203	494	Wa
Die Wissenschaften, auch .	476	695	Wa	Ein jeder leidet, der. . . .	1085	332	KA
Die Wissenschaften so gut als die Künste.	395	1155	N	Ein jeder Mensch sieht. . .	1349	594	Wa
Die Wissenschaften zerstören sich.	402	1161	N	Ein jeder, weil er spricht. .	1033	239	KA
Die Würde der Kunst . . .	769	486	Wa	Ein Künstler, der	883	1069	N
Die Zeit ist selbst ein . . .	93	202	KA	Ein lustiger Gefährte . . .	1278	136	KA
Die Zudringlichkeiten . . .	824	194	KA	Ein Mensch zeigt nicht . .	1207	864	N
Die zweite Epoche ist die .	214	–	Fa	Ein Phänomen.	501	156	KA
Die zweite Gunst. der. . . .	228	392	Mo	Ein schäbiges Kamel	1295	904	N

	Hamb. Ausg.	Hecker	Quelle
Ein Unterschied, der	510	204	KA
Ein unzulängliches	452	146	KA
Ein Zustand, der alle	1075	143	KA
Ein zweijähriger Knabe . .	1319	277	KA
Einbildungskraft wird . . .	1002	507	Wa
Eine allgemeine	177	771	Wa
Eine Chronik schreibt . .	192	296	KA
Eine eklektische	626	648	KA
Eine falsche Lehre läßt. . .	320	119	KA
Eine freie Seele . . . A.M.A.158		774	Wa
Eine gefallene	1377	854	N
Eine jede Idee tritt als . .	541	800	N
Eine Musik, die den	771	488	Wa
Eine nachgesprochne. . .	326	880	N
Eine richtige Antwort . .	1189	888	N
Eine Romanze ist kein . . .	941	1055	N
Eine Sammlung von . . .	1365	190	KA
Eine Schule ist als	698	118	KA
Eine solche Arbeit	875	455	Wa
Eine solche freundlich-belehrende.	276	273	KA
Eine Stelle in	632	–	KA
Eine tätige Skepsis	299	1203	N
Eine völlige.	929	741	Wa
Einem bejahrten Manne . .	1263	16	OT
Einem jeden	766	288	KA
Einem Klugen	1290	223	KA
Einen gerüsteten, auf die. .	139	962	Wa
Einen Irrtum nenn' ich. . .	312	552	Wa
Einen Regenbogen, der . .	1388	161	KA
Einen wundersamen	922	1049	N
Einer freieren	1004	–	KA
Einer neuen Wahrheit . .	314	715	Wa
Eingebildete Gleichheit . .	122	954	N
Eitelkeit ist eine	1282	860	N
Eltern und Kindern.	1335	996	N
Engländer und.	866	1034	N
Englische Stücke. Das . . .	958	1341	N
Er betrachtet die Idee . . .	135	264	KA
Er fühlte einen . . . A.M.A.160		776	Wa
Er ist in nichts . . . A.M.A.171		787	Wa
Er scherzt gar. . . A.M.A.169		785	Wa
Er stand vor einem	61	670	Wa
Erfahrung kann sich ins . .	563	308	KA
Erfüllte Pflicht.	1090	522	Wa
Erlaubt uns in unsern . . .	967	1095	N
Ersparnis der Erfahrung. .	567	1370	N
Erst hört man von.	887	1073	N
Es äußert sich jenes	244	534	Wa
Es begegnet mir	178	477	Wa
Es begegnete und	896	162	KA
Es betrügt sich kein.	1326	993	N
Es bleibt einem jeden. . . .	1053	110	KA
Es darf sich einer	1117	44	OT
Es folgt eben gar nicht . . .	655	1280	N
Es gehört eine eigene . . .	562	592	Wa
Es geht uns mit Büchern. .	275	272	KA
Es geschieht nichts	1054	540	Wa
„Es gibt auch	826	326	KA
Es gibt auffallende	205	–	Fa

	Hamb. Ausg.	Hecker	Quelle
Es gibt bedeutende	204	–	Fa
Es gibt Bücher.	917	1058	N
Es gibt eine enthusiastische Reflexion	521	329	KA
Es gibt eine Höflichkeit . .	1185	40	OT
Es gibt eine Poesie	1008	225	KA
Es gibt eine zarte	509	565	Wa
Es gibt empirische	990	1021	N
Es gibt Hypothesen	559	727	Wa
Es gibt im Menschen. . . .	1371	306	KA
Es gibt jetzt eine böse . . .	575	1240	N
Es gibt kein äußeres	1183	38	OT
Es gibt keine Lage.	1052	856	N
Es gibt keine patriotische .	859	690	Wa
Es gibt keinen größeren . .	1160	48	OT
Es gibt Menschen, die auf die Mängel.	270	882	N
Es gibt Menschen, die gar nicht irren, weil	342	197	KA
Es gibt Menschen, die ihr .	1135	284	KA
Es gibt nichts Gemeines . .	764	109	KA
Es gibt nur zwei wahre. . .	52	667	Wa
Es gibt Pedanten	619	567	Wa
Es gibt Personen	261	244	KA
Es gibt problematische. . .	1312	134	KA
Es gibt, sagt man	1146	47	OT
Es gibt Theologen.	81	820	N
Es gibt viele Menschen. . .	1340	889	N
Es gibt wohl zu diesem . .	430	422	HN
Es gibt zwei friedliche . . .	107	543	Wa
Es gibt zwei Momente . . .	212	–	Fa
Es gibt zweierlei.	199	–	Fa
Es hat mit euch eine	1306	131	KA
Es hört doch jeder nur . . .	1197	887	N
Es ist besser, das . . A.M.A.136		752	Wa
Es ist besser, daß	114	833	N
Es ist besser, eine	1288	920	N
Es ist besser, es	113	832	N
Es ist besser, man	1140	848	N
. . . Es ist daher das	516	1403	N
Es ist das Eigne zu	535	1210	N
Es ist eben, als ob	1339	318	KA
Es ist ein angenehmes . . .	248	1140	N
Es ist ein großer	913	1057	N
Es ist eine Eigenheit	533	556	Wa
Es ist eine Forderung. . . .	1242	99	KA
Es ist eine schlimme	616	424	HN
Es ist eine Tradition	828	1128	N
Es ist etwas unbekanntes. .	514	1344	N
Es ist ganz einerlei, ob . . .	1200	884	N
Es ist ganz einerlei, vornehm	1037	114	KA
Es ist ihnen wohl Ernst . .	1375	1179	N
Es ist immer dieselbe . . .	623	309	KA
Es ist kein großer	1026	985	N
Es ist keine Kunst.	898	855	N
Es ist mir in den	290	372	KA
Es ist mit den Ableitungs-gründen	610	414	Mo
Es ist mit den Jahren	1314	990	N

	Hamb. Ausg.	Hecker	Quelle
Es ist mit der Geschichte. .	225	944	N
Es ist mit Meinungen. . . .	413	148	KA
Es ist nicht die Rede	877	457	Wa
Es ist nicht genug zu	235	689	Wa
Es ist nicht immer nötig . .	53	466	Wa
Es ist nicht wahr, daß . . .	1106	1310	N
Es ist nicht zu leugnen . . .	59	668	Wa
Es ist nichts furchtbarer . .	249	898	N
Es ist nichts inkonsequenter.	1050	899	N
Es ist nichts schrecklicher	250	367	KA
Es ist nichts theatralisch . .	931	1053	N
Es ist nichts trauriger. . . .	252	961	N
Es ist niemand fähig zu . .	1156	870	N
Es ist nun schon bald. . . .	164	311	KA
Es ist schon genug, daß . .	787	1100	N
Es ist schwer, gegen . . .	1097	139	KA
Es ist so gewiß als	310	149	KA
Es ist so schwer, etwas. . .	794	1082	N
Es ist soviel gleichzeitig . .	1084	352	KA
Es ist traurig anzusehen . .	1230	76	KA
Es ist viel mehr schon . . .	518	1148	N
Es ist von einem	669	709	Wa
Es ist was Schreckliches . .	1161	46	OT
Es ist weit eher möglich . .	710	74	KA
Es kann wohl sein, daß . .	1313	357	KA
Es kommt mir wunderbar.	934	1339	N
Es sind immer nur	247	220	KA
Es sind z w e i Gefühle . . .	369	1149	N
Es steht manches	872	452	Wa
Es war schon bei den	1023	1396	N
Es wäre nicht der Mühe . .	1065	618	Wa
Es werden jetzt	1006	126	KA
Es wird eine Zeit	617	430	HN
Es ziemt sich dem.	380	988	N
Etwas Mönchisch-.	672	722	Wa
Etwas Theoretisches . . .	475	1232	N
Euch wird aber A.M.A.19		635	Wa
Eulenspiegel: alle	974	1045	N
Fall und Stoß: dadurch. . .	679	1242	N
Falsche Tendenzen sind . .	544	923	N
Falsche Vorstellung, daß. .	657	1278	N
Fehler der Dilettanten . . .	823	1127	N
Fehler der sogenannten . .	173	958	N
Ferner bringen A.M.A.25		641	Wa
Frage sich doch jeder. . . .	96	903	N
Freilich müßte man	211	–	Fa
Freiwillige Abhängigkeit .	1120	41	OT
Friedrich der Zweite . . .	855	1353	N
Frömmigkeit ist kein. . .	54	519	Wa
Für das größte Unheil . . .	180	479	Wa
Für die vorzüglichste. . . .	1308	729	Wa
Ganz das Entgegengesetzte ist.	675	723	Wa
Ganz nahe daran steht . . .	1268	389	KA
Ganze, Halb- und	337	465	Wa
Gar oft im Laufe des	1070	67	KA
Gar selten tun wir.	1337	406	Mo
Gar vieles kann lange. . . .	384	1081	N
Gedankenlosigkeit, die . .	1096	1324	N
Gegen die drei Einheiten. .	923	355	KA
Gegen die Kritik	699	176	KA
Gegen große Vorzüge . . .	1271	45	OT
Gegner glauben, uns zu . .	706	885	N
Gehalt ohne Methode . . .	435	–	Fa
Geheimnisse sind noch . .	88	210	KA
Gehen wir in die.	185	397	Mo
Gemüt hat jedermann . . .	791	1116	N
,,Genau besehen, haben . .	62	673	Wa
,,Genau besehen, ist	423	1200	N
Geometrie ist hier in	354	655	Wa
Gerade das, was	797	1076	N
Gerechtigkeit: Eigenschaft	167	975	N
Gescheute Leute sind . . .	1364	196	KA
Geschichte der Wissenschaft: Was	392	1381	N
Geschichte der Wissenschaften: der	394	1157	N
Geschichte schreiben ist. .	193	105	KA
Geselligkeit lag in	259	327	KA
Gesetzgeber oder	121	953	N
Gesinnungen aber sind. . .	148	218	KA
Gesunde Menschen sind. .	1241	938	N
Gewisse Bücher	460	72	KA
Gewisse Mängel sind. . . .	1248	18	OT
Gewisse Tugenden	456	–	Fa
Gewissen Geistern muß . .	1213	125	KA
Gewöhnliches Anschauen, richtige . . .	243	533	Wa
,,Gib mir, wo ich stehe!" . .	346	221	KA
Glaube ist Liebe zum. . . .	92	815	N
Glaube, Liebe, Hoffnung.	56	858	N
Gleiche oder wenigstens. .	609	603	Wa
Gott, wenn wir hoch. . . .	50	813	N
Große Leidenschaften . . .	1253	23	OT
Große Talente sind das . .	1272	1009	N
Große Talente sind selten .	1072	260	KA
Große, von Ewigkeit. . . .	41	374	KA
Grundeigenschaft der . . .	21	571	Wa
Gunst, als Symbol	118	108	KA
Heinrich der Vierte	949	1042	N
Herr v. Schweinichen ist .	973	253	KA
Herrschen lernt sich	102	967	N
Herrschen und Genießen .	101	966	N
Hersilie sagte von der . . .	1277	1342	N
Hiedurch veranlaßt.	1320	277	KA
Hier aber kommt es nun. .	647	606	Wa
Hierauf haben wir	267	483	Wa
Hierbei aber haben jene . .	943	515	Wa
Hierüber kann eine.	765	66	Ka
Historisch betrachtet. . . .	1066	842	N
Höchst bemerkenswert . .	57	265	KA
Höchst merkwürdig ist . .	1056	999	N
Höchst reizend ist für . . .	208	–	Fa
,,Hoffnung ist die zweite .	1132	304	KA
Hundert graue Pferde . . .	1378	1295	N

	Hamb. Ausg.	Hecker	Quelle
Hypothesen sind Gerüste .	·554	1222	N
Hypothesen sind Wiegenlieder	557	579	Wa
I convertiti stanno	76	211	KA
Ich aber will A.M.A.10		626	Wa
Ich bedaure die	1038	155	KA
Ich bin mit allen	274	878	N
„Ich bin über die Wurzeln	1350	994	Wa
Ich bin überzeugt, daß . . .	65	672	Wa
Ich denke immer, wenn . .	1032	1060	N
Ich denke, Wissenschaft könnte man. . . . A.M.A.142		758	N
Ich erwarte wohl, daß . . .	345	1401	N
Ich finde es beinahe.	1173	28	OT
„Ich glaube einen Gott!" .	1	809	N
Ich habe mich so lange . .	258	229	KA
Ich habe nichts dagegen . .	693	1300	N
Ich höre das ganze Jahr . .	271	879	N
„Ich kann das. . . . A.M.A.170		786	Wh
Ich möchte gern ehrlich . .	1143	213	KA
Ich schweige zu vielem. . .	283	503	Wa
Ich verfluche allen	1017	980	N
Ich verwünsche das.	1099	913	N
Ich verwünsche die, die . .	316	117	KA
Ich weiß wohl, daß	686	1291	N
Identität rasenden.	1280	1335	N
Ihr wählt euch ein.	795	1102	N
Im Altertum spuken . . .	867	1035	N
Im Ästhetischen tut man. .	730	376	KA
Im Betrachten wie im . . .	253	537	Wa
Im Frühling A.M.A.180		796	Wa
Im Idealen kommt alles . .	1298	926	N
Im Laufe des frischen . . .	1285	871	N
Im Reich der Natur.	1203	423	HN
Im sechzehnten	401	1160	N
„Im Theater wird durch. .	932	307	KA
Im Wissen und.	309	1153	N
In allen Künsten die . . .	790	1117	N
In dem Erfolg der	1000	761	Wa
In den großen leeren	420	714	Wa
In den Werken des	1078	462	Wa
In den Wissenschaften ist es höchst.	398	147	KA
In den Wissenschaften ist viel Gewisses	412	576	Wa
In den Zeitungen ist alles.	141	971	N
In der Geschichte der Naturforschung	547	1165	N
In der Geschichte der Wissenschaften.	393	1156	N
In der Gesellschaft sind . .	124	951	N
In der Idee leben heißt . .	133	262	KA
In der jetzigen Zeit soll . .	701	159	KA
In der Jugend bald die . .	1325	992	N
In der Mineralogie ist . . .	428	1271	N
In der Naturforschung. . .	630	574	Wa
In der Phanerogamie	598	205	KA
In der Schmiede . . . A.M.A.16		632	Wa

	Hamb. Ausg.	Hecker	Quelle
In der wahren Kunst	799	448	Wa
In der Welt kommt's	1167	89	KA
In der wissenschaftlichen .	485	703	Wa
In diesem Sinne kann. . . .	636	1391	N
In eben dem Falle sind . .	852	343	KA
In einigen Staaten ist . .	174	960	N
In jedem Künstler liegt. . .	842	62	KA
In jeder großen	1257	998	N
In Kunst und.	900	153	KA
In natürlicher Wahrheit . .	957	513	Wa
In Neuyork, sagt man . . .	78	824	N
In Neuyork sind	709	1181	N
In Rembrandts.	853	1114	N
In Rücksicht aufs	581	922	N
In weltlichen Dingen. . . .	1104	1321	N
In Wissenschaften, sowie	462	1185	N
Indem ich mich zeither . .	1103	230	KA
Indem wir der	603	1239	N
Indes wir, dem.	265	914	N
Induktion habe ich zu . . .	614	1245	N
Innerhalb einer Epoche . .	977	1023	N
Irren heißt, sich in	327	1248	N
Ist das ganze Dasein	411	572	Wa
Ist denn die Welt nicht. . .	440	81	KA
Ist er nun nicht geneigt. . .	806	470	Wa
Je uneigennütziger der . . .	1122	1319	N
Je weiter man in	297	1206	N
Jede Erscheinung ist	530	1377	N
Jede große Idee, die.	131	799	N
Jede große Idee, sobald . .	132	541	Wa
Jede Revolution geht auf. .	120	955	N
Jedem Alter des	1315	806	N
Jeden Tag hat man	1342	1168	N
Jeder Besitz ist eine	223	948	N
Jeder Denkende, der	654	711	Wa
Jeder Forscher muß.	483	701	Wa
Jeder große Künstler	804	1115	N
Jeder hat etwas in	1217	97	KA
Jeder Mensch fühlt sich . .	123	949	N
Jeder Mensch muß nach . .	703	460	Wa
Jeder prüfe sich, und er . .	389	675	Wa
Jedermann hat seine	1214	151	KA
Jedes ausgesprochene . . .	1198	9	OT
Jedes Existierende ist ein. .	23	554	Wa
Jedes gute und schlechte. .	734	1103	N
Jemand sagte: „Was	836	1037	N
Jetzt, da sich eine	995	767	Wa
Jüdisches Wesen.	172	1330	N
Kannst du lesen, so	1310	525	Wa
Kant beschränkt sich	301	1198	Wa
Kant hat uns	731	468	Wa
Kantilene: die Fülle.	773	1063	N
Kein Phänomen erklärt . .	500	1230	N
Kein Wort steht still	1024	983	N
Kein Wunder, daß wir . . .	1044	349	KA
Keine Nation gewinnt . . .	156	113	KA

	Hamb. Ausg.	Hecker	Quelle
Keine Nation hat ein Urteil	978	1024	N
Keine Nation hat eine Kritik	980	1026	N
Kenne ich mein	1060	198	KA
Kepler sagte	8	812	N
Klassisch ist das	863	1031	N
Konflikte. Sprünge der . .	733	1363	N
Könnte man Zeit . . A.M.A.132		748	Wa
Kristallographie	673	1261	N
Kunst: eine andere	722	1105	N
Kunst und Wissenschaft sind Worte A.M.A.140		756	Wa
„L'amour est un vrai	1256	305	KA
Läßliche Hypothese . . .	561	581	Wa
Laßt doch den	835	1097	N
Laßt uns doch	966	1094	N
„Le sens commun est . . .	579	538	Wa
Lebhafte Frage nach	608	585	Wa
Lehrbücher sollen.	459	1262	N
Leichtsinnige.	260	212	KA
Leider bedenkt man . . .	1005	–	KA
Leider besteht der.	436	–	Fa
Lessing, der mancherlei . .	254	542	N
Licht und Geist, jenes . .	1202	1299	N
Lichtenbergs Schriften. . .	419	713	Wa
Liebes gewaschenes Seelchen ist der	1262	235	KA
Literatur ist das	910	512	Wa
Lorenz Sterne. . . . A.M.A.157		773	Wa
Löste sich doch in jeder . .	849	1091	N
Lüsternheit: Spiel mit . . .	1276	859	N
Madame Roland, auf dem .	370	258	KA
Majestät ist das	100	965	N
Man beobachtet niemand .	1168	846	N
Man braucht nicht alles . .	377	570	Wa
Man darf nur alt werden. .	1332	240	KA
Man datiert von Baco . . .	506	1166	N
Man denke sich das	357	658	Wa
Man erkennt niemand . . .	103	526	Wa
Man erkundige sich ums. .	415	1211	N
Man frage nicht, ob man. .	1201	893	N
Man gedenke der	30	1254	N
Man geht nie weiter.	1389	901	N
Man hält die Menschen . .	1357	50	OT
Man hat den Epikur	1373	1311	N
Man hat sich lange mit . . .	585	1199	N
Man hört, nur die	638	1389	N
Man ist nur eigentlich . . .	1123	518	Wa
Man ist nur vielseitig. . . .	968	1096	N
Man kann den Idealisten. .	891	642	Wa
Man kann der Gesellschaft alles.	1171	26	OT
Man kann die Nützlichkeit einer Idee.	425	805	N
Man kann in den	645	546	Wa
Man kann nicht für	1137	208	KA
Man kann nicht genug . . .	831	–	KA
Man kann niemand	1255	844	N
Man kann sich nicht	169	1013	N
Man kennt nur.	1169	845	N
Man klagt über	431	418	Mo
Man könnte zum	130	836	N
Man läßt sich seine	1247	17	OT
Man leugnet dem	526	1195	N
Man mag nicht mit	184	396	Mo
Man mag noch so	1194	3	OT
Man mag sich die	215	–	Fa
Man muß bedenken . . .	1159	497	Wa
Man muß eine Sache . . .	240	1410	N
Man muß nicht	347	1314	N
Man muß sein Glaubensbekenntnis.	705	158	KA
Man muß seine Irrtümer. .	1323	323	KA
Man nehme das nicht. . .	668	1218	N
Man nimmt in der Welt . .	1170	25	OT
Man rühmt die	470	666	Wa
Man sagt: „Eitles	1153	132	KA
Man sagt: „Er stirbt	1249	19	OT
Man sagt gar gehörig . . .	590	1233	N
Man sagt sich oft	1328	259	KA
Man sagt: „Studiere	886	191	KA
Man sagt wohl zum	807	1118	N
Man sagt, zwischen zwei .	417	616	Wa
Man schont die Alten . . .	1333	370	KA
Man sehe die Physik . . .	612	612	Wa
Man sieht gleich, wo . . .	104	840	N
Man soll sich alles.	778	380	KA
Man spricht geheimnisvoll .	684	1289	N
Man spricht soviel	982	1018	N
Man streiche zwei.	696	120	KA
Man streitet viel	63	373	KA
Man tut immer besser . . .	700	550	Wa
Man tut nicht wohl, sich. .	487	728	Wa
Man verändert fremde . .	1196	7	OT
Man weicht der Welt . . .	737	52	OT
Man weiß eigentlich	712	595	Wa
Man wird nie betrogen. . .	1141	681	Wa
Man würde einander . . .	1165	87	KA
Man würde viel Almosen .	1130	852	N
Manche sind auf das, was .	716	941	N
Mancher hat nach der . . .	880	1084	N
Mancher klopft mit dem. .	1372	101	KA
Männer vom Fach.	422	1269	N
Mannräuschlein nannte man.	1261	234	KA
Märchen: das uns	935	1046	N
„Mäßigkeit und . . A.M.A.127		743	Wa
Mathematik, die auf . . .	651	1388	N
Mathematik sich immer . .	640	1387	N
Mein ganzes inneres . . .	237	328	KA
Mein Verhältnis zu	751	279	KA
Meine Sache ist der	1018	981	N
Memoiren von oben . . .	1287	179	KA
Menschen, die ihre	529	1315	N
Metamorphose im	962	96	KA
Mikroskope und	469	502	Wa
Mir wird, je länger	622	445	Wa

	Hamb. Ausg.	Hecker	Quelle
Mißgunst und Haß	1274	286	KA
Mit dem größten	841	232	KA
Mit dem Vertrauen ist es.	376	172	KA
Mit den Ansichten	517	1147	N
Mit den Irrtümern der	335	440	HN
Mit den Jahren steigern	1330	677	Wa
Mit Gedanken, die nicht.	232	921	N
Mit jemand leben oder	1138	847	N
Mit Ungeduld bestraft	1281	1412	N
Mit wahrhaft	1142	877	N
Mitteilung durch	25	1247	N
Möge das Studium der	998	762	Wa
Musik im besten Sinne	768	485	Wa
Mut und A.M.A.137		753	Wa
Mystik: eine unreife	905	1001	N
Mythologie = Luxe	85	816	N
Nach Analogien denken.	26	532	Wa
Nach Preßfreiheit schreit	145	972	N
Nach unserer Überzeugung sollte	871	451	Wa
Nach unserm Rat bleibe.	383	1173	N
Nachdem man in der neuern Zeit	681	1171	N
Nachdem man in der zweiten Hälfte	508	1170	N
Nachdem uns	965	1093	N
Nachdenken und. . A.M.A.130		746	Wa
Napoleon, der ganz	134	263	KA
Natur hat zu nichts	32	1257	N
Natur und Idee läßt sich.	890	1070	N
Nehmen wir sodann	356	657	Wa
Nehmet an daher. . . A.M.A.18		634	Wa
Nero hätte in den	115	834	N
Neuere Poeten . . . A.M.A.133		749	N
Newton ist	660	1285	N
Nicht allein das Angeborene	1219	837	N
Nicht allein der freie	34	1258	N
Nicht alles	302	1187	N
Nicht bloß Barbaren	341	1385	N
Nicht die Sprache	1021	610	Wa
Nicht jeder, dem man	1158	107	KA
Nicht überall, wo Wasser	1385	90	KA
Nichts im Leben . . A.M.A.131		747	Wa
„Nichts ist höher zu	1095	789	Wa
Nichts ist widerwärtiger.	136	604	Wa
Nichts Peinlichers	269	894	N
„Nichts wird . . . A.M.A.179		795	Wa
Niederträchtigkeit der	385	1382	N
Niemand ist lästiger	1181	36	OT
Niemand ist mehr.	1116	43	OT
Niemand würde viel in.	1193	6	OT
„Nihil rerum	105	325	KA
„Nur die gegenwärtige	400	1159	N
Nur durch eine	474	694	Wa
Nur im Höchsten	14	1137	N
Nur in der Schule	801	330	KA
Nur klugtätige	1105	475	Wa

	Hamb. Ausg.	Hecker	Quelle
Nur müßte man nicht . . .	209	–	Fa
Nur solchen Menschen . .	1157	865	N
Ob denn die Glücklichen .	1128	242	KA
Ob eine Nation reif. . . .	155	963	N
Organische Natur.	732	1362	N
Ovid blieb klassisch	864	1032	N
Panoramic ability	289	287	KA
Paris ist offen	861	1357	N
„Pereant, qui ante nos . .	808	790	Wa
Perspektivische Gesetze. .	784	1378	N
Pflicht des Historikers. . .	189	295	KA
Pflicht: wo man liebt. . . .	1089	829	N
Philologen: Apollo	1025	984	N
Plastik wirkt	780	490	Wa
Poesie deutet auf	904	1002	N
Poesie wirkt am	767	233	KA
. . . .		484a	Wa
Professor Zaupers	287	404	Mo
Raffael ist unter den	843	63	KA
Rasches Vorschreiten . . .	549	1322	N
Realität in der	744	1108	N
Redensarten, wodurch. . .	366	1384	N
Reine mittlere Wirkung . .	1111	187	KA
Reine Naturgesinnung. . .	1235	1307	N
Religion: Alte	86	1303	N
Rohe Kriegsleute gehen . .	1180	35	OT
Roman: der uns	936	1047	N
Säen ist nicht so	1351	57	OT
Sagazität und . . . A.M.A.164		780	Wa
Sage mir, mit wem du . .	1077	459	Wa
Sage nicht, daß du. . . .	1131	851	N
Sähe man Kunst.	902	1014	N
Sakuntala: hier. . . .	960	1036	N
Schauspieler gewinnen. . .	933	1407	N
Schmidt von Werneuchen ist	972	1044	N
Schon jetzt erklären die . .	631	1213	N
Schönheit der Jugend. . .	748	1348	N
Schönheit und Geist . .	727	368	KA
Sehen wir unsre	996	765	Wa
„Sei nicht ungeduldig, wenn man . . A.M.A.181		797	Wa
Seine Heiterkeit . . A.M.A.165		781	Wa
Selbst das mäßige	820	1125	N
Selbst im Augenblick. . .	738	53	OT
Setze den Stein nach . .	238	– J. Hecker S. 145	
Setzten wir uns . . . A.M.A.129		745	Wa
Shakespeare ist für	952	516	Wa
Shakespeare ist reich an . .	948	252	KA
Shakespeare und Calderon haben.	928	738	Wa
Shakespeares trefflichsten .	951	359	KA
Shandeism nennt. . A.M.A.162		778	Wa
Sich den Objekten in der. .	361	1141	N
Sich in seiner	1222	1359	N

	Hamb. Ausg.	Hecker	Quelle
Sich mitzuteilen ist	1345	5	OT
Sich subordinieren ist	895	301	KA
Sie peitschen den Quark	1383	73	KA
Sieht man ein Übel, so	607	598	Wa
So eigensinnig	129	141	KA
So erkennt der A.M.A.12	628	Wa
So ganz leere Worte	667	1217	N
So lange das nicht ins.	1069	70	KA
So ruhen meine	278	401	Mo
So sehr uns der . . . A.M.A.166	782	Wa
So verhält sich A.M.A.15	631	Wa
So wenig nun die	181	480	Wa
So wie der Weihrauch	90	671	Wa
So wiederhole ich	408	420	HN
Sobald die guten Werke	75	317	KA
Sobald die Tyrannei	117	956	N
Sobald man der	1007	257	KA
Sogar ist es selten	219	652	Wa
Sollen wir ewig als	850	1092	N
Sowohl in Absicht auf	198	–	Fa
Spannung ist der.	31	1255	N
Steine sind stumme	678	719	Wa
Stetigkeit (als) mit.	38	1309	N
Stoffartige Hülfe, die.	969	1333	N
Suchet in euch, so.	511	1080	N
Theorie und	497	1231	N
Theorien sind	548	428	HN
Tief und ernstlich	989	498	Wa
Toleranz sollte.	151	875	N
Toll ist: wer	1368	1328	N
Toren und gescheite	1149	51	OT
Trübe Stellen, wo die.	981	1338	N
Tüchtiger, tätiger Mann	1073	446	Wa
Tut er nun hierin	874	454	Wa
Tycho de Brahe	661	1284	N
Über die wichtigsten	1034	891	N
Über Geschichte kann	217	517	Wa
Übersetzer sind als	947	299	KA
Um die alten	963	1043	N
Um mich zu retten	246	561	Wa
Um sich aus der	662	664	Wa
Um zu begreifen, daß	1379	568	Wa
Unbedingte Tätigkeit	1081	461	Wa
Und doch bei aller	912	268	KA
Und doch ist dem	527	1196	N
Und gehört die Farbe	695	1302	N
Und gesetzt, der.	888	1074	N
Und wäre es denn	288	405	Mo
Und wir Deutsche sollen	845	1087	N
Unglücklich ist immer	433	1383	N
Unreine Lebensverhält- nisse soll man	1051	173	KA
Uns selbst zu A.M.A.139	755	Wa
,,Unser Anteil an	137	788	Wa
Unser Fehler besteht.	560	580	Wa
Unser ganzes.	126	302	KA
Unsere Meister nennen	1231	129	KA
Unsere Zustände	1049	429	HN
Unsre Eigenschaften	1218	838	N
Unsre Leidenschaften	1252	22	OT
Unsre Meinungen.	1236	841	N
Unter allem Diebsgesindel . . A.M.A.138	754	Wa
,,Unter allen Völkerschaften	188	298	KA
Unter mancherlei . A.M.A.134	750	Wa
Unwissende werfen.	372	1267	N
Urphänomene: ideal	15	1369	N
Ursache des	821	1126	N
Verharren wir aber	390	676	Wa
Verleger haben die	994	1061	N
Vernünftiges und	1199	883	N
Verschiedene Sprüche	352	653	Wa
Versuche, die eigne	1086	906	N
Versuche es doch der.	878	458	Wa
Viele Gedanken heben	810	793	Wa
Vielleicht wird . . . A.M.A.143	759	Wa
Vier Epochen der	399	1158	N
,,Vis superba formae.".	755	362	KA
Vollkommne Künstler.	796	1351	N
Vollkommenheit ist die Norm.	1234	828	N
Vollkommenheit ist schon da	742	1109	N
Vollkommenheit kann	743	1110	N
Vom Absoluten	571	261	KA
Vom eigentlich	758	200	KA
Vom Verdienste.	1150	867	N
Von dem, was sie	524	1180	N
Von denen selbst, die.	263	1395	N
Von der Art ist A.M.A.11	627	Wa
Von der besten.	1187	365	KA
Von der Notwendigkeit	870	450	N
Von einem bedeutenden.	975	366	KA
Vor dem Gewitter	1384	85	KA
Vor den Urphänomenen.	17	412	Mo
Vor der Revolution war	119	959	N
Vor zwei Dingen	461	1177	N
Vorschlag zu einem.	1022	1332	N
Wahre, in alle Zeiten	979	1025	N
Wahrheitsliebe zeigt	292	493	Wa
Ward man doch auch.	682	1172	N
Wäre die Natur in ihren	35	705	Wa
Wäre es Gott darum zu	1059	835	N
Warum man doch ewige.	1151	866	N
Warum schelten wir das	814	1120	N
Was aber das Allersonder- barste	688	432	HN
Was aber ist deine.	1088	443	Wa
Was die Franzosen	170	160	KA
Was die letzte Hand	793	1122	N
Was die Wissenschaften	405	1163	N
Was einem angehört	1216	645	Wa
Was Freunde mit und	231	395	Mo
Was für Mängel dürfen	1250	20	OT
Was hat denn der	637	1392	N

	Hamb. Ausg.	Hecker	Quelle
Was hat ein Maler zu	834	1098	N
. . . Was hat man sich . .	677	1404	N
Was heißt auch	368	1146	N
Was ich in meinem	344	83	KA
Was ich recht weiß	713	720	Wa
Was ist an der	648	607	Wa
Was ist das Allgemeine? . .	489	558	Wa
Was ist das für eine Zeit . .	183	1015	N
Was ist denn das.	363	1143	N
Was ist der Unterschied . .	543	1144	N
Was ist praedestinatio?. . .	84	817	N
Was man erfindet	362	1142	N
Was man Idee nennt	13	1136	N
Was man Mode heißt. . . .	379	986	N
Was man Motive nennt . .	921	1051	N
Was man mündlich	1035	892	Wa
Was man nicht versteht . .	241	106	KA
Was nicht mehr entsteht. .	600	601	Wa
Was nicht originell ist . . .	812	1016	N
Was nun die Menschen gesetzt. A.M.A.9	625	Wa
,,Was sind Tragödien . .	930	733	Wa
Was uns so sehr	536	1138	N
Was von seiten der	140	969	N
Was wir ausdenken.	1079	464	Wa
Weder Mythologie noch. .	546	560	Wa
Weil Albrecht Dürer . . .	846	1088	N
Weil zum didaktischen. . .	443	584	Wa
Weiß denn der Sperling . .	1294	936	N
Weiter schreiben wir	149	219	KA
Welche Erziehungsart . . .	175	347	KA
Welche Regierung die . . .	99	353	KA
Welcher Gewinn wäre . . .	1259	933	N
Welches Recht wir zum . .	116	683	Wa
Wem die Natur ihr	720	201	KA
Wen jemand lobt, dem. . .	1380	688	Wa
Wenn aber die Kunst dasjenige A.M.A.22	638	Wa
Wenn der Knabe zu	355	656	Wa
Wenn der Mensch alles . .	1068	69	KA
Wenn der Mensch über . .	1063	98	KA
Wenn die Affen es dahin. .	1296	918	N
Wenn die Jugend ein	1321	991	N
Wenn die Männer sich . .	1307	356	KA
Wenn die Menschen	1283	195	KA
Wenn diese Hoffnungen. .	639	1393	N
Wenn ein deutscher.	161	324	KA
Wenn ein gutes Wort. . . .	89	825	N
Wenn ein Mann . . . A.M.A.13	629	Wa
Wenn ein paar Menschen .	1139	849	N
Wenn ein Wissen reif ist . .	407	419	HN
Wenn einem Autor	916	1059	N
Wenn an meinen Tod .	1057	997	N
Wenn ich die Meinung. . .	282	499	Wa
Wenn ich ein zerstreutes. .	605	600	Wa
Wenn ich irre	343	79	KA
Wenn ich jüngere	879	467	Wa
Wenn ich mich beim	20	577	Wa
Wenn ich von liberalen . .	146	216	KA
Wenn ihr sagt: ,,Wir	860	1356	N
Wenn in der Mathematik .	659	1276	N
Wenn in Wissenschaften. .	378	1178	N
Wenn jemand spricht. . . .	708	1183	N
Wenn Künstler von.	884	1071	N
Wenn man alle Gesetze . .	1354	207	KA
,,Wenn man alt ist	1329	521	Wa
Wenn man älter wird. . . .	1327	987	N
Wenn man dagegen bei . .	1174	29	OT
Wenn man den menschlichen Geist . . .	555	1223	N
Wenn man den Tod.	110	684	Wa
Wenn man die Probleme. .	550	578	Wa
Wenn man einige	142	970	N
Wenn man von den	1110	180	KA
Wenn mancher sich.	336	586	Wa
Wenn mir eine Sache	256	934	N
Wenn nun unser.	358	659	Wa
,,Wenn Reisende ein	42	717	Wa
Wenn sich die Sozietät . . .	111	685	Wa
Wenn sie wüßten, wo das .	239	1317	N
Wenn verständige.	406	154	KA
Wenn weise Männer . . .	1292	940	N
Wenn wir das, was wir. . .	429	1272	N
Wenn zwei Meister.	418	1273	N
Wer das erste.	1376	900	N
Wer das Falsche	329	1219	N
Wer den Unterschiede. . . .	558	726	Wa
Wer die Entdeckung	196	402	Mo
,,Wer die Natur als	2	810	N
Wer ein Phänomen vor . .	504	1227	N
Wer einem Autor	350	1065	N
,,Wer einen Stein nicht. . .	1381	320	KA
Wer fremde Sprachen . . .	1015	91	KA
Wer freudig tut	1092	1411	N
Wer gegen sich selbst. . . .	1344	383	KA
Wer gegenwärtig über . . .	882	1064	N
Wer hätte mit mir	297	929	N
Wer in sich recht	1240	935	N
Wer kann sagen, daß	505	1226	N
Wer kann sagen, er	1341	890	N
Wer keine Liebe fühlt . . .	1270	175	KA
Wer klare Begriffe hat . . .	1370	968	N
Wer lange in	1286	798	Wa
Wer Maximen	348	1067	N
Wer meine Fehler	1305	178	KA
Wer muß Langmut	1369	1329	N
Wer nicht einsieht, wie . .	333	588	Wa
Wer Proportion.	833	1099	N
Wer's nicht besser.	991	1017	N
Wer sein Leben mit.	1076	902	N
Wer sich an eine falsche . .	317	1297	N
Wer sich in ein Wissen . . .	464	942	N
Wer sich mit reiner	296	528	Wa
,,Wer sich mit Wissenschaften abgibt . . .	482	189	KA
Wer sich nicht zu viel . . .	1224	152	KA
Wer sich von jeher	264	285	KA
Wer sich von nun an	176	770	Wa
Wer sich vor der Idee. . . .	539	128	KA
Wer streiten will.	339	1066	N

	Hamb. Ausg.	Hecker	Quelle
Wer tätig sein will	1074	908	N
Wer viel mit Kindern	1316	274	KA
Wer vor andern lange	1192	8	OT
Wer vorsieht, ist	1094	912	N
„Wer weiß etwas von	670	712	Wa
Wer will behaupten, daß wir	A.M.A.135	751	Wa
Wer zuerst aus der	785	1079	N
Wer zuerst im Bilde	786	1078	N
Wer zuviel verlangt	438	531	Wa
Werke der Kunst	789	1111	N
Widerspruch und	1190	10	OT
Wie das Unbedingte	493	1371	N
Wie haben sich die	279	872	N
Wie in Rom	1114	293	KA
Wie kann der Charakter	1177	32	OT
Wie kann man sich selbst	1087	442	Wa
Wie lange hat man über	454	124	KA
Wie man aus	1258	246	KA
Wie man der französischen Sprache	653	710	Wa
Wie man gebildete	779	379	KA
Wie manches	602	725	Wa
Wie Martin Schön	848	1090	N
Wie Sokrates den	360	663	Wa
Wie soll nun aber ein	179	478	N
Wie viele Jahre	236	897	N
Wie wäre es, wenn man	680	1243	N
Wie wenig von dem	911	267	KA
Wie wir was Großes	1227	168	KA
Wie wollte einer als	445	582	Wa
Wieviel Falsches	953	740	Wa
Wieviel vermag nicht	1127	932	N
Wir alle leben vom	94	167	KA
Wir alle sind so borniert	1228	186	KA
Wir befinden uns nicht	1195	2	OT
Wir blicken so gern in	1102	1	OT
Wir brauchen in	154	682	Wa
Wir geben gerne zu	1012	–	KA
„Wir gestehen lieber	465	1264	N
Wir haben das	388	674	Wa
Wir können einem	1244	351	KA
Wir leben innerhalb	589	1208	N
Wir lernen die	1172	27	OT
Wir Menschen sind auf	892	643	Wa
Wir mögen die Welt	1048	291	KA
Wir müssen erkennen	642	1281	N
Wir sehen in unser	284	407	Mo
Wir sind naturforschend	49	807	N
Wir sind nie	1118	42	OT
Wir stehen mit der	200	–	Fa
Wir wissen von keiner	725	1077	N
Wir würden gar vieles	468	501	Wa
Wir würden unser	307	1154	N
Wirkung namhafter	902	1336	N
Wissen: das Bedeutende	306	1380	N
Wissenschaften entfernen	471	691	Wa
Wo der Anteil sich	1303	192	KA
Wo die Franzosen des	964	731	Wa
Wo ich aufhören muß	1091	678	Wa
Wo Lampen brennen	387	827	N
Wo man die Liberalität	147	217	KA
Wollen und Vollbringen	1108	916	N
Wollte aber jemand die Künste	A.M.A.24	640	Wa
Wort und Bild sind	907	188	KA
Yorick-Sterne war	955	742	Wa
Zeichnet doch eure	857	1354	N
Zeichnet, steckt in	858	1355	N
Zensur und Preßfreiheit	143	679	Wa
Zu allen Zeiten sind es	457	313	KA
Zu berichtigen verstehen	166	1408	N
Zu den glücklichen	954	1041	N
Zuerst belehre man sich	714	427	HN
Zum Ergreifen der	293	1220	N
Zum idealen Teile	221	946	N
Zum Schönen wird	746	1345	N
Zum Tun gehört Talent	1093	853	N
Zur Methode wird nur	553	1214	N
Zur Verewigung des	458	426	HN
Zutraulichkeit an der	1182	37	OT
Zwei eklektische	628	650	Wa

BIBLIOGRAPHIE

SCHRIFTEN ZUR KUNST

Abkürzungen

DVjs. = Deutsche Vierteljahresschrift für Literaturwiss. u. Geistesgesch.
Goethe = Goethe, Vierteljahresschrift der Goethegesellschaft. Weimar 1936 ff.;
    seit Bd. 3, 1938: Viermonatsschr. d. Goetheges.; seit Bd. 9, 1944, als Jahrbuch.
GJb. = Goethe-Jahrbuch.
Jb. d. Fr. Dt. Hochstifts = Jahrbuch des Freien Dt. Hochstifts zu Frankfurt a. M.
Jb. G. Ges. = Jahrbuch der Goethegesellschaft.
Jb. d. Pr. Kstslgen = Jahrbuch der Preußischen Kunstsammlungen.
Morris = Der junge Goethe. Hrsg. v. Max Morris. 6 Bde. Lpz. 1909–1912.
Overbeck = Johannes Overbeck, Die antiken Schriftquellen zur Gesch. der bil-
    denden Künste bei den Griechen. Lpz. 1868. (XX, 488 S.)
Schr. G. Ges. = Schriften der Goethe-Gesellschaft.
Schuchardt = Christian Schuchardt, Goethes Kunstsammlungen. 3 Bde. Jena
    1848.
Weim. Ausg. = Goethes Werke. Weimarer Ausgabe (Sophien-Ausgabe). 143 Bde.
    Weimarer 1887–1919.

Ausgaben und Bibliographien

Goethes Werke. Weimarer Ausgabe. 1. Abt. Bd. 34, 1 u. 2; Bd. 36; Bd. 37; Bd. 38;
    Bd. 46; Bd. 47; Bd. 48; Bd. 49, 1 u. 2. Weimar 1891–1904.
Goethes Werke. Nach den vorzügl. Quellen rev. Ausg., Berlin, Hempel, o. J.
    (1868–1879.) Bd. 28. Schriften u. Aufsätze zur Kunst. Hrsg. mit Anmkg. v. Fr.
    Strehlke.
Goethes Werke. 30. Teil. Aufsätze über bildende Kunst u. Theater. Hrsg. v. Alfr.
    Gotth. Meyer u. Georg Witkowski. Stuttg. o. J. (1895.) = Dt. National-Lit.,
    hrsg. v. J. Kürschner, Bd. 111. (LXXVI, 828 S.)
Goethes Sämtl. Werke. Jubiläums-Ausg. Bd. 33, 34, 35. Schriften zur Kunst.
    Hrsg. von W. v. Oettingen. Stuttg. u. Bln. o. J. (1903 u. 1904.)
Goethes Werke. Vollst. Ausg. in 40 Teilen. Hrsg. von Karl Alt. Bln., Lpz., Wien,
    Stuttg., Verlag Bong. o. J. (1910–1926.) Bd. 30. Winckelmann. Ph. Hackert.
    Hrsg. v. B. Müller. (1911.) Bd. 31. Schr. über bildende Kunst. Hrsg. v. Wilh.
    Niemeyer. (1913.)
Goethe, Werke. Berliner Ausgabe. Bd. 19: Kunsttheoretische Schriften und Über-
    setzungen. Schriften zur bildenden Kunst I (Aufsätze zur bildenden Kunst.
    Winckelmann und sein Jahrhundert. Philipp Hackert.). Hrsg. von Siegfried
    Seidel. Berlin 1973. – Bd. 20: Schriften zur bildenden Kunst II (Aufsätze zur
    bildenden Kunst.). Hrsg. von Siegfried Seidel. Berlin 1974.
Goethes Werke. Hamburger Ausgabe, Bd. 14 (Bibliographie, insbes. die
    Abschnitte 53–58, Namenregister und Sachregister).
Goethes Briefe. Hamburger Ausgabe. 4 Bde., 1962–1967 u. ö.

Briefe an Goethe. Hamburger Ausgabe. 2 Bde., 1965 und 1969.

Goethe, Schriften zur Kunst. Gedenkausgabe, Artemis-Verlag, Zürich. Bd. 13, 1954 (Einführung von Christian Beutler).

Corpus der Goethe-Zeichnungen. 6 Teile in 9 Bänden. Leipzig 1958–1971.

Goethes Farbenlehre. Ausgewählt und erläutert von Rupprecht Matthaei. Ravensburg 1971.

J. W. Goethe, Schriften zur Kunst. Hrsg. von Wolfgang Frh. v. Löhneysen. Gesamtausgabe der Werke und Schriften in 22 Bdn. Bd. 16 und 17. Verlag Cotta, Stuttgart.

Goethe, Winckelmann. Mit einer Einl. v. Ernst Howald. Erlenbach-Zürich 1943. (153 S.)

Goethe, Wilhelm Tischbeins Idyllen. Hrsg. v. Erich Trunz. Hamburg 1949. (68 S. mit 13 Abb.) Wiederabgedruckt in: Trunz, Studien zu Goethes Alterswerken. 1971.

Goethe, Gedanken über die graphischen Künste. (Zusammengestellt u. eingel. von Hans H. Bockwitz.) Lpz., Offizin Haag-Drugulin, 1948. (142 S.)

Goethes Briefwechsel mit Heinr. Meyer. Hrsg. v. M. Hecker. = Schr. G. Ges., 32 (1917), 34 (1919), 35 (1922) und 32,2 (1933).

Goethe, Briefe an Charlotte v. Stein. Hrsg. v. Julius Petersen. 2 Bde. (in 4 Teilen). Lpz. 1923. (Enthält u. a. die Briefe aus Italien, mit Kommentar.)

Goethe u. Tischbein. Hrsg. v. W. v. Oettingen. Weimar 1910. = Schr. G. Ges., 25.

Ph. O. Runges Briefwechsel mit Goethe. Hrsg. v. Hellmuth Freiherrn v. Maltzahn. Weimar 1940. = Schr. G. Ges., 51.

Zwanzig Zeichnungen alter Meister aus G.s Sammlung. Hrsg. v. A. Mayer u. W. v. Oettingen. Weimar 1914. = Schr. G. Ges., 29.

Meyer, Heinr.: Zeichnungen. Hrsg. v. H. Wahl. Weimar 1918. = Schr. G. Ges., 33.

Meyer, Heinr.: Kleine Schriften zur Kunst. Hrsg. v. Paul Weizsäcker. Stuttg. 1886. = Dt. Literaturdenkmäler d. 18. u. 19. Jhs., 25.

Goedeke, Karl: Grundriß z. Gesch. d. dt. Dichtung. 3. Aufl. 4. Bd. 2. Abt. Dresden 1910. Insbesondere S. 416–423 (G. u. d. bild. Kunst); 497 (David); 541 (Angel. Kauffmann); 574 (H. Meyer); 594 (Preller); 597 (Rauch); 606 (Runge); 609 (Schadow); 623 (Louise Seidler); 639 (Tischbein). – 3. Abt. Dresden 1912. Insbes. S. 376 (Winckelmann); 454–471 (Ital. Reise); 542–572 (Über Kunst u. Altertum).

Goethe-Handbuch. Herausgegeben von Alfred Zastrau. Bd. 1. Stuttgart 1961. (Mehr nicht erschienen.)

Goethe-Bibliographie, Begründet von Hans Pyritz, fortgeführt von H. Nicolai und G. Burkhardt. Bd. 1. Heidelberg 1965. Bd. 2. Ebd. 1968.

Jährliche Goethe-Bibliographie in: „Goethe", Neue Folge des Jahrbuchs der Goethe-Gesellschaft.

Vgl. ferner die Bibliographie in Hambg. Ausg. Bd. 11 (Ital. Reise).

Abhandlungen

Anhalt, Edwin: G.s kunstgeschichtl. Verhältnis zu Peter Vischers Werken. Fränk. Monatshefte 8, 1929, S. 208–210; 242–244.

Auch ich in Arcadien. Kunstreisen nach Italien 1600–1900. Sonderausstellung des Schiller-Nationalmuseums. Katalog Nr. 16, bearbeitet von Dorothea Kuhn. Stuttgart 1966. (288 S.)

Baumann, Gerhart: Goethe: Über den Dilettantismus. Euphorion 46, 1952, S. 348–369.

Bayer, Josef: Goethe, Schinkel u. die Gotik. Nationalzeitg. 1891, Nr. 226 u. 229. Wiederholt in: Bayer, Baustudien u. Baubilder. Hrsg. v. R. Stiaßny. Jena 1919. S. 64–85.

Beitl, Richard: Goethes Bild der Landschaft. Bln. 1929. (XI, 245 S.)

Benyovszky, Karl: A. F. Oeser auf Grund unveröffentlichter Briefe. Lpz. 1930. (80 S.)

Benz, Richard: G. u. die romantische Kunst. München 1940. (262 S.)

Benz, R.: G.s Glaube an die klassische Kunst. Goethe-Kalender 34, 1941, S. 36–77.

Benz, R.: G.s Anteil am Wiederaufbau des Kölner Doms. Goethe 7, 1942, S. 226–256.

Beringer, Jos. Aug.: G. u. der Mannheimer Antikensaal. GJb. 28, 1907, S. 150–159.

Beutler, Ernst: Tischbeinfunde. Goethe-Kalender 27, 1934, S. 44–128.

Beutler, E.: Goethes Rhein- u. Mayn-Gegenden. Dichtg. u. Volkstum 39, 1938, S. 28–50.

Beutler, E.: Von deutscher Baukunst. Goethe 6, 1941, S. 232–262. – Wiederholt in: Beutler, E., Von deutscher Baukunst. Goethes Hymnus auf Erwin von Steinbach. Seine Entstehung und Wirkung. München 1943. = Freies Dt. Hochstift, Vorträge u. Schriften, 4. (84 S., 8 Abb.)

Beutler, E.: Die Philemon- und Baucis-Szene, die Merianbibel u. die Frankfurter Maler. Sonderabdruck aus (dem nie erschienenen Werk): Beiträge aus Frankfurter Bibliotheken zum Gutenbergjahr. (o. O. u. J., 1942.) 52 S. m. 21 Abb. (Eine kleine Anzahl Sonderdrucke des bedeutsamen Aufsatzes wurde hergestellt u. versandt, bevor der Druck des Buches begann; als dieses dann in Arbeit war, wurde die Druckerei mit allen Beständen durch Bomben vernichtet.)

Beutler, E.: Die Boisserée-Gespräche u. d. Entstehung des Gingo-biloba-Gedichts. Goethe-Kalender 33, 1940, S. 114–162. Wiederholt in: Beutler, Essays um Goethe. Bd. 1. 3. Aufl. 1946. S. 311–349.

Beutler, E.: Taten u. Ruhm von G. M. Klauer. In: Beutler, Essays um Goethe. Bd. 1. (= Sammlg. Dieterich, 101.) 4. Aufl. 1948. S. 265–273.

Beutler, E.: Der Baumeister Coudray. In: Beutler, Essays um Goethe. Bd. 2. Wiesbaden 1947. = Sammlg. Dieterich, 102. S. 263–281.

Beutler, E.: Georg Melchior Kraus. Ebd. S. 233–262.

Bieber, Margarete: Laocoon; the influence of the group since its rediscovery. Columbia Univ. Press. New York 1942.

Bilder aus dem Frankfurter Goethe-Museum. Hrsg. v. E. Beutler und Josefine Rumpf. Frankf. a. M. 1949. (152 S., 102 Abb.)

Bode, Wilhelm: Myrons Kuh. In: Stunden mit Goethe. Hrsg. v. W. Bode. Bd. 8. Bln. 1912. S. 127–136.

Boehlich, Ernst: Goethes „Propyläen". Stuttg. 1915. = Breslauer Beiträge z. Literaturgesch., 44. (VIII, 170 S.)

Börger, Hans: Goethe als Liebhaber antiker Kleinkunst. In: Deutschland-Italien. Festschr. f. Wilh. Waetzoldt. Bln. 1941. S. 286–292.

Borinski, Karl: Goethe nach Falconet und über Falconet. GJb. 19, 1898, S. 309–312.

Born, Wolfg.: Die Graphik in G.s Kunstwelt. Die graphischen Künste 55, 1932, S. 69–88. (Mit 16 Abb.)

Brandt, Hermann: G. u. die graphischen Künste. Heidelberg 1913. = Beitr. z. neueren Literaturgesch., 2. (X, 130 S.)

Brussatis, Hellmuth: G. u. das Hochmeisterschloß Marienburg. Altpreußische Forschungen 7, 1930, S. 223–237.

Busch, Ernst: Das Erlebnis des Schönen im Antikebild der dt. Klassik. DVjs. 18. 1940, S. 26–60.

Butler, Eliza M.: Goethe and Winckelmann. Publications of the English Goethe Society. N. S. 10, 1934. S. 1–22.

Cassirer, Ernst: Freiheit und Form. Studien zur dt. Geistesgesch. Bln. 1917. 2. Aufl. 1918. (XX, 576 S.)

Cassirer, E.: G. u. die geschichtl. Welt. Bln. 1932. (148 S.) Darin: G. und das 18. Jahrhdt.

Castle, Eduard: Winckelmanns Kunsttheorie in Goethes Fortbildung. In: Castle, In Goethes Geist. Wien u. Lpz. 1926.

Curtius, Ludwig: Bronzen aus d. Sammlung G.s. Mitteil. d. dt. Archäolog. Instituts, Röm. Abt., Bd. 45, 1930, S. 1–28 (mit 23 Taf. u. 9 Abb.).

Curtius, L.: G. u. die Antike. Neue Jahrbücher f. Wiss. u. Jugendbildung 8, 1932, S. 289–306.

Curtius, L.: G. und Italien. Die Antike 8, 1932, S. 183–200.

Danzel, Theodor Wilhelm: G. u. die Weimarischen Kunstfreunde in ihrem Verhältnis zu Winckelmann. Blätter f. lit. Unterh. 1846, Nr. 282–289. Wiederholt in: Danzel, Gesammelte Aufsätze. Lpz. 1855. S. 118–145.

Dehio, Georg: Alt-Italienische Gemälde als Quelle zum „Faust". GJb. 7, 1886, S. 251–264.

Denk, Ferdinand: Maler Müller u. Goethe. Pfälzisches Museum 46, 1929, S. 281–292.

Denk, F.: G. u. die Bildkunst des Sturms u. Drangs. DVjs. 8, 1930, S. 109–135.

Denk, F.: Ein Streit um Gehalt u. Gestalt des Kunstwerks in der dt. Klassik. German.–Roman. Monatsschr. 18, 1930, S. 427–442.

Dobbert, Ed.: G. u. die Berliner Kunst. Nationalzeitung, 1. u. 3. Febr. 1891. Nr. 69 u. 71.

Dürr, Adolph: Joh. Heinr. Meyer in seinen Beziehungen zu G. Ztschr. f. bild. Kunst 20, 1884, S. 25 ff. u. 59 ff.

Eberlein, Kurt Karl: G. u. d. bild. Kunst der Romantik. Jb. G. Ges. 14, 1928, S. 1–77.

Eberlein, K. K.: C. D. Friedrich, Lieber und Goethe. Kunstrundschau 49, 1941, S. 5–7.

Eggers, Karl: Rauch und Goethe. Bln. 1889. (XIV, 251 S.)

Eichler, Hans: Der Trierer Maler J. A. Ramboux im Urteil G.s. Trierisches Jahrbuch 1952. S. 52–58.

v. Einem, Herbert: Beiträge zu Goethes Kunstauffassung. Hamburg 1956. (265 S.)

v. Einem, Herbert: Das Abendmahl d. Leonardo da Vinci. Köln u. Opladen 1961. (68 S.)

v. Einem, Herbert: Goethe-Studien, München 1972.

v. Einem, Herbert: Anton Raphael Mengs, Briefe an Raimondo Ghelli und Anton Maron. Abhandlungen der Akademie der Wissenschaften in Göttingen, Philologisch-Historische Klasse. Dritte Folge. Nr. 82, 1973.

v. Einem, Herbert: Goethe und Michelangelo. Goethe-Jahrbuch, Bd. 92, 1975, S. 165–194.

v. Einem, Herbert: Goethe und Runge. Jahrbuch des Freien Deutschen Hochstifts 1977.

Eitelberger v. Edelberg, R.: Goethe als Kunstschriftsteller. In: Eitelberger, Gesammelte kunsthistor. Schriften, Bd. 3. Wien 1884. S. 221–262.

Fechter, Paul: G.s Sehen. Dt. Rundschau 195, 1923, S. 52–67.

Federmann, Arnold: Joh. Heinr. Meyer, G.s Schweizer Freund. Frauenfeld u. Lpz. (1936.) = Die Schweiz im dt. Geistesleben, 82. (112 S.)

Feulner, Adolf: Der junge G. u. die Frankfurter Kunst. In: Freies Dt. Hochstift. Festgabe z. Goethejahr 1932. S. 1–88. – Auch selbständig erschienen: Frankf. 1932.

Firmenich-Richartz, Eduard: Sulpiz u. Melchior Boisserée als Kunstsammler. Jena 1916. (VIII, 546 S.)

Fischer, Theodor: G.s Verhältnis zur Baukunst. München 1948. (50 S., 18 Abb.)

Förster, Richard: G.s Abhandlung über die Philostratischen Gemälde. GJb. 24, 1903, S. 167–184.

Gaedertz, K. Th.: G. u. der Maler Kolbe. Lpz. 1900. (64 S.)

Geese, Walter: Gottlieb Martin Klauer. Lpz. 1935. (231 S., 64 Taf.)

Geiger, Ludwig: G. u. d. Renaissance. In: Geiger, Vorträge u. Versuche. Dresden 1890.

Gensel, Julius: Kersting und G. In: Stunden mit G. Hrsg. v. W. Bode. Bd. 4, Bln. 1908, S. 49–54.

Gerstenberg, Kurt: G. u. d. ital. Landschaft. DVjs. 1, 1923, S. 636–664.

Giese, Leopold: Die mittelalterl. Glasfenster in G.s Nachlaß. Goethe 1, 1936, S. 99–104.

Goethe u. die graphischen Künste. = Buch und Schrift. Jahrbuch des dt. Vereins für Buchwesen u. Schrifttum. 6. 1932. (XVI, 62 S. m. Abb.)

Grimm, Herman: Goethe in Italien. Bln. 1861. (32 S.) Wiederholt in: Grimm, Fünfzehn Essays. Bln. 1874. S. 137 ff. – 3. Aufl. 1884.

Grimm, H.: G.s Verhältnis zur bildenden Kunst. In: Grimm, Zehn ausgew. Essays zur Einführung in das Studium d. modernen Kunst. Bln. 1871. S. 192–217. – 2. Aufl. 1883.

Grimm, H.: G. und Luise Seidler. Preuß. Jahrbücher 33, 1874, S. 43–57. Wiederholt in: Grimm, Fünfzehn Essays. Bln. 1874. S. 288 ff. – 2. Aufl. 1875; 3. Aufl. 1884.

Grimm, H.: G. und der Bildhauer G. Schadow. Seufferts Vierteljahrsschr. 1, 1888, S. 293–323. – Wiederholt in: Grimm, Aus den letzten fünf Jahren. 15 Essays. Gütersloh 1889. – Ferner in: Grimm, H., Deutsche Künstler. Hrsg. v. Buchwald. Stuttg. 1942. = Sammlg. Kröner, 184. S. 181–210. (Vgl. Goedeke 4,2 S. 609; 4,3 S. 360.)

Grisebach, August: Goethe in Heidelberg u. der Kölner Dom. In: Goethe u. Heidelberg. Heidelbg. 1949.

Grumach, Ernst: G. und die Antike. Eine Sammlung. 2 Bde. Potsdam 1949. (1092 S., 17 Taf.)

Habicht, Curt: Findlinge zum Thema: G. u. die bildende Kunst. Monatshefte. f. Kunstwiss. 11, 1918, S. 232–238, 278–290.

Hagen, Benno v.: Pompeji im Leben u. Schaffen G.s. Goethe 9, 1944, S. 88–108.

v. dem Hagen, Erich: G. als Herausg. v. „Kunst u. Altertum". Bln. 1912. (IV, 216S.)

Harnack, Otto: G. in der Epoche seiner Vollendung. 1805–1832. Lpz. 1887. 3. Aufl. 1905. (339 S.)

Harnack, O.: Die klassische Aesthetik der Deutschen. Lpz. 1892.

Harnack, O.: Essais u. Studien zur Literaturgesch. Braunschweig 1899. (Darin: G. u. Heinr. Meyer; G.s Kunstanschauung; R. Mengs' Schriften u. ihr Einfluß auf G.; G.s Maximen u. Reflexionen über Kunst.)

Hartlaub, Gustav Friedr.: Merian als Illustrator. Ztschr. d. dt. Ver. f. Kunstwiss. 6, 1939, S. 29–49

Hecker, Max: Vier unbekannte Briefe des Malers Peter Cornelius an G. Jb. G. Ges. 11, 1925, S. 185–196.

Heckscher, William: Goethe im Banne der Sinnbilder. Jahrbuch der Hamburger Kunstsammlungen, Bd. 7, 1962.

Hempel, Eberhard: Goethe zur Aufgabe der Kunstgeschichte. Sitzungsberichte der Sächsischen Akademie der Wissenschaften zu Leipzig, Phil.-Histor. Klasse, Bd. 109, Heft 5, 1964.

Herbig, Reinhard: Begegnungen G.s mit griechischer Kunst in Italien. Mainz 1948. (27 S. m. Abb.)

Hettner, Herm.: G.s Stellung zur bildenden Kunst seiner Zeit. Westermanns Monatshefte 20, 1866, S. 83–99. Wiederholt in: Hettner, Kl. Schriften. Braunschweig 1884. S. 475–512.

Hetzer, Theodor: G. u. die bildende Kunst. Lpz. 1948. (42 S.)

Heusler, Andreas: G. u. die italienische Kunst. Basel 1891. (41 S.)

Heyfelder, E.: Die Illusionstheorie u. G.s Ästhetik. Freiburg 1904. (201 S.)

Horn, Alste: Über das Schickliche. Studien zur Geschichte der Architekturtheorie, I. Abhandlungen der Akademie der Wissenschaften in Göttingen, Phil.-Histor. Klasse, Dritte Folge, Nr. 70, 1967.

Hübner, Arthur: G. u. das dt. Mittelalter. Goethe 1, 1936, S. 83–99. Wiederholt in: Hübner, Kl. Schriften. Bln. 1940. S. 268–281.

Jahn, Johannes: Die Wiederentdeckung der antiken Kunst und G. Goethe 10, 1947, S. 168–190.

Jahn, Joh.: Das künstlerische Leipzig u. G. Goethe 12, 1950, S. 32–52.

Jolles, Mattis: Goethes Kunstanschauung. Bern 1957. (342 S.)

Kampmann, Wanda: Die Kunstanschauung G.s in der „Ital. Reise". Italien 2, 1929, S. 317–329, 358–372, 403–409, 453–460.

Kampmann, W.: G.s Kunsttheorie nach der Ital. Reise. Jb. G. Ges. 15, 1929, S. 203–217.

Kampmann, W.: G.s „Propyläen" in ihrer theoret. u. didakt. Grundlage. Ztschr. f. Ästh. u. allg. Kunstwiss. 25, 1931, S. 31–48.

Keller, Harald: Goethe, Palladio und England. Bayerische Akademie der Wissenschaften, Phil.-Histor. Klasse, Sitzungsberichte 1971, Heft 6.

Keller, Harald: Goethes Hymnus auf das Strassburger Münster und die Wiedererweckung der Gotik im 18. Jahrhundert. Bayerische Akademie der Wissenschaften, Philosophisch-Historische Klasse. Sitzungsberichte 1974, Heft 4.

Keller, Heinrich: G. u. das Laokoon-Problem. Frauenfeld u. Lpz. 1935. = Wege zur Dichtung, 21.

Knickenberg, Fritz: Zu G.s Aufsatz ,,Das altröm. Denkmal bei Igel". GJb. 26, 1905, S. 93–98.

Koch, Franz: Plotins Schönheitsbegriff u. G.s Kunstschaffen. Euphorion 26, 1925, S. 50–74.

Koch, Herbert: G. u. die bildende Kunst des klass. Altertums. Ztschr. f. Ästhetik 26, 1932, S. 337–348.

Koch, Herbert: Winckelmann u. G. in Rom. Tüb. 1950. = Die Gestalt, 20. (32 S.)

Koetschau, Karl: G. u. die Gotik, Festschr. z. 60. Geburtstag von Paul Clemen. Bonn 1926. S. 460–465.

Koetschau, K.: G. u. Claude Lorrain. Wallraf-Richartz-Jahrb., N. F. 1, 1930, S. 261–268.

Korff, H. A.: G. u. d. bildende Kunst. Zeitschr. f. Deutschkunde 1927, S. 657–673.

Georg Melchior Kraus. Hrsg. v. E. Frhr. Schenk zu Schweinsberg. Weimar 1930. = Schr. G. Ges., 43.

Kruft, Walter Hanno: Goethe und Kniep in Sizilien. Jahrbuch der Sammlung Kippenberg, N. F., Bd. 2, 1970.

Lehmann, Ernst Herbert: Die Anfänge der Kunstzeitschrift in Deutschland. Lpz. 1932.

Leitzmann, Albert: Der junge G. u. Herders Schriften. Goethe 7, 1942, S. 145–159.

Löhneysen, Wolfgang Frh. v.: Goethe und die französische Kunst. In: Goethe et l'esprit français. Actes du Colloque International de Strasbourg 1957, Paris 1958.

Lorck, C. v.: Goethe und Lessings Klosterhof im Schnee. Westdeutsches Jahrbuch für Kunstgeschichte 9, 1936, S. 205–222.

Lücken, Gottfried v.: G. und der Laokoon. Natalicium. Joh. Geffcken zum 70. Geburtstag. Heidelbg. 1931. S. 85–99.

Maaß, Ernst: G. u. die Werke der antiken Kunst. Jb. G. Ges. 10, 1924, S. 56–75.

Mackowsky, Hans: G. u. Schadow. Zeitschr. für Kunstwiss. 3, 1949, S. 33–50.

Mazzucchetti, L.: Goethe e il Cenacolo di Leonardo. Milano 1939.

Meinert, Günther: G.s Beitr. z. Entstehg. d. Kunstwiss. Goethe 3, 1938, S. 194–207.

Meinert, G.: G.s Schriften über bildende Kunst in ihrer wissenschaftsgesch. Bedeutung. Forschungen u. Fortschritte 25, 1949, S. 202–206.

Menzer, Paul: Goethe – Moritz – Kant. Goethe 7, 1942, S. 169–198.

Michel, Christoph: Goethe und Philostrats ,,Bilder". Wirkungen einer antiken Gemäldegalerie. Jahrbuch des Freien Deutschen Hochstifts 1973, S. 117–156.

Mommsen, Momme: Die Entstehg. v. G.s Werken in Dokumenten. 2 Bde. Akademie Verlag, Bln. 1958.

Morris, Max: G.s u. Herders Anteil an dem Jahrgang 1772 der ,,Frankfurter Gelehrten Anzeigen". 3. veränd. Aufl. Stuttg. 1915. (IV, 352 S.)

Morris, M.: Gemälde u. Bildwerke im „Faust". In: Morris, Goethe-Studien. Bd. 1. 2. Aufl. Bln. 1902. S. 114–152.

Müller, Curt: Die geschichtl. Voraussetzungen des Symbolbegriffs in G.s Kunstanschauung. Lpz. 1937. = Palaestra, 211. (VIII, 247 S.)

Müller, C.: Der Symbolbegriff in G.s Kunstanschauung. Goethe 8, 1943, S. 269–280.

Müller-Wulckow, Wilhelm: G. in Rom, mit den Augen W. Tischbeins gesehen. (Mit 15 Abb.) Der Türmer u. Dt. Monatshefte 34, I, 1932, S. 497–506.

Münz, Ludwig: Die Kunst Rembrandts u. G.s Sehen. Lpz. 1934. (130 S., 6 Abb., 23 Taf.)

Pevsner, Nikolaus: Some Architectural Writers of the Nineteenth Century. Oxford, Kap. II, Goethe and Schlegel.

Pevsner, N.: Goethe e l'architettura. Palladio N. S. 1, 1956, S. 174–179.

Pick, Behrendt: G.s Münzbelustigungen. Jb. G. Ges. 7, 1920, S. 195–227. Wiederholt in: Pick, Aufsätze zur Numismatik u. Archäologie. Jena 1931. S. 113–134.

Pinder, Wilhelm: G. u. die bildende Kunst. München 1933. (23 S.) Wiederholt in: Pinder, Gesammelte Aufsätze. Lpz. 1938. S. 161–179.

Poensgen, Georg: Die Begegnung mit der Sammlung Boisserée in Heidelberg. In: Goethe u. Heidelberg. Heidelbg. 1949. S. 145–195.

Prang, Helmut: G. als Benutzer von ital. Reiseführern. Goethe 1, 1936, S. 222–227.

Prang, H.: G. u. die Kunst d. ital. Renaissance. Bln. 1938. = German. Stud., 198. (275 S.)

Praschniker, Camillo: G. als Archäologe. Archaiologike Ephemeris 1937, S. 423–432.

Rave, Paul Ortwin: Die holländernde Mode in der Vaterstadt des jungen G. (Mit 8 Abb.) Goethe 12, 1950, S. 18–31.

Rehm, Walther: Griechentum u. Goethezeit. Lpz. 1936. – 2. Aufl. 1938.

Robson-Scott, W. D.: Goethe and the Gothic Revival. Publications of the English Goethe Society, N. S. XXV, 1956, S. 86–113.

Rouge, J.: Goethe et l'Essai sur la peinture de Diderot. Etudes Germaniques 4, 1949, S. 227–236.

Sarauw, Chr.: Goethes Augen. Kopenhagen 1919.

Schadewaldt, W.: G. u. das Erlebnis des antiken Geistes. Freiburg i. Br. 1932. = Freiburger Univ.-Reden, 8.

Schadewaldt, W.: G.s Beschäftigung mit der Antike. In: Grumach, G. u. die Antike. Potsdam 1949. S. 971–1050.

Scheidig, Walther: Leonardo – Goethe – Bossi, in: Leonardo, Berlin 1952.

Scheidig, Walter: G.s Preisaufg. f. Bildende Künstler 1799–1805, Schr. G. Ges. 57, Weimar 1958.

Scholte, J. H.: Rembrandt's „Faust" bij Goethe. Oud-Holland 48, 1941.

Schrimpf, H. J.: Kunst u. Handwerk. Die Entwicklg. v. G.s Kunstanschauung. I u. II. In: Goethe 17, 1955, S. 142–168, u. Goethe 18, 1956, S. 106–120.

Schrimpf, Hans Joachim: Über die geschichtliche Bedeutung von Goethes Newton-Polemik und Romantik-Kritik. In: Gratulatio. Festschrift für Christian Wegner zum 70. Geburtstag. Hamburg 1963. S. 63–82.

Schrimpf, Hans Joachim: Karl Philipp Moritz. Stuttgart 1980 (= M 195).

Schulz-Uellenberg, Gisela: Goethe und die Bedeutung des Gegenstandes für die bildende Kunst. Filser Verlag, München 1947.

Schweinfurth, Philipp.: G. u. Séroux d'Agincourt. Revue de littérature comparée 12, 1932, S. 623–630.

Schwinger, Reinhold, und Nicolai, Heinz: Innere Form u. dichterische Phantasie. München 1935.

Sitte, Heinrich: Im Mannheimer Antikensaal. Jb. G. Ges. 20, 1934, S. 150–158.

Sommerfeld, Martin: Der Weg zur Klassik in G.s Schriften zur Kunst u. Lit. In: Sommerfeld, G. in Umwelt u. Folgezeit. Leiden 1935.

Steiner, Rudolf: G. als Ästhetiker. Dramaturg. Blätter Nr. 49/50 vom 9. 12. 1899. Wiederholt in: Das Goetheanum 8, 1929, S. 289–291.

Stelzer, Otto: G. u. die bildende Kunst. Braunschweig 1949. (216 S., 7 Taf.)

Stettner, Thomas: G. u. Neureuther. In: Stettner, Gefundenes u. Erlauschtes. Ansbach 1929. S. 57–80.

Stöcklein, Paul: Wege zum späten Goethe. Hamburg 1949. (256 S.)

Strzygowski, Josef: Leonardos Abendmahl u. G.s Deutung. GJb. 17, 1896, S. 138–156.

Sudheimer, Hellmuth: Der Geniebegriff des jungen G. Bln. 1935. = Germ. Stud., 167 (VIII, 652 S.)

Thode, Henry: G. der Bildner. GJb. 27, 1906, S. 1*–26*.

Tietze, Hans: Dürer und G. Zeitwende 4, 1928, S. 308–323.

Tornius, Valerian: G.s Theaterleitung u. die bildende Kunst. Jb. d. Fr. Dt. Hochstifts 1912, S. 191–211.

Trevelyan, Humphrey: G. and the Greeks. Cambridge 1941. – G. u. die Griechen. Übertr. von W. Löw. Hamburg 1949. (398 S.)

Trunz, Erich: (Hrsg.), Studien zu Goethes Alterswerken. Frankfurt 1971.

Ulrich, Joachim: G.s Einfluß auf die Entwicklung des Schillerschen Schönheitsbegriffes. Jb. G. Ges. 20, 1934, S. 165–212.

Varenne, Gaston: G. et Claude Lorrain. Revue de littérature comparée 12, 1932, S. 1–29.

Varenne, G.: Les relations entre David d'Angers et Goethe. Etudes Germaniques 4, 1949, S. 237–252.

Volbehr, Theodor: G. u. die bildende Kunst. Lpz. 1895. (244 S.)

Volbehr, Th.: Der „Zwiespalt" in G.s Kunstanschauungen. In: K. Koetschau zum 60. Geburtstag. Düsseldorf 1928. S. 184–187.

Volkmann, Ernst: Chodowiecki und G. Danzig 1930. (43 S.) = Heimatblätter des dt. Heimatbundes Danzig 7, H. 5/6.

Waetzoldt, Wilhelm: G.s kunstgeschichtliche Sendung. Ztschr. f. Deutschkunde 34, 1920, S. 273–288.

Waetzoldt, W.: Deutsche Kunsthistoriker. Bd. 1. Lpz. 1921.

Wahl, Hans: G.s Anstoß zur russischen Ikonenforschung. Goethe 10, 1947, S. 219–226. Wieder abgedruckt in: Hans Wahl, Alles um Goethe. Weimar 1956.

Walter, Friedrich: Erste Begegnung mit antiker Plastik. In: Goethe u. Heidelberg. Heidelbg. 1949. S. 59–67.

Wegner, Max: G.s Anschauung antiker Kunst. Bln. 1944. (168 S., 64 Abb.) – 2. Aufl. Bln. 1949. (158 S., 58 Abb.)

Weickert, Karl: Die Baukunst in G.s Werk. Bln. 1950. = Vortr. u. Schr. d. dt. Akad. d. Wiss. zu Berlin, 38. (28 S.)

Weickert, K.: Zu G.s archäologischer Betrachtungsweise. Jahreshefte des Österr. archäologischen Instituts in Wien. Wien 1952.

Weixlgärtner, A.: G. u. Delacroix. Die Graphischen Künste. N. F. 4, 1939/40, S. 150–154.

Witkowski, Georg: G. und Falconet. In: Studien zur Literaturgesch., Michael Bernays gewidmet. Hambg. 1893. S. 76–95.

Wolf, Eugen: G. u. die griech. Plastik. Neue Jbb. f. Wiss. u. Jugendbildung 1, 1925, S. 54–66.

Wolf, E.: Dürer u. Goethe. DVjs. 6, 1928, S. 257–269.

SCHRIFTEN ZUR LITERATUR

Texte und Nachschlagewerke

Frankfurter Gelehrte Anzeigen. Gegr. 1736; seit 1. Jan. 1772 hrsg. von Joh. Heinr. Merck.

Jenaische Allgemeine Literaturzeitung. Gegr. 1785; seit 1804 hrsg. von Eichstädt.

Morgenblatt für Gebildete Stände. Erschien von 1807 bis 1865 als Tageszeitung im Verlag Cotta, Stuttg.

Über Kunst und Altertum. Von Goethe. Bd. I–VI (jeder Band umfaßt 3 Hefte). Cotta, Stuttg. 1816–1832.

Goethes Werke. Vollständige Ausgabe letzter Hand. Cotta, Stuttg. u. Tübgn. Bd. 1–40 (1827–1830); Bd. 41–60 (Nachgelassene Werke. 1832–1842, hrsg. v. Eckermann und Riemer). Schr. zur Lit.: Bd. 33 u. 36 (1830); Bd. 45 u. 46 (1833).

Goethes Werke. Nach den vorzüglichsten Quellen revidierte Ausgabe. Bln. G. Hempel. Bd. 29. Hrsg. v. W. Frh. v. Biedermann. Berlin (1873).

Goethes Werke. Hrsg. v. H. Düntzer u. a. Stuttg. (1882–1897.) = Dt. National-Lit., hrsg. v. Kürschner, Bd. 82–117. Schriften zur Literatur: Bd. 26 (= 107), 31 (= 112) und 32 (= 113), hrsg. v. G. Witkowski.

Goethes Werke. Weimarer Ausgabe (Sophien-Ausgabe). H. Böhlau, Weimar 1887 bis 1919. 1. Abt., Bd. 40–42 (1901–1907).

Goethes Werke. Hrsg. v. K. Heinemann. Bibl. Inst., Lpz. u. Wien 1901–1908 (Meyers Klassiker-Ausgaben). Bd. 25 u. 26. Bearbeitet von Georg Ellinger (1906–1907).

Goethes Sämtliche Werke. Jubiläums-Ausgabe, hrsg. v. E. v. d. Hellen. Bd. 36–38. Hrsg. v. O. Walzel. Stuttg. u. Bln. (1906–1907).

Goethes Werke. Vollständige Ausgabe in 40 Teilen, hrsg. v. K. Alt u. a. (Goldene Klassiker-Bibliothek.) Verlag Bong. Bd. 32 u. 33. Bln., Lpz., Wien, Stuttg. (1911).

J. W. Goethe. Gedenkausgabe der Werke, Briefe und Gespräche. Hrsg. v. E. Beutler. Zürich, Artemis-Verlag, 1948 ff. Bd. 14. Schriften zur Literatur. Hrsg. (mit ausführlicher Einführung) von Fritz Strich. Zürich 1950.

Der junge Goethe. Hrsg. v. Max Morris. 6 Bde. Lpz. 1909–1912.

Der junge Goethe. Hrsg. von Hanna Fischer-Lamberg. 5 Bde. und 1 Register-Bd. Bln. 1963–1974.

Goethe, Werke. Berliner Ausgabe. Bd. 17: Kunsttheoretische Schriften und Übersetzungen. Schriften zur Literatur I (Aufsätze zu Schauspielkunst und Musik. Aufsätze zur deutschen Literatur). Hrsg. von Siegfried Seidel. Aufbau-Verlag, Berlin 1970. – Bd. 18: Schriften zur Literatur II (Aufsätze zur Weltliteratur. Maximen und Reflexionen). Hrsg. von Siegfried Seidel. Aufbau-Verlag, Berlin 1972.

Goethe, Schriften zur Literatur. Histor.-kritische Ausg. Hrsg. von der Dt. Akademie d. Wiss. zu Berlin, Akademie-Verlag, Berlin. Bd. 1: Text. Bearb. von Edith Nahler, Berlin 1970. Bd. 2: Text. Bearb. von Johanna Salomon, Berlin 1971. Bd. 3: Text. Bearb. von Horst Nahler, Berlin 1973.

Goethe und die Romantik. Hrsg. v. C. Schüddekopf und Oskar Walzel. 2 Bde. Weimar 1898. = Schriften der Goethe-Gesellschaft, 13 u. 14.

Goethe und die Antike. Eine Sammlung. Hrsg. v. Ernst Grumach. 2 Bde. Berlin 1949.

Keudell-Deetjen, Goethe als Benutzer der Weimarer Bibliothek. Weimar 1931.

Das ältere Schrifttum verzeichnet Karl Goedeke, Grundriß z. Gesch. d. dt. Dichtung. 4. Bd., 2. Abt. 3. Aufl. Dresden 1910. S. 379–413. – Spezialliteratur ist jeweils bei den einzelnen Aufsätzen genannt. Über Goethes Beziehungen zu andern Dichtern und Literaturen vgl. ferner die Bibliographie in Bd. 14.

Abhandlungen

Weltliteratur und Nationalliteratur. Literaturkritik

Beil, E.: Zur Entwicklung des Begriffs Weltliteratur. Diss. Leipzig 1915.

Strich, Fritz: Goethes Idee einer Weltliteratur. In: F. St., Dichtung und Zivilisation. München 1928. S. 58–77.

Hohlfeld, A. R.: Goethe's Conception of World Literature. The University Record 14, 1928. S. 213–222. Wiederholt in: Hohlfeld, Fifty Years with Goethe. Madison, USA, 1953. S. 339–350.

Sommerfeld, Martin: Der Weg zur Klassik in Goethes Schriften zur Kunst und Literatur. In: Sommerfeld, Goethe in Umwelt und Folgezeit. Leiden 1935. S. 113–159.

Baldensperger, F.: Goethe et la littérature mondiale. In: Bulletin de l'Association des Amis de l'Université de Liège, 1933.

Baldensperger, F.: Goethe historien littéraire. Modern Language Notes 57, 1942. S. 500ff.

Strich, Fritz: Goethe und die Weltliteratur. Bern 1946. 2., neubearb. Aufl. Bern 1957.

Curtius, E. R.: Goethe als Kritiker (1948). In: Curtius, Kritische Essays zur europäischen Literatur, Bern 1950. S. 28–58.

Weltliteratur. Festgabe für Fritz Strich zum 70. Geb. In Verb. mit W. Henzen hrsg. von W. Muschg u. E. Staiger. Bern 1952.

Bodmer, Martin: Variationen zum Thema Weltliteratur. Frankfurt a. M. 1956.

Wais, Kurt: An den Grenzen der Nationalliteraturen. Vergleichende Aufsätze. Berlin 1958.

Lentz, Wolfgang: Original types of literary composition as described by Goethe. In: Yearbook of Comparative and General Literature, Nr. 10. Bloomington 1961. S. 59–62.

Eppelsheimer, Hanns W.: Zur „Geschichte einer europäischen Weltliteratur". In: Ideen und Formen. Festschrift für Hugo Friedrich zum 24. 12. 1964. Hrsg. von Fritz Schalk. Frankfurt a. M. 1965. S. 79–91.

Haase, Claus C.: Goethe und die Anfänge der deutschen Literaturgeschichte. In: Goethe. N. F. d. Jb. d. Goethe-Ges., 27, 1965, S. 231–252.

Wohlleben, Joachim: Goethes Literaturkritik. Die Wandlungen der Grundeinstellung Goethes als Kritiker von der Rückkehr aus Italien bis zu seinem Tode. Diss. F. U. Berlin 1965.

Ders.: Goethe and the Homeric question. In: Germanic Review, 42, 1967, S. 251–275.

Wiecha, Joseph A.: Goethe als Literatur-Kritiker im Lichte der bisherigen Forschung. Diss. New York Univ. 1963 (DA 26, 1966, 6055/56).

Thiele, Joachim: Untersuchung der Goethe zugeschriebenen Rezensionen in den Frankfurter Gelehrten Anzeigen mit Hilfe einfacher Textcharakteristiken. In: Studia linguistica, 20, 1966, S. 83–85.

Kang, Tou-Shik: Über Welt- und Nationalliteratur bei Goethe (Koreanisch). In: Z. f. Germ., 6, 1967, S. 11–16.

Berczik, Árpád: Goethe, die Weltliteratur und die Anfänge der vergleichenden Literaturwissenschaft. In: Wiss. Zs. der Universität Greifswald, 16, 1967, S. 159–166.

Schrimpf, Hans Joachim: Goethes Begriff der Weltliteratur. Stuttgart 1968 (= Dichtung und Erkenntnis, 5). Kurzfassung in: Nationalismus in Germanistik und Dichtung. Berlin 1967. S. 202–217. Japanische Übers. in: Goethe-Jb., Tokyo, X, 1968. S. 235–267.

Fuchs, Albert: Goethe-Studien. Berlin 1968.

Vajda, György Mihály: Goethes Anregung zur vergleichenden Literaturbetrachtung. In: Acta Litteraria Academiae Scientiarum Hungaricae, 10, 1968, S. 221–238.

Wertheim, Ursula: Von der „herrlichen Musengabe" der „Naturpoeten" und „Naturprosaisten". In: U. W., Goethe-Studien. Berlin 1968. S. 64–88 (Wiederabdruck aus: Weimarer Beiträge, 1964).

Perls, Hugo: Goethes Ästhetik und andere Aufsätze zu Literatur und Philosophie. Bern, München 1969.

Geerdts, Hans Jürgen: Goethes weltanschaulich-poetisches Vermächtnis. In: Wiss. Zs. der Ernst Moritz-Arndt-Universität Greifswald. Jg. 19, H. 1/2, Greifswald 1970, S. 101–120.

Mühlher, Robert: Strömungen der Literaturkritik im neunzehnten Jahrhundert. In: Jb. des Wiener Goethe-Vereins. N. F. der Chronik, Bd. 74, Wien 1970, S. 61–81.

Eichhorn, Peter: Idee und Erfahrung im Spätwerk Goethes. Freiburg, München 1971.

Mc Kee Frakes, Joyce Eileen: The concept of „Poesie" in Goethe's theory of art and literature and basic trends in his criticism. Diss. Stanford Univ. 1971 (DA 32, 1971/72, 964 A).

Goethe. Neue Folge des Jahrbuchs der Goethe-Gesellschaft, 33. Bd., 1971. Darin: Goethe: Über Weltliteratur und Nationalliteratur (S. XIII–XVI).

Samarin, Roman M.: Goethe und die Weltliteratur (S. 1–14).

Lange, Victor: Nationalliteratur und Weltliteratur (S. 15–30). (Wiederabgedr. in: Weltliteratur und Volksliteratur, s. u.).

Naumann, Manfred: Goethes Auffassung von den Beziehungen zwischen Weltliteratur und Nationalliteratur und deren Bedeutung für die heutige Zeit (S. 31–45).

Reuter, H. H.: Theorie und Praxis des Realismus in Goethes Begriff der Weltliteratur (S. 46–49).

Braginski, Jossif S.: Goethes Vermächtnis: der Orient in der Weltliteratur (S. 50–53).

Lüdecke, Heinz: Goethe, Delacroix und die Weltliteratur (S. 54–74).

Rüdiger, Horst: „Literatur" und „Weltliteratur" in der modernen Komparatistik. In: Schweizer Monatshefte, LI, 1, 1971, S. 32–47 (mit Anm. ergänzt wiederabgedr. in: Weltliteratur und Volksliteratur, s. u.).

Deutsche Weltliteratur. Festgabe für J. Alan Pfeffer. Hrsg. von Klaus W. Jonas. Tübingen 1972.

Weltliteratur und Volksliteratur. Acht Beiträge von R. Alewyn, W. Habicht, C. Heselhaus, W. Hinck, H. Hinterhäuser, V. Lange, M. Lüthi und H. Rüdiger. Hrsg. von Albert Schaefer. München 1972 (= Beck'sche Schwarze Reihe, Bd. 93).

Brackert, Helmut: Die ‚Bildungsstufe der Nation‘ und der Begriff der Weltliteratur. Ein Beispiel Goethescher Mittelalter-Rezeption. In: Goethe und die Tradition. Hrsg. von Hans Reiss. Frankf. a. M. 1972, S. 84–101.

Manasse, Ernst Moritz: Goethe und die griechische Philosophie. In: Goethe und die Tradition. Hrsg. von Hans Reiss. Frankf. a. M. 1972, S. 26–57.

Mayer, Karl: Totalität und Geschichte. Über das Verhältnis Goethes zum poetologischen Programm der Frühromantik. In: Wahrheit und Sprache, 1972, S. 129–142.

Blaga, Lucian: Weltliteratur. Mit Beiträgen von Geo Serban, Edgar Paper, G. S. Grohmalniceanu, Mariana Sova und Michai Petroveanu. In: Secolul 20, Bucuresti 1973, Nr. 7, S. 8–20. (darin u. a. über Goethe und die Weltliteratur).

Alewyn, Richard: Goethe und die Antike. In: R. A., Probleme und Gestalten. Frankf. a. M. 1974, S. 255–270 (zuerst in: Das humanistische Gymnasium, 1932).

Müller, Joachim: Goethes Romantheorie. In: Deutsche Romantheorien, 1974, S. 61–104.

Zimmermann, Rolf Christian: Goethes Polaritätsdenken im geistigen Kontext des 18. Jahrhunderts. In: Jb. d. Dt. Schiller-Ges. 18, 1974, S. 304–347.

Zum Shakespeares-Tag

Pascal, Roy: Goethe und das Tragische. Die Wandlung von Goethes Shakespeare-Bild. In: Goethe. N. F. d. Jb. d. Goethe-Ges., 26, 1964, S. 38–53.

Wertheim, Ursula: Philosophische und ästhetische Aspekte in Prosastücken Goethes über Shakespeare. In: Goethe. N. F. d. Jb. d. Goethe-Ges., 26, 1964, S. 54–76.

Böckmann, Paul: Der dramatische Perspektivismus in der deutschen Shakespeare-Deutung des 18. Jhs. In: P. B., Formensprache. Hamburg 1966. S. 45–97 (= Wiederabdruck des gleichnamigen Aufsatzes von 1949).

Weigand, Hermann J.: Shakespeare in German criticism. In: H. J. W., Surveys
and soundings in European literature. Princeton 1966. S. 55–72 (= Wiederabdruck aus: The persistence of Shakespeare idolatry. Essays in honor of Robert
W. Babcock. Detroit 1964. S. 105–133).

Girnus, Wilhelm: Deutsche Klassik und Shakespeare. In: Sinn und Form, 18,
1966, S. 725–735.

Guthke, Karl S.: Themen der deutschen Shakespeare-Deutung von der Aufklärung bis zur Romantik. In: K. S. G., Wege zur Literatur. Bern 1967.
S. 109–132.

Huesmann, Heinrich: Shakespeare-Inszenierungen unter Goethe in Weimar.
Wien, Graz 1968 (= Oesterr. Ak. d. Wiss., Phil.-hist. Klasse. Sitzungsberichte,
258, 2).

Rohmer, Rolf: Volk und Held bei Shakespeare und Goethe. In: Shakespeare-Jb.
108, Weimar 1972, S. 91–96.

Brief des Pastors zu *** an den neuen Pastor zu ***

Riemann, Carl: Goethes Gedanken über Toleranz. In: Goethe. N. F. d. Jb. d.
Goethe-Ges., 21, 1959, S. 230–254.

Zimmermann, Rolf Christian: Die mystisch-pietistischen Vervollkommnungsvor-
stellungen beim jungen Goethe. Diss. Heidelberg 1959.

Ders.: Das Weltbild des jungen Goethe. Studien zur hermetischen Tradition des
18. Jhs. Bd. 1. München 1969.

Bowman, Derek: Goethe and the Christian autobiographical Tradition. In: Publications of the English Goethe Society. N. S. Vol 41, 1971, S. 21–44.

Horacek, Blanka: Goethe und das Christentum. In: Jb. d. Wiener Goethe-Vereins. N. F. der Chronik, Bd. 77, Wien 1973, S. 88–104.

Regeln für Schauspieler

Meyer, R. M.: Goethes „Regeln für Schauspieler". In. Goethe-Jb., 31, Frankf.
a. M. 1910.

Hinck, Walter: Der Bewegungsstil der Weimarer Bühne. Zum Problem des Allegorischen bei Goethe. In: Goethe. N. F. d. Jb. d. Goethe-Ges., 21, 1959, S.
94–106.

Shaver, Claude L.: Goethe as a Theater Director. In: Goethe after two Centuries.
Ed. Carl Hammer, N. Y. 1969, S. 47–54.

Rameaus Neffe

Schloesser, Rudolf: Rameaus Neffe. Studien und Untersuchungen zur Einführung
in Goethes Übersetzung des Diderotschen Dialogs. (Réimpr. de l'éd. de Berlin,
1900). Genève: Slatkine Reprints 1971.

Dickmann, Herbert: Diderot und Goethe. In: H. D., Diderot und die Aufklärung. 1972. S. 196–218.

Plan eines lyrischen Volksbuches

Lütgert, Will: Goethes Entwurf zu einem deutschen Lesebuch. In: Neue Sammlung, 6, Göttingen 1966, S. 104–110.

Schrimpf, Hans Joachim: Über Goethes Plan zu einem Volksbuch für die Deutschen. In: Goethes Begriff der Weltliteratur (1968, s. o.), S. 30–35.

Shakespeare und kein Ende

Schmid, Eduard Eugen: Shakespeare und die schwarze Dame. Urphänomene und Metamorphose bei Shakespeare und Goethe. Cochnam bei München 1972.

Indische und chinesische Dichtung

Nahler, Edith: Zur Entstehung von Goethes Aufsatz „Indische Dichtung". In: Studien zur Goethezeit. Festschrift für Lieselotte Blumenthal. Weimar 1968. S. 277–284.

Wagner-Dittmar, Christine: Goethe und die chinesische Literatur (mit ausf. Lit.-verz.). In: Studien zu Goethes Alterswerken. Hrsg. von Erich Trunz. Frankf. a. M. 1971. S. 122–228.

Behrsing, Siegfried: Goethes ,Chinesisches'. In: Wiss. Zs. der Humboldt-Universität Berlin, Jg. 19, 1970, Heft 3, S. 244–258 (über Goethes kommentierte Übertragung chinesischer Gedichte in „Über Kunst und Altertum", 1827).

Blackall, Eric A.: Goethe and the Chinese Novel. In: The discontinuous Tradition. Studies in German Literature in Honour of Ernest L. Stahl. Ed. by Peter E. Ganz. Oxford 1971, S. 29–53.

Bauer, Wolfgang: Goethe und China, Verständnis und Mißverständnis. In: Goethe und die Tradition. Hrsg. von Hans Reiss. Frankf. a. M. 1972, S. 177–197.

Calderons „Tochter der Luft"

Hardy, Swana L.: Goethe, Calderón und die romantische Theorie des Dramas. Heidelberg 1965 (= Heidelberger Forschungen, 10).

Phaethon, Tragödie des Euripides

Wiemann, Inge: Goethe und die griechischen Tragiker. Diss. Kiel 1966.

Lesky, Albin: Goethe und die Tragödie der Griechen. In: Jb. des Wiener Goethe-Vereins, 74, 1970, S. 5–17.

Serbische Lieder

Lehmann, U.: Slawische Studien Goethes in der Weimarer Bibliothek. In: Ost und West in der Geschichte des Denkens, 1966, S. 466–470.

Perišić, Dragoslava: Goethe bei den Serben. München 1968.

Dante

Wais, Kurt: Die „Divina Commedia" als dichterisches Vorbild im XIX. und XX. Jahrhundert. In: Arcadia, 3, 1968, S. 27–47.

Nachlese zu Aristoteles' Poetik

Schadewaldt, Wolfgang: Furcht und Mitleid? (= Wiederabdruck des Aufsatzes von 1955) in: W. Sch., Hellas und Hesperien. Zürich und Stuttgart 1960. S. 346ff.

Pohlenz, Max: Furcht und Mitleid? Ein Nachwort. In: Hermes, Zs. f. klassische Philologie, 84, 1956, S. 49–74.

Flashar, Hellmut: Die medizinischen Grundlagen der Lehre von der Wirkung der Dichtung in der griechischen Poetik. In: Hermes, Zs. f. klassische Philologie, 84, 1956, S. 12–48.

Friedrich, Wolf-Hartmut: Sophokles, Aristoteles und Lessing. In: Euphorion 57, 1963, S. 4–27.

Schmidt, Franz: Aristotelica bei Goethe. In: Goethe. N. F. d. Jb. d. Goethe-Ges., 26, 1964, S. 239–247.

Schrimpf, Hans Joachim: Lessing und Brecht. Von der Aufklärung auf dem Theater. Pfullingen 1965 (= opuscula, 19).

Heller, Erich: Die Vermeidung der Tragödie. In: E. H., Essays über Goethe. Frankf. a. M. 1970, S. 47–80.

Müller, Joachim: Goethes Dramentheorie. In: Deutsche Dramentheorien. Beiträge zu einer historischen Poetik des Dramas in Deutschland. Hrsg. u. eingel. von Reinhold Grimm. Bd. I, Frankf. a. M. 1971, S. 167–213.

Müller, Joachim: Zum Problem des Tragischen bei Goethe und in der Weltliteratur. In: Tragik und Tragödie. Hrsg. von Volkmar Sander. Darmstadt 1971, S. 129–147 (zuerst in J. M., Das Tragische in Shakespeares Dramen, 1954).

Lorenz Sterne

Henning, John: Zu Goethes englischer Belesenheit. In: DVjs. 48, 1974, S. 546–566.

Faust, tragédie de Monsieur de Goethe

Götze, Alfred: Goethes Begegnung mit den ‚Faust-Illustrationen‘ von Delacroix. In: Philobiblon, Jg. 14, Heft 1, Hamburg 1970, S. 40–49.

Für junge Dichter. Wohlgemeinte Erwiderung

Richter, Hans: Goethes Worte für junge Dichter. In: H. R., Verse, Dichter, Wirklichkeiten. Berlin, Weimar 1970, S. 5–19.

MAXIMEN UND REFLEXIONEN

Ausgaben

Goethes Werke. Vollständige Ausg. letzter Hand. Cotta, Stuttg. u. Tübgn. 40 Bde. (1827–1830) und 20 Bde. Nachgel. Werke (1832–1842). Bd. 49 (1833) u. Bd. 56 (1842), hrsg. von Eckermann und Riemer.

Goethes sämtliche Werke in 40 Bänden. Vollständige neugeordnete Ausgabe. Cotta, Stuttg. u. Tübgn. 1840. Bd. 3 ,,Sprüche in Prosa'', hrsg. von Eckermann und Riemer.

Goethes Werke. Nach den vorzügl. Quellen revidierte Ausgabe. Bln. G. Hempel. Bd. 19 ,,Sprüche in Prosa''. Hrsg. und mit Anmerkungen begleitet von G. von Loeper (1870).

Goethe, Maximen und Reflexionen. Nach den Handschriften des Goethe- und Schiller-Archivs hrsg. von Max Hecker. Weimar 1907. = Schriften der Goethe-Gesellschaft, 21. Bd. – Nachträge Heckers zu seinen eignen Erläuterungen: GJb. Bd. 30, 1909. S. 222ff.

Goethes Werke. Hrsg. von K. Heinemann. Bibl. Inst., Leipz. u. Wien 1901–1908. = Meyers Klassiker-Ausgaben. Bd. 24 ,,Maximen und Reflexionen''. Bearbeitet von O. Harnack (1907).

Goethes Werke. Vollständige Ausgabe in 40 Teilen. Hrsg. v. K. Alt u. a. Verlag Bong, Bln. Lpz., Wien, Stuttg. o. J. Bd. 4 ,,Maximen und Reflexionen''. Hrsg. und eingeleitet von E. Ermatinger (1913).

Goethes Werke. Festausgabe des Bibl. Instituts. Hrsg. v. R. Petsch. Bd. 14 ,,Maximen und Reflexionen''. Kritisch durchgesehen v. Max Hecker, eingeleitet und erläutert v. Robert Petsch. Leipz. (1926).

Goethe, Maximen und Reflexionen. Hrsg. (und mit Anmerkungen versehen) v. Jutta Hecker. Leipz. 1942. 2. Aufl. Freiburg i. Br. (1949).

Goethe, Maximen und Reflexionen. Neu geordnet, eingeleitet und erläutert von Günther Müller. Stuttg. 1944 u. ö. = Kröners Taschenausgaben, 186.

J. W. Goethe, Gedenkausgabe der Werke, Briefe und Gespräche. Hrsg. von E. Beutler. Bd. 9 „Maximen und Reflexionen". Einführung und Textüberwachung von Paul Stöcklein. Artemis-Verlag, Zürich 1949.

Goethe, Werke. Berliner Ausgabe. Bd. 18: Schriften zur Literatur II (Aufsätze zur Weltliteratur. Maximen und Reflexionen). Hrsg. von Siegfried Seidel. Aufbau-Verlag, Berlin 1972.

Abhandlungen

Loeper, G. v.: Zu Goethes Sprüchen in Prosa. GJb. 11, 1890, S. 135–144.

Francke, Otto: Zu Goethes Maximen und Reflexionen. GJb. Bd. 29, 1908. S. 178–184.

Wundt, Max: Gehören die B. d. W. und A. M. A. zu den Wanderjahren? In: Max Wundt, Goethes Wilhelm Meister und die Entwicklung des modernen Lebensideals. Bln. u. Lpz. 1913. S. 493–509. 2. Aufl. Bln. u. Lpz. 1932.

Klein, Joh.: Wesen und Bau des deutschen Aphorismus, dargestellt am Aphorismus Nietzsches. Germ.-Roman. Monatsschrift XXII, 1924. S. 358–369.

Hofmiller, Josef: Die „Sprüche in Prosa" (1926). In: Wege zu Goethe. Hamburg-Bergedorf 1947. S. 29–39.

Bianquis, Geneviève: L'Urphaenomen dans la pensée et dans l'œuvre de Goethe. Revue Philosophique 113, 1932. S. 207–244.

Bianquis, Geneviève: Nachwort zu: Maximes et réflexions. Ed. G. Bianquis, Paris 1942. Wieder abgedruckt in: G. Bianquis, Etudes sur Goethe. Paris 1951. S. 81–89.

Mautner, Franz H.: Der Aphorismus als literarische Gattung. Zeitschr. f. Ästhetik u. allg. Kunstwiss. 27. Bd., 1933. S. 132–175.

Niemeyer, Paul: Die Sentenz als poetische Ausdrucksform, vorzüglich im dramatischen Stil. Germ. Studien 14, 1934.

Fink, Arthur Hermann: Maxime und Fragment. München 1934.

Flitner, W.: Aus Makariens Archiv. In: Goethe-Kalender 36, 1943. S. 116–174.

Baumann, Gerh.: Maxime und Reflexion als Stilform bei Goethe. Karlsruhe o. J. (1949). = Phil. Diss. Freiburg 1947.

Requadt, Paul: Lichtenberg. Zum Problem der deutschen Aphoristik. Hameln 1948.

Stöcklein, Paul: Einführung in Goethes Maximen und Reflexionen, Bd. 9 der Gedenkausgabe. Artemis-Verlag, Zürich 1949. S. 737–749. Ähnlich wiederholt in: P. Stöcklein, Wege zum späten Goethe, Hamburg 1949. S. 157–165. Darin auch: Altersstil. Das Spätwerk Platons und Goethes. S. 211–237.

Preisendanz, Wolfg.: Die Spruchform in der Lyrik des alten Goethe und ihre Vorgeschichte seit Opitz. Heidelberg 1952. = Heidelberger Forschungen, hrsg. v. P. Böckmann, H. Bornkamm und Hans-Georg Gadamer. 1952.

Trunz, E.: Altersstil. In: Goethe-Handbuch, 2. Aufl. hrsg. v. A. Zastrau. Bd. 1. Stuttgart 1961, Sp. 178–188.

Buchwald, R.: Versteckte und nachgetragene ,,Maximen und Reflexionen". In: Goethe 19, 1957. S. 233–239.

Stöcklein, Paul: J. W. Goethe. Maximen und Reflexionen. Nachwort zu Bd. 21 der dtv-Gesamtausgabe. München 1963. S. 158–167.

Magill, C. P.: The dark sayings of the wise. Some observations on Goethe's Maximen und Reflexionen. In: Publications of the English Goethe Society, 36, 1966, S. 60–82.

Schrimpf, Hans Joachim: Goethe: Spätzeit, Altersstil, Zeitkritik. Pfullingen 1966 (= opuscula, 32).

Grappin, Pierre: Réflexions sur quelques maximes de Goethe. In: Un dialogue des nations. Albert Fuchs zum 70. Geb. Hrsg. von M. Colleville, P. Grappin, R. Minder, J. Murat. München 1967. S. 107–120.

Neumann, Gerhard: Ideenparadiese. Aphoristik bei Lichtenberg, Novalis, Schlegel und Goethe. München 1976. (Über Goethe. S. 604–736.)

Über Meisterschaft und Dilettantismus. Zu den Maximen und Reflexionen 802–831

Wertheim, Ursula: Das Schema über den Dilettantismus. In: Weimarer Beiträge, 6, 1960, S. 965–977. Erweiterte Fassung u. d. T. ,,Über den Dilettantismus" in: U. W., Goethe-Studien. Berlin 1968. S. 36–63.

Schrimpf, Hans Joachim: W. H. Wackenroder und K. Ph. Moritz. Ein Beitrag zur frühromantischen Selbstkritik. In: Zs. f. dt. Philologie, 83, 1964, S. 385–409.

Wiese, Benno von: Goethes und Schillers Schemata über den Dilettantismus (mit Abdruck der Schemata). In: B. v. W., Von Lessing bis Grabbe. Studien zur deutschen Klassik und Romantik. Düsseldorf 1968. S. 58–107 u. 335–338.

Koopmann, Helmut: Dilettantismus. Bemerkungen zu einem Phänomen der Goethezeit. In: Studien zur Goethezeit. Festschrift für Lieselotte Blumenthal. Weimar 1968. S. 178–208.

Bitzer, Hermann: Goethe über den Dilettantismus. Bern 1969 = Europäische Hochschulschriften, R. 1, Bd. 16.

Vaget, Hans Rudolf: Dilettantismus und Meisterschaft. Zum Problem des Dilettantismus bei Goethe. Praxis, Theorie, Zeitkritik. München 1971.

Spezialliteratur ist jeweils in den Anmerkungen zu den einzelnen Maximen angeführt. Zu den Maximen über Kunst, Literatur und Naturwissenschaft vgl. die Bibliographien zu den Schriften zur Kunst und zur Literatur in Bd. 12 und zu den Schriften zur Naturwissenschaft in Bd. 13.

Vgl. stets auch die Gesamt-Bibliographie in Bd. 14, die Goethe-Bibliographie von H. Pyritz, fortgeführt von H. Nicolai und G. Burkhardt, und die jährlichen Bibliographien im Goethe-Jahrbuch.

INHALTSÜBERSICHT

Schriften zur Kunst

Von deutscher Baukunst (1772) 7
Aus den Frankfurter Gelehrten Anzeigen 15
  Die schönen Künste 15 – *Englische Kupferstiche* 21
Aus Goethes Brieftasche 21
  I. Nach Falconet und über Falconet 23
  II. Dritte Wallfahrt 28
Einfache Nachahmung der Natur, Manier, Stil 30
Baukunst. 1795 35
Einleitung in die Propyläen 38
Über Laokoon 56
Über Wahrheit und Wahrscheinlichkeit der Kunstwerke 67
Der Sammler und die Seinigen 73
Winckelmann 96
Letzte Kunstausstellung. 1805 129
Myrons Kuh 130
Ruysdael als Dichter 138
Kunst und Altertum am Rhein und Main. Heidelberg 142
Joseph Bossi über Leonard da Vincis Abendmahl zu Mailand . . 164
Relief von Phigalia 169
Antik und modern 172
Von deutscher Baukunst (1823) 177
Julius Cäsars Triumphzug, gemalt von Mantegna 182
Cäsars Triumphzug, gemalt von Mantegna. Zweiter Abschnitt . 192
La Cena, Pittura in Muro di Giotto 203
Die Externsteine 206
Christus nebst zwölf . . . Figuren 210
Landschaftliche Malerei 216
Zu malende Gegenstände 222

Schriften zur Literatur

Zum Shakespeares-Tag 224
Brief des Pastors zu *** an den neuen Pastor zu *** 228
Literarischer Sansculottismus 239
Plato als Mitgenosse einer christlichen Offenbarung 244
Über epische und dramatische Dichtung 249
Über Schillers Wallenstein 252
Aus: *Regeln für Schauspieler* 252

Alemannische Gedichte 261
Rameaus Neffe 267
Des Knaben Wunderhorn. 270
Plan eines lyrischen Volksbuches 284
Shakespeare und kein Ende. 287
Geistesepochen 298
Indische und chinesische Dichtung. 301
Calderons „Tochter der Luft". 303
Von Knebels Übersetzung des Lucrez 306
Neue Liedersammlung von Karl Friedrich Zelter 308
Östliche Rosen von Friedrich Rückert 309
Phaethon, Tragödie des Euripides. 310
Justus Möser. 320
Wiederholte Spiegelungen 322
Vorschlag zur Güte 324
Goethes Beitrag zum Andenken Lord Byrons 324
Serbische Lieder. 327
Friedrich von Raumer, Geschichte der Hohenstaufen. 338
Dante 339
Nachlese zu Aristoteles' Poetik. 342
Lorenz Sterne 345
Römische Geschichte von Niebuhr 346
Das Nibelungenlied 348
The Life of Friedrich Schiller 350
German Romance 351
Histoire de la vie et des ouvrages de Molière 353
Faust, tragédie de Monsieur de Goethe. 354
Blicke ins Reich der Gnade 356
Für junge Dichter. Wohlgemeinte Erwiderung 358
Noch ein Wort für junge Dichter 360
Goethes wichtigste Äußerungen über „Weltliteratur". 361

Maximen und Reflexionen

Gott und Natur 365 – Religion und Christentum 372 – Gesellschaft und Geschichte 377 – Denken und Tun 396 – Erkenntnis
und Wissenschaft 418 – Kunst und Künstler 467 – Literatur und
Sprache 493 – Erfahrung und Leben 512

KOMMENTARTEIL

Schriften zur Kunst 551
    Nachwort 551 – Anmerkungen 564 – Zur Textgestalt 678
Schriften zur Literatur 683
    Nachwort 683 – Anmerkungen 691 – Zur Textgestalt 724
Maximen und Reflexionen. 727
    Nachwort 727 – Anmerkungen 741 – Register 769

Bibliographie 783